中国文学编年史

两晋南北朝卷

主编◇陈文新

本卷主编◇汪春泓

《中国文学编年史》编纂委员会

总　序

　　纪传体、编年体是中国传统史书的两种主要体裁，而编年体的写作远较纪传体薄弱。《四库全书总目》卷四七史部编年类小序已明确指出这一事实："司马迁改编年为纪传，荀悦又改纪传为编年。刘知幾深通史法，而《史通》分叙六家，统归二体，则编年、纪传均正史也。其不列为正史者，以班、马旧裁，历朝继作。编年一体，则或有或无，不能使时代相续。故姑置焉，无他义也。"① 与古代历史著作的这种体裁格局相似，在 20 世纪的中国文学史写作中，也是纪传体一枝独秀，不仅在数量上已多到难以屈指，各大专院校所用的教材也通常是纪传体，这类著作的核心部分是作家传记（包括作家的创作经历和创作成就）。编年类的著作，则虽有陆侃如、傅璇琮、曹道衡、刘跃进等学者做了卓有成效的工作，但就总体而言，仍有大量空白，尤其是宋、元、明、清、现、当代部分，历时一千余年，文献浩繁，而相关成果甚少。这样一种状况，自然是不能令人满意的。这套十八卷的《中国文学编年史》的编纂出版，即旨在一定程度地改变这种状况。

　　文学史是在一定的空间和时间中展开的。纪传体的空间意识和时间意识以若干个焦点（作家）为坐标，对文学史流程的把握注重大体判断。其优势在于，常能略其玄黄而取其隽逸，对时代风会的描述言简意赅，达到以少许胜多许的境界。若干重要的文学史术语如"建安风骨"、"盛唐气象"、"大历诗风"等，就是这种学术智慧的凝

---

① 永瑢等撰：《四库全书总目》，第 418 页，北京，中华书局，1965。

结。但是，由于风会之说仅能言其大概，"个别"和"例外"（即使是非常重要的"个别"和"例外"）往往被忽略，不免留下遗憾。一些跨时代的作家，如李煜、刘基、张岱等人，在文学史中的时代归属与其代表作的实际创作年代也常有不吻合的情形。例如，李煜被视为南唐作家，而他最好的词写在宋初；刘基被视为明代作家，而他最好的诗、文写在元末；张岱被视为明代作家，而其代表作多写于清初。比上述情形更具普遍性的，还有下述事实：我们讲罗贯中的《三国志通俗演义》，往往以毛宗岗修订本为例；我们讲施耐庵的《水浒传》，往往以百回繁本为例；我们讲兰陵笑笑生的《金瓶梅》，往往以崇祯本为例。这就出现了两方面的问题：第一，我们讲的并不是作家的原著；第二，我们忽略了读者的接受情形。这类涉及风会与例外、作家时代归属与作品实际创作、传播与接受两方面的问题，以纪传体来解决，由于受到体例的限制，往往力不从心，采用编年体，解决起来就方便多了：不难依次排列，以展开具体而丰富多彩的历史流程。

与纪传体相比，编年史在展现文学历程的复杂性、多元性方面获得了极大的自由，但在时代风会的描述和大局的判断上，则远不如纪传体来得明快和简洁。作为尝试，我们在体例的设计、史料的确认和选择方面采用了若干与一般编年史不同的做法，以期在充分发挥编年史长处的同时，又能尽量弥补其短处。我们的尝试主要在三个方面：其一，关于时间段的设计。编年史通常以年为基本单位，年下辖月，月下辖日。这种向下的时间序列，可以有效发挥编年史的长处。我们在采用这一时间序列的同时，另外设计了一个向上的时间序列，即：以年为基本单位，年上设阶段，阶段上设时代。这种向上的时间序列，旨在克服一般编年史的不足。具体做法是：阶段与章相对应，时代与卷相对应，分别设立引言和绪论，以重点揭示文学发展的阶段性特征和时代特征（现当代文学因时间周期较短，拟省略阶段，不设引言）。其二，历史人物的活动包括"言"和"行"两个方面，"行"（人物活动、生平）往往得到足够重视，"言"则通常被忽略。而我们认为，在文学史进程中，"言"的重要性可以与"行"相提并论，特殊情况下，其重要性甚至超过"行"。比如，我们考察初唐的文学，不读陈子昂的诗论，对初唐的文学史进程就不可能有真正的了解；我们考察嘉靖年间的文学，不读唐宋派、后七子的文论，对这一时期的文学景观就不可能有准确的把握。鉴于这一事实，若干作品序跋、友朋信函等，由于透露了重要的文学流变信息，我们也酌情收入。其三，较之政治、经济、军事史料，思想文化活动是我们更加关注的对象。中国文学进程是在中国历史的背景下展开的，与政治、经济、军事、思想文化等均有显著联系，而与思想文化的联系往往更为内在，更具有全局性。考虑到这一点，我们有意加强了下述三方面材料的收录：重要文化政策；对知识阶层有显著影响的文化生活（如结社、讲学、重大文化工程的进展、相关艺术活动等）；思想文化经典的撰写、出版和评论。这样处理，目的是用编年的方式将中国文学进程及与之密切相关的中国思想文化变迁一并展现在读者面前。

《中国文学编年史》是一个基础性的重大学术工程，文献的广泛调查和准确使用是做好编纂工作的首要前提。《四库全书》、《续修四库全书》、《四库存目丛书》、《四库禁毁书丛刊》、《丛书集成》、《笔记小说大观》等是我们经常使用的典籍，近人和今人整理出版的别集、总集，大量年谱（如徐朔方《晚明曲家年谱》），以及文、史、哲方面的编年史，均在参考范围之内，限于体例，未能一一注明，谨此一并致谢。在使用上述文献的过程中，我们采取的是一种如履薄冰、如临深渊的谨慎态度。这是因为，相当一部分典籍是由我们第一次标点，这一工作的难度是不言而喻的。即使是前人已经整理的典籍，我们也并不直接采用，而是根据自己的理解再整理一次。这样做当然增加了工作量，但确有许多好处，若干错误就是在这一过程中得到纠正的，有些错误的纠正涉及基本事实的澄清。比如，张大复《皇明昆山人物传》卷八记梁辰鱼晚年情形，有云："（梁氏）当除夕遇大雪，既寝不寐。忽令侍者遍邀诸年少，载酒放歌，绕城一匝而后就睡。曰：'天为我辈雨玉，可令俗人蹴踏之耶？'时年已七十矣。亡何，中恶，语不甚了。有老奴李用者，颇省其说，尚有注记。得岁七十有三。"一位学者将"中恶，语不甚了"标点为"中恶语，不甚了"，并就此推论说："梁辰鱼七十岁时遭遇暧昧不明的事件。""《皇明昆山人物传》的上述记载本意是为贤者讳，事实上倒很可能为统治者隐盖了迫害异己文人的一件罪行。"这就不免弄错了事实。"中恶"即突然患急病，正所谓"老健春寒秋后热"，老年人得急病是常见的情形。而"中恶语"的表述，明显不符合古人的语言习惯。再如，陈田《明诗纪事》将正德时期的傅汝舟与明末的傅汝舟混为一人，将两人的生平搅在一起，其按语云："丁戊山人诗初矜独造，晚遁荒诞，择其入格者录之，亦是幽弦孤调。山人享大年，具异才，谈佛谈仙，亦作北里中艳语。初与郑少谷游，晚乃与茅止生、卓去病、张文寺、文太青倡和，支离怪诞，无所不有。少谷集中无是也。论者乃专谓山人刻意学少谷，何哉？"《明诗纪事》近三百万言，卓有建树，是研究明诗的必备案头书。但关于傅汝舟，陈田的确弄错了。郑善夫（1485—1523）号少谷，以学杜著称，学郑少谷的是正德年间的傅汝舟；文翔凤号太青，万历三十八年（1610）进士，与文太青等唱和的是明末的傅汝舟。两个傅汝舟之间相距约百年，陈田想当然地将二者合为一人，说他"享大年"，又说他前期学郑少谷，后期学竟陵派，曲意弥缝，令人哑然失笑。其他种种，如部分文学家辞典对作家生卒年的误注，若干点校本的断句错误等，我们都在力所能及的范围内做了纠正。提到这些情况，不是想证明我们的水平有多高，而意在告诉读者：我们的工作态度是认真的，有志于为读者提供一部值得信赖的编年史著述。

《中国文学编年史》的编纂得到了北京大学、武汉大学、南京大学、中国人民大学、中国社会科学院、中国艺术研究院、中华书局、陕西师范大学、西北师范大学、华中师范大学、山东师范大学、山东曲阜师范大学、中南民族大学、中南财经政法大学等单位专家和领导，尤其是武汉大学领导的支持；湖南省新闻出版局、湖南出版投资控股集团及湖南人民出版社鼎力支持编年史的编纂出版，所有这些，我们将永远铭记在心。

陈文新

2006 年 7 月 23 日于武汉大学

凡　例

一、《中国文学编年史》以编年形式演述中国文学发展历程，凡十八卷：第一卷周秦、第二卷汉魏、第三卷两晋南北朝、第四卷隋唐五代（上）、第五卷隋唐五代（中）、第六卷隋唐五代（下）、第七卷宋辽金（上）、第八卷宋辽金（中）、第九卷宋辽金（下）、第十卷元代、第十一卷明前期、第十二卷明中期、第十三卷明末清初、第十四卷清前中期（上）、第十五卷清前中期（下）、第十六卷晚清、第十七卷现代、第十八卷当代。

二、编年史各卷据文学发展的不同阶段划分为若干章（如无必要，或不分章）。章的标目方式是："××章　××年至××年，共××年"。关于某一阶段文学的总体评论放在该章的首年之前，如明前期卷"第一章　洪武元年至建文四年，共 35 年"，在章目下，"洪武元年"之前，单列明前期卷"引言"一目。关于某一时代文学的综合论述，放在卷首。如元代卷，在第一章前，单列元代文学"绪论"。

三、编年史各卷所收录内容的构架大体统一，重点包括七个方面：1. 重要文化政策；2. 对文学发展有显著影响的文化生活（如结社、讲学、重大文化工程的进展、相关艺术活动等）；3. 作家交往（唱和、社团活动等）；4. 作家生平事迹；5. 重要作品的创作、出版和评论；6. 争鸣（团体之间、个人之间在重要问题上的论辩等）；7. 其他。

四、叙事以纲带目，即在征引相关文献之前有一句或数句概述。如，先总叙一句"俞宪编《盛明百家诗》成书"，再征引相关序跋、著录、评议。前者为纲，后者为目，纲、目配合，旨在完整地呈现文学史事实。少量见于常用工具书的重要史实，或不必展开的文学史事实，则列纲而略目，以省篇幅。

五、公历纪年年初与中国传统纪年年末不属同一年份，如公元 1899 年元月 1 日至 12 月 31 日对应于光绪二十四年戊戌十一月二十七日至光绪二十五年己亥十一月二十九日，而不对应于光绪二十五年己亥正月初一至十二月三十日。我们采用变通的处理方法，以公历纪年，而以农历纪月，比如，凡光绪二十五年己亥正月至十二月之内的内容均置于公元 1899 年下。作家生卒年，仍据公历标注，其他以此类推。现、当代文学部分，纪年、纪月均据公历。

1

六、同一年内之文学史实，按月份先后顺序排列。月份不详而仅知季度的，春季置于三月之后，夏季置于六月之后，其他以此类推。季度、月份均不详者，另设"本年"目统之。

七、一部分重要文学史实，年月不详而仅知大体时段者，在年号之末另设"××年间"目统之，如嘉靖四十五年之后另设"嘉靖年间"一目。

八、引用序跋，一般采用"作者+篇名"的方式，如"臧懋循《唐诗所序》"。引用序跋之外的诗文等作品，一般采用"集名+卷次+篇名"的方式，如"《有学集》卷三一《隐湖毛君墓志铭》"，采用"作者+篇名"的方式，如"钱谦益《隐湖毛君墓志铭》"。无篇名者则省略，如"《艺苑卮言》卷三"。某作者集中所收为他人别集所作的序跋，亦采用这一方式，如"《太函集》卷二二《弇州山人四部稿序》"。引用正史，一般采用"正史名+本传或××传"的方式，"如《明史》本传"或"《明史》李攀龙传"，不标卷次。引用《四库全书总目提要》，或用全称，或简称"四库提要"，只标明卷次。如"四库提要卷一五三"。引用地方志，标明纂修年代，如"光绪《乌程县志》卷三一"。据类书转引时，注明原出处，如"《太平广记》卷二〇《阴隐客》（出《博异志》）"。引用报刊，注明年月日或卷次。

九、作者小传一般置于生年。有些作家，虽生年在上一卷，但在上一卷无文学活动，其小传酌情移入本卷首次出现时。如杨士奇，元亡时才4岁，其小传置于明前期卷，出生时只交代："杨士奇（1365—1444）生"，不列小传。现、当代作者，因传记资料常见，相关作家小传酌情收录。

十、对于某一作家的总体评论和重要著录一般置于卒年。某作者卒年在下一卷，但在下一卷无重要文学活动，主要评论材料酌情置于本卷。如易顺鼎（1858—1920），其评论材料集中于晚清卷，不入现代卷。

十一、作家代表作一般不录原文，但收录重要评论材料，并酌情说明相关选本收录情形。

十二、需要补充交待而占用篇幅较大的文学史事实，设少量"附录"。对若干需要辨证的史实，设按语加以说明。以提供文献线索为主，不详加征引。

目 录

第二章 晋王司马睿建武元年至晋恭帝元熙二年
（317—420）共 104 年

第三章　宋元帝永初元年（魏明元帝泰常五年）至
陈后主祯明三年（420—589）共 70 年

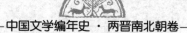

绪 论

刘勰《文心雕龙·时序》：逮晋宣始基，景、文克构，并迹沉儒雅，而务深方术。至武帝惟新，承平受命，而胶序篇章，弗简皇虑。降及怀、愍，缀旒而已。然晋虽不文，人才实盛：茂先摇笔而散珠，太冲动墨而横锦，岳、湛曜联璧之华，机、云标二俊之采，应、傅、三张之徒，孙、挚、成公之属，并结藻清英，流韵绮靡。前史以为运涉季世，人未尽才，诚哉斯谈，可为叹息！元皇中兴，披文建学，刘、刁礼吏而宠荣，景纯文敏而优擢。逮明帝秉哲，雅好文会，升储御极，孳孳讲艺：练情于诰策，振采于辞赋，庾以笔才逾亲，温以文思益厚，揄扬风流，亦彼时之汉武也。及成、康促龄，穆、哀短祚，简文勃兴，渊乎清峻，微言精理，函满玄席，淡思酞采，时洒文囿。孝武不嗣，安、恭已矣；其文史则有袁、殷之曹，孙、干之辈，虽才或浅深，珪璋足用。自中朝贵玄，江左称盛，因谈余气，流成文体。是以世极迍邅而辞意夷泰，诗必柱下之旨归，赋乃漆园之义疏。故知文变染乎世情，兴废系乎时序，原始以要终，虽百世可知也。自宋武爱文，文帝彬雅，秉文之德，孝武多才，英采云构。自明帝以下，文理替矣。尔其缙绅之林，霞蔚而飙起：王、袁联宗以龙章，颜、谢重叶以凤采，何、范、张、沈之徒，亦不可胜也。盖闻之于世，故略举大较。暨皇齐驭宝，运集休明：太祖以圣武膺箓，高祖以睿文纂业，文帝以贰离含章，中宗以上哲兴运，并文明自天，缉遐景祚。今圣历方兴，文思充被，海岳降神，才英秀发，驭飞龙于天衢，驾骐骥于万里，经典礼章，跨周轹汉，唐虞之文，其鼎盛乎！鸿风懿采，短笔敢陈；扬言赞时，请寄明哲。

刘勰《文心雕龙·明诗》：暨建安之初，五言腾踊。文帝、陈思，纵辔以骋节；王、徐、应、刘，望路而争驱；并怜风月，狎池苑，述恩荣，叙酣宴，慷慨以任气，磊落以使才，造怀指事，不求纤密之巧；驱辞逐貌，唯取昭晰之能；此其所同也。及正始明道，诗杂仙心，何、晏之徒，率多浮浅。唯嵇志清峻，阮旨遥深，故能标焉。若乃应璩《百一》，独立不惧，辞谲义贞，亦魏之遗直也。晋世群才，稍入轻绮，张、潘、左、陆，比肩诗衢，采缛于正始，力柔于建安，或析文以为妙，或流靡以自妍，此其大略也。江左篇制，溺乎玄风，嗤笑徇务之志，崇盛忘机之谈，袁孙已下，虽各有雕采，而辞趣一揆，莫与争雄，所以景纯仙篇，挺拔而为俊矣。宋初文咏，体有因革，庄老告退，而山水方滋，俪采百字之偶，争价一句之奇，情必极貌以写物，辞必穷力而追新，此近世之所竞也。

钟嵘《诗品》：降及建安，曹公父子，笃好斯文；平原兄弟，郁为文栋；刘桢、王粲，为其羽翼。次有攀龙托凤，自致于属车者，盖将百计。彬彬之盛，大备于时矣。尔后陵迟衰微，迄于有晋。太康中，三张、二陆、两潘、一左，勃尔复兴，踵武前王，风流未沫，亦文章之中兴也。永嘉时，贵黄老，稍尚虚谈。于时篇什，理过其辞，淡乎寡味。爰及江表，微波尚传。孙绰、许询、桓、庾诸公，诗皆平典似道德论，建安风力尽矣。先是，郭景纯用俊上之才，变创其体；刘越石仗清刚之气，赞成厥美。然彼众我寡，未能动俗。逮义熙中，谢益寿斐然继作。元嘉中，有谢灵运，才高词盛，富艳难踪，固以含跨刘、郭，陵轹潘、左。故知陈思为建安之杰，公干、仲宣为辅。陆机为太康之英，安仁、景阳为辅。谢客为元嘉之雄，颜延年为辅。斯皆五言之冠冕，文词之命世也。

沈约《宋书·谢灵运传论》：自汉至魏，四百余年，辞人才子，文体三变。相如巧为形似之言，班固长于情理之说，子建、仲宣以气质为体，并标能擅美，独映当时。是以一世之士，各相慕习，原其飙流所始，莫不同祖《风》《骚》。徒以赏好异情，故意制相诡。降及元康，潘、陆特秀，律异班、贾，体变曹、王，缛旨星稠，繁文绮合。缀平台之逸响，采南皮之高韵，遗风余烈，事极江右。有晋中兴，玄风独振，为学穷于柱下，博物止乎七篇，驰骋文辞，义单乎此。自建武暨乎义熙，历载将百，虽缀响联辞，波属云委，莫不寄言上德，托意玄珠，遒丽之辞，无闻焉尔。仲文始革孙、许之风，叔源大变太元之气。爰逮宋氏，颜、谢腾声。灵运之兴会标举，延年之体裁明密，并方轨前秀，垂范后昆。若夫敷衽论心，商榷前藻，工拙之数，如有可言。夫五色相宣，八音协畅，由乎玄黄律吕，各适物宜。欲使宫羽相变，低昂互节，若前有浮声，则后须切响。一简之内，音韵尽殊；两句之中，轻重悉异。妙达此旨，始可言文。至于先士茂制，讽高历赏，子建函京之作，仲宣霸岸之篇，子荆零雨之章，正长朔风之句，并直举胸情，非傍诗史，正以音律调韵，取高前式。自《骚》人以来，而此秘未睹。至于高言妙句，音韵天成，皆暗与理合，匪由思至。张、蔡、曹、王，曾无先觉，潘、陆、谢、颜，去之弥远。世之知音者，有以得之，知此言之非谬。如曰不然，请待来哲。

《晋书·文苑传》：及金行纂极，文雅斯盛，张载擅铭山之美，陆机挺焚研之奇，潘夏连辉，颉颃名辈，并综采繁缛，杼轴清英，穷广内之青编，缉平台之丽曲，嘉声茂迹，陈诸别传。至于吉甫、太冲，江右之才杰；曹毗、庾阐，中兴之时秀。信乃金相玉润，林荟川冲，埒美前修，垂裕来叶……史臣曰：夫赏好生于情，刚柔本于性，情之所适，发乎咏歌，而感召无象，风律殊制。至于应贞宴射之文，极形言之美，华林群藻，罕或畴之。子安幼标明敏，少蓄清思，怀天地之寥廓，赋辞人之所遗，特构新情，岂常均之所企！太冲含豪历载，以赋《三都》，士安见而称善，平原睹而韬翰，匪惟高步当年，故以腾华终古。邹湛之持论，枣据之缘情，实南阳之人杰，盖颍川之时秀。季雅摛属遒迈，夙备成德，称为泉岱之珍，固其然矣。彦伯未能混迹光尘，而屈乎卑位，《释时》宏论，亦足见其志耳。季鹰纵诞一时，不邀名爵，《黄花》之什，浚发神府。仲初之文，风流可尚，擢秀士林，《扬都》之美，尤重时彦。曹毗沉研秘籍，跂足下僚，绮靡降神之歌，朗畅《对儒》之论。李充之《学箴》，信清壮也。袁宏《东征》《名臣》之作，抑潘陆之亚。玄度学艺优赡，笔削擅奇，降帝问于西堂，故其荣观也。君章耀湘中之宝，挺荆楚之材，梦鸟发乎精诚，岂独日者之蛟凤！长康矜能过实，谭谐取容，而才多逸气，故有三绝之目。仲静机思通敏，延誉清流，德舆西伐之计，取定于微指者矣。

宋吴聿《观林诗话》：汉武《柏梁台》，群臣皆联七言，或述其职，或谦叙不能，至左冯翊曰："三辅盗贼天下尤。"右扶风曰："盗阻南山为民灾。"京兆尹曰："外家公主不可治。"则又有规警之风。及宋孝武《华林都亭》，梁元帝《清言殿》，皆效此体。虽无规儆之风，亦无佞谀之辞，独叙叨冒愧惭而已。近世应制，争献谀辞，褒日月而谀天地，恐不至。古者赓载相戒之风，于是扫地矣。

古人五字，往往句有相犯者。如潘安仁、王仲宣皆云："但愬杯行迟。"曹子建、应德琏皆云："公子敬爱客。"李少卿云："行人怀往路。"苏子卿云："征夫怀往路。"左太冲云："绿叶日夜黄。"张景阳云："密叶日夜疏。"《古诗》："秋草凄以绿。"又："秋草萋更碧。"谢玄晖又云："春草秋更绿。"如此者众，不可悉举。

元陈绎曾《诗谱》：凡读《文选》诗，分三节，东都以上主情，建安以下主意，三谢以下主辞。齐梁诸家，五言未成律体，七言乃多古制，韵度独出盛唐人上一等，但理不胜情，气不胜辞耳。

明李东阳《麓堂诗话》：六朝宋元诗，就其佳者，亦各有兴致，但非本色，只是禅家所谓"小乘"，道家所谓"尸解"仙耳。

明谢榛《四溟诗话》卷一：六朝以来，留连光景之弊，盖自《三百篇》比兴中来。然抽黄对白，自为一体。

明许学夷《诗源辩体》卷五：子建、仲宣四言，虽是词人手笔，实雅体也；至二陆、安仁，则多以碑铭为诗矣。胡元瑞云："说者谓五言之变，昉于潘陆。不知四言之亡，亦晋诸子为之也。"下至颜延之，多首尾成对，谢玄晖抑又靡丽矣。

陆士衡五言，体虽渐入排偶，语虽渐入雕刻，其古体犹有存者。至潘安仁《金谷》《河阳》《怀县》《悼亡》等作，则更伤冗漫，而古体散矣。孙兴公谓"潘文浅而净，陆文深而芜。"陈绎曾亦谓："潘质胜于文，有古意。"何耶？

陆士衡、潘安仁、张景阳五言，其体渐入俳偶，而陆、潘语并入雕刻，景阳亦间有之。左太冲虽略见俳偶，却有浑成之气。刘勰谓四子"采缛于正始，力柔于建安"，则似无分别。

予尝为四家品第：太冲浑成独冠；士衡雕刻伤拙，而气格犹胜；景阳华彩俊逸，而气稍不及；安仁体制既亡，气格亦降，察其才力，实在士衡之下。

太康诸子，其体有不同者，当是气有强弱，才有大小耳，未必各有师承也。宋景濂谓："安仁、茂先、景阳学仲宣，太冲、季鹰法公干。"此论出于钟嵘，不免以形似求之。

西晋仅六十年，而作者甚多，东晋百余年，而作者绝少。王元美云："渡江以后，作者无几，非惟戎马为阻，当由清谈间之。"

明许学夷《诗源辩体》卷六：五言自汉魏至六朝，皆自一源流出，而其体渐降。惟陶靖节不宗古体，不习新语，而真率自然，则自为一源也。然已兆唐体矣。

明许学夷《诗源辩体》卷七：太康五言，再流而为元嘉。然太康体虽渐入俳偶，语虽渐入雕刻，其古体犹有存者；至谢灵运诸公，则风气益漓，其习尽移，故其体尽俳偶，语尽雕刻，而古体遂亡矣。此五言之三变也。

汉魏诗兴寄深远，渊明诗真率自然。至于山林丘壑、烟云泉石之趣，实自灵运发之，而玄晖殆为继响。灵运如"水宿淹晨暮"等句，于烟云泉石，描写殆尽。

汉魏人诗，但引事而不用事，如《十九首》"谁能为此曲？无乃杞梁妻"……皆引事也。至颜谢诸子，则语既雕，而用事实繁，故多有难明耳。秦汉与六朝人文章亦然。

予尝谓汉魏五言如大篆，元嘉颜谢五言如隶书。米元章云："书至隶兴，大篆古法大坏矣。"犹予谓诗至元嘉而古体尽亡也。此理势之自然，无足为怪。

明许学夷《诗源辩体》卷八：元嘉五言，再流而为永明，然元嘉体虽尽入俳偶，语虽尽入雕刻，其声韵犹古，至玄晖、休文则风气始衰，其习渐卑，故其声渐入律，语渐绮靡，而古声渐亡矣。此五言之四变也。然析而论之，玄晖为工，休文才有不逮，丘迟、任昉虽终仕于梁，而其诗亦永明体，但篇什甚少，不足序列。

明许学夷《诗源辩体》卷九：永明五言，再流而为梁简文及庾肩吾诸子，然永明声虽渐入于律，语虽渐入绮靡，其古声犹有存者；至梁简文及庾肩吾之属，则风气益衰，其习愈卑，故其声尽入律、语尽绮靡而古声尽亡矣。此五言之五变也。然析而论之，肩吾为工，而简文语更入妖艳。

明胡应麟《诗薮》内编卷一《古体上》：裂周而王者，七国也。闰汉而统者，六朝也。窃唐而君者，五代也。七国所以兆汉，六朝所以开唐，五代所以基宋。然七国六朝变乱斯极，而文人学士挺育实繁。屈、宋、唐、景，鹊起于先，故一变为汉，而古诗千秋独擅。曹、刘、陆、谢，蝉联于后，故一变为唐，而近体百世攸宗。五季乱不加于战国，变不数于南朝，而上靡好文，下旷学古，故自宋至元，历年三百，莫能自拔。非天开明德，宇宙其无诗哉！

四言汉多主格，魏多主词，虽体有古近，各自所长。晋诸作者，浮慕三百，欲去文存质，而繁靡板垛，无论古调，并工语失之。今观二陆、潘、郑诸集，连篇累牍，绝无省发，虽多奚为？

叔夜送人从军至十九首，已开晋宋四言门户。然雄词彩语，错乎其间，未令人厌。至士龙兄弟，泛滥靡冗，动辄千言，读之数行，掩卷思睡。说者谓五言之变，昉于潘陆。不知四言之亡，亦晋诸子为之也。宋、齐、颜、谢，递相祖述，遂成有韵之文。梁、陈、隋氏，弃而不讲，风雅湮没，匪朝夕矣。

晋以下，若茂先《励志》，广微《补亡》，季伦《吟叹》等曲，尚有前代典刑。康乐绝少四言，元亮《停云》《荣木》，类其所为五言。要之叔夜太浓，渊明太淡，律之大雅，俱偏门耳。

明胡应麟《诗薮》内编卷二《古体中》：五言盛于汉，畅于魏，衰于晋宋，亡于齐梁。汉，品之神也；魏，品之妙也；晋宋，品之能也；齐梁陈隋，品之杂也。汉人诗，质中有文，文中有质，浑然天成，绝无痕迹，所以冠绝古今。魏人赡而不俳，华而不弱，然文与质离矣。晋与宋，文盛而质衰，齐与梁，文盛而质灭，陈隋无论其质，即文无足论者。

古诗浩繁，作者至众。虽风格体裁，人以代异，支流原委，谱系俱存。炎刘之制，远绍国风。曹魏之声，近沿枚李。陈思而下，诸体毕备，门户渐开。阮籍、左思，尚存其质。陆机、潘岳，首播其华。灵运之词，渊源潘陆。明远之步，驰骤太冲。

建安首称曹刘……晋则嗣宗《咏怀》，兴寄冲远；太冲《咏史》，骨力莽苍；虽涂辙稍歧，一代杰作也。安仁、士衡，实曰冢嫡，而俳偶渐开。康乐风神华畅，似得天授，而骈俪已极。至于玄晖，古意尽矣。

古诗降魏，虽加雄赡，温厚渐衰。阮公起建安后，独得遗响。第文多质少，词衍意狭，东西京则不然，愈朴愈巧，愈浅愈巧。

齐梁陈隋，世所厌薄，而其琢句之工绝出人表，用于古诗不足，唐律有余，初学暂置可也。若终身不敢过目，即品格造诣，概可知矣。

汉人诗，无句可摘，无瑕可指。魏人诗，间有瑕，然尚无句也；六朝诗较无瑕，然而有句也。

明胡应麟《诗薮》内编卷三《古体下》：七言古乐府外，歌行可法者，汉《四愁》，魏《燕歌》，晋《白纻》。宋齐诸子，大演五言，殊寡七字。至梁乃有长篇，陈隋浸盛，婉丽相矜，极于唐始，汉魏风骨，殆无复存。李、杜一振古今，七言几于尽废。然东西京古质典刑，邈不可观矣。

晋《白纻》辞，绮艳之极，而古意犹存。自后作者相沿，梁武之外，明远、休文，辞各美丽。然明远"池中赤鲤"一章，辞意不类。梁武仅作小言，休文虽创四时之体，至后半篇五首尽同，亦七言绝耳。若晋人形容物态婉转，妙绝诸家，似未窥也。

六代兄弟齐名者，晋为最盛。二陆、二张、二傅。士衡、景阳，煊赫词场，休奕名出其下远甚。然张、陆自五言外，歌行概不多见。休奕《庞烈妇》杂言，继踵东京，《董桃行》六言，独畅典午。铙歌诸作，亦在缪袭、韦昭间。惟五言勦袭雷同，绝少天趣，声价不竞，职此之由。

元亮、延之，绝无七言。康乐仅一二首，亦非合作。歌行至宋益衰，惟明远颇自振拔，《行路难》十八章，欲汰去浮靡，返于浑朴，而时代所压，不能顿超。后来长短句实多出于此，与玄晖五言，俱兆唐人轨辙矣。

曹氏父子而下，六代人主，世有文辞者：梁武、昭明、简文，差足继轨。七言歌行，梁武尤胜。"河中之水"、"东飞伯劳"，皆寓古调于纤词，晋后无能及者。简文《乌栖曲》，妙于用短；元帝《燕歌行》，巧于用长；并唐体之祖也。

建安以后，五言日盛。晋、宋、齐间，七言歌行寥寥无几。独《白纻歌》《行路难》时见文士集中，皆短章也。梁人颇尚此体，《燕歌行》《捣衣曲》诸作，实为初唐鼻祖。

明胡应麟《诗薮》外编卷二《六朝》：晋宋之交，古今诗道升降之大限乎！魏承汉后，虽浸尚华靡，而淳朴余风，隐约尚在。步兵优柔冲远，足嗣西京，而浑噩顿殊。记室豪荡飞扬，欲追子建，而和平概乏。士衡、安仁一变，而俳偶愈工，淳朴愈散，汉道尽矣。

元亮得步兵之澹，而以趣为宗，故时与灵运合也，而于汉离也。明远得记室之雄，而以词为尚，故时与玄晖近也，而去魏远也。

汉、魏、晋、宋、齐、梁、陈、隋，八代之阶级森如也。枚、李、曹、刘、阮、陆、陶、谢、鲍、江、何、沈、徐、庾、薛、卢，诸公之品第秩如也。其文日变而盛，而古意日衰也；其格日变而新，而前规日远也。

士衡诸子，六代之初也。灵运诸子，六代之盛也。玄晖诸子，六代之中也。孝穆诸子，六代之晚也。

当涂以后人才，故推典午。二陆、二潘、二张、二傅外，太冲之雄才，茂先之华整，季伦之雅饬，越石之清峭，景纯之丽尔，元亮之超然。方外则葛洪、支遁，闺秀则道韫、若兰。自宋迄隋，此盛未睹。

宋齐自诸谢外，明远、延之、元长三数公而已。梁氏体格愈卑，操觚颇众，沈约、江淹、范云、任昉、肩吾、希范、吴、柳、阴、何，至萧、王、刘氏，一门之中，不啻十辈。才非晋敌，数则倍之。陈、隋、徐、庾外，总持、正见、思道、道衡，余不多得。故吾以合宋、齐不能当一晋，合陈、隋不能敌一梁也。

《诗品》云："陈思魏邦之杰，公干、仲宣为辅。士衡晋室之英，安仁、景阳为辅。康乐宋代之雄，颜延年为辅。"亦颇得之。然公干、仲宣非魏文比，安仁、景阳非太冲比，延之非明远比，错综诸集，参伍群言，钟所剖裁，似难金允。至嗣宗介魏晋间，元亮介晋宋间，品格位置，可谓天然，无容更议也。

六代选诗者，昭明《文选》，孝穆《玉台》。评诗者，刘勰《雕龙》，钟嵘《诗品》。刘、钟藻骘，妙有精理，而制作不传。孝穆词人，然《玉台》但辑闺房一体，靡所事选。独昭明鉴裁著述，咸有可观。至其学业洪深，行义笃至，殊非文士所及。自唐以前，名篇杰什，率赖此书。功德词林，故自匪浅。宋人至以五臣匹之，何其忍也。

潘、陆俱词胜者也。陆之才富，而潘气稍雄也。陶、谢俱韵胜者也，谢之才高，而陶趣差远也。

两汉之流而六代也，其士衡之责乎！六代之变而三唐也，其玄晖之责乎！

葛稚川、陶贞白，皆文士也，寄趣铅椠耳，其诗文笔札，自足不死。支遁、慧远并高人韵流，托迹方外，文采不能自遏，时见一斑，便足争衡作者。唐宋以还，仙释虽盛，率庸琐不足望数君。

明陆时雍《诗镜总论》：晋多能言之士，而诗不佳，诗非可言之物也。晋人惟华言是务，巧言是标，其衷之所存能几也？其一二能诗者，正不在清言之列，知诗之为道微矣。嵇阮多材，然嵇诗一举殆尽。

精神聚而色泽生，此非雕琢之所能为也。精神道宝，闪闪著地，文之至也。晋诗如丛采为花，绝少生韵。士衡病靡，太冲病侉，安仁病浮，二张病塞。语曰："情生于文，文生于情。"此言可以药晋人之病。

素而绚，卑而未始不高者，渊明也。艰哉士衡之苦于缛绣而不华也。夫温柔悱恻，诗教也。恺悌以悦之，婉娈以入之，故诗之道行。左思抗色厉声，则令人畏；潘岳浮词浪语，则令人厌，欲其入人也难哉！

晋人五言绝，愈俚愈趣，愈浅愈深。齐梁人得之，愈藻愈真，愈华愈洁。此皆神情妙会，行乎其间。唐人苦意索之，去之愈远。

至诗至于宋，古之终而律之始也。体制一变，便觉声色俱开。谢康乐鬼斧默运，其梓庆之镰乎？颜延年代大匠断而伤其手也。寸草茎，能争三春色秀，乃知天然之趣远矣。主诗丽于宋，艳于齐。物有天艳，精神色泽，溢自气表。王融好为艳句，然多语不成章，则涂泽劳而神色隐矣。如卫之《硕人》、骚之《招魂》，艳极矣，而亦真极矣。柳碧桃红，梅清竹素，各有固然。浮薄之艳，枯槁之素，君子所弗取也。

诗至于齐，情性既隐，声色大开。谢玄晖艳而韵，如洞庭美人，芙蓉衣而翠羽旗，绝非世间物色。

齐梁人欲嫩而得老，唐人欲老而得嫩，其所别在风格之间。齐梁老而实秀，唐人嫩而不华，其所别在意象之际。齐梁带秀而香，唐人撰华而秒，其所别在点染之间。

刘宋孝武菁华璀璨，遂开灵运之先。陈后主妆裹丰余，精神悴尽，一时作者，俱披靡颓败，不能自立。以知世运相感，人事以之。

清叶燮《原诗·外篇下》：汉魏之诗，如画家之落墨于太虚中，初见形象。一幅绢素，度其长短、阔狭，先定规模；而远近浓淡，层次脱卸，俱未分明。六朝之诗，始知烘染设色，微分浓淡；而远近层次，尚在形似意想间，犹未显然分明也。盛唐之诗，浓淡远近层次，方一一分明，能事大备。

又尝谓汉魏诗不可论工拙；其工处乃在拙，其拙处乃见工，当以观商周尊彝之法观之。六朝之诗，工居十六七，拙居十三四；工处见长，拙处见短。唐诗诸大家、名家，始可言工；若拙者则竟全拙，不堪寓目。

又汉魏诗，如初架屋，栋梁柱础，门户已具；而窗棂楹槛等项，犹未能一一全备，但树栋宇之形制而已。六朝诗始有窗棂楹槛、屏蔽开阖。唐诗则于屋中设帐帷床榻器用诸物，而加丹垩雕刻之工。

六朝诗家，惟陶潜、谢灵运、谢朓三人最杰出，可以鼎立。三家之诗不相谋：陶潜淡远，灵运警秀，朓高华。各辟境界、开生面，其名句无人能道。左思、鲍照次之。思与照亦各自开生面，余子不能望其肩项。最下者潘安、沈约，几无一首一语可取，诗如其人之品也。齐梁骈俪之习，人人各矜其长；然以数人之作，相混一处，不复辨其为谁，千首一律，不知长在何处！其时脍炙之句，如"芙蓉露下落，杨柳月中疏"、"亭皋木叶下，陇首秋云飞"等语，本色无奇，亦何足艳称也！

六朝诸名家，各有一长，俱非全璧。鲍照、庾信之诗，杜甫以"清新"、"俊逸"归之，似能出乎类者；究之拘方以内，画于习气，而不能变通。然渐辟唐人之户牖，而启其手眼，不可谓庾不为之先也。

清方东树《昭昧詹言》卷五：古人处变革之际，其立言皆可睹其志性。如孔北海、阮公，固激发忠愤，情见乎辞。陶公淡而忘之，犹有《荆轲》等作。康乐仕不得志，却自以脱屣富贵，模山范水，流连光景，言之不一而足，如是而已，其志无先朝思也。"韩亡、秦帝"之诗，作于有罪之后，但撑挂门面耳，何谓"忠义动君子"也。当日庐陵王论曰："灵运空疏，延之临薄，鲜能以名节自立。"可谓知言矣。

清方东树《昭昧詹言》卷二十一：四言诗缔造良难，于《三百篇》太离不得，太肖不得，太离则失其源，太肖则只袭其貌也。韦孟《讽谏》，在邹之作，肃肃穆穆，未离雅正。刘琨《答卢谌篇》，拙重之中，感激豪荡，准以变雅，似离而合。张华、二陆、潘越辈，恢恢欲息矣。渊明《停云》《时运》等篇，清腴简远，别成一格。愚谓渊明四言，意深于辞，脉理精蕴，寻绎愈永。

清冯班《钝吟杂录》：陆士衡《拟古诗》、江淹《拟古三十首》，如搏猛虎，捉生龙，急与之较，力不暇，气格悉敌。今人拟诗，如床上安床，但觉怯处种种不逮耳。然前人拟诗，往往只取其大意，亦不尽如江、陆也。

清王夫之《薑斋诗话》卷下："池塘生春草"、"蝴蝶飞南园"、"明月照积雪"皆心中目中与相融浃，一出语时，即得珠圆玉润；要亦各视其所怀来，则与景相迎者也。"日暮天无云，春风散微和"，想见陶令当时胸次，岂夹杂铅汞人能作此语？程子谓见濂溪一月，坐春风中。非程子不能知濂溪如此，非陶令不能自知如此也。

一诗止于一时一事，自《十九首》至陶、谢皆然。"夔府孤城落日斜"，继以"月映荻花"，亦自日斜至月出，诗乃成耳。若杜陵长篇，有历数月日事者，合为一章，《大雅》有此体。后惟《焦仲卿》《木兰》二诗为然。要以从旁追叙，非言情之章也。为歌行则合，五言固不宜尔。

建立门庭，自建安始。曹子建铺排整饰，立阶级以赚人升堂，用此致诸趋赴之客，容易成名，伸纸挥毫，雷同一律。子桓精思逸韵，以绝人攀跻，故人不乐从，反为所掩。子建以是压倒阿兄，夺其名誉。实则子桓天才骏发，岂子建所能压倒耶？故嗣是而兴者，如郭景纯、阮嗣宗、谢客、陶公，乃至左太冲、张景阳，皆不屑染指建安之羹鼎，视子建蔑如矣。

清沈德潜《说诗晬语》：士衡旧推大家，然通赡自足，而绚彩无力，遂开出排偶一家。降自齐梁，专工对仗，边幅复狭，令阅者白日欲卧，未必非陆氏为之滥觞也。所撰《文赋》云："诗缘情而绮靡"，言志章教，惟资涂泽，先失诗人之旨。

汉魏诗只是一气转旋，晋以下始有佳句可摘，此诗运升降之别。

诗至于宋，性情渐隐，声色大开，诗运一转关也。康乐神工默运，明远廉俊无前，允称二妙。延年声价虽高，雕镂太过，不无沉闷；要其厚重处，古意犹存。

萧梁之代，君臣赠答，亦工艳情，风格日卑矣。隐侯短章，略存古体。文通、仲言，辞藻斐然，虽非出群之雄，亦称一时能手。陈之视梁，抑有降焉。子坚、孝穆，略具体裁，专求佳句，差强人意云尔。

清吴乔《围炉诗话》卷一：两晋之诗渐有偶句，至沈、宋而极。齐、梁始有声病，至唐律而极。宫体始淫，至晚唐而极。

清吴乔《围炉诗话》卷二：潘、张、左、陆以后，清言既盛，诗人所作，皆老庄之赞颂，颜、谢、鲍出，始革其制。元嘉之诗，千古文章于此一大变。请具论之：汉人作赋，颇有模山范水之文，五言则未有。后代诗人之言山水，始于康乐。士衡对偶已繁；用事之密，始于颜延之，后世对偶之祖也。《三百篇》言饮酒，虽曰"不醉无归"，然亦合欢成礼而已；"彼醉不臧"，则有沉湎之刺。诗人言饮酒不以为讳，自陶公始之也。《国风》好色而不淫，朱子始以郑、卫为男女相悦之词，古实不然。《楚辞》美人以喻君子。五言既兴，义同《诗》《骚》，虽男女欢娱幽怨之作，未极淫放，《玉台新咏》所载可见。至于沈、鲍，文体倾侧，宫体滔滔，作俑于此。永明、天监之际，鲍体独行，延之、康乐微矣。严沧浪于康乐之后不言延之，又不言沈、谢，则齐、梁声病之体，不知其所始矣；不言鲍明远，则宫体红紫之文，不知其所法矣。虽言徐、庾，亦忘祖也。于时诗人，灼然自名一体者，如吴叔庠，边塞之文所祖也。又如柳吴兴、刘孝绰、何仲言，皆唐人所法，何以都不及？子美"颇学阴、何"，又云"李侯有佳句，往往似阴铿"，则子坚之体，亦不可缺。齐、梁以来，南北文章颇为不同。北多骨气，而文不及南。邺下才人，卢思道、薛道衡皆有盛誉。自隋炀有非倾侧之论，徐、庾之文少变，于时文多雅正。薛道衡气格清拔，与杨素酬唱之作，义山极道之。唐初文字，兼学南北，以人言之，道衡亦不可缺。

清田雯《古欢堂杂著》卷二：晋世群才，以绮情藻思，争长竞胜。然采缛于正始，力弱于建安，或析文以为妙，或流靡以自妍，视汉魏一变焉……景纯隽上之才，安仁清矫之致，抗左称雄。而越石又过之。谢尚、袁宏各家，篇章无几。至于《子夜》《四时》，繁文丽曲，其别调也。

清毛先舒《诗辩坻》卷一：若夫古诗，大约以五言为准。何者？后代四言，率多窘缚，附庸三古，难起一宗。五言，西汉则《十九》《河梁》，东京则伯喈、平子，建安则子建、仲宣，魏、晋则阮、陆、陶、谢，六代翩翩俊俪之风，四唐英英律绝之制。

曹植始开奇宕，顿失汉音；陆机笃尚高华，竟变魏制。浔阳省静体，已非晋骨；宣城惊人句，实始唐音。

汉变而魏，魏变而晋，调渐入俳，法犹抗古。六代靡靡，气稍不振，矩度斯在。何者？俳者近拙，拙犹存古；藻者征实，实犹存古。

清毛先舒《诗辩坻》卷二：张茂先诗，粗厉少姿制，却能存魏骨于将夷。傅休奕亦然。

晋、宋间，陶、谢齐名而背驰，独有"虚舟纵逸棹"一首，酷似谢作。

六朝释子多赋艳词，唐代女冠恒与曲宴，要亦弊俗之趋使然也。

士衡、灵运才气略等，结撰同方。然灵运隽掩其雄，士衡雄掩其隽，故后之论者，遂无复云谢出于陆耳。

刘太尉诗有孟德之气，子建之骨，特密处不似魏人耳。卢郎中《览古》，滔滔直书，亦自劲绝。

世并称三谢，然实互有同异。秘书无微不抉，隐秀绝伦。法曹酷欲似兄，而才幅苦狭，角奥字句，殊乏微思，观其本色，乃在流逸，《秋怀》《捣衣》，是其自运之妙。宣城词锋壮丽，大启唐音，元嘉遗响，自此革之。氏源虽同，诗派判矣。

《诗薮》云："陈、隋无论真质，即文无足论者。"予谓非也。夫江、孔轩华，隋炀典畅，足以殿齐、梁之末路，启李唐之大风。

清贺贻孙《诗筏》："史称潘岳、陆机而后，文士莫及，惟江右称潘、陆，江左称颜、谢而已。然安仁诗赋佳处，仅见之于哀悼语中；士衡惊才绝艳，乃其为诗，不及其《文赋》、《豪士赋序》《吊魏武帝文》《辨亡五等诸侯论》远甚。盖惊才绝艳，宜于文，不宜于诗。其谓"诗缘情而绮靡"，即此"绮靡"二字，便非知诗者。然则潘、陆故非颜、谢匹也。杜子美以"清新"、"俊逸"分称庾子山、鲍明远二人，可谓定评矣。但六朝人为清新易，为俊逸难。诗家清境最难，六朝虽有清才，未免字字求新，则清新尚兼人巧，而俊逸纯是天分。清新而不俊逸者有矣，未有俊逸而不清新者也。子美虽两人并称，然大半为明远左袒耳。及取两人诗读之，明远既有逸气，又饶清骨；子山虽多清声，不乏逸响。且俊逸易涉于佻，而明远则厚；清新易涉于浮，而子山则警。明远与颜、谢同时，而能独运灵腕，尽脱颜、谢板滞之习。子山当陈、隋靡靡之日，而时有骨气，不为肤立。六朝人多不能为七言，而明远独以七言擅长。若子山五言诗，竟是唐人近体佳手矣。虽所就不同，要皆一时出类之才也。

谢玄晖与沈休文论诗云："好诗圆美流转如弹丸。"此实玄晖自评也。其诗仍是谢氏宗派，而一种奇俊幽秀处，似沉酣于康乐集中而得者。然谢家惊人之句，不称康乐，独称玄晖者，康乐堆积佳句，务求奇俊幽秀之语以惊人，而不知其不可惊人也。采玉玄圃者，触眼琳琅，亦复何贵？良工取之磨砻成器，温润玲珑，虽仅径寸，人共珍之矣。玄晖能以圆美之态，流转之气，运其奇俊幽秀之句，每篇仅三四见而已。然使读者于圆美流转中，恍然遇之，觉全首无非奇俊幽秀，又使人第见其奇俊幽秀，而意忘其圆美流转，此其所以惊人也。

南朝齐、梁以后，帝王务以新词相竞，而梁氏一家，不减曹家父子兄弟，所恨体气卑弱耳。武帝以文学，与谢朓、沈约辈，为齐竟陵王八友，著作宏富，固自天授。而简文艳情丽藻，在明远、玄晖之间，沈约、任昉诸臣，皆所不及，武帝以东阿拟之，信不虚也。梁元帝及昭明统、武陵纪、邵陵纶，亦自奕奕，独昭明小劣耳。宫体一出，从风而靡，盖秀才天子也，又降为浪子皇帝矣。陈后主、隋炀帝才思艳发，曾何救于败亡也。伤哉！

江总才华，岂不与徐、庾并驱，乃与孔范等十人，称叔宝狎客。八妇迭倡，十客赓和，君臣沈湎，男女淫亵，擘笺未几，入井随之，《玉树》方阕，黄尘已断，璧月琼枝，千古同消，江、孔之罪，可胜诛乎？孔范已入《佞幸传》，江总岂宜在诗人之列！虽然，六朝才子，责以人品，能有几人？斯又可同付之太息也！自玄晖后，如沈约、江淹、王筠、任昉诸臣，皆慕玄晖之风，而皆不能及。休文复倡为声病之说，音韵稍促，遂开古诗近体分途之渐。盖江东颜、谢之体，至玄晖而畅，至沈约辈而弱，至陈、隋而荡矣。愈变愈新，因而愈衰，是六朝之诗，亦自为初盛中晚也。

清鲁九皋《诗学源流考》：故自汉以来，乐府而外，凡学士大夫之作，别作徒诗，殆其音节与丝竹不相调软？蜀汉之际，魏、吴并立，而曹氏父子擅制作才，子建尤为杰出，多借乐府题以歌咏时事。其时孔融、王粲、徐幹、刘桢、陈琳、阮瑀、应场群相景附，谓之"建安七子"。自后言诗者，奉为大宗。魏既篡汉，晋旋代魏，典午之世，阮嗣宗之《咏怀》，其遗音也。及金陵既下，混一晋统，而陆氏机、云入洛，与张华兄弟齐名，时称"二陆三张"。而傅玄、潘岳，并擅时誉，然文采徒存，性真不附，诗道至此少衰。惟太冲《咏史》，景纯《游仙》，刘琨伤乱，颇能振兴。迄陶公降世，以西山之节，师柳下之行，不激不随。超然闲淡，时时歌咏其性情，而真诗以出，风雅之盛，复媲于建安矣。刘宋之夺晋祚也，晋臣谢灵运入焉，与其从叔公混、从弟惠连、瞻并名于时。其诗长于游山，刻画点缀，备极神妙。而颜特进、鲍参军各以其能著。参军之拟古诸作，实足与谢相伯仲，故后世并称鲍、谢。及玄晖继起于齐，又有大小谢之称。梁继齐统，何逊、沈约、范云、任昉、江淹、柳恽、吴均一时并起。诸子之才，水部为冠。休文审定音韵，特标五声八病，遂为律诗滥觞。自后陈有徐陵、阴铿，北周有王褒、庾信。迨隋一南北，炀帝以英鸷之才，与群臣唱和；而越公杨素尤为挺出，薛内史虽负盛名，非其伦也。盖自谢氏游山，体尚排偶，词工雕绘，虽在彼为之，弥见古朴，而由此日趋日下，性情愈隐，至陈极矣。迄于隋，其后古之一机乎？盖三汉、六朝之大略如此。

刘熙载《艺概·诗概》：曹子建、王仲宣之诗出于《骚》，阮步兵出于《庄》，陶渊明大要出于《论语》。

谢才颜学，谢奇颜法，陶则兼而有之，大而化之，故其品为尤上。

陶、谢用理语各有胜境。钟嵘《诗品》称"孙绰、许询、桓、庾诸公诗，皆平典似《道德论》"。此由乏理趣耳，夫岂尚理之过哉！

韦傅《讽谏诗》，经家之言；阮嗣宗《咏怀》，子家之言；颜延年《五君咏》，史家之言；张景阳《杂诗》，辞家之言。

刘师培《中国中古文学史》第四课《魏晋文学之变迁》：魏代自太和以迄正始，文士辈出。其文约分两派：一为王弼、何晏之文，清峻简约，文质兼备，虽阐发道家之绪，实与名、法家言为近者也。此派之文，盖成于傅嘏，而王、何集其大成；夏侯玄、钟会之流，亦属此派；溯其远源，则孔融、王粲实开其基。一为嵇康、阮籍之文，文章壮丽。捡采骈辞，虽阐发道家之绪，实与纵横家言为近者也。此派之文，盛于竹林诸贤；溯其源流，则阮瑀、陈琳已开其始。惟阮、陈不善持论，孔、王虽善持论，而不能藻以玄思，故世之论魏晋文学者，昧厥渊源之所出。

东晋人士，承西晋清谈之绪，并精名理，善论难，以刘琰、王蒙、许询为宗，其与西晋不同者，放诞之风，至斯尽革。又西晋所云名理，不越老庄，至于东晋，则支遁、法深、道安、慧远之流，并精佛理，故殷浩、郗超诸人，并承其风，旁迄孙绰、谢尚、阮裕、韩伯、孙盛、张凭、王胡之，亦均以佛理为主，息以儒玄；嗣则殷仲文、桓玄、羊孚，亦精玄论。大抵析理之美，超越西晋，而才藻新奇，言有深致，即孙安国所谓"南人学问，清通简要"也。故其为文，亦均同潘而异陆，近嵇而远阮。

刘师培《中国中古文学史》第五课《宋齐梁陈文学概略》：中国文学，至两汉、魏、晋而大盛，未尝别为一科，（故史书亦无《文苑传》）故儒生学士，莫不工文。其以文学特立一科者，自刘宋始。考之史籍，则宋文帝时，于儒学、玄学、史学三馆外，别立文学馆。（《南史·雷次宗传》）明帝立总明观，分儒、道、文、史、阴阳为五部（《宋书·本纪》）此均文学别于众学之征也。故《南史》各传，恒以"文史"、"文义"并词，而《文章志》诸书，亦以当时为最盛。（《文章志》始于挚虞，嗣则傅亮著《续文章志》，宋明帝撰《江左文章志》，沈约作《宋世文章志》，均见《隋书·经籍志》，今遗文时见群书所引）更以簿录之学言之：晋荀勖因魏《中经》区书目为四部，其丁部之中，诗、赋、图赞，仍与汲冢书并列；自齐王俭撰《七志》，始立"文翰"之名；梁阮孝绪撰《七录》，易称《文集》，（《七录》序云："王以诗赋之名，不兼余制，故改为文翰。窃以顷世文辞，总谓之集，变翰为集，于名尤显。故序《文集录》为内篇第四）而《文集录》中，又区《楚辞》、别集、总集、杂文为四部，此亦文学别为一部之证也。

第一章

晋武帝泰始元年至晋愍帝建兴四年（265—316）共52年

· 引　言 ·

刘勰《文心雕龙·乐府》：逮于晋世，则傅玄晓音，创定雅歌，以咏祖宗；张华新篇，亦充庭《万》。然杜夔调律，音奏舒雅；荀勖改悬，声节哀急。故阮咸讥其离声，后人验其铜尺：和乐之精妙，固表里而相资矣。

刘勰《文心雕龙·诠赋》：太冲、安仁，策勋于鸿规；士衡、子安，底绩于流制；景纯绮巧，缛理有余；彦伯梗概，情韵不匮：亦魏晋之赋首也。

刘勰《文心雕龙·史传》：至于晋代之书，繁乎著作，陆机肇始而未备，王韶续末而不终，干宝述《纪》，以审正得序；孙盛《阳秋》，以约举为能。按《春秋》经传，举例发凡。自《史》、《汉》以下，莫有准的。至邓璨《晋纪》，始立条例。又摆落汉、魏，宪章殷、周，虽湘川曲学，亦有心典、谟。及安国立例，乃邓氏之规焉。

刘勰《文心雕龙·章表》：逮晋初笔札，则张华为俊。其三让公封，理周辞要，引义比事，必得其偶；世珍《鹪鹩》，莫顾章表。及羊公之《辞开府》，有誉于前谈；庾公之《让中书》，信美于往载：序志联类，有文雅焉。刘琨《劝进》，张骏自序，文致耿介，并陈事之美表也。

钟嵘《诗品》：尔后陵迟衰微，迄于有晋。太康中，三张、二陆、两潘、一左，勃尔复兴，踵武前王，风流未沫，亦文章之中兴也。永嘉时，贵黄、老，稍尚虚谈。于时篇什，理过其辞，淡乎寡味。……茂先寒夕，平叔衣单，安仁倦暑，景阳苦雨，灵运邺中，士衡拟古，越石感乱，景纯咏仙，王微风月，谢客山泉，叔源离宴，鲍照戍边，太冲咏史，颜延入洛，陶公咏贫之制，惠连捣衣之作，斯皆五言之警策者也。所以谓篇章之珠泽，文彩之邓林。

《晋书》卷五：是其创基立本，异于先代者也。加以朝寡纯德之人，乡乏不贰之老，风俗淫僻，耻尚失所，学者以老庄为宗而黜六经，谈者以虚荡为辨而贱名检，行身者以放浊为通而狭节信，进仕者以苟得为贵而鄙居正，当官者以望空为高而笑勤恪。是以刘颂屡言治道，傅咸每纠邪正，皆谓之俗吏；其倚仗虚旷，依阿无心者皆名重海内。若夫文王日昃不暇食，仲山甫夙夜匪懈者，盖共嗤黜以为灰尘矣。由是毁誉乱于善恶之实，情愿奔于货欲之涂。

《晋书》卷五十五：孝若掞蔚春华，时标丽藻。睹其《抵疑》诠理，本穷通于自天；作诰敷文，流英声于孝悌，旨深致远，殊有大雅之风烈焉。安仁思绪云骞，词锋景焕，前史俦于贾谊，先达方之士衡。贾论政范，源王化之幽赜；潘著哀词，贯人灵之情性。机文喻海，韫蓬山而育芜；岳藻如江，濯美锦而增绚。混三家以通校，为二贤之亚匹矣。然其挟弹盈果，拜尘趋贵，蔑弃倚门之训，干没不逞之间，斯才也而有斯行也，天之所赋，何其驳欤！正叔含咀艺文，履危居正，安其身而后动，契其心而后言，著论究人道之纲，裁箴悬乘舆之鉴，可谓玉质而金相者矣。孟阳镂石之文，见奇于张敏；《漭沕》之咏，取重于傅玄，为名流之所挹，亦当代之文宗矣。景阳擒光王府，棣萼相辉。洎乎二陆入洛，三张减价。考核遗文，非徒语也。赞曰：湛称弄翰，缛彩雕焕。才高位卑，往哲攸叹。岳实含章，藻思抑扬。趋权冒势，终亦罹殃。尼标雅性，凤闻词令。载协飞芳，棣华增映。

谢榛《四溟诗话》卷一：魏文帝曰："梧桐攀凤翼，云寸散洪池。"曹子建曰："游鱼潜绿水，翔鸟薄天飞。"阮籍曰："存亡从变化，日月有浮沉。"张华曰："洪钧陶万类，大块禀群生。"左思曰："皓天舒白日，灵景耀神州。"张协曰："金风扇素节，丹露启阴期。"潘岳曰："南陆迎修景，朱明送末垂。"陆机曰："逝矣经天日，悲哉带地川。"以上虽为律句，全篇高古。及灵运古律相半，至谢朓全为律矣。

王夫之《古诗评选》卷四：三国以降，风雅几于坠地，乃始潘令《河阳》、子荆"零雨"一派翁妪学究之诗，猎名作者。二陆虽为陶谢开先，而方在驱除，尤多檴锄棘矜之色。景阳亭立其际，独以天光映拂，袚尘土而纳之春柳秋月之前，开眉目以获人心。"清气荡暄浊"，殆自谓也。

又云：三国之降为西晋，文体大坏，古度古心不绝于来兹者，非太冲其焉归？

公元 265 年（晋武帝泰始元年　乙酉）

十二月

十七日，晋武受魏禅，改元泰始。《资治通鉴》卷七十九："魏帝禅位于晋。甲子出舍于金墉城。丙寅，王即皇帝位，大赦，改元。"又云："以石苞为大司马，郑冲为太傅，王祥为太保，何曾为太尉，贾充为车骑将军，王沈为骠骑将军。"

本年

羊祜进号中军将军，加散骑常侍，进爵为侯。寻加尚书右仆射、卫将军。《晋书》卷三十四《羊祜传》："武帝受禅，以佐命之勋，进号中军将军，加散骑常侍，改封郡公，邑三千户。固让封不受，乃进本爵为侯，置郎中令，备九官之职，加夫人印绶。泰始初，诏曰：'夫总齐机衡，允厘六职，朝政之本也。祜执德清劭，忠亮纯茂，经纬文武，謇謇正直，虽处腹心之任，而不总枢机之重，非垂拱无为委任责成之意也。其以祜为尚书右仆射、卫将军，给本营兵。'时王佑、贾充、裴秀皆前朝名望，祜每让，不处其右。"

应贞迁给事中。《晋书》卷九十二《文苑传》："及践阼，迁给事中。"

华峤赐爵关内侯。《晋书》卷四十四《华峤传》："泰始初，赐爵关内侯。"

石鉴封堂阳子。《晋书》卷四十四《石鉴传》："武帝受禅，封堂阳子。"

何劭转散骑常侍，甚为司马炎亲待。《晋书》卷三十三《何劭传》："及即位，转散骑常侍，甚见亲待。劭雅有姿望，远客朝见，必以劭侍直。每诸方贡献，帝辄赐之，而观其占谢焉。"

刘颂拜尚书三公郎。《晋书》卷四十六《刘颂传》："武帝践阼，拜尚书三公郎，典科律，申冤讼。"

西域僧竺法护至洛阳。《佛祖历代统载》卷六："泰始元年，月氏国沙门昙摩罗奈，晋言法护，至洛阳。护学究三十六国道术，兼通其语，及自天竺大赍梵本婆罗门经达于玉门。因居炖煌，世号炖煌菩萨。后游洛邑及之江左，永嘉中随处译经，未尝暂停，时优婆塞聂承远执笔助翻，垂四百卷。及承远卒，其子道真者，询禀咨承法护，笔授外道真自译经六十余卷。时晋沙门释法炬、法立、支敏度及优婆塞卫仕度等，译出众经。外炬与立等每相参合，广略异同，编次部类，凡一百四十余卷。复有沙门强良娄至、安法钦、竺叔兰、白法祖、支法度等，各出众经，所以西晋已来宣译渐盛。"

公元 266 年（晋武帝泰始二年　丙戌）

九月

傅玄领谏官，上疏论拯救士风。《晋书》卷三《武帝纪》："九月乙未散骑常侍皇甫陶、傅玄领谏官，上书谏诤，有司奏请寝之。诏曰：'凡关言人主，人臣所至难，而苦不能听纳，自古忠臣直士之所慷慨也。每陈事出付主者，多从深刻，乃云恩贷当由主上。是何言乎？其详评议。'"《资治通鉴》卷七十九："玄，幹之子也。以魏末士风颓敝上疏曰：'臣闻先王之御天下，教化隆于上，清议行于下。近者魏武好法术而天下贵刑名，魏文慕通达而天下贱守节。其后纲维不摄，放诞盈朝，遂使天下无复清议。陛下龙兴受禅，弘尧舜之化，惟未举清远有礼之臣以敦风节，未退虚鄙之士以惩不恪。臣是以犹敢有言。'上嘉纳其言，使玄草诏进之，然亦不能革也。"

十一月

八日，竺法护于长安白马寺译经。隋费长房《历代三宝记》卷三："竺法护于长安白马寺译《须真天子经》二卷。"

本年

命傅玄作庙堂之歌。《晋书》卷二十二《乐志上》："及武帝受命之初，百度草创。泰始二年，诏郊祀明堂礼乐权用魏仪，遵周室肇称殷礼之义，但改乐章而已，使傅玄为之词云。"同卷载傅玄作《祀天地五郊夕牲歌》《祀天地五郊迎送神歌》《飨天地五郊歌》《天地郊明堂夕牲歌》《天地郊明堂降神歌》《天郊飨神歌》《地郊飨神歌》《明堂飨神歌》《祠庙夕牲歌》《祠庙迎送神歌》《祠征西将军登歌》《祠豫章府君登歌》《祠颍川府君登歌》《祠京兆府君登歌》《祠宣皇帝登歌》《祠景皇帝登歌》《祠文皇帝登歌》、《祠庙飨神歌二篇》。

命傅玄制短箫铙歌二十二篇。《晋书》卷二十三《乐志下》："及武帝受禅,乃令傅玄制为二十二篇,亦述以功德代魏。改《朱鹭》为《灵之祥》,言宣帝之佐魏,犹虞舜之事尧,既有石瑞之征,又能用武以诛孟达之逆命也。改《思悲翁》为《宣受命》,言宣帝御诸葛亮,养威重,运神兵,亮震怖而死也。改《艾如张》为《征辽东》,言宣帝陵大海之表,讨灭公孙氏而枭其首也。改《上之回》为《宣辅政》,言宣帝圣道深远,拨乱反正,网罗文武之才,以定二仪之序也。改《雍离》为《时运多难》,言宣帝致讨吴方,有征无战也。改《战城南》为《景龙飞》,言景帝克明威教,赏顺夷逆,隆无疆,崇洪基也。改《巫山高》为《平玉衡》,言景帝一万国之殊风,齐四海之乖心,礼贤养士,而纂洪业也。改《上陵》为《文皇统百揆》,言文帝始统百揆,用人有序,以敷太平之化也。改《将进酒》为《因时运》,言因时运变,圣谋潜施,解长蛇之交,离群桀之党,以武济文,以迈其德也。改《有所思》为《惟庸蜀》,言文帝既平万乘之蜀,封建万国,复五等之爵也。改《芳树》为《天序》,言圣皇应历受禅,弘济大化,用人各尽其才也。改《上邪》为《大晋承运期》,言圣皇应箓受图,化象神明也。改《君马黄》为《金灵运》,言圣皇践阼,致敬宗庙,而孝道行于天下也。改《雉子班》为《于穆我皇》,言圣皇受禅,德合神明也。改《圣人出》为《仲春振旅》,言大晋申文武之教,畋猎以时也。改《临高台》为《夏苗田》,言大晋畋狩顺时,为苗除害也。改《远如期》为《仲秋狝田》,言大晋虽有文德,不废武事,顺时以杀伐也。改《石留》为《顺天道》,言仲冬大阅,用武修文,大晋之德配天也。改《务成》为《唐尧》,言圣皇陟帝位,德化光四表也。《玄云》依旧名,言圣皇用人,各尽其材也。改《黄爵行》为《伯益》,言赤乌衔书,有周以兴,今圣皇受命,神雀来也。《钓竿》依旧名,言圣皇德配尧舜,又有吕望之佐,济大功,致太平也。其辞并列之于后云。"

初置博士。《晋书》卷二十四《职官志》："晋初承魏制,置博士十九人。"

张华作《景怀皇后诔》。严可均《全晋文》卷五十八载张华《章怀皇后诔》。陆侃如先生《中古文学系年》以为:"晋无章怀后,疑是景怀后之误。后为夏侯尚女,名徽,字媛容,青龙二年鸩死,太始二年十一月始加号谥。诔当作于追谥时,故系于此。"

皇甫谧不应征辟,作《释劝论》。《晋书》卷五十一《皇甫谧传》："其后乡亲劝令应命,谧为《释劝论》以通志焉。其辞曰:'相国晋王辟余等三十七人,及泰始登禅,同命之士莫不毕至,皆拜骑都尉,或赐爵关内侯,进奉朝请,礼如侍臣。唯余疾困,不及国宠。宗人父兄及我僚类,咸以为天下大庆,万姓赖之,虽未成礼,不宜安寝,纵其疾笃,犹当致身。余唯古今明王之制,事无巨细,断之以情,实力不堪,岂慢也哉!'"

公元 267 年(晋武帝泰始三年　丁亥)

正月

立司马衷为太子。应贞、孔恂任太子中庶子官。《晋书》卷三《武帝纪》："三年春正月……丁卯，立皇子衷为皇太子。"《晋书》卷九十二《文苑传》："初置太子中庶子官，贞与护军长史孔恂俱为之。"

九月

挚虞作《迁宅诰》。《西晋文纪》卷十三挚虞《迁宅诰》："惟泰始三年九月上旬，涉自洛川，周于原阿。乃卜昌水东，黄水西，背山面隰，惟此称良。"

十一月

封孔子后裔，置圣祀。《晋书》卷十九《礼志上》："武帝泰始三年十一月，改宗圣侯孔震为奉圣亭侯。又诏太学及鲁国，四时备三牲以祀孔子。"

本年

下诏褒张华。《书钞》卷五十八引王隐《晋书》："泰始三年，诏称张华：'张华为黄门侍郎，博览图籍，四海之内，若指诸掌。'"姜亮夫《张华年谱》以为此年张华始授黄门侍郎，曹道衡、沈玉成《中古文学史料丛考》卷二"张华仕历"以为"'诏称张华'者，下诏褒之也。其时华为黄门侍郎，非必授黄门侍郎即在此年"。今从曹说。

皇甫陶、傅玄以争事俱免官。《晋书》卷四十七《傅玄传》："初，玄进皇甫陶，及入而抵，玄以事与陶争，言喧哗，为有司所奏，二人竟坐免官。"按，傅玄二年始领谏官，四年起为御史中丞，则免官一事很可能在泰始三年。

皇甫谧屡辞征辟，且上疏以谢。《晋书》卷五十一《皇甫谧传》："其后武帝频下诏敦逼不已，谧上疏自称草莽臣曰……谧辞切言至，遂见听许。岁余，又举贤良方正，并不起。"举贤良方正在泰始四年，上推岁余，故系于此年。

陆云能属文赋诗。《晋书》卷五十四《陆云传》："六岁能属文，性清正，有才理。少与兄机齐名，虽文章不及机，而持论过之，号曰二陆。"《世说新语·赏鉴》注引《陆云别传》："儒雅有俊才，容貌瑰伟，口敏能谈，博闻强记。善著述，六岁便能赋诗，时人以为项讬、杨乌之畴也。"按，陆云生于 262 年。

裴頠生。裴頠（267—300）字逸民，河东闻喜人。晋惠帝时为国子祭酒，兼右军将军，迁尚书左仆射，后为司马伦（赵王）所杀。《晋书》卷三十五《裴頠传》："伦又潜怀篡逆，欲先除朝望，因废贾后之际遂诛之，时年三十四。"裴頠被害于永康元年（300），年三十四，以此上推，当生于此年。同卷又云："頠字逸民。弘雅有远识，博学稽古，自少知名。……頠深患时俗放荡，不尊儒术，何晏、阮籍素有高名于世，口谈浮虚，不遵礼法，尸禄耽宠，仕不事事；至王衍之徒，声誉太盛，位高势重，不以物务自婴，遂相仿效，风教陵迟，乃著崇有之论以释其蔽……"

5

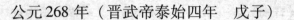

公元268年（晋武帝泰始四年　戊子）

正月

新律令成，杜预作注解。《晋书》卷三《武帝纪》："四年春正月……丙戌，律令成，封爵赐帛各有差。"《晋书》卷三十《刑法志》："四年正月，大赦天下，乃班新律。"《晋书》卷三十四《杜预传》："与车骑将军贾充等定律令，既成，预为之注解，乃奏之曰……"

张华上书请悬示新律死罪条目。《晋书》卷三十《刑法志》："是时侍中卢珽、中书侍郎张华又表：'抄《新律》诸死罪条目，悬之亭传，以示兆庶。'有诏从之。"

潘岳作《藉田赋》。《晋书》卷五十五《潘岳传》："泰始中，武帝躬耕藉田，岳作赋以美其事，曰：'伊晋之四年正月丁未，皇帝亲率群后藉于千亩之甸，礼也。'"《晋书》卷三《武帝纪》："四年春正月……丁亥，帝耕于藉田。"《文选》李善注："臧荣绪《晋书》曰：'泰始四年正月丁亥，世祖初藉于千亩，司空掾潘岳作《藉田颂》也。'"何焯《义门读书记》卷四十五："潘安仁《藉田赋》，祝氏云：'臧荣绪《晋书》以为《藉田颂》，《文选》以为《藉田赋》。要之篇末虽是颂，篇中纯是赋，赋多颂少，当为赋也。马扬之赋终以讽，潘班之赋终以颂。非异也，田猎祷祀涉于淫杀，故不可以不讽；奠都藉田，国家大事不可不颂。所施各有当也。'按，祝说非也。古人赋颂通为一名，马融《广成》所言田猎，然何尝不题曰颂耶？陈思与杨书，岂以辞赋为君子？盖应上文辞赋小道之语，强生区别，即杜撰也。……'伊晋之四年正月丁未'注《晋书》曰：'丁亥藉田，今为丁未误也。'按《礼记·月令》疏云：'耕用亥日。'以阴阳式法，正月亥为火仓。又王氏云：'正月建寅，月日会辰在亥，故耕用亥。'然则丁未之误明矣。"

二月

武帝幸芳林园，与群臣宴射赋诗，以应贞之作为最。《文选》卷二十李善注："《洛阳图经》曰：'华林园在城内东北隅。魏明帝起，名芳林园。齐王芳改为华林。'干宝《晋纪》曰：'泰始四年二月，上幸芳林园，与群臣宴，赋诗观志。'孙盛《晋阳秋》曰：'散骑常侍应贞诗最美'。"《晋书》卷九十二《文苑传》："帝于华林园宴射，贞赋诗最美。其辞曰：……"

四月

王祥卒。《资治通鉴》卷七十九："夏四月戊戌，睢陵元公王祥卒，门无杂吊之宾。其族孙戎叹曰：'太保当正始之世，不在能言之流，及间与之言，理致清远，岂非以德掩其言乎。'"

十一月

诏举贤良方正。《晋书》卷三《武帝纪》："十一月……己未，诏王公卿尹及郡国守相，举贤良方正直言之士。"

本年

皇甫谧不应贤良方正之征，自表就帝借书。《晋书》卷五十一《皇甫谧传》："岁余，又举贤良方正，并不起。自表就帝借书，帝送一车书与之。"

挚虞举贤良方正，拜中郎。受诏于东堂答司马炎策问。《晋书》卷五十一《挚虞传》："举贤良，与夏侯湛等十七人策为下第，拜中郎。武帝诏曰：'省诸贤良答策，虽所言殊途，皆明于王义，有益政道。欲详览其对，究观贤士大夫用心。'因诏诸贤良方正直言，会东堂策问……"

傅玄起为御史中丞。《晋书》卷四十七《傅玄传》："泰始四年，以为御史中丞。时颇有水旱之灾，玄复上疏曰……"

杜预上《举贤良方正表》。《西晋文纪》卷七载杜预《举贤良方正表》，当作于此年。

公元 269 年（晋武帝泰始五年 己丑）

二月

羊祜出镇荆州，驻襄阳。司马炎时有吞吴之志。《晋书》卷三《武帝纪》："五年……二月……壬寅，以尚书左仆射羊祜都督荆州诸军事。"《晋书》卷三十四《羊祜传》："帝将有灭吴之志，以祜为都督荆州诸军事、假节，散骑常侍、卫将军如故。祜率营兵出镇南夏，开设庠序，绥怀远近，甚得江汉之心。与吴人开布大信，降者欲去皆听之。时长吏丧官，后人恶之，多毁坏旧府，祜以死生有命，非由居室，书下征镇，普加禁断。吴石城守去襄阳七百余里，每为边害，祜患之，竟以诡计令吴罢守。于是戍逻减半，分以垦田八百余顷，大获其利。祜之始至也，军无百日之粮，及至季年，有十年之积。诏罢江北都督，置南中郎将，以所统诸军在汉东江夏者皆以益祜。在军常轻裘缓带，身不被甲，铃阁之下，侍卫者不过十数人，而颇以畋渔废政。尝欲夜出，军司徐胤执棨当营门曰：'将军都督万里，安可轻脱！将军之安危，亦国家之安危也。胤今日若死，此门乃开耳。'祜改容谢之，此后稀出矣。"

七月

二十五日，"竺法护出《大般泥洹经》二卷"。据隋费长房《历代三宝记》卷三。

本年

张华与成公绥作上寿、宴会歌诗。《晋书》卷二十二《乐志上》："及晋初，食举亦用《鹿鸣》。至泰始五年，尚书奏，使太仆傅玄、中书监荀勖、黄门侍郎张华各造正旦行礼及王公上寿酒、食举乐歌诗。荀勖云：'魏氏行礼、食举，再取周诗《鹿鸣》以为乐章。又《鹿鸣》以宴嘉宾，无取于朝，考之旧闻，未知所应。'勖乃除《鹿鸣》旧歌更作行礼诗四篇，先陈三朝朝宗之义。又为正旦大会、王公上寿歌诗并食举乐歌诗，合十三篇。又以魏氏歌诗或二言，或三言，或四言，或五言，与古诗不类，以问司律中郎将陈颀。颀曰：'被之金石，未必皆当。'故勖造晋歌，皆为四言，唯王公上寿酒一篇为三言五言焉。张华以为魏上寿、食举诗及汉氏所施用，其文句长短不齐，未皆合古。盖以依咏弦节，本有因循，而识乐知音，足以制声度曲，法用率非凡近之所能改。二代三京，袭而不变，虽诗章辞异，兴废随时，至其韵逗留曲折，皆系于旧，有由然也。是以一皆因就，不敢有所改易。此则华、勖所明异旨也。时诏又使中书侍郎成公绥亦作焉。今并采列之云。"同卷载《正旦大会行礼歌（成公绥）》《正旦大会王公上寿酒歌》（荀勖）《食举乐东西厢歌》（荀勖）《冬至初岁小会歌》（张华）《宴会歌》（张华）《命将出征歌》（张华）《劳还师歌》（张华）、《中宫所歌》（张华）《宗亲会歌》（张华）。

傅玄迁太仆。《晋书》卷四十七《傅玄传》："五年，迁太仆。时比年不登，羌胡扰边，诏公卿会议。玄应对所问，陈事切直，虽不尽施行，而常见优容。"

薛莹领太子少傅。《三国志·吴志》卷八《薛莹传》："及立太子，又领少傅。"《三国志·吴书》卷三《孙皓传》："建衡元年春正月，立子瑾为太子。"按，建衡元年即泰始五年。

应贞卒。《晋书》卷九十二《文苑传》："后迁散骑常侍，以儒学与太尉荀颉撰定新礼，未施行。泰始五年卒，文集行于世。"又云："自汉至魏，世以文章显，轩冕相袭，为郡盛族。贞善谈论，以才学称。"《文心雕龙·时序》云："然晋虽不文，人才实盛：茂先摇笔而散珠，太冲动墨而横锦，岳、湛曜联璧之华，机、云标二俊之采，应、傅、三张之徒，孙、挚、成公之属，并结藻清英，流韵绮靡。"《文心雕龙·才略》云："吉甫文理，则《临丹》成其采。"严可均《全晋文》卷三十五载其文九篇。丁福保《全晋诗》卷二载其诗一篇。

公元 270 年（晋武帝泰始六年 庚寅）

九月

（法）护又出《宝藏经》二卷、《光德太子经》一卷、《赖咤和罗所问光德太子经》一卷。据隋费长房《历代三宝记》卷三。

十一月

武帝临太学，行饮酒之礼，复讲肆旧典。傅玄作《辟雍乡饮酒赋》。《晋书》卷三《武帝纪》："冬十一月，幸辟雍，行乡饮酒之礼，赐太常博士、学生帛牛酒各有差。"《晋书》卷二十一《礼志下》："武帝泰始六年十一月，帝临辟雍，行乡饮酒之礼。诏曰：'礼仪之废久矣，乃今复讲肆旧典。'赐太常绢百匹，丞、博士及学生牛酒。"《艺文类聚》卷三十八载傅玄《辟雍乡饮酒赋》云："时皇帝亲枉万乘之尊号，以幸乎辟雍，卤簿齐列，官正其容，乃延卿士，乃命王公，定小会之常仪兮，飨殊俗而见远邦，揖让而升，有主有宾，礼虽旧制，其教惟新，若其俎豆有数，威仪翼翼，宾主百拜，贵贱修敕。酒清而不饮，肴干而不食，及至喈喈笙磬，喤喤钟鼓，琴瑟安歌，德音有序，乐而不淫，好朴尚古，四坐先迷而后悟，然后知礼教之弘普也。"《文选》李善注束皙《补亡诗》序曰："皙与同业畴人肄修乡饮之礼。然所咏之诗或有义无辞，音乐取节阙而不备，于是遥想既往，存思在昔，补著其文，以缀旧制。"

本年

杜预为安西军司，除秦州刺史，领东羌校尉、轻车将军，假节。作《奏秦州军事》。《晋书》卷三十四《杜预传》："时虏寇陇石，以预为安西军司，给兵三百人，骑百匹。到长安，更除秦州刺史，领东羌校尉、轻车将军、假节。属虏兵强盛，石鉴时为安西将军，使预出兵击之。预以虏乘胜马肥，而官军悬乏，宜并力大运，须春进讨，陈五不可、四不须。鉴大怒，复奏预擅饰城门官舍，稽乏军兴，遣御史槛车征诣廷尉。以预尚主，在八议，以侯赎论。其后陇右之事卒如预策。"《晋书》卷三《武帝纪》："六年……六月戊午，秦州刺史胡烈击叛虏于万斛堆，力战，死之。诏遣尚书石鉴行安西将军、都督秦州诸军事，与奋威护军田章讨之。"严可均《全晋文》卷四十二载杜预《奏秦州军事》。

陈劭拜给事中。《晋书》卷九十一《儒林传》："陈邵，字节良，东海襄贲人也。郡察孝廉，不就。以儒学征为陈留内史，累迁燕王师。撰《周礼评》，甚有条贯，行于世。泰始中，诏曰：'燕王师陈邵清贞洁静，行著邦族，笃志好古，博通六籍，耽悦典诰，老而不倦，宜在左右以笃儒教。可为给事中。'卒于官。"《山堂肆考》卷六十"清廉"："《晋书》：陈劭，字节良，为燕王师。武帝泰始六年诏曰：'燕王师陈劭，清贞廉洁，博通六籍，宜在左右，以敦儒训，可拜。'"《艺文类聚》卷四十八云："晋武帝诏燕王师陈劭，清贞廉洁，博通六籍，宜在左右以敦儒训，可给事中。"《册府元龟》卷四百五十七云："陈劭为燕王师。泰始中诏曰：劭清身洁静，行著邦族，笃志好古，博通六籍，耽悦典诰，老而不倦。宜在左右以笃儒教，可给事中。"

公元 271 年（晋武帝泰始七年　辛卯）

三月

裴秀薨。《文选》卷三十八《为萧扬州作荐士表》注引孙盛《晋阳秋》："裴秀有风操，十余岁，时人为之语曰：'后进领袖有裴秀。'"《通志》卷一百二十一上："度辽将军毌丘俭尝荐秀于大将军曹爽曰：'生而岐嶷，长蹈自然，玄静守真，性入道奥，博学强记，无文不该，孝友著于乡党，高声闻于远近，诚宜弼佐谟明，助和鼎味，毗赞大府，光照盛化，非徒子奇、甘罗之俦，兼包颜、冉、游、夏之美矣。'"

本年

山涛为侍中。《太平御览》卷二百一十九"职官部十七"："《竹林七贤传》曰：'山涛，泰始七年为侍中，诏书曰：涛清风淳履，思心通远，宜侍帷幄，尽规左右。'"

张华拜中书令。《晋书》卷三十六《张华传》："数岁，拜中书令。"万斯同《晋将相大臣年表》、陆侃如《中古文学系年》皆系于此，姜亮夫《张华年谱》系于六年，曹道衡、沈玉成《中古文学史料丛考》卷二"张华仕历"以为皆近是。二说并取，姑置于此。

刘琨生。《晋书》卷六十二《刘琨传》："刘琨，字越石，中山魏昌人，汉中山靖王胜之后也。祖迈，有经国之才，为相国参军、散骑常侍。父蕃，清高冲俭，位至光禄大夫。琨少得俊朗之目，与范阳祖纳俱以雄豪著名。年二十六，为司隶从事。时征虏将军石崇河南金谷涧中有别庐，冠绝时辈，引致宾客，日以赋诗。琨预其间，文咏颇为当时所许。秘书监贾谧参管朝政，京师人士无不倾心。石崇、欧阳建、陆机、陆云之徒，并以文才降节事谧，琨兄弟亦在其间，号曰'二十四友'。……琨少负志气，有纵横之才，善交胜己，而颇浮夸。与范阳祖逖为友，闻逖被用，与亲故书曰：'吾枕戈待旦，志枭逆虏，常恐祖生先吾著鞭。'其意气相期如此。"

孙皓命薛莹献诗。《三国志·吴书》卷八《薛莹传》："建衡三年，皓追叹莹父综遗文，且命莹继作。莹献诗曰……"建衡三年即为泰始七年。

公元 272 年（晋武帝泰始八年　壬辰）

十二月

羊祜因步阐事贬为平南将军。《晋书》卷三《武帝纪》："九月，吴西陵督步阐来降，拜卫将军、开府仪同三司，封宜都公。吴将陆抗攻阐，遣车骑将军羊祜帅众出江陵，荆州刺史杨肇迎阐于西陵，巴东监军徐胤击建平以救阐。……十二月，肇攻抗，不克而还。阐城陷，为抗所禽。"《晋书》卷三十四《羊祜传》："及还镇，吴西陵督步阐举城来降。吴将陆抗攻之甚急，诏祜迎阐。祜率兵五万出江陵，遣荆州刺史杨肇攻抗，不克，阐竟为抗所擒。……竟坐贬为平南将军，而免杨肇为庶人。"

本年

加张华散骑常侍。《晋书》卷三十六《张华传》："后加散骑常侍。遭母忧，哀毁过礼，中诏勉励，逼令摄事。"陆侃如《中古文学系年》系于九年，姜亮夫《张华年谱》系于八年，皆近是。

左芬入宫拜修仪，受诏作《离思赋》。又作《白鸠赋》。《晋书》卷三十一《后妃传上》："泰始八年，拜修仪。受诏作愁思之文，因为《离思赋》曰……"严可均《全晋文》卷十三载左芬《白鸠赋》云："泰始八年，鸠巢于庙阙，而孕白鸠一只。"

左思移居洛阳，有《悼离赠妹诗》，为赋三都，访张载，问岷邛事。《晋书》卷九十二《文苑传》："复欲赋三都，会妹芬入宫，移家京师，乃诣著作郎张载，访岷邛之事。"《文馆词林》卷一百五十二有左思《悼离赠妹诗》二首。

法护出《新道行经》十卷。见隋费长房《历代三宝记》卷三。

公元 273 年（晋武帝泰始九年　癸巳）

本年

荀勖、张华制定新乐。《晋书》卷二十二《乐志上》："武皇帝采汉魏之遗范，览景文之垂则，鼎雍唯新，前音不改。泰始九年，光禄大夫荀勖始作古尺，以调声韵，仍以张华等所制高文，陈诸下管。"同卷又载："泰始九年，光禄大夫荀勖以杜夔所制律吕，校太乐、总章、鼓吹八音，与律吕乖错，乃制古尺，作新律吕，以调声韵。事具《律历志》。律成，遂班下太常，使太乐、总章、鼓吹、清商施用。勖遂典知乐事，启朝士解音律者共掌之。使郭夏、宋识等造《正德》《大豫》二舞，其乐章亦张华之所作云。"同卷载《正德舞歌》（张华）《大豫舞歌》（张华）。同卷又载："荀勖又作新律笛十二枚，以调律吕，正雅乐，正会殿庭作之，自谓宫商克谐，然论者犹谓勖暗解。时阮咸妙达八音，论者谓之神解。咸常心讥勖新律声高，以为高近哀思，不合中和。每公会乐作，勖意咸谓之不调，以为异己，乃出咸为始平相。后有田父耕于野，得周时玉尺，勖以校己所治钟鼓金石丝竹，皆短校一米，于此伏咸之妙，复征咸归。勖既以新律造二舞，次更修正钟声。会勖薨，未竟其业。"

成公绥卒。《晋书》卷九十二《文苑传》："泰始九年卒，年四十三，所著诗赋杂笔十余卷行于世。"《文心雕龙·诠赋》云："士衡、子安，底绩于流制。"《文心雕龙·才略》云："成公子安，选赋而时美。"《汉魏六朝百三家集》卷五十二《晋成公绥集题词》："东郡成公子安，赋心不若左太冲，史才不若袁彦伯。其在晋文苑，与庾仲初、曹辅佐兄弟也。《啸赋》见贵于时，梁昭明登之《文选》，激扬啴缓，仿佛有声。然列于马融《长笛》、嵇康《琴赋》，亦弹而不成矣。赋少深致，而序各有思，读诸赋不如读其序也。乐歌施于廊庙，揆之雅颂，不知其中何篇也。晋世郊庙燕射鼓吹舞曲皆有词，其篇章见名者，傅玄、张华、荀勖、成公绥、曹毗、王珣耳。辞每雷同，傅稍出群，子安得与茂先接尘，其人幸甚。欲如汉郊祀歌之《练时日》、鼓吹铙歌之《朱鹭》，则真旷代矣。《隶势》善于说字，若有宫商綦组，亦陆机《文赋》之流乎？"严可均《全晋文》卷五十九载文三十六篇。丁福保《全晋诗》卷一载诗十六篇，卷二载四篇。

潘岳作《司空密陵侯郑袤碑》。严可均《全晋文》卷九十三载潘岳《司空密陵侯郑袤碑》。《晋书》卷四十四《郑袤传》："九年薨，时年八十五。"卷三《武帝纪》："九年春正月辛酉，司空、密陵侯郑袤薨。"

公元 274 年（晋武帝泰始十年　甲午）

七月

皇后杨氏崩。张华撰《元皇后哀策文》。《晋书》卷三十一《后妃传》："武元杨皇后，讳艳，字琼芝，弘农华阴人也。父文宗，见《外戚传》。……泰始十年，崩于明光

11

殿……于是有司卜吉，窀穸有期，乃命史臣作哀策叙怀。其词曰……"严可均《全晋文》卷五十八载张华《元皇后哀策文》)。

杜预为尚书，奏议皇太子除服事。《晋书》卷三十四《杜预传》："元皇后梓宫将迁于峻阳陵。旧制，既葬，帝及群臣即吉。尚书奏，皇太子亦宜释服。预议'皇太子宜复古典，以谅阇终制'，从之。"《晋书》卷二十《礼志中》："泰始十年，武元杨皇后崩，及将迁于峻阳陵，依旧制，既葬，帝及群臣除丧即吉。先是，尚书祠部奏从博士张靖议，皇太子亦从制俱释服。博士陈逵议，以为'今制所依，盖汉帝权制，兴于有事，非礼之正。皇太子无有国事，自宜终服。'有诏更详议。尚书杜预以为：……于是尚书仆射卢钦、尚书魏舒问杜预证据所依。预云：'传称三年之丧自天子达，此谓天子绝期，唯有三年丧也。非谓居丧衰服三年，与士庶同也。故后、世子之丧，而叔向称有三年之丧二也。周公不言高宗服丧三年，而云谅阇三年，此释服心丧之文也。叔向不讥景王除丧，而讥其燕乐已早，明既葬应除，而违谅阇之节也。《春秋》，晋侯享诸侯，子产相郑伯，时简公未葬，请免丧以听命，君子谓之得礼。宰咺来归惠公仲子之赗，传曰吊生不及哀。此皆既葬除服谅阇之证，先儒旧说，往往亦见，学者未之思耳。《丧服》，诸侯为天子亦斩衰，岂可谓终服三年邪！上考七代，未知王者君臣上下衰麻三年者谁；下推将来，恐百世之主其理一也。非必不能，乃事势不得，故知圣人不虚设不行之制。仲尼曰礼所损益虽百世可知，此之谓也。'于是钦、舒从之，遂命预造议，奏曰：……于是太子遂以厌降之议，从国制除衰麻，谅阇终制。于时外内卒闻预异议，多怪之。或者乃谓其违礼以合时。时预亦不自解说，退使博士段畅博采典籍，为之证据，令大义著明，足以垂示将来。畅承预旨，遂撰集书传旧文，条诸实事成言，以为定证，以弘指趣。"

挚虞作《答杜预书》。《晋书》卷五十一《挚虞传》："元皇后崩，杜预奏：'阇之制，乃自上古，是以高宗无服丧之文，而唯文称不言。汉文限三十六日。魏氏以降，既虞为节。皇太子与国为体，理宜释服，卒哭便除。'虞答预书曰：'唐称遏密，殷云谅阇，各举事以为名，非既葬有殊降。周室以来，谓之丧服。丧服者，以服表丧。今帝者一日万机，太子监抚之重，以宜夺礼，葬讫除服，变制通理，垂典将来，何必附之于古，使老儒致争哉！'"

左芬为元皇后作诔。《晋书》卷三十一《后妃传上》："及元杨皇后崩，芬献诔曰：'惟泰始十年秋七月丙寅，晋元皇后杨氏崩，呜呼哀哉！……'"陈寿定《诸葛亮集》，奏上目录。《三国志·蜀书·诸葛亮传》："臣寿等言：臣前在著作郎，侍中、领中书监、济北侯臣荀勖，中书令、关内侯臣和峤奏，使臣定故蜀丞相诸葛亮故事。……伏惟陛下迈踪古圣，荡然无忌，故虽敌国诽谤之言，咸肆其辞而无所革讳，所以明大通之道也。谨录写上诣著作。臣寿诚惶诚恐，顿首顿首，死罪死罪。泰始十年二月一日癸巳，平阳侯相臣陈寿上。"

本年

陆机遭父丧，为牙门将，与云及诸兄分领父兵。《三国志·吴书·陆抗传》："（凤皇）三年夏，疾病……秋遂卒，子晏嗣。晏及弟景、玄、机、云分领抗兵。"《晋书》卷五十四《陆机传》："抗卒，领父兵为牙门将。"按，凤皇三年即为泰始十年。

石崇入仕，为修武令。曹道衡、沈玉成《中古文学史料丛考》卷二"石崇入仕年"："《文选》卷四五录石崇《思归引序》，云：'余少有大志，夸迈流俗。弱冠登朝，历位二十五年。五十以事去官，遂肥遁于河阳别业。'善注引臧荣绪《晋书》曰：'崇早有智慧，年二十余，为修武令。'唐修《晋书》所记同。《思归引序》作于罢徐州、为卫尉之间，可无疑义。以年五十计之，时为元康八年。上推二十五年，则应为泰始九年或十年。崇父苞卒于泰始八年，如服阕入仕为令，则至早当在泰始十年，与自序所记历位二十五年之数可以相合。时石崇年二十六。"

法护出《无尽意经》四卷。见隋费长房《历代三宝记》卷三。

公元 275 年（晋武帝咸宁元年　乙未）

本年

考三代遗曲，制定新乐。《晋书》卷二十二《乐志上》："至景初元年，尚书奏，考览三代礼乐遗曲，据功象德，奏作《武始》《咸熙》《章斌》三舞，皆执羽籥。及晋又改《昭武舞》曰《宣武舞》，《羽籥舞》曰《宣文舞》。咸宁元年，诏定祖宗之号，而庙乐乃停《宣武》《宣文》二舞，而同用荀勖所使郭夏、宋识等所造《正德》《大豫》二舞云。"

何劭以袁毅事被劾，诏原之，迁侍中尚书。《晋书》卷三十三《何劭传》："咸宁初，有司奏劭及兄遵等受故鬲令袁毅货，虽经赦宥，宜皆禁止。事下廷尉。诏曰：'太保与毅有累世之交，遵等所取差薄，一皆置之。'迁侍中尚书。"

潘岳作《杨荆州诔》《荆州刺史东武戴侯杨使君碑》。严可均《全晋文》卷九十二载潘岳《杨荆州诔》云："惟咸宁元年夏四月乙丑，晋故折冲将军、荆州刺史、东武戴侯荥阳杨使君薨。"同书卷九十三又有《荆州刺史东武戴侯杨使君碑》。

裴頠袭父爵。《晋书》卷三《武帝纪》："（咸宁元年十二月）封裴頠为钜鹿公。"《晋书》卷三十五《裴頠传》："頠字逸民。弘雅有远识，博学稽古，自少知名。御史中丞周弼见而叹曰：'頠若武库，五兵纵横，一时之杰也。'贾充即頠从母夫也，表'秀有佐命之勋，不幸嫡长丧亡，遗孤稚弱。頠才德英茂，足以兴隆国嗣。'诏頠袭爵，頠固让，不许。"

公元 276 年（晋武帝咸宁二年　丙申）

十月

羊祜除征南大将军，开府仪同三司，上疏表，请伐吴。《晋书》卷三《武帝纪》："（咸宁二年冬十月）以……平南将军羊祜为征南大将军。"《晋书》卷三十四《羊祜传》："咸宁初，除征南大将军、开府仪同三司，得专辟召。初，祜以伐吴必藉上流之势。又时吴有童谣曰：'阿童复阿童，衔刀浮渡江。不畏岸上兽，但畏水中龙。'祜闻之曰：'此必水军有功，但当思应其名者耳。'会益州刺史王濬征为大司农，祜知其可任，濬又小字阿童，因表留濬监益州诸军事，加龙骧将军，密令修舟楫，为顺流之计。祜缮甲训卒，广为戎备。至是上疏曰……帝深纳之。会秦凉屡败，祜复表曰：'吴平则胡自定，但当速济大功耳。'而议者多不同，祜叹曰：'天下不如意，恒十居七八，故有当断不断。天与不取，岂非更事者恨于后时哉！'"

十二月

安定皇甫谧被征为太子中庶子，辞以疾笃。《晋书》卷五十一《皇甫谧传》："咸宁初，又诏曰：'男子皇甫谧沉静履素，守学好古，与流俗异趣，其以谧为太子中庶子。'谧固辞笃疾。"又见于《晋书》卷三《武帝纪》。

本年

武帝纳悼后，左芬受诏作颂。《晋书》卷三十一《后妃传上》："咸宁二年，纳悼后，芬于座受诏作颂，其辞曰……"

郭璞生。郭璞（276—324）字景纯，河东闻喜（今属山西）人。《晋书》卷七十二《郭璞传》："郭璞，字景纯，河东闻喜人也。……璞好经术，博学有高才，而讷于言论，词赋为中兴之冠。好古文奇字，妙于阴阳算历。有郭公者，客居河东，精于卜筮，璞从之受业。公以青囊中书九卷与之，由是遂洞五行、天文、卜筮之术，攘灾转祸，通致无方，虽京房、管辂不能过也。"

公元277年（晋武帝咸宁三年 丁酉）

八月

羊祜不受南城之封。《晋书》卷三十四《羊祜传》："其后，诏以泰山之南武阳、牟、南城、梁父、平阳五县为南城郡，封祜为南城侯，置相，与郡公同。祜让曰：'昔张良请受留万户，汉祖不夺其志。臣受钜平于先帝，敢辱重爵，以速官谤！'固执不拜，帝许之。祜每被登进，常守冲退，至心素著，故特见申于分列之外。是以名德远播，朝野具瞻，搢绅佥议，当居台辅。帝方有兼并之志，仗祜以东南之任，故寝之。"《晋书》卷三《武帝纪》："（咸宁三年八月癸亥）钜平侯羊祜为南城侯。"

十二月

武帝临学宫，行乡饮酒之礼。《晋书》卷二十一《礼志下》："武帝泰始六年帝临辟雍，行乡饮酒之礼。诏曰：'礼仪之废久矣，乃今复讲肄旧典。'赐太常绢百匹，丞、博士及学生牛酒。咸宁三年、惠帝元康九年，复行其礼。"

本年

张华作《祖道赵王应诏诗》。丁福保《全晋诗》卷二有张华《祖道赵王应诏诗》，有句云："光宅旧赵，坐镇冀方。"《晋书》卷三《武帝纪》："（咸宁三年八月癸亥）徙……琅邪王伦为赵王。"卷五十九《赵王伦传》："咸宁中，改封于赵，迁平北将军，督邺城守事，进安北将军。"陆侃如《中古文学系年》以为应系于此时。

陆云为吴尚书闵鸿举为贤良。《晋书》卷五十四《陆云传》："幼时吴尚书广陵闵鸿见而奇之，曰：'此儿若非龙驹，当是凤雏。'后举云贤良，时年十六。"

公元 278 年（晋武帝咸宁四年　戊戌）

三月

山涛为尚书左仆射。《晋书》卷三《武帝纪》："三月甲申，尚书左仆射卢钦卒。辛酉，以尚书右仆射山涛为尚书左仆射。"

十月

立碑于国子学，载武帝三临辟雍、太子再莅之盛事。1931 年，在河南偃师县出土西晋太学辟雍碑。地点为洛阳东郊 15 公里，偃师县大郊村北，原西晋太学遗址。该碑高 3.32 米，宽 1.1 米，系用一整石块凿成。碑首有蟠龙伏绕，正面碑额隶书"大晋龙兴皇帝三临辟雍皇太子又再莅之盛德隆熙之碑"等 23 字。碑文隶书 30 行，行 55 字，记载了晋武帝司马炎及皇太子司马衷亲临辟雍的事迹，碑阴刻有行政学官太常、散骑，教职人员博士、助教、主事、司成，以及学员的郡籍、姓名等，多达 400 余人。该碑立于晋咸宁四年（278）十月，碑座于 1974 年在太学遗址发掘出土，后与碑身合为一体。

羊祜疾笃，归洛阳。武帝遣中书令张华问平吴之策。《晋书》卷三十四《羊祜传》："祜寝疾，求入朝。既至洛阳，会景献宫车在殡，哀恸至笃。中诏申谕，扶疾引见，命乘辇入殿，无下拜，甚见优礼。及侍坐，面陈伐吴之计。帝以其病，不宜常入，遣中书令张华问其筹策。"《晋书》卷三十六《张华传》："初，帝潜与羊祜谋伐吴，而群臣多以为不可，唯华赞成其计。其后，祜疾笃，帝遣华诣祜，问以伐吴之计，语在祜传。"

十一月

羊祜卒。《晋书》卷三《武帝纪》："辛卯，以尚书杜预都督荆州诸军事。征南大将军羊祜卒。"《晋书》卷三十四《羊祜传》："祜立身清俭，被服率素，禄俸所资，皆以赡给九族，赏赐军士，家无余财。……祜所著文章及为《老子传》并行于世。襄阳百姓于岘山祜平生游憩之所建碑立庙，岁时飨祭焉。望其碑者莫不流涕，杜预因名为堕泪碑。荆州人为祜讳名，屋室皆以门为称，改户曹为辞曹焉。"

孙楚为羊祜作碑。严可均《全晋文》卷六十载孙楚《故太傅羊祜碑》，当作于此时。

本年

立国子学。《晋书》卷二十四《职官志》："及咸宁四年，武帝初立国子学，定置国子祭酒、博士各一人，助教十五人，以教生徒。博士皆取履行清淳，通明典义者，若散骑常侍、中书侍郎、太子中庶子以上，乃得召试。"

潘岳郁郁不得志，作谣讽山涛、王济、裴楷、和峤。《晋书》卷五十五《潘岳传》："岳才名冠世，为众所疾，遂栖迟十年。出为河阳令，负其才而郁郁不得志。时尚书仆射山涛、领吏部王济、裴楷等并为帝所亲遇，岳内非之，乃题阁道为谣曰：'阁道东，有大牛。王济鞅，裴楷鞧，和峤刺促不得休。'"

傅玄免官，卒。《晋书》卷四十七《傅玄传》："献皇后崩于弘训宫，设丧位。旧制，司隶于端门外坐，在诸卿上，绝席。其入殿，按本品秩在诸卿下，以次坐，不绝席。而谒者以弘训宫为殿内，制玄位在卿下。玄恚怒，厉声色而责谒者。谒者妄称尚书所处，玄对百僚而骂尚书以下。御史中丞庾纯奏玄不敬，玄又自表不以实，坐免官。然玄天性峻急，不能有所容；每有奏劾，或值日暮，捧白简，整簪带，竦踊不寐，坐而待旦。于是贵游慑伏，台阁生风。寻卒于家，时年六十二，谥曰刚。"《文心雕龙·乐府》："逮于晋世，则傅玄晓音，创定雅歌，以咏祖宗。"《文心雕龙·才略》："傅玄篇章，义多规镜。"钟嵘《诗品》列傅玄诗入下品。《南齐书·乐志》曰："汉世歌篇，多少无定，皆称事立文，并多八句，然后转韵；时有两三韵而转，其例甚寡。张华、夏侯湛亦同前式。傅玄改韵颇数，更伤简节之美。近世王韶之、颜延之并四韵乃转，得赊促之中。"明胡应麟《诗薮·内编》卷三："（傅玄）唯五言剿袭雷同，绝少天趣，声价不竞，职此之由。"明谢榛《四溟诗话》卷一："傅玄《艳歌行》，全袭《陌上桑》，但曰：'天地正厥位，愿君改其图。'盖欲辞严义正，以裨风教。殊不知'使君自有妇，罗敷自有夫'，已含此意，不失乐府本色。"清沈德潜《古诗源》卷七评傅玄诗曰："休奕诗，聪颖处时带累句，大约长于乐府而短于古诗。"《晋书》本传载："玄少时避难于河内，专心诵学，后虽显贵，而著述不废。撰论经国九流及三史故事，评断得失，各为区例，名为《傅子》，为内、外、中篇，凡有四部、六录，合百四十首，数十万言，并文集百余卷行于世。玄初作内篇成，子咸以示司空王沈。沈与玄书曰：'省足下所著书，言富理济，经纶政体，存重儒教，足以塞杨、墨之流遁，齐孙、孟于往代。每开卷，未尝不叹息也。不见贾生，自以过之，乃今不及，信矣！'"张溥《汉魏六朝百三家集·傅鹑觚集题辞》："休奕天性峻急，正色白简，台阁生风；独为诗篇，新温婉丽，善言儿女。强直之士怀情正深，赋好色者何必宋玉哉！……《苦相篇》与《杂诗》二首，颇有《四愁》《定情》之风；《历九秋》诗，读者疑为汉古词，非相如、枚乘不能作。"文廷式《纯常子枝语》卷三十六曰："（傅玄）其学亦兼取诸家，真杂家者流耳。纪文达入之儒家，非是。"叶德辉《傅玄集·叙》曰："……《傅子》，隋、唐《志》及宋《崇文总目》《宋史·艺文志》入杂家，最合流别。今四库入儒家，则以所存二十余篇'皆关切治道，阐启儒风'，故进而与《中论》《中说》相参乘欤?"
又曰："至其诗赋杂辞，皆以行气为主，即无两汉高格，终不入六朝纤靡之径。昔元遗
山论诗，以刘越石不及见建安为恨。余则谓傅子与曹、刘同时，当亦可称鼎足。"严可
均《全晋文》卷四十六至卷五十载傅玄文 102 篇。丁福保《全晋诗》卷一、二载傅玄
诗 140 篇。

　　秋，杜预上疏陈农要。羊祜卒后，拜镇南大将军、都督荆州诸军事。《晋书》卷三
十四《杜预传》："咸宁四年秋，大霖雨，蝗虫起。预上疏多陈农要，事在《食货
志》。……时帝密有灭吴之计，而朝议多违，唯预、羊祜、张华与帝意合。祜病，举预
自代，因以本官假节行平东将军，领征南军司。及祜卒，拜镇南大将军，都督荆州诸
军事，给追锋车、第二驸马。"按，中华书局本《晋书》如上标点，陆侃如《中古文学
系年》标点为："拜镇南大将军，都督荆州诸军事，给追锋车第二驸马。"对比阅后，
颇感疑惑。后翻阅辑本王隐《晋书》，发现其原文是这样的："杜预为镇南大将军，都
督荆州诸军事，给追锋车、第二驸马，御府人马钱三千万，镇襄阳。"（引自《北堂书
钞》，编者句读）显然，今本《晋书》文字有脱漏之处，"第二驸马"后的文字丢失
了，所以造成了理解上的困难。其中"追锋车"和"第二驸马"都是赏赐物，在《晋
书》里出现过，今应从王隐《晋书》将脱文补上。而王隐《晋书》中的"御府人马钱
三千万"也不好理解，实际上晋代赏赐物里还有一种物品叫做"御府人马铠"，疑此处
脱一"铠"字，全句应句读为"杜预为镇南大将军，都督荆州诸军事，给追锋车、第
二驸马、御府人马（铠）、钱三千万，镇襄阳。"这样就好理解了，不知确否，敬请方
家指正。《世说新语·方正》："杜预之荆州，顿七里桥，朝士悉祖。预少贱，好豪侠，
不为物论所许。杨济既名氏，雄俊不堪，不坐而去。须臾，和长舆来，问：'杨右卫何
在?'客曰：'向来，不坐而去。'长舆曰：'必大夏门下盘马。'往大夏门，果大阅骑。
长舆抱内车，共载归，坐如初。""杜预拜镇南将军，朝士悉至，皆在连榻坐。时亦有
裴叔则。羊稚舒后至，曰：'杜元凯乃复连榻坐客!'不坐便去。杜请裴追之，羊去数
里住马，既而俱还杜许。"

　　陈寿为杜预举荐，擢治书侍御史。《九家旧晋书辑本·王隐晋书》引自《北堂书
钞》："杜预将之镇，入辞。启曰：'蜀有陈寿，才史通博，宜补黄散之职。'帝曰：
'卿何说晚，寿可作治书侍御史不。'预对惟上诏，即手诏用寿为治书侍御史。"

　　潘岳作《秋兴赋》《景献皇后哀策文》。严可均《全晋文》卷九十三载潘岳《景献
皇后哀策文》。《文选》卷十三载潘岳《秋兴赋》云："晋十有四年，余春秋三十有二，
始见二毛。以太尉掾兼虎贲中郎将，寓直于散骑之省。"李善注云："十四年，晋武帝
泰始十四年也。"按，武帝泰始实无十四年，当以武帝即位算起，为咸宁四年。

公元 279 年（晋武帝咸宁五年　己亥）

本年

　　杜预上表陈伐吴之计。《晋书》卷三十四《杜预传》："预处分既定，乃启请伐吴
之期。帝报待明年方欲大举，预表陈至计曰……"

大举伐吴。以张华为度支尚书。《晋书》卷三十六《张华传》："及将大举，以华为度支尚书，乃量计运漕，决定庙算。"《晋书》卷三十四《杜预传》："预处分既定，乃启请伐吴之期。……时帝与中书令张华围棋，而预表适至。华推枰敛手曰：'陛下圣明神武，朝野清晏，国富兵强，号令如一，吴主荒淫骄虐，诛杀贤能，当今讨之，可不劳而定。'帝乃许之。"

傅咸为冀州刺史，寻迁司徒左长史，上书言并官兴农之利。《晋书》卷四十七《傅咸传》："出为冀州刺史，继母杜氏不肯随咸之官，自表解职。三旬之间，迁司徒左长史。时帝留心政事，诏访朝臣政之损益。咸上言曰……"

向秀约卒于此年。陆侃如《中古文学系年》假定其卒于此年，亦有系于泰始八年（272）者，姑采陆说。《晋书》卷四十九《向秀传》："清悟有远识，少为山涛所知，雅好老庄之学。庄周著内外数十篇，历世才士虽有观者，莫适论其旨统也，秀乃为之隐解，发明奇趣，振起玄风，读之者超然心悟，莫不自足一时也。惠帝之世，郭象又述而广之，儒墨之迹见鄙，道家之言遂盛焉。始，秀欲注，嵇康曰：'此书讵复须注，正是妨人作乐耳。'及成，示康曰：'殊复胜不？'又与康论养生，辞难往复，盖欲发康高致也。"《世说新语·言语》："嵇中散既被诛，向子期举郡计入洛，文王引进，问曰：'闻君有箕山之志，何以在此？'对曰：'巢、许狷介之士，不足多慕。'王大咨嗟。"刘孝标注引《向秀别传》曰："秀字子期，河内人。少为同郡山涛所知，又与谯国嵇康、东平吕安友善，并有拔俗之韵，其进止无不同，而造事营生业亦不异。常与嵇康偶锻于洛邑，与吕安灌园于山阳，不虑家之有无，外物不足怫其心。弱冠著儒道论，弃而不录，好事者或存之。或云是其族人所作，困于不行，乃告秀，欲假其名。秀笑曰：'可复尔耳。'后康被诛，秀遂失图。乃应岁举，到京师，诣大将军司马文王，文王问曰：'闻君有箕山之志，何能自屈？'秀曰：'常谓彼人不达尧意，本非所慕也。'一坐皆说，随次转至黄门侍郎、散骑常侍。"《世说新语·文学》："初，注庄子者数十家，莫能究其旨要。向秀于旧注外为解义，妙析奇致，大畅玄风。唯秋水、至乐二篇未竟而秀卒。秀子幼，义遂零落，然犹有别本。郭象者，为人薄行，有俊才。见秀义不传于世，遂窃以为己注。乃自注秋水、至乐二篇，又易马蹄一篇，其余众篇，或定点文句而已。后秀义别本出，故今有向、郭二庄，其义一也。"刘孝标注引《秀别传》曰："秀与嵇康、吕安为友，趣舍不同。嵇康傲世不羁，安放逸迈俗，而秀雅好读书。二子颇以此嗤之。后秀将注庄子，先以告康、安，康、安咸曰：'此书讵复须注？徒弃人作乐事耳！'及成，以示二子。康曰：'尔故复胜不？'安乃惊曰：'庄周不死矣！'后注周易，大义可观，而与汉世诸儒互有彼此，未若隐庄之绝伦也。"又注云："秀本传或言，秀游托数贤，萧屑卒岁，都无注述。唯好庄子，聊应崔譔所注，以备遗忘云。《竹林七贤论》云：'秀为此义，读之者无不超然，若已出尘埃而窥绝冥，始了视听之表。有神德玄哲，能遗天下，外万物。虽复使动竞之人顾观所徇，皆怅然自有振拔之情矣。'"

公元 280 年（晋武帝太康元年　庚子）

三月

伐吴未克之时，贾充奏请斩张华以谢天下。《晋书》卷三十六《张华传》："众军既进，而未有克获，贾充等奏诛华以谢天下。帝曰：'此是吾意，华但与吾同耳。'时大臣皆以为未可轻进，华独坚执，以为必克。"

王濬军下建业，孙皓降，吴灭。《晋书》卷三《武帝纪》："三月壬申，王濬以舟师至于建邺之石头，孙皓大惧，面缚舆榇，降于军门。濬杖节解缚焚榇，送于京都。收其图籍，得州四，郡四十三，县三百一十三，户五十二万三千，吏三万三千，兵二十三万，男女口二百三十万。其牧守下皆因吴所置，除其苛政，示之简易，吴人大悦。"陆侃如《中古文学系年》以为三月无壬申，当为二月十五日。

薛莹为孙皓作降书，至洛阳为散骑常侍。《三国志·吴书·薛莹传》："天纪四年，晋军征皓，皓奉书于司马伷、王浑、王濬请降，其文，莹所造也。莹既至洛阳，特先见叙，为散骑常侍，答问处当，皆有条理。"裴松之注引干宝《晋纪》曰："武帝从容问莹曰：'孙皓之所以亡者何也？'莹对曰：'归命侯臣皓之君吴也，昵近小人，刑罚妄加，大臣大将，无所亲信，人人忧恐，各不自保，危亡之衅，实由于此。'帝遂问吴士存亡者之贤愚，莹各以状对。"

王济作《平吴后三月三日华林园诗》。丁福保《全晋诗》卷二载王济《平吴后三月三日华林园诗》。

九月

初六，群臣上书请封禅。凡六议，皆不许。《晋书》卷三《武帝纪》："九月，群臣以天下一统，屡请封禅，帝谦让弗许。"《宋书》卷十六《礼志三》："晋武帝平吴，混一区宇。太康元年九月庚寅，尚书令卫瓘、尚书左仆射山涛、魏舒、尚书刘寔、张华等奏曰……"严可均《全晋文》卷五十八载张华《封禅议》，并注引陆云《与平原书》，以为六议皆张华之作。姜亮夫《张华年谱》亦取此说。

西域沙门康僧会卒。《高僧传》卷一《康僧会传》："时吴地初染大法，风化未全，僧会欲使道振江左兴立图寺，乃杖锡东游。以吴赤乌十年，初达建邺，营立茅茨，设像行道。……权大叹服，即为建塔，以始有佛寺，故号建初寺，因名其地为佛陀里，由是江左大法遂兴。……至吴天纪四年四月，皓降晋。九月会遘疾而终，是岁晋武太康元年也。"又见于《历代三宝记》卷五。

本年

武帝有诏褒张华。《晋书》卷三《武帝纪》："及吴灭，诏曰：'尚书、关内侯张华，前与故太傅羊祜共创大计，遂典掌军事，部分诸方，算定权略，运筹决胜，有谋谟之勋。其进封为广武县侯，增邑万户，封子一人为亭侯，千五百户，赐绢万匹。'"

挚虞作《太康颂》。《晋书》卷五十一《挚虞传》："时天子留心政道，又吴寇新平，天下乂安，上《太康颂》以美晋德。其辞曰……"

张载作《平吴颂》。严可均《全晋文》卷八十五有张载《平吴颂》，当作于此时。

刘颂校功失理，左迁京兆太守，寻转河内。临发上疏，多所采纳。《晋书》卷四十六《刘颂传》："会灭吴，诸将争功，遣颂校其事，以王浑为上功，王濬为中功。帝以颂持法失理，左迁京兆太守，不行，转任河内。临发，上便宜，多所纳用。郡界多公主水碓，遏塞流水，转为浸害，颂表罢之，百姓获其便利。"《九家旧晋书辑本·王隐晋书》引自《太平御览》七百六十二："刘颂为河内太守。有公主水碓三十余区。所在遏塞。辄为侵害。颂表上封诸碓。民自便宜。"

杜预立功之后，深治经史，作《春秋左氏经传集解》《春秋释例》、《盟会图》《春秋长历》《女记赞》诸书，为挚虞所赏。《晋书》卷三十四《杜预传》："预身不跨马，射不穿札，而每任大事，辄居将率之列。结交接物，恭而有礼，问无所隐，诲人不倦，敏于事而慎于言。既立功之后，从容无事，乃耽思经籍，为《春秋左氏经传集解》。又参考众家谱第，谓之《释例》。又作《盟会图》《春秋长历》，备成一家之学，比老乃成。又撰《女记赞》。当时论者谓预文义质直，世人未之重，唯秘书监挚虞赏之，曰：'左丘明本为《春秋》作传，而《左传》遂自孤行，《释例》本为《传》设，而所发明何但《左传》，故亦孤行。'时王济解相马，又甚爱之，而和峤颇聚敛，预常称'济有马癖，峤有钱癖'。武帝闻之，谓预曰：'卿有何癖?'对曰：'臣有《左传》癖。'"《九家旧晋书辑本·王隐晋书》引自《太平御览》卷六百一十："杜预大观群典，谓公羊、穀梁诡辩之言；又非先儒说左氏，未究丘明之意，而横以二传乱之。乃错综微言，著《春秋左氏经传集解》。又参考众家，谓一作为之《释例》。又作《盟会图》《春秋长历》，备成一家之学，至老乃成。秘书监挚虞甚重之，曰：'左丘明本为春秋作传，而传遂自孤行。释例本为传设，而多所发明。何但左传，故亦孤行也。'"《晋诸公别传辑本·杜预自叙》引自《太平御览》卷四百三十一："少而好学。在家则滋味经籍。居官则毕力理治。公家之事，知无不为。"

裴楷论盛衰之道。《晋书》卷三十五《裴楷传》："平吴之后，帝方修太平之化，每延公卿，与论政道。楷陈三五之风，次叙汉魏盛衰之迹。帝称善，坐者叹服焉。"

陆机、陆云退居华亭旧里。机感亡国之痛，作《辩亡论》二篇。《九家旧晋书辑本·臧荣绪晋书》引自《文选》《文赋》注、《叹逝赋》注："年二十而吴灭。退临旧里，与弟云闭门勤学，积十一年。"《晋书》卷五十四《陆机传》："年二十而吴灭，退居旧里，闭门勤学，积有十年。以孙氏在吴，而祖父世为将相，有大勋于江表，深慨孙皓举而弃之，乃论权所以得，皓所以亡，又欲述其祖父功业，遂作《辩亡论》二篇。"

公元 281 年（晋武帝太康二年 辛丑）

本年

汲郡出土竹书。《晋书》卷五十一《束皙传》："太康二年，汲郡人不准盗发魏襄王墓，或言安釐王冢，得竹书数十车。其《纪年》十三篇，记夏以来至周幽王为犬戎所灭，以事接之，三家分，仍述魏事至安釐王之二十年。盖魏国之史书，大略与《春秋》皆多相应。其中经传大异，则云夏年多殷；益干启位，启杀之；太甲杀伊尹；文丁杀季历；自周受命，至穆王百年，非穆王寿百岁也；幽王既亡，有共伯和者摄行天子事，非二相共和也。其《易经》二篇，与《周易》上下经同。《易繇阴阳卦》二篇，与《周易》略同，《繇辞》则异。《卦下易经》一篇，似《说卦》而异。《公孙段》二篇，公孙段与邵陟论《易》。《国语》三篇，言楚、晋事。《名》三篇，似《礼记》，又似《尔雅》《论语》。《师春》一篇，书《左传》诸卜筮，"师春"似是造书者姓名也。《琐语》十一篇，诸国卜梦妖怪相书也。《梁丘藏》一篇，先叙魏之世数，次言丘藏金玉事。《缴书》二篇，论弋射法。《生封》一篇，帝王所封。《大历》二篇，邹子谈天类也。《穆天子传》五篇，言周穆王游行四海，见帝台、西王母。《图诗》一篇，画赞之属也。又杂书十九篇：《周食田法》《周书》《论楚事》《周穆王美人盛姬死事》。大凡七十五篇，七篇简书折坏，不识名题。冢中又得铜剑一枚，长二尺五寸。漆书皆科斗字。初发冢者烧策照取宝物，及官收之，多烬简断札，文既残缺，不复诠次。武帝以其书付秘书校缀次第，寻考指归，而以今文写之。"

陆云为周浚主簿。《世说新语·赏鉴》注引《陆云别传》："年十八，刺史周浚命为主簿，浚常叹曰：'陆士龙，当今之颜渊也。'"按，此处言陆云年十八为周浚主簿，当为误记。因为吴亡之时，陆云已十九岁。陆侃如《中古文学系年》以为当在太康二年周浚移镇秣陵之时，今从其说。《资治通鉴》卷八十一云："是岁（太康二年），扬州刺史周浚移镇秣陵。吴民之未服者，屡为寇乱，浚皆讨平之。宾礼故老，搜求俊乂，威惠并行，吴人悦服。"《建康实录》卷五云："西晋孝武太康元年平吴，乃废建业，复为秣陵。分丹阳、南郡为宣城郡，还理于秣陵。在县东南六里，渡长乐桥，古丹阳郡是也。以周浚为扬州刺史。所统十九郡，七十四县。"

裴頠为太子中庶子，迁散骑常侍。《晋书》卷三十五《裴頠传》："太康二年，征为太子中庶子，迁散骑常侍。"

乐广为裴楷、卫瓘、王戎、贾充所赏，约在此年为太尉掾，转太子舍人。《晋书》卷四十三《乐广传》："广孤贫，侨居山阳，寒素为业，人无知者。性冲约，有远识，寡嗜欲，与物无竞。尤善谈论，每以约言析理，以厌人之心，其所不知，默如也。裴楷尝引广共谈，自夕申旦，雅相钦挹，叹曰：'我所不如也。'王戎为荆州刺史，闻广为夏侯玄所赏，乃举为秀才。楷又荐广于贾充，遂辟太尉掾，转太子舍人。尚书令卫瓘，朝之耆旧，逮与魏正始中诸名士谈论，见广而奇之，曰：'自昔诸贤既没，常恐微言将绝，而今乃复闻斯言于君矣。'命诸子造焉，曰：'此人之水镜，见之莹然，若披云雾而睹青天也。'王衍自言：'与人语甚简至，及见广，便觉己之烦。'其为识者所叹美如此。"《晋书》卷三十五《裴楷传》："楷有知人之鉴，初在河南，乐广侨居郡界，未知名，楷见而奇之，致之于宰府。尝目夏侯玄云'肃肃如入宗庙中，但见礼乐器'，钟会'如观武库森森，但见矛戟在前'，傅嘏'汪翔靡所不见'，山涛'若登山临下，幽然深远'。"《世说新语·赏誉》注引孙盛《晋阳秋》："尚书令卫瓘见广曰：'昔者何平叔诸人没，常谓清言尽矣，今复闻之于君！'"又云："乐广善以约言厌人心，其所不知，默如也。太尉王夷甫、光禄大夫裴叔则能清言，常曰：'与乐令言，觉其简至，吾等皆烦。'"

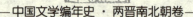

西域僧"强良娄至，出《十二游经》一卷"。据隋费长房《历代三宝记》卷三。

公元282年（晋武帝太康三年　壬寅）

四月

贾充卒。《晋书》卷四十《贾充传》："太康三年四月薨，时年六十六。"严可均《全晋文》卷三十载其文四篇，丁福保《全晋诗》卷二载其诗一篇。

本年

张华草定诏策，制作礼仪宪章。以忤旨出为都督幽州诸军事。《晋书》卷三十六《张华传》："华名重一世，众所推服，晋史及仪礼宪章并属于华，多所损益。当时诏诰皆所草定，声誉益盛，有台辅之望焉。而荀勖自以大族，恃帝恩深，憎疾之，每伺间隙，欲出华外镇。会帝问华：'谁可托寄后事者？'对曰：'明德至亲，莫如齐王攸。'既非上意所在，微为忤旨，间言遂行。乃出华为持节、都督幽州诸军事、领护乌桓校尉、安北将军。"

皇甫谧卒。《晋书》卷五十一《皇甫谧传》："太康三年卒，时年六十八。子童灵、方回等遵其遗命。谧所著诗、赋、诔、颂、论、难甚多，又撰《帝王世纪》、《年历》《高士》《逸士》《列女》等传、《玄晏春秋》，并重于世。门人挚虞、张轨、牛综、席纯，皆为晋名臣。"《太平御览》卷三百八十六："王隐《晋书》·曰：'皇甫谧表从武帝借书，上送一车书与谧。谧羸病，手不释书，历观今古，无不皆综。'"《艺文类聚》卷三十七："（辛旷）《又与皇甫谧书》曰：'伏惟先生，黄中通理，经纶稽古，既好斯文，述而不作。将迈卜商于洙泗之上，超董生于儒林之首，含光烈于千载之前，吐英声于万世之后，亦已甚矣！"《艺文类聚》卷三十六、三十七有辛旷《赠皇甫谧诗》、《与皇甫谧书》《又与皇甫谧书》，皇甫谧《答辛旷书》。《册府元龟》卷五百九十八："皇甫谧，字士安。博综典籍，沉静寡欲，有高尚之志，故终身不仕。门人挚虞、张轨、牛综、席纯皆为晋名臣。"胡应麟《少室山房笔丛》正集卷九："晋皇甫谧隐居不仕，耽玩典籍，至忘寝与食。时人方之好色，谓之书淫。"《四库全书总目》卷五十七有《高士传》详考，卷一百三有《甲乙经》详考。严可均《全晋文》卷七十一载文13篇，丁福保《全晋诗》卷二载诗一篇。

薛莹卒。《三国志·吴书·薛莹传》："太康三年卒。著书八篇，名曰新议。"《册府元龟》卷八百二十九云："晋陆喜初仕吴，累迁吏部尚书，有才思，好著述，有《校论格品篇》曰：或问予薛莹最是国士之第一者乎？答曰：以理推之，在乎四五之间。问者愕然，请问。答曰：夫孙皓无道，肆其暴虐，若龙蛇其身，沈默其体，潜而勿用，趣不可测，此第一人也；避尊居卑，禄代耕养，玄静守约，冲退澹然，此第二人也；侃然体国思治，心不辞贵，以方见惮，执政不惧，此第三人也；斟酌时宜，在乱犹显，意不忘忠，时献微益，此第四人也；温恭修慎，不为谄首，无所云补，从容保宠，此第五人也。过此已往，不足复数，故第二已上，多沦没而远悔吝；第三已下，有声位而近咎累。是以深识君子晦其明而履柔顺也。问者曰：始闻高论，终年启寤矣。"严可均《全晋文》卷八十一载其文八篇。丁福保《全晋诗》卷二载其诗一篇。

潘岳为贾充作诔。严可均《全晋文》卷九十三载潘岳《太宰鲁武公诔》。

公元 283 年（晋武帝太康四年　癸卯）

正月

山涛卒。《晋书》卷三《武帝纪》："四年春正月……戊午，司徒山涛薨。"《晋书》卷四十三《山涛传》："舆疾归家。以太康四年薨，时年七十九。"《世说新语·政事》："山司徒前后选，殆周遍百官，举无失才；凡所提目，皆如其言。唯用陆亮，是诏所用，与公意异，争之不从。亮亦寻为贿败。"《遵生八笺》卷八："山涛与嵇阮一面，契若金兰。山妻韩氏觉涛与二人异常交，问之。涛曰：'当年可以为友者，惟此二人。'妻曰：'负羁之妻，亦亲观赵狐，意欲窥之，可乎？'涛曰：'可。'他日二人来访，涛止之宿，具酒食，妻穿墙视之，达旦忘返。涛入曰：'二人何如？'曰：'君丰致不如，正当以识度耳。'涛曰：'伊辈亦以我识度为胜。'"《太平御览》卷四百九引袁宏《山涛别传》曰："陈留阮籍、谯国嵇康并高才远识，少有悟其契者，涛初不识，一与相遇，便为神交。"《册府元龟》卷六百三十七："晋山涛，武帝时为吏部尚书。前后选用，周遍内外，而并得其才。涛再居选职十有余年，每一官缺辄启拟数人，诏旨有所向，然后显奏，随帝意所欲为先，故帝之所用，或非举首，众情不察，以涛轻重任意，或谮之于帝。故帝手诏戒涛曰：'夫用人惟才，不遗疏远单贱，天下便化矣。'而涛行之自若，一年之后，众情乃寝。涛所奏甄拔人物，各为题目，时称'山公启事'。"

本年

何劭迁侍中。吴士鉴、刘承干《晋书斠注》："《书钞》五十八《晋起居注》曰：武帝太康四年诏曰：'……其以劭为侍中。'"

华峤《汉后书》为司马亮、卫瓘所赏。《晋书》卷四十四《华峤传》："后以峤博闻多识，属书典实，有良史之志，转秘书监，加散骑常侍，班同中书。寺为内台，中书、散骑、著作及治礼音律，天文数术，南省文章，门下撰集，皆典统之。初，峤以《汉纪》烦秽，慨然有改作之意。会为台郎，典官制事，由是得遍观秘籍，遂就其绪，起于光武，终于孝献，一百九十五年，为帝纪十二卷、皇后纪二卷、十典十卷、传七十卷及三谱、序传、目录，凡九十七卷。峤以皇后配天作合，前史作外戚传以继末编，非其义也，故易为皇后纪，以次帝纪。又改志为典，以有《尧典》故也。而改名《汉后书》奏之。诏朝臣会议。时中书监荀勖、令和峤、太常张华、侍中王济咸以峤文质事核，有迁固之规，实录之风，藏之秘府。后太尉汝南王亮、司空卫瓘为东宫傅，列上通讲，事遂施行。"《晋书》卷三《武帝纪》："（太康三年）冬十二月甲申，以……汝南王亮为太尉，光禄大夫山涛为司徒，尚书令卫瓘为司空。"按，司马亮迁太尉、卫瓘迁司空在太康三年十二月，则华峤事当在四年以后，姑系于此。

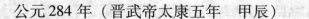

公元284年（晋武帝太康五年　甲辰）

闰月

杜预征为司隶校尉，卒于路，遗命俭葬。《晋书》卷三十四《杜预传》："其后征为司隶校尉，加位特进，行次邓县而卒，时年六十三。帝甚嗟悼，追赠征南大将军、开府仪同三司，谥曰成。预先为遗令曰：'古不合葬，明于终始之理，同于无有也。中古圣人改而合之，盖以别合无在，更缘生以示教也。自此以来，大人君子或合或否，未能知生，安能知死，故各以己意所欲也。'"《汉魏六朝百三家集》卷三十七《杜预集题词》："《左传》之有杜元凯，六经之孔孟也。当时论者，犹以质直见轻，岂真贵古而贱今乎？子云太玄不遇，桓谭几覆酱瓿，元凯释左，非挚虞亦莫知其孤行天地也。杜集绝无诗赋意者，其雕虫邪？彼惟弥纶经传，自托获麟，下者则薄之，诚不欲以此有名也。元凯尝言三不朽，庶几立功立言，其事皆践汉兴佐命，如酂侯刀笔，高密书生，不免望尘而拜。章奏尔雅，悉西京风制，经术既深，凡文皆余耳。不期工而工，此学者粪本之说也。武库平吴，功堪庙食，释左一书，复悬日月之间，为世传习，其于圣经为后先疏附也，成劳过扬玄矣。储君降服，议礼兴讥，是将通世变以就古人。檀弓变礼，不辞作俑，未可与素冠之诗，同相笑也。"《晋书》卷三《武帝纪》："（太康五年）闰月，镇南大将军、当阳侯杜预卒。"

本年

陆云作《晋故散骑常侍陆府君诔》。严可均《全晋文》卷一百四载陆云《晋故散骑常侍陆府君诔》，其文曰："惟太康五年夏四月丙申，晋故散骑常侍吴郡陆君卒。"

公元285年（晋武帝太康六年　乙巳）

三月

张华为太常，作《太康六年三月三日后园会诗》。《晋书》卷三十六《张华传》："朝议欲征华入相，又欲进号仪同。初，华毁征士冯恢于帝，纯即恢之弟也，深有宠于帝。纯尝侍帝，从容论魏晋事，因曰：'臣窃谓钟会之衅，颇由太祖。'帝变色曰：'卿何言邪！'纯免冠谢曰：'臣愚冗瞽言，罪应万死。然臣微意，犹有可申。'帝曰：'何以言之？'纯曰：……帝曰：'当今岂有如会者乎？'纯曰：'东方朔有言谈何容易，《易》曰：臣不密则失身。'帝乃屏左右曰：'卿极言之。'纯曰：'陛下谋谟之臣，著大功于天下，海内莫不闻知，据方镇总戎马之任者，皆在陛下圣虑矣。'帝默然。顷之，征华为太常。以太庙屋栋折，免官。遂终帝之世，以列侯朝见。"陆侃如先生《中古文学系年》将其系于此年，因丁福保《全晋诗》卷二载张华《太康六年三月三日后园会诗》，有句云："忝恩于外，攸攸三期；犬马惟慕，天实为之；灵启其愿，邀愿在兹；于以表情，爰著斯诗。"据此，陆先生以为张华是在游园前不久被召回的。实际上，这首诗也有可能作于幽州任上，姑存疑。

本年

华峤奏皇后宜复蚕礼。《晋书》卷十九《礼志上》："汉仪，皇后亲桑东郊苑中，蚕室祭蚕神，曰苑窳妇人、寓氏公主，祠用少牢。魏文帝黄初七年正月，命中宫蚕于北郊，依周典也。及武帝太康六年，散骑常侍华峤奏：'先王之制，天子诸侯亲耕藉田千亩，后夫人躬蚕桑。今陛下以圣明至仁，修先王之绪，皇后体资生之德，合配乾之义，而坤道未光，蚕礼尚缺。以为宜依古式，备斯盛典。'"

张载至蜀省父，作《叙行赋》《剑阁铭》《登成都白菟楼》。严可均《全晋文》卷八十五有张载《叙行赋》云："岁大荒之孟夏，余将往乎蜀都。"陆侃如《中古文学系年》认为大荒为巳年，太康惟六年为乙巳，采此说。《晋书》卷五十五《张载传》："太康初，至蜀省父，道经剑阁。载以蜀人恃险好乱，因著铭以作诫曰：……益州刺史张敏见而奇之，乃表上其文，武帝遣使镌之于剑阁山焉。"《文选》卷五十六《剑阁铭》李善注引臧荣绪《晋书》曰："载随父入蜀，作《剑阁铭》。"丁福保《全晋诗》卷四有张载《登成都白菟楼》，亦当作于此时。

公元 286 年（晋武帝太康七年　丙午）
公元 287 年（晋武帝太康八年　丁未）

本年

王济作《太常郭奕谥景议》。严可均《全晋文》卷二十八载王济《太常郭奕谥景议》。《晋书》卷四十五《郭奕传》："太康八年卒，太常上谥为景，有司议以贵贱不同号。谥与景皇同，不可，请谥曰穆。诏曰：'谥所以旌德表行，按谥法一德不懈为简。奕忠毅清直，立德不渝。'于是遂赐谥曰简。"

公元 288 年（晋武帝太康九年　戊申）

本年

傅咸上书言宗社事。《晋书》卷十九《礼志上》："晋初仍魏，无所增损。至太康九年，改建宗庙，而社稷坛一庙俱徙。乃诏曰：'社实一神，其并二社之祀。'于是车骑司马傅咸表曰：……"

公元 289 年（晋武帝太康十年　己酉）

本年

华峤谏止宴乐。《晋书》卷四十四《华峤传》："太康末，武帝颇亲宴乐，又多疾病。属小瘳，峤与侍臣表贺，因微谏曰：……帝手诏报曰：'辄自消息，无所为虑。'"

王赞作《梨树颂》《侍皇太子祖道楚淮南二王》。严可均《全晋文》卷八十六载王赞《梨树颂》："太康十年梨树四枝，其条与中枝合生于园圃，皇太子令侍臣作颂。"丁福保《全晋诗》卷四载王赞《侍皇太子祖道楚淮南二王》。《晋书》卷三《武帝纪》："（太康十年十一月）改封南阳王柬为秦王，始平王玮为楚王，濮阳王允为淮南王，并

假节之国，各统方州军事。"

潘尼为淮南王允镇东参军。《晋书》卷三《武帝纪》："（太康十年十一月）改封南阳王柬为秦王，始平王玮为楚王，濮阳王允为淮南王，并假节之国，各统方州军事。"《晋书》卷五十五《潘尼传》："太康中，举秀才，为太常博士。历高陆令、淮南王允镇东参军。"

嵇含为楚王掾，作《白首赋》。《晋书》卷八十九《嵇含传》："楚王玮辟为掾。"严可均《全晋文》卷六十五载嵇含《白首赋》云："余年二十七，始有白发生于左鬓。"按，嵇含被害于光熙元年（306），时年四十四，以此上推，当在此年。

陆机、陆云入洛，拜见太常张华。《晋书》卷五十四《陆机传》："至太康末，与弟云俱入洛，造太常张华。华素重其名，如旧相识，曰：'伐吴之役，利获二俊。'又尝诣侍中王济，济指羊酪谓机曰：'卿吴中何以敌此？'答云：'千里莼羹，未下盐豉。'时人称为名对。张华荐之诸公。"《九家旧晋书辑本·臧荣绪晋书》："机少袭领父兵，为牙门将军。年二十，而吴灭。退临旧里，与弟云闭门勤学，积十一年。机誉流京华，声溢四表，被征为太子洗马，与弟云俱入洛。司徒张华，素重其名，如旧相识。以文录呈，天才绮练，当时独绝，新声妙句，系踪张蔡。机妙解情理，心识文体，作《文赋》曰……"《世说新语·文学》："孙兴公云：'潘文烂若披锦，无处不善；陆文若排沙简金，往往见宝。'"刘孝标注引《文章传》曰："机善属文，司空张华见其文章，篇篇称善，犹讥其作文大冶。谓曰：'人之作文，患于不才；至子为文，乃患太多也。'"《世说新语·赏誉》："蔡司徒在洛，见陆机兄弟住参佐廨中，三间瓦屋，士龙住东头，士衡住西头。士龙为人，文弱可爱。士衡长七尺余，声作钟声，言多慷慨。"刘孝标注引《文士传》曰："云性弘静，怡怡然为士友所宗。机清厉有风格，为乡党所惮。"《世说新语·排调》："荀鸣鹤、陆士龙二人未相识，俱会张茂先坐。张令共语。以其并有大才，可勿作常语。陆举手曰：'云间陆士龙。'荀答曰：'日下荀鸣鹤。'陆曰：'既开青云睹白雉，何不张尔弓，布尔矢？'荀答曰：'本谓云龙騤騤，定是山鹿野麋。兽弱弩强，是以发迟。'张乃抚掌大笑。"刘孝标注引《荀氏家传》曰："隐祖昕，乐安太守。父岳，中书郎。隐与陆云在张华坐语，互相反复，陆连受屈，隐辞皆美丽，张公称善云。世有此书，寻之未得。历太子舍人，延尉平，蚤卒。"

陆机、陆云闻左思作《三都赋》。《世说新语·文学》注引孙盛《晋阳秋》："太康末，陆机入洛，闻左思作《三都赋》。与弟书曰：'此间有伧父，欲作水中三都赋。'"《晋书》卷九十二《文苑传》："初，陆机入洛，欲为此赋，闻思作之，抚掌而笑，与弟云书曰：'此间有伧父，欲作《三都赋》，须其成，当以覆酒瓮耳。'及思赋出，机绝叹伏，以为不能加也，遂辍笔焉。"

庾亮生。《晋书》卷七十三《庾亮传》："咸康六年薨，时年五十二。追赠太尉，谥曰文康。"按，以此上推，当生于此年。同卷又云："庾亮，字符规，明穆皇后之兄也。父琛，在《外戚传》。亮美姿容，善谈论，性好《庄》《老》，风格峻整，动由礼节，闺门之内，不肃而成，时人或以为夏侯太初、陈长文之伦也。"

26

公元290年（晋惠帝永熙元年　庚戌）

四月

武帝崩，惠帝即位，杨骏擅权。《晋书》卷三《武帝纪》："太熙元年春正月辛酉朔，改元。乙巳，以尚书左仆射王浑为司徒，司空卫瓘为太保。二月辛丑，东夷七国朝贡。琅邪王觐薨。三月甲子，以右光禄大夫石鉴为司空。夏四月辛丑，以侍中、车骑将军杨骏为太尉、都督中外诸军、录尚书事。己酉，帝崩于含章殿，时年五十五，葬峻阳陵，庙号世祖。"

本年

何劭草武帝遗诏。《晋书》卷四十《杨骏传》："信宿之间，上疾遂笃，后乃奏帝以骏辅政，帝颔之。便召中书监华廙、令何劭，口宣帝旨使作遗诏，曰……"

张华作《武帝哀策文》。文见《艺文类聚》卷十三、《御定渊鉴类函》卷四十三。

裴頠转国子祭酒兼右军将军。《晋书》卷三十五《裴頠传》："惠帝即位，转国子祭酒，兼右军将军。"

张华为太子少傅。《晋书》卷三十六《张华传》："惠帝即位，以华为太子少傅，与王戎、裴楷、和峤俱以德望为杨骏所忌，皆不与朝政。"

挚虞上表谏改除普增位一等。《晋书》卷五十一《挚虞传》："时太庙初建，诏普增位一等。后以主者承诏失旨，改除之。虞上表曰……诏从之。"《晋书》卷四《惠帝纪》："夏五月……丙子，增天下位一等，预丧事者二等，复租调一年，二千石已上皆封关中侯。"

夏侯湛为散骑常侍。《晋书》卷四《惠帝纪》："迁太子仆，未就命，而武帝崩。惠帝即位，以为散骑常侍。"

潘岳为杨骏主簿，作《世祖武皇帝诔》。《晋书》卷五十五《潘岳传》："杨骏辅政，高选吏佐，引岳为太傅主簿。"

公元291年（晋惠帝元康元年　辛亥）

三月

贾后诛太傅杨骏，废皇太后。贾氏擅权。见《晋书》卷四《惠帝纪》。

八月

何劭为都督豫州诸军事，镇许昌。《晋书》卷四《惠帝纪》："八月庚申，以……太子太师何劭为都督豫州诸军事，镇许昌。"

本年

董养著《无化论》以讽贾后。《晋书》卷九十四《隐逸传》："及杨后废，养因游太学，升堂叹曰：'建斯堂也，将何为乎？每览国家赦书，谋反大逆皆赦，至于杀祖父母、父母不赦者，以为王法所不容也。奈何公卿处议，文饰礼典，以至此乎！天人之理既灭，大乱作矣。'因著《无化论》以非之。"

华峤封乐乡侯，迁尚书。《晋书》卷四十四《华峤传》："元康初，封宜昌亭侯。诛杨骏，改封乐乡侯，迁尚书。"

裴頠领左军将军。《晋书》卷三十五《裴頠传》："杨骏将诛也，骏党左军将军刘豫陈兵在门，遇頠，问太傅所在。頠绐之曰：'向于西掖门遇公乘素车，从二人西出矣。'豫曰：'吾何之？'頠曰：'宜至廷尉。'豫从頠言，遂委而去。寻而诏頠代豫领左军将军，屯万春门。及骏诛，以功当封武昌侯，頠请以封憬，帝竟封頠次子该。頠苦陈憬本承嫡，宜袭钜鹿，先帝恩旨，辞不获命。武昌之封，己之所蒙，特请以封憬。该时尚主，故帝不听。累迁侍中。"

裴頠奏修国学，刻石写经。与乐广清言。《晋书》卷三十五《裴頠传》："时天下暂宁，頠奏修国学，刻石写经。皇太子既讲，释奠祀孔子，饮飨射侯，甚有仪序。……頠通博德闻，兼明医术。荀勖之修律度也，检得古尺，短世所用四分有余。頠上言：'宜改诸度量。若未能悉革，可先改太医权衡。此若差违，遂失神农、岐伯之正。药物轻重，分两乖互，所可伤夭，为害尤深。古寿考而今短折者，未必不由此也。'卒不能用。乐广尝与頠清言，欲以理服之，而頠辞论丰博，广笑而不言。时人谓頠为言谈之林薮。"按，本传置数事于诛杨骏之后，姑置此。

张华议废杨太后事。以诛楚王玮之功，拜右光禄大夫、侍中、中书监。作《女史箴》。《晋书》卷三十六《张华传》："惠帝即位，以华为太子少傅，与王戎、裴楷、和峤俱以德望为杨骏所忌，皆不与朝政。及骏诛后，将废皇太后，会群臣于朝堂，议者皆承望风旨，以为《春秋》绝文姜，今太后自绝于宗庙，亦宜废黜。惟华议以为'夫妇之道，父不能得之于子，子不能得之于父，皇太后非得罪于先帝者也。今党其所亲，为不母于圣世，宜依汉废赵太后为孝成后故事，贬太后之号，还称武皇后，居异宫，以全贵终之恩'。不从，遂废太后为庶人。楚王玮受密诏杀太宰汝南王亮、太保卫瓘等，内外兵扰，朝廷大恐，计无所出。华白帝以'玮矫诏擅害二公，将士仓卒，谓是国家意，故从之耳。今可遣驺虞幡使外军解严，理必风靡。'上从之，玮兵果败。及玮诛，华以首谋有功，拜右光禄大夫、开府仪同三司、侍中、中书监，金章紫绶。固辞开府。贾谧与后共谋，以华庶族，儒雅有筹略，进无逼上之嫌，退为众望所依，欲倚以朝纲，访以政事。疑而未决，以问裴頠，頠素重华，深赞其事。华遂尽忠匡辅，弥缝补阙，虽当暗主虐后之朝，而海内晏然，华之功也。华惧后族之盛，作《女史箴》以为讽。贾后虽凶妒，而知敬重华。"

傅咸转太子中庶子，迁御史中丞，致书于太宰汝南王司马亮，又上书言选举。《晋书》卷四十七《傅玄传》："居无何，骏诛。咸转为太子中庶子，迁御史中丞。时太宰、汝南王亮辅政，咸致书曰……咸复以亮辅政专权，又谏曰……会丙寅，诏群僚举郡县之职以补内官。咸复上书曰……"

挚虞讨论新礼，上礼议十五篇。《晋书》卷十九《礼志上》："虞讨论新礼讫，以元康元年上之。所陈惟明堂五帝、二社六宗及吉凶王公制度，凡十五篇。有诏可其议。"

夏侯湛卒。《晋书》卷五十五《夏侯湛传》："元康初，卒，年四十九。著论三十余篇，别为一家之言。初，湛作《周诗》成，以示潘岳。岳曰：'此文非徒温雅，乃别见孝弟之性。'岳因此遂作《家风诗》。湛族为盛门，性颇豪侈，侯服玉食，穷滋极珍。及将没，遗命小棺薄殓，不修封树。论者谓湛虽生不砥砺名节，死则俭约令终，是深达存亡之理。"严可均《全晋文》卷九十三载潘岳《夏侯常侍诔》："元康元年夏五月壬辰寝疾。"《汉魏六朝百三家集》卷四十四《晋夏侯湛集题词》："潘安仁之诔夏侯孝若也，曰：'执戟疲杨，长沙投贾。'余读其词，窃叹文人相惜，死生尤见。《抵疑》之作，班固《宾戏》、蔡邕《释诲》流也。高才淹踬，含文写怀，铺张问难，聊代萱苏。纵观西晋，玄居榷论，释劝释时，文皆近是，追踪西汉，邈乎后尘矣。《昆弟诰》总训郡子，绍闻穆侯，人伦长者之书也。但规模帝典，仅能形似，刻鹄画虎，不无讥焉。《周诗》上续《白华志》，犹束皙《补亡》，安仁诵之，亦赋《家风》，友朋具尔，殆文以情生乎？"王士禛《居易录》卷三："罗明仲尝语，李宾之三言诗，亦可视为一体，《以扇命作李援笔》题云：'扬风帆，出江树。家遥遥，在何处。'其意致颇近古。前明李西涯以乐府擅名，其所作三五七言诸体，靡不悉具，以视宾之，其高下为何如耶？三言之作，其体已久为作者所宜备。《诗谈》云，三言起于散骑常侍夏侯湛。"《北堂书钞》卷六十："司马攸《与山巨源书》云：'太子舍人夏侯湛，柔心居正，理识明彻，应可为郎也。'"

潘岳坐杨骏除名，为公孙宏所救，作《夏侯常侍诔》。《晋书》卷五十五《潘岳传》："骏诛，除名。初，谯人公孙宏少孤贫，客田于河阳，善鼓琴，颇能属文。岳之为河阳令，爱其才艺，待之甚厚。至是，宏为楚王玮长史，专杀生之政。时骏纲纪皆当从坐，同署主簿朱振已就戮。岳其夕取急在外，宏言之玮，谓之假吏，故得免。"严可均《全晋文》卷九十三载潘岳《夏侯常侍诔》，见上则。

刘颂从淮南王司马允入洛，为三公尚书，上书论律令，监斩楚王。《晋书》卷四十六《刘颂传》："元康初，从淮南王允入朝。会诛杨骏，颂屯卫殿中，其夜，诏以颂为三公尚书。又上疏论律令事，为时论所美。"《晋书》卷三十《刑法志》："时刘颂为三公尚书，又上疏曰……诏下其事。侍中、太宰、汝南王亮奏以为……宜如颂所启，为永久之制。"《晋书》卷五十九《楚王玮传》："玮临死，出其怀中青纸诏，流涕以示监刑尚书刘颂曰：'受诏而行，谓为社稷，今更为罪，托体先帝，受枉如此，幸见申列。'颂亦歔欷不能仰视。"

石崇赠王恺鸩鸟，为司隶校尉傅祗所纠。《晋书》卷三十三《石崇传》："崇在南中，得鸩鸟雏，以与后军将军王恺。时制，鸩鸟不得过江，为司隶校尉傅祗所纠，诏原之，烧鸩于都街。"《晋书》卷九十三《外戚传》："石崇与恺将为鸩毒之事，司隶校尉傅祗劾之，有司皆论正重罪，诏特原之。由是众人益畏恺，故敢肆其意，所欲之事无所顾惮焉。"

陆机迁太子洗马。《晋书》卷五十四《陆机传》："会骏诛，累迁太子洗马、著作郎。范阳卢志于众中问机曰：'陆逊、陆抗于君近远？'机曰：'如君于卢毓、卢珽。'志默然。既起，云谓机曰：'殊邦遐远，容不相悉，何至于此！'机曰：'我父祖名播四海，宁不知邪！'议者以此定二陆之优劣。"

嵇含因楚王事免官。《晋书》卷八十九《嵇含传》："楚王玮辟为掾。玮诛，坐免。"

束皙奔卫恒丧，为吊文。《晋书》卷五十一《束皙传》："皙与卫恒厚善，闻恒遇祸，自本郡赴丧。"严可均《全晋文》卷八十七载束皙《吊卫巨山文》。按，卫恒，字巨山，为卫瓘之子，与瓘同时遇害。

公元 292 年（晋惠帝元康二年　壬子）

五月

潘岳为长安令，作《西征赋》、《伤弱子辞》。《晋书》卷五十五《潘岳传》："未几，选为长安令，作《西征赋》，述所经人物山水，文清旨诣，辞多不录。"《文选》卷十《西征赋》："岁次玄枵，月旅蕤宾，丙丁统日，乙未御辰，潘子凭轼西征……"李善注云："以历推之，元康二年，岁在壬子，乙未五月十八日也。"又《伤弱子辞》云："惟元康二年春三月壬寅弱子生，夏五月余之长安，壬寅余次于新安之千秋亭，甲辰而弱子夭，越翌日乙巳瘗于亭东。"

七月

嵇含作《遇蛊赋》。严可均《全晋文》卷六十五嵇含《遇蛊赋》云："元康二年七月七日，余中夜遇蛊。"

本年

潘尼作《献长安君安仁》。丁福保《全晋诗》卷四载潘尼《献长安君安仁》，当作于潘岳赴任长安之时。

公元 293 年（晋惠帝元康三年　癸丑）

本年

诏荀藩校乐。《晋书》卷二十二《乐志上》："勖既以新律造二舞，次更修正钟声。会勖薨，未竟其业。元康三年，诏其子藩修定金石，以施郊庙。寻值丧乱，莫有记之者。"

潘尼为太子舍人，上《释奠颂》。《晋书》卷五十五《潘尼传》："元康初，拜太子舍人，上《释奠颂》。其辞曰：'元康元年冬十二月，上以皇太子富于春秋，而人道之始莫先于孝悌，初命讲《孝经》于崇正殿。……三年春闰月，将有事上庠，释奠于先师，礼也。越二十四日丙申，侍祠者既齐，舆驾次于太学。'"

傅咸上《皇太子释奠颂》。严可均《全晋文》卷五十二载《皇太子释奠颂》。见上条。

孙楚卒。《世说新语·言语》注引《晋阳秋》："骠骑将军资之孙，南阳太守宏之子。乡人王济，豪俊公子，为本州大中正，访问宏，求楚为乡里品状。济曰：'此人非乡评所能名，吾自状之曰：天才英特，亮拔不群。'"《诗品》卷二："子荆'零雨'之外，正长'朔风'之后，虽有累札，良亦无闻。"《汉魏六朝百三家集》卷四十一《晋孙楚集题词》："子荆'零雨'、正长'朔风'，称于诗家，今亦未见其绝伦也。《除妇服诗》王武子叹为情文相生，然以方嵇君道《伉俪诗》，兄弟间耳。江东未顺，司马文王发使遣书，子荆与荀公曾各奋笔札，孙最杰出而荀独见用，谓胜十万师。文章有神，不在遇合，朝庙之上，赏音尤难，必欲如元瑜、孔璋见知孟德，岂易言哉？石骠骑，府主也；郭奕，其同里也。睥睨忿争，遂致沉废，子荆平日素有傲名，乡曲缺誉，此亦其见短之一事乎？然同闬相知，有一武子，生死愿足。灵床驴声，何必非叔夜之琴也？《笑赋》调谑自得，《反金人铭》蚩薄箝口，似狂非狂，言各有寄。……太原名士磊落英多，其为品状，宁让汝颍哉？"严可均《全晋文》卷六十载其文四十五篇。丁福保《全晋诗》载其诗六篇。

　　华峤卒。《晋书》卷四十四《华峤传》："峤所著论议难驳诗赋之属数十万言，其所奏官制、太子宜还宫及安边、雩祭、明堂辟雍、浚导河渠，巡禹之旧迹置都水官，修蚕宫之礼置长秋，事多施行。元康三年卒，追赠少府，谥曰简。峤性嗜酒，率常沉醉。所撰书十典未成而终，秘书监何劭奏峤中子彻为佐著作郎，使踵成之，未竟而卒。后监缪征又奏峤少子畅为佐著作郎，克成十典，并草魏、晋纪传，与著作郎张载等俱在史官。永嘉丧乱，经籍遗没，峤书存者三十余卷。"严可均《全晋文》卷六十六载其文九篇。

公元 294 年（晋惠帝元康四年　甲寅）

本年

　　傅咸卒。《晋书》卷四十七《傅咸传》："元康四年卒官，时年五十六，诏赠司隶校尉，朝服一具、衣一袭、钱二十万，谥曰贞。"《文心雕龙·奏启》："若夫傅咸劲直而按辞坚深，刘隗切正而劲文阔略，各其志也。"《文心雕龙·议对》："晋代能议，则傅咸为宗。"《文选·晋纪总论》注引孙盛《晋阳秋》："司隶校尉傅咸，劲直正厉，果于从政，先后弹奏百僚，王戎多不见从。"杨慎《升庵诗话》卷一："晋傅咸作《七经》诗，其《毛诗》一篇略曰：'聿修厥德，令终有淑。勉尔遁思，我言维服。盗言孔甘，其何能淑。谗人罔极，有腼面目。'此乃集句诗之始，或谓集句起于王安石，非也。"谢榛《四溟诗话》卷一："晋傅咸集七经语为诗；北齐刘昼缉缀一赋，名为《六合》。魏收曰：'赋名《六合》，其愚已甚；及观其赋，又愚于名。'后之集句肇于此。"《汉魏六朝百三家集》卷四十六《晋傅咸集题词》："傅休奕刚峻少容，贵显当世，老而不折。时晋运方兴，天子虚己，老成喉舌，可以无恙。若长虞所处，国艰甫殷，惩杨氏执政之萌，规汝南辅相之失，劲按惊人，荣终司隶，直道而行。若是多福，鲍子都、诸葛少季无其遇也。傅氏诸赋，不尚绮丽，长虞短篇，时见正性。《治狱明意赋》云：'吏砥身以存公，古有死而无柔。'一生骨鲠，风尚显白，历官威严，条申职掌御史，作箴汲生，共勗司隶，布教卧虎，立名彼其之子，邦之司直，斯人有焉。休奕四部六录，文集百余，湮阙者多，长虞著述不富，传文亦与父垍，为彪为固，不能短长其间，七经诗中《毛诗》一首，虽集句托始，无关言志；《与尚书同寮诗》则告诫臣仆，有孚盈缶，韦孟在邹，家风不坠矣。"《丹铅余录》续录卷九"《七经诗》集句之始"云："晋傅咸作《七经诗》，其《毛诗》一篇略曰：'聿修厥德，令终有俶。勉尔遁思，我言维服。盗言孔甘，其何能淑。逸人罔极，有腼面目。'此乃集句诗之始，或谓集句起于王安石，非也。"严可均《全晋文》卷五十一、五十二载其文 75 篇。丁福保《全晋诗》卷二载其诗二十一篇。

陆机出为吴王郎中令，作《皇太子清晏诗序》《吴王郎中时从梁陈作》。吴士鉴、刘承干《晋书斠注》："《书钞》六十六陆机《皇太子清晏诗序》云：'元康四年秋，余以太子洗马出补吴王郎中。'"《晋书》卷五十四《陆机传》："吴王晏出镇淮南，以机为郎中令，迁尚书中兵郎，转殿中郎。"

潘尼作《赠陆机出为吴王郎中令》，陆机作《答潘尼》。丁福保《全晋诗》卷四载潘尼《赠陆机出为吴王郎中令》，卷三载陆机《答潘尼》。

公元 295 年（晋惠帝元康五年 乙卯）

二月

裴頠拜吏部尚书，上书言刑法。《晋书》卷三十五《裴頠传》："迁尚书，侍中如故，加光禄大夫。每授一职，未尝不殷勤固让，表疏十余上，博引古今成败以为言，览之者莫不寒心。"《晋书》卷三十《刑法志》："至惠帝之世，政出群下，每有疑狱，各立私情，刑法不定，狱讼繁滋。尚书裴頠表陈之曰：'……会五年二月有大风，主者惩惧前事。臣新拜尚书始三日，本曹尚书有疾，权令兼出，按行兰台。'"

十月

张华救武库火。《晋书》卷三十六《张华传》："武库火，华惧因此变作，列兵固守，然后救之，故累代之宝及汉高斩蛇剑、王莽头、孔子屐等尽焚焉。时华见剑穿屋而飞，莫知所向。"《晋书》卷四《惠帝纪》："（元康五年）冬十月，武库火，焚累代之宝。"

公元 296 年（晋惠帝元康六年 丙辰）

本年

张华为司空，与赵王伦、孙秀结怨。《晋书》卷四《惠帝纪》："六年春正月，大赦。司空、下邳王晃薨。以中书监张华为司空……五月……征征西大将军、赵王伦为车骑将军，以太子太保、梁王肜为征西大将军、都督雍梁二州诸军事，镇关中。"《晋书》卷三十六《张华传》："数年，代下邳王晃为司空，领著作。……初，赵王伦为镇西将军，挠乱关中，氐羌反叛，乃以梁王肜代之。或说华曰：'赵王贪昧，信用孙秀，所在为乱，而秀变诈，奸人之雄。今可遣梁王斩秀，刘赵之半，以谢关右，不亦可乎！'华从之，肜许诺。秀友人辛冉从西来，言于肜曰：'氐羌自反，非秀之为。'故得免死。伦既还，谄事贾后，因求录尚书事，后又求尚书令。华与裴頠皆固执不可，由是致怨，伦、秀疾华如仇。"

潘尼作《赠二李郎诗序》、《赠汲郡太守李茂彦》。严可均《全晋文》卷九十四载潘尼《赠二李郎诗序》云："元康六年尚书吏部郎汝南李光彦迁汲郡太守，都亭侯江夏李茂曾迁平阳太守。"丁福保《全晋诗》卷四载潘尼《赠汲郡太守李茂彦》。

潘岳约于此年作《闲居赋》。《晋书》卷五十五《潘岳传》："岳性轻躁，趋世利，与石崇等谄事贾谧，每候其出，与崇辄望尘而拜。构愍怀之文，岳之辞也。谧二十四友，岳为其首。谧《晋书》限断，亦岳之辞也。其母数诮之曰：'尔当知足，而干没不已乎？'而岳终不能改。既仕宦不达，乃作《闲居赋》曰：'仆少窃乡曲之誉，忝司空太尉之命，所奉之主，即太宰鲁武公其人也。举秀才为郎。逮事世祖武皇帝，为河阳、怀令、尚书郎、廷尉评。今天子谅闇之际，领太傅主簿。府主诛，除名为民。俄而复官，除长安令。迁博士，未召拜，亲疾辄去，官免。自弱冠涉于知命之年，八徙官而一进阶，再免，一除名，一不拜职，迁者三而已矣。'"

石崇出为征虏将军，假节监徐州诸军事，与友人有金谷之会。《晋书》卷三十三《石崇传》："顷之，拜太仆，出为征虏将军，假节、监徐州诸军事，镇下邳。崇有别馆在河阳之金谷，一名梓泽，送者倾都，帐饮于此焉。"《世说新语·品藻》注引石崇《金谷诗序》："石崇《金谷诗序》曰：'余以元康六年，从太仆卿出为使，持节监青徐诸军事、征虏将军。有别庐在河南县界金谷涧中，或高或下，有清泉茂林，众果竹柏、药草之属，莫不毕备。又有水碓、鱼池、土窟，其为娱目欢心之物备矣。时征西大将军祭酒王诩当还长安，余与众贤共送往涧中，昼夜游宴，屡迁其坐。或登高临下，或列坐水滨。时琴瑟笙筑，合载车中，道路并作。及住，令与鼓吹递奏。遂各赋诗，以叙中怀。或不能者，罚酒三斗。感性命之不永，惧凋落之无期。故具列时人官号、姓名、年纪，又写诗著后。后之好事者，其览之哉！凡三十人，吴王师、议郎、关中侯、始平武功苏绍字世嗣，年五十，为首。'"

嵇绍约于此时为徐州刺史。《晋书》卷八十九《忠义传》："服阕，拜徐州刺史。时石崇为都督，性虽骄暴，而绍将之以道，崇甚亲敬之。"

陆机入为尚书郎，作《答贾谧并序》《思归赋并序》。丁福保《全晋诗》卷三载陆机《答贾谧并序》云："元康六年入为尚书郎，鲁公赠诗一篇，作此答之。"严可均《全晋文》卷九十六载陆机《思归赋并序》云："以元康六年冬取急归，而羌虏作乱，王师外征。职典中兵，与闻军政，惧兵革未息，宿愿有违。"王世贞《艺苑卮言》卷三："古诗四言之有冒头，盖不始延年也，二陆诸君为之俑也。如《皇太子宴宣猷堂应令》，而士衡起句曰：'三正迭绍，洪圣启运。自昔哲王，先天而顺。'凡十六韵而始及太子。《大将军宴会》，而士衡起句曰：'皇皇帝佑，诞骏命。四祖正家，天禄安定。'凡八韵而始入……又士衡《赠斥丘令》而曰：'于皇圣世，时文惟晋。受命自天，奄有黎献。'《答贾常侍》而曰：'伊昔有皇，肇济黎蒸。先天创物，景命是膺。'潘安仁为贾答而曰：'肇自初创，二仪烟煴。爰有生民，伏羲始君。'晋武《华林园宴集》而应吉甫起句云：'悠悠太上，民之厥初。皇极肇建，彝伦攸敷。'若尔则不必多费此等语，但成一冒头，百凡宴会酬赠，可举以贯之矣。若韦孟之《讽谏》，思王之《责躬应诏》，靖节之《赠族祖》，叔夜之《幽愤》，仲宣之《赠蔡睦文颖》，越石之《赠卢谌》，宁有是耶？其它仲宣之《思亲》云：'穆穆显妣，德音徽止。'闾丘冲之《三月宴》云：'暮春之月，春服既成。'裴季彦之《大蜡》曰：'日躔星纪，大吕司辰。'开口见咽，岂不快哉！而《选》都未之及，何也？"

刘琨为司隶从事，为贾谧二十四友之一。又与祖逖共事，闻鸡起舞。《晋书》卷六十二《刘琨传》："年二十六，为司隶从事。时征虏将军石崇河南金谷涧中有别庐，冠绝时辈，引致宾客，日以赋诗。琨预其间，文咏颇为当时所许。秘书监贾谧参管朝政，京师人士无不倾心。石崇、欧阳建、陆机、陆云之徒，并以文才降节事谧，琨兄弟亦在其间，号曰'二十四友'。"《晋书》卷六十二《祖逖传》："与司空刘琨俱为司州主簿，情好绸缪，共被同寝。中夜闻荒鸡鸣，蹴琨觉曰：'此非恶声也。'因起舞。逖、琨并有英气，每语世事，或中宵起坐，相谓曰：'若四海鼎沸，豪杰并起，吾与足下当相避于中原耳。'"

潘岳作《马汧督诔》《为贾谧作赠陆机》。严可均《全晋文》卷九十二载潘岳《马汧督诔》："惟元康七年九月十五日晋故督守关中侯扶风马君卒。"

公元297年（晋惠帝元康七年　丁巳）

九月

何劭为尚书左仆射。《晋书》卷四《惠帝纪》："九月，以尚书右仆射王戎为司徒，太子太师何劭为尚书左仆射。"《晋书》卷三十三《何劭传》："惠帝即位，初建东宫，太子年幼，欲令亲万机，故盛选六傅，以劭为太子太师，通省尚书事。后转特进，累迁尚书左仆射。劭博学，善属文，陈说近代事，若指诸掌。"

本年

陈寿卒。《晋书》卷八十二《陈寿传》："元康七年，病卒，时年六十五。梁州大中正、尚书郎范頵等上表曰：'昔汉武帝诏曰：司马相如病甚，可遣悉取其书。使者得其遗书，言封禅事，天子异焉。臣等案：故治书侍御史陈寿作《三国志》，辞多劝诫，明乎得失，有益风化，虽文艳不若相如，而质直过之，愿垂采录。'于是诏下河南尹、洛阳令，就家写其书。寿又撰《古国志》五十篇、《益都耆旧传》十篇，余文章传于世。"《世说新语·排调》注引王隐《晋书》："寿字承祚，巴西安汉人。好学，善著述。仕至中庶子。初，寿父为马谡参军，诸葛亮诛谡，髡其父头。亮子瞻又轻寿。故寿撰蜀志，以爱憎为评也。"《文心雕龙·史传》："魏代三雄，记传互出，《阳秋》《魏略》之属，江表《吴录》之类，或激抗难征，或疏阔寡要，唯陈寿三志，文质辨洽，荀张比之于迁固，非妄誉也。"严可均《全晋文》卷七十一载其文二篇。

公元 298 年（晋惠帝元康八年　戊午）

本年

陆机为著作郎，作《吊魏武帝文》。严可均《全晋文》卷九十九载陆机《吊魏武帝文并序》云："元康八年，机始以台郎出补著作。"

公元 299 年（晋惠帝元康九年　己未）

八月

裴頠为尚书左仆射。《晋书》卷四《惠帝纪》："（元康九年）秋八月，以尚书裴頠为尚书仆射。"《晋书》卷三十五《裴頠传》："迁尚书左仆射，侍中如故。頠虽后之亲属，然雅望素隆，四海不谓之以亲戚进也，惟恐其不居位。……愍怀太子之废也，頠与张华苦争不从，语在《华传》。"

十二月

惠帝临学宫，行乡饮酒之礼。《晋书》卷二十一《礼志下》："武帝泰始六年十二月，帝临辟雍，行乡饮酒之礼。诏曰：'礼仪之废久矣，乃今复讲肄旧典。'赐太常绢百匹，丞、博士及学生牛酒。咸宁三年，惠帝元康九年，复行其礼。"

潘岳为构陷愍怀太子之文。《九家旧晋书辑本·王隐晋书》："与石崇等谄事贾谧。构愍怀之文，岳之辞。"《晋书》卷五十三《愍怀太子传》："十二月，贾后将废太子，诈称上不和，呼太子入朝。既至，后不见，置于别室，遣婢陈舞赐以酒枣，逼饮醉之。使黄门侍郎潘岳作书草，若祷神之文，有如太子素意，因醉而书之，令小婢承福以纸笔及书草使太子书之。……太子醉迷不觉，遂依而写之，其字半不成。既而补成之，后以呈帝。帝幸式乾殿，召公卿入，使黄门令董猛以太子书及青纸诏曰：'遹书如此，今赐死。'遍示诸公王，莫有言者，惟张华、裴頠证明太子。……议至日西不决。后惧事变，乃表免太子为庶人，诏许之。"

张华、裴頠谏争贾后废太子之议。《晋书》卷三十六《张华传》："及贾后谋废太子，左卫率刘卞甚为太子所信遇，每会宴，卞必预焉。屡见贾谧骄傲，太子恨之，形于言色，谧亦不能平。卞以贾后谋问华，华曰：'不闻。'卞曰：'卞以寒悴，自须昌小吏受公成拔，以至今日。士感知己，是以尽言，而公更有疑于卞邪！'华曰：'假令有此，君欲如何？'卞曰：'东宫俊乂如林，四率精兵万人。公居阿衡之任，若得公命，皇太子因朝入录尚书事，废贾后于金墉城，两黄门力耳。'华曰：'今天子当阳，太子，人子也，吾又不受阿衡之命，忽相与行此，是无其君父，而以不孝示天下也。虽能有成，犹不免罪，况权戚满朝，威柄不一，而可以安乎！'及帝会群臣于式乾殿，出太子手书，遍示群臣，莫敢有言者。惟华谏曰；'此国之大祸。自汉武以来，每废黜正嫡，恒至丧乱。且国家有天下日浅，愿陛下详之。'尚书左仆射裴頠以为宜先检校传书者，又请比校太子手书，不然，恐有诈妄。贾后乃内出太子素启事十余纸，众人比视，亦无敢言非者，议至日西不决，后知华等意坚，因表乞免为庶人，帝乃可其奏。"

本年

江统作《徙戎论》，转太子洗马，谏愍怀太子。及太子徙废金墉，冒死追送。《晋书》卷五十六《江统传》："时关陇屡为氐、羌所扰，孟观西讨，自擒氐帅齐万年。统深惟四夷乱华，宜杜其萌，乃作《徙戎论》。其辞曰：……帝不能用。未及十年，而夷狄乱华，时服其深识。迁中郎。……转太子洗马。在东宫累年，甚被亲礼。太子颇阙朝觐，又奢费过度，多诸禁忌，统上书谏曰……朝廷善之。及太子废，徙许昌，贾后讽有司不听宫臣追送。统与宫臣冒禁至伊水，拜辞道左，悲泣流涟。……都官从事悉收统等付河南、洛阳狱。付郡者，河南尹乐广悉散遣之，系洛阳者犹未释。都官从事孙琰说贾谧曰：'所以废徙太子，以为恶故耳。东宫故臣冒罪拜辞，涕泣路次，不顾重辟，乃更彰太子之德，不如释之。'谧语洛阳令曹摅，由是皆免。"按，孟观擒齐万年在本年正月。

公元300年（晋惠帝永康元年　庚申）

三月

十八日，左芬卒。《汉魏南北朝墓志汇编》："【志阳】左棻，字兰芝，齐国临淄人，晋武帝贵人也。永康元年三月十八日薨。四月廿五日葬峻阳陵西徼道内。【志阴】父熹，字彦雍，太原相、弋阳太守。兄思，字泰冲。兄子髦，字英髦。兄女芳，字惠芳。兄女媛，字纨素。兄子聪奇，字骠卿，奉贵人祭祠。嫂翟氏。北京图书馆藏拓。原石为小碑形，螭首，无盖。"

二十二日，贾后矫诏害太子遹于许昌。江统作诔。《晋书》卷五十六《江统传》："及太子薨，改葬，统作诔叙哀，为世所重。"

四月

三日，张华遇害。《晋书》卷四《惠帝纪》："梁王彤、赵王伦矫诏废贾后为庶人，司空张华、尚书仆射裴頠皆遇害。"《资治通鉴》卷八十三："赵王伦、孙秀将讨贾后，告右卫佽飞督闾和，和从之，期以癸巳丙夜一筹，以鼓声为应。癸巳，秀使司马雅告张华曰：'赵王欲与公共匡社稷，为天下除害，使雅以告。'华拒之。雅怒曰：'刃将加颈，犹为是言邪！'不顾而出。……伦阴与秀谋篡位，欲先除朝望，且报宿怨，乃执张华、裴頠、解系、解结等于殿前。华谓张林曰：'卿欲害忠臣邪？'林称诏诘之曰：'卿为宰相，太子之废，不能死节，何也？'华曰：'式乾之议，臣谏事具存，可覆按也。'林曰：'谏而不从，何不去位？'华无以对。遂皆斩之，仍夷三族。解结女适裴氏，明日当嫁而祸起，裴氏欲认活之，女曰：'家既若此，我何以活为！'亦坐死。朝廷由是议革旧制，女不从死。甲午，伦坐端门，遣尚书和郁持节送贾庶人于金墉；诛刘振、董猛、孙虑、程据等；司徒王戎及内外官坐张、裴亲党黜免者甚众。阎缵抚张华尸恸哭曰：'早语君逊位而不肯，今果不免，命也！'"《晋书》卷三十六《张华传》："初，华所封壮武郡有桑化为柏，识者以为不祥。又华第舍及监省数有妖怪。少子韪以中台星坼，劝华逊位。华不从，曰：'天道玄远，惟修德以应之耳。不如静以待之，以俟天命。'……华方昼卧，忽梦见屋坏，觉而恶之。是夜难作，诈称诏召华，遂与裴頠俱被收。华将死，谓张林曰：'卿欲害忠臣耶？'林称诏诘曰：'卿为宰相，任天下事，太子之废，不能死节，何也？'华曰：'式乾之议，臣谏事具存，非不谏也。'林曰：'谏若不从，何不去位？'华不能答。须臾，使者至曰：'诏斩公。'华曰：'臣先帝老臣，中心如丹。臣不爱死，惧王室之难，祸不可测也。'遂害之于前殿马道南，夷三族，朝野莫不悲痛之。时年六十九。华性好人物，诱进不倦，至于穷贱候门之士有一介之善者，便咨嗟称咏，为之延誉。雅爱书籍，身死之日，家无余财，惟有文史溢于机箧。尝徙居，载书三十乘。秘书监挚虞撰定官书，皆资华之本以取正焉。天下奇秘，世所希有者，悉在华所。由是博物洽闻，世无与比。……初，陆机兄弟志气高爽，自以吴之名家，初入洛，不推中国人士，见华一面如旧，钦华德范，如师资之礼焉。华诛后，作诔，又为《咏德赋》以悼之。华著《博物志》十篇，及文章并行于世。"《文心雕龙》之《明诗》篇云："晋世群才，稍入轻绮。张、潘、左、陆，比肩诗衢。采缛于正始，力柔于建安；或析文以为妙，或流靡以自妍：此其大略也。……故铺观列代，而情变之数可监；撮举同异，而纲领之要可明矣。若夫四言正体，则雅润为本；五言流调，则清丽居宗，华实异用，惟才所安。故平子得其雅，叔夜含其润，茂先凝其清，景阳振其丽，兼善则子建、仲宣，偏美则太冲、公干。"《章表》篇云："逮晋初笔札，则张华为俊。其三让公封，理周辞要，引义比事，必得其偶。"《才略》篇云："张华短章，奕奕清畅，其《鹪鹩》寓意，即韩非之《说难》也。"《诗品》卷二"晋司空张华"云："其源出于王粲。其体华艳，兴托不奇，巧用文字，务为妍冶。虽名高曩代，而疏亮之士，犹恨其儿女情多，风云气少。谢康乐云：'张公虽复千篇，犹一体耳。'今置之中品疑弱，处之下科恨少，在季孟之间矣。"元好问《遗山集》卷十一《论诗三十首》其三云："邺下风流在晋多，壮怀犹见铁壶歌，风云若恨张华少，温李新声奈尔何。（自注：钟嵘评张华诗，恨其儿女情多，风云气少）"明张溥辑《汉魏六朝百三家集》卷四十《晋张华集题词》云："张壮武，博物君子，晋室老臣，弥缝暗主虐后之间，足称补衮，竟以犹豫族诛，横尸前殿，悲哉！壮武初未知名，作《鹪鹩赋》以寄意，感其不才善全，有庄周木雁之思。既赋《相风》《朽社》，亦踌躇于在高戒险、盛衰交心。及陟台司……不念牛衣，遂沉牢狱，然死以直谏，诚重泰山。壮武岂忘牧羊时乎？名位已极，笃于守经，徒为贾氏而死，适资人口耳。晁氏《书目》云：'《张司空集》有诗一百二十，哀词册文二十一，赋三。'今余所缀辑赋数过之，文不及全，诗歌八十余。中间《拂舞》《白纻舞》《杯盘舞》诸篇，晋代无名氏之作，藏书家本亦有系之《张司空集》者。然观其壮健顿挫，类非司空温丽之素。余诗平雅，近代诗家深贬其博学为累，岂所谓听古乐而卧乎？壮武文章赋最苍深，文次之，诗又次之。大抵去汉不远，犹存张蔡之遗。《诗薮》论诗：晋以下若茂先《励志》、广微《补亡》、季伦《吟叹》等曲尚有前代典刑，余于司空诸文亦云。"《隋书》卷三十五《经籍志》四："晋司空《张华集》十卷，录一卷。"严可均《全晋文》卷五十八收文 35 篇。丁福保《全晋诗》卷一载诗 24 篇，卷二载诗 43 篇。

　　裴頠作《辩才论》，未成而遇害。《晋书》卷三十五《裴頠传》："乐广尝与頠清言，欲以理服之，而頠辞论丰博，广笑而不言。时人谓頠为言谈之林薮。……頠深患时俗放荡，不尊儒术，何晏、阮籍素有高名于世，口谈浮虚，不遵礼法，尸禄耽宠，仕不事事；至王衍之徒，声誉太盛，位高势重，不以物务自婴，遂相仿效，风教陵迟，乃著崇有之论以释其蔽曰：……王衍之徒攻难交至，并莫能屈。又著《辩才论》，古今精义皆辨释焉，未成而遇祸。初，赵王伦谄事贾后，頠甚恶之，伦数求官，頠与张华复固执不许，由是深为伦所怨。伦又潜怀篡逆，欲先除朝望，因废贾后之际遂诛之，时年三十四。"《文心雕龙·论说》："次及宋岱、郭象，锐思于几神之区；夷甫、裴頠，交辨于有无之域；并独步当时，流声后代。然滞有者，全系于形用；贵无者，专守于寂寥；徒锐偏解，莫诣正理；动极神源，其般若之绝境乎？"《世说新语·赏誉》："裴仆射，时人谓为'言谈之林薮'。"刘孝标注引《惠帝起居注》曰："頠理甚渊博，赡于论难。"《世说新语·文学》："裴成公作《崇有论》，时人攻难之，莫能折。唯王夷甫来，如小屈。时人即以王理难裴，理还复申。"刘孝标注引《晋诸公赞》云："自魏太常夏侯玄、步兵校尉阮籍等，皆著道德论。于时侍中乐广、吏部郎刘汉亦体道而言约，尚书令王夷甫讲理而才虚，散骑常侍戴奥以学道为业，后进庾敳之徒皆希慕简旷。頠疾世俗尚虚无之理，故著崇有二论以折之。才博喻广，学者不能究。后乐广与頠清闲欲说理，而頠辞喻丰博，广自以体虚无，笑而不复言。"又引《惠帝起居注》曰："頠著二论以规虚诞之弊。文词精富，为世名论。"杨慎《升庵集》卷四十九《裴頠王坦之》："晋世人士皆尚虚无，而裴頠作《崇有论》；皆尚庄学，而王坦之作《废庄论》。二子之言，可谓卓然自立，不随俗尚矣。然夷考其所为，裴之欲而无厌，自取伊戚，徒能言之耳；坦之风格忠鲠，始终不易，殆不愧其言云。"《隋书》卷三十五《经籍志》："晋尚书仆射《裴頠集》九卷。"严可均《全晋文》卷三十三载文 15 篇。

八月

潘岳被害。《资治通鉴》卷八十三："淮南王允败，秀因称石崇、潘岳、欧阳建奉允为乱，收之。崇叹曰：'奴辈利吾财尔！'收者曰：'知财为祸，何不早散之？'崇不能答。初，潘岳母常消责岳曰：'汝当知足，而干没不已乎！'及败，岳谢母曰：'负阿母。'遂与崇、建皆族诛，籍没崇家。"《晋书》卷五十五《潘岳传》："初，芘为琅邪内史，孙秀为小史给岳，而狡黠自喜。岳恶其为人，数挞辱之，秀常衔忿。及赵王伦辅政，秀为中书令。岳于省内谓秀曰：'孙令犹忆畴昔周旋不？'答曰：'中心藏之，何日忘之！'岳于是自知不免。俄而秀遂诬岳及石崇、欧阳建谋奉淮南王允、齐王冏为乱，诛之，夷三族。岳将诣市，与母别曰：'负阿母！'初被收，俱不相知，石崇已送在市，岳后至，崇谓之曰：'安仁，卿亦复尔邪！'岳曰：'可谓白首同所归。'岳《金谷诗》云：'投分寄石友，白首同所归。'乃成其谶。岳母及兄侍御史释、弟燕令豹、司徒掾据、据弟诜，兄弟之子，已出之女，无长幼一时被害，唯释子伯武逃难得免。而豹女与其母相抱号呼不可解，会诏原之。"《文心雕龙·诔碑》云："潘岳构思，专师孝山，巧于叙悲，易入新切，所以隔代相望，能徽厥声者也。"《文心雕龙·哀吊》云："及潘岳继作，实钟其美。观其虑赡辞变，情洞悲苦，叙事如传，结言摹《诗》，促节四言，鲜有缓句；故能义直而文婉，体旧而趣新，《金鹿》《泽兰》，莫之或继也。"《文心雕龙·指瑕》篇云："潘岳为才，善于哀文，然悲内兄，则云'感□泽'，伤弱子，则云'心如疑'。"《文心雕龙·才略》篇云："潘岳敏给，辞自和畅，钟美于《西征》，贾馀于哀诔，非自外也。"《诗品》卷上"晋黄门郎潘岳"云："其源出于仲宣。《翰林》叹其翩翩然如翔禽之有羽毛，衣服之有绡縠，犹浅于陆机。谢混云：'潘诗烂若舒锦，无处不佳；陆文如披沙简金，往往见宝。'嵘谓益寿轻华，故以潘为胜；《翰林》笃论，故叹陆为深。余常言陆才如海，潘才如江。"王世贞《艺苑卮言》卷三："陆士衡翩翩藻秀，颇见才致，无奈俳弱何。安仁气力胜之，趣旨不足。太冲莽苍，《咏史》《招隐》，绰有兼人之语，但太不雕琢。"《汉魏六朝百三家集》卷四十五《晋潘岳集题词》："余读潘安仁《马汧督诔》，恻然思古义士，犹班孟坚之传苏子卿也。及《悼亡》诗赋、《哀永逝文》，则又伤其闺房辛苦，有古落叶哀蝉之叹。史云：'善为哀诔。'诚然哉！《藉田赋》《客舍议》并以典则见称。陆海潘江，无不善也。独惜其愍怀诈书，呈身牝后，屈长卿之典册，行江充之告变，重污泥以自辱耳！《闲居》一赋，板舆轻轩，浮杯高歌，天伦乐事，足起爱慕。孰知其仕宦情重，方思热客，慈母拳拳，非所念也。杨骏被诛，纲纪当坐，安仁赖河阳旧客得脱躯命，而好进不休。举家靡灭，害由小吏。生之者，公孙宏；杀之者，孙秀。祸福何常，古人所以畏蜂虿也。二陆屠门，戎毒相类，天下哀之，遂腾讨檄。安仁东市，独无怜者，士之贤愚，至死益见，余深为彼美惜焉！"沈德潜《古诗源》卷七评潘岳云："安仁诗品，又在士衡之下，兹特取《悼亡》二诗，格虽不高，其情自深也。安仁党于贾后，谋杀太子遹与有力焉。人品如此，诗安得佳。潘陆诗如翦彩为花，绝少生韵，故所收从略。"《隋书》卷三十五《经籍志》四："晋黄门郎《潘岳集》十卷。"严可均《全晋文》卷九十至九十三载文 61 篇。丁福保《全晋诗》卷四载诗 18 篇。

石崇被害。《世说新语·仇隙》刘孝标注引干宝《晋纪》云："石崇有妓人绿珠，美而工笛，孙秀使人求之。崇别馆北邙下，方登凉观，临清水，使者以告，崇出其婢妾数十人以示之曰：'任所以择。'使者曰：'本受命者指绿珠也，未识孰是？'崇勃然曰：'绿珠，吾所爱，不可得也。'使者曰：'君侯博古知今，察远照迩，愿加三思。'崇不然。使者已出又反，崇竟不许。"唐代吴兢《乐府古题要解》卷上："晋文王讳'昭'，故晋人改为'明君'。石崇有妓曰绿珠，善歌舞。以此曲教之，而自制《王明君歌》，其文悲雅，'我本汉家子'是也。"王世贞《艺苑卮言》卷三："石卫尉纵横一代，领袖诸豪，岂独以财雄之，正才气胜耳。《思归引》《明君辞》情质未离，不在潘陆下，刘司空亦其俦也。《答卢中郎》五言，磊块一时，涕泪千古。"《隋书》卷三十五《经籍志》四："晋卫尉卿《石崇集》六卷，梁有录一卷。"严可均《全晋文》卷三十三载文九篇。丁福保《全晋诗》卷四载诗八篇。

欧阳建亦被害，作《临终诗》。《晋书》卷三十三《欧阳建传》："欧阳建字坚石，世为冀方右族。雅有理思，才藻美赡，擅名北州。时人为之语曰：'渤海赫赫，欧阳坚石。'辟公府，历山阳令、尚书郎、冯翊太守，甚得时誉。及遇祸，莫不悼惜之，年三十余。临命作诗，文甚哀楚。"《文选》卷二十三《临终诗》注："王隐《晋书》曰：'石崇外甥欧阳建，渤海人也。为冯翊太守，赵王伦之为征西，扰乱关中，建每匡正，不从私欲，由是有隙。及乎伦篡立，劝淮南王允诛伦，未行事觉，伦收之。及母妻无少长，皆行斩刑。'孙盛《晋阳秋》曰：'建字坚石。'临刑作。"《隋书》卷三十五《经籍志》四："《晋顿丘太守欧阳建集》二卷。"严可均《全晋文》卷一百九载文二篇。丁福保《全晋诗》卷四载诗二篇。

本年

刘颂阻赵王伦加九锡。迁光禄大夫，寻病卒。《晋书》卷四十六《刘颂传》："及赵王伦之害张华也，颂哭之甚恸。闻华子得逃，喜曰：'茂先，卿尚有种也！'伦党张林闻之，大怒，惮颂持正而不能害也。孙秀等推崇伦功，宜加九锡，百僚莫敢异议。颂独曰：'昔汉之锡魏，魏之锡晋，皆一时之用，非可通行。今宗庙乂安，虽婴后被退，势臣受诛，周勃诛诸吕而尊孝文，霍光废昌邑而奉孝宣，并无九锡之命。违旧典而习权变，非先王之制。九锡之议，请无所施。'张林积忿不已，以颂为张华之党，将害之。孙秀曰：'诛张、裴已伤时望，不可复诛颂。'林乃止。于是以颂为光禄大夫，门施行马。寻病卒，使使者吊祭，赐钱二十万、朝服一具，谥曰贞。"《文心雕龙·奏启》："晋氏多难，灾屯流移，刘颂殷勤于时务，温峤恳切于费役，并体国之忠规矣。"严可均《全晋文》卷四十、四十一载文四篇。

左思退居宜春里，专思著述。《晋书》卷九十三《文苑传》："谧诛，退居宜春里，专意典籍。"《世说新语·文学》刘孝标注引《思别传》："谧诛，归乡里，专思著述。"按，贾谧伏诛在本年四月。

嵇绍封弋阳子，迁散骑常侍，领国子博士，议陈准谥。《晋书》卷八十九《忠义传》："及谧诛，绍时在省，以不阿比凶族，封弋阳子，迁散骑常侍，领国子博士。太尉、广陵公陈准薨，太常奏谥，绍驳曰：'谥号所以垂之不朽，大行受大名，细行受细名，文武显于功德，灵厉表于暗蔽。自顷礼官协情，谥不依本。准谥为过，宜谥曰缪。'事下太常。时虽不从，朝廷惮焉。"

陆机为相国参军，赐爵关中侯。荐戴渊于赵王伦。为愍怀太子、张华作诔，为张华作《咏德赋》，又作《叹逝赋》。《晋书》卷五十四《陆机传》："赵王伦辅政，引为相国参军。豫诛贾谧功，赐爵关中侯。"《晋书》卷六十九《戴若思传》："若思后举孝廉，入洛，机荐之于赵王伦曰：'盖闻繁弱登御，然后高墉之功显；孤竹在肆，然后降神之曲成。是以高世之主必假远迩之器，蕴椟之才思托太音之和。伏见处士广陵戴若思，年三十，清冲履道，德量允塞；思理足以研幽，才鉴足以辩物；安穷乐志，无风尘之慕，砥节立行，有井渫之洁；诚东南之遗宝，宰朝之奇璞也。若得托迹康衢，则能结轨骥騄；曜质廊庙，必能垂光琏瑶矣。惟明公垂神采察，不使忠允之言以人而废。'伦乃辟之……"《晋书》卷三十六《张华传》："华诛后，（陆机）作诔，又为《咏德赋》以悼之。"严可均《全晋文》卷九十六《叹逝赋（并序）》："余年方四十，而懿亲戚属亡多存寡。"又有据陆云《与兄平原书》推定其他诸赋亦为同时所作者，因未有定论，暂不采纳。

刘琨为赵王伦记事督，转从事中郎。《晋书》卷六十二《刘琨传》："赵王伦执政，以琨为记室督，转从事中郎。伦子荂，即琨姊婿也，故琨父子兄弟并为伦所委任。"

公元 301 年（晋惠帝永宁元年　辛酉）

本年

何劭卒。《晋书》卷三十三《何劭传》："劭博学，善属文，陈说近代事，若指诸掌。永康初，迁司徒。赵王伦篡位，以劭为太宰。及三王交争，劭以轩冕而游其间，无怨之者。而骄奢简贵，亦有父风。衣裘服玩，新故巨积。食必尽四方珍异，一日之供以钱二万为限。时论以为太官御膳，无以加之。然优游自足，不贪权势。尝语乡人王诠曰：'仆虽名位过幸，少无可书之事，惟与夏侯长容谏授博士，可传史册耳。'所撰《荀粲》《王弼传》及诸奏议文章并行于世。永宁元年薨，赠司徒，谥曰康。子岐嗣。"按，曹道衡、沈玉成《中古文学史料丛考》认为，何劭卒于夏历永宁元年十二月，即 302 年。《诗品》卷二云："季伦、颜远并有英篇，笃而论之，朗陵为最。"《诗话总龟》后集卷四十九："《晋史》称何劭骄奢简贵，衣裘服玩，新故巨积，食必尽四方珍异，一日之供以钱二万为限，而曾所食不过万钱，是劭之自奉侈于父也。而劭《赠张华诗》乃云：'周旋我陋圃，西瞻广武庐。既贵不忘俭，处约能存无。镇俗在简约，塞问焉足模。'是以姬孔为法，以管氏为戒也，审能如是，则史所书，又如何哉？以史为正，则诗所言诬矣。东坡《撷菜诗》云：'秋来霜雾满东园，卢服生儿芥有孙。我与何曾同一饱，不知何苦食鸡豚？'苟能如此，则岂肯从嗜欲于口腹之间哉？"严可均《全晋文》卷十八载其文三篇。丁福保《全晋诗》卷二载其诗二篇。

挚虞致书齐王冏，为张华鸣冤。《晋书》卷三十六《张华传》："后伦、秀伏诛，齐王冏辅政，挚虞致笺于冏曰：'间于张华没后入中书省，得华先帝时答诏本草。先帝问华可以辅政持重付以后事者，华答：明德至亲，莫如先王，宜留以为社稷之镇。其忠良之谋，款诚之言，信于幽冥，没而后彰，与苟且随时者不可同世而论也。议者有责华以愍怀太子之事不抗节廷争。当此之时，谏者必得违命之死。先圣之教，死而无益者，不以责人。故晏婴，齐之正卿，不死崔杼之难；季札，吴之宗臣，不争逆顺之理。理尽而无所施者，固圣教之所不责也。'"

西天沙门竺叔兰、白法祖、支法度、法立、法炬，共译经百六十五部，炬译有《金贡太山赎罪经》。见《佛祖统记》卷三十六。

潘尼为齐王参军，为潘岳作碑碣。《晋书》卷五十五《潘尼传》："及赵王伦篡位，孙秀专政，忠良之士皆罹祸酷。尼遂疾笃，取假拜扫坟墓。闻齐王冏起义，乃赴许昌。冏引为参军，与谋时务，兼管书记。事平，封安昌公。"严可均《全晋文》卷九十五载潘尼《给事黄门侍郎潘君碑》《潘岳碣》。

左思为作《三都赋》，不受齐王记事督之命。《晋书》卷九十二《文苑传》："齐王冏命为记室督，辞疾，不就。"《世说新语·文学》注引《思别传》："谥诛，归乡里，专思著述。齐王冏请为记室参军，不起。时为《三都赋》未成也。后数年疾终。其《三都赋》改定，至终乃上。"

曹摅为齐王记事督。《晋书》卷九十《良吏传》："及齐王冏辅政，摅与左思俱为记室督。冏尝从容问摅曰：'天子为贼臣所逼，莫有能奋。吾率四海义兵兴复王室，今入辅朝廷，匡振时艰，或有劝吾还国，于卿意如何？'摅曰：'荡平国贼，匡复帝祚，古今人臣之功未有如大王之盛也。然道罔隆而不杀，物无盛而不衰，非唯人事，抑亦天理。窃预下问，敢不尽情。愿大王居高虑危，在盈思冲，精选百官，存公屏欲，举贤进善，务得其才，然后脂车秣马，高揖归藩，则上下同庆，摅等幸甚。'冏不纳。"

江统参齐王军事，数谏齐王冏。《晋书》卷五十六《江统传》："后为博士、尚书郎，参大司马、齐王冏军事。冏骄荒将败，统切谏，文多不载。"

陆机预赵王篡位事，下廷尉，为齐王冏赦免。又作《豪士赋》刺齐王。《晋书》卷五十四《陆机传》："赵王伦辅政，引为相国参军。豫诛贾谧功，赐爵关中侯。伦将篡位，以为中书郎。伦之诛也，齐王冏以机职在中书，九锡文及禅诏疑机与焉，遂收机等九人付廷尉。赖成都王颖、吴王晏并救理之，得减死徙边，遇赦而止。……时中国多难，顾荣、戴若思等咸劝机还吴，机负其才望，而志匡世难，故不从。冏既矜功自伐，受爵不让，机恶之，作《豪士赋》以刺焉。"《晋书》卷四十七《傅祗传》："初，伦之篡也，孙秀与义阳王威等十余人预撰仪式禅文。及伦败，齐王冏收侍中刘逵、常侍骈捷、杜育、黄门郎陆机、右丞周导、王尊等付廷尉。"《晋书》卷五十九《赵王伦传》："惠帝乘云母车，卤簿数百人，自华林西门出居金墉城。尚书和郁，兼侍中、散骑常侍、琅邪王睿，中书侍郎陆机从，到城下而反。使张衡卫帝，实幽之也。"

陆云作《晋故豫章内史夏府君诔》。严可均《全晋文》卷一百四载陆云《晋故豫章内史夏府君诔》云："惟永宁元年五月二十五日，晋故豫章内史夏府君卒。"

刘琨败于黄桥，为齐王冏所宥，为尚书左丞，转司徒左长史。《晋书》卷六十二《刘琨传》："赵王伦执政，以琨为记室督，转从事中郎。伦子荂，即琨姊婿也，故琨父子兄弟并为伦所委任。及篡，荂为皇太子，琨为荂詹事。三王之讨伦也，以琨为冠军、假节，与孙秀子会率宿卫兵三万距成都王颖，战于黄桥，琨大败而还，焚河桥以自固。及齐王冏辅政，以其父兄皆有当世之望，故特宥之，拜兄舆为中书郎，琨为尚书左丞，转司徒左长史。"

公元 302 年（晋惠帝太安元年　壬戌）

三月

挚虞作《议为皇太孙服》。《晋书》卷二十《礼志中》："惠帝太安元年三月，皇太孙尚龀。有司奏，御服齐衰期。诏下通议。……秘书监挚虞云：'太子初生，举以成人之礼，则殇理除矣。太孙亦体君传重，由位成而服，全非以年也。天子无服殇之义，绝期故也。'于是从之。"

本年

嵇绍上书谏齐王冏。《晋书》卷八十九《忠义传》："齐王冏既辅政，大兴第舍，骄奢滋甚，绍以书谏曰：'夏禹以卑室称美，唐虞以茅茨显德，丰屋蔀家，无益危亡。窃承毁败太乐以广第舍，兴造功力为三王立宅，此岂今日之先急哉！今大事始定，万姓颙颙，咸待覆润，宜省起造之烦，深思谦损之理。复主之勋不可弃矣，矢石之殆不可忘也。'冏虽谦顺以报之，而卒不能用。绍尝诣冏咨事，遇冏宴会各行各业，召董艾、葛旟等共论时政。艾言于冏曰：'嵇侍中善于丝竹，公可令操之。'左右进琴，绍推不受。冏曰：'今日为欢，卿何吝此邪！'绍对曰：'公匡复社稷，当轨物作则，垂之于后。绍虽虚鄙，忝备常伯，腰绂冠冕，鸣玉殿省，岂可操执丝竹，以为伶人之事！若释公服从私宴，所不敢辞也。'冏大惭。艾等不自得而退。顷之，以公事免，冏以为左司马。旬日，冏被诛。初，兵交，绍奔散赴宫，有持弩在东阁下者，将射之，遇有殿中将兵萧隆，见绍姿容长者，疑非凡人，趣前拔箭，于此得免。遂还荥阳旧宅。"

陆云为大将军右司马，作《岁暮赋》。《晋书》卷五十四《陆云传》："颖将讨齐王冏，以云为前锋都督。会冏诛，转大将军右司马。"严可均《全晋文》卷一百载陆云《岁暮赋》："永宁二年，忝宠北郡。其夏，又转大将军右司马于邺都。"按，永宁二年即太安元年。

公元 303 年（晋惠帝太安二年　癸亥）

十月

陆机附成都王颖，为河北大都督，兵败河桥，受谗遇害。《晋书》卷五十四《陆机传》："时成都王颖推功不居，劳谦下士。机既感全济之恩，又见朝廷屡有变难，谓颖必能康隆晋室，遂委身焉。颖以机参大将军军事，表为平原内史。太安初，颖与河间王颙起兵讨长沙王乂，假机后将军、河北大都督，督北中郎将王粹、冠军牵秀等诸军二十余万人。机以三世为将，道家所忌，又羁旅入宦，屯居群士之右，而王粹、牵秀等皆有怨心，固辞都督。颖不许。机乡人孙惠亦劝机让都督于粹，机曰：'将谓吾为首鼠避贼，适所以速祸也。'遂行。颖谓机曰：'若功成事定，当爵为郡公，位以台司，将军勉之矣！'机曰：'昔齐桓任夷吾以建九合之功，燕惠疑乐毅以失垂成之业，今日之事，在公不在机也。'颖左长史卢志心害机宠，言于颖曰：'陆机自比管、乐，拟君暗主，自古命将遣师，未有臣陵其君而可以济事者也。'颖默然。机始临戎，而牙旗折，意甚恶之。列军自朝歌至于河桥，鼓声闻数百里，汉、魏以来，出师之盛，未尝有也。长沙王乂奉天子与机战于鹿苑，机军大败，赴七里涧而死者如积焉，水为之不流，将军贾棱皆死之。初，宦人孟玖弟超并为颖所嬖宠。超领万人为小都督，未战，纵兵大掠。机录其主者。超将铁骑百余人，直入机麾下夺之，顾谓机曰：'貉奴能作督不！'机司马孙拯劝机杀之，机不能用。超宣言于众曰：'陆机将反。'又还书与玖言机持两端，军不速决。及战，超不受机节度，轻兵独进而没。玖疑机杀之，遂谮机于颖，言其有异志。将军王阐、郝昌、公师藩等皆玖所用，与牵秀等共证之。颖大怒，使秀密收机。其夕，机梦黑幰绕车，手决不开，天明而秀兵至。机释戎服，著白帢，与秀相见，神色自若，谓秀曰：'自吴朝倾覆，吾兄弟宗族蒙国重恩，入侍帷幄，出剖符竹。成都命吾以重任，辞不获已。今日受诛，岂非命也！'因与颖笺，词甚凄恻。既而叹曰：'华亭鹤唳，岂可复闻乎！'遂遇害于军中，时年四十三。二子蔚、夏亦同被害。机既死非其罪，士卒痛之，莫不流涕。是日昏雾昼合，大风折木，平地尺雪，议者以为陆氏之冤。机天才秀逸，辞藻宏丽，张华尝谓之曰：'人之为文，常恨才少，而子更患其多。'弟云尝与书曰：'君苗见兄文，辄欲烧其笔砚。'后葛洪著书，称'机文犹玄圃之积玉，无非夜光焉，五河之吐流，泉源如一焉。其弘丽妍赡，英锐漂逸，亦一代之绝乎！'其为人所推服如此。然好游权门，与贾谧亲善，以进趣获讥。所著文章凡三百余篇，并行于世。"《文心雕龙·哀吊》："陆机之《吊魏武》，序巧而文繁。降斯以下，未有可称者矣。"《文心雕龙·总术》："昔陆氏《文赋》，号为曲尽；然泛论纤悉，而实体未该。"《文心雕龙·熔裁》："陆机才欲窥深，辞务索广，故思能入巧，而不制繁。士龙朗练，以识检乱，故能布采鲜净，敏于短篇。"《文心雕龙·才略》："士衡才优，而缀辞尤繁；士龙思劣，而雅好清省。"钟嵘《诗品》卷上："其源出于陈思。才高词赡，举体华美。气少于公干，文劣于仲宣。尚规矩，不贵绮错，有伤直致之奇。然其咀嚼英华，厌饫膏泽，文章之渊泉也。张公叹其大才，信矣！"《世说新语·文学》："孙兴公云：'潘文烂若披锦，无处不善；陆文若排沙简金，往往见宝。'""孙兴公云：'潘文浅而净，陆文深而芜。'"《世说新语·文学》注引《文章传》："机善属文，司空张华见其文章，篇篇称善，犹讥其作文大冶。谓曰：'人之作文，患于不才；至子为文，乃患太多也。'"宋蔡梦弼《杜工部草堂诗话》："陆士衡《文赋》：'立片言以居要，乃一篇之警策。'此要论也。文章无警策，则不足以传世，盖不能竦动世人。如杜子美及唐人诸诗，无不如此。但晋宋间人专致力于此，故失于绮靡，而无高古气味。子美诗云：'语不惊人死不休。'所谓惊人语，即警策也。"谢榛《四溟诗话》卷一："陆机《文赋》曰：'诗缘情而绮靡，赋体物而浏亮。'夫'绮靡'重六朝之弊，'浏亮'非两汉之体。徐昌谷曰：'诗缘情而绮靡，则陆生之所知，固魏诗之查秽耳。'"同上卷二补："作诗要割爱。若俱为佳句，间有相妨者，必较重轻而去之。此《文赋》所谓'离之则双美，合之则两伤'，士衡先得之矣。"同上卷三："人非雨露，而自泽者，德也；人非金石，而自泽者，名也。心非源泉，而流不韵者，才也；心非鉴光，而照无偏者，神也。非德无以养其心，非才无以充其气。心犹舸也，德犹舵也。鸣世之具，惟舸载之；立身之要，惟舵主之。士衡士龙有才而恃。灵运玄晖有才而露。大抵德不胜才，犹泛舸中流，舵师失其所主，鲜不覆矣。"同上卷四："诗贵乎远而近。然思不可偏，偏则不能无弊。陆士衡《文赋》曰：'其始也收视反听，耽思傍讯，精骛八极，心游万仞。'此但写冥搜之状尔。唐刘昭禹诗云：'句向夜深得，心从天外归。'此作祖于士衡，尤知远近相应之法。凡静室索诗，心神渺然，西游天竺国，仍归上党昭觉寺，此所谓'远而近'之法也。若经天竺，又向扶桑，此远而又远，终何归宿？或造语艰深奇涩，殊不可解，抑樊宗师之类欤？"王世贞《艺苑卮言》卷三："偶阅士龙与兄书，前后所评者云：'《二祖颂》甚为高伟，《述思赋》深情至言，实为清妙，恐故未得为兄赋之最。《文赋》甚有辞，绮语颇多，文适多体，便欲不清。《祖德颂》甚复尽美。《漏赋》可谓精工。'又云：'张公父子亦语云：兄文过子安。云谓兄作《二京》，必传无疑。'又云：'张公赋谏自过五言诗耳。《玄泰谏》自不及《士祚谏》，兄《丞相箴》小多，不如《女史箴》耳。'又云：'《登楼》名高，恐未可越。《祖德颂》无乃谏语耳，然靡靡清工，用辞纬泽，亦未易，恐兄未熟视之耳。'又云：'蔡氏所长，唯铭颂耳。铭之善者，亦复数篇，其馀平平。兄诗赋自兴绝域，不当稍与比较。'按张为司空，蔡则中郎也。又云：'尝闻汤仲叹《九歌》。昔读《楚辞》，意不大爱之。顷日视之，实自清绝滔滔，故自是识者。古今来为如此文，此为宗矣。真元盛称《九辨》，意甚不爱。'其兄弟间议论如此，大自可采。"《汉魏六朝百三家集》卷四十八《晋陆机集题词》："陆氏为吴世臣，士衡才冠当世，国亡主辱，颠沛图济，成则张子房，败则姜伯约，斯其人也。俯首入洛，竟縻晋爵，身事仇雠而欲高语英雄，难矣。太康末年，衅乱日作，士衡豫诛贾谧，侥得通侯，俗人谓福，君子谓祸。赵王诛死，羁囚廷尉，秋风莼鲈，可早决几。复恋成都活命之恩，遭孟玖青蝇之谮，黑幰告梦，白帢受刑，画狱自投，其谁戚哉？张茂先博物君子，昧于知止，身族分灭，前车不远，同堪痛哭。然冤结乱朝，文悬万载，《吊魏武》而老奸掩袂，《豪赋士》而骄王丧魄，《辨亡》怀宗国之忧，《五等》陈建侯之利，北海以后一人而已。'排沙简金'，兴公造喻；'子患才多'，司空叹美。尚属轻今贱目，非深知平原者也。"冯班《钝吟杂录》："陆士衡《拟古诗》、江淹《拟古三十首》，如搏猛虎，捉生龙，急与之较，力不暇，气格悉敌。今人拟诗，如床上安床，但觉怯处种种不逮耳。然前人拟诗，往往只取其大意，亦不尽如江、陆也。"冯惟讷《古诗纪》卷一百五十二："诗有不立意造句，以兴为主，漫然成篇，此诗之化也。《兼葭》诗亦有声律，出乎无意。六朝声律之盛，出乎有意。陆机《文赋》曰：'诗缘情而绮靡，赋体物而浏亮。'夫绮靡重齐梁之弊，浏亮非两汉之体，诗赋由是不古矣。"沈德潜《古诗源》卷七："士衡诗亦推大家，然意欲逞博，而胸少慧珠，笔又不足以举之，遂开出排偶一家。西京以来，空灵矫健之气，不复存矣。降自梁陈，专工队仗，边幅复狭，令阅者白日欲卧，未必非士衡为之滥觞也。……谢康乐诗，亦多用排，然能造意，便与潘陆辈迥别。士衡以名将之后，破国亡家，称情而言，必多哀怨，乃词旨敷浅，但工涂泽，复何贵乎？苏李十九首，每近于风，士衡辈以作赋之体行之，所以未能感人。《文赋》云：'诗缘情而绮靡。'殊非诗人之旨。"严可均《全晋文》卷九十六至九十九载其文 136 篇。丁福保《全晋诗》载其诗 105 篇。

　　陆云作《愁霖赋》《喜霁赋》《南征赋》《太安二年夏四月大将军出祖王羊二公于城南堂皇被命作此诗》，坐兄罪遇害。严可均《全晋文》卷一百载其《愁霖赋》云："永宁三年夏六月邺都大霖。"《喜霁赋》云："余既作《愁霖赋》，雨亦霁。"《南征赋》云："太安二年秋八月奸臣羊玄之、皇甫商敢行称乱。"按，永宁三年即太安二年。丁福保《全晋诗》卷三载其诗《太安二年夏四月大将军出祖王羊二公于城南堂皇被命作此诗》。《晋书》卷五十四《陆云传》："机之败也，并收云。颖官属江统、蔡克、枣嵩等上疏曰：……颖不纳。统等重请，颖迟回者三日。卢志又曰：'昔赵王杀中护军赵浚，赦其子骧，骧诣明公而击赵，即前事也。'蔡克入至颖前，叩头流血，曰：'云为孟玖所怨，远近莫不闻。今果见杀，罪无彰验，将令群心疑惑，窃为明公惜之。'僚属随克入者数十人，流涕固请，颖恻然有宥云色。孟玖扶颖入，催令杀云。时年四十二。有二女，无男。门生故吏迎丧葬清河，修墓立碑，四时祠祭。所著文章三百四十九篇，又撰《新书》十篇，并行于世。……观夫陆机、陆云，实荆、衡之杞梓，挺圭璋于秀实，驰英华于早年，风鉴澄爽，神情俊迈。文藻宏丽，独步当时；言论慷慨，冠乎终古。高词迥映，如朗月之悬光；叠意回舒，若重岩之积秀。千条析理，则电坼霜开；

一绪连文，则珠流璧合。其词深而雅，其义博而显，故足远超枚、马，高蹑王、刘，百代文宗，一人而已。然其祖考重光，羽楫吴运，文武奕叶，将相连华。而机以廊庙蕴才，瑚琏标器，宜其承俊乂之庆，奉佐时之业，申能展用，保誉流功。属吴祚倾基，金陵毕气，君移国灭，家丧臣迁。矫翮南辞，翻栖火树；飞鳞北逝，卒委汤池。遂使穴碎双龙，巢倾两凤。激浪之心未骋，遽骨修鳞；陵云之意将腾，先灰劲翮。望其翔跃，焉可得哉！夫贤之立身，以功名为本；士之居世，以富贵为先。然则荣利人之所贪，祸辱人之所恶，故居安保名，则君子处焉；冒危履贵，则哲士去焉。是知兰植中涂，必无经时之翠；桂生幽壑，终保弥年之丹。非兰怨而桂亲，岂涂害而壑利？而生灭有殊者，隐显之势异也。故曰，衒美非所，罕有常安；韬奇择居，故能全性。观机、云之行己也，智不逮言矣。睹其文章之诚，何知易而行难？自以智足安时，才堪佐命，庶保名位，无忝前基。不知世属未通，运钟方否，进不能辟昏匡乱，退不能屏迹全身，而奋力危邦，竭心庸主，忠抱实而不谅，谤缘虚而见疑，生在己而难长，死因人而易促。上蔡之犬，不诫于前，华亭之鹤，方悔于后。卒令覆宗绝祀，良可悲夫！"《汉魏六朝百三家集》卷五十《陆云集题词》："士龙《与兄书》称论文章，颇贵清新，妙若《文赋》，尚嫌绮语未尽。又云：'作文尚多，譬家猪羊耳。'其数四推兄，或云瑰铄，或云高远绝异，或云新声绝曲，要所得意，惟清新相接。士衡文成，辄使弟定之，不假他人，二陆用心，先质后文，重规蹈矩，亦不得已而后见耳。哲昆诗匹，人称如陈思、白马，士龙所传，四言偏多，有皇思文诸篇，诵美祁阳，式模大雅，类以卑颂尊，非朋旧之体，余篇一致。间有至极，使尽其才，即不得为韦侯《讽谏》、仲宣《思亲》，顾高出《补亡》六首，则有余矣。宰治浚仪，善察疑狱，佐相吴王，屡陈谠论，神明之长，谏诤之臣，有兼能焉。士衡枉死，遂同陨堕，闻河桥之鼓声，哀华亭之鹤唳，巢覆卵破，宜相及也。集中大文虽少，而江汉同名，刘彦和谓其'布采鲜净，敏于短篇'，殆质论欤。"严可均《全晋文》卷一百至一百零四载其文 131 篇。丁福保《全晋诗》卷三载其诗 32 篇。

本年

刘琨为范阳王司马。《晋书》卷六十二《刘琨传》："冏败，范阳王虓镇许昌，引为司马。"按，冏败在上年十二月，刘琨为范阳王司马当在本年。

左思避难冀州，数岁后卒，至终仍改订《三都赋》。《晋书》卷九十二《文苑传》："及张方纵暴都邑，举家适冀州。数岁，以疾终。"《世说新语·文学》注引《思别传》："齐王冏请为记室参军，不起。时为《三都赋》未成也。后数年疾终。其《三都赋》改定，至终乃上。初，作《蜀都赋》云：'金马电发于高冈，碧鸡振翼而云披。鬼弹飞丸以礔礰，火井腾光以赫曦。'今无'鬼弹'，故其赋往往不同。思为人无吏干而有文才，又颇以椒房自矜，故齐人不重也。"《九家旧晋书辑本·王隐晋书》："左思少好经术，尝习钟、胡书不成。学琴又不成。貌丑口呐，甚有大才。博览诸经，遍通子史。于时天下三分，各相夸竞。当思之时，吴国为晋所平，思乃赋此三都，以极眩曜。其蜀事访于张载，吴事访于陆机，后乃成之。"《文心雕龙·诠赋》："太冲、安仁，策勋于鸿规；士衡、子安，底绩于流制。"《文心雕龙·神思》："张衡研京以十年，左思练都以一纪，虽有巨文，亦思之缓也。"《文心雕龙·才略》："左思奇才，业深覃思，尽锐于《三都》，拔萃于《咏史》，无遗力矣。"《文心雕龙·时序》："晋虽不文，人才实盛。茂先摇笔而散珠，太冲动墨而横锦。"钟嵘《诗品》卷上："其源出于公干。文典以怨，颇为精切，得讽谕之致。虽野于陆机，而深于潘岳。谢康乐尝言：'左太冲诗，潘安仁诗，古今难比。'"严羽《沧浪诗话》："晋人舍陶渊明、阮嗣宗外，惟左太冲高出一时。"王世贞《艺苑卮言》卷三："陆士衡翩翩藻秀，颇见才致，无奈俳弱何。安仁气力胜之，趣旨不足。太冲莽苍，《咏史》《招隐》，绰有兼人之语，但太不雕琢。……'以彼径寸茎，荫此百尺条。'是涉世语。'贵者虽自贵，弃之若埃尘。'是轻世语。'振衣千仞冈，濯足万里流。'是出世语。每讽太冲诗，便飘飘欲仙。"王夫之《古诗评选》："三国之降为西晋，文体大坏，古度古心，不绝于来兹者，非太冲其焉归？"王士祯《古夫于亭杂录》卷三："按太冲《三都赋》，自足接迹扬、马，乃云假诸人为重，何其陋耶！且西晋诗气体高妙，自刘越石而外，岂复有太冲之比？别传不知何人所作？定出怨谤之口，不足信也。"《池北偶谈》卷十三"魏晋宋诗"："偶读《严沧浪诗话》云：'黄初之后，惟阮公《咏怀》极为高古，有建安风骨；晋人舍阮嗣宗、陶渊明外，惟左太冲高出一时，陆士衡独在诸人之下。'又云：'颜不如鲍，鲍不如谢。'与予意略同。又晋人张陆辈，惟景阳殊胜，在太冲之下，诸家之上。"沈德潜《古诗源》卷七："钟嵘评左诗，谓'野于陆机，而深于潘岳'，此不知太冲者也。太冲胸次高旷，而笔力又复雄迈，陶冶汉魏，自制伟词，故是一代作手，岂潘陆辈所能比埒？"严可均《全晋文》卷七十四载其文七篇。丁福保《全晋诗》卷四载其诗 14 篇。

嵇绍拜平西将军，拒河间王颙、成都王颖。兵败，废为庶人。《晋书》卷八十九《忠义传》："寻征为御史中丞，未拜，复为侍中。河间王颙、成都王颖举兵向京都，以讨长沙王乂，大驾次于城东。乂言于众曰：'今日西讨，欲谁为都督乎？'六军之士皆曰：'愿嵇侍中戮力前驱，死犹生也。'遂拜绍使持节、平西将军。属乂被执，绍复为侍中。公王以下皆诣邺谢罪于颖，绍等咸见废黜，免为庶人。"

江统为成都王颖记室，为陆云求情。《晋书》卷五十六《江统传》："成都王颖请为记室，多所箴谏。申论陆云兄弟，辞甚切至。以母忧去职。"《晋书》卷五十四《陆云传》："机之败也，并收云。颖官属江统、蔡克、枣嵩等上疏曰……"

公元 304 年（晋惠帝永兴元年　甲子）

七月

嵇绍尽忠护卫惠帝，遇害于荡阴。《晋书》卷八十九《忠义传》："寻而朝廷复有北征之役，征绍，复其爵位。绍以天子蒙尘，承诏驰诣行在所。值王师败绩于荡阴，百官及侍卫莫不散溃，唯绍俨然端冕，以身捍卫，兵交御辇，飞箭雨集，绍遂被害于帝侧，血溅御服，天子深哀叹之。及事定，左右欲浣衣，帝曰：'此嵇侍中血，勿去。'初，绍之行也，侍中秦准谓曰：'今日向难，卿有佳马否？'绍正色曰：'大驾亲征，以正伐逆，理必有征无战。若使皇舆失守，臣节有在，骏马何为！'闻者莫不叹息。……

绍诞于行己，不饰小节，然旷而有检，通而不杂。与从子含等五人共居，抚恤如所同生。门人故吏思慕遗爱，行服墓次，毕三年者三十余人。"《九家旧晋书辑本·臧荣绪晋书》："嵇绍事母至孝，和色柔声，常若不足。谨身节俭，朝夕孜孜，亲执刀俎。非无使役，以他人不如己之至诚也。"《九家旧晋书辑本·王隐晋书》："河南郭象著文称：嵇绍父死在非罪，曾无耿介，贪位，死暗主，义不足多。曾以问郗公曰：王褒之父亦非罪死，褒尤辞征。绍不辞用，谁为多少？郗公曰：王胜于嵇。或曰：魏晋所杀，子皆仕宦，何以无非也。答曰：殛鲧兴禹，禹不辞兴者，以鲧犯罪也。若以时君所杀为当耶，则同于禹；以不当耶，则同于嵇。又曰：世皆以嵇见危授命。答曰：纪信代汉高之死，可谓见危授命，如嵇偏善其一可也。以备体论之，则未得也。"《世说新语·容止》："有人语王戎曰：'嵇延祖卓卓如野鹤之在鸡群。'答曰：'君未见其父耳！'"钟嵘《诗品》卷三："元瑜、坚石七君诗并平典，不失古体，大检似而二嵇微优矣。"严可均《全晋文》卷六十五载其文五篇。丁福保《全晋诗》卷四载其诗一篇。

本年

曹摅免官。《晋书》卷九十《良吏传》："长沙王父以为骠骑司马。父败，免官。因丁母忧。"

挚虞从惠帝幸长安。《晋书》卷五十一《挚虞传》："后历秘书监、卫尉卿，从惠帝幸长安。"

嵇含转中书侍郎，荡阴之败，走归荥阳。《晋书》卷八十九《忠义传》："怀帝为抚军将军，以含为从事中郎。惠帝北征，转中书侍郎。及荡阴之败，含走归荥阳。"

公元 305 年（晋惠帝永兴二年 乙丑）

本年

嵇含为司马虓从事中郎，授振威将军、襄城太守。《晋书》卷八十九《忠义传》："范阳王虓为征南将军，屯许昌，复以含为从事中郎。寻授振威将军、襄城太守。虓为刘乔所破，含奔镇南将军刘弘于襄阳，弘待以上宾之礼。"

刘琨迎司马越，败刘乔。《晋书》卷六十二《刘琨传》："及惠帝幸长安，东海王越谋迎大驾，以琨父蕃为淮北护军、豫州刺史。刘乔攻范阳王虓于许昌也，琨与汝南太守杜育等率兵救之，未至而虓败，琨与虓俱奔河北，琨之父母遂为刘乔所执。琨乃说冀州刺史温羡，使让位于虓。及虓领冀州，遣琨诣幽州，乞师于王浚，得突骑八百人，与虓济河，共破东平王楙于廪丘，南走刘乔，始得其父母。"

公元 306 年（晋惠帝光熙元年 丙寅）

本年

挚虞流落山野，归洛后为光禄勋。《晋书》卷五十一《挚虞传》："及东军来迎，百官奔散，遂流离鄠、杜之间，转入南山中，粮绝饥甚，拾橡实而食之。后得还洛，历光禄勋、太常卿。"

刘琨率军迎惠帝于长安。《晋书》卷六十二《刘琨传》："又斩石超，降吕朗，因统诸军奉迎大驾于长安。以功封广武侯，邑二千户。"

公元 307 年（晋怀帝永嘉元年　丁卯）

七月

司马睿用王导计，始镇建业。《晋书》卷五《怀帝纪》："永嘉元年……秋七月……己未，以平东将军、琅邪王睿为安东将军、都督扬州江南诸军事、假节，镇建邺。"《晋书》卷六《元帝纪》："永嘉初，用王导计，始镇建邺，以顾荣为军司马，贺循为参佐，王敦、王导、周顗、刁协并为腹心股肱，宾礼名贤，存问风俗，江东归心焉。"

本年

江统上书论乐。《通典》卷一百四十七《乐》七："晋怀帝元嘉元年冬，惠帝三年制未终，司徒左长史江统议……"

刘琨为并州刺史，招抚流民，抗击刘渊、石勒。《晋书》卷五《怀帝纪》："永嘉元年……三月……并州诸郡为刘元海所陷，刺史刘琨独保晋阳。"《晋书》卷六十二《刘琨传》："永嘉元年，为并州刺史，加振威将军，领匈奴中郎将。琨在路上表曰……时东嬴公腾自晋阳镇邺，并土饥荒，百姓随腾南下，余户不满二万，寇贼纵横，道路断塞。琨募得千余人，转斗至晋阳。府寺焚毁，僵尸蔽地，其有存者，饥羸无复人色，荆棘成林，豺狼满道。琨翦除荆棘，收葬枯骸，造府朝，建市狱。寇盗互来掩袭，恒以城门为战场，百姓负楯以耕，属鞭而耨。琨抚循劳徕，甚得物情。刘元海时在离石，相去三百许里。琨密遣离间其部杂虏，降者万余落。元海甚惧，遂城蒲子而居之。在官未期，流人稍复，鸡犬之音复相接矣。琨父蕃自洛赴之。人士奔进者多归于琨，琨善于怀抚，而短于控御。一日之中，虽归者数千，去者亦以相继。然素奢豪，嗜声色，虽暂自矫励，而辄复纵逸。"

公元 308 年（晋怀帝永嘉二年　戊辰）

本年

江统为司马越别驾，举荐郗鉴、阮修、程收。《晋书》卷五十六《江统传》："东海王越为兖州牧，以统为别驾，委以州事，与统书曰：'昔王子师为豫州，未下车，辟荀慈明；下车，辟孔文举。贵州人士有堪应此者不？'统举高平郗鉴为贤良，陈留阮修为直言，济北程收为方正，时以为知人。"按，东海王司马越为兖州牧在本年。

曹摅为高密王左司马，率军讨寇，战死。《晋书》卷九十《良吏传》："永嘉二年，高密王简镇襄阳，以摅为征南司马。其年流人王逌等聚众屯冠军，寇掠城邑。简遣参军崔旷讨之，令摅督护旷。旷，奸凶人也，谲摅前战，期为后继，既而不至。摅独与迍战于郿县，军败死之。故吏及百姓并奔丧会葬，号哭即路，如赴父母焉。"《晋书》卷三十七《宗室传》："京兆流人王迍与叟人郝洛聚众数千，屯于冠军。略遣参军崔旷率将军皮初、张洛等讨迍，为迍所谲，战败。略更遣左司马曹摅统旷等进逼迍。将大战，旷在后密自退走，摅军无继，战败，死之。"严可均《全晋文》卷一百零七载其文三篇。丁福保《全晋诗》卷四载其诗九篇。

公元 309 年（晋怀帝永嘉三年　己巳）

七月

刘琨为刘聪所败。《晋书》卷五《怀帝纪》："永嘉三年……秋七月……刘元海遣子聪及王弥寇上党，围壶关。并州刺史刘琨使兵救之，为聪所败。淮南内史王旷、将军施融、曹超及聪战，又败，超、融死之。上党太守庞淳以郡降贼。"

公元 310 年（晋怀帝永嘉四年　庚午）

本年

阮修为王衍所赏，约在此年作《大鹏赞》。《晋书》卷四十九《阮修传》："性简任，不修人事。绝不喜见俗人，遇便舍去。意有所思，率尔褰裳，不避晨夕，至或无言，但欣然相对。常步行，以百钱挂杖头，至酒店，便独酣畅。虽当世富贵而不肯顾，家无儋石之储，宴如也。与兄弟同志，常自得于林阜之间。王衍当时谈宗，自以论《易》略尽，然有所未了，研之终莫悟，每云：'不知比没当见能通之者不？'衍族子敦谓衍曰：'阮宣子可与言。'衍曰：'吾亦闻之，但未知其璞癖之处定何如耳！'及与修谈，言寡而旨畅，衍乃叹服焉。梁国张伟志趣不常，自隐于屠钓，修爱其才美，而知其不真。伟后为黄门郎、陈留内史，果以世事受累。修居贫，年四十余未有室，王敦等敛钱为婚，皆名士也，时慕之者求入钱而不得。修所著述甚寡，尝作《大鹏赞》曰：……王敦时为鸿胪卿，谓修曰：'卿常无食，鸿胪丞差有禄，能作不？'修曰：'亦复可尔耳！'遂为之。"《世说新语·文学》："阮宣子有令闻，太尉王夷甫见而问曰：'老、庄与圣教同异？'对曰：'将无同？'太尉善其言，辟之为掾。世谓'三语掾'。卫玠嘲之曰：'一言可辟，何假于三？'宣子曰：'苟是天下人望，亦可无言而辟，复何假一？'遂相与为友。"《世说新语·方正》："阮宣子论鬼神有无者，或以人死有鬼，宣子独以为无，曰：'今见鬼者，云著生时衣服，若人死有鬼，衣服复有鬼邪？'"

公元 311 年（晋怀帝永嘉五年　辛未）

四月

石勒追太傅东海王越之丧。焚尸于宁平，数十万敛手受害。勒纵骑围射，尸积如山，王衍死焉。《晋书》卷五《怀帝纪》："四月戊子，石勒追东海王越丧，及于东郡，将军钱端战死，军溃，太尉王衍、吏部尚书刘望、廷尉诸葛铨、尚书郑豫、武陵王澹等皆遇害，王公已下死者十余万人。东海世子毗及宗室四十八王寻又没于石勒。"《世说新语·轻诋》注引孙盛《晋阳秋》："俊者所以智胜群情，辩者所以文身祛惑。夷甫虽体荷隽令，口擅雌黄，侮辱君亲，获罪羯乐。史官方之举正，谅为褒矣。"《水经注》十二："夷甫将为石勒所杀，谓人曰：'吾等若不祖尚浮虚，不至于此。'"《世说新语·轻诋》注引《八王故事》："夷甫虽居台司，不以事物自婴，当世化之，羞言名教。自台郎以下，皆雅崇拱默，以遗事为高。四海尚宁，而识者知其将乱。"《文选·辩命论》注引孙盛《晋阳秋》："王夷甫论曰：'夫芝兰之不与茨棘俱植，鸾凤之不与枭鸮同栖，天理固然，易在晓悟。'"《晋书》卷四十七《殷浩传》载庾翼致浩书："王夷甫，先朝风流士也。然吾薄其立名非真，而始终莫取。若以道非虞、夏，自当超然独往，而不能谋始，大合声誉，极致名位，正当抑扬名教，以静乱源。而乃高谈庄、老，说空终日。虽云谈道，实长华竞。及其末年，人望犹存。思安惧乱，寄命推务。而甫自申述，徇小好名。既身囚胡虏，弃言非所。凡明德君子，遇会处际，宁可然乎？而世皆然之。益知名实之未定，弊风之未革也。"

本年

庾敳遇害。《世说新语·文学》注引孙盛《晋阳秋》："庾敳字子嵩，颍川人，侍中峻第三子。恢廓有度量，自谓是老庄左徒。曰：'昔未读此书，意尝谓至理如此。今见之，正与人意暗同。'仕至豫州长史。"又云："庾子嵩作《意赋》成，从子文康见，问曰：'若有意邪？非赋之所尽；若无意邪？复何所赋？'答曰：'正在有意无意之间。'"又云："敳永嘉中为石勒所害。先是敳见王室多难，知终婴其祸，乃作意赋以寄怀。"严可均《全晋文》载其文两篇。

挚虞饿死于洛中。《晋书》卷五十一《挚虞传》："及洛京荒乱，盗窃纵横，人饥相食。虞素清贫，遂以馁卒。虞撰《文章志》四卷，注解《三辅决录》，又撰古文章，类聚区分为三十卷，名曰《流别集》，各为之论，辞理惬当，为世所重。虞善观玄象，尝谓友人曰：'今天下方乱，避难之国，其唯凉土乎！'性爱士人，有表荐者，恒为其辞。东平太叔广枢机清辩，广谈，虞不能对；虞笔，广不能答；更相嗤笑，纷然于世云。"《世说新语·文学》注引王隐《晋书》："性好博古，而文籍荡尽。永嘉五年，洛中大饥，遂饿而死。虞与广名位略同，广长口才，虞长笔才，俱少政事。众坐广谈，虞不能对；虞退笔难广，广不能答。于是更相嗤笑，纷然于世。广无可记，虞多所录，于斯为胜也。"《文心雕龙·颂赞》："挚虞品藻，颇为精核，至云杂以风雅，而不辨旨趣，徒张虚论，有似黄白之伪说矣。"《文心雕龙·才略》："挚虞述怀，必循规以温雅。"《汉魏六朝百三家集》卷四十二《晋挚虞集题词》："挚仲洽为玄晏高弟，知名当世，遭乱馁死，伤哉贫也。张茂先聚书三十乘，仲洽撰定，官书皆资以取正，茂先冤死，仲洽致笺齐王，事渐表白，可云不负知己。集诗甚少，赋亦远逊茂先，议礼诸文，最称宏辩，与杜元凯、束广微并生一时，势犹鼎足，二荀弗如也。东堂策对，其生平致身之文，中少壮气，沿为卑响靡靡之句，效者益贫，当日作者，得无自恨其率尔乎？茂先博极群书，能辨鬼毛龙肉，而不知察变桑柏；仲洽善观玄象，知凉州可以避难，而流离京雒，竟同饿隶。予辄怪儒者有博物之长，无谋身之断，此赵壹所以悲穷鸟也。《流别》旷论，穷神尽理，刘勰《雕龙》、钟嵘《诗品》缘此起义，评论日多矣。"严可均《全晋文》卷七十六、七十七载其文60篇。丁福保《全晋诗》载其诗五篇。

潘尼东还，道阻于寇，卒于坞壁。《晋书》卷五十五《潘尼传》："洛阳将没，携家属东出成皋，欲还乡里。道遇贼，不得前，病卒于坞壁，年六十余。"《文心雕龙·铭箴》："潘尼《乘舆》，义正而体芜。"钟嵘《诗品》卷中："季鹰黄华之唱，正叔绿繁之章，虽不具美，而文彩高丽，并得虬龙片甲，凤凰一毛。事同驳圣，宜居中品。"《汉魏六朝百三家集》卷四十七《潘尼集题词》："史称潘正叔，著论究人道之纲，裁箴悬乘舆之鉴。此二文，非徒龙甲凤毛，亦其生平所以自立也。元康荐乱，八王斗争，从父安仁一门罹酷，正叔知几，归扫坟墓，后得封公显职，寿终坞壁。当安仁初任河阳，赠诗祖道，美其天姿；刑僇之后，树碑纪事，增㤼覆醯。其于叔父，情笃犹中郎也，存没异路，荣辱天壤，逃死须臾之间，垂声三王之际。至今诵《闲居》者，笑黄门之干没；读《安身》者，重太常之居正。人物短长，亦悬祸福。泉下嘿嘿，乌谁雌雄，即有不平，能更收召魂魄，抗眉争列哉？博长虞会定九品，正叔作诗规之。其为人也，无诡随；其为文也，无戏谑，大致类然。若琴有八分之书，赋著琉璃之盌，适文人余韵也。"严可均《全晋文》卷九十四、九十五载其文26篇。丁福保《全晋诗》卷四载其诗24篇。

公元312年（晋怀帝永嘉六年　壬申）

七月

刘琨为刘粲所败，退守阳曲。《晋书》卷六十二《刘琨传》："河南徐润者，以音律自通，游于贵势，琨甚爱之，署为晋阳令。润恃宠骄恣，干预琨政。奋威护军令狐盛性亢直，数以此为谏，并劝琨除润，琨不纳。初，单于猗㐌以救东嬴公腾之功，琨表其弟猗卢为代郡公，与刘希合众于中山。王浚以琨侵己之地，数来击琨，琨不能抗，由是声实稍损。徐润又谮令狐盛于琨曰：'盛将劝公称帝矣。'琨不之察，便杀之。琨母曰：'汝不能弘经略，驾豪杰，专欲除胜己以自安，当何以得济！如是，祸必及我。'不从。盛子泥奔于刘聪，具言虚实。聪大喜，以泥为乡导。属上党太守袭醇降于聪，雁门乌丸复反，琨亲率精兵出御之。聪遣子粲及令狐泥乘虚袭晋阳，太原太守高乔以郡降聪，琨父母并遇害。琨引猗卢并力攻粲，大败之，死者十五六。琨乘胜追之，更不能克。猗卢以为聪未可灭，遗琨牛羊车马而去，留其将箕澹、段繁等戍晋阳。琨志在复仇，而屈于力弱，泣血尸立，抚慰伤痍，移居阳邑城，以招集亡散。"《晋书》卷五《怀帝纪》："秋七月……刘粲寇晋阳，平北将军刘琨遣部将郝诜帅众御粲，诜败绩，死之，太原太守高乔以晋阳降粲。八月庚戌，刘琨奔于常山。……乙亥，刘琨乞师于猗卢，表卢为代公。九月己卯，猗卢使子利孙赴琨，不得进。……冬十月，猗卢自将六万骑次于盆城。十一月甲午，刘粲遁走，刘琨收其遗众，保于阳曲。"

公元 313 年（晋愍帝建兴元年　癸酉）

公元 314 年（晋愍帝建兴二年　甲戌）

二月

　　刘琨拜大将军，都督并州诸军事，上表谢恩。《晋书》卷六十二《刘琨传》："愍帝即位，拜大将军，都督并州诸军事，加散骑常侍、假节。琨上疏谢曰……"《晋书》卷五《愍帝纪》："二年……二月壬寅，以……并州刺史刘琨为大将军。"

公元 315 年（晋愍帝建兴三年　乙亥）

二月

　　刘琨拜司空，都督并、冀、幽三州诸军事，上表让司空。《晋书》卷六十二《刘琨传》："三年，帝遣兼大鸿胪赵廉持节拜琨为司空、都督并冀幽三州诸军事。琨上表让司空，受都督，克期与猗卢讨刘聪。"《晋书》卷五《愍帝纪》："三年……二月丙子，进……大将军刘琨为司空。"

本年

　　卢谌为刘琨主簿。《晋书》卷四十四《卢谌传》："琨为司空，以谌为主簿，转从事中郎。琨妻即谌之从母，既加亲爱，又重其才地。"

　　西域僧竺法护约于此年卒。《高僧传》卷一《法护传》："自炖煌至长安，沿路传译写为晋文，所获览即正法华光赞等一百六十五部。孜孜所务，唯以弘通为业。终身写译劳不告倦。经法所以广流中华者，护之力也。护以晋武之末，隐居深山。……支遁为之像赞云：'护公澄寂，道德渊美。微吟穷谷，枯泉漱水。邈矣护公，天挺弘懿。濯足流沙，领拔玄致。'后立寺于长安青门外，精勤行道，于是德化遐布，声盖四远，僧徒数千咸所宗事。及晋惠西奔，关中据乱，百姓流移，护与门徒避地东下，至渑池遘疾而卒，春秋七十有八。后孙绰制《道贤论》，以天竺七僧方竹林七贤，以护匹山巨源。论云：'护公德居物宗，巨源位登论道，二公风德高远，足为流辈矣。'其见美后代如此。……安公云：'护公所出，若审得此公手目，纲领必正。凡所译经虽不辩妙婉显，而宏达欣畅。特善无生，依慧不文，朴则近本。'其见称若此。护世居炖煌，而化道周给。时人咸谓炖煌菩萨也。"

公元 316 年（晋愍帝建兴四年　丙子）

本年

　　刘琨投奔段匹磾。《晋书》卷六十二《刘琨传》："寻猗卢父子相图，卢及兄子根皆病死，部落四散。琨子遵先质于卢，众皆附之。及是，遵与箕澹等帅卢众三万人，马牛羊十万，悉来归琨，琨由是复振，率数百骑自平城抚纳之。属石勒攻乐平，太守韩据请救于琨，而琨自以士众新合，欲因其锐以威勒。箕澹谏曰：'此虽晋人，久在荒裔，未习恩信，难以法御。今内收鲜卑之余谷，外抄残胡之牛羊，且闭关守险，务农息士，既服化感义，然后用之，则功可立也。'琨不从，悉发其众，命澹领步骑二万为前驱，琨自为后继。勒先据险要，设伏以击澹，大败之，一军皆没，并土震骇。寻又炎旱，琨穷蹙不能复守。幽州刺史鲜卑段匹磾数遣信要琨，欲与同奖王室。琨由是率众赴之，从飞狐入蓟。匹磾见之，甚相崇重，与琨结婚，约为兄弟。"

卢谌为段匹磾别驾。《晋书》卷四十四《卢谌传》："建兴末，随琨投段匹磾。匹磾自领幽州，取谌为别驾。"

第二章

晋王司马睿建武元年至晋恭帝元熙二年（317—420）共104年

·引 言·

《文心雕龙·时序》：元皇中兴，披文建学，刘、刁礼吏而宠荣，景纯文敏而优擢。逮明帝秉哲，雅好文会，升储御极，孳孳讲艺，练情于诰策，振采于辞赋，庾以笔才逾亲，温以文思益厚，揄扬风流，亦彼时之汉武也。及成、康促龄，穆、哀短祚，简文勃兴，渊乎清峻，微言精理，函满玄席，淡思酞采，时洒文囿。孝武不嗣，安恭已矣；其文史则有袁殷之曹，孙、于之辈，虽才或浅深，珪璋足用。自中朝贵玄，江左称盛，因谈余气，流成文体。是以世极迍邅而辞意夷泰，诗必柱下之旨归，赋乃漆园之义疏。

《文心雕龙·明诗》：江左篇制，溺乎玄风，嗤笑徇务之志，崇盛忘机之谈，袁孙已下，虽各有雕采，而辞趣一揆，莫与争雄，所以景纯仙篇，挺拔而为俊矣。

《文心雕龙·诠赋》：景纯绮巧，缛理有余；彦伯梗概，情韵不匮；亦魏晋之赋首也。

《文心雕龙·通变》：汉之赋颂，影写楚世；魏之篇制，顾慕汉风；晋之辞章，瞻望魏采……楚汉侈而艳，魏、晋浅而绮。

《文心雕龙·铭箴》：至于潘勖《符节》，要而失浅；温峤《傅臣》，博而患繁；王济《国子》，引广事杂；潘尼《乘舆》，义正体芜；凡斯继作，鲜有克衷。至于王郎《杂箴》，乃置巾履，得其戒慎，而失其所施。

《文心雕龙·诔碑》：及孙绰为文，志在碑诔，温、王、郄、庾，辞多枝杂，《桓彝》一篇，最为辨裁矣。

《文心雕龙·诏策》：自魏晋诰策，职在中书……晋氏中兴，唯明帝崇才，以温峤文清，故引入中书。自斯以后，体宪风流矣。

《文心雕龙·论说》：逮江左群谈，惟玄是务；虽有日新，而多抽前绪矣。

《文心雕龙·奏启》：晋氏多难，灾屯流移。刘颂殷勤于时务，温峤恳切于费役，并体国之忠规矣……若夫傅咸劲直，而按辞坚深；刘隗切正，而劾文阔略；各其志也。后之弹事，迭相斟酌，惟新日用，而旧准弗差。

《文心雕龙·章表》：逮晋初笔札，则张华为俊。其三让公封，理周辞要，引义比事，必得其偶，世珍《鹪鹩》，莫顾章表。及羊公之《辞开府》，有誉于前谈；庾公之

《让中书》，信美于往载。序志显类，有文雅焉。刘琨《劝进》，张骏《自序》，文致耿介，并陈事之美表也。

《文心雕龙·史传》：至于晋代之书，繁乎著作。陆机肇始而未备，王韶续末而不终，干宝述纪，以审正得序；孙盛《阳秋》，以约举为能……至邓粲《晋纪》，始立条例。又撮略汉魏，宪章殷周，虽湘州曲学，亦有心典谟。及安国立例，乃邓氏之规焉。

《诗品·总论》：尔后陵迟衰微，迄于有晋。太康中，三张、二陆、两潘、一左，勃尔复兴，踵武前王，风流未沫，亦文章之中兴也。永嘉时，贵黄老，稍尚虚谈。于时篇什，理过其辞，淡乎寡味。爰及江表，微波尚传。孙绰、许询、桓、庾诸公，诗皆平典似道德论，建安风力尽矣。先是，郭景纯用俊上之才，变创其体；刘越石仗清刚之气，赞成厥美。然彼众我寡，未能动俗。逮义熙中，谢益寿斐然继作。

《诗品·卷中》评刘琨、卢谌：其源出于王粲。善为凄戾之词，自有清拔之气。琨既体良才，又罹厄运，故善叙丧乱，多感恨之词。中郎仰之，微不逮者矣。

《诗品·卷中》评郭璞云：宪章潘岳。文体相继，彪炳可玩。始变永嘉平淡之体，故称中兴第一。翰林以为诗首。但游仙之作，词多慷慨，乖远玄宗。其云："奈何虎豹姿。"又云："戢翼栖榛梗。"乃是坎壈咏怀，非列仙之趣也。

《诗品·卷中》评袁宏：彦伯咏史，虽文体未遒，而鲜明紧健，去凡俗远矣。

《诗品·卷中》评郭泰机、顾恺之等：泰机《寒女》之制，孤怨宜恨。长康能以二韵答四首之美……观此五子，文虽不多，气调警拔，吾许其进，则鲍照、江淹未足逮止。越居中品，佥曰宜哉。

《诗品·卷下》评王济、杜预、孙绰、许询：永嘉以来，清虚在俗。王武子辈诗，贵道家之言。爰泊江表，玄风尚备。真长、仲祖、桓、庾诸公犹相袭。世称孙、许，弥善恬淡之词。

《诗品·卷下》评戴逵：安道诗虽嫩弱，有清上之句，裁长补短，袁彦伯之亚乎？逵子颙，亦有一时之誉。

《诗品·卷下》评殷仲文：晋宋之际，殆无诗乎？义熙中，以谢益寿、殷仲文为华绮之冠，殷不竞矣。

《世说新语·文学》注引《续晋阳秋》：（许）询有才藻，善属文。自司马相如、王褒、扬雄诸贤，世尚赋颂，皆体则诗、骚，傍综百家之言。及至建安，而诗章大盛。逮乎西朝之末，潘、陆之徒虽时有质文，而宗归不异也。正始中，王弼、何晏好庄、老玄胜之谈，而世遂贵焉。至江左李充尤盛。故郭璞五言始会合道家之言而韵之。询及太原孙绰转相祖尚，又加以三世之辞，而诗、骚之体尽矣。询、绰并为一时文宗，自此作者悉体之。至义熙中，谢混始改。

《晋书·文苑传》：及金行纂极，文雅斯盛，张载擅铭山之美，陆机挺焚研之奇，潘夏连辉，颉颃名辈，并综采繁缛，杼轴清英，穷广内之青编，缉平台之丽曲，嘉声茂迹，陈诸别传。至于吉甫、太冲，江右之才杰；曹毗、庾阐，中兴之时秀。信乃金相玉润，林荟川冲，埒美前修，垂裕来叶……史臣曰：夫赏好生于情，刚柔本于性，情之所适，发乎咏歌，而感召无象，风律殊制。至于应贞宴射之文，极形言之美，华林群藻，罕或畴之。子安幼标明敏，少蓄清思，怀天地之寥廓，赋辞人之所遗，特构新情，岂常均之所企！太冲含豪历载，以赋《三都》，士安见而称善，平原睹而韬翰，匪惟高步当年，故以腾华终古。邹湛之持论，枣据之缘情，实南阳之人杰，盖颍川之时秀。季雅摛属遒迈，夙备成德，称为泉岱之珍，固其然矣。彦伯未能混迹光尘，而屈乎卑位，《释时》宏论，亦足见其志耳。季鹰纵诞一时，不邀名爵，《黄花》之什，浚发神府。仲初之文，风流可尚，擢秀士林，《扬都》之美，尤重时彦。曹毗沈研秘籍，跛足下僚，绮靡降神之歌，朗畅《对儒》之论。李充之《学箴》，信清壮也。袁宏《东征》《名臣》之作，抑潘陆之亚。玄度学艺优赡，笔削擅奇，降帝问于西堂，故其荣观也。君章耀湘中之宝，挺荆楚之材，梦鸟发乎精诚，岂独日者之蛟凤！长康矜能过实，谭谐取容，而才多逸气，故有三绝之目。仲静机思通敏，延誉清流，德舆西伐之计，取定于微指者矣。

《宋书·谢灵运传》：有晋中兴，玄风独振，为学穷于柱下，博物止乎七篇，驰骋文辞，义单乎此。自建武暨乎义熙，历载将百，虽缀响联辞，波属云委，莫不寄言上德，托意玄珠，遒丽之辞，无闻焉尔。仲文始革孙、许之风，叔源大变太元之气。

《南齐书·文学传论》：江左风味，盛道家之言：郭璞举其灵变；许询极其名理；仲文玄气，犹不尽除；谢混情新，得名未盛。颜、谢并起，乃各擅奇，休、鲍后出，咸亦标世。朱蓝共妍，不相祖述。

《诗薮》外编卷二：汉、魏、晋、宋、齐、梁、陈、隋，八代之阶级森如也。枚、李、曹、刘、阮、陆、陶、谢、鲍、江、何、沈、徐、庾、薛、卢，诸公之品第秩如也。其文日变而盛，而古意日衰也；其格日变而新，而前规日远也。

又云：晋、宋其格卑矣，其才故足尚也。梁陈其才下矣，其格故亡讥焉。

又云：《文赋》云："诗缘情而绮靡"，六朝之诗所自出也，汉以前无有也。"赋体物而浏亮"，六朝之赋所自由也，汉以前无有也。

又云：永和修禊，名士尽倾，而诗佳者绝少，由时乏当行耳。

又云：兰亭罚觥，大令首坐。今其诗存者，桃叶二歌，词甚拙朴，与六朝不类，信知非所长也。

又云：晋人能文而不能诗者袁宏，名出一时。所存咏史二章，吃讷陈腐可笑，当时亦以为工。

又云：《世说》甚重许玄度，而不谓能诗。孙兴公云："一吟一咏，许当北面。"然询诗有"青松凝素髓，秋菊落芳英"。俨是唐律。又晋人称玄度五言绝妙，则许当亦文士，非止清谈者。

又云：诗文不朽大业，学者雕心刻肾，穷昼极夜，犹惧弗窥奥妙，而以游戏废可乎？孔融离合，鲍照建除，温峤回文，傅咸集句，亡补于诗，而反为诗病。自兹以降，摹放实繁，字谜人名鸟兽花木，六朝才士集中，不可胜数。诗道之下流，学人之大戒也。

又云：晋宋以前多仙诗，唐宋以后多鬼诗。妇人诗盛于汉，沙门诗昉自晋惠远、道猷辈；羽士诗竞于唐，若吴筠、曹唐辈，艺苑旁流，尽斯五者。大率才情之富，闺阁居多；趣致之幽，释梵为最。羽流不若仙诗，仙诗不若鬼诗。

又云：汉魏间仙诗，若王母、上元、马明及四真、九华等作，句如出一篇，篇如出一手，艳丽浮沉，靡缛相矜，真趣既乖，玄旨殊少，大类晋宋间语，皆当时文士假托也。惟葛仙公二章，句格颇类本词。

元陈绎曾《诗谱》评郭璞：构思险怪而造语精圆，三谢皆出于此。杜李精奇处皆取此。本出自淮南小山。

又评刘琨、卢谌：忠义之气，自然形见，非有意于诗也。杜子美以此为根本。

清毛先舒《诗辩坻》卷二：桃叶答献之歌，以直见古，以浅见情，乃乐府上乘语；《答团扇》虽小逊，而风调自远，思致入婉，作家所未易办。芳姿《白团扇》，亦复憨趣。王氏青衣如此，当不数康成家婢云。

又云：袁彦伯月下咏史，获各镇西，牛渚风流，一时胜赏。今读其作，调平思钝，率晋人常调耳。

又云：仲文《九井》之作，疏于延之，幽于平原，爽于康乐，而兼撮三公之胜，义熙诗人，独见警策矣。记室诮其不竞，何耶？

《围炉诗话》卷一：两晋之诗渐有偶句，至沈、宋而极。齐、梁始有声病，至唐律而极。宫体始淫，至晚唐而极。

又云：郭璞《游仙》诗有"逸翮思拂霄"一篇，是悒郁语，可见游仙是方外以自遣也。

又云：潘、张、左、陆以后，清言既盛，诗人所作，皆老、庄之赞颂，颜、谢、鲍出，始革其制。元嘉之诗，千古文章于此一大变。

清田雯《古欢堂杂著》卷二：晋世群才，以绮情藻思，争长竞胜。然采缛于正始，力弱于建安，或析文以为妙，或流靡以自妍，视汉魏一变焉……景纯隽上之才，安仁清矫之致，抗左称雄。而越石又过之。谢尚、袁宏各家，篇章无几。至于《子夜》《四时》，繁文丽曲，其别调也。

清鲁九皋《诗学源流考》：及金陵既下，混一晋统，而陆氏机、云入洛，与张华兄弟齐名，时称"二陆三张"。而傅玄、潘岳，并擅时誉，然文采徒存，性真不附，诗道至此少衰。惟太冲《咏史》，景纯《游仙》，刘琨伤乱，颇能振兴。迄陶公降公，以西山之节，师柳下之行，不激不随。超然闲淡，时时歌咏其性情，而真诗以出，风雅之盛，复媲于建安矣。

清李调元《雨村诗话》卷上：晋如张华之博物，束皙之补亡，陆机、陆云之抗衡汉、魏，潘岳、左思之渊冲高旷，张载、张协之叶韵箑簏，刘琨、卢谌之音节悲凉，皆大家也。王羲之不以诗见长，然《兰亭集诗》已非诸君所及；又有逸句云："争先非吾事，静照在忘求。"几于一字一金矣。陶渊明生于晋末，人品最高，诗亦独有千古，则又晋之集大成也。

清沈德潜《说诗晬语》卷上：过江以还，越石悲壮，景纯超逸，足称后劲。

清庞垲《诗义固说》卷下：晋人去魏不远，乃不以达意为诗，而以修辞为诗，意不中出，而词由外来，诗遂亡。其亡而不亡者，有陶公以正其规也。下此又以纤丽失之。

近人刘师培《中国中古文学史》第四课《魏晋文学之变迁·总论》：晋人文学，其特长之处，非惟析理已也。大抵南朝之文，其佳者必含隐秀，然开其端者，实惟晋文。

又出语必隽，恒在自然，此亦晋文所特擅。齐梁以下，能者鲜矣。

东汉以来，词赋虽逞丽词，左思《三都》矫之，悉以征实为主。自是以降，则庾阐《扬都》，于当时最有盛誉。然孙绰《天台山赋》，词旨清新，于晋赋最为特出。其他诸家所作，大抵规模前作，少有新体。其与时作稍异者，惟曹摅《述志赋》、庾敳《意赋》而已。

晋代之诗如张华、张载之属，均与士衡体近；然左思、刘琨、郭璞所作，浑雄壮丽，出于嗣宗。东晋之诗，其清峻之篇，大抵出自叔夜；惟许询、支遁所作，虽多玄言，其体仍近士衡。自渊明继起，乃合嵇阮之长，此晋诗变迁之大略也。

晋人碑铭之文，如傅玄《江夏任君墓铭》、孙楚《牵招碑》、潘岳《杨使君碑》、潘尼《杨箫侯碑》、夏侯湛《平子碑》，均以汉作为楷模；然气清辞畅，则晋贤之特色，非惟孙绪、王导、郗鉴、庾亮、庾冰、褚褒诸碑已也。（彦和以为枝离，持论稍过。）碑铭以外，颂之佳者，则有江伟《傅浑颂》、孙绰《徐君颂》诸篇。（陆云《盛德》诸颂以及潘尼《释奠颂》，过于繁富。）箴之佳者，则有陆云《逸民箴》、李充《学箴》诸作。赞自夏侯湛《东方朔画赞》、袁弘《三国名臣赞》外，若庾亮《翟征君赞》、戴逵《闲游赞》，均有可观。（孙绰《列仙传》诸赞，郭元伯《列仙传赞》，均与郭氏赞体同。又陆云《登遐颂》亦赞体。）诔则左贵妃《元皇后诔》、陆机《愍怀太子诔》，（陆云各诔尤繁。）文之尤善者也。

晋代论文，其最为博大者，惟陆机《辨亡》《五等》，干宝《晋纪·总论》诸篇。东晋之世，则纪瞻《太极》、庾阐《蓍龟》、殷浩《易象》、罗含《更生》、韩伯《辨谦》、支遁《逍遥》，均理精词隽，不事繁词。又，张韩《不用舌论》、王修《贤才论》、袁弘《去伐》《明谦》二论、孙盛《太伯三让》《老聃非大贤论》、戴逵《放马为非道论》、《释疑论》、殷仲堪《答桓四皓论》，亦均清颖有致，雅近王、何。若孙绰《喻道》，体近于嵇，王坦之《废庄》，体近于阮，亦其选也。至若刘惔《崇让》、潘尼《安神》，虽为史书所载，然文均繁缛。其论事之文，以江统《徙戎》、伏涛《正淮》为尤善。

公元 317 年（晋王司马睿建武元年　丁丑）

三月

司马睿为晋王，作《改元大赦令》。《晋书》卷六《元帝纪》："元皇帝讳睿，字景文，宣帝曾孙，琅邪恭王觐之子也。咸宁二年生于洛阳……年十五，嗣位琅邪王。幼有令闻……元康二年，拜员外散骑常侍。累迁左将军……东海王越之收兵下邳也，假帝辅国将军。寻加平东将军、监徐州诸军事，镇下邳。俄迁安东将军、都督扬州诸军事……永嘉初，用王导计，始镇建邺，以顾荣为军司马，贺循为参佐，王敦、王导、周颛、刁协并为腹心股肱，宾礼名贤，存问风俗，江东归心焉。属太妃薨于国，自表奔丧，葬毕，还镇，增封宣城郡二万户，加镇东大将军、开府仪同三司……及怀帝蒙尘于平阳，司空荀籓等移檄天下，推帝为盟主……愍帝即位，加左丞相。岁余，进位丞相、大都督中外诸军事。遣诸将分定江东，（建武元年）三月……西阳王羕及群僚参佐、州征牧守等上尊号，帝不许……乃呼私奴命驾，将反国。群臣乃不敢逼，请依魏晋故事为晋王，许之。辛卯，即王位，大赦，改元……辟掾属百余人，时人谓之'百六掾'。乃备百官，立宗庙社稷于建康。"

王导拜右军将军，迁骠骑将军，作《上疏请修学校》。《晋书》卷六十五《王导传》："王导，字茂弘，光禄大夫览之孙也。父裁，镇军司马。导少有风鉴，识量清远。……元帝为琅邪王，与导素相亲善。导知天下已乱，遂倾心推奉，潜有兴复之志。帝亦雅相器重，契同友执。……会帝出镇下邳，请导为安东司马……永嘉末，迁丹阳太守，加辅国将军……拜宁远将军，寻加振威将军。……晋国既建，以导为丞相军谘祭酒。桓彝初过江，见朝廷微弱，谓周颛曰：'我以中州多故，来此欲求全活，而寡弱如此，将何以济！'忧惧不乐。往见导，极谈世事，还，谓颛曰：'向见管夷吾，无复忧矣。'过江人士，每至暇日，相要出新亭饮宴。周颛中坐而叹曰：'风景不殊，举目有江河之异。'皆相视流涕。惟导愀然变色曰：'当共戮力王室，克复神州，何至作楚囚相对泣邪！'众收泪而谢之。俄拜右将军、扬州刺史、监江南诸军事，迁骠骑将军，加散骑常侍、都督中外诸军、领中书监、录尚书事、假节，刺史如故。导以敦统六州，固辞中外都督。后坐事除节。于时军旅不息，学校未修，导上书曰……"据《晋书》卷六《元帝纪》记载：本年三月丙辰，以"右将军王导都督中外诸军事、骠骑将军"。

王敦迁征南大将军，作《上言父子生离服限》。《晋书》卷九十八《王敦传》："王敦，字处仲，司徒导之从父兄也。父基，治书侍御史。敦少有奇人之目，尚武帝女襄城公主，拜驸马都尉，除太子舍人。……惠帝反正，敦迁散骑常侍、左卫将军、大鸿胪、侍中，出除广武将军、青州刺史。永嘉初，征为中书监。……元帝召为安东军谘祭酒。会扬州刺史刘陶卒，帝复以敦为扬州刺史，加广武将军。寻进左将军、都督征讨诸军事、假节。帝初镇江东，威名未著，敦与从弟导等同心翼戴，以隆中兴，时人为之语曰：'王与马，共天下。'……（陶）侃之灭（杜）弢也，敦以元帅进镇东大将军、开府仪同三司，加都督江扬荆湘交广六州诸军事、江州刺史，封汉安侯。敦始自选置，兼统州郡焉。建武初，又迁征南大将军，开府如故。"据《晋书》卷六《元帝纪》记载：本年三月丙辰，以"征南大将军、汉安侯王敦为大将军"。《上言父子生离服限》见《通典》卷九十八："东晋元帝建武元年，征南大将军王敦上言……"则知作于本年。据《晋书》本传，王敦卒于太宁二年，时五十九岁，则本年当五十二岁。

纪瞻任侍中。《晋书》卷六十八《纪瞻传》："纪瞻，字思远，丹阳秣陵人也。祖亮，吴尚书令。父陟，光禄大夫。瞻少以方直知名。吴平，徙家历阳郡。察孝廉，不行。后举秀才，尚书郎陆机策之曰：……永康初，州又举寒素，大司马辟东阁祭酒。其年，除鄢陵公国相，不之官。明年，左降松滋侯相。太安中，弃官归家，与顾荣等共诛陈敏，语在荣传。召拜尚书郎，与荣同赴洛，在途共论《易》太极。……元帝为安东将军，引为军谘祭酒，转镇东长史。帝亲幸瞻宅，与之同乘而归。以讨周馥、华轶功，封都乡侯。石勒入寇，加扬威将军、都督京口以南至芜湖诸军事，以距勒。勒退，除会稽内史。……及长安不守，与王导俱入劝进。帝不许。……及帝践位，拜侍中，转尚书，上疏谏诤，多所匡益，帝甚嘉其忠烈。"

贺循为中书令，加散骑常侍，改拜太常，作《颍川豫章庙主不毁议》《弟兄不合继

位昭穆议》及《又议》《答尚书下太常祭祀所用乐名》《答尚书符问籍田应躬祠先农否》《遭难未葬入庙议》《丁潭为琅邪王哀终丧议》。《晋书》卷六十八《贺循传》："贺循，字彦先，会稽山阴人也。其先庆普，汉世传《礼》，世所谓庆氏学。族高祖纯，博学有重名，汉安帝时为侍中，避安帝父讳，改为贺氏。曾祖齐，仕吴为名将。祖景，灭贼校尉。父邵，中书令，为孙皓所杀，徙家属边郡。循少婴家难，流放海隅，吴平，乃还本郡。操尚高厉，童龀不群，言行进止，必以礼让，国相丁乂请为五官掾。刺史嵇喜举秀才，除阳羡令，以宽惠为本，不求课最。后为武康令，俗多厚葬，及有拘忌回避岁月，停丧不葬者，循皆禁焉。政教大行，邻城宗之。然无援于朝，久不进序。著作郎陆机上疏荐循曰：……久之，召补太子舍人。……元帝为安东将军，复上循为吴国内史……及帝承制，复以为军谘祭酒。…… 时江东草创，盗贼多有，帝思所以防之，以问于循。循答曰：……帝从之。建武初，为中书令，加散骑常侍，又以老疾固辞。……于是改拜太常，常侍如故。循以九卿旧不加官，今又疾患，不宜兼处此职，惟拜太常而已。"据本传记载，"太兴二年卒，时年六十。"可知本年荀组五十八岁。《颍川豫章庙主不毁议》见《晋书》本传："时宗庙始建，旧仪多阙，或以惠怀二帝应各为世，则颍川世数过七，宜在迭毁。事下太常。循议以为：…… 时尚书仆射刁协与循异议，循答义深备，辞多不载，竟从循议焉。朝廷疑滞皆谘之于循，循辄依经礼而对，为当世儒宗。其后帝以循清贫，下令曰……帝纳之。"《弟兄不合继位昭穆议》及《又议》见《全晋文》卷六十八，文中有"建武中，尚书符云"等句，因为建武只有一年，则二文可能作于本年。《答尚书下太常祭祀所用乐名》见《宋书》卷十九《乐志一》："至江左初立宗庙，尚书下太常祭祀所用乐名，太常贺循答云……于时以无雅乐器及伶人，省太乐并鼓吹令。是后颇得登歌，食举之乐，犹有未备。"《答尚书符问籍田应躬祠先农否》见《晋书》卷十九《礼志上》："江左元帝将修耕籍，尚书符问'籍田应躬祠先农否？'贺循答……"可知本文当作于本年。《遭难未葬入庙议》见《全晋文》卷五十八。《通典》卷五十一："晋怀帝蒙尘，崩于平阳，梓宫未返京师。元帝立庙时，欲迁入庙，丧已过三年。太常贺循议云……"根据《晋书》卷五《孝怀帝纪》记载，怀帝死于永嘉七年正月，至本年已过三年，由此可知，本文当作于本年。

庾亮拜中书郎。《晋书》卷七十三《庾亮传》："庾亮，字元规，明穆皇后之兄也。父琛，在《外戚传》。亮美姿容，善谈论，性好《庄》《老》，风格峻整，动由礼节，闺门之内，不肃而成，时人或以为夏侯太初、陈长文之伦也……元帝为镇东时，闻其名，辟西曹掾。及引见，风情都雅，过于所望，甚器重之，由是聘亮妹为皇太子妃。亮固让，不许。转丞相参军。预讨华轶功，封都亭侯，转参丞相军事，掌书记。中兴初，拜中书郎，领著作，侍讲东宫。"

王廙任荆州刺史，作《白兔赋并序》。《晋书》卷七十六《王廙传》："王廙，字世将，丞相导从弟，而元帝姨弟也。父正，尚书郎。廙少能属文，多所通涉，工书画，善音乐、射御、博弈、杂伎。辟太傅掾，转参军。豫迎大驾，封武陵县侯，拜尚书郎，出为濮阳太守。元帝作镇江左，廙弃郡过江。帝见之大悦，以为司马。频守庐江、鄱阳二郡。豫讨周馥、杜弢，以功累增封邑，除冠军将军，镇石头，领丞相军谘祭酒。王敦启为宁远将军、荆州刺史。"《白兔赋并序》见《全晋文》卷二十，其中有"今在我王，医济皇维，而有白兔之应……建中兴之遐祚兮，与二仪乎比长。于是古之有德，则纳瑞求安"等句。本传王廙又有《奏中兴赋上疏》："及臣后还京都，陛下见臣白兔，命臣作赋。时琅邪郡又献甘露，陛下命臣尝之。又骠骑将军导向臣说晋陵有金铎之瑞，郭璞云必致中兴。璞之爻筮，虽京房、管辂不过也。明天之历数在陛下矣。"同书卷六《元帝纪》记载本年三月，"四方竞上符瑞"。综上所述，此赋当作于本年。王廙又有《奏中兴赋上疏》云"臣犬马之年四十三矣"，此文作于明年（详下），则王廙本年当为四十二岁。

六月

丙寅，刘琨上表劝进。作《答晋王笺》及《与亲故书》。《晋书》卷六十二《刘琨传》："刘琨，字越石，中山魏昌人，汉中山靖王胜之后也。祖迈，有经国之才，为相国参军、散骑常侍。父蕃，清高冲俭，位至光禄大夫。琨少得俊朗之目，与范阳祖纳俱以雄豪著名。年二十六，为司隶从事。时征虏将军石崇河南金谷涧中有别庐，冠绝时辈，引致宾客，日以赋诗。琨预其间，文咏颇为当时所许。秘书监贾谧参管朝政，京师人士无不倾心。石崇、欧阳建、陆机、陆云之徒，并以文才降节事谧，琨兄弟亦在其间，号曰'二十四友'。太尉高密王泰辟为掾，频迁著作郎、太学博士、尚书郎……永嘉元年，为并州刺史，加振威将军，领匈奴中郎将……愍帝即位，拜大将军、都督并州诸军事，加散骑常侍、假节…… 三年，帝遣兼大鸿胪赵廉持节拜琨为司空、都督并冀幽三州诸军事。琨上表让司空，受都督……幽州刺史鲜卑段匹磾数遣信要琨，欲与同奖王室。琨由是率众赴之……是时西都不守，元帝称制江左，琨乃令长史温峤劝进，于是河朔征镇夷夏一百八十人连名上表，语在《元纪》。令报曰……"《晋书》卷六《元帝纪》："六月丙寅，司空、并州刺史、广武侯刘琨，幽州刺史、左贤王、渤海公段匹磾……鲜卑大都督慕容廆等一百八十人上书劝进，曰……"《文心雕龙·章表》："刘琨《劝进》，张骏《自序》，文致耿介，并陈事之美表也。"

温峤奉表南下劝进，时为左长史。《晋书》卷六十七《温峤传》："温峤，字太真，司徒羡弟之子也。父憺，河东太守。峤性聪敏，有识量，博学能属文，少以孝悌称于邦族。风仪秀整，美于谈论，见者皆爱悦之。……后举秀才灼然二品。司徒辟东阁祭酒，补上党潞令。平北大将军刘琨妻，峤之从母也。琨深礼之，请为参军。……琨迁司空，以峤为右司马。于时并土荒残，寇盗群起，石勒、刘聪跨带疆场，峤为之谋主，琨所凭恃焉。属二都倾覆，社稷绝祀，元帝初镇江左，琨诚系王室……乃以为左长史，檄告华夷，奉表劝进。峤既至，引见，具陈琨忠诚，志在效节，因说社稷无主，天人系望，辞旨慷慨。举朝属目，帝器而喜焉。王导、周颙、谢鲲、庾亮、桓彝等并与亲善。"《文选》卷三十七《劝进表》李善注引王隐《晋书》：建兴五年，刘琨使温峤"诣江南"。本年改建兴五年为建武元年。据本传记载，温峤卒于咸和四年，时四十二岁，则本年当为三十岁。

晋王司马睿作《报刘琨劝进令》《答刘琨等令》《讨石勒檄》。本年所作的诏令还有《课督农功诏》《蠲除法禁令》《王后不应别立庙令》《命议温峤不拜散骑侍郎诏》

《许贺循辞中书令》《赐贺循床荐等物令》《以刘遐为下邳内史令》《赐杜夷谷令》《报有司奏治高车诏》《诏议中郎李干事》《复议李干事诏》。《报刘琨劝进令》见《晋书》卷六十二《刘琨传》："元帝称制江左，琨乃令长史温峤劝进，于是河朔征镇夷夏一百八十人连名上表，语在《元纪》。令报曰……"《答刘琨等令》见《艺文类聚》卷十三，令中有"是用辞不获已，而居王位"，当作于本年为晋王以后。据《晋书》卷六《元帝纪》记载，本年六月："石勒将石季龙围谯城，平西将军祖逖击走之。己巳，帝传檄天下曰……"按，《课督农功诏》见《晋书》卷三十《刑法志》："是时帝以权宜从事，尚未能从。而河东卫展为晋王大理，考摘故事有不合情者，又上书曰……元帝令曰……"《王后不应别立庙令》见《晋书》卷三十二《元敬虞皇后传》："帝为晋王，追尊为王后。有司奏王后应别立庙。令曰……"此令《全晋文》漏收。《命议温峤不拜散骑侍郎诏》见《晋书》卷二十《礼志中》："建武元年，以温峤为散骑常侍，峤以母亡值寇，不临殡丧，固让不拜。元帝诏曰……于是太宰、西阳王羕，司徒临颍公组，骠骑将军、即丘子导，侍中纪瞻，尚书周颚，散骑常侍荀邃等议。"此令当在本年奉表南下劝进之后。《许贺循辞中书令》《赐贺循床荐等物令》，据《晋书》卷六十八《贺循传》："建武初，为中书令，加散骑常侍，又以老疾固辞。……于是改拜太常……其后帝以循清贫，下令曰：……帝纳之。"《以刘遐为下邳内史令》见《晋书》卷八十一《刘遐传》："建武初，元帝令曰……"《赐杜夷谷令》见《晋书》卷九十一《杜夷传》："建武中，令曰……"《报有司奏治高车诏》见《全晋文》卷八。严可均注："《北堂书钞》未删改本一百三十九引《晋起居注》：建武元年有司奏，车府令戒严上作高车用杂总求处给，请出上库钱六十七万六千六百，诏云云。"《诏议中郎李干事》《复议李干事诏》见《通典》卷九十八："东晋元帝建武元年……中郎李干自上……诏曰……荀组表曰……诏曰……"据《元帝纪》，司马睿生于咸宁二年，本年当为四十二岁。

七月

荀组任司徒，作《议定父子生离哀制表》。《晋书》卷三十九《荀勖传》记载，荀组为荀勖之子。同卷《荀组传》云："组字大章。弱冠，太尉王衍见而称之曰："夷雅有才识。"初为司徒左西属，补太子舍人。……赵王伦为相国，欲收大名，选海内德望之士，以江夏李重及组为左右长史，……伦篡，以组为侍中。及长沙王乂败，惠帝遣组及散骑常侍闾丘冲诣成都王颖，慰劳其军。帝西幸长安，以组为河南尹。迁尚书，转卫尉，赐爵成阳县男，加散骑常侍、中书监。转司隶校尉，加特进、光禄大夫，常侍如故……永嘉末，复以组为侍中，领太子太保。未拜……怀帝蒙尘，司空王濬以组为司隶校尉。……愍帝称皇太子，组即太子之舅，又领司隶校尉，行豫州刺史事，与藩并保荥阳之开封。……俄而藩薨，帝更以组为司空，领尚书左仆射，又兼司隶，复行留台事，州征郡守皆承制行焉。进封临颍县公，加太夫人、世子印绶。明年，进位太尉，领豫州牧、假节。元帝承制，以组都督司州诸军，加散骑常侍，余如故。顷之，又除尚书令，表让不拜。及西都不守，组乃遣使移檄天下共劝进。帝欲以组为司徒，以问太常贺循。循曰："组旧望清重，忠勤显著，迁训五品，实允众望。"于是拜组为司徒。……永昌初……薨，年六十五。"据此推之，荀组本年六十岁。据《晋书》卷六《元帝纪》记载，本年七月，"丁未，梁王悝薨。以太尉荀组为司徒。"《议定父子生离哀制表》见《通典》卷九十八。

陶侃时任广州刺史。《晋书》卷六十六《陶侃传》："陶侃，字士行，本鄱阳人也。吴平，徙家庐江之寻阳……侃早孤贫，为县吏。鄱阳孝廉范逵尝过侃……逵过庐江太守张夔，称美之。夔召为督邮，领枞阳令。有能名，迁主簿……夔察侃为孝廉，至洛阳，数诣张华。华初以远人，不甚接遇。侃每往，神无忤色。华后与语，异之。除郎中……后以军功封东乡侯，邑千户……后以母忧去职……服阕，参东海王越军事……顷之，迁龙骧将军、武昌太守……（后王敦）表拜侃为使持节、宁远将军、南蛮校尉、荆州刺史……侃复率周访等进军入湘，使都尉杨举为先驱，击杜弢，大破之……敦于是奏复侃官……王敦深忌侃功。将还江陵，欲诣敦别……敦果留侃不遣，左转广州刺史、平越中郎将……侃在州无事，辄朝运百甓于斋外，暮运于斋内。人问其故，答曰：'吾方致力中原，过尔优逸，恐不堪事。'其励志勤力，皆此类也。"卷六《元帝纪》："九月戊寅，王敦使武昌太守赵诱、襄阳太守朱轨、陵江将军黄峻讨猗，为其将杜曾所败，诱等皆死之……梁州刺史周访讨杜曾，大破之。"陶侃率周访等击败杜弢在本年九月，其为广州刺史，当在此后不久。

十月

丁潭作《上书求为琅邪王衰行终丧礼》，贺循作《丁潭为琅邪王衰终丧议》。《晋书》卷七十八《丁潭传》："丁潭，字世康，会稽山阴人也。祖固，吴司徒。父弥，梁州刺史。潭初为郡功曹，察孝廉，除郎中，稍迁丞相西阁祭酒。时元帝称制，使各陈时事损益，潭上书曰……及帝践阼，拜驸马都尉、奉朝请、尚书祠部郎。时琅邪王衰始受封，帝欲引朝贤为其国上卿，将用潭，以问中书令贺循。循曰：'郎中令职望清重，实宜审授。潭清淳贞粹，雅有隐正，圣明所简，才实宜之。'遂为琅邪王郎中令。会衰薨，潭上疏求行终丧礼，曰：……诏下博议。"同书卷六《元帝纪》载本年三月，"封王子宣城公衰为琅邪王"，"十月丁未，琅邪王衰薨"。此文当作于此后。

十一月

置史官，立太学。《晋书》卷六《元帝纪》：本年十一月，"置史官，立太学"。

刘琨任太尉。《晋书》卷六《元帝纪》：本年十一月"丁卯，以司空刘琨为太尉"。

十二月

戊戌，刘聪杀晋愍帝司马邺。《晋书》卷一百二《刘聪传》："刘聪，字玄明，一名载……年十四，究通经史，兼综百家之言，《孙吴兵法》靡不诵之。工草隶，善属文，著述怀诗百余篇、赋颂五十余篇。十五习击刺，猿臂善射，弯弓三百斤，膂力骁捷，冠绝一时……弱冠游于京师，名士莫不交结，乐广、张华尤异之也……永嘉四年僭即皇帝位……署其卫尉呼延晏为使持节……自宜阳入洛川……怀帝遣河南尹刘默距之，王师败于社门……迁帝及惠帝羊后、传国六玺于平阳……聪假怀帝仪同三司，封会稽郡公……聪引帝入宴，谓帝曰：'卿为豫章王时，朕尝与王武子相造，武子示朕于卿，卿言闻其名久矣。以卿所制乐府歌示朕，谓朕曰："闻君善为辞赋，试为看之。"朕时与武子俱为《盛德颂》，卿称善者久之！……愍帝即位于长安……刘曜陷长安外城……愍帝……出降。"同书卷五《孝愍帝纪》：本年"十二月戊戌，帝遇弑，崩于平阳"。

本年

干宝约在本年始撰《搜神记》。《晋书》卷八十二《干宝传》："干宝，字令升，新蔡人也。……宝少勤学，博览书记，以才器召为著作郎。平杜弢有功，赐爵关内侯。……性好阴阳术数，留思京房、夏侯胜等传。宝父先有所宠侍婢，母甚妒忌，及父亡，母乃生推婢于墓中。宝兄弟年小，不之审也。后十余年，母丧，开墓，而婢伏棺如生，载还，经日乃苏。言其父常取饮食与之，恩情如生，在家中吉凶辄语之，考校悉验，地中亦不觉为恶。既而嫁之，生子。又宝兄尝病气绝，积日不冷，后遂悟，云见天地间鬼神事，如梦觉，不自知死。宝以此遂撰集古今神祇灵异人物变化。名为《搜神记》，凡三十卷。"唐无名氏《文选集注》江文通《拟郭弘农游仙诗》注："（吴）猛，豫章建宁人。干庆为豫章建宁令，死以三日。猛曰：'明府算历未应尽，似是误耳。今为参之。'乃沐浴衣裳，复死于庆侧。经一宿，果相与俱生。庆云：'见猛天曹中论诉之。'庆即干宝之兄。宝因之作《搜神记》。故其《序》云：'建武中，所有感起，是用发愤焉。'"张可礼《东晋文艺系年》第 26 页引用上文，并说："据此知宝于建武中始作《搜神记》。建武仅有一年，故系于此。"

葛洪撰写《抱朴子》。《晋书》卷七十二《葛洪传》："葛洪，字稚川，丹阳句容人也。祖系，吴大鸿胪。父悌，吴平后入晋，为邵陵太守。洪少好学，家贫，躬自伐薪以贸纸笔，夜辄写书诵习，遂以儒学知名。性寡欲，无所爱玩，不知棋局几道，摴蒱齿名。为人木讷，不好荣利，闭门却扫，未尝交游。……从祖玄，吴时学道得仙，号曰葛仙公，以其练丹秘术授弟子郑隐。洪就隐学，悉得其法焉。后师事南海太守上党鲍玄。玄亦内学，逆占将来，见洪深重之，以女妻洪。洪传玄业，兼综练医术，凡所著撰，皆精核是非，而才章富赡……洪见天下已乱，欲避地南土，乃参广州刺史嵇含军事……元帝为丞相，辟为掾。"王明《抱朴子内篇校释》附《外篇自叙》云："洪年二十余，乃计作细碎小文，妨弃功日，未若立一家之言，乃草创子书。会遇兵乱，流离播越，有所亡失，连在道路，不复投笔十八年，至建武中乃定，凡著《内篇》二十卷，《外篇》五十卷……其《内篇》言神仙方药鬼怪变化养生延年禳邪却祸之事，属道家。其《外篇》言人间得失，世间臧否，属儒家。"《晋书》本传："其自序曰：'故予所著子言黄白之事，名曰《内篇》，其余驳难通释，名曰《外篇》，大凡内外一百一十六篇。虽不足藏诸名山，且欲缄之金匮，以示识者。'自号抱朴子，因以名书。"可见，

《抱朴子》撰定于本年。《全晋文》卷一百一十七辑《抱朴子·外篇·佚文》："昔太安二年……余年二十一。"据此可知,葛洪本年当为三十五岁。

张亢拜散骑侍郎。张亢生卒年不详。《晋书》卷五十五《张亢传》:"亢字季阳。才藻不逮二昆,亦有属缀,又解音乐伎术。时人谓载、协、亢、陆机、云曰:'二陆'、'三张'。中兴初过江,拜散骑侍郎。"

孔衍补中书郎。《晋书》卷九十一《孔衍传》:"孔衍,字舒元,鲁国人,孔子二十二世孙也。祖文,魏大鸿胪。父毓,征南军司。衍少好学,年十二,能通《诗》《书》。弱冠,公府辟,本州举异行直言,皆不就。避地江东,元帝引为安东参军,专掌记室。书令殷积,而衍每以称职见知。中兴初,与庾亮俱补中书郎。明帝之在东宫,领太子中庶子。于时庶事草创,衍经学深博,又练识旧典,朝仪轨制多取正焉。由是元明二帝并亲爱之……以太兴三年卒于官,年五十三。"据此可知,孔衍本年五十岁。

孙盛博学,善言名理。《晋书》卷八十二《孙盛传》:"孙盛,字安国,太原中都人。祖楚,冯翊太守。父恂,颍川太守。恂在郡遇贼,被害。盛年十岁,避难渡江。及长,博学,善言名理。于时殷浩擅名一时,与抗论者,惟盛而已。盛尝诣浩谈论,对食,奋掷麈尾,毛悉落饭中,食冷而复暖者数四,至暮忘餐,理竟不定。盛又著医卜及《易象妙于见形论》,浩等竟无以难之,由是遂知名。起家佐著作郎,以家贫亲老,求为小邑,出补浏阳令。太守陶侃请为参军。"

庾阐为晋王司马睿所辟,未行。《晋书》卷九十二《庾阐传》:"庾阐,字仲初,颍川鄢陵人也。祖辉,安北长史。父东,以勇力闻。武帝时,有西域健胡矫捷无敌,晋人莫敢与校。帝募勇士,惟东应选,遂扑杀之,名震殊俗。阐好学,九岁能属文。少随舅孙氏过江。母随兄肇为乐安长史在项城。永嘉末,为石勒所陷,阐母亦没。阐不栉沐,不婚宦,绝酒肉,垂二十年,乡亲称之。州举秀才,元帝为晋王,辟之,皆不行。"

梅赜上古文尚书。《世说新语·方正第五》:"梅颐尝有惠于陶公,后为豫章太守……"注引《晋诸公赞》曰:"颐字仲真,汝南西平人。少好学隐退,而求实进止。"余嘉锡笺疏引程炎震云:"梅颐当作梅赜。尚书舜典孔疏云:'东晋之初,豫章内史梅赜上孔氏传。'"

公元318年（晋元帝太兴元年　戊寅）

三月

丙辰,晋王司马睿作《答群臣上尊号令》,即皇帝位。并作《改元大赦诏》。壬申,晋元帝司马睿作《诏官吏》《诏两千石》。《晋书》卷六《元帝纪》:"太兴元年春正月戊申朔,临朝,悬而不乐。三月癸丑,愍帝崩问至,帝斩缞居庐。丙辰,百僚上尊号。令曰……是日,即皇帝位。诏曰……于是大赦,改元。壬申,诏曰……"

王导进骠骑大将军,作《请建立国史疏》《议复肉刑》《与贺循书论虞庙》《又与贺循书问即位告庙》《上疏论谥法》。《晋书》卷六十五《王导传》:"及帝登尊号,百官陪列,命导升御床共坐。导固辞,至于三四,曰:'若太阳下同万物,苍生何由仰照！'帝乃止。进骠骑大将军、仪同三司。以讨华轶功，封武冈侯。进位侍中、司空、假节、录尚书，领中书监。……寻代贺循领太子太傅。时中兴草创，未置史官，导始启立，于是典籍颇具。"《请建立国史疏》见卷八十二《干宝传》："中兴草创，未置史官，中书监王导上疏曰：'……宜备史官，敕佐著作郎干宝等渐就撰集。'"《议复肉刑》见卷三十《刑法志》："及帝即位，展为廷尉，又上言：'古者肉刑……'诏内外通议。于是骠骑将军王导、太常贺循、侍中纪瞻、中书郎庾亮、大将军咨议参军梅陶、散骑郎张嶷等议……"《与贺循书论虞庙》《又与贺循书问即位告庙》见《全晋文》卷十九，应作于元帝即帝位后。《上疏论谥法》见《全晋文》卷十九，文中有"今中兴肇见，勋德兼备"等句子，可知当作于中兴之后，《晋书》王导本传云："自汉魏已来，赐谥多由封爵，虽位通德重，先无爵者，例不加谥。导乃上疏，称'武官有爵必谥，卿校常伯无爵不谥，甚失制度之本意也'。从之。自后公卿无爵而谥，导所议也。"此段文意和《上疏论谥法》相近，故系于此。

干宝始领国史。作《王昌前母服论》。《晋书》卷八十二《干宝传》："中兴草创，未置史官，中书监王导上疏曰：'……宜备史官，敕佐著作郎干宝等渐就撰集。'元帝纳焉。宝于是始领国史。以家贫，求补山阴令，迁始安太守。王导请为司徒右长史，迁散骑常侍，著《晋纪》，自宣帝迄于愍帝五十三年，凡二十卷，奏之。其书简略，直而能婉，咸称良史。"《王昌前母服论》见同书卷二十《礼志中》："太兴初，著作郎干宝论之曰……"

庚午，司马绍被立为皇太子，向杜夷执经问艺，以孔衍为太子中庶子。《晋书》卷六《元帝纪》：本年三月，"庚午，立王太子绍为皇太子"。卷九十一《杜夷传》："杜夷，字行齐，庐江灊人也。世以儒学称，为郡著姓。夷少而恬泊，操尚贞素，居甚贫窭，不营产业，博览经籍百家之书，算历图纬靡不毕究。寓居汝颍之间，十载足不出门。年四十余，始还乡里，闭门教授，生徒千人。……皇太子三至夷第，执经问义。"《晋书》卷六《明帝纪》："明皇帝讳绍，字道畿，元皇帝长子也。幼而聪哲，为元帝所宠异。……建兴初，拜东中郎将，镇广陵。元帝为晋王，立为晋王太子。及帝即尊号，立为皇太子。性至孝，有文武才略，钦贤爱客，雅好文辞。当时名臣，自王导、庾亮、温峤、桓彝、阮放等，咸见亲待。尝论圣人真假之意，导等不能屈。又习武艺，善抚将士。于时东朝济济，远近属心焉。"同书同卷《元帝纪》："庚午，立王太子绍为皇太子。"《晋书》卷九十一《孔衍传》："明帝之在东宫，领太子中庶子。于时庶事草创，衍经学深博，又练识旧典，朝仪轨制多取正焉。由是元明二帝并亲爱之。"

四月

戊寅，晋元帝司马睿作《禁招魂葬诏》。《禁招魂葬诏》见《全晋文》卷八："夏四月……戊寅，初禁招魂葬。"

孔愉作《奏日蚀伐鼓非旧典》，晋元帝司马睿作《诏报孔愉》。《晋书》卷七十八《孔愉传》："孔愉，字敬康，会稽山阴人也。其先世居梁国。曾祖潜，太子少傅，汉末避地会稽，因家焉。祖竺，吴豫章太守。父恬，湘东太守。从兄侃，大司农。俱有名江左。愉年十三而孤，养祖母以孝闻，与同郡张茂字伟康、丁潭字世康齐名，时人号曰'会稽三康'。……永嘉中，元帝始以安东将军镇扬土，命愉为参军。邦族寻求，莫知所在。建兴初，始出应召。为丞相掾，仍除驸马都尉、参丞相军事，时年已五十矣。以讨华轶功，封余不亭侯。……帝为晋王，使长兼中书郎。"《奏日蚀伐鼓非旧典》见《晋书》卷十九《礼志上》："元帝太兴元年四月，合朔，中书侍郎孔愉奏曰……"《诏报孔愉》见《宋书》卷十四《礼志一》："晋元帝太兴元年四月合朔，中书侍郎孔愉奏曰……诏曰……"《晋书》本传云："年七十五，咸康八年卒。"则知本年当为五十一岁。

五月

癸丑，刘琨为段匹磾所害，作《重赠卢谌诗》。《晋书》卷六《元帝纪》："五月癸丑，使持节、侍中、都督、太尉、并州刺史、广武侯刘琨为段匹磾所害。"同书卷六十二《刘琨传》："匹磾奔其兄丧，琨遣世子群送之，而末波率众要击匹磾而败走之，群为末波所得。末波厚礼之，许以琨为幽州刺史，共结盟而袭匹磾，密遣使赍群书请琨为内应，而为匹磾逻骑所得。时琨别屯故征北府小城，不之知也。因来见匹磾，匹磾以群书示琨曰：'意亦不疑公，是以白公耳。'琨曰：'与公同盟，志奖王室，仰凭威力，庶雪国家之耻。若儿书密达，亦终不以一子之故负公忘义也。'匹磾雅重琨，初无害琨志，将听还屯。其中弟叔军好学有智谋，为匹磾所信，谓匹磾曰：'吾胡夷耳，所以能服晋人者，畏吾众也。今我骨肉构祸，是其良图之日，若有奉琨以起，吾族尽矣。'匹磾遂留琨。琨之庶长子遵惧诛，与琨左长史杨桥、并州治中如绥闭门自守。匹碑谕之不得，因纵兵攻之。琨将龙季猛迫于乏食，遂斩桥、绥而降。初，琨之去晋阳也，虑及危亡而大耻不雪，亦知夷狄难以义伏，冀输写至诚，侥幸万一。每见将佐，发言慷慨，悲其道穷，欲率部曲列于贼垒。斯谋未果，竟为匹磾所拘。自知必死，神色怡如也。为五言诗赠其别驾卢谌曰……"《隋书》卷三十五《经籍志四》："晋太尉《刘琨集》九卷，梁十卷。《刘琨别集》十二卷。"陈振孙《直斋书录解题》卷十六："《刘司空集》十卷，晋司空中山刘琨越石撰。前五卷差全可观，后五卷阙误，或一卷数行，或断续不属，殆类钞节者，末卷《刘府君诔》尤多讹，未有别本可以是正。"逯钦立《先秦汉魏晋南北朝诗·晋诗》卷十一辑诗四首。《全晋文》卷一百八辑文二十五篇。《文心雕龙·才略》："刘琨雅壮而多风，卢谌情发而理昭，亦遇之于时势也。"《诗品·卷中》："其源出于王粲。善为凄戾之词，自有清拔之气。琨既体良才，又罹厄运，故善叙丧乱，多感恨之词。"元好问《论诗绝句》："曹刘坐啸虎生风，四海无人角两雄。可惜并州刘越石，不教横槊建安中。"明张溥《汉魏六朝百三名家集题辞》："越石兄弟……诗赋岂尽无传，顾乃奔走离乱，仅存书表。想其当日执槊倚盾，笔不得止，劲气直辞，回薄霄汉。推此志也，屈平沅湘，荆卿易水，其同声邪？晋元渡江，无心北伐，越石再三上表，辞虽劝进，义切复仇，读者苟有胸腹，能无慷慨？……夫汉贼不灭，诸葛出师；二圣未还，武穆鞠旅，二臣忠贞，表悬天壤，上下其间，中有越石。"明许学夷《诗源辩体》卷五："刘越石五言，篇什不多。其《赠卢谌》及《扶风歌》，语甚浑朴，气势遒迈。"清毛先舒《诗辩坻》："刘太尉诗有孟德之气，子建之骨，特密处不似魏人耳。"刘熙载《艺概·诗概)》："孔北海《杂诗》：'吕望老匹夫'，'管仲小囚臣'，刘越石《重赠卢谌》诗：'惟彼太公望，背在渭滨叟'，又称'小白相射钩'，于汉于晋，兴复之志同也。北海言'人生有何常，但患年岁暮'，越石言'时哉不我与，去矣若云浮'，其欲及时之志亦同也……刘越石诗，定乱扶襄之志；郭景纯诗，除残去秽之情。第以'清刚'目之，殆犹未觇厥蕴。"又曰："刘公干、左太冲诗壮而不悲，王仲宣、潘安仁悲而不壮，兼悲壮者，其惟刘越石乎？"

卢谌作《答刘琨诗》《太尉刘公诔》。《晋书》卷六十二《刘琨传》：琨诗托意非常，摅畅幽愤，远想张陈，感鸿门、白登之事，用以激谌。谌素无奇略，以常词酬和，殊乖琨心，重以诗赠之，乃谓琨曰："前篇帝王大志，非人臣所言矣。"卢谌"重以诗赠之"即《答刘琨诗》。诗中"百炼或致屈，绕指所以伸"句，与刘琨《重赠卢谌诗》中的"何意百炼钢，化为绕指柔"相映照，其诗当作于本年。《太尉刘公诔》见《全晋文》卷三十四，当作于刘琨被害不久。

温峤作《理刘司空表》《请召刘群等表》，除散骑侍郎。《理刘司空表》见《晋书》卷六十七《温峤传》："屡求反命，不许。会琨为段匹磾所害，峤表琨忠诚，虽勋业不遂，然家破身亡，宜在褒崇，以慰海内之望。帝然之。"《请召刘群等表》见卷六十二《刘群传》："及琨为匹磾所害，琨从事中郎卢谌等率余众奉群依末波。温峤前后表称：'姨弟刘群，内弟崔悦、卢谌等，皆在末波中，翘首南望。愚谓此等并有文思，于人之中少可愍惜。如蒙录召，继绝兴亡，则陛下更生之恩，望古无二。'"《晋书》卷六十七《温峤传》云："除散骑侍郎。初，峤欲将命，其母崔氏固止之，峤绝裾而去。其后母亡，峤阻乱不获归葬，由是固让不拜，苦请北归。诏三司、八坐议其事……峤不得已，乃受命。"

六月

甲申，荀崧为尚书左仆射，作《上疏请增置博士》。晋元帝司马睿《报荀崧请增博士诏》《谷梁不置博士诏》《下刁协诏》。《晋书》卷七十五《荀崧传》："荀崧，字景猷，颍川临颍人，魏太尉彧之玄孙也。父頵，羽林右监、安陵乡侯，与王济、何劭为拜亲之友。崧志操清纯，雅好文学……泰始中，诏以崧代兄袭父爵，补濮阳王允文学。与王敦、顾荣、陆机等友善，赵王伦引为相国参军。伦篡，转护军司马、给事中，稍迁尚书吏部郎、太弟中庶子，累迁侍中、中护军。王弥入洛，崧与百官奔于密，未至而母亡……服阕，族父藩承制，以崧监江北军事、南中郎将、后将军、假节、襄城太守。时山陵发掘，崧遣主簿石览将兵入洛，修复山陵。以勋进爵舞阳县公，迁都督荆州江北诸军事、平南将军，镇宛，改封曲陵公。……元帝践阼，征拜尚书仆射，使崧与协共定中兴礼仪。……转太常。时方修学校，简省博士，置《周易》王氏、《尚书》郑氏、《古文尚书》孔氏、《毛诗》郑氏、《周官礼记》郑氏、《春秋左传》杜氏服氏、《论语》《孝经》郑氏博士各一人，凡九人，其《仪礼》《公羊》《谷梁》及郑《易》皆省不置。崧以为不可，乃上疏曰……元帝诏曰……议者多请从崧所奏。诏曰……会王敦之难，不行。敦表崧为尚书左仆射。"《上疏请增置博士》在荀崧本传中有所删节，其全文见《宋书》卷十四《礼志一》。《晋书》卷六《元帝纪》："六月，旱，帝亲雩。改丹阳内史为丹阳尹。甲申，以尚书左仆射刁协为尚书令，平南将军、曲陵公荀崧为尚书左仆射。"《下刁协诏》见《初学记》卷十一引《晋中兴书》："刁协迁中书令，诏曰……"

贺循作《上言诸经宜分置博士》约在此时不久。本年还作有《追尊琅邪恭王为皇考议》《答王导书论虞庙》《答王导书》《与王导书》《又答王导书》《答尚书符问》。《上言诸经宜分置博士》，据《晋书》卷六《元帝纪》记载，明年六月"置博士员五人"，《上言诸经宜分置博士》与荀崧《上疏请增置博士》约在前后不久，当作于本年或明年六月之前，姑系于此。《追尊琅邪恭王为皇考议》见《晋书》卷六十八《贺循传》："及帝践位，有司奏琅邪恭王宜称皇考，循有议曰……帝纳之。俄以循行太子太傅，太常如故。"《答王导书论虞庙》《答王导书》《与王导书》《又答王导书》《答尚书符问》五篇文章见《全晋文》卷八十六，均为皇室立庙之事，当作于元帝践位之后。

十一月

乙卯，晋元帝司马睿作《灾异见诏百官陈得失》。《晋书》卷六《元帝纪》："十一月乙卯，日夜出，高三丈，中有赤青珥。新蔡王弼薨。加大将军王敦荆州牧。庚申，诏曰：'朕以寡德，篡承洪绪，上不能调和阴阳，下不能济育群生，灾异屡兴，咎征仍见。壬子、乙卯，雷震暴雨，盖天灾谴戒，所以彰朕之不德也。群公卿士，其各上封事，具陈得失，无有所讳，将亲览焉。'"

王敦由江州牧转荆州牧，作《辞荆州牧疏》。《晋书》卷九十八《王敦传》："中兴建，拜侍中、大将军、江州牧。遣部将朱轨、赵诱伐杜曾，为曾所杀（据《晋书》卷六《元帝纪》，王敦遣朱轨、赵诱讨伐杜曾在上年九月），敦自贬，免侍中，并辞牧不拜。寻加荆州牧，敦上疏曰：……帝优诏不许。又固辞州牧，听为刺史。时刘隗用事，颇疏间王氏，导等甚不平之。"据卷六《元帝纪》，本年十一月任荆州牧。

十二月

癸巳，晋元帝司马睿作《诏访吴地先贤未旌录者》。《晋书》卷六《元帝纪》："（十二月）癸巳，诏曰：'汉高经大梁，美无忌之贤；齐师入鲁，修柳下惠之墓。其吴之高德名贤或未旌录者，具条列以闻。'"

冬

熊远转御史中丞，作《因灾异上疏》《广昌乡君丧宜废冬至小会表》。《因灾异上疏》见《晋书》卷七十一《熊远传》："及中兴建，帝欲赐诸吏投刺劝进者加位一等，百姓投刺者赐司徒吏，凡二十余万。远以为'秦汉因赦赐爵，非长制也。今案投刺者不独近者情重，远者情轻，可依汉法例，赐天下爵，于恩为普，无偏颇之失。可以息检核之烦，塞巧伪之端。'帝不从。转御史中丞。时尚书刁协用事，众皆惮之。尚书郎卢绋将入直，遇协于大司马门外。协醉，使绋避之，绋不回。协令威仪牵捽绋堕马，至协车前而后释。远奏免协官。时冬雷电，且大雨，帝下书责躬引过，远复上疏曰……"《广昌乡君丧宜废冬至小会表》见卷二十《礼志中》："元帝姨广昌乡君丧，未葬，中丞熊远表云……"

本年

晋元帝司马睿作《趆徐扬二州种麦诏》《报周顗诏》《下晋陵内史张闿诏》《诸葛恢增秩诏》《平籴诏》《加荀组录尚书诏》。《趆徐扬二州种麦诏》见《晋书》卷二十六《食货志》："太兴元年，诏曰……"《报周顗诏》见《晋书》卷六十九《周顗传》："太兴初，更拜太子少傅，尚书如故。顗上疏让曰……诏曰……"《下晋陵内史张闿诏》见《晋书》卷六十七《张闿传》："帝践阼，出补晋陵内史，在郡甚有威惠，帝下诏曰……"《诸葛恢增秩诏》见同书卷七十七《诸葛恢传》："太兴初，以政绩第一，诏曰……"《平籴诏》见《太平御览》卷三十五《凶荒》引《晋中兴书》："太兴元年，诏曰……"《加荀组录尚书诏》见《全晋文》卷八，《晋书》卷三十九《荀组传》："组逼于石勒，不能自立。太兴初，自许昌率其属数百人渡江，给千兵百骑，组先所领仍皆统摄。顷之，诏组与太保、西阳王羕并录尚书事，各加班剑六十人。"

王廙作《中兴赋》《奏中兴赋上疏》，征为辅国将军、加散骑常侍。画孔子十弟子并为赞。《中兴赋》已佚。《奏中兴赋上疏》见《晋书》卷七十六《王廙传》："及帝即位，廙奏《中兴赋》，上疏曰：'……臣少好文学，志在史籍，而飘放退外，尝与桀寇为对。臣犬马之年四十三矣，未能上报天施，而愆负屡彰。恐先朝露，填沟壑，令微情不得上达，谨竭其顽，献《中兴赋》一篇。虽未足以宣扬盛美，亦是诗人嗟叹咏歌之义也。'文多不载。初，王敦左迁陶侃，使廙代为荆州。将吏马俊、郑攀等上书请留侃，敦不许。廙为俊等所袭，奔于江安。贼杜曾与俊、攀北迎第五猗以距廙。廙督诸军讨曾，又为曾所败。敦命湘州刺史甘卓、豫章太守周广等助廙击曾，曾众溃，廙得到州。廙性俊率，尝从南下，且自寻阳，迅风飞帆，暮至都，倚舫楼长啸，神气甚逸。王导谓庾亮曰：'世将为伤时识事。'亮曰：'正足舒其逸气耳。'廙在州大诛戮侃时将佐，及征士皇甫方回，于是大失荆土之望，人情乖阻。帝乃征廙为辅国将军，加散骑常侍。以母丧去职。"张彦远《历代名画记》卷五："廙画为晋明帝师、书为右军法。时右军亦学画于廙。廙画孔子十弟子赞云：余兄子羲之，幼而岐嶷，必将隆余堂构，今始年十六，学艺之外，书画过目便能。就余请书画法。余画孔子十弟子图以励之。嗟尔羲之，可不勖哉！画乃吾自画，书乃吾自书。吾余事虽不足法，而书画固可法。欲汝学书，则知积学可以致远，学画可以知师弟子行己之道，又各为汝赞之。"原注："见廙本集。"此即王廙的《画赞序》，《全晋文》漏收。《初学记》卷十七《宰我赞》可能是这十赞中的一篇。

应詹拜后军将军，作《上疏陈便宜》。《晋书》卷七十《应詹传》："应詹，字思远，汝南南顿人，魏侍中璩之孙也。詹幼孤，为祖母所养。年十余岁，祖母又终，居

71

丧毁顿，杖而后起，遂以孝闻。家富于财，年又稚弱，乃请族人共居，委以资产，情若至亲，世以此异焉。弱冠知名，性质素弘雅，物虽犯而弗之校，以学艺文章称。……初辟公府，为太子舍人。赵王伦以为征东长史。伦诛，坐免。成都王颖辟为掾。……迁南平太守。王澄为荆州，假詹督南平、天门、武陵三郡军事。及洛阳倾覆，詹攘袂流涕，劝澄赴援。澄使詹为檄，詹下笔便成，辞义壮烈，见者慷慨……其后天下大乱，詹境独全。百姓歌之曰……镇南将军山简复假詹督五郡军事。……寻与陶侃破杜弢于长沙，贼中金宝溢目，詹一无所取，唯收图书，莫不叹之。元帝假詹建武将军，王敦又上詹监巴东五郡军事，赐爵颍阳乡侯。……迁益州刺史，领巴东监军。詹之出郡也，士庶攀车号泣，若恋所生。俄拜后军将军。詹上疏陈便宜，曰……"据《东晋方镇年表》，应詹本年由益州刺史入为后军将军，《上疏陈便宜》疑作于此时，姑系于此。

熊甫作《别歌》。熊甫生卒年不详，其《别歌》见《晋书》卷九十八《沈充传》："沈充，字士居。少好兵书，颇以雄豪闻于乡里。敦引为参军，充因荐同郡钱凤。凤字世仪，敦以为铠曹参军，数得进见。知敦有不臣之心，因进邪说，遂相朋构，专弄威权，言成祸福……初，敦参军熊甫见敦委任凤，将有异图，因酒酣谓敦曰：'开国承家，小人勿用，佞幸在位，鲜不败业。'敦作色曰：'小人阿谁？'甫无惧容，因此告归。临与敦别，因歌曰：……敦知其讽己而不纳。"熊甫所作《别歌》的具体时间不详，今据王敦"有不臣之心"，"将有异图"，姑系于此。

当时尚有《夏育扛鼎》《巨象行乳》等乐。《宋书》卷十九《乐志一》："魏晋讫江左，犹有《夏育扛鼎》《巨象行乳》《神龟抃舞》《北负灵岳》《桂树白雪》《画地成川》之乐焉。"《隋书》卷十五《音乐志下》："又为《夏育扛鼎》，取车轮、石臼、大瓮器等，各于掌上而跳弄之。并二人戴竿，其上有舞，忽然腾透而换易之。又有神鳌负山，幻人吐火，千变万化，旷古莫俦。"

郭璞作《江赋》《南郊赋》，拜著作佐郎。作《省刑疏》。受命与王隐撰《晋史》。《晋书》卷七十二《郭璞传》："及帝即位，太兴初，会稽剡县人果于井中得一钟，长七寸二分，口径四寸半，上有古文奇书十八字，云'会稽岳命'，余字时人莫识之。璞曰：……帝甚重之。璞著《江赋》，其辞甚伟，为世所称。后复作《南郊赋》，帝见而嘉之，以为著作佐郎。"《江赋》和《南郊赋》见《全晋文》卷一百二十。《文选》卷十二《江赋》李善注引《晋中兴书》："璞以中兴，王宅江外，乃著《江赋》，述川渎之美。"《省刑疏》见《晋书》郭璞本传："于时阴阳错缪，而刑狱繁兴，璞上疏曰：……疏奏，优诏报之。"《晋书》卷八十二《王隐传》："太兴初，典章稍备，乃召隐及郭璞俱为著作郎，令撰《晋史》。"《初学记》卷十一及《太平御览》卷二百三十四俱引《中兴书》曰："郭璞太兴元年奏《南郊赋》，中宗见赋嘉其才，以为著作郎。"

公元319年（晋元帝太兴二年　己卯）

四月

前赵刘曜徙都长安。《晋书》卷一百三《刘曜载记》："徙都长安，起光世殿于前，紫光殿于后。立其妻羊氏为皇后，子熙为皇太子……缮宗庙、社稷、南北郊。以水承晋金行，国号曰赵。"据汤球撰《十六国春秋辑补》卷六《前赵录六·刘曜录》：本年四月，曜徙都长安。

五月

壬戌，司马睿作《省务恤民诏》。《晋书》卷六《元帝纪》：本年五月，"徐扬及江西诸郡蝗。是郡大饥……壬戌，诏曰……"

六月

前赵刘曜定国号赵，作《下令议除汉宗庙改国号》。据汤球撰《十六国春秋辑补》卷六《前赵录六·刘曜录》：本年六月，刘曜作《下令议除汉宗庙改国号》。

七月

乙丑，贺循卒。卒前作《嗣新蔡王滔不得还章武议》、司马睿有《许新蔡王滔还袭章武诏》。《晋书》卷六十八《贺循传》："循自以枕疾废顿，臣节不修，上隆降尊之义，不替交叙之敬，惧非垂典之教也，累表固让。帝以循体德率物，有不言之益，敦厉备至，期于不许，命皇太子亲往拜焉。循有羸疾，而恭于接对；诏断宾客，其崇遇如此。疾渐笃，表乞骸骨，上还印绶，改授左光禄大夫、开府仪同三司。帝临轩，遣使持节，加印绶。循虽口不能言，指麾左右，推去章服。车驾亲幸，执手流涕。太子亲临者三焉，往还皆拜，儒者以为荣。太兴二年卒，时年六十。帝素服举哀，哭之甚恸。赠司空，谥曰穆。将葬，帝又出临其枢，哭之尽哀，遣兼侍御史持节监护。皇太子追送近途，望船流涕。循少玩篇籍，善属文，博览众书，尤精礼传。雅有知人之鉴，拔同郡杨方于卑陋，卒成名于世。子隰，康帝时官至临海太守。"卷六《元帝纪》：本年，"秋七月乙丑，太常贺循卒。"贺循《嗣新蔡王滔不得还章武议》和司马睿有《许新蔡王滔还袭章武诏》见《晋书》卷三十七《河间平王洪传》："及洛阳陷，混诸子皆没于胡。而小子滔初嗣新蔡王确，亦与其兄俱没。后得南还，与新蔡太妃不协。太兴二年上疏，以兄弟并没在辽东，章武国绝，宜还所生。太妃讼之，事下太常。太常贺循议……元帝诏曰……"《隋书》卷三十二《经籍志一》："梁有《丧服要记》六卷，晋司空贺循撰……《丧服谱》一卷，贺循撰。"卷三十三《经籍志二》："《会稽记》一卷，贺循撰。"卷三十五《经籍志四》："晋司空《贺循集》十八卷，梁二十卷，录一卷。"《全晋文》卷八十八辑文四十一篇，多是关于礼制的论文。

王导领太子太傅，作表乞除中书监，录尚书事。司马睿作《加王导领中书监录尚书事诏》。《晋书》卷六十五《王导传》："寻代贺循领太子太傅。"卷六《元帝纪》：本年，"秋七月乙丑，太常贺循卒"。作表乞除中书监见《全晋文》卷十九，其表曰："臣乞得除中书监持节，专壹所司，竭诚保傅，惟力是视。"则此表作于王导领太子太傅之后。据万斯同《东晋将相大臣年表》，本年王导录尚书事。王导本年录尚书事，此诏当作于本年。

本年

荀组作《请议定改葬服制表》，司马睿作·《议定改葬服诏》。《晋书》卷十九《礼志上》："元帝渡江，太兴二年始议立郊祀仪。尚书令刁协、国子祭酒杜夷议，宜须旋都洛邑乃修之。司徒荀组据汉献帝都许即便立郊，自宜于此修奉。骠骑王导、仆射荀崧、太常华恒、中书侍郎庾亮皆同组议，事遂施行，立南郊于巳地。其制度皆太常贺循所定，多依汉及晋初之仪。三月辛卯，帝亲郊祀，飨配之礼一依武帝始郊故事。是时尚未立北坛，地祇众神共在天郊。"荀组《请议定改葬服制表》和司马睿《议定改葬服诏》俱见《通典》卷一百二："东晋太兴二年，司徒荀组表言……诏……"

应詹作《上表请兴复农官》。见《晋书》卷二十六《食货志》："太兴……二年，三吴大饥，死者以百数……百官各上封事，后将军应詹表曰……又曰……"

虞预作《上书请举贤才》。《晋书》卷八十二《虞预传》："虞预，字叔宁，征士喜之弟也，本名茂，犯明穆皇后母讳，故改焉。预十二而孤，少好学，有文章。……遭母忧，服竟，除佐著作郎。太兴二年，大旱，诏求谠言直谏之士，预上书谏曰：……转琅邪国常侍，迁秘书丞、著作郎。"

庾亮领著作，侍讲东宫。《晋书》卷七十三《庾亮传》："中兴初，拜中书郎，领著作，侍讲东宫。其所论释，多见称述。与温峤俱为太子布衣之好。时帝方任刑法，以《韩子》赐皇太子，亮谏以申韩刻薄伤化，不足留圣心，太子甚纳焉。"上述时间不详，同书卷十九《礼志上》："元帝渡江，太兴二年始议立郊祀仪……司徒荀组据汉献帝都许即便立郊，自宜于此修奉。骠骑王导、仆射荀崧、太常华恒、中书侍郎庾亮皆同组议……三月辛卯，帝亲郊祀……"（校勘记："三月壬寅朔，无辛卯……疑志文'三月'为'二月'之误。"）张可礼《东晋文艺系年》第59页认为："据此知本年二月前亮仍任中书郎，是领著作郎最早只能在本年二月后，姑系于此。"

后赵傅畅时任石勒参军，领经学祭酒，续咸任律学祭酒。《晋书》卷四十七《傅畅传》："畅字世道。年五岁，父友见而戏之，解畅衣，取其金环与侍者，畅不之惜，以此赏之。年未弱冠，甚有重名。以选入侍讲东宫，为秘书丞。寻没于石勒，勒以为大将军右司马。谙识朝仪，恒居机密，勒甚重之。作《晋诸公叙赞》二十二卷，又为《公卿故事》九卷。"《晋书》卷一百五《石勒载记下》："太兴二年，勒伪称赵王，赦殊死已下，均百姓田租之半，赐孝悌力田死义之孤帛各有差，孤老鳏寡谷人三石，大酺七日。依春秋列国、汉初侯王每世称元，改称赵王元年。始建社稷，立宗庙，营东西宫。署从事中郎裴宪、参军傅畅、杜嘏并领经学祭酒，参军续咸、庾景为律学祭酒，任播、崔濬为史学祭酒。……命记室佐明楷、程机撰《上党国记》，中大夫傅彪、贾蒲撰《大将军起居注》，参军石泰、石同、石谦、孔隆撰《大单于志》。自是朝会常以天子礼乐飨其群下，威仪冠冕从容可观矣。"

郭璞迁尚书郎，为太子所重，作《客傲》《辞尚书郎表》。《晋书》卷七十二《郭璞传》："顷之迁尚书郎。数言便宜，多所匡益。明帝之在东宫，与温峤、庾亮并有布衣之好，璞亦以才学见重，埒于峤、亮，论者美之。然性轻易，不修威仪，嗜酒好色，时或过度。著作郎干宝常诫之曰：'此非适性之道也。'璞曰：'吾所受有本限，用之恒恐不得尽，卿乃忧酒色之为患乎！'璞既好卜筮，缙绅多笑之。又自以才高位卑，乃著《客傲》，其辞曰……"上述诸事，具体年月不详，姑系于此。《辞尚书郎表》见《全晋文》卷一百二十，当作于将迁尚书郎时。《文心雕龙·杂文》："景纯《客傲》，情见而采蔚。"

公元320年（晋元帝太兴三年　庚辰）

正月

乙卯，元帝司马睿作《诏更议宗庙祭仪》。见《宋书》卷四十六《礼志三》："晋元帝太兴三年正月乙卯，诏曰……"

乙卯，温峤作《兄弟相继藏主室议》。后拜太子中庶子，其时还作有《上太子疏谏起西池楼观》《侍臣箴》《谏太子马射》。《晋书》卷十九《礼志上》："于时百度草创，旧礼未备，毁主权居别室。至太兴三年正月乙卯，诏曰…………骠骑长史温峤议……骠骑将军王导从峤议。峤又曰……帝从峤议，悉施用之。"今存温峤《兄弟相继藏主室议》共三段。除上述两段外，还有一段见《通典》卷四十八。《上太子疏谏起西池楼观》见《晋书》卷六十七《温峤传》："迁太子中庶子。及在东宫，深见宠遇，太子与为布衣之交。数陈规讽，又献《侍臣箴》，甚有弘益。时太子起西池楼观，颇为劳费，峤上疏以为朝廷草创，巨寇未灭，宜应俭以率下，务农重兵，太子纳焉。"《侍臣箴》见《艺文类聚》卷十六。《谏太子马射》见《文苑英华》卷六百二十七薛元超《谏皇太子笺》曰："晋明帝之在东宫，中庶子温峤、中舍人刘放（原注："晋明帝为太子，阮放为中舍人，刘放乃魏明帝时人，疑当作阮放。"）谏马射曰……太子答云……"可能是此时温峤"数陈规讽"中的一篇，姑系于此。

二月

辛未，元帝司马睿作《以邵续子缉为平北将军》。《晋书》卷六《元帝纪》：本年"二月辛未，石勒将石季龙寇厌次，平北将军、冀州刺史邵续击之，续败，没于阵"。《以邵续子缉为平北将军》见《晋书》卷六十三《邵续传》："时帝既闻续没，下诏曰……"

五月

王导作《上疏请自贬》。《晋书》卷六十五《王导传》："太山太守徐龛反，帝访可以镇抚河南者，导举太子左卫率羊鉴。既而鉴败，抵罪，导上疏曰……诏不许。"《资治通鉴》卷九十一系此事于本年五月。

六月

前赵刘曜作《下书追赠崔岳等》，立太学，作《下书封乔豫、和苞》。《晋书》卷一百三《刘曜载记》："曜大悦，宴群臣于东堂，语及平生，泫然流涕，遂下书曰……曜立太学于长乐宫东，小学于未央宫西，简百姓年二十五已下十三已上，神志可教者千五百人，选朝贤宿儒明经笃学以教之。以中书监刘均领国子祭酒。置崇文祭酒，秩次国子。散骑侍郎董景道以明经擢为崇文祭酒。以游子远为大司徒。曜命起丰明观，立西宫，建陵霄台于滈池，又将于霸陵西南营寿陵。侍中乔豫、和苞上疏谏曰……曜大悦……下书曰……"《资治通鉴》卷九十一系刘曜立太学等事于本年六月。

豫州耆老为祖逖歌。《晋书》卷六十二《祖逖传》："祖逖，字士稚，范阳遒人也……轻财好侠，慷慨有节尚……后乃博览书记，该涉古今，往来京师，见者谓逖有赞世才具……与司空刘琨俱为司州主簿，情好绸缪，共被同寝。中夜闻荒鸡鸣……因起舞。逖、琨并有英气，每语世事，或中宵起坐，相谓曰：'若四海鼎沸，豪杰并起，吾与足下当相避于中原耳。'……逖以社稷倾覆，常怀振复之志……帝乃以逖为奋威将军、豫州刺史，给千人廪，布三千匹，不给铠仗，使自招募。仍将本流徙部曲百余家渡江，中流击楫而誓曰：'祖逖不能清中原而复济者，有如大江！'……逖爱人下士，虽疏交贱隶，皆恩礼遇之，由是黄河以南尽为晋土……其有微功，赏不逾日。躬自俭约，劝督农桑，克己务施，不畜资产，子弟耕耘，负担樵薪，又收葬枯骨，为之祭醊，百姓感悦。尝置酒大会，耆老中坐流涕曰：'吾等老矣！更得父母，死将何恨！'乃歌曰……其得人心如此。故刘琨与亲故书，盛赞逖威德。诏进逖为镇西将军。"卷六《元帝纪》本年七月，"加逖为镇西将军"，是歌当作于此前，姑系于此。

七月

丁亥，元帝司马睿作《立怀德县诏》。《晋书》卷六《元帝纪》：本年"秋七月丁亥，诏曰……"

八月

戊午，元帝司马睿作《追赠敬虞皇后册》。《太子释奠诏》《释奠太学诏》或许作于此时。温峤作《释奠颂》。《追赠敬虞皇后册》见《晋书》卷六《元帝纪》：本年"八月戊午，尊敬王后虞氏为敬皇后……皇太子释奠太学"。《太子释奠诏》见《宋书》卷十八《礼志五》："晋元帝太兴三年，太子释奠，诏曰……"《释奠太学诏》见《宋书》卷十四《礼志一》："晋惠帝、明帝之为太子，及愍怀太子讲经竟，并亲释奠于太学，太子进爵于先师，中庶子进爵于颜渊。元帝诏曰……"温峤《释奠颂》见《初学记》卷十四，与司马睿《太子释奠诏》《释奠太学诏》当作于同时。

王敦作《上疏言王导》。《晋书》卷九十八《王敦传》："时刘隗用事，颇疏间王氏，导等甚不平之。敦上疏曰……表至，导封以还敦，敦复遣奏之。初，敦务自矫厉，雅尚清谈，口不言财色。既素有重名，又立大功于江左，专任阃外，手控强兵，群从贵显，威权莫贰，遂欲专制朝廷，有问鼎之心。帝畏而恶之，遂引刘隗、刁协等以为心膂。敦益不能平，于是嫌隙始构矣。每酒后辄咏魏武帝乐府歌曰：'老骥伏枥，志在千里。烈士暮年，壮心不已。'以如意打唾壶为节，壶边尽缺。及湘州刺史甘卓迁梁州，敦欲以从事中郎陈颁代卓，帝不从，更以谯王承镇湘州。敦复上表陈古今忠臣见疑于君，而苍蝇之人交构其间，欲以感动天子。帝愈忌惮之。俄加敦羽葆鼓吹，增从事中郎、掾属、舍人各二人。"《资治通鉴》卷九十一系于本年八月后，姑系于此。

九月

元帝司马睿作《报刁协诏》。见《晋书》卷八十一《蔡豹传》："太山太守徐龛与彭城内史刘遐同讨反贼周抚于寒山，龛将于药斩抚。及论功，而遐先之。龛怒，以太山叛……石季龙伐之，龛惧，求降，元帝许焉。既而复叛归石勒……诏曰……"卷六《元帝纪》：本年"九月，徐龛又叛，降于石勒。"

十二月

元帝司马睿作《以谯王承为湘州刺史诏》。见《晋书》卷三十七《谯王承传》："闵王承字敬才，少笃厚有志行。……王敦有无君之心，表疏轻慢。帝夜召承，以敦表示之……承曰：'陛下不早裁之，难将作矣。'帝欲树藩屏，会敦表以宣城内史沈充为湘州，帝谓承曰："湘州南楚险固，在上流之要，控三州之会，是用武之国也。今以叔父居之，何如？"承曰：'……君之所命，惟力是视，敢有辞焉！……'于是诏曰：'……今以承监湘州诸军事、南中郎将、湘州刺史。'据《东晋方镇年表》，本年十二月，谯王承任湘州刺史。

本年

元帝司马睿作《通议谥法诏》。见《通典》卷一百四："东晋元帝太兴三年诏：古者谥议……"

卞壶作《奏议王式事》。《晋书》卷七十《卞壶传》："时淮南小中正式继母，前夫终，更适式妇，丧服讫，议还前夫家……壶奏曰……"《通典》卷九十四系此事于本年。

孔衍卒。《晋书》卷九十一《孔衍传》："王敦专权，衍几于太子曰：'殿下宜博延朝彦，搜扬才俊，询谋时政，以广圣聪。'敦闻而恶之，乃启出衍为广陵郡。时人为之寒心，而衍不形于色。虽郡邻接西贼，犹教诱后进，不以戎务废业。石勒尝骑至山阳，敕其党以衍儒雅之士，不得妄入郡境。视职期月，以太兴三年卒于官，年五十三。衍虽不以文才著称，而博览过于贺循，凡所撰述，百余万言。"《隋书》卷三十二《经籍志一》："《凶礼》一卷，晋广陵相孔衍撰……《琴操》三卷，晋广陵相孔衍撰……梁有……《春秋公羊传》十四卷，孔衍集解……《春秋穀梁传》十四卷，孔衍撰。"刘知几《史通·内篇·六家》："至孔衍，又以《战国策》所书，未为尽善；乃引太史公所记，参其异同，删彼二家，谓《国策》《迁史》。聚为一录，号为《春秋后语》。除二周及宋、卫、中山，其所留者，七国而已。始自秦孝公，终于楚、汉之际；比于《春秋》，亦尽二百三十余年行事。始衍撰《春秋时国语》，因迷其《后语》，并标其前作。复撰《春秋后语》，勒成二书，各为十卷；今行于世者，唯《后语》存焉。"姜亮夫《莫高窟年表》第35页："衍著《春秋后语》，敦煌多有写本，且所谓《春秋后语略出》者。"《旧唐书》卷四十六《经籍志上》：孔衍撰《春秋国语》十卷，《汉尚书》十卷，《汉春秋》十卷，《后汉尚书》六卷，《后汉春秋》六卷，《后魏春秋》九卷，《国历志》五卷。《隋书》卷三十四《经籍志三》："梁有《孔氏说林》二卷，孔衍撰，亡。"《全晋文》卷一百二十四辑文五篇。

孔坦《奏议策除秀孝》。见《晋书》卷七十八《孔坦传》："坦字君平。祖冲，丹阳太守。父侃，大司农。坦少方直，有雅望，通《左氏传》，解属文。完帝为晋王，以坦为世子文学。东宫建，补太子舍人，迁尚书郎。时台郎初到，普加策试，帝手策问曰：'吴兴徐馥为贼，杀郡将，郡今应举孝廉不？'坦对曰：'四罪不相及，殛鲧而兴禹。徐馥为逆，何妨一郡之贤！'又问：'奸臣贼子弑君，污宫潴宅，莫大之恶也。乡旧废四科之选，今何所依？'坦曰：'季平子逐鲁昭公，岂可以废仲尼也！'竟不能屈。先是，以兵乱之后，务存慰悦，远方秀孝到，不策试，普皆除署。至是，帝申明旧制，皆令试《经》，有不中科，刺史、太守免官。太兴三年，秀孝多不敢行，其有到者，并托疾。帝欲除署孝廉，而秀才如前制。坦奏议曰……帝纳焉。听孝廉申至七年，秀才如故。时典客令万默领诸胡，胡人相诬，朝廷疑默有所偏助，将加大辟。坦独不署，由是被谴，遂弃官归会稽。"

谢安生。《晋书》卷七十九《谢安传》："谢安字安石，尚从弟也。父裒，太常卿。"据《晋书》本传和卷九《孝武帝纪》记载，谢安卒于太元十年，时年六十六岁，据此可知其当生于本年。

简文帝司马昱生。《晋书》卷九《简文帝纪》："简文帝讳昱，字道万，元帝之少子也。"据《简文帝纪》记载，司马昱卒于咸安二年，时年三十五，则可知简文帝生于本年。

前凉有凉州民谣。《晋书》卷八十六《张茂传》："太兴三年，寔既遇害，州人推茂为大都督、太尉、凉州牧，茂不从，但受使持节、平西将军、凉州牧……茂雅有志节，能断大事。凉州大姓贾摹，寔之妻弟也，势倾西土。先是，谣曰：……茂以为信，诱而杀之，于是豪右屏迹，威行凉域。"

吴郡民为邓攸歌。《晋书》卷九十《邓攸传》："元帝以攸为太子中庶子。时吴郡阙守，人多欲之，帝以授攸。攸载米之郡，俸禄无所受，唯饮吴水而已。时郡中大饥，攸表振贷，未报，乃辄开仓救之。……攸在郡刑政清明，百姓欢悦，为中兴良守。后称疾去职。郡常有送迎钱数百万，攸去郡，不受一钱。百姓数千人留牵攸船，不得进，攸乃小停，夜中发去。吴人歌之曰……百姓诣台乞留一岁，不听。"此歌具体时间不详，《邓攸传》叙于永昌前，且邓攸此时还"拜侍中。岁余，转吏部尚书"，姑系于此年。

公元321年（晋元帝太兴四年 辛巳）

三月

癸亥，郭璞作《因天变上疏》。见《晋书》卷七十二《郭璞传》："日有黑气，璞复上疏曰……"《资治通鉴》卷九十一系此事于本年三月癸亥。

晋置《周易》《仪礼》《公羊》博士。《晋书》卷六《元帝纪》：本年"三月，置《周易》《仪礼》《公羊》博士"。

四月

元帝司马睿作《报赛不应告庙诏》。《报赛不应告庙诏》见《太平御览》卷五百二十九引《中兴书》："大旱经久，太兴四年四月始雨，有奏应报赛宗庙山川，中宗诏曰……"

五月

元帝司马睿作《中州良人诏》。见《晋书》卷六《元帝纪》：本年"五月，旱。庚申，诏曰……"

干宝论狂华生枯木，议武昌灾。《晋书》卷二十七《五行志》："元帝太兴四年，王敦在武昌，铃下仪仗生华如莲华，五六日而萎落。此木失其性。干宝以为狂华生枯木，又在铃阁之间，言威仪之富，荣华之盛，皆如狂华之发，不可久也……元帝太兴中，王敦镇武昌，武昌灾，火起，兴众救之，救于此而发于彼，东西南北数十处俱应，数日不绝。……干宝以为'此臣而君行，亢阳失节，是为王敦陵上，有无君之心，故灾也。'"卷二十八《五行志中》："元帝太兴四年五月，旱。是时王敦陵潜已著。"

七月

甲戌，元帝司马睿祖饯戴若思，置酒赋诗。《晋书》卷六十九《戴若思传》："出为征西将军……镇寿阳……帝亲幸其营，劳勉将士，临发祖饯，置酒赋诗。"

壬午，王导任司空。《晋书》卷六十五《王导传》："进位侍中、司空、假节、录尚书，领中书监。……及刘隗用事，导渐见疏远，任真推分，澹如也。有识咸称导善处兴废焉。"卷六《元帝纪》：本年七月"壬午，以骠骑将军王导为司空"。

王敦作《与刘隗书》。《晋书》卷六十九《刘隗传》："隗以王敦威权太盛，终不可制，劝帝出腹心以镇方隅，故以谯王承为湘州，续用隗及戴若思为都督。敦甚恶之，与隗书曰……隗答曰……敦得书甚怒。"《资治通鉴》系此事于本年七月。

九月

祖逖卒。《晋书》卷六《元帝纪》："九月壬寅，镇西将军、豫州刺史祖逖卒。"卷六十二《祖逖传》："祖逖，字士稚，范阳遒人也……轻财好侠，慷慨有节尚……后乃博览书记，该涉古今，往来京师，见者谓逖有赞世才具……与司空刘琨俱为司州主簿，情好绸缪，共被同寝。中夜闻荒鸡鸣……因起舞。逖、琨并有英气，每语世事，或中宵起坐，相谓曰：'若四海鼎沸，豪杰并起，吾与足下当相避于中原耳。'……逖以社稷倾覆，常怀振复之志……帝乃以逖为奋威将军、豫州刺史，给千人禀，布三千匹，不给铠仗，使自招募。仍将本流徙部曲百余家渡江，中流击楫而誓曰：'祖逖不能清中原而复济者，有如大江！'……刘琨与亲故书，盛赞逖威德。诏进逖为镇西将军。石勒不敢窥兵河南……方当推锋越河，扫清冀朔，会朝廷将遣戴若思为都督，逖以若思是吴人，虽有才望，无弘致远识，且已翦荆棘，收河南地，而若思雍容，一旦来统之，意甚怏怏。且闻王敦与刘隗等构隙，虑有内难，大功不遂。感激发病……俄卒于雍丘，时年五十六。豫州士女若丧考妣，谯梁百姓为之立祠。册赠车骑将军。王敦久怀逆乱，畏逖不敢发，至是始得肆意焉。"

十一月

晋成帝司马衍生。郭璞作《皇孙生上疏》。据《晋书》卷七《成帝纪》："成皇帝讳衍，字世根，明帝长子也。"司马衍卒于咸康八年，时年二十二，可知司马衍生于本年。《晋书》卷七十二《郭璞传》："永昌元年，皇孙生，璞上疏曰……"认为皇孙生于永昌元年是错误的。《资治通鉴》卷九十一：本年"十一月，皇孙衍生。"

本年

元帝司马睿作《治兵诏》《以张闿为大司农诏》。《治兵诏》见《宋书》卷十四《礼志一》："元帝太兴四年，诏……"《以张闿为大司农诏》见《晋书》卷七十六《张闿传》："帝践阼，出补晋陵内史，在郡甚有威惠……时所部四县并以旱失田，闿乃立曲阿新丰塘，溉田八百余顷，每岁丰稔。葛洪为其颂。计用二十一万一千四百二十功，以擅兴造免官。后公卿并为之言曰：'张闿兴陂溉田，可谓益国，而反被黜，使臣下难复为善。'帝感悟，乃下诏曰……"《世说新语·规箴第十》注引葛洪《富民塘颂》曰："闿字敬绪，丹阳人，张昭孙也。"余嘉锡先生笺疏引《元和郡县志》曰："丹阳县新丰湖……晋元帝太兴四年，晋陵内史张闿所立。旧晋陵地广人稀，且少陂渠，田多恶秽。闿创湖，成灌溉之利。初以劳役免官，后追纪其功，超为大司农。"

卢谌依段末波，与崔悦作《理刘司空表》。元帝司马睿作《以卢谌为员外散骑侍郎诏》，征卢谌为员外散骑侍郎。《晋书》卷四十四《卢谌传》："匹磾既害琨，寻亦败丧。时南路阻绝，段末波在辽西，谌往投之。元帝之初，末波通使于江左，谌因其使抗表理琨，文旨甚切，于是即加吊祭。累征谌为散骑中书侍郎，而为末波所留，遂不得南渡。"《理刘司空表》见《晋书》卷六十二《刘琨传》："匹磾遂缢之（即刘琨），时年四十八。子侄四人俱被害。朝廷以匹磾尚强，当为国讨石勒，不举琨哀。三年，琨故从事中郎卢谌、崔悦等上表理琨曰……"卷六《元帝纪》：本年四月，"石勒攻厌次，陷之。抚军将军、幽州刺史段匹磾没于勒"。段匹磾为石勒所败丧在本年四月，上距刘琨被害近三年，所以《理刘司空表》当作于本年。《以卢谌为员外散骑侍郎诏》见

《太平御览》卷二百二十四引《晋起居注》:"太兴四年诏曰:'今以前司空从事中郎卢谌为散骑侍郎,在员外。'"

温峤上疏理刘琨,元帝司马睿作《赠谥故太尉刘琨诏》。《晋书》卷六十二《刘琨传》:"三年……太子中庶子温峤又上疏理之,帝乃下诏曰……"田余庆先生《东晋门阀政治》第 34 页注云:"温峤疏文,见于《敦煌石室佚书》所收写本《晋纪》,今本《晋书》失载。"

葛洪作《富民塘颂》和《抱朴子·外篇·自序》等。《晋书》卷七十六《张闿传》:"(元)帝践阼,(张闿)出补晋陵内史,在郡甚有威惠……时所部四县并以旱失田,闿乃立曲阿新丰塘,溉田八百余顷,每岁丰稔。葛洪为其颂。计用二十一万一千四百二十功,以擅兴造免官。后公卿并为之言曰:'张闿兴陂溉田,可谓益国,而反被黜,使臣下难复为善。'帝感悟,乃下诏曰:'丹阳侯闿昔以劳役部人免官,虽从吏议,犹未掩其忠节之志也。仓廪国之大本,宜得其才,今以闿为大司农。'闿陈黜免始尔,不宜便居九列。疏奏,不许,然后就职。"《世说新语·规箴第十》注引葛洪《富民塘颂》曰:"闿字敬绪,丹阳人,张昭孙也。"余嘉锡笺疏引《元和郡县志》卷二十五曰:"丹阳县新丰湖,在县东北三十里。晋元帝大兴四年,晋陵内史张闿所立。旧晋陵地广人稀,且少陂渠,田多恶秽。闿创湖,成灌溉之利。初以劳役免官,后追纪其功,超为大司农。"《富民塘颂》全文已佚,仅存此三句。《抱朴子·外篇·自序》的写作时间不详,《自序》云:"今齿近不惑,素志衰颓,但念损之又损,为乎不为,耦耕薮泽,苟存性命耳。博涉之业,于是日沮矣。""齿近不惑"即年近四十,姑系于此。《自序》又云:"又撰俗所不列者为《神仙传》十卷,又撰高尚不仕者为《隐逸传》十卷,又抄五经七史百家之言,《兵事方技短杂奇要》三百一十卷,别有目录。"张可礼《东晋文艺系年》第 76 页:"据上述可知,洪四十岁前之著述,还有《神仙传》《隐逸传》《兵事方技短杂奇要》等。"

公元 322 年(晋元帝永昌元年　壬午)

正月

元帝司马睿纳郭璞上疏,大赦,改元。《资治通鉴》卷九十二:永昌元年,"春正月,郭璞复上疏,请因皇孙生,下赦令。帝从之。乙卯,大赦,改元。"

郭璞任王敦记室参军,作《谏留任谷宫中疏》。汤球所辑《晋中兴书》卷七引《东阿郭录》:"璞为尚书郎,大将军王敦以璞有才术,取为记室参军,璞畏不敢辞。"《晋书》卷七十二《郭璞传》:"未期,王敦起璞为记室参军。是时颍川陈述为大将军掾,有美名,为敦所重,未几而没。璞哭之哀甚,呼曰:'嗣祖,嗣祖,焉知非福!'未几而敦作难。"郭璞任王敦记室参军的时间,《资治通鉴》卷九十二系为本年正月。《谏留任谷宫中疏》见《晋书》卷七十二《郭璞传》:"时暨阳人任谷因耕息于树下,忽有一人著羽衣就淫之,既而不知所在,谷遂有娠。积月将产,羽衣人复来,以刀穿其阴下,出一蛇子便去。谷遂成宦者。后诣阙上书,自云有道术。帝留谷于宫中。璞复上疏曰……"

81

戊辰，王敦作《上疏罪状刘隗》，于武昌举兵。元帝司马睿作《讨王敦诏》。《晋书》卷九十八《王敦传》："永昌元年，敦率众内向，以诛隗为名，上疏曰……又曰……敦至芜湖，又上表罪状刁协。帝大怒，下诏曰……敦至石头……诸将与敦战，王师败绩。既入石头，拥兵不朝，放肆兵士劫掠内外。官省奔散，惟有侍中二人侍帝。帝脱戎衣，著朝服，顾而言曰：'欲得我处，但当早道，我自还琅邪，何至困百姓如此！'敦收周顗、戴若思害之。以敦为丞相、江州牧，进爵武昌郡公，邑万户，使太常荀崧就拜，又加羽葆鼓吹，并伪让不受。还屯武昌，多害忠良，宠树亲戚。"卷六《元帝纪》，本年正月，"戊辰，大将军王敦举兵于武昌"。

三月

甲午，元帝司马睿作《封少子昱为琅邪王诏》，又作《诫周顗诏》《以周顗、王邃为左右仆射诏》。《封少子昱为琅邪王诏》见《晋书》卷九《简文帝纪》："简文皇帝讳昱，字道万，元帝之少子也。幼而岐嶷，为元帝所爱。郭璞见而谓人曰：'兴晋祚者，必此人也。'及长，清虚寡欲，尤善玄言。永昌元年，元帝诏曰……"卷六《元帝纪》：本年三月"甲午，封皇子昱为琅邪王"。《诫周顗诏》见《晋书》卷六十九《周顗传》："寻代戴若思为护军将军。尚书纪瞻置酒请顗及王导等，顗荒醉失仪，复为有司所奏。诏曰……"裴锡圭《补晋执政表》系周顗任护军将军于本年。《以周顗、王邃为左右仆射诏》见《太平御览》卷二一一引《晋起居注》："永昌元年，诏曰……"《晋书》卷六《元帝纪》：本年三月，"加仆射周顗为尚书左仆射，领军王邃为尚书右仆射"。

秋

梅陶作《鹏鸟赋》并序。《鹏鸟赋》已佚。其序见《太平御览》卷九百二十七。序曰："余既遭王敦之难，遂见忌录居于武昌，其秋有野鸟入室，感贾谊《鹏鸟》，依而作焉。"

十月

己丑，王廙卒。《晋书》卷六十七《王廙传》："及王敦构祸，帝遣廙喻敦，既不能谏其悖逆，乃为敦所留，受任助乱。敦得志，以廙为平南将领护南蛮校尉、荆州刺史。寻病卒。帝犹以亲故，深痛愍之。丧还京都，皇太子亲临拜柩，如家人之礼。赠侍中、骠骑将军，谥曰康。明帝与大将军温峤书曰：'痛谢鲲未绝于口，世将复至于此。并盛年隽才，不遂其志，痛切于心。廙明古多通，鲲远有识致。其言虽未足令人改听，然味之不倦，近未易有也。坐视相尽，如何！'"据卷六《元帝纪》，廙卒于本年十月己丑。

十一月

荀组迁太尉，卒。《晋书》卷三十九《荀组传》："永昌初，迁太尉，领太子太保。

未拜，薨，年六十五。谥曰元。"卷六《元帝纪》：本年"十一月，以司徒荀组为太尉。己酉太尉荀组薨"。校勘记："十一月庚戌朔，无己酉。《通鉴》九二作'辛酉'。"《隋书》卷三十五《经籍志四》：梁"有东晋太尉《荀组集》三卷，录一卷，亡"。《全晋文》卷三十一辑荀组文三篇，除已见上文者外，还有一篇《霍原不应举寒素议》。《晋诗》卷十一辑荀组《七哀诗》一首，仅存两句。

闰十一月

王导任尚书令，受遗诏辅政。《晋书》卷六十五《王导传》："王敦之反也，刘隗劝帝悉诛王氏，论者为之危心。导率群从昆弟子侄二十余人，每旦诣台待罪。帝以导忠节有素，特还朝服，召见之……及敦得志，加导守尚书令……时王氏强盛，有专天下之心，敦惮帝贤明，欲更议所立，导固争乃止……及明帝即位，导受遗诏辅政。"卷六十一《周嵩传》："是时帝以王敦势盛，渐疏忌王导等。嵩上疏曰……疏奏，帝感悟，故导等获全。"

己丑，元帝司马睿卒。《晋书》卷六《元帝纪》：本年十一月"闰月己丑，帝崩于内殿，时年四十七，葬建平陵，庙号中宗。帝性简俭冲素，容纳直言，虚己待物。初镇江东，颇以酒废事，王导深以为言，帝命酌，引觞覆之，于此遂绝。有司尝奏太极殿广室施绛帐，帝曰：'汉文集上书皂囊为帷。'遂令冬施青布，夏施青练帷帐。将拜贵人，有司请市雀钗，帝以烦费不许。所幸郑夫人衣无文彩。从母弟王廙为母立屋过制，流涕止之"。《世说新语·方正第五》注引《高逸沙门传》："晋元、明二帝游心玄虚，托情味道，以宾友礼待法师。"丁国钧《补晋书艺文志》卷一："《元帝孝经传》。谨按，是书朱氏《经义考》著录，载帝序文四十余字。"《全晋文》卷八辑文 67 篇。

庚寅，晋明帝即位。《晋书》卷六《明帝纪》："永昌元年闰月己丑，元帝崩。庚寅，太子即皇帝位，大赦，尊所生荀氏为建安郡君。"

温峤止王敦废太子，拜侍中，作《答王导书》。《晋书》卷六十七《温峤传》："王敦举兵内向，六军败绩，太子将自出战，峤执鞚谏曰：'臣闻善战者不怒，善胜者不武，如何万乘储副而以身轻天下！'太子乃止。明帝即位，拜侍中，机密大谋皆所参综，诏命文翰亦悉豫焉。"卷六《明帝纪》："敦素以帝神武明略，朝野之所钦信，欲诬以不孝而废焉。大会百官而问温峤曰：'皇太子以何德称？'声色俱厉，必欲使有言。峤对曰：'钩深致远，盖非浅局所量。以礼观之，可称为孝矣。'众皆以为信然，敦谋遂止。"《答王导书》见《通典》卷四十八："元帝崩，温峤答王导疏云……"

郭璞作《元皇帝哀册文》。见《艺文类聚》卷十三，当作于本年闰十一月元帝崩之后。

本年

纪瞻作《久疾上疏》，除尚书右仆射，作《请征郗鉴疏》。《久疾上疏》见《晋书》卷六十八《纪瞻传》："会久疾，不堪朝请，上疏曰……"其疏中有"七十之年，礼典所遗，衰老之征，皎然露见"等句，可知当作于本年。《请征郗鉴疏》也见于《晋书》

本传："因以疾免。寻除尚书右仆射，屡辞不听，遂称病笃，还第，不许。时郗鉴据邹山，屡为石勒等所侵逼。瞻以鉴有将相之才，恐朝廷弃而不恤，上疏请征之，曰：……明帝尝独引瞻于广室，慨然忧天下，曰：'社稷之臣，欲无复十人，如何？'因屈指曰：'君便其一。'瞻辞让。帝曰：'方欲与君善语，复云何谦让邪！'瞻才兼文武，朝廷称其忠亮雅正。俄转领军将军，当时服其严毅。虽恒疾病，六军敬惮之。瞻以久病，请去官，不听，复加散骑常侍。及王敦之逆，帝使谓瞻曰：'卿虽病，但为朕卧护六军，所益多矣。'乃赐布千匹。瞻不以归家，分赏将士。"

公元 323 年（晋明帝太宁元年　癸未）

三月

郭璞上疏请改元肆赦。《晋书》卷七十二《郭璞传》："时明帝即位逾年，未改号，而荧惑守房。璞时休归，帝乃遣使赍手诏问璞。会暨阳县复上言曰赤乌见。璞乃上疏请改年肆赦，文多不载。"郭璞此篇疏文已佚。

戊寅，明帝司马绍改元，作《手诏征王敦》。《晋书》卷六《明帝纪》："二月，葬元帝于建平陵，帝徒跣至于陵所……三月戊寅朔，改元，临轩，停飨宴之礼，悬而不乐。……王敦献皇帝信玺一纽。敦将谋篡逆，讽朝廷征己，帝乃手诏征之。"《手诏征王敦》见魏收所撰《魏书》卷九十六《司马绍传》。

四月

明帝司马绍作《北讨诏》。见《全晋文》卷九，诏中有以陈眕"持节督幽平并州诸军事"句，据《晋书》卷六《明帝纪》，本年四月，以"尚书陈眕为都督幽平二州诸军事、幽州刺史"。

王敦自领扬州牧。《晋书》卷六《明帝纪》："夏四月，敦下屯于湖，转司空王导为司徒，自领扬州牧。"《晋书》卷九十八《王敦传》："及帝崩，太宁元年，敦讽朝廷征己，明帝乃手诏征之，语在《明帝纪》。又使兼太常应詹拜授加黄钺，班剑武贲二十人，奏事不名，入朝不趋，剑履上殿。敦移镇姑孰，帝使侍中阮孚赍牛酒犒劳，敦称疾不见，使主簿受诏。以王导为司徒，敦自为扬州牧。敦既得志，暴慢愈甚，四方贡献多入己府，将相岳牧悉出其门。"

六月

明帝司马绍作《立穆庚皇后册》。见《晋书》卷三十二《明穆庚皇后传》。卷六《明帝纪》：本年"六月壬子，立皇后庚氏"。

王敦作《表庚亮为中书监》。汤球辑《晋中兴书》卷七《颍川庚录》："明帝立，王敦表曰："中书郎领军庚亮，清雅履正，可中书监。"领军如故。《资治通鉴》卷九十二系庚亮为中书监在本年六月。

庚亮为中书监，作《让中书监表》。与温峤、郭璞等共集清溪池属诗。《晋书》卷七十三《庾亮传》："明帝即位，以为中书监，亮上书让曰：……疏奏，帝纳其言而止。王敦既有异志，内深忌亮，而外崇重之。亮忧惧，以疾去官。复代王导为中书监。"《资治通鉴》卷九十二系庾亮为中书监在本年六月。《文选》卷三十八载庾亮《让中书令表》，旨意与《让中书监表》相同。李善注："诸《晋书》并云让中书监，此云令，恐误也。"表中有"臣于陛下，后之兄也"等句，故《让中书令表》应作《让中书监表》。《文心雕龙·章表》："庾公之让中书，信美于往载。序志显类，有文雅焉。"《太平御览》卷六十七《桓彝别传》："明帝世，（桓）彝与当时英彦名德庾亮、温峤、羊曼等，共集清溪池上。郭璞预焉。乃援笔属诗，以白四皓并自序。"郭璞明年被杀，故暂系上述事在本年。

陶侃进号征南将军、开府仪同三司。《晋书》卷六《明帝纪》："平南将军陶侃遣参军高宝攻梁硕，斩之，传首京师。进侃位征南大将军、开府仪同三司。"

七月

前秦刘曜攻陈安。陈安卒。陇上有人为陈安歌。《晋书》卷六《明帝纪》："七月丙子朔，震太极殿柱。是月，刘曜攻陈安于陇城，灭之。"卷三十七《南阳王保传》："陈安自号秦州刺史，称藩于刘曜。"卷一百三《刘曜载记》："陈安请朝，曜以疾笃不许。安怒，且以曜为死也，遂大掠而归……太宁元年，陈安攻曜征西刘贡于南安……曜亲征陈安，围安于陇城。安频出挑战，累击败之，斩获八千余级。右军刘干攻平襄，克之，陇上诸县悉降。曲赦陇右殊死已下，惟陈安、赵募不在其例。安留杨伯支、姜冲儿等守陇城，帅骑数百突围而出，欲引上邽、平襄之众还解陇城之围。安既出，知上邽被围，平襄已败，乃南走陕中。曜使其将军平先、丘中伯率劲骑追安，频战败之，俘斩四百余级。安与壮士十余骑于陕中格战，安左手奋七尺大刀，右手执丈八蛇矛，近交则刀矛俱发，辄害五六；远则双带鞬服，左右驰射而走。平先亦壮健绝人，勇捷如飞，与安搏战，三交，夺其蛇矛而退。会日暮，雨甚，安弃马，与左右五六人步逾山岭，匿于溪涧。翌日寻之，遂不知所在。会连雨始霁，辅威呼延清寻其径迹，斩安于涧曲。曜大悦。安善于抚接，吉凶夷险与众同之，及其死，陇上歌之曰……曜闻而嘉伤，命乐府歌之。"

八月

郗鉴任尚书令。《晋书》卷六十七《郗鉴传》："（王）敦忌之，表为尚书令，征还。道经姑孰，与敦相见，敦谓曰：'乐彦辅短才耳。后生流宕，言违名检，考之以实，岂胜满武秋邪？'鉴曰：'拟人必于其伦。彦辅道韵平淡，体识冲粹，处倾危之朝，不可得而亲疏。及愍怀太子之废，可谓柔而有正。武秋失节之士，何可同日而言！'敦曰：'愍怀废徙之际，交有危机之急，人何能以死守之乎！以此相方，其不减明矣。'鉴曰：'丈夫既洁身北面，义同在三，岂可偷生屈节，靦颜天壤邪！苟道数终极，固当存亡以之耳。'敦素怀无君之心，闻鉴言，大忿之，遂不复相见，拘留不遣。敦之党与潜毁日至，鉴举止自若，初无惧心。敦谓钱凤曰：'郗道徽儒雅之士，名位既重，何得

85

害之!'乃放还台。鉴遂与帝谋灭敦。"卷六《明帝纪》:本年"八月,以安北将军郗鉴为尚书令"。

本年

明帝司马绍作《手诏以温峤为中书令》。温峤任中书令,作《上疏辞中书令》。《晋书》卷六十七《温峤传》:"俄转中书令。峤有栋梁之任,帝亲而倚之,甚为王敦所忌,因请为左司马。"《上疏辞中书令》见孙盛所撰《晋阳秋》卷三。《东晋将相大臣年表》:本年温峤任中书令,迁王敦司马。明帝司马绍作《手诏以温峤为中书令》见《全晋文》卷九,《初学记》卷十一引檀道鸾《晋阳秋》曰:"肃宗欲以温峤为中书令,手诏曰……"

释道安出家。《高僧传》卷五《释道安传》:"释道安,姓卫氏,常山扶柳人也。家世英儒,早失覆荫,为外兄孔氏所养。年七岁,读书再览能诵,乡邻嗟异。至年十二出家,神智聪敏,而形貌甚陋,不为师之所重。驱役田舍,至于三年,执勤就劳,曾无怨色。笃性精进,斋戒无阙。"关于释道安的生卒年,汤用彤《汉魏两晋南北朝佛教史》上册第138页:"《高僧传》谓道安卒于晋太元十年二月八日(即符坚建元二十一年),年七十二(此据丽本,宋、元、明三本均无此四字。《太平御览》卷六五五引《高僧传》及《名僧传抄》,均有此四字)。此言不知何所本。然据《中阿含经序》,道安实约死于符坚末年(建元二十一年)。而道安作《四阿含暮抄序》及《毗婆沙序》,均有'八九之年'(即七十二岁)之语。考二经之出也,其时约在自建元十八年八月至十九年八月。二序之作,或均在建元十九年中,皆自言七十二岁。如安公死于二十一年二月,则实七十四岁。"今从汤说,本年道安十二岁。

杨方为司徒王导掾著《五经钩沉》。杨方生卒年不详。《晋书》卷六十八《杨方传》:"杨方,字公回。少好学,有异才。初为郡铃下威仪,公事之暇,辄读《五经》,乡邑未之知。内史诸葛恢见而奇之,待以门人之礼,由是始得周旋贵人间。时虞喜兄弟以儒学立名,雅爱方,为之延誉。恢尝遣方为文,荐郡功曹主簿。虞预称美之,送以示循。循报书曰:'此子开拔有志,意只言异于凡狠耳,不图伟才如此。其文甚有奇分,若出其胸臆,乃是一国所推……'循遂称方于京师。司徒王导辟为掾……补高梁太守。在郡积年,著《五经钩沈》,更撰《吴越春秋》,并杂文笔,皆行于世。以年老,弃郡归。导将进之台阁,固辞还乡里,终于家。"丁国钧《补晋书艺文志》卷一:"是书据方自序,见《中兴书目》,盖撰于太宁元年。"

公元324年(晋明帝太宁二年　甲申)

六月

明帝司马绍阴察王敦营垒,作《讨钱凤诏》《又诏》。《晋书》卷六《明帝纪》:"六月,敦将举兵内向,帝密知之,乃乘巴滇骏马微行,至于湖,阴察敦营垒而出。有军士疑帝非常人。又敦正昼寝,梦日环其城,惊起曰:'此必黄须鲜卑奴来也。'帝母荀氏,燕代人,帝状类外氏,须黄,敦故谓帝云。……帝仅而获免。"《讨钱凤诏》《又诏》见《晋书》卷九十八《王敦传》："时帝将讨敦，微服至芜湖，察其营垒，又屡遣大臣讯问其起居……敦以温峤为丹阳尹，欲使觇伺朝廷。峤至，具言敦逆谋。帝欲讨之，知其为物情所畏服，乃伪言敦死，于是下诏曰……又诏曰……"

王敦病笃，使钱凤等率众向京师。《晋书》卷九十八《王敦传》："敦病转笃，不能御众，使钱凤、邓岳、周抚等率众三万向京师……"卷六《明帝纪》："六月，敦将举兵内向，帝密知之，乃乘巴滇骏马微行，至于湖，阴察敦营垒而出。"

王导作《遗王含书》。《晋书》卷九十八《王敦传》："（王）敦无子，养含子应。及敦病甚，拜应为武卫将军以自副……敦病转笃，不能御众，使钱凤、邓岳、周抚等率众三万向京师……以含为元帅……乃上疏罪状温峤，以诛奸臣为名。含至江宁，司徒导遗含书曰……"

温峤令郭璞卜筮，补丹阳尹。加中垒将军，进号前将军。《晋书》卷二十八《五行志中》："温峤令郭景纯卜己与庾亮吉凶。景纯曰：'元吉。'峤与亮曰：'景纯每筮，不敢尽言。吾等与国家同安危，而曰"元吉"，是事有成也'。于是协同讨灭王敦。"《晋书》卷六十七《温峤传》："敦阻兵不朝，多行陵纵，峤谏敦曰……敦不纳。峤知其终不悟，于是谬为设敬，综其府事，干说密谋，以附其欲。深结钱凤，为之声誉……会丹阳尹缺，峤说敦曰……敦然之，问峤谁可作者。峤曰：'愚谓钱凤可用。'凤亦推峤，峤伪辞之。敦不从，表补丹阳尹。及敦构逆，加峤中垒将军、持节、都督东安北部诸军事。敦与王导书曰：'太真别来几日，作如此事！'表诛奸臣，以峤为首……峤自率众与贼夹水战，击王含，败之，复督刘遐追钱凤于江宁。事平，封建宁县开国公，赐绢五千四百匹，进号前将军。"卷六《明帝纪》：本年六月丁卯，"以丹阳尹温峤为中垒将军"。

郭璞为王敦所杀。《晋书》卷七十二《郭璞传》："王敦之谋逆也，温峤、庾亮使璞筮之，璞对不决。峤、亮复令占己之吉凶，璞曰：'大吉。'峤等退，相谓曰：'璞对不了，是不敢有言，或天夺敦魄。今吾等与国家共举大事，而璞云大吉，是为举事必有成也。'于是劝帝讨敦。初，璞每言'杀我者山宗'，至是果有姓崇者构璞于敦。敦将举兵，又使璞筮。璞曰：'无成。'敦固疑璞之劝峤、亮，又闻卦凶，乃问璞曰：'卿更筮吾寿几何？'答曰：'思向卦，明公起事，必祸不久。若住武昌，寿不可测。'敦大怒曰：'卿寿几何？'曰：'命尽今日日中。'敦怒，收璞，诣南冈斩之……时年四十九。及王敦平，追赠弘农太守。"据卷六《明帝纪》：本年六月，王敦举兵。七月，"王敦愤惋而死"。郭璞为王敦所杀当在六、七月间。《晋书》卷七十二《郭璞传》："璞撰前后筮验六十余事，名为《洞林》。又抄京、费诸家要最，更撰《新林》十篇、《卜韵》一篇。注释《尔雅》，别为《音义》《图谱》。又注《三苍》《方言》《穆天子传》、《山海经》及《楚辞》《子虚》《上林赋》数十万言，皆传于世。所作诗赋诔颂亦数万言。"《隋书》卷三十二《经籍志一》："《毛诗拾遗》一卷，郭璞撰。梁又有《毛诗略》四卷，亡。"丁国钧《补晋书艺文志》卷一："《夏小正注》，郭璞。谨按，见葛洪《神仙传》。"《隋书·经籍志一》："《尔雅》五卷，郭璞注……梁有《尔雅音》二卷，孙炎、郭璞撰。《尔雅图》十卷，郭璞撰。梁有《尔雅图赞》二卷，郭璞撰，亡。《广雅》三卷，魏博士张揖撰。梁有四卷。《方言》十三卷，汉扬雄撰，郭璞注……《三苍》三卷，郭璞注。秦相李斯作《苍颉篇》，汉扬雄作《训纂篇》，后汉郎中贾鲂作《滂喜篇》，故曰《三苍》。"《隋书》卷三十三《经籍志二》："《穆天子传》六卷，《汲冢书》，郭璞注……《山海经》二十三卷，郭璞注。《水经》三卷，郭璞注。"丁国钧《补晋书艺文志》卷一："《汉书注》，郭璞。谨按，见颜氏《汉书叙例》。旧注云：'止注《相如传序》及游猎诗赋。'《汉书音义》，郭璞。谨按，见李善《文选注》。"《隋书》卷三十四《经籍志三》："《周易新林》四卷，郭璞撰……周易新林》九卷，郭璞撰。梁有《周易林》五卷，郭璞撰，亡。《易洞林》三卷，郭璞撰……《易八卦命录斗内图》一卷，郭璞撰。《易斗图》一卷，郭璞撰。"《隋书》卷三十五《经籍志四》："《楚辞》三卷，郭璞注……晋弘农太守《郭璞集》十七卷，梁十卷，录一卷……梁有郭璞注《子虚上林赋》一卷……亡。"《晋诗》卷十一辑诗 30 首，上文未提及的还有：《答贾九州愁诗》《与王使君诗》《答王门子诗》《赠温峤诗》《游仙诗》十九首、《幽思篇》、失题诗五首。《全晋文》卷一百二十至一百二十三辑文 23 篇，文学性较强的还有：《巫咸山赋并序》《盐池赋》《井赋》《流寓赋》、《登百尺楼赋》《蜜蜂赋》《蚍蜉赋》《龟赋》《注山海经叙》等。《文心雕龙·诠赋》："景纯绮巧，缛理有余。"《文心雕龙·颂赞》："及景纯注《雅》，动植赞之，义兼美恶，亦犹颂之变耳。"《文心雕龙·才略》："景纯艳逸，足冠中兴，《郊赋》既穆穆以大观，《仙诗》亦飘飘而凌云矣。"《文心雕龙·明诗》："江左篇制，溺乎玄风，嗤笑徇务之志，崇盛忘机之谈，袁、孙已下，虽各有雕采，而辞趣一揆，莫与争雄，所以景纯《仙篇》，挺拔而为俊矣。"《诗品·卷中》："（晋弘农太守郭璞诗）宪章潘岳，文体相继，彪炳可玩。始变永嘉平淡之体，故称中兴第一……但《游仙》之作，词多慷慨，乖远玄宗。其云：'奈何虎豹姿'，又云：'戢翼栖榛梗'，乃是坎壈咏怀，非列仙之趣也。"明王世贞《艺苑卮言》卷三："渡江以还，作者无几，非惟戎马为阻，当由清谈间之耳。景纯《游仙》，晔晔佳丽，第少玄旨。"明许学夷《诗源辩体》卷五："郭景纯五言《游仙诗》，出于汉人《仙人骑白鹿》《邪经过空庐》《今日乐上乐》及子建'远游临四海'、'九州不足步'、'仙人揽六箸'等篇。"清黄子云《野鸿诗的》："游仙诗本之《离骚》，盖灵均处秽乱之朝，蹈危疑之际，聊为乌有之词以寄兴焉耳。建安以下，竞相祖述；景纯、太白，亦恣意描摹。"

七月

王敦卒。《晋书》卷九十八《王敦传》："初，敦始病，梦白犬自天而下啮之，又见刁协乘轺车导从，瞋目令左右执之。俄而敦死，时年五十九。应秘不发丧，裹尸以席，蜡涂其外，埋于厅事中，与诸葛瑶等恒纵酒淫乐……敦眉目疏朗，性简脱，有鉴裁，学通《左氏》，口不言财利，尤好清谈，时人莫知，惟族兄戎异之。经略指麾，千里之外肃然，而麾下扰而不能整。武帝尝召时贤共言伎艺之事，人人皆有所说，惟敦都无所关，意色殊恶。自言知击鼓，因振袖扬枹，音节谐韵，神气自得，傍若无人，举坐叹其雄爽。"据卷六《明帝纪》记载：本年七月"王敦愤惋而死"。《隋书》卷三十五《经籍志四》："晋大将军《王敦集》十卷。"《全晋文》卷十八辑文十一篇，除上述已注名者外，还有《举贺循为贤良、杜夷为方正疏》《书》。

王敦部将沈充败归吴兴，被杀。《晋书》卷九十八《沈充传》："明帝将伐敦，遣其乡人沈祯谕充，许以为司空。充谓祯曰：'三司具瞻之重，岂吾所任！币厚言甘，古人所畏。且丈夫共事，终始当同，宁可中道改易，人谁容我！'祯曰……充不纳……及败归吴兴，亡失道，误入其故将吴儒家。儒诱充内重壁中，因笑谓充曰：'三千户侯也。'充曰：'封侯不足贪也。尔以大义存我，我宗族必厚报汝。若必杀我，汝族灭矣。'儒遂杀之。"《隋书》卷三十五《经籍志四》："梁有吴兴太守《沈充集》三卷……亡。"《宋书》卷十九《乐志一》："《前溪歌》者，晋车骑将军沈充所制。"郭茂倩《乐府诗集》卷四十五引郗昂《乐府解题》："《前溪》，舞曲也。"并载《前溪歌》七首。

温峤作《上言桓彝可宣城内史》。见《晋书》卷七十四《桓彝传》："及（王）敦平……丹阳尹温峤上言……帝手诏曰……"

王导领扬州刺史，进封始兴郡公。《晋书》卷六十五《王导传》："王敦又举兵内向。时敦始寝疾，导便率子弟发哀，众闻，谓敦死，咸有奋志。及帝伐敦，假导节，都督诸军，领扬州刺史。敦平，进封始兴郡公，邑三千户，赐绢九千匹，进位太保，司徒如故，剑履上殿，入朝不趋，赞拜不名。固让。"

应詹为护军将军，封观阳县侯，作《上疏让封观阳县侯》。任江州刺史，作《为江州临行上疏》。《晋书》卷七十《应詹传》："詹以王敦专制自树，故优游讽咏，无所标明。及敦作逆，明帝问詹计将安出。詹厉然慷慨曰：'陛下宜奋赫斯之威，臣等当得负戈前驱，庶凭宗庙之灵，有征无战。如其不然，王室必危。'帝以詹为都督前锋军事、护军将军、假节，都督朱雀桥南……贼平，封观阳县侯，食邑一千六百户，赐绢五千匹。上疏让曰：……不许。迁使持节、都督江州诸军事、平南将军、江州刺史。詹将行，上疏曰……时王敦新平，人情未安，詹抚而怀之，莫不得其欢心，百姓赖之。"上述事姑系于此。

庾亮封永昌县公，作《让封永昌县公表》。《晋书》卷七十三《庾亮传》："及敦举兵，加亮左卫将军，与诸将距钱凤。及沈充之走吴兴也，又假亮节、都督东征诸军事，追充。事平，以功封永昌县开国公，赐绢五千四百匹，固让不受。转护军将军。"据卷六《明帝纪》记载，庾亮封永昌县公在本年七月。

刘超作《乞买外厩牛表》。《晋书》卷七十《刘超传》："及钱凤构祸，超招合义士，从明帝征凤。事平，以功封零陵伯。超家贫，妻子不赡，帝手诏褒之，赐以鱼米，超辞不受。超后须纯色牛，市不可得，启买官外厩牛，诏便以赐之。"《乞买外厩牛表》见《太平御览》卷八百二十八。

本年

王彪之除佐著作郎、东海王文学。《晋书》卷七十六《王彪之传》："彪之字叔武。年二十，须鬓皓白，时人谓之王白须。初除佐著作郎、东海王文学。从伯导谓曰：'选官欲以汝为尚书郎，汝幸可作诸王佐邪！'彪之曰：'位之多少既不足计，自当任之于时，至于超迁，是所不愿。'遂为郎。"

纪瞻自表还家，卒。《晋书》卷六十八《纪瞻传》："贼平，复自表还家，帝不许，固辞不起。诏曰……遣使就拜，止家为府。寻卒，时年七十二。册赠本官、开府仪同三司，谥曰穆，遣御史持节监护丧事……瞻性静默，少交游，好读书，或手自抄写，凡所著述，诗赋笺表数十篇。兼解音乐，殆尽其妙。厚自奉养，立宅于乌衣巷，馆宇崇丽，园池竹木，有足赏玩焉。慎行爱士，老而弥笃。"据《建康实录》卷六，纪瞻卒于本年。《全晋文》卷一百十三辑文六篇，除已见上文者外，还有：《举秀才对策》《劝进表》、《书》《易太极论》。

许询约生于本年，幼冲灵。《建康实录》卷八《孝宗穆皇帝纪》永和三年十二月"以侍中刘惔为丹阳尹"下有传云："询字玄度，高阳人。父归，以琅邪太守随中宗过江，迁会稽内史，因家于山阴。询幼冲灵，好泉石，清风朗月，举杯永怀……"史传没有明确记载许询的生卒年及年岁。曹道衡、沈玉成《中古文学史料丛考》第205～207页"许询年岁"条云：孙绰《答许询诗》云："孔父有言，后生可畏。灼灼许子，挺奇拔萃……"许询赠诗已佚不存，据孙诗所云，许年岁必少于孙，且相去当不止三五岁……孙绰以晋愍帝建兴二年（314）生，许询生年，其在元帝、明帝间（324）或稍前乎？《文选》卷三一引录江淹《杂体诗》三十首，所拟诸家，列许询于孙绰后，《诗品》及卷下列次亦为孙绰、许询，皆可为许晚于孙之旁证。《杂体诗》善注引《晋中兴书》曰："高阳许询，字玄度，寓居会稽。司徒蔡谟辟，不起。"蔡谟为司徒在永和二年至六年，时许询二十余岁，与出都就刘惔宿、谈论为王羲之所讥事可以相合……《世说·言语》注引《续晋阳秋》云询"总角秀惠，长而风情简秀。司徒辟掾，不就。蚤卒。"《御览》卷五〇三引《晋中兴书》，记询"山居服食，志求仙道。游会稽临海山，誓不归寄，乃与妇书，令改适。后入剡深山。莫知所止，或以为升仙。"据上述，无论"蚤卒"或"誓不归寄"，皆永和四五年后不就司徒掾、与刘惔共话后事……设令生于元帝、明帝间，则可合符。

公元 325 年（晋明帝太宁三年　乙酉）

二月

卞壸作《周札赠谥议》。王导作《议追赠周札》《重议周札赠议》。郗鉴作《周札加赠议》《又驳》。《晋书》卷五十八《周札传》："及敦死，札、莚故吏并诣阙讼周氏之冤，宜加赠谥。事下八坐，尚书卞壸议以……司徒王导议以……尚书令郗鉴议曰……导重议曰……鉴又驳不同，而朝廷竟从导议。"郗鉴《又驳》见《晋书》卷六十七《郗鉴传》："王导议欲赠周札官，鉴以为不合，语在札传。导不从。鉴于是驳之曰……朝臣虽无以难，而不能从。"《资治通鉴》卷九十三系上述事于本年二月。

三月

明帝司马绍作《祀孔子诏》。癸巳，作《诏议廷臣见太子礼》，卞壸作《群臣拜皇太子议》。《祀孔子诏》见《通典》卷五十三："明帝太宁末三月诏……"《诏议廷臣见太子礼》和卞壶《群臣拜皇太子议》见《晋书》卷二十一《礼志下》："太宁三年三月戊辰，明帝立皇子衍为皇太子。癸巳，诏曰……尚书令卞壶议……从之。"

癸巳，明帝司马绍作《复征任旭、虞喜为博士诏》，虞喜不至。虞喜生卒年不详。《晋书》卷九十一《虞喜传》："虞喜，字仲宁，会稽余姚人，光禄潭之族也。父察，吴征虏将军。喜少立操行，博学好古。诸葛恢临郡，屈为功曹。察孝廉，州举秀才，司徒辟，皆不就。元帝初镇江左，上疏荐喜。怀帝即位，公车征拜博士，不就。喜邑人贺循为司空，先达贵显，每诣喜，信宿忘归，自云不能测也。太宁中，与临海任旭俱以博士征，不就。复下诏曰……喜辞疾不赴。"据卷六《明帝纪》，本年三月"癸巳，征处士临海任旭、会稽虞喜并为博士。"

四月

明帝司马绍作《令宰臣等诣都议政诏》《求直言诏》。见《晋书》卷六《明帝纪》："夏四月，诏曰……又诏曰……"

五月

陶侃任征西大将军、荆州刺史。《晋书》卷六《明帝纪》："五月，以征南大将军陶侃为征西大将军、都督荆湘雍梁四州诸军事、荆州刺史。"卷六十六《陶侃传》："及王敦平，迁都督荆、雍、益、梁州诸军事，领护南蛮校尉、征西大将军、荆州刺史，余如故。楚郢士女莫不相庆。侃性聪敏，勤于吏职，恭而近礼，爱好人伦。终日敛膝危坐，阃外多事，千绪万端，罔有遗漏。远近书疏，莫不手答，笔翰如流，未尝壅滞。引接疏远，门无停客。"

孙盛为陶侃参军。《晋书》卷八十二《孙盛传》："以家贫亲老，求为小邑，出补浏阳令。太守陶侃请为参军。庾亮代侃，引为征西主簿，转参军。"曹道衡、沈玉成《中古文学史料丛考》第 188 页"孙盛为陶侃参军"条云：据《陶侃传》，陈敏之乱，侃为江夏太守，加鹰扬将军，时在惠帝末（306 年或稍后）；后迁龙骧将军、武昌太守，时在怀帝永嘉中（310 年前后）。《通鉴》卷八八载愍帝建兴元年（313），侃破杜弢，始授荆州刺史。是侃为太守时，孙盛年仅十岁左右，且浏阳属长沙郡，与江夏、武昌无涉。此处当标作"出补浏阳令，太守，陶侃请为参军"，浏阳属长沙郡，疑"太守"上夺去二字，或即是"长沙"。侃以王敦乱平后复为荆州，时在明帝太宁三年（325）；成帝咸和九年（334）卒，庾亮代。孙盛在荆州为陶侃参军，当在此时。

七月

明帝司马绍作《议立功臣后诏》、《议北郊及望秩诏》。见《晋书》卷六《明帝纪》："七月辛未，诏曰：……又宗室哲王有功勋于大晋受命之际者，佐命功臣，硕德名贤，三祖所与共维大业，咸开国胙土、誓同山河者，而并废绝，禋祀不传，甚用怀伤。主者其详议诸应立后者以闻。"又诏曰："郊祀天地，帝王之重事。自中兴以来，惟南郊，未曾北郊，四时五郊之礼都不复设，五岳、四渎、名山、大川载在祀典应望秩者，悉废而未举。主者其依旧详处。"

明帝司马绍作《录吴名臣后诏》。《晋书》卷六《明帝纪》："八月，诏曰：'……吴时将相名贤之胄，有能纂修家训，又忠孝仁义，静己守真，不闻于时者，州郡中正亟以名闻，勿有所遗。'"

闰八月

明帝司马绍作《遗诏》《遗诏陆晔录尚书事》。戊子，崩。《遗诏》见《晋书》卷六《明帝纪》："闰月……壬午，帝不豫，召太宰、西阳王羕，司徒王导，尚书令卞壶，车骑将军郗鉴，护军将军庾亮，领军将军陆晔，丹阳尹温峤并受遗诏，辅太子。丁亥，诏曰……戊子，帝崩于东堂，年二十七，葬武平陵，庙号肃祖。"《遗诏陆晔录尚书事》见卷七十七《陆晔传》："帝不豫，晔与王导……并受顾命，辅皇太子，更入殿将兵直宿。遗诏曰……"卷六《明帝纪》："帝聪明有机断，尤精物理。于时兵凶岁饥，死疫过半，虚弊既甚，事极艰虞。属王敦挟震主之威，将移神器。帝骑驱遵养，以弱制强，潜谋独断，廓清大氛。改授荆、湘等四州，以分上流之势，拨乱反正，强本弱枝。虽享国日浅，而规模弘远矣。"《世说新语·方正第五》注引《高逸沙门传》："晋元、明二帝游心玄虚，托情味道，以宾友礼待法师。"《全晋文》卷九辑文29篇，其中《存轻典诏》为北齐武成帝所作，严氏误收。其他除已见上文者外，还有《蝉赋》《书》。

荀崧录尚书事，后领秘书监。《晋书》卷七十五《荀崧传》："后拜金紫光禄大夫、录尚书事，散骑常侍如故。迁右光禄大夫、开府仪同三司，录尚书如故。又领秘书监，给亲兵百二十人。年虽衰老，而孜孜典籍，世以此嘉之。"卷六《明帝纪》，本年八月"闰月，以尚书左仆射荀崧为光禄大夫、录尚书事"。

温峤受遗诏，作《毁庙议》。此前有《请原王敦佐吏疏》《奏军国要务七事》。《毁庙议》见《通典》卷四十八："明帝崩，祠部以庙过七室，欲毁一庙；又正室窄狭，欲权下一帝。温峤议……"《晋书》卷六十七《温峤传》："时制王敦纲纪除名，参佐禁固，峤上疏曰……帝从之。是时天下凋弊，国用不足，诏公卿以下诣都坐论时政之所先，峤因奏军国要务……议奏，多纳之。帝疾笃，峤与王导、郗鉴、庾亮、陆晔、卞壶等同受顾命。"

庾阐作《乐贤堂颂并序》。《全晋文》卷三十八辑庾阐《乐贤堂颂并序》。序曰："肃宗明皇帝……"当作于本年闰八月明帝崩之后，姑系于此。

九月

庾亮加给事中，徙中书令。《晋书》卷七十三《庾亮传》："及帝疾笃，不欲见人，群臣无得进者。抚军将军、南顿王宗，右卫将军虞胤等，素被亲爱，与西阳王羕将有异谋。亮直入卧内见帝，流涕不自胜。既而正色陈羕与宗等谋废大臣，规共辅政，社稷安否，将在今日，辞旨切至。帝深感悟，引亮升御座，遂与司徒王导受遗诏辅幼主。加亮给事中，徙中书令。太后临朝，政事一决于亮。先是，王导辅政，以宽和得众，亮任法裁物，颇以此失人心。"卷七《成帝纪》：本年"九月癸卯，皇太后临朝称制……中书令庾亮参辅朝政。"皇太后为庾亮之妹。

王导录尚书事。《晋书》卷七《成帝纪》：本年"秋九月癸卯，皇太后临朝称制。司徒王导录尚书事"。卷七十三《庾亮传》："时王导辅政，主幼时艰，务存大纲，不拘细目。"

郗鉴进位车骑大将军，加散骑常侍。《晋书》卷六十七《郗鉴传》："俄而迁车骑将军、都督徐兖青三州军事、兖州刺史、假节，镇广陵。寻而帝崩，鉴与王导、卞壸、温峤、庾亮、陆晔等并受遗诏，辅少主，进位车骑大将军、开府仪同三司，加散骑常侍。"

本年

阮孚等增益登歌之乐。阮孚生卒年不详。《隋书》卷十五《音乐志下》："江左之初，典章堙紊，贺循为太常卿，始有登歌之乐。太宁末，阮孚等又增益之。"

公元 326 年（晋成帝咸和元年 丙戌）

夏

虞预作《致雨议》。《晋书》卷八十二《虞预传》："咸和初，夏旱，诏众官各陈致雨之意。预议曰……"《建康实录》卷七《显宗成皇帝》：本年六月至十一月大旱。

七月

应詹作《疾笃与陶侃书》，卒。《晋书》卷七十《应詹传》："疾笃，与陶侃书曰……以咸和六年卒，时年五十三。册赠镇南大将军、仪同三司，谥曰烈，祠以太牢。"按，《晋书》本传、《建康实录》卷七均谓应詹卒于咸和六年，而《晋书》卷七《成帝纪》《资治通鉴》卷九十三则言卒于咸和元年。今从《成帝纪》作"元年"。《资治通鉴》卷九十三系应詹卒于本年七月癸丑。《隋书》卷三十三《经籍志二》："《沔南故事》三卷，应思远撰。"《新唐书》卷五十八《艺文志二》作"应詹《江南故事》三卷。"《旧唐书》卷四十六《经籍志上》亦作《江南故事》三卷，未著撰者。《隋书》卷三十五《经籍志四》："梁……有……晋征南大将军《应詹集》五卷，亡。"《旧唐书》卷四十七《经籍志下》作三卷。《全晋文》卷三十五辑文七篇，除已见前文者外，还有《荐韦泓于元帝》《启呈杜弢书并上言》。

八月

温峤任平南将军、江州刺史，作《陈便宜疏》。本年还有《举荀崧为秘书监表》。《晋书》卷六十七《温峤传》："时历阳太守苏峻藏匿亡命，朝廷疑之。征西将军陶侃有威名于荆楚，又以西夏为虞，故使峤为上流形援。咸和初，代应詹为江州刺史、持节、都督、平南将军，镇武昌，甚有惠政，甄异行能，亲祭徐孺子之墓。又陈……诏不许。"卷七《成帝纪》记载本年八月温峤任平南将军、江州刺史。《举荀崧为秘书监表》见《太平御览》卷二百三十三，据卷七十五《荀崧传》记载，荀崧任秘书监在苏峻反之前至咸和三年卒时，姑系于此。

梅陶作《赠温峤诗》约在此时。见《晋书》卷十二，其诗云："帝曰尔阻，往镇江土。俾尔旐麾，授尔齐斧"，似应作于本年温峤往镇武昌之时。

本年

司马昱作《出继为母服表》。《晋书》卷三十二《简文宣郑太后传》："咸和元年薨，简文帝时为琅邪王，制服重，有司以王出继，宜降所生，国臣不能匡正，奏免国相诸葛颐。王上疏曰……明穆皇后不夺其志。"

庾阐任尚书郎，作《扬都赋》。《晋书》卷九十二《庾阐传》："累迁尚书郎。"时间未详，张可礼《东晋文艺系年》第128页认为："疑在本年西阳王兼降为弋阳县王之后。"又本传："又作《扬都赋》，为世所重。"《世说新语·文学第四》："庾阐始作《扬都赋》，道温、庾云：'温挺义之标，庾作民之望。方响则金声，比德则玉亮。'庾公闻赋成，求看，兼赠贶之。阐更改'望'为'俊'，以'亮'为'润'云。"注："为《扬都赋》，邈绝当时。"注引《中兴书》曰："阐……九岁便能属文。迁散骑侍郎，领大著作。为《扬都赋》，邈绝当时。五十四卒。"同书同卷："庾仲初作《扬都赋》成，以呈庾亮。亮以亲族之怀，大为其名价云：'可三《二京》，四《三都》。'于此人人竞写，都下纸为之贵。谢太傅云：'不得尔。此是屋下架屋耳，事事拟学，而不免俭狭。'"张可礼《东晋文艺系年》第129页云："庾亮于苏峻之难后，不在建康，先后出镇芜湖、武昌，据此推测，赋可能作于明年苏峻之难前，姑系于此。"

张亢领佐著作郎，作《历赞》。《晋书》卷五十五《张亢传》："秘书监荀崧举亢领佐著作郎……述《历赞》一篇，见《律历志》。"汤球辑王隐《晋书》卷七《张亢传》："张载弟……名亢。依蔡邕注《明堂月令中台要解》，又缀诸说历数，而为历赞。秘书监荀崧见《赞》异之，云'信该罗历表义矣。'"张可礼《东晋文艺系年》第129页："据《晋书》卷七十五《荀崧传》，崧于苏峻反前至咸和三年卒任秘书监，亢领佐著作郎、作《历赞》当在其间。姑系于此。《晋书》卷十六至十八《律历志》无《历赞》。《晋书》卷五十五《张亢传》言'见《律历志》，'误。"

公元 327 年（晋成帝咸和二年　丁亥）

十二月

丙寅，司马昱为会稽王。《晋书》卷七《成帝纪》：本年十二月，"丙寅，徙封琅邪王昱为会稽王"。《资治通鉴》卷九十三与此记载相同。《晋书》卷九《简文帝纪》却记载上年"徙封会稽王，拜散骑常侍"。今从卷七《成帝纪》。

庾亮作《报温峤书》，假节率军讨伐苏峻。《晋书》卷七十三《庾亮传》："峻又多纳亡命，专用威刑，亮知峻必为祸乱，征为大司农。举朝谓之不可，平南将军温峤亦累书止之，皆不纳。峻遂与祖约俱举兵反。温峤闻峻不受诏，便欲下卫京都，三吴又欲起义兵，亮并不听，而报峤书曰……既而峻将韩晃寇宣城，亮遣距之，不能制，峻乘胜至于京都。诏假亮节、都督征讨诸军事。"卷七《成帝纪》：本年十二月"庚申，京师戒严。假护军将军庾亮节，为征讨都督。"

卞壶拜光禄大夫，作《与温峤书》。复为尚书令、右将军、领右卫将军。《晋书》卷七十《卞壶传》："拜光禄大夫，加散骑常侍。时庾亮将征苏峻，言于朝曰：'峻狼子野心，终必为乱。今日征之，纵不顺命，为祸犹浅。若复经年，为恶滋蔓，不可复制。此是朝错劝汉景帝早削七国事也。'当时议者无以易之。壶固争，谓亮曰："峻拥强兵，多藏无赖，且逼近京邑，路不终朝，一旦有变，易为蹉跌。宜深思远虑，恐未可仓卒。"亮不纳。壶知必败，与平南将军温峤书曰……峻果称兵。壶复为尚书令、右将军、领右卫将军，余官如故。

本年

成帝司马衍作《原孔恢诏》。《太平御览》卷六百四十六引《晋书》："咸和二年，句容令孔恢罪弃市，诏曰……"

江逌隐居临海，以文籍自娱。江逌生卒年不详。《晋书》卷八十三《江逌传》："江逌，字道载，陈留圉人也。曾祖蘺，谯郡太守。祖允，芜湖令。父济，安东参军。逌少孤，与从弟灌共居，甚相友悌，由是获当时之誉。避苏峻之乱，屏居临海，绝弃人事，翦茅结宇，耽玩载籍，有终焉之志。本州辟从事，除佐著作郎，并不就。"

公元 328 年（晋成帝咸和三年 戊子）

正月

温峤率师救京师，屯寻阳。《晋书》卷七《成帝纪》："正月，平南将军温峤率师救京师，次于寻阳。"

二月

庚戌，庾亮败于苏峻，奔寻阳。本年有《立行庙于白石告元帝先后》。《晋书》卷七十三《庾亮传》："战于建（校勘记：'此"建"字为"宣"字之讹。'）阳门外。军未及阵，士众弃甲而走。亮乘小船西奔，乱兵相剥掠，亮左右射贼，误中柂工，应弦而倒，船上咸失色欲散。亮不动容，徐曰：'此手何可使著贼！'众心乃安。亮携其三弟怿、条、翼南奔温峤，峤素钦重亮，虽在奔败，犹欲推为都统。亮固辞，乃与峤推陶侃为盟主。"卷七《成帝纪》："二月庚戌，峻至于蒋山……庾亮又败于宣阳门内，遂携其诸弟与郭默、赵胤奔寻阳……贼乘胜麾戈接于帝座，突入太后后宫，左右侍人皆见掠夺。是时太官唯有烧余米数石，以供御膳。百姓号泣，响震都邑。"《立行庙于白石告元帝先后》见《宋书》卷十六《礼志三》："成帝咸和三年，苏峻覆乱京都，温峤等入伐，立行庙于白石，元帝先后曰：'逆臣苏峻，倾覆社稷……臣亮等手刃戎首⋯⋯'当作于本年五月庾亮等人入讨苏峻之时。

庚戌，卞壶复加领军将军，卒。《晋书》卷七十《卞壶传》："峻至东陵口，诏以壶都督大桁东诸军事、假节，复加领军将军、给事中⋯⋯峻进攻青溪，壶与诸军距击，不能禁。贼放火烧宫寺，六军败绩。壶时发背创，犹未合，力疾而战，率厉散众及左右吏数百人，攻贼麾下，苦战，遂死之，时年四十八。二子眕、盱见父没，相随赴贼，同时见害。峻平，朝议赠壶左光禄大夫，加散骑常侍⋯⋯于是改赠壶侍中、骠骑将军、开府仪同三司，谥曰忠贞，祠以太牢。"卷七《成帝纪》："二月庚戌，峻至于蒋山。假领军将军卞壶节，帅六军，及峻战于西陵，王师败绩。丙辰，峻攻青溪栅，因风纵火，王师又大败。尚书令、领军将军卞壶，丹阳尹羊曼，黄门侍郎周导，庐江太守陶瞻并遇害，死者数千人。"《隋书》卷三十五《经籍志四》："梁⋯⋯有⋯⋯骠骑将军《卞壶集》二卷，录一卷⋯⋯亡。"《全晋文》卷八十四辑文十一篇，除已见上文者外还有：《贺老人星表》《奏弹尚书丞郎事》《上笺自陈》《书》四篇。

丙辰，王导、荀崧等入宫侍帝。《晋书》卷六十五《王导传》："既而难作，六军败绩，导入宫侍帝。峻以导德望，不敢加害，犹以本官居己之右。峻又逼乘舆幸石头，导争之不得。峻日来帝前肆丑言，导深惧有不测之祸。时路永、匡术、贾宁并说峻，令杀导，尽诛大臣，更树腹心。峻敬导，不纳，故永等贰于峻。导使参军袁耽潜讽诱永等，谋奉帝出奔义军。而峻衔御甚严，事遂不果。导乃携二子随永奔于白石。"《晋书》卷七十五《荀崧传》："苏峻之役，崧与王导、陆晔等共登御床拥卫帝，及帝被逼幸石头，崧亦侍从不离帝侧。"卷七《成帝纪》："丙辰，峻攻青溪栅，因风纵火，王师又大败⋯⋯于是司徒王导、右光禄大夫陆晔、荀崧等卫帝于太极殿，太常孔愉守宗庙。贼乘胜麾戈接于帝座，突入太后后宫，左右侍人皆见掠夺。是时太官唯有烧余米数石，以供御膳。百姓号泣，响震都邑。"

陶侃被推为讨峻盟主。《晋书》卷六十六《陶侃传》："暨苏峻作逆，京都不守，侃子瞻为贼所害，平南将军温峤要侃同赴朝廷。初，明帝崩，侃不在顾命之列，深以为恨，答峤曰：'吾疆场外将，不敢越局。'峤固请之，因推为盟主。侃乃遣督护龚登率众赴峤，而又追回。峤以峻杀其子，重遣书以激怒之。侃妻龚氏亦固劝自行。于是便戎服登舟，星言兼迈，瞻丧至不临。五月，与温峤、庾亮等俱会石头。"陶侃被推为讨峻盟主在本年二月庾亮来奔之后不久，姑系于此。

郗鉴为司空，入赴国难，都督扬州八郡军事。庾阐为其作《为郗车骑讨苏峻盟文》。《晋书》卷六十七《郗鉴传》："寻而王师败绩，矩遂退还。中书令庾亮宣太后口诏，进鉴为司空。鉴去贼密迩，城孤粮绝，人情业业，莫有固志，奉诏流涕，设坛场，刑白马，大誓三军曰⋯⋯鉴登坛慷慨，三军争为用命。乃遣将军夏侯长等间行，谓平南将军温峤曰⋯⋯峤深以为然。及陶侃为盟主，进鉴都督扬州八郡军事。"庾阐《为郗车骑讨苏峻盟文》见《晋书》卷六十七《郗鉴传》，又见《艺文类聚》卷三十三："晋庾阐为郗车骑讨苏峻盟文曰⋯⋯"两处文句稍异。《晋书》卷七《成帝纪》："三月丙子，皇太后庾氏崩。"庾亮宣太后口诏，进郗鉴为司空，当在此前，姑系于此。

温峤作《移告四方征镇》《重与陶侃书》。《移告四方征镇》和《重与陶侃书》见《晋书》卷六十七《温峤传》："俄而庾亮来奔⋯⋯峤于是遣王愆期奉侃为盟主。侃许之，遣督护龚登率兵诣峤。峤于是列上尚书，陈峻罪状，有众七千，洒泣登舟，移告四方征镇曰……时陶侃虽许自下而未发，复追其督护龚登。峤重与侃书曰……峻时杀侃子瞻，由是侃激励，遂率所统与峤、亮同赴京师，戎卒六万，旌旗七百余里，钲鼓之声震于百里，直指石头，次于蔡洲。"卷七《成帝纪》记载，本年五月"丙午，征西大将军陶侃、平南将军温峤、护军将军庾亮、平北将军魏该舟军四万，次于蔡洲"。这两篇文章当作于陶侃被推为讨峻盟主之后，且不晚于本年五月，姑系于此。

九月

苏峻卒。《晋书》卷七《成帝纪》："九月戊申，司徒王导奔于白石。庚午，陶侃使督护杨谦攻峻于石头。温峤、庾亮阵于白石，竟陵太守李阳距贼南偏。峻轻骑出战，坠马，斩之，众遂大溃。贼党复立峻弟逸为帅。"

陶侃有《答温峤书》。《答温峤书》见《太平御览》卷三百五十六，其中有"奉所送帐下得苏峻兜鍪"，当作于本年九月苏峻大溃之后，姑系于此。

十二月

乙未，前赵刘曜为石勒俘获。北苑市有《孙机为刘曜歌》。《晋书》卷一百三《刘曜载记》："咸和三年，夜梦三人金面丹唇，东向逡巡，不言而退，曜拜而履其迹。旦召公卿已下议之，朝臣咸贺以为吉祥，惟太史令任义进曰……曜大惧，于是躬亲二郊，饰缮神祠，望秩山川，靡不周及。大赦殊死已下，复百姓租税之半……石勒遣石季龙率众四万，自轵关西入伐曜，河东应之者五十余县，进攻蒲坂。曜将东救蒲坂……曜尽中外精锐水陆赴之，自卫关北济。季龙惧，引师而退。追之，及于高候，大战，败之……季龙奔于朝歌。曜遂济自大阳，攻石生于金墉，决千金堨以灌之……闻季龙进据石门，续知勒自率大众已济……曜色变，使摄金墉之围，陈于洛西……捻阵就平，勒将石堪因而乘之，师遂大溃。曜昏醉奔退……被疮十余……曜疮甚，勒载以马舆，使李永与同载。北苑市三老孙机上礼求见曜，勒许之。机进酒于曜曰……曜曰：'何以健邪！当为翁饮。'勒闻之，凄然改容曰：'亡国之人，足令老叟数之。'舍曜于襄国永丰小城……勒谕曜与其太子熙书，令速降之，曜但敕熙：'与诸大臣匡维社稷，勿以吾易意也。'勒览而恶之，后为勒所杀。"据卷七《成帝纪》：本年"十二月乙未，石勒败刘曜于洛阳，获之"。

本年

袁宏生。《世说新语·言语第二》注引《晋阳秋》："袁宏字彦伯，陈郡人，魏郎中令六世孙也。祖猷，侍中。父勖，临汝令。"《文学第四》注："虎，袁宏小字也。"《晋书》卷九十二《袁宏传》："袁宏，字彦伯，侍中猷之孙也。父勖，临汝令。宏有逸才，文章绝美，曾为咏史诗，是其风情所寄。少孤贫，以运租自业。"本传记载其卒于太元初，时年四十九岁，则袁宏当生于本年。

孙绰少慕老庄之道，作《遂初赋》《赠温峤诗》。《晋书》卷五十六《孙绰传》："绰字兴公。博学善属文，少与高阳许询俱有高尚之志。居于会稽，游放山水，十有余年，乃作《遂初赋》以致其意。"《世说新语·言语第二》注引孙绰《遂初赋叙》曰："余少慕老庄之道，仰其风流久矣。"《晋诗》卷十三载《赠温峤诗》五章，具体时间不详。温峤卒于明年，姑系于此。曹道衡、沈玉成《中古文学史料丛考》第190～191页"《晋书·孙绰传》有误"条云：本传称绰"年五十八，卒"。据《建康实录》卷八，盖卒于简文帝咸安元年（371），则当生于愍帝建兴二年（314）。

公元329年（晋成帝咸和四年 己丑）

正月

成帝司马衍在石头，百官往赴。《晋书》卷七《成帝纪》："四年春正月，帝在石头，贼将匡术以苑城归顺，百官赴焉。"

二月

诸军攻石头，建威长史滕含奉成帝司马衍入温峤舟。《晋书》卷七《成帝纪》："二月，大雨霖。丙戌，诸军攻石头。李阳与苏逸战于枂浦，阳军败。建威长史滕含以锐卒击之，逸等大败。含奉帝御于温峤舟，群臣顿首号泣请罪。弋阳王羕有罪，伏诛。丁亥，大赦。时兵火之后，宫阙灰烬，以建平园为宫。"

荀崧卒。《晋书》卷七十五《荀崧传》："贼平，帝幸温峤舟，崧时年老病笃，犹力步而从。咸和三年薨，时年六十七。赠侍中，谥曰敬……升平四年，崧改葬，诏赐钱百万，布五千匹。"《晋书》校勘记云："上文云'帝幸温峤舟，崧犹力步而从'，此事在咸和四年二月，则崧死固当在其后。'三年'之'三'字疑误。"《隋书》卷三十五《经籍志四》：梁有"光禄大夫《荀崧集》一卷，亡"。《全晋文》卷三十一有辑文六篇，除已见上文者外，还有：《议王式事》《答卞壸论刘畡同姓为昏》《与王导书》。

庾亮作《上疏乞骸骨》。成帝司马衍作《诏慰庾亮》《报庾亮诏》。《晋书》卷七十三《庾亮传》："峻平，帝幸温峤舟，亮得进见，稽颡鲠噎，诏群臣与亮俱升御坐。亮明日又泥首谢罪，乞骸骨，欲阖门投窜山海。帝遣尚书、侍中手诏慰喻……亮上疏曰……疏奏，诏曰……亮欲遁逃山海，自暨阳东出。诏有司录夺舟船。亮乃求外镇自效，出为持节、都督豫州扬州之江西宣城诸军事、平西将军、假节、豫州刺史，领宣城内史。亮遂受命，镇芜湖。"卷七《成帝纪》：本年二月滕含"奉帝御于温峤舟，群臣顿首号泣请罪……三月……以护军将军庾亮为平西将军、都督扬州之宣城江西诸军事、假节，领豫州刺史，镇芜湖。"

乙未，王允之俘获苏逸。《晋书》卷七《成帝纪》：本年二月"甲午，苏逸以万余人自延陵湖将入吴兴。乙未，将军王允之及逸战于溧阳，获之"。

三月

壬子，温峤拜骠骑将军，封始安郡公。《晋书》卷六十七《温峤传》："时陶侃虽为盟主，而处分规略一出于峤，及贼灭，拜骠骑将军、开府仪同三司，加散骑常侍，封始安郡公，邑三千户。"《晋书》卷七《成帝纪》：本年三月壬子"平南将军温峤为骠骑将军、开府仪同三司，封始安郡公"。

壬子，郗鉴为司空，封南昌县公。《晋书》卷七《成帝纪》：本年三月壬子"车骑将军郗鉴为司空，封南昌县公"。

壬子，陶侃任太尉，封长沙郡公。《晋书》卷七《成帝纪》："三月壬子，以征西大将军陶侃为太尉，封长沙郡公。"

蔡谟复为侍中，迁五兵尚书，作《让五兵尚书疏》，以功封济阳男。《晋书》卷七十七《蔡谟传》："峻平，复为侍中，迁五兵尚书，领琅邪王师，谟上疏让曰……疏奏，不许。转掌吏部。以平苏峻功，赐爵济阳男，又让，不许。"

虞预迁散骑侍郎。《晋书》卷八十二《虞预传》："苏峻作乱，预先假归家，太守王舒请为咨议参军。峻平，进爵平康县侯，迁散骑侍郎，著作如故。除散骑常侍，仍领著作。以年老归，卒于家。预雅好经史，憎疾玄虚，其论阮籍裸袒，比之伊川被发，所以胡房遍于中国，以为过衰周之时。著《晋书》四十余卷、《会稽典录》二十篇、《诸虞传》十二篇，皆行于世。所著诗赋碑诔论难数十篇。"虞预迁散骑侍郎以后事迹不详，姑系于此。《隋书》卷三十三《经籍志二》："《晋书》卷二十六，本四十四卷，讫明帝，今残缺。晋散骑常侍虞预撰。《会稽典录》二十四卷，虞预撰。《隋书》卷三十五《经籍志四》："梁……有《虞预集》十卷，录一卷。"《全晋文》卷八十二辑文九篇。

四月

乙未，温峤卒。成帝司马衍作《赠谥温峤册》。陶侃作《上温峤遗书请停移葬表》。《晋书》卷六十七《温峤传》："朝议将留辅政，峤以导先帝所任，固辞还藩。复以京邑荒残，资用不给，峤借资蓄，具器用，而后旋于武昌，至牛渚矶，水深不可测，世云其下多怪物，峤遂毁犀角而照之。须臾，见水族覆火，奇形异状，或乘马车著赤衣者。峤其夜梦人谓己曰：'与君幽明道别，何意相照也？'意甚恶之。峤先有齿疾，至是拔之，因中风，至镇未旬而卒，时年四十二。江州士庶闻之，莫不相顾而泣。帝下册书曰：'……今追赠公侍中、大将军、持节、都督、刺史，公如故，赐钱百万，布千匹，谥曰忠武，祠以太牢。'初葬于豫章，后朝廷追峤勋德，将为造大墓于元明二帝陵之北，陶侃上表曰……"卷七《成帝纪》："夏四月乙未，骠骑将军、始安公温峤卒。"温峤以文章著名，《文心雕龙·才略》："庾元规之表奏，靡密以闲畅；温太真之笔记，循理而清通；亦笔端之良工也。"同书《奏启》："温峤恳切于费役，并体国之忠规矣！"同书《诏策》云："晋氏中兴，唯明帝崇才，以温峤文清，故引入中书。自斯以后，体宪风流矣。"温峤也擅长诗赋，惜无完篇流传。今唯有《蝉赋》和《回文虚言诗》残句。唐皮日休云："晋温峤有《回文虚言诗》'宁神静泊，损有崇无'，繇是回文兴焉。"（《松陵集》卷十）温峤是回文诗的早期作家。《隋书》卷三十五《经籍志四》："晋大将军《温峤集》十卷，梁录一卷。"

本年

孙绰作《康僧会赞》。《高僧传》卷一《康僧会传》："晋成帝咸和中，苏峻作乱，焚毁所建塔。司空何充复更修造。平西将军赵诱，世不奉法，傲慢三宝，入此寺，谓诸道人曰：'久闻此塔，屡放光明，虚诞不经，所未能信。若必自睹所不论耳。'言竟，塔即出五色光，照耀堂刹。诱肃然毛竖，由此信敬。于寺东更立小塔。远由大圣神感，近亦康会之力，故图写厥像，传之于今。孙绰为之赞曰……"何充修塔当在苏峻之乱平定后不久，孙绰所作《康僧会赞》也应在此期间，故系于此。

竺道壹约生于本年。《高僧传》卷五《竺道壹传》："竺道壹，姓陆，吴人也……晋隆安中遇疾而卒……春秋七十有一矣。"隆安凡五年。据此推断，竺道壹约生于本年。

公元330年（晋成帝咸和五年　庚寅）

二月

孔愉转尚书右仆射。《晋书》卷七《成帝纪》：本年二月"孔愉为右仆射"。卷七十八《孔愉传》："转尚书右仆射，领东海王师。寻迁左仆射。"

五月

陶侃擒斩郭默，作《与王导书》。移镇武昌，作《与庚亮书》。《晋书》卷七《成帝纪》："夏五月，旱，且饥疫。乙卯，太尉陶侃擒郭默于寻阳，斩之。"《晋书》卷六十六《陶侃传》："侃既至，默将宗侯缚默父子五人及默将张丑诣侃降，侃斩默等……诏侃都督江州，领刺史……侃旋于巴陵，因移镇武昌。"《晋书》卷七十三《庚亮传》："顷之，后将军郭默据湓口以叛。亮表求亲征，于是以本官加征讨都督……令太尉陶侃，俱讨破之。亮还芜湖，不受爵赏。侃移书曰：……'"

王导作《答陶侃书》，本年有《祭卫玠教》。《答陶侃书》见《晋书》卷六十六《陶侃传》："（陶侃）发使上表讨默。与王导书曰……导答曰……侃省书笑曰：'是乃遵养时贼也。'"王导作《答陶侃书》在本年五月陶侃擒斩郭默时。《祭卫玠教》见《晋书》卷三十六《卫玠传》："玠劳疾遂甚，永嘉六年卒……葬于南昌……咸和中，改窆于江宁。丞相王导教曰……"今据"咸和中"，姑系于此。

范汪进爵亭侯。《晋书》卷七十五《范汪传》："从讨郭默，进爵亭侯。"据卷七《成帝纪》记载：陶侃擒斩郭默在本年五月。

十月

丁丑，成帝司马衍幸王导宅，有《诏殿内》。复置太乐官。《晋书》卷七《成帝纪》："九月，造新宫，始缮苑城……冬十月丁丑，幸司徒王导第，置酒大会。"《隋书》卷十二《礼仪志》引《晋起居注》："成帝咸和五年，制诏殿内……"《宋书》卷十九《乐志一》："成帝咸和中，乃复置太乐官，鸠集遗逸，而尚未有金石也。"复置太乐官的具体时间不详，今据"咸和中"，姑系于此。

本年

刘惔雅善言理，尚庐陵公主。《晋书》卷七十五《刘惔传》："刘惔，字真长，沛国相人也。祖宏，字终嘏，光禄勋。宏兄粹，字纯嘏，侍中。宏弟潢，字冲嘏，吏部尚书。并有名中朝。时人语曰：'洛中雅雅有三嘏。'父耽，晋陵太守，亦知名。惔少清远，有标奇，与母任氏寓居京口，家贫，织芒屩以为养，虽荜门陋巷，晏如也。人未之识，惟王导深器之……尚明帝女庐陵公主。以惔雅善言理，简文帝初作相，与王濛并为谈客，俱蒙上宾礼。"卷二十四《职官志》："唯留驸马都尉奉朝请，诸尚公主者刘惔……皆为之。"可见刘惔曾为驸马都尉。刘惔尚庐陵公主的具体时间不详，其本年约十八岁（其卒年及卒时年龄，详见永和四年的考定），姑系于此。

王坦之生。《世说新语·言语第二》注引《王中郎传》："坦之字文度，太原晋阳人。祖东海太守承，清淡平远。父述，贞贵简正。"《晋书》卷九《孝武帝纪》：宁康三年"夏五月丙午……王坦之卒"。卷七十五《王坦之传》记载其卒年是四十六岁。据此推断，王坦之当生于本年。

北方乐人南渡。《隋书》卷十五《音乐志下》："咸和间，鸠集遗逸，邺没胡后，乐人颇复南渡，东晋因之，以具钟律。"今据"咸和间"，姑系于此。

康僧渊过江。康僧渊生卒年不详。《高僧传》卷四《康僧渊传》："康僧渊，本西域人，生于长安，貌虽梵人，语实中国，容止详正，志业弘深。诵放光道行二波若，即大小品也。晋成之世，与康法畅、支敏度等俱过江……渊虽德愈畅、度，而别以清约自处。常乞丐自资，人未之识。后因分卫之次，遇陈郡殷浩。浩始问佛经深远之理，却辩俗书性情之义，自昼之曛，浩不能屈，由是改观。"《世说新语·文学第四》："康僧渊初过江，未有知者，恒周旋市肆，乞索以自营。忽往殷渊源许，值盛有宾客，殷使坐，粗与寒温，遂及义理。语言辞旨，曾无愧色。领略粗举，一往参诣。由是知之。"上述事迹时间未详，今据"晋成之世"、"过江"等记载，姑系于此。

公元 331 年（晋成帝咸和六年 辛卯）

正月

乙未，郗鉴都督吴国诸军事。《晋书》卷七《成帝纪》："六年春正月癸巳，刘徵复寇娄县，遂掠武进。乙未，进司空郗鉴都督吴国诸军事。"

三月

壬戌朔，成帝司马衍诏举贤良直言之士。《晋书》卷七《成帝纪》：本年"三月壬戌朔，日有蚀之。癸未，诏举贤良直言之士"。

冬

王导上疏逊位，成帝司马衍作《报王导诏》。《晋书》卷六十五《王导传》："六年冬，烝，诏归胙于导，曰：'无下拜。'导辞疾不敢当。初，帝幼冲，见导，每拜。又尝与导书手诏，则云'惶恐言'，中书作诏，则曰'敬问'，于是以为定制。自后元正，导入，帝犹为之兴焉。时大旱，导上疏逊位。诏曰……导固让。诏累逼之，然后视事。"

.本年

前燕慕容廆遣使诣陶侃，作《与陶侃笺》《叠民陶侃笺》。陶侃作《报封抽、韩矫等书》《答慕容廆等书》。《晋书》卷一百八《慕容廆载记》："遣使与太尉陶侃笺曰……廆使者遭风没海。其后廆更写前笺，并赍其东夷校尉封抽、行辽东相韩矫等三十余人疏上侃府曰……侃报抽等书，其略曰……朝议未定。"《资治通鉴》卷九十四：本年"慕容廆遣使与太尉陶侃笺，劝以兴兵北伐，共清中原"。

高梁太守杨方弃郡归。《晋书》卷六十八《杨方传》："司徒王导辟为掾，转东安太守，迁司徒参军事。方在都邑，搢绅之士咸厚遇之，自以地寒，不愿久留京华，求补远郡，欲闲居著述。导从之，上补高梁太守。在郡积年，著《五经钩沉》，更撰《吴越春秋》，并杂文笔，皆行于世。以年老，弃郡归。导将进之台阁，固辞还乡里，终于家。"杨方"在郡积年"，"弃郡归"当在此期间，姑系于此。《隋书》卷三十一《经籍志一》："《五经钩沈》十卷，晋高梁太守杨方撰……《少学》九卷，杨方撰。"《旧唐书》卷四十六《经籍志上》《新唐书》卷五十七《艺文志一》均作《少学集》十卷。《隋书》卷三十三《经籍志二》："《吴越春秋削繁》五卷，杨方撰。"卷三十五《经籍志四》："梁有高梁太守《杨方集》二卷，亡。"《晋诗》卷十一辑杨方《合欢诗》五首。《全晋文》卷一百二十八辑文二篇：《箜篌赋序》《为虞领军荐张道顺文》。

公元 332 年（晋成帝咸和七年　壬辰）

春

后赵黄门侍郎韦谀作《寒食驳议》。《晋书》卷一百五《石勒载记下》："暴风大雨，震电建德殿端门……勒正服于东堂……有司奏以子推历代攸尊，请普复寒食，更为植嘉树，立祠堂，给户奉祀。勒黄门郎韦谀驳曰……勒从之。于是迁冰室于重阴凝寒之所，并州复寒食如初。"《十六国春秋辑补》卷十五《后赵录五·石勒录》系上述事于本年。韦谀作《寒食驳议》当在本年寒食之前。

十一月

成帝司马衍诏举贤良。《晋书》卷七《成帝纪》："秋七月丙辰，诏诸养兽之属，损费者多，一切除之……冬十一月……诏举贤良。"

壬子朔，陶侃拜大将军，作《让拜大将军表》。《晋书》卷六十六《陶侃传》："拜大将军，剑履上殿，入朝不趋，赞拜不名。上表固让，曰……"卷七《成帝纪》："冬十一月壬子朔，进太尉陶侃为大将军。"

本年

戴逵约生于本年。《晋书》卷九十四《戴逵传》："戴逵，字安道，谯国人也。少博学，好谈论，善属文，能鼓琴，工书画，其余巧艺靡不毕综。总角时，以鸡卵汁溲白瓦屑作《郑玄碑》，又为文而自镌之，词丽器妙，时人莫不惊叹。性不乐当世，常以琴书自娱。"本传不记其年岁，曹道衡、沈玉成《中古文学史料丛考》第 222～223 页《戴逵年岁》条云：《世说·识鉴》记："戴安道年十余岁，在瓦官寺画。王长史（濛）见之曰：'此童非徒能画，亦终当知名，恨吾老，不见其盛时耳。'"王濛约卒于永和四年（348），年三十九……见戴逵作画，事当可信。《雅量》注引《晋安帝纪》，言逵少有清操，为刘惔所知，惔卒于永和五年（349），逵有清操而见知，至迟已十余岁，与王濛事可以互证。永和初戴逵十余岁，而逵传记会稽内史谢玄上疏请勿征辟、以全其志，疏有逵"年垂耳顺"之语。谢玄以太元十三年卒于会稽，此疏当为十二、十三年事。时逵或已过五十五岁，以此推之，其生年或在成帝咸和中（332 年左右）。

郗愔除散骑侍郎，未拜。《晋书》卷六十七《郗愔传》："愔字方回。少不交竞，弱冠，除散骑侍郎，不拜。"《世说新语·品藻第九》注引《郗愔别传》：郗愔"渊靖纯素，无执无竞，简私昵，罕交游。"

公元 333 年（晋成帝咸和八年　癸巳）

正月

辛亥朔，成帝司马衍作《迁新宫诏》。《晋书》卷七《成帝纪》：咸和七年"十二月庚戌，帝迁于新宫。八年春正月辛亥朔，诏曰……"

四月

成帝司马衍作《征翟汤、虞喜为散骑常侍诏》，虞喜被举为贤良，不行。《晋书》卷七《成帝纪》："夏四月……以束帛征处士寻阳翟汤、会稽虞喜。"《征翟汤、虞喜为散骑常侍诏》见《晋书》卷九十一《虞喜传》："咸和末，诏公卿举贤良方正直言之士，太常华恒举喜为贤良。会国有军事，不行。咸康初，内史何充上疏曰……疏奏，诏曰……"《虞喜传》系此诏写作的时间是咸康初，今从成帝纪作本年四月。曹道衡、沈玉成《中古文学史料丛考》第 187 页"《晋书·虞喜传》舛误"条云："是何充荐虞

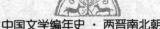
喜事当在咸和八年，传又误记。"

五月

乙未，前燕慕容廆卒。《十六国春秋辑补》卷二十三《前燕录一·慕容廆录》："咸和八年，夏五月，廆薨于文德殿，时年六十五。在位四十九年。葬于青山。晋遣使者赠车骑大将军、开府仪同三司，谥曰襄公。皝为燕王，追谥武宣王，及俊僭号，追尊武宣皇帝，庙号高祖。"《晋书》卷七《成帝纪》："五月，有星陨于肥乡。麒麟、驺虞见于辽东。乙未，车骑将军、辽东公慕容廆卒，子皝嗣位。"

七月

戊辰，石勒卒。《晋书》卷七《成帝纪》："秋七月戊辰，石勒死，子弘嗣伪位，其将石聪以谯来降。"

本年

成帝司马衍作《优给陆玩、孔愉诏》，孔愉作《重表让廪赐》。《晋书》卷七十八《孔愉传》："咸和八年，诏曰：'尚书令玩、左仆射愉并恪居官次，禄不代耕。端右任重，先朝所崇，其给玩亲信三十人，愉二十人，廪赐。'愉上疏固让，优诏不许。重表曰……从之。"

公元334年（晋成帝咸和九年 甲午）

二月

丁卯，前凉张骏为大将军，境内渐平。《晋书》卷八十六《张骏传》："九年，复使（耿）访随（壬）丰等赍印板进骏大将军。自是每岁使命不绝……骏议欲严刑峻制，众咸以为宜。参军黄斌进曰：'臣未见其可。'骏问其故。斌曰……骏屏机改容曰……于坐擢为敦煌太守。骏有计略，于是厉操改节，勤修庶政，总御文武，咸得其用，远近嘉咏，号曰积贤君。自轨据凉州，属天下之乱，所在征伐，军无宁岁。至骏，境内渐平。"卷七《成帝纪》："二月丁卯，加镇西大将军张骏为大将军。"

六月

乙卯，陶侃卒，卒前作《上表逊位》。成帝司马衍作《赠陶侃诏》。《晋书》卷六十六《陶侃传》："咸和七年六月疾笃，又上表逊位曰……以后事付右司马王愆期，加督护，统领文武。侃舆车出临津就船，明日，薨于樊溪，时年七十六。"《晋书》卷七《成帝纪》：本年六月，"乙卯，太尉、长沙公陶侃薨。"张可礼《东晋文艺系年》第175页："'七年'，《晋书》卷七《成帝纪》《建康实录》卷七、《通鉴》卷九十五均作'九年'。今从'九年'之说。"《赠陶侃诏》见《晋书》卷六十六《陶侃传》："成帝下诏曰：'……（陶侃）经德蕴哲，谋猷弘远。作藩于外，八州肃清；勤王于内，皇家以宁。乃者桓文之勋，伯舅是凭。方赖大猷，俾屏予一人……今遣兼鸿胪追赠大司马，假銮章，祠以太牢……'又策谥曰桓，祠以太牢……侃在军四十一载，雄毅有权，明悟善决断。自南陵迄于白帝数千里中，路不拾遗……侃性纤密好问，颇类赵广汉……时武昌号为多士，殷浩、庾翼等皆为佐吏。……季年怀止足之分，不与朝权。未亡一年，欲逊位归国，佐吏等苦留之。及疾笃，将归长沙，军资器仗牛马舟船皆有定簿，封印仓库，自加管钥以付王愆期，然后登舟，朝野以为美谈。"《隋书》卷三十五《经籍志四》："梁有……大司马《陶侃集》二卷，录一卷。记。"文廷式《补晋书艺文志》卷五："《图书集成·艺术典》六百七十九引《地理正宗》：'陶侃……作《捉脉赋》'。"《全晋文》卷一百一十一辑文 11 篇，除已见上文者外，还有《相风赋》《表》《上成帝杂物疏》《遗荀崧书》。

尚书梅陶作《与曹识书论陶侃》。《与曹识书论陶侃》见《晋书》卷六十六《陶侃传》："尚书梅陶与亲人曹识书曰：'陶公机神明鉴似魏武，忠顺勤劳似孔明，陆抗诸人不能及也。'"梅陶以后事迹不详。《隋书》卷三十四《经籍志三》："《梅子新论》三卷，亡。"卷三十五《经籍志四》："晋光禄大夫《梅陶集》九卷，梁二十卷，录一卷。"《晋诗》卷十二辑诗二首，《全晋文》卷一百二十八辑文三篇。

辛未，庾亮进号征西将军，镇武昌，与诸名士南楼理咏。有《石头民为庾亮歌》。《晋书》卷七十三《庾亮传》："陶侃薨，迁亮都督江、荆、豫、益、梁、雍六州诸军事，领江、荆、豫三州刺史，进号征西将军、开府仪同三司、假节。亮固让开府，乃迁镇武昌。"卷七《成帝纪》："六月……辛未，加平西将军庾亮都督江、荆、豫、益、梁、雍六州诸军事。"《世说新语·容止第十四》："庾太尉在武昌，秋夜气佳景清，使吏殷浩、王胡之之徒登南楼理咏。音调始遒，闻函道中有屐声甚厉，定是庾公。俄而率左右十许人步来，诸贤欲起避之。公徐云：'诸君少住，老子于此处兴复不浅！'因便据胡床，与诸人咏谑，竟坐甚得任乐。后王逸少下，与丞相言及此事。丞相曰：'元规尔时风范，不得不小颓。'右军答曰：'唯丘壑独存。'"

王羲之为庾亮参军，尝以章草答庾亮。《晋书》卷八十《王羲之传》："王羲之，字逸少，司徒导之从子也，祖正，尚书郎。父旷，淮南太守。元帝之过江也，旷首创其议……起家秘书郎，征西将军庾亮请为参军……尝以章草答庾亮，而（庾）翼深叹伏，因与羲之书云：'吾昔有伯英章草十纸，过江颠狈，遂乃亡失，常叹妙迹永绝。忽见足下答家兄书，焕若神明，顿还旧观。'"本年庾亮进号征西将军，羲之任其参军当在本年或本年后，以章草答庾亮也应在此期间。王羲之当参加庾亮与诸名士的南楼理咏，见上文引《世说新语·容止第十四》。

孙盛为征西将军庾亮主簿。《晋书》卷八十二《孙盛传》："庾亮代侃，引为征西主簿，转参军。"

孙绰为庾亮参军，随庾亮游白石山。《晋书》卷五十六《孙绰传》："征西将军庾亮请为参军。"《晋诗》卷十三载孙绰《与庾冰诗》云："武昌之游，缱绻夕旦。"据此可知孙绰随庾亮镇武昌。

本年

简文帝司马昱迁右将军，加侍中。《晋书》卷九《简文帝纪》："及长，清虚寡欲，尤善玄言……（咸和）九年，迁右将军，加侍中……帝少有风仪，善容止，留心典籍，不以居处为意，凝尘满席，湛如也。"

孔坦免官，寻拜侍中。《晋书》卷七十八《孔坦传》："时使坦募江淮流人为军，有殿中兵，因乱东还，来应坦募，坦不知而纳之。或讽朝廷，以坦藏台叛兵，遂坐免。寻拜侍中。"《东晋将相大臣年表》系孔坦任侍中在本年。

慧远生。《世说新语·文学第四》注引张野《远法师铭》："沙门释慧远，雁门楼烦人。本姓贾氏，世为冠族。"《高僧传》卷六《释慧远传》记载慧远卒于义熙十二年，时年八十三岁。据此推断，当生于本年。

公元 335 年（晋成帝咸康元年　乙未）

正月

庚午朔，成帝司马衍改元，作《改元大赦诏》。《晋书》卷七《成帝纪》："咸康元年春正月庚午朔，帝加元服，大赦，改元。"《改元大赦诏》见《初学记》卷二十引《晋中兴书》："成帝咸康元年诏曰……"

四月

癸卯，石季龙来寇，加王导大司马，转中外大都督。《晋书》卷六十五《王导传》："导有羸疾，不堪朝会，帝幸其府，纵酒作乐，后令舆车入殿，其见敬如此。石季龙掠骑至历阳，导请出讨之。加大司马、假黄钺、中外诸军事，置左右长史、司马，给布万匹。俄而贼退，解大司马，复转中外大都督，进位太傅，又拜丞相，依汉制罢司徒官以并之。"卷七《成帝纪》："三月乙酉，幸司徒府。夏四月癸卯，石季龙寇历阳，加司徒王导大司马、假黄钺、都督征讨诸军事，以御之……戊午，解严。"

孔坦任王导司马，作《与刘聪书》，因忤王导辞官。《晋书》卷七十八《孔坦传》："咸康元年，石聪寇历阳，王导为大司马，讨之，请坦为司马。会石勒新死，季龙专恣，石聪及谯郡太守彭彪等各遣使请降。坦与聪书曰……朝廷遂不果北伐，人皆怀恨。坦在职数年，迁侍中……及帝既加元服，犹委政王导，坦每发愤，以国事为己忧，尝从容言于帝曰：'陛下春秋以长，圣敬日跻，宜博纳朝臣，谘诹善道。'由是忤导，出为廷尉，怏怏不悦，以疾去职。加散骑常侍，迁尚书，未拜。"

八月

何充作《请征虞喜疏》。虞喜被征为散骑常侍，未就。《晋书》卷九十一《虞喜传》："咸康初，内史何充上疏曰：'……伏见前贤良虞喜天挺贞素……宜使薄轮纡衡，以旌其操……'疏奏，诏曰'寻阳翟汤、会稽虞喜并守道清贞……其并以散骑常侍征之。'又不起。"《晋书》卷七十七《何充传》："在郡甚有德政，荐征士虞喜，拔郡人谢奉、魏颚等以为佐吏。后以墓被发去郡。"卷七《成帝纪》：本年八月，"束帛征处士瞿汤、郭翻。"

九月

道安至邺，师事佛图澄。《高僧传》卷五《释道安传》："至邺，入中寺遇佛图澄。澄见而嗟叹，与语终日。众见形貌不称，咸共轻怪。澄曰'此人远识，非尔俦也'。因事澄为师。澄讲，安每覆述，众未之惬。咸言'须待后次，当难杀昆仑子'。即安后更覆讲，疑难蜂起，安挫锐解纷，行有余力。时人语曰'漆道人，惊四邻。'"道安至邺时间不详，可能在本年九月石虎迁都至邺后，姑系于此。

康僧渊于豫章山立寺，庾亮等多往之。《高僧传》卷四《康僧渊传》："后于豫章山立寺，去邑数十里，带江傍岭，林竹郁茂。名僧胜达，响附成群，以常持心梵经空理幽远故。偏加讲说，尚学之徒，往还填委。后卒于寺焉。"《世说新语·栖逸第十八》："康僧渊在豫章，去郭数十里，立精舍。旁连岭，带长川，芳林列于轩庭，清流激于堂宇。乃闲居研讲，希心理味，庾公诸人多往看之。观其运用吐纳，风流转佳。加已处之怡然，亦有以自得，声名乃兴。后不堪，遂出。"张可礼《东晋文艺系年》第188页认为：上述事迹时间不详，豫章属江州，庾亮上年任江州刺史，姑系于此。

公元 336 年（晋成帝咸康二年 丙申）

三月

散骑常侍干宝卒。《建康实录》卷七《显宗成皇帝》：咸康二年，"三月，散骑常侍干宝卒"。《晋书》卷八十二《干宝传》："迁散骑常侍，著《晋纪》，自宣帝迄于愍帝五十三年，凡二十卷，奏之。其书简略，直而能婉，咸称良史。性好阴阳术数，留思京房、夏侯胜等传……遂撰集古今神祇灵异人物变化。名为《搜神记》，凡三十卷……宝又为《春秋左氏义外传》，注《周易》《周官》凡数十篇，及杂文集皆行于世。"《隋书》卷三十二《经籍志一》："《周易》十卷，晋散骑常侍干宝撰……梁有……《周易宗途》四卷，干宝撰……亡……《周易玄品》二卷。"《周易玄品》脱作者，据《册府元龟·注释门》记载为干宝撰。《隋书·经籍志一》："《周易爻义》一卷，干宝撰。"丁国钧《补晋书艺文志》卷一："《周易问难》二卷，干宝。谨按，见《七录》，旧误题干氏撰。""《毛诗音隐》一卷，干宝。谨按，见《七录》，旧但题干氏撰……《释文·叙录》言：为《诗》音者九人，干宝其一，知即此书，今补宝名著录。"《隋书·经籍志一》："《周官礼注》十二卷，干宝注……梁有《周官驳难》三卷，孙琦问，干宝驳，晋散骑常侍虞喜撰。"《晋书艺文志补遗》："干宝撰有《周礼音》，见贾昌朝《群经音辨》。"《隋书·经籍志一》："《七庙议》一卷，又《后养议》五卷，干宝撰……《春秋左氏函传义》十五卷，干宝撰……《春秋序论》二卷，干宝撰。"《隋书》卷三十三《经籍志二》："《晋纪》二十三卷，干宝撰，讫愍帝……干宝《司徒仪》一卷……《搜神记》三十卷，干宝撰。"《旧唐书·经籍志上》："《杂议》五卷，干宝撰。"《隋书》卷三十四《经籍志三》："《干子》十八卷，干宝撰。"《旧唐书·经籍志下》："《正言》十卷，干宝撰……《立言》十卷，干宝撰。"《隋书》卷三十五《经籍志四》："晋散骑常侍《干宝集》四卷，梁五卷……《百志诗》九卷，干宝撰，梁五卷。"

七月

孔坦作《临终与庾亮书》，卒。《晋书》卷七十八《孔坦传》："疾笃，庾冰省之，乃流涕。坦慨然曰……临终，与庾亮书曰……俄卒，时年五十一。追赠光禄勋，谥曰简。"《资治通鉴》卷九十五：咸康二年七月至九月之间，"前廷尉孔坦卒"。《隋书》卷三十五《经籍志四》："晋侍中《孔坦集》十七卷，梁五卷，录一卷。"《全晋文》卷一百二十六辑文五篇，除已见上文者外，还有《请赐酒柑表》。

十月

成帝司马衍作《求卫公、山阳公后诏》，本年还有《壬辰诏书》。《晋书》卷七《成帝纪》："冬十月……诏曰：'历观先代，莫不褒崇明祀，宾礼三恪。故杞宋启土，光于周典；宗姬侯卫，垂美汉册。自顷丧乱，庶邦殄悴，周汉之后，绝而莫继。其祥求卫公、山阳公近属，有履行修明，可以继承其祀者，依旧典施行。'"《壬辰诏书》见《宋书》卷五十四《羊玄保传》："有司检壬辰诏书……希以'壬辰之制，其禁严刻……停除咸康二年壬辰之科。'"

十二月

有《咸康初河北谣》。《晋书》卷二十八《五行志中》："咸康二年十二月，河北谣云……后如谣言。"

本年

郗超生。《世说新语·言语第二》注引《中兴书》："超字景兴，高平人，司空愔之子也。少而卓荦不羁，有旷世之度。"据《晋书》卷六十七《郗超传》《资治通鉴》卷一百四记载，郗超卒于太元二年，时年四十二岁，则其当生于本年。

庾亮作《荐翟汤、郭翻表》。《晋书》卷九十四《翟汤传》："翟汤，字道深，寻阳人。笃行纯素，仁让廉洁，不屑世事，耕而后食，人有馈赠，虽釜庾一无所受……咸康中，征西大将军庾亮上疏荐之，成帝征为国子博士，汤不起。"又同卷《郭翻传》："郭翻，字长翔，武昌人也……翻少有志操，辞州郡辟及贤良之举。家于临川，不交世事，惟以渔钓射猎为娱……士庶咸敬贵焉。与翟汤俱为庾亮所荐，公车博士征，不就。"《荐翟汤、郭翻表》见《艺文类聚》卷五十三："晋庾亮荐翟阳（'阳'当作'汤'）、郭翻表曰……"此表具体写作时间不详，今据《翟汤传》所载"咸康中"，姑系于此。

卢谌被诏征。《晋书》卷六十二《刘群传》："温峤前后表称：'姨弟刘群，内弟崔悦、卢谌等，皆在末波中，翘首南望。愚谓此等并有文思，于人之中少可愍惜。如蒙录召，继绝兴亡，则陛下更生之恩，望古无二。'咸康二年，成帝诏征群等，为末波兄弟爱其才，托以道险不遣。"卷六《明帝纪》：太宁三年"三月，幽州刺史段末波卒，以弟牙嗣。"卷四十四《卢谌传》："末波死，弟辽代立。"此时挽留卢谌者当为段末波之弟辽、牙。

公元 337 年（晋成帝咸康三年　丁酉）

正月

成帝司马衍立太学，有《议拜三公仪注诏》。《晋书》卷七《成帝纪》："三年春正月辛卯，立太学。"《宋书》卷十四《礼志一》："成帝咸康三年，国子祭酒袁瓌、太常冯怀又上疏曰：'臣闻先王之教也，崇典训，明礼学，以示后生，道万物之性，畅为善之道也……孔子恂恂，道化洙、泗；孟轲皇皇，诲诱无倦。是以仁义之声，于今犹存，礼让之风，千载未泯……况今陛下以圣明临朝，百官以虔恭莅事，朝野无虞，江外静谧。如之何泱泱之风，漠焉无闻；洋洋之美，坠于圣世乎！古人有言，《诗》《书》义之府，礼乐德之则。实宜留心经籍，阐明学义，使讽颂之音，盈于京室；味道之贤，典谟是咏，岂不盛哉！'疏奏，帝有感焉。由是议立国学，征集生徒，而世尚庄、老，莫肯用心儒训。"《建康实录》卷七《显宗成皇帝》：本年"春正月辛茂，诏立太学于淮水南"。《通典》卷七十一："晋武帝（按，当为成帝）咸宁（按，当为咸康）三年……太常王师等言：'拜三公应有乐……'诏曰……"

十一月

丁卯，前燕慕容皝自立为燕王。《晋书》卷七《成帝纪》："冬十一月丁卯，慕容皝自立为燕王。"

本年

孔愉徙领军将军。《晋书》卷七十八《孔愉传》："复徙领军将军，加金紫光禄大夫，领国子祭酒。"《东晋将相大臣年表》系孔愉徙领军将军于本年。

庾亮作《释奠祭孔子文》《武昌开置学官教》。《释奠祭孔子文》见《艺文类聚》卷三十八："维咸康三年，荆豫州刺史、都亭侯庾亮，敬告孔圣明灵……"《宋书》卷十四《礼志一》："征西将军庾亮在武昌，开置学官，教曰……"时间不详，或许与作《释奠祭孔子文》时间相近。

何充除建威将军、丹阳尹。《晋书》卷七十七《何充传》："诏征侍中，不拜。改葬毕，除建威将军、丹阳尹。"《东晋将相大臣年表》系此事于本年。

有《河北谣》。《太平御览》卷八百三十八引《晋起居注》："咸康三年，河北谣曰……"

谢万作《八贤论》。《晋书》卷七十九《谢万传》："万字万石，才器隽秀，虽器量不及安，而善自炫曜，故早有时誉。工言论，善属文，叙渔父、屈原、季主、贾谊、楚老、龚胜、孙登、嵇康四隐四显为《八贤论》，其旨以处者为优，出者为劣，以示孙绰。绰与往反，以体公识远者则出处同归。尝与蔡系送客于征虏亭，与系争言。系推万落床，冠帽倾脱。万徐拂衣就席，神意自若，坐定，谓系曰：'卿儿坏我面。'系曰：'本不为卿面计。'然俱不以介意，时亦以此称之。"以上事迹，时间不详，当在谢万青年时期。据《晋书》本传记载，谢万卒于升平五年，时年四十二岁，则其本年十八岁。

公元 338 年（晋成帝咸康四年　戊戌）

三月

卢谌与崔悦降石季龙，任中书侍郎。《晋书》卷四十四《卢谌传》："末波死，弟辽代立。谌流离世故且二十载。石季龙破辽西，复为季龙所得，以为中书侍郎。"又卷一百六《石季龙载记上》："季龙……伐段辽……辽惧，弃令支，奔于密云山。辽左右长史刘群、卢谌，司马崔悦等封其府库，遣使请降。"卷七《成帝纪》：本年"二月，石季龙帅众七万，击段辽于辽西，辽奔于平岗。"《资治通鉴》卷九十六：本年三月，卢谌、崔悦等请降。

五月

乙未，庾亮作《与郗鉴笺》，拜司空，不就。《晋书》卷七十三《庾亮传》："时王导辅政，主幼时艰，务存大纲，不拘细目，委任赵胤、贾宁等诸将，并不奉法，大臣患之。陶侃尝欲起兵废导，而郗鉴不从，乃止。至是，亮又欲率众黜导，又以谘鉴，而鉴又不许。亮与鉴笺曰……鉴又不许，故其事得息……寻拜司空，余官如故，固让不拜。"卷七《成帝纪》：本年"五月乙未，以……征西将军庾亮为司空"。

乙未，郗鉴进位太尉。《晋书》卷七《成帝纪》：本年五月乙未，"司空郗鉴为太尉"。《太平御览》卷二零七引《晋中兴书》："郗鉴为太尉，虽在公位，冲心愈约。劳谦日仄，诵玩坟索。自少及长，身无择行。家本书生，后因丧乱，解巾从戎，非其本愿。常怀慨然。"

六月

成帝司马衍作《拜王导丞相册》，任王导为太傅、丞相。《拜王导丞相册》见《晋书》卷六十五《王导传》："进位太傅，又拜丞相，依汉制罢司徒官以并之。册曰……"《晋书》卷七《成帝纪》："六月，改司徒为丞相，以太傅王导为之。"

李充任丞相掾，转记室参军，著《学箴》。李充生卒年不详。《晋书》卷九十二《李充传》："李充，字弘度，江夏人。父矩，江州刺史。充少孤，其父墓中柏树尝为盗贼所斫，充手刃之，由是知名。善楷书，妙参钟索，世咸重之。辟丞相王导掾，转记室参军。幼好刑名之学，深抑虚浮之士，尝著《学箴》，称……"《资治通鉴》卷九十六系李充任丞相掾，著《学箴》于本年六月。

十一月

庾阐作《为郗鉴檄青州文》，任散骑侍郎，领大著作约在此时。《为郗鉴檄青州文》见《艺文类聚》卷五十八，其文曰："……石勒因曩者之弊，遇皇纲暂弛，遂陵跨神州，剪覆上国，二十余载。毒流四海，人神含愤，天诛自灭，而石虎穷凶，袭其余业，内肆豺狼之暴，外有无辜之祸……行者穷征役，居者困重赋。"此文写作时间不详。《晋书》卷七《成帝纪》：咸和八年"秋七月戊辰，石勒死，子弘嗣伪位……九年……十一月，石季龙弑石弘，自立为天王"。据此可知檄文当写于本年十一月石季龙自立为天王之后。又卷一百六《石季龙载记上》："季龙谋伐昌黎，遣渡辽曹伏将青州之众渡海，戍踏顿城，无水而还，因戍于海岛，运谷三百万斛以给之。又以船三百艘运谷三十万斛诣高句丽，使典农中郎将王典率众万余屯田于海滨。又令青州造船千艘。"此檄文可能因上述事情而发。《资治通鉴》卷九十六系上述事于本年五月。石勒占领中原到本年凡二十余年，与檄文"遂陵跨神州，剪覆上国，二十余载"的记载大体相符。《晋书》卷九十二《庾阐传》："寻召为散骑侍郎，领大著作。"具体时间不详，本传又记载"顷之，出补零陵太守"，庾阐明年出补零陵太守，详后。故暂系其任散骑侍郎，领大著作在本年。

冬

蔡谟作《上言临轩拜三公宜作乐》、《敕作佛象颂议》。《晋书》卷七十七《蔡谟传》："冬烝，谟领祠部，主者忘设明帝位，与太常张泉俱免，白衣领职。顷之，迁太常，领秘书监，以疾不堪亲职，上疏自解，不听。成帝临轩，遣使拜太傅、太尉、司空。会将作乐，宿县于殿庭，门下奏，非祭祀燕飨则无设乐之制。事下太常。谟议临轩遣使宜有金石之乐，遂从之。"《上言临轩拜三公宜作乐》见《晋书》卷二十一《礼志下》："咸康四年，成帝临轩，遣使拜太傅、太尉、司空。《仪注》，太乐宿悬于殿庭。门下奏，非祭祀宴飨，则无设乐之制。太常蔡谟议曰……议奏从焉。"《敕作佛象颂议》见《晋书》卷七十七《蔡谟传》："（成帝）临轩作乐，自此始也。彭城王纮上言，乐贤堂有先帝手画佛象，经历寇难，而此堂犹存，宜敕作颂。帝下其议。谟曰……于是遂寝。"

本年

成帝司马衍为帛尸梨密多罗树刹冢。《高僧传》卷一《帛尸梨密传》："帛尸梨密传多罗，此云吉友，西域人，时人呼为高座。传云：国王之子当承继世，而以国让弟，暗轨太伯，既而悟心天启，遂为沙门……丞相王导一见而奇之，以为吾之徒也，由是名显。太尉庾元规、光禄周伯仁、太常谢幼与廷尉桓茂伦，皆一代名士，见之终日累叹……晋咸康中卒，春秋八十余。诸公闻之，痛惜流涕。桓宣武每云，少见高座，称其精神著出当年……密常在石子冈东行头陀，既卒，因葬于此。成帝怀其风，为树刹冢所。"成帝司马衍为帛尸梨密多罗树刹冢的具体时间不详，今据其卒于"咸康中"，姑系于此。

前秦苻坚生。《世说新语·识鉴第七》注引车频《秦书》："苻坚……武都氏人也。本姓蒲，祖父洪，诈称谶文，改曰'苻'言己当王，应符命也。"《晋书》卷一百十三《苻坚载记》："苻坚，字永固，一名文玉，雄之子也。祖洪，从石季龙徙邺，家于永贵里。其母苟氏尝游漳水，祈子于西门豹祠，其夜梦与神交，因而有孕，十二月而生坚焉。有神光自天烛其庭。背有赤文，隐起成字，曰'草付臣又土王咸阳'。臂垂过膝，目有紫光。洪奇而爱之，名曰坚头。"据本传记载苻坚卒于太元十一年，时年四十八，则其当生于本年。

虞喜著《安天论》，葛洪闻而讥之。《晋书》卷九十一《虞喜传》："喜专心经传，兼览谶纬，乃著《安天论》以难浑、盖。"卷十一《天文志上》："成帝咸康中，会稽虞喜因宣夜之说作《安天论》，以为……葛洪闻而讥之曰……"《隋书》卷三十四《经籍志三》："《安天论》六卷，虞喜撰。"《安天论》撰写的具体时间不详，今据"咸康中"，姑系于此。

支遁出家，注《逍遥游》约在此时。《世说新语·言语第二》注引《高逸沙门传》："支遁字道林，河内林虑人，或曰陈留人，本姓关氏。少而任心独往，风期高亮，家世奉法。尝于余杭山沉思道行，泠然独畅。年二十五始释形入道。"《高僧传》卷四《支遁传》："家世事佛，早悟非常之理，隐居余杭山，深思道行之品，委曲慧印之经，卓焉独拔，得自天心。年二十五出家。"支遁本年二十五岁。《世说新语·文学第四》："庄子《逍遥》篇，旧是难处，诸名贤所可钻味，而不能拔理于郭、向之外。支道林在白马寺中，将冯太常共语，因及《逍遥》。支卓然标新理于二家之表，立异义于众贤之外，皆是诸名贤寻味之所不得。后遂用支理。"余嘉锡《笺疏》引程炎震云："据《高僧传》遁传叙次，则此白马寺在余杭。"则支遁注《逍遥游》当在隐居余杭山时。

公元339年（晋成帝咸康五年　己亥）

四月

庾亮作《谋开复中原疏》。《晋书》卷七十三《庾亮传》："时石勒新死，亮有开复中原之谋，乃解豫州授辅国将军毛宝……亮当率大众十万，据石城，为诸军声援，乃上疏曰……帝下其议。时王导与亮意同，郗鉴议以资用未备，不可大举。亮又上疏，便欲迁镇。会寇陷邾城，毛宝赴水而死。亮陈谢，自贬三等，行安西将军。有诏复位。"卷七《成帝纪》：咸和八年七月戊辰，石勒死。本年"夏四月辛未，征西将军庾亮遣参军赵松击巴郡、江阳，获石季龙将李闳、黄桓等"。

蔡谟作《征西将军庾亮移镇石城议》。《晋书》卷七十七《蔡谟传》："时征西将军庾亮以石勒新死，欲移镇石城，为灭贼之渐。事下公卿。谟议曰……朝议同之，故亮不果移镇。"

七月

庚申，王导卒。成帝司马衍作《谥王导册》。《晋书》卷六十五《王导传》："咸康五年薨，时年六十四。帝举哀于朝堂三日，遣大鸿胪持节监护丧事，赗襚之礼，一依汉博陆侯及安平献王故事。及葬，给九游辒辌车、黄屋左纛、前后羽葆鼓吹、武贲班剑百人，中兴名臣莫与为比。册曰：'……今遣使持节、谒者仆射任瞻锡谥曰文献，祠以太牢……'"卷七《成帝纪》："秋七月庚申，使持节、侍中、丞相、领扬州刺史、始兴公王导薨。"《隋书》卷三十五《经籍志四》："晋丞相《王导传》十一卷，梁十卷，录一卷。"《全晋文》卷十九辑文二十一篇，除已见上文者外，还有《转陈耽、谢鸾教》《求别驾教》《上疏论谥法》《请原羊聃启》《迁丹阳太守上笺》《答荀崧书》《书》《麈尾铭》。

辛酉，何充录尚书事，作《奏言沙门不应敬王者》三篇。《晋书》卷七十七《何充传》："及（王）导薨，转护军将军，与中书监庾冰参录尚书事……寻迁中书令，加左将军。充以内外统任，宜相纠正，若使事综以人，于课对为嫌，乃上疏固让。许之。"卷七《成帝纪》："秋七月庚申，使持节、侍中、丞相、领扬州刺史、始兴公王导薨。辛酉，以护军将军何充录尚书事。"《奏言沙门不应敬王者》三篇，见《全晋文》卷二十三，篇中有"尚书令、冠军、抚军、都乡侯臣充……言"句，可知此文作于何充任尚书令之后。

庾亮被征为司徒，不就，撰《杂乡射等议》，与谢尚修雅乐。《晋书》卷七十三《庾亮传》："亮自邾城陷没，忧慨发疾。会王导薨，征亮为司徒、扬州刺史、录尚书事，又固辞，帝许之。"丁国钧《补晋书艺文志》卷一："《杂乡射等议》三卷，庾亮。谨按，见《七录》。《通典》：'晋咸康五年，征西庾亮行乡射之礼，依古周制，亲执其事，洋洋有洙泗之风。'是书当成于彼时。"《宋书》卷十九《乐志一》："庾亮为荆州，与谢尚共为朝廷修雅乐，两寻薨。"庾亮卒于明年，上述事似在本年，姑系于此，庾冰代王导辅政，作《上疏辞封赏》。《晋书》卷七十三《庾冰传》："冰字季坚。兄亮以名德流训，冰以雅素垂风，诸弟相率莫不好礼，为世论所重，亮常以为庾氏之宝……是时王导新丧，人情恇然。冰兄亮既固辞不入，众望归冰。既当重任，经纶时务，不舍夙夜，宾礼朝贤，升擢后进，由是朝野注心，咸曰贤相。初，导辅政，每从宽惠，冰颇任威刑……诏复论前功，冰上疏曰……"

殷融作《显赠刁协议》，蔡谟作《与庾冰书论赠刁协》，成帝司马衍作《追赠刁协本官诏》。《晋书》卷六十九《刁协传》："（王）敦平后，周颉、戴若思等皆被显赠，惟协以出奔不在其例。咸康中，协子彝上疏讼之。在位者多以明帝之世褒贬已定，非所得更议，且协不能抗节陨身，乃出奔遇害，不可复其官爵也。丹阳尹殷融议曰……时庾冰辅政，疑不能决。左光禄大夫蔡谟与冰书曰……冰然之。事奏，成帝诏曰……于是追赠本官，祭以太牢。"庾冰辅政在此时，姑系议刁协事于此。

八月

辛卯，郗鉴作《上疏逊位》，卒。《晋书》卷六十七《郗鉴传》："后以寝疾，上疏逊位曰……鉴寻薨,时年七十一。帝朝晡哭于朝堂,遣御史持节护丧事,赠一依温峤故事。册曰:"惟公道德冲邃,体识弘远,忠亮雅正,行为世表,历位内外,勋庸弥著。乃者约峻狂狡,毒流朝廷,社稷之危,赖公以宁……今赠太宰,谥曰文成,祠以太牢……"《建康实录》卷七《显宗成皇帝》:本年八月,"辛酉,侍中太尉南昌公郗鉴薨。"校勘记云:"'辛酉',《晋书·成帝纪》《通鉴》九六皆同,然八月无辛酉,徐抄本作'辛卯',为八月十九日,疑是。"《隋书》卷三十五《经籍志四》:"晋太尉《郗鉴集》十卷,录一卷。"《全晋文》卷一百九辑文四篇,除已见上文者外,还有《书》一篇。

孙绰作《与庾冰诗》《丞相王导碑》《太宰郗鉴碑》。《与庾冰诗》见《晋诗》卷十三,诗云:"子冲赤霄,我戢蓬黎……我闻为政,宽猛相革。"当作于本年"庾冰代相"之后。《世说新语·政事第三》注引《殷羡言行》:"王公薨后,庾冰代相,网密刑峻。"《晋书》卷三十《刑法志》:"咸康之世,庾冰好为纠察,近于繁细。"孙绰做诗即为此而发。《丞相王导碑》和《太宰郗鉴碑》见《全晋文》卷六十二,当分别作于本年王导和郗鉴卒后。

蔡谟任征北将军、徐州刺史,作《谏寿阳城》《谏断酬功疏》。《晋书》卷七十七《蔡谟传》:"初,太尉郗鉴疾笃,出谟为太尉军司,加侍中。鉴卒,即拜谟为征北将军、都督徐兖青三州扬州之晋陵豫州之沛郡诸军事、领徐州刺史、假节。时左卫将军陈光上疏请伐胡,诏令攻寿阳,谟上疏曰……先是,郗鉴上部下有勋劳者凡一百八十人,帝并酬其功,未卒而鉴薨,断不复与。谟上疏以为……诏听之。"

九月

汉(成)龚壮作诗七篇,托言应璩以讽李寿。《晋书》卷一百二十一《李寿载记》:"寿初病,思明等复议奉王室,寿不从。李演自越嶲上书,劝寿归正返本,释帝称王,寿怒杀之,以威龚壮、思明等。壮作诗七篇,托言应璩以讽寿。寿报曰:'省诗知意,若今人所作,贤哲之话言也。古人所作,死鬼之常辞耳!'动慕汉武、魏明之所为,耻闻父兄时事,上书者不得言先世政化,自以己胜之也。"据《华阳国志》卷九记载,李寿于本年秋杀李演。《资治通鉴》卷九十六系于本年九月。《通鉴》记载:"舍人杜袭作诗十篇,托言应璩以讽……"诗作者和篇数与《晋书》不同。

本年

前凉张骏立辟雍明堂,命索绥著《凉春秋》。《十六国春秋辑补》卷七十《前凉录四·张骏录》:本年"以右长史任处领国子祭酒,立辟雍明堂而行礼焉。命西曹掾集阁内外事付索绥,以著《凉春秋》。十一月,以世子重华行凉州事"。《史通·外篇·古今正史》:"前凉张骏十五年,命其西曹边浏集内外事,以付秀才索绥,作《凉国春秋》五十卷。"

庾阐出补零陵太守,作《吊贾谊文》《吊贾谊诗》《三月三日诗》《衡山诗》。《晋书》卷九十二《庾阐传》:"顷之,出补零陵太守,入湘川,吊贾谊。其辞曰:'中兴二十三载，余忝守衡南，鼓枻三江，路次巴陵，望君山而过洞庭，涉湘川而观汩水，临贾生投书之川，慨以永怀矣。及造长沙，观其遗象，喟然有感，乃吊之云……'"自建武元年中兴至本年凡二十三载，则庾阐出补零陵太守，作《吊贾谊文》当在本年。《吊贾谊诗》见《晋诗》卷十二，可能也作于此时。同卷又有《三月三日诗》，诗云"心结湘川渚"；《衡山诗》，诗云"北眺衡山首，南睨五岭末"，二诗可能也作于庾阐"出补零陵太守，入湘川"之后。

卢谌迁国子祭酒。《晋书》卷四十四《卢谌传》："以为……国子祭酒。"具体时间不详。《十六国春秋辑补》卷十六《后赵录六·石虎录》："（建武）五年，下书令诸郡国立五经博士。初（石）勒置大小学博士，至是复置国子博士助教。"卢谌任国子祭酒疑在石虎立五经博士时。

公元 340 年（晋成帝咸康六年　庚子）

正月

庚子，庾亮卒。追赠太尉。庾冰作《为兄亮上疏辞封》。《晋书》卷七《成帝纪》："六年春正月庚子，使持节、都督江豫益梁雍交广七州诸军事、司空、都亭侯庾亮薨。"《建康实录》卷七《显宗成皇帝》记载庾亮薨于本年七月，不知何据。今从《晋书》。《晋书》卷七十三《庾亮传》："咸康六年薨，时年五十二。追赠太尉，谥曰文康。丧至，车驾亲临。及葬，又赠永昌公印绶。亮弟冰上疏曰……帝从之。亮将葬，何充会之，叹曰：'埋玉树于土中，使人情何能已！'"《隋书》卷三十二《经籍志一》："梁有……《杂乡射等议》，晋太尉庾亮撰……《论语君子无所争》一卷，庾亮撰……亡。"卷三十五《经籍志四》："晋太尉《庾亮集》二十一卷。梁二十卷，录一卷……亡。"《全晋文》卷三十六、卷三十七辑文 20 篇，除已见上文者外，还有《皇子出后告庙议》《书》《答郭预书》《答王群咨为从父姊反服》及《翟征君赞》。另《世说新语·雅量第六》注引庾亮《启参佐名》，《全晋文》漏收。《文心雕龙·才略》："庾元规之表奏，靡密以闲畅；温太真之笔记，循理而清通；亦笔端之良工也。"【附录】庾亮三子庾羲，有文名。《晋书》卷七十三《庾羲传》："羲少有时誉，初为吴国内史。时穆帝颇爱文义，羲至郡献诗，颇存讽谏。因上表曰……其诗文多不载。羲方见授用而卒。"《世说新语·方正第五》注："道恩，庾羲小字。"又注引徐广《晋纪》："羲，字叔和，太保（应作'太尉'）亮第三子。拔尚率到。位建威将军、吴国内史。"

孙绰作《庾公诔》，善于品评人物。《世说新语·方正第五》："孙兴公作庾公诔，文多托寄之辞。既成，示庾道恩。庾见，慨然送还之，曰：'先君与君，自不至于此。'"《世说新语·品藻第九》："抚军问孙兴公：'刘真长何如？'曰：'清蔚简令。''王仲祖何如？'曰：'温润恬和。''桓温何如？'曰：'高爽迈出。''谢仁祖何如？'曰：'清易令达。''阮思旷何如？'曰：'弘润通长。''袁羊何如？'曰：'洮洮清便。''殷洪远何如？'曰：'远有致思。''卿自谓何如？'曰：'下官才能所经，悉不如诸贤；至于斟酌时宜，笼罩当世，亦多所不及。然以不才，时复托怀玄胜，远咏老、庄，萧条高寄，不与时务经怀，自谓此心无所与让也。'"

庾亮伎制作《礼毕乐》。《隋书》卷十五《音乐志下》："《礼毕》者，本出自晋太尉庾亮家。亮卒，其伎追思亮，因假为其面，执翳以舞，象其容，取其谥以号之，谓之为《文康乐》。每奏九部乐终则陈之，故以礼毕为名。其行曲有《单交路》，舞曲有《散花》。乐器有笛、笙、箫、篪、铃槃、鞞、腰鼓等七种，三悬为一部。工二十二人。"

庾翼任荆州刺史，镇武昌，作《贻殷浩书》《报兄冰书》。《晋书》卷七十三《庾翼传》："翼字稚恭。风仪秀伟，少有经纶大略……及（庾）亮卒，授都督江荆司雍梁益六州诸军事、安西将军、荆州刺史、假节，代亮镇武昌。翼以帝舅，年少超居大任，遐迩属目，虑其不称。翼每竭志能，劳谦匪懈，戎政严明，经略深远，数年之中，公私充实，人情翕然，称其才干……时殷浩征命无所就，而翼请为司马及军司，并不肯赴。翼遗浩书，因致其意。先是，浩父羡为长沙，在郡贪残，兄冰与翼书属之。翼报曰……翼有风力格裁，发言立论皆如此。"卷七十七《殷浩传》："安西庾翼复请为司马。除侍中、安西军司，并称疾不起……庾翼贻浩书曰……"《建康实录》卷七《显宗成皇帝》：本年"正月庚戌，以庾翼为……荆州刺史。"

殷浩被庾翼征为司马及军司，不肯赴。《晋书》卷七十七《殷浩传》："殷浩，字深源，陈郡长平人也……浩识度清远，弱冠有美名，尤善玄言，与叔父融俱好《老》《易》。融与浩口谈则辞屈，著篇则融胜，浩由是为风流谈论者所宗……安西庾翼复请为司马。除侍中、安西军司，并称疾不起……庾翼贻浩书曰……"

本年

成帝司马衍作《追恤卞壸诏》。见《晋书》卷七十《卞壸传》："咸康六年，成帝追思壸，下诏曰……"

王羲之受庾亮推荐，任宁远将军、江州刺史，书《痛惋帖》。至承天归宗禅院，置以舍梵僧那连耶舍尊者。时皆学羲之书。《晋书》卷八十《庾亮传》："亮临薨，上疏称羲之清贵有鉴裁。迁宁远将军、江州刺史。"《全晋文》卷二十五载《痛惋帖》云："庾虽疾笃，谓必得治力，岂图凶问奄至！痛惋情深。半年之中，祸毒至此，寻念相催，不能已已……"张可礼先生《东晋文艺系年》第225页云："帖中所云'庾'，当指庾亮。亮本年正月卒，上距王导之殁，相去半年。是此帖当作于本年庾亮卒后。"陈舜愈撰《庐山记》卷三《叙山志篇第三》："自栗里三里，及承天归宗禅院。晋咸康六年，宁远将军、江州刺史王羲之，置以舍梵僧那连耶舍尊者，以名达摩多罗。"王僧虔《论书》："庾征西翼书，少时与右军齐名。右军后进，庾又不忿。在荆州与都下书云：'小儿辈乃贱家鸡，爱野鹜，皆学逸少书。须吾还，当比之。'"

司马昱进抚军将军，领秘书监，尝与孙绰商略诸风流人物。《晋书》卷九十三《王濛传》："简文帝之为会稽也，尝与孙绰商略诸风流人。"卷九《简文帝纪》："咸康六年，进抚军将军，领秘书监。"

刘劭时任侍中。刘劭生年不详。《世说新语·言语第二》注引《文字志》曰："劭，字彦祖，彭城丛亭人。祖讷，司隶校尉。父松，成皋令。劭博识好学，多艺能，善草隶。初仕领军参军，太傅出东，劭谓京洛必危，乃单马奔扬州。"《晋书》卷六十九《刘波传》："（刘）劭，有才干，辟琅邪王丞相掾。咸康世，历御史中丞、侍中、尚书、豫章太守，秩中二千石。"刘劭上述事迹的具体时间不详。《建康实录》卷七《显宗成皇帝》：本年"正月庚戌，以庾翼为……荆州刺史。将发，献王柄毛扇，帝疑其故物，侍中刘劭进曰……"可见，本年刘劭为侍中。

　　许询与王修在会稽西寺辩论，王修作《全贤论》。《世说新语·文学第四》："许掾询也。年少时，人以比王苟子，许大不平。时诸人士及于法师并在会稽西寺讲，王亦在焉。许意甚忿，便往西寺与王论理，共决优劣。苦相折挫，王遂大屈。许复执王理，王执许理，更相覆疏；王复屈。许谓支法师曰：'弟子向语何似？'支从容曰：'君语佳则佳矣，何至相苦邪？岂是求理中之谈哉！'"此事具体时间不详，今据其"年少时"，姑系于本年。本年许询约十五六岁。

公元 341 年（晋成帝咸康七年　辛丑）

三月

　　成帝司马衍作《杜皇后崩内外入临诏》、《停凶门柏历诏》《又诏》《葬恭杜皇后诏》《皇后丧不废三日吉礼诏》《正月奏乐诏》《奔丧诏》。《杜皇后崩内外入临诏》《停凶门柏历诏》和《又诏》见《宋书》卷十五《礼志二》："成帝咸康七年，杜后崩。诏……有司奏……诏曰……范坚又曰：'凶门非古……'是时又诏曰……《晋书》有司又奏……诏又停之。"《葬恭杜皇后诏》见《晋书》卷三十二《成恭杜皇后传》：本年"三月，后崩……帝下诏曰……"《皇后丧不废三日吉礼诏》和《正月奏乐诏》见《晋书》卷二十三《乐志下》："成帝咸康七年，尚书蔡谟奏：'八年正会仪注，惟作鼓吹钟鼓，其余伎乐尽不作。'侍中张澄、给事黄门侍郎陈逵驳，以为……诏曰……澄、逵又启……诏曰……"《奔丧诏》见《通典》卷八十："东晋成帝咸康中，恭皇后山陵司徒西曹属王濛议立奔赴之制曰……典门郎徐众等驳濛云……诏可。濛又申述前议曰……诏又付尚书左丞王彪之议，云……诏曰……"卷七《成帝纪》：本年"三月戊戌，杜皇后崩。夏四月丁卯。葬恭皇后于兴平陵"。

　　范坚议凶门非礼。《晋书》卷七十五《范坚传》："坚字子常，博学善属文……后迁护军长史，卒官。子启，字荣期，虽经学不及坚，而以才义显于当世。于时清谈之士庾龢、韩伯、袁宏等，并相知友。为秘书郎，累居显职，终于黄门侍郎。父子并有文笔传于世。"《隋书》卷三十二《经籍志一》："梁有……《春秋释难》三卷，晋护军范坚撰。亡。"《全晋文》卷一百二十四辑文三篇，即《蜡灯赋》《安石榴赋》《驳议减邵广死罪》。

　　王濛作《议立奔赴之制》《申述前议》。王彪之作《奔丧议》。《议立奔赴之制》《申述前议》见《通典》卷八十："东晋成帝咸康中，恭皇后山陵司徒西曹属王濛议立奔赴之制曰……典门郎徐众等驳濛云……诏可。濛又申述前议曰……诏又付尚书左丞王彪之议，云……诏曰……"

本年

晋哀帝司马丕生。《晋书》卷八《哀帝纪》："哀皇帝讳丕，字千龄，成帝长子也。"据《哀帝纪》记载，其卒于太宁三年，时年二十五岁，则其当生于本年。

谢安赴庾冰之召，月余告归。《晋书》卷七十九《谢安传》："寓居会稽，与王羲之及高阳许询、桑门支遁游处，出则渔弋山水，入则言咏属文，无处世意。扬州刺史庾冰以安有重名，必欲致之，累下郡县敦逼，不得已赴召，月余告归。复除尚书郎、琅邪王友，并不起。"《世说新语·言语第二》程炎震注引《晋略列传》卷二十七《谢安传》："咸康中，庾冰强致之。"张可礼《东晋文艺系年》第 232 页认为："据《东晋将相大臣年表》，庾冰于咸康五年七月至建元元年十月任扬州刺史。谢安赴召当在咸康五年至八年间。"

成帝司马衍正雅乐，除杂伎。《宋书》卷十九《乐志一》："晋成帝咸康七年，散骑侍郎顾臻表曰：'臣闻圣王制乐，赞扬治道，养以仁义，防其邪淫……方今夷狄对岸，外御为急，兵食七升，忘身赴难，过泰之戏，日廪五斗。方扫神州，经略中甸，若此之事，不可示远。宜下太常，纂备雅乐……杂伎而伤人者，皆宜除之……'于是除《高絙》《紫鹿》、《跂行》《鳖食》及《齐王卷衣》《笮儿》等乐。又减其廪。其后复《高絙》《紫鹿》焉。"按，校勘记云：'笮儿'，《晋书·乐志》《通典·乐典》《元龟》一五九、五七五并同《宋书》。《南齐书·乐志》作'笮鼠'，则儿乃鼠字之讹。"《南齐书》卷十一《东志》："江左咸（康）中，罢《紫鹿》《跂行》《鳖食》《笮鼠齐王卷衣》《绝倒》《五案》等伎。"

公元 342 年（晋成帝咸康八年　壬寅）

三月

王述作《与庾冰笺》。《晋书》卷七十五《王述传》："时庾翼镇武昌，以累有妖怪，又猛兽入府，欲移镇避之。述与冰笺曰：'窃闻安西欲移镇乐乡……'时朝议亦不允，翼遂不移镇。"《资治通鉴》系此事为本年三月。

六月

成帝司马衍作《为东海王冲立后诏》《遗诏》。卒。《为东海王冲立后诏》见《晋书》卷六十四《元四王传》："东海哀王冲……咸康七年薨……无子。成帝临崩，诏曰……"《遗诏》见卷七《成帝纪》："夏六月庚寅，帝不豫，诏曰……壬辰，引武陵王晞、会稽王昱、中书监庾冰、中书令何充、尚书令诸葛恢并受顾命。癸巳，帝崩于西堂，时年二十二，葬兴平陵，庙号显宗。帝少而聪敏，有成人之量……然少为舅氏所制，不亲庶政。及长，颇留心万机，务在简约，常欲于后园作射堂，计用四十金，以劳费乃止。雄武之度，虽有愧于前王；恭俭之德，足追踪于往烈矣。"

甲午，司马岳即帝位，作《奔丧诏》。《晋书》卷七《康帝纪》："康皇帝讳岳，字世同，成帝母弟也……八年六月庚寅，成帝不豫，诏以琅邪王为嗣。癸巳，成帝崩。

甲午，即皇帝位，大赦。诸屯戍文武及二千石官长，不得辄离所局而来奔赴……时帝谅阴不言，委政于庾冰、何充。秋七月丙辰，葬成皇帝于兴平陵。帝亲奉奠于西阶，既发引，徒行至阊阖门，升素舆，至于陵所。"《奔丧诏》见《通典》卷八十："（咸康）八年，成帝崩，尚书殷融上言……诏曰……'"

蔡谟拜光禄大夫，领司徒。《晋书》卷七十七《蔡谟传》："康帝即位，征拜光禄大夫、开府仪同三司、领司徒。"

殷融作《奏并襄阳郡县》《上言奔赴山陵不须限制》。《奏并襄阳郡县》见《全晋文》卷一百二十九，严可均注："咸康八年尚书殷融奏。"《上言奔赴山陵不须限制》见《通典》卷八十："（咸康）八年，成帝崩，尚书殷融上言：'司徒西曹属王濛以周年为限，不及者除名，付之乡论。臣以为……诏曰……'融又重启，依王濛所上为条制。"

七月

何充为骠骑将军。《晋书》："秋七月丙辰，葬成皇帝于兴平陵。帝亲奉奠于西阶，既发引，徒行至阊阖门，升素舆，至于陵所。己未，以中书令何充为骠骑将军。"

支遁游京师，作《八关斋诗》三首并序。《世说新语·赏誉第八》注引《支遁别传》："遁神心警悟，清识玄远，尝至京师，王仲祖称其造微之功，不异王弼。"《世说新语·政事第三》："王、刘与林公共看何骠骑。"《八关斋诗》三首并序见《晋诗》卷二十，《序》云："间与何骠骑期，当为合八关斋。以十月二十二日，集同意者在吴县土山墓下。三日清晨为斋始，道士白衣凡二十四人……至四月朝，众贤各去……"当作于本年何充为骠骑将军后。

王濛与刘惔共看何充。《世说新语·政事第三》："王、刘与林公共看何骠骑，骠骑看文书不顾之。王谓何曰：'我今故与林公来相看，望卿摆拨常务，应对玄言，那得方低头看此邪？'何曰：'我不看此，卿等何以得存？'诸人以为佳。"此当在本年何充为骠骑将军后。

本年

有《成帝末童谣》。《晋书》卷二十八《五行志中》："成帝之末，又有童谣曰……少日而宫车晏驾。"

孔愉卒。《晋书》卷七十八《孔愉传》："病笃，遗令敛以时服，乡邑义赠，一不得受。年七十五，咸康八年卒。赠车骑将军、开府仪同三司，谥曰贞。"《建康实录》卷八《孝宗穆皇帝》谓孔愉卒于永和元年，不知何据，待考。《隋书》卷三十三《经籍志二》："《晋咸和、咸康故事》四卷，晋孔愉撰。"《全晋文》卷一百二十六辑文三篇。

竺道壹约于本年出家。《高僧传》卷五《竺道壹传》："少出家，贞正有学业，而晦迹隐智，人莫能知。与之久处，方悟其神出。"竺道壹本年约十四岁。

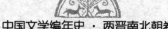

公元343年（晋康帝建元元年　癸卯）

正月

康帝司马岳作《纳皇后仪注诏》《诏省纳后仪物》。改元。《纳皇后仪注诏》和《诏省纳后仪物》见《晋书》卷二十一《礼志下》："康帝建元元年，纳皇后褚氏，而《仪注》陛者不设旄头。殿中御史奏……诏曰……又诏曰……"卷七《康帝纪》："建元元年春正月，改元。"

晦，康帝司马岳作《周年不应改服诏》。《周年不应改服诏》见《宋书》卷十五《礼志二》："晋康帝建元元年正月晦，成恭杜皇后周忌。有司奏……诏曰……"

四月

庾阐作《为庾稚恭檄蜀文》。《为庾稚恭檄蜀文》见《全晋文》卷三十八。《晋书》卷七《礼志下》：本年"四月，益州刺史周抚、西阳太守曹据伐李寿，败其将李恒于江阳"。卷七十三《庾翼传》记载康帝崩后，（庾翼）"遣益州刺史周抚、西阳太守曹据伐蜀，破蜀将李恒于江阳"。比《康帝纪》的记载推后了一年，今从《康帝纪》，则此檄文当作于本年四月。

五月

癸丑，康帝司马岳作《以会稽王昱领太常诏》，司马昱领太常。《晋书》卷九《简文帝纪》："建元元年夏五月癸丑，康帝诏曰：'太常职奉天地，兼掌宗庙，其为任也，可谓重矣。是以古今选建，未尝不妙简时望，兼之儒雅。会稽王叔履尚清虚，志道无倦，优游上列，讽议朝肆。其领太常本官如故。'"

六月

壬寅，康帝司马岳作《答有司请权降丧礼诏》。《晋书》卷七《康帝纪》：本年六月"有司奏，成帝崩一周，请改素服，御进膳如旧。壬寅，诏曰……"

壬午，处士虞喜、翟汤被征。《晋书》卷七《康帝纪》："六月壬午，又以束帛征处士寻阳翟汤、会稽虞喜。"

七月

丁巳，康帝司马岳慰抚庾翼军，作《诏遣使诣安西骠骑》《讨石虎檄文》。《晋书》卷七《康帝纪》："秋七月，石季龙将戴开帅众来降。丁巳，诏曰：'……中原之事，宜加筹量。且戴开已帅部党归顺，宜见慰劳。其遣使诣安西、骠骑，咨谋诸军事。'"《讨石虎檄文》见崔鸿撰《十六国春秋》卷十六《后赵录六·石虎录中》：本年"秋七月，晋都督江、荆等诸军事庾翼，以灭胡取蜀为己任，遣使东约慕容皝，西约张骏，刻期大举……诏议经略中原……又檄石虎文曰……"

庾翼北伐至夏口，此间作《与兄冰书》《北伐上疏》《北伐至夏口上表》。《与庾冰书》见《宋书》卷二十四《天文志二》："建元元年，岁星犯天关。安西将军庾翼与兄冰书曰……"《晋书》卷十三《天文志下》系《与兄冰书》于明年，今从《宋书》。《北伐上疏》和《北伐至夏口上表》见《晋书》卷七十三《庾翼传》："康帝即位，翼欲率众北伐，上疏曰……于是并发所统六州奴及车牛驴马，百姓嗟怨。时欲向襄阳，虑朝廷不许，故以安陆为辞。帝及朝士皆遣使譬止，车骑参军孙绰亦致书谏。翼不从，遂违诏辄行。至夏口，复上表曰……翼时有众四万，诏加都督征讨军事。师次襄阳，大会僚佐，陈旌甲，亲授弧矢。"卷七《康帝纪》：本年七月"安西将军庾翼为征讨大都督，迁镇襄阳"。

庾阐作《为庾稚恭檄石虎文》《观石鼓诗》《登楚山诗》。《为庾稚恭檄石虎文》见《全晋文》卷三十八，其中有"今遣使持节、荆州刺史都亭侯庾翼"句，则此檄文当作于本年庾翼北伐时。曹道衡先生《中古文学史论文集》第 297 页："（庾阐）在晚年曾到过荆州，可能在（庾翼）幕下任过职。其证据是他曾作有《为庾稚恭檄石虎文》和《为庾稚恭檄蜀文》。"《观石鼓诗》见《晋诗》卷十二，注："石鼓，山名。"其诗云："朝济清溪岸，夕憩五龙泉。鸣石含潜响，雷骇震九天。"盛弘之《荆州记》云："建平郡南陵县有石鼓，南有五龙山，山峰嶕硗，凌云济竦，状若龙形，故因为名。"张可礼先生《东晋文艺系年》第 248 页认为："诗中所言'五龙泉'，可能指五龙山之山泉。建平郡属荆州，疑诗当作于庾阐在庾翼幕下任职时。"《晋诗》卷十二另有《登楚山诗》疑亦作于在荆州时。

范汪作《请严诏谕庾翼还镇疏》。《晋书》卷七十五《范汪传》："范汪，字玄平……少孤贫，及长，好学……布衣蔬食，然薪写书，写毕，诵读亦遍，遂博学多通，善谈名理……时庾翼将悉郢汉之众以事中原，军次安陆，寻转屯襄阳。汪上疏曰……寻而骠骑将军何充辅政，请为长史。"此文当作于庾翼北伐时。

庾龢作《请叔父翼徙镇襄阳书》。《晋书》卷七十三《庾龢传》："龢字道季，好学，有文章。叔父翼将迁襄阳，龢年十五，以书谏曰……"《世说新语·言语第二》注引徐广《晋纪》："龢……风情率悟，以文谈致称于时。"

王羲之书《稚恭遂进镇帖》《安西帖》。《稚恭遂进镇帖》见《全晋文》卷二十四："伏想朝廷清和，稚恭遂进镇，东西齐举，想克定有期也……"《安西帖》见《全晋文》卷二十六："一昨得安西六日书，无他，无所大说，故不复付送。让都督表亦复常言耳……"稚恭是庾翼的字，上帖中"进镇"，指本年庾翼"迁镇襄阳"事；二帖中所言"让都督表"，当指庾翼本年"为征讨大都督"事。

八月

卢谌与石虎宠臣申扁抗礼，时任常侍。《十六国春秋辑补》卷十七《后赵录七·石虎录》：本年"宁远刘宁攻武都狄道，陷之……中谒者令申扁有宠于季龙……九卿以下，望尘而拜。唯侍中郑系、王谦、常侍卢谌、崔约等十余人，与之抗礼……季龙虽昏虐无道，而颇慕经学，遣国子博士诣洛阳写石经，校中经于秘书。国子祭酒聂熊，注《穀梁春秋》，列于学官。"《晋书》卷七《康帝纪》："八月，李寿死，子势嗣伪位。石季龙使其将刘宁攻陷狄道。"

十月

辛巳，庾冰任江州刺史，作《出镇武昌临发上书》。《晋书》卷七十三《庾冰传》："康帝即位，又进车骑将军。冰惧权盛，乃求外出。会弟翼当伐石季龙，于是以本号除都督江荆宁益梁交广七州豫州之四郡军事、领江州刺史、假节，镇武昌，以为翼援。冰临发，上疏曰……"卷七《康帝纪》：本年"冬十月辛巳，以车骑将军庾冰都督荆江司雍益梁六州诸军事、江州刺史"。

辛巳，何充任中书监、扬州刺史，录尚书事，辅政。《晋书》卷七十七《何充传》："顷之，庾翼将北伐，庾冰出镇江州，充入朝，言于帝曰：'臣冰舅氏之重，宜居宰相，不应远出。'朝议不从。于是征充入为都督扬豫徐州之琅诸军事、假节，领扬州刺史，将军如故。"卷七《康帝纪》：本年"冬十月辛巳……以骠骑将军何充为中书监、都督扬豫二州诸军事、扬州刺史、录尚书事，辅政"。

本年

支遁入剡，居峁山。《世说新语·言语第二》："支公好鹤，住山东峁山。"注引《支公书》："山去会稽二百里。"支遁入剡的具体时间不详，今从张可礼《东晋文艺系年》第 248 页，系于本年。

公元 344 年（晋康帝建元二年　甲辰）

八月

丙子，庾翼进征西将军，作《答殷豫章书》《答何充书》。《晋书》卷七十三《庾翼传》："又进翼征西将军，领南蛮校尉……翼绥来荒远，务尽招纳之宜，立客馆，置典宾参军。桓宣卒，翼以长子方之为义成太守……康帝崩，兄冰卒，以家国情事，留方之戍襄阳……又领豫州刺史，辞豫州。复欲移镇乐乡，诏不许。缮修军器，大佃积谷，欲图后举。"卷七《康帝纪》：本年"八月丙子，进安西将军庾翼为征西将军"。《答殷豫章书》见《世说新语·排调第二十六》："庾征西大举征胡，既成行，止镇襄阳。殷豫章与书，送一折角如意以调之。庾答书曰：'得所致，虽是败物，犹欲理而用之。'"《答何充书》见《通典》卷六十七："何充与庾翼书：'褚将军还朝，值太后临朝……'翼答曰……"当作于本年九月褚太后临朝后。

康帝司马岳罢《绝倒》《悬橦》之伎。此年还作《促顾和释服就职诏》《以谢尚为南中郎将诏》。《建康实录》卷八：建元"二年秋八月，罢《绝倒》《悬橦》之伎"。《促顾和释服就职诏》见《晋书》卷八十三《顾和传》："顾和，字君孝……康帝即位……迁尚书仆射……更拜银青光禄大夫，领国子祭酒。顷之，母忧去职，居丧以孝闻。既练，卫将军褚裒上疏荐和，起为尚书令，遣散骑郎喻旨。和每见逼促，辄号唢恸绝……帝又下诏曰……"则此诏书当作于本年。《以谢尚为南中郎将诏》见《晋书》卷九十七《谢尚传》："谢尚，字仁祖……建元二年，诏曰：'尚……今以为南中郎将，余官如故。'"

九月

何充立皇太子，加侍中，作《与庾翼书》《褚太后敬父议》。《晋书》卷七十七《何充传》："俄而帝疾笃，冰、翼意在简文帝，而充建议立皇太子，奏可。及帝崩，充奉遗旨，便立太子，是为穆帝，冰、翼甚恨之……又加中书监、录尚书事。充自陈既录尚书，不宜复监中书，许之。复加侍中，羽林骑十人。"《与庾翼书》见《通典》卷六十七："何充与庾翼书：'褚将军还朝，值太后临朝……'"《褚太后敬父议》见《全晋文》卷三十二。《晋书》卷八《穆帝纪》："穆皇帝讳聃，字彭子，康帝子也。建元二年九月丙申，立为皇太子。戊戌，康帝崩。己亥，太子即皇帝位，时年二岁。大赦，尊皇后为皇太后。壬寅，皇太后临朝摄政。"《褚太后敬父议》当作于本年九月褚太后临朝后。

戊戌，康帝司马岳崩。《晋书》卷七《康帝纪》："戊戌，帝崩于式乾殿。时年二十三，葬崇平陵。"

十一月

庚辰，庾冰卒。《晋书》卷七十三《庾冰传》："顷之，献皇后临朝，征冰辅政，冰辞以疾笃。寻而卒，时年四十九。册赠侍中、司空，谥曰忠成，祠以太牢。冰天性清慎，常以俭约自居。"卷八《穆帝纪》：本年"十一月庚辰，车骑将军庾冰卒"。《隋书》卷三十五《经籍志四》："晋司空《庾冰集》七卷。梁二十卷，录一卷。"《全晋文》卷三十七辑文六篇，除见上文者外还有：《为成帝出令沙门致敬诏》《用乐谟诏草》《与王羲之书》。

孙绰作《司空庾冰碑》。见《全晋文》卷六十二，当作于庾冰卒后。

本年

谢尚为南中郎将，领江州刺史。《晋书》卷九十二《谢尚传》："谢尚，字仁祖……建元二年，诏曰：'尚……今以为南中郎将，余官如故。'会庾冰薨，复以本号督豫州四郡，领江州刺史。俄而复转西中郎将、督扬州之六郡诸军事、豫州刺史、假节，镇历阳。"

袁宏作《咏史》，为谢尚所称赏。《晋书》卷九十二《袁宏传》："袁宏，字彦伯，侍中猷之孙也。父勖，临汝令。宏有逸才，文章绝美，曾为咏史诗，是其风情所寄。少孤贫，以运租自业。谢尚时镇牛渚，秋夜乘月，率尔与左右微服泛江。会宏在舫中讽咏，声既清会，辞又藻拔，遂驻听久之，遣问焉。答云：'是袁临汝郎诵诗。'即其咏史之作也。尚倾率有胜致，即迎升舟，与之谭论，申旦不寐，自此名誉日茂。"《咏

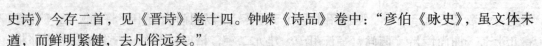

史诗》今存二首，见《晋诗》卷十四。钟嵘《诗品》卷中："彦伯《咏史》，虽文体未遒，而鲜明紧健，去凡俗远矣。"

王献之生。《书断中》："王献之字子敬，逸少第七子……太元十一年卒于官，年四十三。"据此推之，献之当生于本年。

徐邈生。《晋书》卷九十一《徐邈传》："徐邈，东莞姑幕人也。祖澄之为州治中，属永嘉之乱，遂与乡人臧琨等率子弟并闾里士庶千余家，南渡江，家于京口。父藻，都水使者。邈姿性端雅，勤行励学，博涉多闻，以慎密自居。"据本传记载，徐邈卒于隆安元年，时年五十四岁，则其当生于本年。

鸠摩罗什生。释慧皎《高僧传》卷二《鸠摩罗什传》："鸠摩罗什，此云童寿，天竺人也，家世国相。什祖父达多，倜傥不群，名重于国。父鸠摩炎，聪明有懿节，将嗣相位，乃辞避出家。东度葱岭。龟兹王闻其弃荣，甚敬慕之，自出郊迎，请为国师。王有妹年始二十，识悟明敏，过目必能，一闻则诵，且体有赤黡，法生智子。诸国娉之，并不肯行。及见摩炎，心欲当之，乃逼以妻焉。既而怀什。什在胎时，其母自觉，神悟超解，有倍常日。闻雀梨大寺名德既多，又有得道之僧，即与王族贵女，德行诸尼，弥日设供，请斋听法。什母忽自通天竺语……及什生之后，还忘前言。顷之，什母乐欲出家，夫未之许。遂更产一男，名弗沙提婆。后因出城游观，见冢间枯骨异处纵横，于是深惟苦本，定誓出家。若不落发，不咽饮食。至六日夜，气力绵乏，疑不达旦，夫乃惧而许焉……次旦受戒，仍乐禅法。专精匪懈，学得初果……初，什一名鸠摩罗耆婆，外国制名，多以父母为本，什父鸠摩炎，母字耆婆，故兼取为名。"《全晋文》卷一百六十五辑僧肇《鸠摩罗什法师诔》记载鸠摩罗什"癸丑之年，年七十。四月十三日，薨于大寺"。癸丑即晋安帝义熙九年。据此推断，鸠摩罗什当生于本年。

谢沉为著作郎。《晋书》卷八十二《谢沉传》："谢沉，字行思，会稽山阴人也……博学多识，明练经史……闲居养母，不交人事，耕耘之暇，研精坟籍。康帝即位，朝议疑七庙迭毁，乃以太学博士征，以质疑滞。以母忧去职。服阕，除尚书度支郎。何充、庾冰并称沉有史才，迁著作郎，撰《晋书》三十余卷。会卒，时年五十二。沉先著《后汉书》百卷及《毛诗》《汉书外传》，所著述及诗赋文论皆行于世。其才学在虞预之右云。"谢沉为著作郎的具体时间不详。晋康帝在位仅两年，据卷八《穆帝纪》，庾冰卒于本年十一月，则谢沉为著作郎当在本年十一月前。《隋书》卷三十二《经籍志一》："《尚书》十五卷，晋祠部郎谢沉撰……《毛诗》二十卷，谢沉注……《毛诗义疏》十卷，谢沉撰。"卷三十五《经籍志四》："梁有《谢沉集》十卷……《文章志录杂文》八卷，谢沉撰……亡。"《全晋文》卷一百三十辑文三篇：《祥墰议》《答张祖高问》和《答王氏问》。

公元 345 年（晋穆帝永和元年　乙巳）

正月

甲申，司马晞为镇军大将军。《晋书》卷六十四《武陵威王晞传》："穆帝即位，转镇军大将军。"卷八《穆帝纪》：本年正月，"甲申，进镇军将军、武陵王晞为镇军大将军、开府仪同三司"。

四月

壬戌，司马昱进位抚军大将军、录尚书六条事。《晋书》卷九《简文帝纪》："永和元年，崇德太后临朝，进位抚军大将军，录尚书六条事。"卷八《穆帝纪》：本年"夏四月壬戌，诏会稽王昱录尚书六条事"。

七月

庚午，庾翼卒。《晋书》卷七十三《庾翼传》："翼如厕，见一物如方相，俄而疽发背。疾笃……永和元年卒，时年四十一。追赠车骑将军，谥曰肃。"卷八《穆帝纪》："秋七月庚午，持节、都尉江荆司梁雍益宁七州诸军事、江州刺史、征西将军、都亭侯庾翼卒。"《隋书》卷三十五《经籍志四》："晋车骑将军《庾翼集》二十二卷，梁二十卷，录一卷。"《全晋文》卷三十七辑文 14 篇，除已见前文者外，还有：《与僚属教》《书》二篇、《答参军于瓒》《答翟铿》。另《宣和书谱》卷十五载其《与昆弟辈书》，《全晋文》漏收。

何充专辅幼主，性好佛道。《晋书》卷七十七《何充传》："冰、翼等寻卒，充专辅幼主。"《世说新语·排调第二十五》注引《晋阳秋》："何充性好佛道，崇修佛寺……久在扬州征役黎民吏民，功赏万计，是以为谪迩所讥。"《世说新语·排调第二十一》："何次道往瓦官寺礼拜甚勤。"注："充崇释氏，甚加敬也。"

八月

桓温为安西将军、荆州刺史，作《请追录王濬后表》。《晋书》卷九十八《桓温传》："桓温，字元子，宣城太守彝之子也……温豪爽有风概，姿貌甚伟，面有七星……选尚南康长公主，拜驸马都尉，袭爵万宁男，除琅邪太守，累迁徐州刺史。温与庾翼友善，恒相期以宁济之事。翼尝荐温于明帝曰：'桓温少有雄略，愿陛下勿以常人遇之，常婿畜之，宜委以方召之任，托其弘济艰难之勋。'翼卒，以温为都督荆梁四州诸军事、安西将军、荆州刺史、领护南蛮校尉、假节。"《晋书》卷八《穆帝纪》："八月……庚辰，以辅国将军、徐州刺史桓温为安西将军、持节、都督荆司雍益梁宁六州诸军事，领护南蛮校尉、荆州刺史。"《请追录王濬后表》见卷四十二《王濬传》："濬有二孙，过江不见齿录。安西将军桓温镇江陵，表言之曰……"

孙盛为桓温参军。《晋书》卷八十二《孙盛传》："会桓温代（庾）翼，留盛为参军。"

习凿齿为桓温从事。习凿齿生卒年不详。《晋书》卷八十二《习凿齿传》："习凿齿，字彦威，襄阳人也。宗族富盛，世为乡豪。凿齿少有志气，博学洽闻，以文笔著称。荆州刺史桓温辟为从事。"

王羲之书《桓安西帖》。《桓安西帖》见《全晋文》卷二十五，其文云："桓安西观自伐蜀王。""桓安西"疑指桓温,桓温本年任安西将军。

本年

王彪之作《答抚军访郊祀有赦》,转吏部尚书。《晋书》卷七十六《王彪之传》:"时永嘉太守谢毅,赦后杀郡人周矫,矫从兄球诣州诉冤。扬州刺史殷浩遣从事疏收毅,付廷尉。彪之以球为狱主,身无王爵,非廷尉所料,不肯受,与州相反复。穆帝发诏令受之。彪之又上疏执据,时人比之张释之。时当南郊,简文帝为抚军,执政,访彪之应有赦不。答曰……遂从之。转吏部尚书。简文有命用秣陵令曲安远补句容令,殿中侍御史奚郎补湘东郡。彪之执不从。"上述事具体时间不详,本传叙于简文帝为抚军后、桓温欲北伐前,姑系于此。

袁乔作《与左军褚裒解交书》。《晋书》卷八十三《袁乔传》:"乔字彦叔。初拜佐著作郎。……桓温镇京口,复引为司马,领广陵相。初,乔与褚裒友善,及康献皇后临朝,乔与裒书曰……论者以为得礼。"卷三十二《康献褚皇后传》:"及穆帝即位……临朝称制。"

袁宏起家建威将军。《世说新语·言语第二》注引《续晋阳秋》:"宏起家建威参军。"时间不详,袁宏本年十八岁,姑系于此。

前秦苻坚请师就家学。《晋书》卷一百十三《苻坚载记》:"八岁,请师就家学。洪曰:'汝戎狄异类,世知饮酒,今乃求学邪!'欣而许之。"

前凉马岌作《上言宜立西王母祠》,时任酒泉太守,并作《题宋纤石壁诗》。《晋书》卷八十六《张骏传》:"永和元年……酒泉太守马岌上言:'酒泉南山……有石室玉堂,珠玑镂饰,焕若神宫。宜立西王母祠,以裨朝廷无疆之福。'骏从之。"卷九十四《题宋纤石壁诗》见《宋纤传》:"宋纤,字令艾,敦煌效谷人也。少有远操,沉靖不与世交,隐居于酒泉南山。明究经纬,弟子受业三千余人。不应州郡辟命,惟与阴颙、齐好友善……酒泉太守马岌,高尚之士也,具威仪,鸣铙鼓,造焉。纤高楼重阁,距而不见。岌叹曰……铭诗于石壁曰……"诗的具体创作时间不详,当在马岌任酒泉太守时。

曹毗郡察孝廉,除郎中。曹毗生卒年不详。《晋书》卷九十二《曹毗传》:"曹毗,字辅佐,谯国人也。高祖休,魏大司马。父识,右军将军。毗少好文籍,善属词赋。郡察孝廉、除郎中,蔡谟举为佐著作郎。"曹毗郡察孝廉,除郎中的具体时间不详。张可礼《东晋文艺系年》第266页认为:曹毗约于永和三年为佐著作郎(详后),今假定其郡察孝廉、除郎中在曹毗为佐著作郎前三年,姑系于此。

范宣隐居豫章。《晋书》卷九十一《范宣传》:"范宣,字宣子,陈留人也。年十岁,能诵《诗》《书》……博综众书,尤善《三礼》……诏征太学博士、散骑郎,并不就。家于豫章……庾爰之以宣素贫,加年荒疾疫,厚饷给之,宣又不受。爰之问宣曰:'君博学通综,何以太儒?'宣曰:'汉兴,贵经术,至于石渠之论,实以儒为弊。正始以来,世尚老庄。逮晋之初,竞以裸裎为高。仆诚太儒,然丘不与易。'"上述事具体时间不详,按卷十三《天文志下》、卷七十三《庾翼传》:本年七月庾爰之任荆州刺史，寻为桓温所废，迁徙于豫章。姑系于此。

公元 346 年（晋穆帝永和二年　丙午）

正月

　　己卯，何充卒。《晋书》卷七十七《何充传》："永和二年卒，时年五十五。赠司空，谥曰文穆。"卷八《穆帝纪》："二年春正月丙寅，大赦。己卯，使持节、侍中、都督扬州诸军事、扬州刺史、骠骑将军、录尚书事、都乡侯何充卒。"《隋书》卷三十五《经籍志四》："晋司空《何充集》四卷。梁五卷……亡。"《全晋文》卷三十二辑文七篇，初已见上文者外，还有《贺正表》。

二月

　　癸丑，司马昱辅政，专总万机，作《答殷浩笺》。《晋书》卷八《穆帝纪》："二月癸丑，以左光禄大夫蔡谟领司徒，录尚书六条事、抚军大将军、会稽王昱及谟并辅政。"卷九《简文帝纪》：本年，"崇德太后诏帝专总万机"。《晋书》卷七十七《殷浩传》："简文帝时在藩，始综万几，卫将军褚裒荐浩，征为建武将军、扬州刺史。浩上疏陈让，并致笺于简文，具自申叙。简文答之曰……浩频陈让，自三月至七月，乃受拜焉。"卷八《穆帝纪》："三月丙子，以前司徒左长史殷浩为建武将军、扬州刺史。"

　　蔡谟领司徒，辅政，作《奏请褚太后》。《晋书》卷八《穆帝纪》："二月癸丑，以左光禄大夫蔡谟领司徒，录尚书六条事、抚军大将军、会稽王昱及谟并辅政。"卷三十二《康献褚皇后传》："及穆帝即位，尊后曰皇太后。时帝幼冲，未亲国政。领司徒蔡谟等上奏曰……"

五月

　　丙戌，前凉张骏卒。《晋书》卷八十六《张骏传》："骏在位二十二年卒，时年四十，私谥曰文公，穆帝追谥曰忠成公。"卷八《穆帝纪》：本年"五月丙戌，凉州牧张骏卒"。《隋书》卷三十五《经籍志四》："晋《张骏集》八卷，残缺。"《晋诗》卷十二辑张骏诗二首：《薤露行》《东门行》。《全晋文》卷一百五十四辑张骏文三篇，上文未提及的还有《山海经图赞》。《文心雕龙·章表》评价张骏《自序》"文致耿介"。张骏还曾有对时人文学的评价，见《文心雕龙·剪裁》："昔谢艾王济，西河文士，张骏以为'艾繁而不可删，济略而不可益。'"

七月

　　司马昱作《奏四祖祧书》。蔡谟作《四府君迁主议》。范宣作《答兄子问四祖迁主礼》。孙绰作《京兆府君迁主议》。《晋书》卷九十一《虞喜传》："永和初，有司奏称十月殷祭，京兆府君当迁祧室，征西、豫章、颍川三府君初毁主，内外博议不能决。

时喜在会稽，朝廷遣就喜咨访焉。其见重如此。"卷十九《礼志上》："至康帝崩，穆帝立，永和二年七月，有司奏：'十月殷祭，京兆府君当迁祧室……'领司徒蔡谟议……护军将军冯怀议……辅国将军谯王司马无忌等议……尚书郎孙绰与无忌议同，曰……尚书郎徐禅议……又遣禅至会稽，访处士虞喜。喜答曰……是时简文为抚军、与尚书郎刘邵等奏……"

虞喜作《答访四府君迁主》。虞喜卒年不详。《晋书》卷九十一《虞喜传》："喜专心经传，兼览谶纬，乃著《安天论》以难浑、盖，又释《毛诗略》，注《孝经》，为《志林》三十篇。凡所注述数十万言，行于世。"《隋书》卷三十二《经籍志一》："梁有《周官驳难》三卷，孙琦问，干宝驳，晋散骑常侍虞喜撰……《论语》九卷，郑玄注，晋散骑常侍虞喜赞……梁有……《新书对张论》十卷（校勘记：'《册府》六零五作《新书讨张论语》'）。"卷三十四《经籍志三》："《志林新书》三十卷，虞喜撰……《安天论》六卷，虞喜撰。"

十一月

辛丑，桓温率众西伐李势。袁乔作《劝桓温伐蜀》。《晋书》卷九十八《桓温传》："时李势微弱，温志在立勋于蜀，永和二年，率众西伐。时康献太后临朝，温将发，上疏而行。"卷八《穆帝纪》："十一月辛未，安西将军桓温帅征虏将军周抚，辅国将军、谯王无忌，建武将军袁乔伐蜀，拜表辄行。"《世说新语·言语第二》："桓公入峡，绝壁天悬，腾波迅急。乃叹曰：'既为忠臣，不得为孝子，如何？'"卷八十三《袁乔传》："迁安西咨议参军、长沙相，不拜。寻督沔中诸戍江夏随义阳三郡军事、建武将军、江夏相。时桓温谋伐蜀，众以为不可，乔劝温曰……"

习凿齿为袁乔所器重，转西曹主簿。《晋书》卷八十二《习凿齿传》："江夏相袁乔深器之，数称其才于温，转西曹主簿，亲遇隆密。时温有大志，追蜀人知天文者至，夜执手问国家祚运修短。答曰……温不悦……星人乃驰诣凿齿曰……星人大喜，明便诣温别。温问去意，以凿齿言答。温笑曰：'……徒三十年看儒书，不如一诣习主簿。'"

本年

王羲之作《报殷浩书》，任护军将军，作《临护军教》，书《十四日帖》。《晋书》卷八十《王羲之传》："羲之既少有美誉，朝廷公卿皆爱其才器，频召为侍中、吏部尚书，皆不就。复授护军将军，又推迁不拜。扬州刺史殷浩素雅重之，劝使应命，乃遗羲之书曰……羲之遂报书曰：'……若不以吾轻微，无所为疑，宜及初冬以行，吾惟恭以待命。'羲之既拜护军……"据卷八《穆帝纪》，本年三月，殷浩为建武将军、扬州刺史。则羲之任护军将军当在本年。《临护军教》当作于此时。《十四日帖》见《全晋文》卷二十二，其云："十四日，诸问如昨，云西有伐蜀意……"当指本年桓温率周扶等伐蜀之事。

殷融以郑玄义议典礼，时任太常。《晋书》卷三十二《康献褚皇后传》："及康帝即位，立为皇后，封母谢氏为寻阳乡君。及穆帝即位，尊后曰皇太后。时帝幼冲，未亲国政。领司徒蔡谟等上奏曰……太常殷融议依郑玄义，卫将军衮在宫庭则尽臣敬，太后归宁之日自如家人之礼。"《世说新语·文学第四》注引《中兴书》言殷融"累迁吏部尚书、太常卿，卒"。其卒年未见有明确记载。《世说新语·文学第四》注引《中兴书》："殷融……著《象不尽意》《大贤须易论》，理义精微，谈者称焉。"《隋书》卷三十五《经籍志四》："晋太常卿《殷融集》十卷。"《晋诗》卷十五辑有《答孙兴公》一首。《全晋文》卷一百二十九辑文六篇。

　　许迈居临安西山，著诗十二首。《晋书》卷八十《许迈传》："许迈，字叔玄，一名映，丹阳句容人也。家世士族，而迈少恬静，不慕仕进。未弱冠，尝造郭璞，璞为之筮……谓曰：'君元吉自天，宜学升遐之道。'……父母既终，乃遣妇孙氏还家，遂携其同志遍游名山焉……永和二年，移入临安西山，登岩茹芝，眇尔自得，有终焉之志。乃改名玄，字远游。与妇书告别，又著诗十二首，论神仙之事焉。"

　　慧远游学许、洛。《高僧传》卷六《释慧远传》："释慧远，本姓贾氏，雁门娄烦人也。弱而好书，珪璋秀发，年十三（《世说新语·文学第四》注引《远法师铭》作'年十二'）随舅令狐氏游学许洛，故少为诸生，博综六经，尤善《庄》《老》。性度弘博，风鉴朗拔，虽宿儒英达，莫不服其深致。"

公元 347 年（晋穆帝永和三年　丁未）

三月

　　丁卯，桓温攻克成都，作《荐谯元彦表》。《晋书》卷八《穆帝纪》："三年春三月乙卯，桓温攻成都，克之。丁亥，李势降，益州平……夏四月，地震。蜀人邓定、隗文举兵反，桓温又击破之，使益州刺史周抚镇彭模。"校勘记云："三月己未朔，无乙卯，疑为'丁卯'之误。丁亥则三月二十九日。"《世说新语·豪爽第十三》："桓宣武平蜀，集参僚置酒于李势殿，巴、蜀缙绅，莫不来萃。桓既素有雄情爽气，加尔日音调英发，叙古今成败由人，存亡系才。其状磊落，一坐叹赏。既散，诸人追味余言。于时寻阳周馥曰：'恨卿辈不见王大将军。'"《三国志》卷四十二《蜀志·谯周传》裴松之注："（谯）周长子熙。熙子秀，字元彦。"注又引《晋阳秋》："永和三年，安西将军平蜀，表荐秀曰……"

　　孙盛赐爵安怀县侯。《晋书》卷八十二《孙盛传》："蜀平，赐爵安怀县侯，累迁温从事中郎。"

　　袁乔击破隗文，进号龙骧将军，卒。《晋书》卷八十三《袁乔传》："李势既降，势将邓定、隗文以其属反，众各万余。温自击定，乔击文，破之。进号龙骧将军，封湘西伯。寻卒，年三十六，温甚悼惜之。追赠益州刺史，谥曰简。乔博学有文才，注《论语》及《诗》，并诸文笔皆行于世。"《隋书》卷三十二《经籍志一》："梁有……益州刺史袁乔……集注《论语》……十卷……亡。"卷三十五《经籍志四》："梁……有……益州刺史《袁乔集》七卷，亡。"《全晋文》卷五十六辑文三篇，上文未提及的还有《江赋序》。

　　蔡谟为扬州刺史。《晋书》卷七十七《蔡谟传》:"代殷浩为扬州刺史。又录尚书事,领司徒如故。初,谟冲让不辟僚佐,诏屡敦逼之,始取掾属。"卷七十七《殷浩传》:"时桓温既灭蜀,威势转振,朝廷惮之。简文以浩有盛名,朝野推伏,故引为心膂,以抗于温,于是与温颇相疑贰。会遭父忧,去职,时以蔡谟摄扬州,以俟浩。"据此可知,蔡谟为扬州刺史当在桓温灭蜀之后。

八月

　　戊午,前凉谢艾进击麻秋,作《密令与杨初》。大败麻秋,作《献晋帝表》。《晋书》卷八《穆帝纪》:"八月戊午,张重华将谢艾进击麻秋,大败之。"《十六国春秋》卷七十五《前凉录六·谢艾录》:"艾建牙旗,盟将士,有西北风吹旌旗东南指,军正将军任退曰:'风为号令,今旌旗指敌,天所赞也。破之必矣。'乃密令与杨初曰……军次神鸟,王擢与艾前锋战,败,退遁河南。艾遂进击秋。秋遁归金城。艾乃为表献晋帝云……"

　　王述作《婚礼应贺议》。王彪之作《婚礼不贺议》。《晋书》卷二十一《礼志下》:"永和二年纳后,议贺不。王述云……王彪之议云……又云……于时竟不贺。穆帝纳后欲用九月……"校勘记:"《诸史考异》:'永和二年,穆帝四岁,无纳后之文。'"此事又见《通典》卷五十九:"穆帝永和三年纳后,议贺不。王述曰……王彪之议……抚军答诸尚书云……彪之云……范汪云……彪之云……于时竟不贺,但上礼。"时间宜从《通典》,而《晋书·礼志下》又云"帝纳后欲用九月",则此议当在九月之前,姑系于此。

本年

　　王濛卒。《晋书》卷九十三《王濛传》:"晚节始克己励行,有风流美誉,虚己应物,恕而后行,莫不敬爱焉……善隶书。美姿容……与沛国刘惔齐名友善……凡称风流者,举濛、惔为宗焉。司徒王导辟为掾……简文帝之为会稽王也,尝与孙绰商略诸风流人,绰言曰:'刘惔清蔚简令,王濛温润恬和……而濛性和畅,能言理,辞简而有会。'及简文帝辅政,益贵幸之,与刘惔号为入室之宾……年三十九卒。"《隋书》卷三十二《经籍志一》:"梁有……《论语义》一卷,王濛撰……亡。"卷三十五《经籍志四》:"梁……有司徒左长史《王濛集》五卷……亡。"《全晋文》卷二十九辑文四篇,《世说新语·赏誉第八》载王濛《与大司马书》《与刘尹书》二篇,《全晋文》漏收。

　　孙绰作《王长史诔》。《王长史诔》见《全晋文》卷六十二。《世说新语·轻诋第二十六》:"孙长乐作《王长史诔》云……王孝伯见曰:'才士不逊,亡祖何至与此人周旋。'"王长史指王濛。据《晋书》卷九十三《王濛传》记载,王濛曾任"司徒左长史",《王长史诔》当作于王濛卒后。

　　王羲之书《蜀都帖》《谯周帖》《诸葛颙帖》《盐井帖》《盖州帖》。与谢安共登冶城。《蜀都帖》见《全晋文》卷二十二云:"省足下别疏,具彼土山川诸奇,扬雄《蜀都》,左太冲《三都》,殊为不备……想足下镇彼土,未有动理耳。要欲及卿在彼,登

汶岭、峨眉而旋，实不朽之盛事。"同卷又有《谯周帖》："云谯周有孙，高尚不出。今为所在其人有以副此志不，令人依依，足下具示，严君平、司马相如、扬子云皆有后否？"同卷又有《诸葛颙帖》："往在都见诸葛颙，曾具问蜀中事，云成都城池门屋楼观，皆是秦时司马错所修，令人远想慨然。为尔不信，一一示，为欲广异闻。"《盐井帖》见《全晋文》卷二十五："彼盐井、火井皆有不？足下目见不？为欲广异闻，具示。"《盖州帖》见《全晋文》卷二十六："周益州送此邛竹杖……"《晋书》卷八《穆帝纪》："夏四月，地震。蜀人邓定、隗文举兵反，桓温又击破之，使益州刺史周抚镇彭模。"张可礼《东晋文艺系年》第 283 页："上引羲之诸帖，或云蜀中事，或言周益州，当是予周抚书，疑当作于本年益州平定后。"《世说新语·言语第二》："王右军与谢太傅共登冶城。谢悠然远想，有高世之志。王谓谢曰：'夏禹勤王，手足胼胝；文王旰食，日不暇给。今四郊多垒，宜人人自效。而虚谈废务，浮文妨要，恐非当今所宜。'谢答曰：'秦任商鞅，二世而亡，岂清言致患邪？'"余嘉锡笺疏注引程炎震云："王、谢冶城之语，晋书载于安石执政时，诚误。晋略列传二十七谢安传，作'咸康中，庾冰强致之。会羲之亦为庾亮长史，入都，共登冶城'云云。其自注曰：'安执政，羲之已殁。'递推上年，惟是时二人共在京师。考庾冰为扬州，传不记其年。据本纪，当是咸康五年，王导薨后。其明年正月一日，庾亮亦薨。如周说，则王、谢相遇必于是年矣。然是年安石方二十岁，传云弱冠诣王濛，为所赏。中经司徒府辟，又除佐著作郎。恐庾冰强致，非当年事。右军长安石十七岁，方佐剧府，鞅掌不遑。下都游憩，事或有之，无缘对未经事任之少年，而责以自效也。吾意是永和二三年间右军为护军时事。安石虽累避征辟，而其兄仁祖方镇历阳，容有下都之事，且年事既长，不能无意于当世，故右军有此言耳。过此以往，则右军入东，不至京师矣。"

戴逵作《郑玄碑》约在此时。《晋书》卷九十四《戴逵传》："总角时，以鸡卵汁溲白瓦屑作《郑玄碑》，又为文而自镌之，词丽器妙，时人莫不惊叹。"《书断下》原注："戴安道……总角时以鸡子汁抹白瓦屑作《郑玄碑》，文自书刻之。文既奇，隶书亦妙绝。"《世说新语·雅量第六》注引《晋书·安帝纪》："（戴逵）少有清操，恬和通任，为刘真长所知。"上述事年月不详，戴逵本年十五岁，姑系于此。

习凿齿受桓温重视，与文士韩伯、伏滔及释道安友善，作《与桓秘书》。《晋书》卷八十二《习凿齿传》："累迁别驾。温出征伐，凿齿或从或守，所在任职，每处机要，莅事有绩，善尺牍论议，温甚器遇之。时清谈文章之士韩伯、伏滔等并相友善，后使至京师。简文亦雅重焉。既还，温问：'相王何似？'答曰：'生平所未见。'以此大忤温旨，左迁户曹参军。时有桑门释道安，俊辩有高才，自北至荆州，与凿齿初相见。道安曰：'弥天释道安。'凿齿曰：'四海习凿齿。'时人以为佳对……出凿齿为荥阳太守。（按，《世说新语·文学第四》及注引《续晋阳秋》均作'衡阳'。'荥阳'当为'衡阳'）温弟秘亦有才气，素与凿齿相亲善。凿齿既罢郡归，与秘书曰……"《世说新语·文学第四》："习凿齿史才不常，宣武甚器之，未三十，便用为荆州治中。凿齿谢笺亦云：'不遇明公，荆州老从事耳！'注引《续晋阳秋》："自州从事岁中三转至治中。"上述事未知具体时间，姑系于此。

袁宏任安西将军桓温参军。《文选集注》卷四十九《三国名臣序赞》注引臧荣绪

《晋书》:"袁宏好学……桓温命为安西参军。"袁宏任安西将军桓温参军的具体时间不详,据《晋书》卷八《穆帝纪》记载,桓温于永和元年任安西将军,四年八月任征西大将军。则袁宏任安西将军桓温参军可能在永和初至永和四年八月前,姑系于此。

公元348年（晋穆帝永和四年　戊申）

八月

桓温为征西大将军,游龙山。《晋书》卷八《穆帝纪》:永和四年"秋八月,进安西将军桓温为征西大将军、开府仪同三司,封临贺郡公"。《世说新语·识鉴第七》:"武昌孟嘉作庾太尉州从事,已知名。注引《嘉别传》曰:"嘉字万年……后为征西桓温参军,九月九日温游龙山,参僚毕集,时佐史并着戎服,风吹嘉帽堕落,温戒左右勿言,以观其举止。嘉初不觉,良久如厕,命取还之。令孙盛作文嘲之,成,着嘉坐。嘉还即答,四坐嗟叹。嘉喜酣畅,愈多不乱。温问:'酒有何好?而卿嗜之。'嘉曰:'明公未得酒中趣尔。'又问:'听伎,丝不如竹,竹不如肉,何也?'答曰:'渐近自然。'"

谢尚进号安西将军,舍宅,造庄严寺。《晋书》卷七十九《谢尚传》:"大司马桓温欲有事中原,使尚率众向寿春,进号安西将军。"卷八《穆帝纪》:本年八月"西中郎将谢尚为安西将军"。《建康实录》卷八按引《塔寺记》:"(谢)尚尝梦其父告之曰:'西南有气至,冲人必死,行当其锋,家无一全,汝宜修福建塔寺,可禳之……'尚瘤惧……遂于永和四年舍宅造寺,名庄严寺。"

本年

刘惔约卒于本年。《晋书》卷七十五《刘惔传》:"尤好《老庄》,任自然趣。疾笃,百姓欲为之祈祷,家人又请祭神,惔曰:'丘之祷久矣。'年三十六,卒官。孙绰为之诔云:'居官无官官之事,处事无事事之心。'时人以为名言。"其卒年不详。《世说新语·轻诋第二十六》:"褚太傅南下,孙长乐孙绰于船中视之。言次,及刘真长死,孙流涕,因讽咏曰:'人之云亡,邦国殄瘁。'褚大怒曰:'真长平生,何尝相比数,而卿今日作此面向人!'"余嘉锡笺疏注引程炎震云:"'此盖褚裒彭咸败后还镇京口时,故云南下,永和五年也。其冬裒卒矣。'"《晋书》卷八《穆帝纪》:永和五年"秋七月,褚裒进次彭城,遣部将王龛、李迈及石遵将李农战于代陂,王师败绩……八月,褚裒退屯广陵……十二月己酉,使持节、都督徐兖二州诸军事、徐州刺史、征北大将军、开府仪同三司、都乡侯褚裒卒"。据此可知,刘惔当卒于永和五年八月褚裒彭咸败后还镇京口前。又刘惔永和三年尚在,故其卒年似在本年。《隋书》卷三十五《经籍志四》:"梁……有……丹阳尹《刘惔集》二卷,录一卷……亡。"

孙绰作《惔诔叙》《刘真长诔》。《世说新语·赏誉第八》:"谢公云:'刘尹语审细。'"注引孙绰《惔谏叙》曰:"神犹渊镜,言必珠玉。"余嘉锡《世说新语笺疏·校文》:"注'谏',景宋本作'诔',是也。"《刘真长诔》见上条。

谢万作《驸马都尉刘真长诔》。见《全晋文》卷八十三,当作于刘惔卒后。

范宣以讲诵为业。《晋书》卷九十一《范宣传》："宣虽闲居屡空，常以讲诵为业，谯国戴逵等皆闻风宗仰，自远而至，讽诵之声，有若齐、鲁。太元中，顺阳范宁为豫章太守，宁亦儒博通综，在郡立乡校，教授恒数百人。由是江州人士并好经学，化二范之风也。年五十四卒。著《礼》《易论难》皆行于世。"《隋书》卷三十二《经籍志一》："梁有《拟周易说》八卷，范氏撰（《全晋文》卷一百三十谓范氏为范宣。）……《礼记音》二卷……蔡谟、东晋安北谘议参军曹耽、国子助教尹毅、李轨、员外郎范宣音各二卷……亡。"《全晋文》卷一百三十辑文七篇。

戴逵师事范宣，并娶范宣兄女。《晋书》卷九十四《戴逵传》："性不乐当世，常以琴书自娱。师事术士范宣于豫章，宣异之，以兄女妻焉。"《世说新语·巧艺第二十一》："戴安道就范宣学，视范所为：范读书亦读书，范钞书亦钞书。唯独好画，范以为无用，不宜劳思于此。戴乃画《南都赋》图；范看毕咨嗟，甚以为有益，始重画。"注引《中兴书》曰："逵不远千里，往豫章诣范宣，宣见逵，异之，以兄女妻焉。"《世说新语·雅量第六》注引《晋安帝纪》曰："（戴逵）性甚快畅，泰于娱生。好鼓琴，善属文，尤乐游燕，多与高门风流者游，谈者许其通隐。屡辞征命，遂著高尚之称。"上述事迹具体时间不详，戴逵本年约二十岁，其师事范宣，并娶范宣兄女或在此前后，姑系于此。

顾恺之约生于本年。《晋书》卷九十二《顾恺之传》："顾恺之，字长康，晋陵无锡人也。父悦之，尚书左丞。恺之博学有才气，尝为《筝赋》成，谓人曰：'吾赋之比嵇康琴，不赏者必以后出相遗，深识者亦当以高奇见贵。'……义熙初，为散骑常侍……年六十二，卒于官。"张可礼《东晋文艺系年》定其卒年为义熙五年（详后），以此上溯，则顾恺之当生于本年。

罗含补征西参军。《晋书》卷九十二《罗含传》："罗含，字君章，桂阳耒阳人也。曾祖彦，临海太守。父绥，荥阳太守。含幼孤，为叔母朱氏所养……弱冠，州三辟，不就……后为郡功曹，刺史庾亮以为部江夏从事。太守谢尚与含为方外之好……寻转州主簿。后桓温临州，又补征西参军……转州别驾。以廨舍喧扰，于城西池小洲上立茅屋，伐木为材，织苇为席而居，布衣蔬食，晏如也……征为尚书郎。温雅重其才，又表转征西户曹参军。俄迁宜都太守。"

公元 349 年（晋穆帝永和五年　己酉）

六月

桓温欲率军北征，作《檄胡文》。《晋书》卷八《穆帝纪》："夏四月……征西大将军桓温遣督军滕畯讨范文，为文所败。石季龙死，子世嗣伪位。五月，石遵废世而自立。六月，桓温屯安陆，遣诸将讨河北。"卷九十八《桓温传》："及石季龙死，温欲率众北征，先上疏求朝廷议水陆之宜，久不报。时知朝廷杖殷浩等以抗己，温甚忿之，然素知浩，弗之惮也。"《檄胡文》见《全晋文》卷一百十八，其中有"寡人不德，忝荷戎重，师次安陆"等句，与《穆帝纪》所载"桓温屯安陆"相合，故系于此。

十一月

卢谌迁中书监。《晋书》卷一百七《石季龙载记下》："（石）鉴乃僭位，大赦殊死已下。以……侍中卢谌为中书监。"卷八《穆帝纪》："十一月丙辰，石鉴弑石遵而自立。"

释道安入居华林园。《高僧传》卷五《释道安传》："时石虎死，彭城王石遵墓袭嗣立，遣中使竺昌蒲请安入华林园，广修房舍。"释道安入居华林园，在本年十一月丙辰石鉴弑石遵而自立以后。又本传记载："后避难，潜于濩泽。太阳竺法济、并州支昙《讲阴持入经》。安后从之受业。顷之与同学竺法汰俱憩飞龙山。沙门僧先、道护已在彼山，相见欣然。乃共披文属思。妙出神情。"以上事迹具体时间不详，本传叙其事在释道安入居华林园之前，可能前后相距不远，姑系于此。

十二月

褚裒卒。孙绰作《太傅褚裒碑》。《晋书》卷八《穆帝纪》："十二月己酉，使持节、都督徐兖二州诸军事、徐州刺史、征北大将军、开府仪同三司、都乡侯褚裒卒。"孙绰作《太傅褚裒碑》见《全晋文》卷六十二，当作于本年褚裒卒后。

本年

王彪之作《日食废朝会议》。《晋书》卷十九《礼志上》："至永和中，殷浩辅政，又欲从刘邵议不却会。王彪之据咸宁、建元故事，又曰……于是又从彪之议。"上述事迹具体时间不详，今据"永和中"而定于本年。

李充遭母忧，约在此前不久出为剡令。羊欣《采古来能书人名》："晋中书郎李充母卫夫人。"《太平御览》卷七四九引《中兴书》云："（李充）母卫氏，廷尉展之妹也。充少孤，母聪明有训，又善楷书，妙参钟、索，世咸重之。"曹道衡、沈玉成《中古文学史料丛考》第198页"李充家世"条："按，卫氏即世称卫夫人者，卫恒侄女，李矩妻，王羲之尝从之学书。"卫夫人卒于永和五年，《书断中》："（卫夫人）永和五年卒，年七十八。"《晋书》卷九十二《李充传》："征北将军褚裒又引为参军，充以家贫，苦求外出，裒将许之为县，试问之，充曰：'穷猿投林，岂暇择木！'乃除县令，遭母忧。"《世说新语·言语第二》记载上述李充的事迹时，褚裒作殷浩。李充出为剡令的时间没有明确记载，曹道衡、沈玉成《中古文学史料丛考》第199页"李充出为剡令"条："按，王导以成帝咸康五年卒，褚裒以外戚之重，康帝时始为将军刺史，充入其幕，似不得早于此时，其间四五年履历不明。褚裒以穆帝永和三年授征北将军，殷浩为扬州刺史在前此一年。或是褚裒问李充，而复属殷浩，乃授剡县。剡县属扬州会稽郡。《晋书》本传记充于剡令时遭母忧。卫夫人卒于永和五年，可以相合。《王羲之传》记会稽有佳山水，名士多居之，'孙绰、李充、许询、支遁等皆以文义冠世，并筑室东土，与羲之同好'。时或在永和中。"

公元350年（晋穆帝永和六年　庚戌）

六月

卢谌随冉闵进攻石祇。《晋书》卷八《穆帝纪》："闰月，冉闵弑石鉴，僭称天王，国号魏。鉴弟祇僭帝号于襄国……六月，石祇遣其弟琨攻冉闵将王泰于邯郸，琨师败绩。"卷四十四《卢谌传》："属冉闵诛石氏，谌随闵军于襄国。"《资治通鉴》卷九十八，胡三省注引《长历》："闰二月。"

八月

前秦苻坚为龙骧将军。《晋书》卷一百三《苻坚载记上》："健之入关也，梦天神遣使者朱衣赤冠，命拜坚为龙骧将军，健翌日为坛于曲沃以授之。健泣谓坚曰：'汝祖昔受此号，今汝复为神明所命，可不勉之！'坚挥剑捶马，志气感厉，士卒莫不惮服焉。性至孝，博学多才艺，有经济大志，要结英豪，以图纬世之宜。王猛、吕婆楼、强汪、梁平老等并有王佐之才，为其羽翼。太原薛赞、略阳权翼见而惊曰：'非常人也！'"卷八《穆帝纪》："秋八月，辅国将军、谯王无忌薨。苻健帅众入关。"

十一月

后赵韦謏任冉闵光禄大夫，作《启谏冉闵》。《晋书》卷九十一《韦謏传》："至冉闵，又署为光禄大夫。时闵拜其子胤为大单于，而以降胡一千处之麾下。謏谏曰……闵志在绥抚，锐于澄定，闻其言，大怒，遂诛之，并杀其子伯阳。謏性不严重，好徇己之功，论者亦以是少之。尝谓伯阳曰：'我高我曾重光累徽，我祖我考父父子子，汝为我对，正值恶抵。'伯阳曰：'伯阳之不肖，诚如尊教，尊亦正值软抵耳。'謏惭无言。时人传之，以为嗤笑。"《资治通鉴》卷九十八系上述事于本年十一月。

十二月

蔡谟被免为庶人。《晋书》卷八《穆帝纪》："十二月，免司徒蔡谟为庶人。"卷七十七《蔡谟传》："六年，复上疏，以疾病乞骸骨，上左光禄大夫、领司徒印绶。章表十余上。穆帝临轩，遣侍中纪璩、黄门郎丁纂征谟。谟陈疾笃……简文时为会稽王，命曹曰：'蔡公傲违上命，无人臣之礼。若人主卑屈于上，大义不行于下，亦不知复所以为政矣。'……皇太后诏曰：'……可依旧制免为庶人。'"

本年

王述迁会稽内史，作《答讳》。《晋书》卷七十五《王述传》："述出补临海太守，迁建威将军、会稽内史。莅政清肃，终日无事。母忧去职。"《太平御览》卷五六二："'《语林》曰：王蓝田作会稽，令人问讳。答曰……'"王述母忧去职疑在明年（详后），任会稽内史当在本年或本年前。

王珣生。《世说新语·言语第二》注引《王司徒传》："王珣字元琳。丞相导之孙也，领军洽之子也。少以清秀称。"《晋书》卷六十五《王珣传》记载其卒于隆安五年，时年五十二岁。据此上溯，则王珣当生于本年。

鸠摩罗什出家。《高僧传》卷二《鸠摩罗什传》："什年七岁亦俱出家，从师受经，日诵千偈。偈有三十二字，凡三万二千言。诵《毗昙》既过，师授其义，即自通达，无幽不畅。时龟兹国人以其母王妹，利养甚多，乃携什避之。"

释道安西适牵口山，复入女休山。《高僧传》卷五《释道安传》："迄冉闵之乱，人情萧，安乃谓其众曰：'今天灾旱蝗，寇贼纵横，聚则不立，散则不可。'遂复率众入王屋女休山。"据《晋书》卷八《穆帝纪》记载：本年"闰月，冉闵弑石鉴，僭称天王"。八年"夏四月，冉闵为慕容隽所灭"。释道安西适牵口山，复入女休山，似在本年前后。

曹毗征拜太学博士，作嘲杜兰香诗二篇、续兰香歌诗十篇、《神女杜兰香传》《扬都赋》。《晋书》卷九十二《曹毗传》："曹毗，字辅佐，谯国人也。高祖休，魏大司马。父识，右军将军。毗少好文籍，善属词赋。郡察孝廉，除郎中，蔡谟举为佐著作郎。父忧去职。服阕，迁句章令，征拜太学博士。时桂阳张硕为神女杜兰香所降，毗因以二篇诗嘲之，并续兰香歌诗十篇，甚有文采。又著《扬都赋》，亚于庾阐。"《神女杜兰香传》见《全晋文》卷一百七。张可礼《东晋文艺系年》第 304 页认为：曹毗征拜太学博士的具体时间不详，可能在本年。曹道衡、沈玉成《中古文学史料丛考》第 185 页"曹毗《晋江左宗庙歌》、《杜兰香传》"条记载："《宋书·祥瑞下》记，晋成帝咸康八年九月，庐江县出玉鼎，'著作郎曹毗上《玉鼎颂》'，以此为定点，参以《晋书·文苑传》次曹毗于庾阐、李充间，《玉台新咏》次曹毗于李充后，可大体测知毗以咸和间入仕，历成、康、穆、哀、海西公、孝武帝六朝，或卒于太元中。王珣则以永和六年生，隆安五年卒，虽上下相接而毗为父辈。"

王羲之书《十七日帖》。《十七日帖》见《全晋文》卷二十二："十七日先书，郗司马未去。即日得足下书，为慰。先书以具，示复数字。""郗司马"当指郗昙，《晋书》卷六十七《郗昙传》："简文帝为抚军，引为司马。"简文帝自永和元年至永和八年任抚军大将军，郗昙为司马疑在本年前后；王羲之书《十七日帖》亦在此时。

公元 351（晋穆帝永和七年　辛亥）

三月

卢谌遇害。卢谌遇害的时间有二说：《晋书》卷四十四《卢谌传》："属冉闵诛石氏，谌随闵军，于襄国遇害，时年六十七，是岁永和六年也。"卷八《穆帝纪》："二月戊寅，以段龛为镇北将军，封齐公。石祇大败冉闵于襄国。"《资治通鉴》卷九十九载卢谌被害于本年三月。今从《晋书·穆帝纪》和《资治通鉴》的记载。《晋书》卷四十四《卢谌传》："谌名家子，早有声誉，才高行洁，为一时所推。值中原丧乱，与清河崔悦、颍川荀绰、河东裴宪、北地傅畅并沦陷非所，虽俱显于石氏，恒以为辱。谌每谓诸子曰：'吾身没之后，但称晋司空从事中郎尔。'撰《祭法》，注《庄子》，及文集,皆行于世。"《隋书》卷三十二《经籍志一》:"梁有……《杂祭法》六卷,晋司空中郎卢谌撰……亡。"《隋书》卷三十五《经籍志四》:"晋司空从事中郎《卢谌集》十卷,梁有录一卷。"《全晋文》卷三十四辑文十四篇:《感运赋》《朝霞赋》《登邺台赋》、《观猎赋》《征艰赋》《菊花赋》《朝华赋》《鹦鹉赋》《燕赋》《蟋蟀赋》等。《晋诗》卷十二辑诗十首,上文没有提及的还有《赠刘琨诗》《览古诗》《赠崔温诗》《时兴诗》《答刘琨诗》等。

谢艾任酒泉太守,作《上疏言赵长、侯祚事》。《晋书》卷二十九《五行志下》:"穆帝永和七年三月,凉州大风拔木,黄雾下尘。是时,张重华纳谮,出谢艾为酒泉太守。"《上疏言赵长、张祚事》见《十六国春秋》卷七十五:"重华寝疾,嬖臣赵长等与长宁侯祚,结异性兄弟,艾上疏言……"

春

前燕慕容俊命群臣上《甘棠颂》。《十六国春秋辑补》卷二十六《前燕录四·慕容俊录》:"是岁,俊观兵近郊,见甘棠于道周。从者不识。俊曰:'唏,此诗所谓"甘棠于道"……言将有赫赫之庆于中土。吾谓国家之盛,此其征也。传曰:"升高能赋,可以为大夫。"群司亦各书其志,吾将览焉。'于是内外臣僚,并上《甘棠颂》。"

十二月

辛未,桓温帅众北伐,作《上疏自陈》。《晋书》卷九十八《桓温传》:"声言北伐,拜表便行,顺流而下,行达武昌,众四五万。殷浩虑为温所废,将谋避之,又欲以驺虞幡住温军,内外噂沓,人情震骇。简文帝时为抚军,与温书明社稷大计,疑惑所由。温即回军还镇,上疏曰……进位太尉,固让不拜。"卷八《穆帝纪》:"十二月辛未,征西大将军桓温帅众北伐,次于武昌而止。"

王彪之谓殷浩不宜去职,作《省官并职议》。《晋书》卷七十六《王彪之传》:"太尉桓温欲北伐,屡诏不许。温辄下武昌,人情震惧。或劝殷浩引身告退,彪之言于简文曰……又谓浩曰……浩曰……温亦奉帝旨,果不进。时众官渐多,而迁徙每速,彪之上议曰……"

本年

王述母卒,去会稽内史。《晋书》卷七十五《王述传》:"迁建威将军,会稽内史……母忧去职。服阕,代殷浩为扬州刺史。"王述代殷浩为扬州刺史在永和十年(详后)。按当时的丧礼,服丧常须三年,故因王述母卒而去会稽内史,当在本年。

王羲之为右军将军、会稽内史。书《复蒙殊遇帖》《此郡帖》。《晋书》卷八十《王羲之传》:"羲之既拜护军,又苦求宣城郡,不许,乃以为右军将军、会稽内史。羲之雅好服食养性,不乐在京师,初渡浙江,便有终焉之志。"考证《晋书》卷八十《王羲之传》:"时骠骑将军王述少有名誉,与羲之齐名,而羲之甚轻之,由是情好不协。

137

述先为会稽，以母丧居郡境，羲之代述，止一吊，遂不重诣。述每闻角声，谓羲之当候已，辄洒扫而待之。如此者累年，而羲之竟不顾，述深以为恨。及述为扬州刺史，将就征，周行郡界，而不过羲之，临发，一别而去。"可见，王述在王羲之之前任会稽内史，因母忧守丧去职，此时王羲之接任会稽内史。这又见于《晋书》卷七十五《王述传》："述出补临海太守，迁建威将军、会稽内史。莅政清肃，终日无事。母忧去职。服阕，代殷浩为扬州刺史，加征虏将军。"古人守孝一般三年，而王述为扬州刺史正在永和十年，《晋书》卷八《穆帝纪》：十年，"二月己丑，太尉、征西将军桓温帅师伐关中。废扬州刺史殷浩为庶人，以前会稽内史王述为扬州刺史。"所以他遭母忧而辞去会稽内史的时间在永和七年，此年王羲之接任会稽内史，并任右军将军。《复蒙殊遇帖》见《全晋文》，其云："复蒙殊遇，求之本心，公私愧叹，无言以喻。去月十一日发都，违远朝廷……"《此郡帖》见《全晋文》卷二十六，其云："此郡之弊，不谓顿至于此，诸逋滞非复一条。独坐不知何以为治。自非常方所济，吾无故舍逸而就劳，叹恨无所复及耳。"二帖当作于本年初到会稽时。

孙绰任右军长史，曾就谢安宿。《晋书》卷五十六《孙绰传》："会稽内史王羲之引为右军长史。"具体时间不详，王羲之本年为右军将军、会稽内史，孙绰任右军长史当在此时。《世说新语·轻诋第二十六》："孙长乐兄弟就谢公宿，言至款杂。刘夫人在壁后听之，具闻其语。谢公明日还，问：'昨客何似？'刘对曰：'亡兄门，未有如此宾客！'谢深有愧色。"注云："夫人，刘惔之妹。"孙绰就谢安宿当在其任右军长史时。

支遁与王羲之论《逍遥游》，在山阴修行、传播佛法。《世说新语·文学第四》："王逸少作会稽，初至，支道林在焉。孙兴公谓王曰：'支道林拔新领异，胸怀所及，乃自佳，卿欲见不？'王本自有一往隽气，殊自轻之。后孙与支共载往王许，王都领域，不与交言。须臾支退，后正值王当行，车已在门。支语王曰：'君未可去，贫道与君小语。'因论《庄子·逍遥游》。支作数千言，才藻新奇，花烂映发。王遂披襟解带，留连不能已。"《高僧传》卷四《支遁传》："俄又投迹剡山，于沃洲小岭立寺行道。僧众百余，常随禀学。时或有堕者，遁乃著座右铭以勖之曰……时论以遁才堪经赞，而洁己拔俗，有违兼济之道。遁乃作《释蒙论》。晚移石城山，又立栖光寺，宴坐山门，游心禅苑。木食涧饮，浪志无生，乃注《安般》《四禅》诸经及《即色游玄论》《圣不辩知论》、《道行旨归》《学道诫》等，追踪马鸣，蹑影龙树，义应法本，不违实相。晚出山阴，讲《维摩经》。遁为法师，许询为都讲。遁通一义，众人咸谓询无以厝难；询设一难，亦谓遁不复能通。如此至竟，两家不竭。凡在听者，咸谓审得遁旨，回令自说，得两三反便乱。"上述事迹具体时间不详，本传叙于哀帝即位以前，可能在永和中后期，姑系于此。

郗超为征西大将军掾，作《与桓温笺》。《晋书》卷六十七《郗超传》："超字景兴，一字嘉宾。少卓荦不羁，有旷世之度，交游士林，每存胜拔，善谈论，义理精微。愔事天师道，而超奉佛。愔又好聚敛，积钱数千万，尝开库，任超所取。超性好施，一日中散与亲故都尽。其任心独诣，皆此类也。桓温辟为征西大将军掾。"张可礼《东晋文艺系年》第313页认为："桓温于永和四年至八年八月任征西大将军，郗超为征西大将军掾，疑在本年。如再前，郗超年龄较小，似不可能。"《世说新语·赏誉第八》：

"谚曰：'扬州独步王文度，后来出人郗嘉宾。'"注引《续晋阳秋》曰："超少有才气，越世负俗，不循常检。时人为一代盛誉者，语曰：'大才盘盘谢家安，江东独步王文度，盛德日新郗嘉宾。'"《与桓温笺》见《全晋文》卷一百十："云段龛归顺，不知审不？"据《晋书》卷八《穆帝纪》记载，本年春正月"辛丑，鲜卑段龛以青州来降"。则本文当作于本年。

庾阐约卒于本年。《晋书》卷九十二《庾阐传》"后以疾，征拜给事中，复领著作。吴国内史虞潭为太伯立碑，阐制其文。又作《扬都赋》，为世所重。年五十四卒，谥曰贞，所著诗赋铭颂十卷行于世。"庾阐的生卒年，史无明纪。徐公持《魏晋文学史》第486页：《晋书》本传曰："九岁能属文……永嘉末，为石勒所陷……"考证出永嘉末（313）庾阐已年过九岁。本传又曰："州举秀才，元帝为晋王，辟之，皆不行。"按司马睿为晋王，据《晋书·元帝纪》载，时在建武元年（317）三月。其时庾阐已被辟为属吏，年龄当在二十岁以上。由此推算，庾阐约生于此前二十年，即元康八年（298）或稍前。《世说新语·文学》注引何法盛《中兴书》曰："阐……五十四卒。"据此推算，其卒年当于晋穆帝永和七年（351）或稍前也。《隋书》卷三十五《经籍志四》："晋给事中《庾阐集》九卷，梁十卷，录一卷。"庾阐撰有《扬都赋》，见《三国志》卷四十七《吴志·吴主传》裴松之注引。《全晋文》卷三十八辑文二十二篇，除已见上文者外还有《海赋》《涉江赋》《闲居赋》《狭室赋》《藏钩赋》《浮查赋》《恶饼赋》《虞舜像赞》《二妃像赞》《孙登赞》《郭先生神论》《蓍龟论》《列仙论》《断酒戒》等。《晋诗》卷十二辑诗二十一首，除已见上文者外还有：《三月三日临曲水诗》《三月三日诗》《江都遇风诗》《采药诗》《游仙诗》十首、失题诗、《从征诗》。

公元 352 年（晋穆帝永和八年　壬子）

七月

丁酉，司马晞为太宰，司马昱进位司徒，桓温为太尉。《晋书》卷八《穆帝纪》："秋七月……丁酉，以镇军大将军、武陵王晞为太宰，抚军大将军、会稽王昱为司徒，征西大将军桓温为太尉。"

戴逵拒绝为司马晞鼓琴。《晋书》卷九十四《戴逵传》："太宰、武陵王晞闻其善鼓琴，使人召之。逵对使者破琴曰：'戴安道不为王门伶人！'晞怒，乃更引其兄述。述闻命欣然，拥琴而往。"武陵王晞于本年七月任太宰，戴逵拒绝为其鼓琴当在此后。

九月

王羲之作《与殷浩书》，止殷浩北伐，并书《殷侯帖》。《与殷浩书》全文已佚。《晋书》卷八十《王羲之传》："时殷浩与桓温不协，羲之以国家之安在于内外和，因与浩书以戒之，浩不从。及浩将北伐，羲之以为必败，以书止之，言甚切至。浩遂行，果为姚襄所败。《晋书》卷八《穆帝纪》："九月……中军将军殷浩帅众北伐。"《殷侯帖》见《全晋文》卷二十二，其云："昨送诸书，令示卿，恐殷侯必行，义坚虽宜尔，然今此集，信为未易。"此帖所言当是本年殷浩北伐事。

江逌为殷浩所器重。《晋书》卷八十三《江逌传》："中军将军殷浩将谋北伐，请为谘议参军。浩甚重之，迁长史。浩方修复洛阳，经营荒梗，逌为上佐，甚有匡弼之益，军中书檄皆以委逌。"

本年

鸠摩罗什至罽宾，遇名德法师槃头达多，崇以师礼。《高僧传》卷二《鸠摩罗什传》："什年九岁，随母渡辛头河至罽宾。遇名德法师盘头达多，即罽宾王之从弟也。渊粹有大量，才明博识，独步当时，三藏九部，莫不该练。从旦至中，手写千偈；从中至暮，亦诵千偈。名播诸国，远近师之。什至即崇以师礼，从受杂藏中长二含，凡四百万言。达多每称什神俊，遂声彻于王。王即请入宫，集外道论师共相攻难。言气始交，外道轻其年幼，言颇不逊。什乘隙而挫之，外道折伏，愧惋无言，王益敬异。日给鹅腊一双、粳米面各三斗、酥六升，此外国之上供也。所住寺僧乃差大僧五人、沙弥十人营视扫洒。有若弟子。其见尊崇如此。"

徐广生。《宋书》卷五十五《徐广传》："徐广，字野民，东莞姑幕人也。父藻，都水使者。兄邈，太子前卫率。家世好学，至广尤精，百家数术，无不研览。"据本传记载，徐广卒于元嘉二年，时年七十四岁，则其当生于本年。

许询约卒于本年。《建康实录》卷八《孝宗穆皇帝录》永和三年十二月"以侍中刘惔为丹阳尹"下有许询的传记，曹道衡、沈玉成《中古文学史料丛考》第205页"许询年岁"条云："许嵩系其事迹于《穆帝纪》中，其卒或亦在永和中。《全晋文》卷二二录王羲之《杂帖》："七月告期，痛念玄度，未能阅汝。汝临哭悲恸何可言，言及婉塞。"《世说新语·规箴》记"王右军与王敬仁、许玄度并善。二人亡后，右军为议论更克"。羲之卒于穆帝升平五年（361）（说参"王羲之生卒年条"），则询卒于此前可知……前引王羲之《杂帖》，末署"耶告"，自是示儿。询卒于会稽，王帖"未能"下阙字，或是"过哭"、"往吊"之类，则其时当在羲之为护军将军时，即永和七八年。永和九年兰亭之会，据桑世昌《兰亭考》卷一、张淏《云谷杂记》卷一所录诗人名，俱无许询，盖其时已逝，不然，不当不预此会。《世说新语·文学》："简文称许掾云：玄度五言诗，可谓妙绝时人。"注引《续晋阳秋》曰："询有才藻，善属文。自司马相如、王褒、扬雄诸贤，世尚赋颂，皆体则诗、骚，傍综百家之言。及至建安，而诗章大盛。逮乎西朝之末，潘、陆之徒虽时有质文，而宗归不异也。正始中，王弼、何晏好庄、老玄胜之谈，而世遂贵焉。至江左李充尤盛，故郭璞五言始会合道家之言而韵之。询及太原孙绰转相祖尚，又加以三世之辞，而诗、骚之体尽矣。询、绰并为一时文宗，自此作者悉体之。至义熙中，谢混始改。"

李充为大著作郎，整理典籍，定目录四部分类法。《晋书》卷九十二《李充传》："服阕，为大著作郎。于时典籍混乱，充删除烦重，以类相从，分作四部，甚有条贯，秘阁以为永制。"李充在永和五年遭母忧守丧当不少于三年，姑系于此。张可礼《东晋文艺系年》第346页定李充遭母丧在永和九年，为大著作郎在永和十二年，今不从。

曹毗迁镇军大将军从事中郎。《晋书》卷九十二《曹毗传》："累迁……镇军大将军从事中郎。"张可礼《东晋文艺系年》第 317 页认为："据万斯同《东晋将相大臣年表》记载，东晋任镇军大将军者只有武陵王司马晞一人。《晋书》卷八《穆帝纪》：永和元年正月武陵王晞为镇军大将军，八年七月为太宰。曹毗迁镇军大将军从事中郎，疑在本年或本年前。"

公元 353 年（晋穆帝永和九年　癸丑）

三月

三日，王羲之与孙绰、谢安等名士宴集山阴兰亭，作《三月三日兰亭诗序》《临河叙》《兰亭诗》二首。《晋书》卷八十《王羲之传》："会稽有佳山水，名士多居之，谢安未仕时亦居焉。孙绰、李充、许询、支遁等皆以文义冠世，并筑室东土，与羲之同好。尝与同志宴集于会稽山阴之兰亭，羲之自为之序以申其志，曰……或以潘岳《金谷诗序》方其文，羲之比于石崇，闻而甚喜。"《临河叙》见《全晋文》卷二十六，其云："永和九年，岁在癸丑，暮春之初，会于会稽山阴之兰亭，修禊事也。群贤毕至，少长咸集……故列叙时人，录其所述，右将军司马太原孙成公等二十六人赋诗如左。前余姚令会稽谢胜等十五人不能赋诗，罚酒各三斗。"《晋诗》卷十三辑《兰亭诗》作者二十六人，与《临河叙》记载相同。辑诗共三十七首，分别为：王羲之《兰亭诗》二首；孙绰《兰亭诗》二首，其另有《三月三日兰亭诗序》，见《全晋文》卷六十一，当作于本年；谢安《兰亭诗》二首；谢万《兰亭诗》二首；孙统《兰亭诗》二首；孙嗣《兰亭诗》一首；郗昙《兰亭诗》一首；庾友《兰亭诗》一首；庾蕴《兰亭诗》一首；曹茂之《兰亭诗》一首；华茂《兰亭诗》一首；桓伟《兰亭诗》一首；袁峤之《兰亭诗》一首；王玄之《兰亭诗》一首；王凝之《兰亭诗》一首；王肃之《兰亭诗》一首；王徽之《兰亭诗》一首；王涣之《兰亭诗》一首；王彬之《兰亭诗》二首；王蕴之《兰亭诗》一首；王丰之《兰亭诗》一首；魏滂《兰亭诗》一首；虞说《兰亭诗》一首；谢绎《兰亭诗》一首；徐丰之《兰亭诗》二首；曹华《兰亭诗》一首。

九月

王羲之书《得孔彭祖问帖》《得豫章书帖》。本年又作《又遗殷浩书》《与会稽王笺》《遗谢尚书》。本年又有《增运帖》《知数帖》《郡荒帖》《断酒帖》《百姓帖》。《得孔彭祖问帖》见《全晋文》卷二十二，其云："得孔彭祖十七日具问为慰，云襄径还蠡。是反善之诚也，于殷必得速还，无复道路之忧。"《得豫章书帖》见《全晋文》卷二十四，其云："得豫章书为慰。想以具问。昨得都十七日书，贼径还蠡台，不攻谯，是其反善之诚也。想殷生得过此者，犹令人忧，期诸处分犹未定……"《晋书》卷一百十六《姚襄传》："（殷）浩潜遣将军魏憬率五千余人袭襄，襄乃斩憬而并其众。浩愈恶之，乃使将军刘启守谯，迁襄于梁国蠡台。"《资治通鉴》卷九十九系此事于本年九月。上二帖"襄径还蠡"、"贼径还蠡台"当书于本年九月姚襄迁于蠡台之后。

《又遗殷浩书》和《与会稽王笺》见《晋书》卷八十《王羲之传》："复图再举，又遗浩书曰……又与会稽王笺陈浩不宜北伐，并论时事曰：'……令殷浩、荀羡还据合肥、广陵，许昌、谯郡、梁、彭城诸军皆还保淮，为不可胜之基，须根立势举，谋之未晚，此实当今策之上者……'"此二文当作于本年十一月殷浩复为姚襄所败之前。据卷八《穆帝纪》："冬十月，中军将军殷浩进次山桑，使平北将军姚襄为前锋，襄叛，反击浩，浩弃辎重，退保谯城……十一月，殷浩使部将刘启、王彬之讨姚襄，复为襄所败。"《又遗殷浩书》和《与会稽王笺》，本传作永和八年，《资治通鉴》卷九十九定于九年，今依据史实宜定于九年。《遗谢尚书》见《晋书》卷八十《王羲之传》："时东土饥荒，羲之辄开仓赈贷。然朝廷赋役繁重，吴会忧甚，羲之每上疏争之，事多见从。又遗尚书仆射谢安书曰……"按，尚书仆射谢安当为谢尚之误。谢安任尚书仆射在孝武帝宁康元年九月，见《晋书》卷九《孝武帝纪》。而谢尚任尚书仆射在本年的四月，见卷八《穆帝纪》。《增运帖》见《全晋文》卷二十四："吾于时地甚疏卑，致言诚不易……要为居时任，岂可坐视危难？今便极言于相，并与殷、谢书。""极言于相"当指上文《与会稽王笺》。"与殷、谢书"当指《又遗殷浩书》《遗谢尚书》，则《增运帖》亦作于本年。《知数帖》见《全晋文》卷二十四："知数致苦言于相，时弊亦何可不耳？颇得应对不？吾书未被答，得桓护军书云'口米增运，皆当停'，为善。"当与《增运帖》同时。《郡荒帖》见《全晋文》卷二十三："知郡荒，吾前东，周旋五千里，所在皆尔，可叹。江东自有大顿势，不知何方以救其弊？"《断酒帖》见《全晋文》卷二十四："断酒事终不见许，然守之尚坚，弟亦当思同此怀。此郡断酒一年，所省百馀万斛米，乃过于租，此救民命，当可胜言？"《百姓帖》见《全晋文》卷二十六："百姓之命（阙）倒悬，吾夙夜忧此。时既不能开仓廪赈之，因断酒以救民命，有何不可。"以上三帖与本传所言"时东土既荒"、"开仓赈贷"等事相合，可能也作于本年。

十月

王彪之作《上笺陈雷弱儿事》。《晋书》卷七十六《王彪之传》："既而长安人雷弱儿、梁安等诈云杀苻健、苻眉，请兵应接。时殷浩镇寿阳，便进据洛，营复山陵。属彪之疾归，上简文帝笺……寻而弱儿果诈，姚襄反叛，浩大败，退守谯城。简文笑谓彪之曰：'果如君言。自顷以来，君谋无遗策，张、陈何以过之！'"卷八《穆帝纪》："冬十月，中军将军殷浩进次山桑，使平北将军姚襄为前锋，襄叛，反击浩，浩弃辎重，退保谯城。"

前凉国人咸赋《墙茨》之诗。《晋书》卷八十六《张祚传》："祚字太伯，博学雄武，有政事之才。既立，自称大都督、大将军、凉州牧、凉公。淫暴不道，又通重华妻裴氏，自阁内媵妾及骏、重华未嫁子女，无不暴乱，国人相目，咸赋《墙茨》之诗。"卷八《穆帝纪》："冬十月……丁未，凉州牧张重华卒，子耀灵嗣。是月，张祚弑耀灵而自称凉州牧。"前凉国人咸赋《墙茨》之诗，当在张祚弑张耀灵而自称凉州牧之后。

前凉宋纤笃学不倦，敦煌太守杨宣为其画像，并作《宋纤画像颂》。《晋书》卷九十四《宋纤传》："宋纤，字令艾，敦煌效谷人也。少有远操，沈靖不与世交，隐居于酒泉南山。明究经纬，弟子受业三千余人。不应州郡辟命，惟与阴颙、齐好友善。张祚时，太守杨宣画其象于阁上；出入视之，作颂曰……纤注《论语》，及为诗颂数万言。年八十，笃学不倦。"其所言"张祚时"，可能指本年张祚篡权之事。

十二月

谢尚领豫州刺史。袁宏任豫州别驾。《晋书》卷八《穆帝纪》："夏四月，以安西将军谢尚为尚书仆射……十二月，加尚书仆射谢尚为都督豫、扬、江西诸军事，领豫州刺史，镇历阳。"《晋书》卷九十二《袁宏传》："（谢）尚为安西将军、豫州刺史，引宏参其军事。"《文选集注》卷四十九《三国名臣序赞注》引臧荣绪《晋书》："袁宏好学……谢尚以为豫州别驾。"

本年

戴逵徙居剡县，作《放达为非道论》《与所亲书》。《晋书》卷九十六《戴逵传》："逵后徙居会稽之剡县。性高洁，常以礼度自处，深以放达为非道，乃著论曰……"《世说新语·栖逸第十八》注引《续晋阳秋》："逵不乐当世，以琴书自娱，隐会稽剡山，国子博士征，不就。"又《世说新语·栖逸第十八》："郗超每闻欲高尚隐退者，辄为办百万资，并为造立居宇。在剡为戴公起宅，甚精整。戴始往旧居，与所亲书曰：'近至剡，如官舍。'"上述事迹具体时间不详，姑系于此。

公元 354 年（晋穆帝永和十年　甲寅）

正月

前凉张祚僭帝位。《晋书》卷八十六《张祚传》："永和十年。祚纳尉缉、赵长等议，僭称帝位，立宗庙，舞八佾，置百官，下书曰……改建兴四十二年为和平元年……其夜，天有光如车盖，声若雷霆，震动城邑。明日，大风拔木。灾异屡见，而祚凶虐愈甚。其尚书马岌以切谏免官。郎中丁琪又谏曰……祚大怒，斩之于阙下。"卷八《穆帝纪》：本年正月"凉州牧张祚僭帝位"。

前凉宋纤至姑臧，为太子友，迁太子太傅，作《上疏辞张祚》。《晋书》卷九十四《宋纤传》："张祚后遣使者张兴备礼征为太子友，兴逼喻甚切，纤喟然叹曰：'德非庄生，才非干木，何取稽停明命！'遂随兴至姑臧。祚遣其太子太和以执友礼造之，纤称疾不见，赠遗一皆不受。寻迁太子太傅。顷之，上疏曰……"上述事迹的确切时间不详，当在本年张祚自称凉王、立子太和为太子之后。

二月

己丑，桓温作《上疏废殷浩》，帅师伐关中。《晋书》卷九十八《桓温传》："时殷浩至洛阳修复园陵，经涉数年，屡战屡败，器械都尽。温复进督司州，因朝野之怨，乃奏废浩，自此内外大权一归温矣。"《上疏废殷浩》见卷七十七《殷浩传》："桓温素忌浩，及闻其败，上疏罪浩曰……"卷八《穆帝纪》：本年"二月己丑，太尉、征西将军桓温帅师伐关中。废扬州刺史殷浩为庶人……夏四月己亥，温及苻健子苌战于蓝田，大败之……六月，苻健将苻雄悉众及桓温战于白鹿原，王师败绩。秋九月辛酉，桓温粮尽，引还"。

江逌免官，除中书郎。《晋书》卷八十三《江逌传》："及桓温奏废浩佐吏，遂免。顷之，除中书郎。"

王羲之书《殷废责事帖》《二十三日帖》。《殷废责事帖》见《全晋文》卷二十四："殷废责事便行也。令人叹怅无已。"当指本年殷浩被废之事。《二十三日帖》见《全晋文》卷二十三："二十三日发至长安，云渭南患无他，然云苻健众尚七万，苟及最近，虽众由匹夫耳。即今克此一段，不知岁终云何守之？想胜才、弘之，自当有方耳。"当指桓温伐关中之事，二帖约作于本年二月后不久。

三月

王述为扬州刺史，作《下主簿教》。《晋书》卷七十五《王述传》："述出补临海太守，迁建威将军、会稽内史。莅政清肃，终日无事。母忧去职。服阕，代殷浩为扬州刺史，加征虏将军。初至，主簿请讳。报曰……"卷八《穆帝记》系此事于本年二月。《建康实录》卷八《孝宗穆皇帝录》系于本年三月，《资治通鉴》系于本年正月，今从《穆帝纪》。

本年

慧远与弟慧持就释道安出家。《高僧传》卷六《释慧远传》："年二十一，欲渡江东，就范宣子共契嘉遁。值石虎已死，中原寇乱，南路阻塞，志不获从，时沙门释道安立寺于太行恒山，弘赞像法，声甚著闻。远遂往归之，一面尽敬，以为真吾师也。后闻安讲《波若经》，豁然而悟。乃叹曰：'儒道九流皆糠秕耳。'便与弟慧持投簪落彩，委命受业。既入乎道，厉然不群，常欲总摄纲维。以大法为己任，精思讽持，以夜续昼，贫旅无资，缊纩常阙，而昆弟恪恭，终始不懈。有沙门昙翼，每给以灯烛之费，安公闻而喜曰：'道士诚知人矣。'远藉慧解于前因，发胜心于旷劫，故能神明英越，机鉴遐深。安公常叹曰：'使道流东国，其在远乎！'"慧远出家的时间，谢灵运《庐山慧远法师诔》："总角味道，辞亲随师……公之出家，年未志学。"其说与《高僧传》不同，今从《高僧传》。

释道安于太行恒山立寺，宣扬佛法。《高僧传》卷五《释道安传》："安后于太行恒山创立寺塔，改服从化者中分河北。时武邑太守卢歆闻安清秀，使沙门敏见，苦要之。安辞不获免，乃受请开讲，名实既符，道俗欣慕。"据上条可知，本年慧远去太行恒山，就释道安出家，则道安于太行恒山立寺当在此时或此前，姑系于此。

谢安与子弟论《毛诗》。《世说新语·文学第四》："谢公因子弟集聚，问《毛诗》

何句最佳? 遏（按，谢玄小字）称曰：'昔我往矣，杨柳依依；今我来思，雨雪霏霏。'公曰：'讦谟定命，远猷辰告。'谓此句偏有雅人深致。"《世说新语·言语第二》："谢公云：'贤圣去人，其间亦迩。'子侄未之许。公叹曰：'若郗超闻此语，必不至河汉。'"上述事具体时间不详，当在谢安出仕之前，姑系于此。

公元 355 年（晋穆帝永和十一年　乙卯）

三月

　　癸卯朔，九日辛亥，王羲之作《为会稽内史称疾去郡于父墓前自誓文》，与道士许迈共修服食。本年有《与谢万书》。《晋书》卷八十《王羲之传》："（王）述后检察会稽郡，辩其刑政，主者疲于简对。羲之深耻之，遂称病去郡，于父母墓前自誓曰：'维永和十一年三月癸卯朔，九日辛亥，小子羲之敢告二尊之灵……止足之分，定之于今……自今之后，敢渝此心，贪冒苟进，是有无尊之心而不子也……'羲之既去官，与东土人士尽山水之游，弋钓为娱。又与道士许迈共修服食，采药石不远千里，遍游东中诸郡，穷诸名山，泛沧海……羲之既优游无事，与吏部郎谢万书曰……"

　　道士许迈与王羲之为世外之交，作《遗王羲之书》。《晋书》卷八十《许迈传》："羲之造之，未尝不弥日忘归，相与为世外之交。玄遗羲之书云……羲之为之传，述灵异之迹甚多，不可详记。"《太平御览》卷四一〇《道学论》："许迈……与王右军父子为世外之交。王亦辞荣好养生之事，每造远游，未尝不弥日忘返。"上述事当在王羲之称疾去郡之后。

七月

　　王彪之为尚书右仆射。《晋书》卷八《穆帝纪》："秋七月……领军将军王彪之为尚书右仆射。"《资治通鉴》卷一百："或告会稽王昱曰：'武陵王第中大修器仗，将谋非常。'昱以告太常王彪之曰：'武陵王之志，尽于驰骋畋猎而已耳，深愿静之，以安异同之论，勿复以为言！'昱善之。"

十月

　　谢尚迁尚书仆射、镇西将军，制钟石之乐。《晋书》卷八《穆帝纪》："冬十月，进豫州刺史谢尚督并冀幽三州诸军事、镇西将军，镇马头。"卷七十九《谢尚传》："寻进号镇西将军，镇寿阳。尚于是采拾乐人，并制石磬，以备太乐。江表有钟石之乐，自尚始也。"《宋书》卷十九《乐志下》："庾翼、桓温专事军旅，乐器在库，遂至朽坏焉。晋氏之乱也，乐人悉没戎虏。及胡亡，邺下乐人，颇有来者。谢尚时为尚书仆射，因之以具钟磬。"《隋书》卷十五《音乐志下》："咸和间，鸠集遗逸，邺没胡后，乐人颇复南渡，东晋因之，以具钟律。"

本年

鸠摩罗什还龟兹，后到沙勒国。《晋书》卷九十五《鸠摩罗什传》："年十二，其母携至沙勒。"《高僧传》卷二《鸠摩罗什传》："至年十二，其母携还龟兹。诸国皆聘以重爵，什并不顾，时什母将什至月氏北山……什进到沙勒国，顶戴佛钵……遂停妙勒一年……什以说法之暇，乃寻访外道经书，善学围陀含多论，多明文辞制作问答等事，又博览四围陀典及五明诸论，阴阳星算莫不必尽，妙达吉凶，言若符契。为性率达，不厉小检。修行者颇共疑之，然什自得于心，未尝介意。时有莎车王子参军王子兄弟二人，委国请从而为沙门。兄字须利耶跋陀，弟字须耶利苏摩。苏摩才伎绝伦，专以大乘为化，其兄及诸学者皆共师焉，什亦宗而奉之，亲好弥至。"

范泰生。《宋书》："范泰，字伯伦……祖汪，晋安北将军、徐兖二州刺史。父宁，豫章太守。"据本传记载，范泰卒于元嘉五年，时年七十四岁，则其当生于本年。

孙绰与谢安等泛海戏，作《赠谢安诗》。《世说新语·雅量第六》："谢太傅盘桓东山时，与孙兴公诸人泛海戏。风起浪涌，孙、王诸人色并遽，便唱使还。太傅神情方王，吟啸不言。舟人以公貌闲意说，犹去不止。既风转急，浪猛，诸人皆喧动不坐。公徐云：'如此，将无归！'众人即承响而回。于是审其量，足以镇安朝野。"注引《中兴书》曰："安先居会稽，与支道林、王羲之、许询共游处。出则渔弋山水，入则谈说属文，未尝有处世意也。"张可礼《东晋文艺系年》第338页认为：上述事情当在谢安出仕之前，王羲之辞官之后。据《晋书》卷七十九《谢安传》和《资治通鉴》卷一百一记载，谢安于升平四年出仕为桓温司马，王羲之本年辞官。则孙绰与谢安等泛海戏，当在永和十一年后，升平四年前，姑系于此。孙绰《赠谢安诗》见《晋诗》卷十三，其云："洋洋浚泌，蔼蔼丘园。庭无乱辙，室有清弦。足不越疆，谈不离玄。心凭浮云……"当作于谢安出仕之前，姑系于此。

公元356年（晋穆帝永和十二年　丙辰）

三月

桓温为征讨大都督，讨伐姚襄。《晋书》卷八《穆帝纪》："三月，姚襄入于许昌，以太尉桓温为征讨大都督以讨之。"卷九十八《桓温传》："母孔氏卒，上疏解职，欲送葬宛陵，诏不许。赠临贺太夫人印绶，谥曰敬，遣侍中吊祭，谒者监护丧事，旬月之中，使者八至，辎轩相望于道。温葬毕视事，欲修复园陵，移都洛阳，表疏十余上，不许。进温征讨大都督、督司冀二州诸军事，委以专征之任……师次伊水，姚襄屯水北，距水而战。温结阵而前，亲被甲督弟冲及诸将奋击，襄大败。"

王羲之书《二日帖》。《二日帖》见《全晋文》卷二十四："昨暮得无奕、阿万此月二日书，甚近清和耳。羌贼故在许下，自当了也。桓公未有行日，阿万定吴兴。"《晋书》卷一百十六《姚襄载记》："襄方轨北引，自称大将军、大单于，进攻外黄，为晋边将所败。襄收散卒而勤抚恤之，于是复振。乃据许昌。"卷八《穆帝纪》："三月，姚襄入于许昌。"则王羲之书《二日帖》当在本年三月之后。

谢尚作《大道曲》。《大道曲》见《乐府诗集》卷七十五，诗云："青阳二三月，柳青桃复红。车马不相识，音落黄埃中。"注引《乐府广题》曰："谢尚为镇西将军，尝著紫罗襦，据胡床，在市中佛国门楼上弹琵琶，作《大道曲》。市人不知是三公也。"谢尚于去年十月任镇西将军，诗中云"青阳二三月"，知当作于本年春。

八月

己亥，桓温击败姚襄，作《平洛表》。《晋书》卷八《穆帝纪》："秋八月己亥，桓温及姚襄战于伊水，大败之，襄走平阳，徙其余众三千余家于江汉之间，执周成而归。使扬武将军毛穆之，督护陈午，辅国将军、河南太守戴施镇洛阳。"《世说新语·赏誉第八》注引《温集》载其《平洛表》："今中州既平，宜时绥定。镇西将军豫州刺史尚，神怀挺率，少致人誉，是以入赞百揆，出蕃方司。宜进据洛阳，抚宁黎庶。谓可本官都督司州诸军事。"

孙盛封吴昌县侯，出补长沙太守。《晋书》卷八十二《孙盛传》："从（桓温）入关平洛，以功进封吴昌县侯，出补长沙太守。以家贫，颇营资货，部从事至郡察知之，服其高名而不劾。盛与温笺，而辞旨放荡，称州遣从事观采风声，进无威凤来仪之美，退无鹰鹯搏击之用，徘徊湘川，将为怪鸟。温得盛笺，复遣从事重案之，赃私狼籍，槛车收盛到州，舍而不罪。"

王羲之书《六日帖》《桓公以至洛帖》和《虞义兴帖》。《六日帖》见《全晋文》卷二十四："桓公威勋，当求之古，令人叹息。比当集姚襄也。"当作于本年八月桓温击败姚襄后。《桓公以至洛帖》和《虞义兴帖》见《全晋文》卷二十六，后帖云"桓公摧寇，罔不如志"。二帖也当作于本年八月桓温击败姚襄后。

十月

王羲之有《远近清和帖》。《远近清和帖》见《全晋文》卷二十二："远近清和，士人平安。荀侯定住下邳，复遣军下城此间民事……"荀侯当指荀羡。《晋书》卷七十五《荀羡传》："及慕容俊攻段兰于青州，诏使羡救之。俊将王腾、赵盘寇琅邪、鄄城，北境骚动。羡讨之，擒腾，盘进走。军次琅邪，而兰已没，羡退还下邳。"卷八《穆帝纪》："冬十月癸巳朔，日有蚀之。慕容恪攻段龛于广固，使北中郎将荀羡帅师次于琅邪以救之。"《远近清和帖》当作于此时。

十二月

庚戌，王彪之上言疾疫之年，朝臣可入宫，作《上言开陵皇太后服》，范汪与之同议。《晋书》卷七十六《王彪之传》："永和末，多疾疫。旧制，朝臣家有时疾，染易三人以上者，身虽无病，百日不得入宫。至是，百官多列家疾，不入。彪之又言……朝廷从之。"《上言开陵皇太后服》见《通典》卷一百二："永和十二年，修复峻平四陵。大使开陵表，至尊及百官皆服缌。尚书符问：皇太后应何服？博士曹耽、胡讷……领国子博士荀讷议……太常王彪之上言……尚书范汪亦同彪之，云……遂上皇太后缌服。"

蔡谟作《谢拜光禄大夫疏》。卒。《晋书》卷七十七《蔡谟传》："谟既被废,杜门不出,终日讲诵,教授子弟。数年,皇太后诏曰:'……以谟为光禄大夫、开府仪同三司。'于是遣谒者仆射孟洪就加册命。谟上疏陈谢曰……遂以疾笃,不复朝见。诏赐几杖,门施行马。十二年,卒,时年七十六。赗赠之礼,一依太尉陆玩故事。诏赠侍中、司空,谥曰文穆。谟博学,于礼仪宗庙制度多所议定。文笔论议,有集行于世。总应劭以来注班固《汉书》者,为之集解……谟性方雅。丞相王导作女伎,施设床席。谟先在坐,不悦而去,导亦不止之。性尤笃慎,每事必为过防。"《隋书》卷三十二《经籍志一》:"《丧服谱》一卷,晋开府仪同三司蔡谟撰……《礼记音》……梁有蔡谟……各二卷……亡。"《补晋书艺文志》卷一:"《论语注》,蔡谟。谨按,江熙《集解》引,见皇侃《论语义疏序》。"《旧唐书》卷七十六《经籍志上》:"《晋七庙议》三卷,蔡谟撰。"《隋书》卷三十五《经籍志四》:"晋司徒《蔡谟集》十七卷,梁四十三卷。《蔡司徒书》三卷,蔡谟撰……亡。"《全晋文》卷一百十四辑文32篇。

王胡之为西中郎将、司州刺史,未行而卒。《晋书》卷七十六《王廙传》:"石季龙死,朝廷欲绥辑河洛,以胡之为西中郎将、司州刺史、假节,以疾固辞,未行而卒。"据卷八《穆帝纪》记载石季龙卒于永和五年四月,则王胡之任西中郎将、司州刺史当在此后。《资治通鉴》卷一百:永和十二年,"司州都督谢尚以疾不行,以丹阳尹王胡之代之"。原校:"十二行本'之'下有'未行而卒'四字。"《世说新语·品藻第九》注引《王胡之别传》云:"胡之好谈谐,善属文辞,为当世所重。"《隋书》卷三十五《经籍志四》:"晋西中郎将《王胡之集》十卷,梁五卷,录一卷。"《晋诗》卷十二辑诗二首:《赠庾翼诗》八章、《答谢安诗》八章。《全晋文》卷二十辑文四篇。

王羲之作《适太常帖》《司州帖》和《诸从帖》。本年还有《九日帖》和《伏想清和帖》。《适太常帖》《司州帖》和《诸从帖》见《全晋文》卷二十二。《适太常帖》:"适太常、司州、领军诸人廿五六书皆佳,司州以为平复,此庆之可言;馀亲亲皆佳。"《司州帖》:"司州供给寥落,去无期也。不果者,公私之望。"《诸从帖》:"司州疾笃不果西,公私可恨。"上述三帖"司州"当指王胡之。王胡之本年任司州刺史,未行而卒。以上三帖当作于此后。《九日帖》见《全晋文》卷二十五:"得都下九日书,见桓公当阳去月九日书,久当至洛,但运迟可忧耳。蔡公遂委笃,又加异下,日数十行,深可忧虑。得仁祖廿六日问,疾更委笃,深可忧。""蔡公"指蔡谟,其卒于本年。"仁祖"指谢尚,《晋书》卷七十九《谢尚传》:"桓温北平洛阳,上疏请尚为都督司州诸军事。将镇洛阳,以疾病不行。"此帖当作于本年。《伏想清和帖》:"桓公十月末书为慰,云所在荒甚可忧。殷生数问北事,势复云何?想安西以至,能数面不?或云顿历阳,尔耶?""桓公"当指桓温,"所在荒甚"当指中原,"殷生"指殷浩,"安西"当指谢尚。《晋书》卷七十九《谢尚传》:"大司马桓温欲有事中原,使尚率众向寿春,进号安西将军。升平初……卒于历阳,时年五十。"卷八《穆帝纪》记载谢尚卒于升平元年五月。此帖作于本年十月至升平五月间，姑系于此。严可均《全梁文》卷四十六辑陶弘景《与梁武帝启》："逸少自吴兴以前诸书犹未称，凡厥好迹，皆是向会稽时永和十许年中者，从失郡告灵不仕以后，略不复自书。"

释道安还冀部，住受都寺。《高僧传》卷五《释道安传》："至年四十五，复还冀部，住受都寺，徒众数百，常宣法化。"

公元 357 年（晋穆帝升平元年　丁巳）

五月

谢尚进都督豫、冀、幽、并四州。卒。《晋书》卷七十九《谢尚传》："升平初，又进都督豫、冀、幽、并四州。病笃，征拜卫将军，加散骑常侍，未至，卒于历阳，时年五十。诏赠散骑常侍、卫将军、开府仪同三司，谥曰简。"卷八《穆帝纪》："五月庚午，镇西将军谢尚卒。"《隋书》卷三十五《经籍志四》："梁有……卫将军《谢尚集》十卷，录一卷……亡。"

六月

前秦苻坚称大秦王，有《苻坚初童谣》《苻坚时新城谣》《苻坚时鱼羊谣》。《晋书》卷二十八《五行志中》："苻坚初，童谣云：'阿坚连牵三十年，后若欲败时，当在江湖边。'及坚在位凡三十年，败于淝水，是其应也。又谣语云……及坚为姚苌所杀，死于新城。复谣歌云……识者以为'鱼羊，鲜也；田升，卑也，坚自号秦，言灭之者鲜卑也'。其群臣谏坚，令尽诛鲜卑，坚不从。及淮南败还，初为慕容冲所攻，又为姚苌所杀，身死国灭。"卷八《穆帝纪》：本年"六月，苻坚杀苻生而自立"。上述童谣出现在苻坚初，当在此时。

王羲之书《旦夕帖》《君顷帖》约在此时。《旦夕帖》见《全晋文》卷二十二："谢无奕外任，数书问无他，仁祖日往，言寻悲酸，如何可言！""谢无奕外任"当指谢弈出为豫州刺史，《晋书》卷八《穆帝纪》："六月……以军司谢奕为使持节、都督、安西将军、豫州刺史。""仁祖日往"当指本年五月谢尚卒。可知此帖约作于此时。《君顷帖》见《全晋文》卷二十三："仁祖家欲至芜湖，单弱伶俜何所成？君书得载停郡迎丧，甚事宜，但异域之乖素已不可言，何时可得发？"当书于谢尚卒后，姑系于此。

八月

王彪之作《正纳皇后礼》《册立皇后何氏文》《上书论皇后拜讫上礼》《奏议陈留王废疾求立后》《婚不举乐议》。十二月为尚书左仆射。《正纳皇后礼》见《晋书》卷二十一《礼志下》："穆帝升平元年，将纳皇后何氏。太常王彪之大引经传及诸故事以定其礼，深非《公羊》婚礼不称主人之义。又曰……于是从之。"《册立皇后何氏文》见《通典》卷五十八，其文曰："惟升平元年八月，皇帝使使持节、兼太保、侍中、太宰、武陵王晞册命故散骑侍郎女何氏为皇后……"《上书论皇后拜讫上礼》见《通典》

卷五十九："升平元年，台符问：'皇后拜讫，何官应上礼？上礼悉何用？'太常王彪之上书以为……"《奏议陈留王废疾求立后》见《通典》卷七十四："升平元年，陈留王励表称……太学博士曹耽议……胡讷议……太常王彪之奏……"《婚不举乐议》见《通典》卷五十九："升平元年，台符问……太常王彪之上书以为……"《晋书》卷八《穆帝纪》："八月丁未，立皇后何氏……冬十月，皇后见于太庙……十二月，以太常王彪之为尚书左仆射。"王彪之上述奏议当作于这一时期。

十二月

王羲之书《义兴帖》、《太常帖》。《义兴帖》见《全晋文》卷二十三："慕容遂来据邺，可深忧。"《晋书》卷十三《天文志下》："十二月，慕容俊入屯邺。"可知此帖当作于此时。《太常帖》见《全晋文》卷二十五："太常故患脾，炙俞，体中可可耳。仆射事已行，以表让，未知恕不？""太常"当指王彪之，"仆射事已行"指其为尚书左仆射。《晋书》卷八《穆帝纪》："十二月，以太常王彪之为尚书左仆射。"则《太常帖》当作于这一时期。

本年

慧远引《庄子》义讲说佛法。《高僧传》卷六《释慧远传》："二十四，便就讲说。尝有客听讲，难实相义，往复移时，弥增疑昧。远乃引《庄子》义为连类，于是惑者晓然。是后，安公特听慧远不废俗书。安有弟子法遇、昙徽，皆风才照灼，志业清敏，并推伏焉。"

有《阿子歌》《欢闻歌》。《宋书》卷十九《乐志一》："《阿子》及《欢闻歌》者，晋穆帝升平初，歌毕辄呼'阿子！汝闻不？'语在《五行志》。后人演其声，以为二曲。"卷三十一《五行志二》："晋穆帝升平中，童子辈忽歌于道曰'阿子闻'，曲终辄云'阿子汝闻不'。无几而穆帝崩，太后哭曰：'阿子汝闻不？'"

谢安畜妓游肆。《世说新语·识鉴第七》："谢公在东山畜妓，简文曰：'安石必出。既与人同乐，亦不得不与人同忧。'"注引宋明帝《文章志》曰："安纵心事外，疏略常节，每畜女妓，携持游肆也。"此当在谢安未出仕前，姑系于此。

戴逵与谢安论琴书。《世说新语·雅量第六》："戴公从东出，谢太傅往看之。谢本轻戴，见但与论琴书。戴既无吝色，而谈琴书愈妙。谢悠然知其量。"此事可能在谢安未出仕前，姑系于此。

公元358年（晋穆帝升平二年 戊午）

正月

司马昱稽首归政，帝不许。《晋书》卷八《穆帝纪》："二年春正月，司徒、会稽王昱稽首归政，帝不许。"

六月

王羲之书《适重熙书帖》。《适重熙书帖》见《全晋文》卷二十五："适重熙书如此，果尔，乃堪可忧。张平不立势向河南者，不知诸侯何以当之？"《晋书》卷八《穆帝纪》："六月，并州刺史张平为苻坚所逼，帅众三千奔于平阳，坚追败之。"《适重熙书帖》当作于此前后，姑系于此。

八月

壬申，谢万为西中郎将、持节、监司豫冀并四州诸军事、豫州刺史。王羲之书《与桓温笺》《又遗谢万书》。《晋书》卷八《穆帝纪》："秋八月，安西将军谢奕卒。壬申，以吴兴太守谢万为西中郎将、持节、监司豫冀并四州诸军事、豫州刺史。"《与桓温笺》见《晋书》卷七十九《谢万传》："（谢）万再迁豫州刺史、领淮南太守、监司豫冀并四州军事、假节。王羲之与桓温笺曰……温不从。"《又遗谢万书》见《晋书》卷八十《王羲之传》："（谢）万后为豫州都督，又遗万书诫之曰……"《与桓温笺》《又遗谢万书》当作于谢万任豫州刺史后。

十二月

郗昙任北中郎将、徐兖二州刺史。《晋书》卷六十七《郗昙传》："昙字重熙，少赐爵东安县开国伯……年三十，始拜通直散骑侍郎，迁中书侍郎。简文帝为抚军，引为司马。寻除尚书吏部郎，拜御史中丞。时北中郎荀羡有疾，朝廷以昙为羡军司，加散骑常侍。顷之，羡征还，仍除北中郎将、都督徐兖青幽扬州之晋陵诸军事、领徐兖二州刺史、假节，镇下邳。"《资治通鉴》卷一百系其任北中郎将、徐兖二州刺史于本年十二月。

本年

王洽卒。有《吴中为庾羲、王洽谣》。王羲之作《群从帖》。《晋书》卷六十五《王洽传》："洽字敬和，导诸子中最知名，与荀羡俱有美称……升平二年卒于官，年三十六。"《隋书》卷三十五《经籍志四》："晋中书令《王洽集》五卷，录一卷。"《宋书》卷三十一《五行志二》："庾羲（校勘记："'庾羲'各本并作'庾义'"）谣曰……无几而庾羲、王洽相继亡。"童谣当作于二人相继亡之前。庾羲卒年不详，王洽卒于本年，故童谣作于本年或本年之前。王羲之《群从帖》见《全晋文》卷二十四："群从凋落将尽，馀年几何？而祸为至此！举目摧丧，不能自喻，且和方左右时务，公私所赖，一旦长逝，相为痛惜！岂惟骨肉之情？言及摧恸，永往奈何？""和"当指王洽，王洽字敬和。《晋书》卷六十五《王洽传》："升平二年卒于官，年三十六。"帖中所言"一旦长逝，相为痛惜！"当指此。

王述作《与会稽王笺》，推荐温峤之子温放之。《晋书》卷六十七《温峤传》："放之嗣爵，少历清官，累至给事黄门侍郎。以贫，求为交州，朝廷许之。王述与会稽王

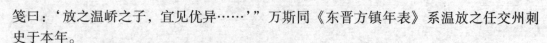

笺曰：'放之温峤之子，宜见优异……'"万斯同《东晋方镇年表》系温放之任交州刺史于本年。

公元 359 年（晋穆帝升平三年 己未）

五月

前秦苻坚南游霸陵，命群臣赋诗。《十六国春秋》卷三十六《前秦录四·苻坚录上》："甘露元年……五月，坚如河东，南游霸陵，顾谓群臣曰：'汉祖起自布衣，廓平四海，佐命功臣，孰为首乎？'权翼进曰：'《汉书》以萧、曹为功臣之冠。'……于是酣歌极欢，命群臣赋诗。"本年为前秦甘露元年。《太平御览》卷五八七引崔鸿《十六国春秋·前秦录》曰："苻坚宴群臣于逍遥园，将军讲武，文官赋诗。有洛阳年少者，长不满四尺而聪博善属文，因朱彤上《逍遥戏马赋》一篇，坚览而奇之，曰：'此文绮藻清丽，长卿俦也。'"

八月

前秦苻坚作《下书征王猛辅政》。《十六国春秋》卷三十六《前秦录四·苻坚录上》："八月，下书曰……"

十月

前燕慕容俊寇东阿。立小学，宴群臣于蒲池，酒酣赋诗。《晋书》卷八《穆帝纪》："冬十月慕容俊寇东阿，遣西中郎将谢万次下蔡，北中郎将郗昙次高平以击之，王师败绩。"卷一百十《慕容俊载记》："俊立小学于显贤里以教胄子。封其子泓为济北王，冲为中山王。宴群臣于蒲池，酒酣，赋诗，因谈经史，语及周太子晋，潜然流涕……俊夜梦石季龙啮其臂，寤而恶之，命发其墓，剖棺出尸，蹋而骂之曰：'死胡安敢梦生天子！'遣其御史中尉阳约数其残酷之罪，鞭之，弃于漳水。"

谢万北伐，兵溃后被废为庶人。作《与王右军书》。《晋书》卷八《穆帝纪》："冬十月慕容俊寇东阿，遣西中郎将谢万次下蔡，北中郎将郗昙次高平以击之，王师败绩。"卷七十九《谢万传》："万既受任北征，矜豪傲物，常以啸咏自高，未尝抚众……诸将益恨之……北中郎将郗昙以疾病退还彭城，万以为贼盛致退，便引军还，众遂溃散，狼狈单归，废为庶人。"《与王右军书》见《世说新语·轻诋第二十六》："谢万寿春败后，还，书与王右军云……"

谢安至谢万军中抚慰将士。《世说新语·简傲第二十四》："谢万北征，常以啸咏自高，未尝抚慰众士。谢公甚器爱万，而审其必败，乃俱行。从容谓万曰：'汝为元帅，宜数唤诸将宴会，以说众心。'万从之。因召集诸将，都无所说，直以如意指四坐云：'诸君皆是劲卒。'诸将甚忿恨之。谢公欲深著恩信，自队主将帅以下，无不身造，厚相逊谢。及万事败，军中因欲除之。复云：'当为隐士。'故幸而得免。"卷八《穆帝纪》记载本年十月谢万北征。

郗昙抵御慕容俊，兵败后降号建威将军。《晋书》卷八《穆帝纪》："冬十月慕容俊寇东阿，遣西中郎将谢万次下蔡，北中郎将郗昙次高平以击之，王师败绩。"卷六十七《郗昙传》："后与贼帅傅末波等战失利，降号建威将军。"卷一百十《慕容俊载记》："（慕容）俊遣慕容评、傅颜（即傅末波）等统步骑五万，战于东阿，王师败绩。"

王羲之作书于谢万，书《云停云子帖》。《世说新语·轻诋第二十六》："谢万寿春败后，还，书与王右军云……右军推书曰……"《云停云子帖》见《全晋文》卷二十五，其云："云停云子代万。顷桓公至。今令荀临淮权领其府，惟祖都共事，已行。"《晋书》卷七十四《桓云传》："云字云子。"盖谢万败后，始欲以桓云代谢万，但最终更为荀临淮。

十一月

十日夜，萼绿华作《赠羊权诗》三首。《云笈七签》卷九十七："萼绿华者，仙女也。年二十许，上下青衣，颜色绝整。以晋穆帝升平三年己未十一月十日夜降于羊权家，自云是南山人，不知何山也。自此一月辄六过其家。权字道舆，即晋简文帝黄门郎羊欣之祖也。权及欣皆潜修道要，耽玄味真。绿华云：我本姓杨。又云：是九嶷山中得道女罗郁也。宿命时曾为其师母毒杀乳妇，玄洲以先罪未灭，故暂谪降臭浊，以偿其过。赠权诗一篇，并火浣布手巾一条，金玉条脱各一枚。条脱似指环而大，异常精好。谓权曰：慎无泄我下降之事，泄之则彼此获罪。因曰：修道之士，视锦绣如弊帛，视爵位如过客，视金玉如瓦砾。无思无虑，无事无为。行人所不能行，学人所不能学，勤人所不能勤，得人所不能得。何者？世人行嗜欲，我行介独；世人学俗务，我学恬漠；世人勤声利，我勤内行；世人得老死，我得长生。故我今已九百岁矣。授权尸解药，亦隐影化形而去，今在湘东山中。绿华初降，赠诗曰……"

十二月

司马丕为骠骑将军。《晋书》卷八《穆帝纪》："十二月，又以中军将军、琅邪王丕为骠骑将军。"

本年

释道安依陆浑，南投襄阳。《高僧传》卷五《释道安传》："顷之，复渡河依陆浑，山栖木食修学。俄而慕容俊逼陆浑，遂南投襄阳，行至新野，谓徒众曰：'今遭凶年，不依国主，则法事难立，又教化之体，宜令广布。'咸曰：'随法师教。'乃令法汰诣扬州曰：'彼多君子，好尚风流。法和入蜀，山水可以修闲。'安与弟子慧远等四百余人渡河夜行……"《晋书》卷八《穆帝纪》记载：升平二年六月，慕容俊尽陷河北之地。三年十月，寇东阿，王师败绩。四年正月，慕容俊卒。则释道安依陆浑，南投襄阳，当在本年前后。

江逌迁吏部郎，长兼侍中，作《谏凿北池表》。《谏凿北池表》见《晋书》卷八十三《江逌传》："升平中，迁吏部郎，长兼侍中。穆帝将修后池，起阁道，逌上疏曰……帝嘉其言而止。复领本州大中正。"上述诸事具体时间不详，升平凡五年，姑系于此。

公元360年（晋穆帝升平四年　庚申）

正月

丙戌，前燕慕容俊卒。《晋书》卷一百十《慕容俊载记》："升平四年，俊死，时年四十二……伪谥景昭皇帝，庙号烈祖，墓号龙陵。俊雅好文籍，自初即位至末年，讲论不倦，览政之暇，唯与侍臣错综义理，凡所著述四十余篇。性严重，慎威仪，未曾以慢服临朝，虽闲居宴处亦无懈怠之色云。"卷八《穆帝纪》："四年春正月……丙戌，慕容俊死，子𬀩嗣伪位。"

十一月

桓温封为南郡公。《晋书》卷八《穆帝纪》："十一月，封太尉桓温为南郡公，温弟冲为丰城县公，子济为临贺郡公。"

罗含为郎中令。《晋书》卷九十二《罗含传》："及温封南郡公，引为郎中令。寻征正员郎。"罗含为郎中令，在本年十一月桓温为南郡公后。

本年

谢安出仕桓温司马。《晋书》卷七十九《谢安传》："安虽处衡门，其名犹出万之右，自然有公辅之望，处家常以仪范训子弟……及万黜废，安始有仕进志，时年已四十余矣。征西大将军桓温请为司马，将发新亭，朝士咸送……既到，温甚喜，言生平，欢笑竟日。"《世说新语·赏誉第八》："谢太傅为桓公司马，桓诣谢，值谢梳头，遽取衣帻，桓公云：'何烦此。'因下共语至暝。既去，谓左右曰：'颇曾见如此人不？'"注引《续晋阳秋》曰："初，安优游山水，以敷文析理自娱。桓温在西蕃，钦其盛名，讽朝廷请为司马。以世道未夷，志存匡济。年四十，起家应务也。"《资治通鉴》卷一零一系此事在本年八月至十月之间。

裴松之生。《宋书》卷六十四《裴松之传》："裴松之，字世期，河东闻喜人也。祖昧，光禄大夫。父珪，正员外郎。"裴松之的卒年有两种说法：《建康实录》卷十四："（裴子野）以文帝（元嘉）十三年受诏撰《起居注》。十六年，重被诏续成何承天《宋书》，其年终于位，书则未遑述作。"《史通·外篇·古今正史》："宋史，元嘉中，著作郎何承天草创纪传……后又命裴松之续成国史。松之寻卒。"《宋书》卷六十四《裴松之传》："续何承天国史，未及撰述，（元嘉）二十八年，卒，时年八十。"裴松之卒年八十，若依前说，则其生于本年；若依后说，则当生于咸安六年。今从张可礼《东晋文艺系年》第273页，而从前说。

刘穆之生。《宋书》卷四十二《刘穆之传》："刘穆之，字道和，小字道民，东莞莒人，汉齐悼惠王肥后也，世居京口。少好《书》、《传》，博览多通。"据本传记载，刘穆之卒于义熙十一年，时年五十八岁，则其生于本年。

王羲之书《十四日帖》。《十四日帖》见《全晋文》卷二十五："十四日疏……适得孔彭祖书，得其弟都下七日书，说云子暴霍乱亡……""云子"当是桓云的字，《晋书》卷七十四《桓云传》记载其卒于本年，则王羲之《十四日帖》当作于本年。

袁宏任南海太守，作《单道开赞》《罗山疏》。《晋书》卷九十五《单道开传》："升平三年至京师，后至南海，入罗浮山，独处茅茨，萧然物外。年百余岁，卒于山舍，敕弟子以尸置石穴中，弟子乃移入石室。陈郡袁宏为南海太守，与弟颖叔及沙门支法防共登罗浮山，至石室口，见道开形骸如生，香火瓦器犹存。宏曰：'法师业行殊群，正当如蝉蜕耳。'乃为之赞云。"据此可知，袁宏曾为南海太守，具体时间不详，可能在升平年间。《单道开赞》《罗山疏》见《全晋文》卷五十七。《罗山疏》云："单道开尸在石室北壁下，形体朽坏，有白骨。在昔在都，识此道士……"袁宏在京师认识单开道的时间可能在升平三年，此文都作于此后单道开卒后，此时袁宏为南海太守，姑系于此。

公元 361 年（晋穆帝升平五年　辛酉）

正月

郗昙卒。《晋书》卷六十七《郗昙传》："寻卒，年四十二，追赠北中郎，谥曰简。"卷八《穆帝纪》："北中郎将、都督徐兖青冀幽五州诸军事、徐兖二州刺史郗昙卒。"

二月

范汪为都督徐兖青冀幽五州诸军事、安北将军、徐兖二州刺史。《晋书》卷八《穆帝纪》："二月，以镇军将军范汪为都督徐兖青冀幽五州诸军事、安北将军、徐兖二州刺史。"

五月

丁巳，穆帝司马聃崩。此前有《阿子歌》《升平末廉歌》。《晋书》卷八《穆帝纪》："五月丁巳，帝崩于显阳殿，时年十九。葬永平陵，庙号孝宗。"《晋书》卷二十八《五行志中》："穆帝升平中，童儿辈忽歌于道曰《阿子闻》，曲终辄云'阿子汝闻不？'无几而帝崩，太后哭之曰：'阿子汝闻不？'升平末，俗间忽作《廉歌》，有扈谦者闻之曰：'廉者，临也。歌云……内外悉临，国家其大讳乎！'少时而穆帝晏驾。"

王述作《立琅邪王议》，议哀帝宜继康皇。《通典》卷二十："东晋穆帝升平五年五月崩，皇太后令立琅邪王丕……扬州刺史蓝田侯臣述议……"《晋书》卷二十《礼志中》："穆帝崩，哀帝立。帝于穆帝为从父昆弟，穆帝舅褚歆有表，中书答表朝廷无其仪，诏下议……卫军王述等二十五人云'成帝不私亲爱，越授天伦，康帝受命显宗。社稷之重，已移所授，纂承之序，宜继康皇。'……诏从述等议，上继显宗。"据卷八《哀帝纪》，本年五月庚申，哀帝司马丕即位。

庚申，司马丕即位，即哀帝。《晋书》卷八《哀帝纪》："五年五月丁巳，穆帝崩。……庚申，即皇帝位，大赦。"

壬戌，哀帝司马丕作《以东海王奕为琅邪王诏》《诏为群臣不为太妃敬》。《以东海王奕为琅邪王诏》见《晋书》卷八《哀帝纪》：升平五年五月"壬戌，诏曰……"《诏为群臣不为太妃敬》见《晋书》卷三十二《周太妃传》。

江蓥作《奏谏山陵用宝器》，迁太常。《晋书》卷八十三《江逌传》："升平末，迁太常，逌累让，不许。穆帝崩，山陵将用宝器，谏曰……书奏，从之。"

支遁受哀帝司马丕之请至京，入住东安寺。《世说新语·文学第四》注引《高逸沙门传》：支遁"居会稽，晋哀帝钦其风味，遣中使至东迎之。遁遂辞丘壑，高步天邑"。《高僧传》卷四《支遁传》："至晋哀帝即位，频遣两使，征请出都，止东安寺，讲《道行般若》，白黑钦崇，朝野悦服。"《全晋文》卷一百五十七载支遁《上书告辞哀帝》："自到天庭，屡蒙引见，优游宾礼，策以微言。"

十月

安北将军范汪被免为庶人，研讲六籍。《晋书》卷七十五《范汪传》："既而桓温北伐，令汪率文武出梁国，以失期，免为庶人。朝廷惮温不敢执，谈者为之叹恨。汪屏居吴郡，从容讲肆，不言枉直。"卷八《哀帝纪》："冬十月，安北将军范汪有罪废为庶人。"

十一月

丙辰，哀帝司马丕作《上嗣显宗以修本统诏》。《晋书》卷八《哀帝纪》："十一月丙辰，诏曰：'……宜上嗣显宗，以修本统。'"

本年

前秦苻坚广修学官。《晋书》卷一百十三《苻坚载记下》："坚僭位五年，凤皇集于东阙，大赦其境内，百僚进位一级……坚广修学官，召郡国学生通一经以上充之，公卿已下子孙并遣受业。其有学为通儒、才堪干事、清修廉直、孝悌力田者，皆旌表之。于是人思劝励，号称多士，盗贼止息，请托路绝，田畴修辟，帑藏充盈，典章法物靡不悉备。坚亲临太学，考学生经义优劣，品而第之。问难五经，博士多不能对……坚自是每月一临太学，诸生竞劝焉。"

谢万任散骑常侍，寻卒。哀帝司马丕本年有《以谢万为散骑常侍诏》。《初学记》卷十二引《晋起居注》："升平五年诏曰：'前西中郎将谢万，才艺简亮，宜居献替，其以为散骑常侍。'"《晋书》卷七十九《谢万传》："后复以为散骑常侍，会卒，时年四十二。"《隋书》卷三十二《经籍志一》:"《周易系辞》二卷,晋西中郎将谢万等注。《集解孝经》一卷,《谢万集》。"卷三十五《经籍志四》:"晋散骑常侍《谢万集》十六卷,梁十卷。"

王羲之书《应期帖》《足下帖》。卒。《晋书》卷八十《王羲之传》:"年五十九卒,赠金紫光禄大夫。诸子遵父先旨,固让不受。"陶弘景《真诰》卷十六《阐幽微》:"逸少……升平五年辛酉岁卒,年五十九。"则王羲之卒于本年。《应期帖》见《全晋文》卷二十三:"应期承运,践登大祚,普天率土,莫不同庆。臣抱疾遐外,不获随例瞻望宸极,屏营一隅。"似为本年哀帝即位而作。《足下帖》见《全晋文》卷二十五:"吾年垂耳顺,推知人理,得不以为厚幸。"耳顺为六十岁,王羲之本年五十九岁。《隋书》卷三十五《经籍志四》:"晋金紫光禄大夫《王羲之集》九卷,梁十卷,录一卷。"丁国钧《补晋书艺文志》卷一:"《月仪书》,王羲之。谨按,见《御览引用书目》。"《全晋文》卷二十二至卷二十六辑文五卷。《晋诗》卷十三辑诗四首,除上文提及的,还有《答许询书》。

习凿齿著《汉晋春秋》。《晋书》卷八十二《习凿齿传》:"是时温觊觎非望,凿齿在郡,著《汉晋春秋》以裁正之。起汉光武,终于晋愍帝。于三国之时,蜀以宗室为正,魏武虽受汉禅晋,尚为篡逆,至文帝平蜀,乃为汉亡而晋始兴焉。引世祖讳炎兴而为禅受,明天心不可以势力强也。凡五十四卷。后以脚疾,遂废于里巷。"《世说新语·文学第四》:"于病中犹作《汉晋春秋》,品评卓异。"习凿齿著《汉晋春秋》的具体时间不详,今据"是时(桓)温觊觎非望",姑系于此。

袁山松文饰旧歌《行路难》,好挽歌,约在此时。袁山松生卒年不详。《世说新语·排调第二十五》注引《续晋阳秋》曰:"山松,陈郡人。祖乔,益州刺史。父方平,义兴太守。"《晋书》卷八十三《袁山松传》:"山松少有才名,博学有文章,著《后汉书》百篇。衿情秀远,善音乐。旧歌有《行路难》曲,辞颇疏质,山松好之,乃文其辞句,婉其节制,每因酣醉纵歌之。听者莫不流涕。初羊昙善唱乐,桓伊能挽歌,及山松《行路难》继之,时人谓之'三绝'。时张湛好于斋前种松柏,而山松每出游,好令左右作挽歌,人谓'湛屋下陈尸,山松道上行殡。'"以上诸事具体时间不详。《世说新语·任诞第二十三》注引裴启《语林》言及张湛斋前种松柏,山松出游令左右作挽歌事。《语林》作于隆和年间(详后),上述事当在隆和前,姑系于此。

公元 362 年(晋哀帝隆和元年 壬戌)

正月

壬子,大赦,改元。《晋书》卷八《哀帝纪》:"隆和元年春正月壬子,大赦,改元。"

五月

桓温作《请还都洛阳疏》。哀帝司马丕作《答桓温请还都洛阳诏》。《晋书》卷九十八《桓温传》:"隆和初,寇逼河南,太守戴施出奔,冠军将军陈祐告急,温使竟陵太守邓遐率三千人助祐，并欲还都洛阳，上疏曰……诏曰……于是改授并、司、冀三州，以交广辽远，罢都督，温表辞不受。"《资治通鉴》卷一百一系桓温欲迁都洛阳在本年五月。

孙绰作《谏移都洛阳疏》。寻转廷尉卿，领著作。《晋书》卷五十六《孙绰传》："时大司马桓温欲经纬中国，以河南粗平，将移都洛阳。朝廷畏温，不敢为异，而北土萧条，人情疑惧，虽并知不可，莫敢先谏。绰乃上疏曰……桓温见绰表，不悦……寻转廷尉卿，领著作。"

王述议桓温迁都洛阳。《晋书》卷七十五《王述传》："桓温平洛阳，议欲迁都，朝廷忧惧，将遣侍中止之。述曰……事果不行。又议欲移洛阳钟虡，述曰……温竟无以夺之。"

十二月

戊午朔，哀帝司马丕作《日蚀诏》《洪祀诏》。《晋书》卷八《哀帝纪》："十二月戊午朔，日有蚀之。诏曰……"《洪祀诏》见《晋书》卷七十八《孔严传》："隆和元年，诏曰：'天文失度……今欲依洪祀之制，于太极殿前庭亲执虔肃。'严谏曰：'洪祀虽出《尚书大传》，先儒所不究，历代莫之兴……'"

江逌作《上疏谏修洪祀》二篇。《晋书》卷八十三《江逌传》："哀帝以天文失度，欲依《尚书》洪祀之制，于太极前殿亲执虔肃，冀以免咎，使太常集博士草其制。逌上疏谏曰……帝不纳，逌又上疏曰……帝犹敕撰定，逌又陈古义，帝乃止。"江逌作《上疏谏修洪祀》可能是针对哀帝隆和元年的《洪祀诏》的，当作于本年。本传还记载："逌在职多所匡谏。著《阮籍序赞》《逸士箴》及诗赋奏议数十篇行于世。病卒，时年五十八。"江逌卒年不详，姑系于此。《隋书》卷三十五《经籍志四》："晋太常《江逌集》九卷。"《旧唐书》卷四十七《经籍志下》《新唐书》卷六十《艺文志四》均作五卷。《晋诗》卷十二辑诗三首：《咏秋诗》《咏贫诗》、失题诗。《全晋文》卷一百七辑文十篇，除已见上文者外，还有：《风赋》《述归赋》《井赋》《羽扇赋》《竹赋》。

本年

晋孝武帝司马曜生。《晋书》卷九《孝武帝纪》："孝武皇帝讳曜，字昌明，简文帝第三子也……简文帝见谶云：'晋祚尽昌明。'及帝之在孕也，李太后梦神人谓之曰：'汝生男，以"昌明"为字。'及产，东方始明，因以为名焉。"据《孝武帝纪》，孝武帝司马曜卒于太元二十一年，时年三十五岁，则其当生于本年。

有《隆和初童谣》二则。《晋书》卷二十八《五行志中》："哀帝隆和初，童谣曰：'升平不满斗，隆和那得久！桓公入石头，陛下徒跣走。'朝廷闻而恶之，改年曰兴宁。人复歌曰：'虽复改兴宁，亦复无聊生。'哀帝寿崩。升平五年而穆帝崩，'不满斗'，升平不至十年也。"卷八《哀帝纪》："隆和元年春正月壬子，大赦，改元……兴宁元年春二月己亥（校勘记：'二月己亥，二月丁巳朔，不得有己亥。'），大赦，改元。"据此可知，前一童谣作于本年，后一童谣作于明年改元后。

裴启撰《语林》。《世说新语·文学第四》："裴郎作《语林》，始出，大为远近所传。时流年少，无不传写，各有一通。载王东亭作《经王公酒垆下赋》，甚有才情。"注引《裴氏家传》曰："裴荣字荣期，河东人。父稚，丰城令。荣期少有风姿才气，好论古今人物。撰《语林》数卷，号曰《裴子》。"《轻诋第二十六》注引《续晋阳秋》曰："晋隆和中，河东裴启撰汉、魏以来迄于今时，言语应对之可称者，谓之《语林》。时人多好其事，文遂流行。"裴荣、裴启似为一人，《文学第四》注云："檀道鸾谓裴松之以为启作《语林》，荣傥别名启乎？"《续晋阳秋》认为裴启撰《语林》在"晋隆和中"，隆和仅一年，故系于此。

李充约卒于本年。《晋书》卷九十二《李充传》："累迁中书侍郎，卒官。"充卒年未详。姑系于其任中书侍郎三年时。《晋书》本传云："充注《尚书》及《周易旨》六篇、《释庄论》上下二篇、诗赋表颂等杂文二百四十首，行于世。"《隋书》卷三十二《经籍志一》："《论语》十卷，晋著作郎李充注。"丁国钧《补晋书艺文志》卷一："《史记索隐·仲尼弟子列传》引作《论语解》。"丁国钧撰子辰述注《晋书艺文志补遗》："《论语音》，李充，见《经典释文》。"《旧唐书》卷四十七《经籍志下》："《释庄子论》二卷，李充撰。"《隋书》卷三十五《经籍志四》："晋《李充集》二十二卷，梁十五卷，录一卷……《翰林论》三卷，李充撰，梁五十四卷。"《全晋文》卷五十三辑文 15 篇，文学性较强的有《风赋》《春游赋》《怀愁赋》《玄宗赋》《穆天子赋》《吊嵇中散》等，《晋诗》卷十一辑诗三首：《嘲友人诗》《七月七日诗》《送许从诗》。李充的《翰林论》为具有东晋时代特色之文论，其论"表"主张"宜以远大为本"，论"论"主张"研玉名理"、"论贵于允理"，反映了东晋玄学高潮中，文章尚理的风气。【附录】李颙生卒年不详，《晋书·李充传》："子颙，亦有文义，多所述作，郡举孝廉。"《隋书》卷三十二《经籍志一》："梁有……《周易对象数旨》六卷，东晋乐安亭侯李颙撰……亡……《集解尚书》十一卷，李颙注……《尚书新释》二卷，李颙撰。"卷三十五《经籍志四》："晋《李颙集》十卷，录一卷。"《晋诗》卷九十一辑诗七首：《涉湖诗》《经涡路作诗》《夏日诗》《羡夏诗》《感冬诗》《离思诗》《失题诗》。《全晋文》卷五十三辑文八篇：《雪赋》《雷赋》《悲四时赋》《感兴赋》《凌仙赋》《鬼赋》《镜论》《阮彦伦诔》。

公元 363 年（晋哀帝兴宁元年　癸亥）

三月

癸卯，司马昱总内外众务。《晋书》卷八《哀帝纪》："癸卯，帝奔丧，诏司徒、会稽王昱总内外众务。"

壬寅，宋武帝刘裕生。《宋书》卷一《武帝纪上》："高祖武皇帝讳裕，字德舆，小名寄奴，彭城县绥舆里人，汉高帝弟楚元王交之后也。交生懿侯富，富生宗正辟强，辟强生阳城缪侯德，德生阳城节侯安民，安民生阳城釐侯庆忌，庆忌生阳城肃侯岑，岑生宗正平，平生东武城令某，某生东莱太守景，景生明经洽，洽生博士弘，弘生琅邪都尉悝，悝生魏定襄太守某，某生邪城令亮，亮生晋北平太守膺，膺生相国掾熙，熙生开封令旭孙，旭孙生混，始过江，居晋陵郡丹徒县之京口里，官至武原令。混生东安太守靖，靖生郡功曹翘，是为皇考。高祖以晋哀帝兴宁元年岁次癸亥三月壬寅夜生。"

五月

桓温加侍中、大司马，假黄钺。《晋书》卷八《哀帝纪》："五月，加征西大将军桓温侍中、大司马、都督中外诸军事、录尚书事、假黄钺。"

袁宏迁大司马桓温府记室。《晋书》卷九十二《袁宏传》："累迁大司马桓温府记室。温重其文笔，专综书记。"当在本年五月桓温任大司马后。

伏滔任桓温参军。滔生卒年不详。《晋书》卷九十二《伏滔传》："伏滔，字玄度，平昌安丘人也。有才学，少知名。州举秀才，辟别驾，皆不就。大司马桓温引为参军，深加礼接，每宴集之所，必命滔同游。"任桓温参军当在本年五月桓温任大司马后。

郗超任大司马桓温参军。《晋书》卷六十七《郗超传》："桓温辟为征西大将军掾。温迁大司马，又转为参军。温英气高迈，罕有所推，与超言，常谓不能测，遂倾意礼待。超亦深自结纳。"

王坦之为大司马桓温长史。桓温为儿求王女。《晋书》卷七十五《王坦之传》："出为大司马桓温长史。"《世说新语·方正第五》："王文度为桓公长史时，桓为儿求王女，王许咨蓝田。既还，蓝田爱念文度，虽长大犹抱着膝上。文度因言桓求己女婚。蓝田大怒，排文度下，曰：'恶见，文度已复痴，畏桓温面？兵，那可嫁女与之！'文度还报云：'下官家中先得婚处。'桓公曰：'吾知矣，此尊府君不肯耳。'"

九月

壬戌，大司马桓温帅众北伐。《晋书》卷八《哀帝纪》："九月壬戌，大司马桓温帅众北伐。"

本年

葛洪卒。《晋书》卷七十二《葛洪传》："洪博闻深洽，江左绝伦。著述篇章富于班马，又精辩玄赜，析理入微。后忽与岳疏云：'当远行寻师，克期便发。'岳得疏，狼狈往别。而洪坐至日中，兀然若睡而卒，岳至，遂不及见。时年八十一。"葛洪著述宏富，《隋书》卷三十二《经籍志一》："《丧服变除》一卷，晋散骑常侍葛洪撰。"卷三十三《经籍志二》："《汉书钞》三十卷，晋散骑常侍葛洪撰……《神仙传》十卷，葛洪撰。"卷三十四《经籍志三》："《抱朴子内篇》二十一卷、音一卷，葛洪撰……《抱朴子外篇》三十卷，葛洪撰。梁有五十一卷……《遁甲肘后立成囊中秘》一卷，葛洪撰……《遁甲返覆图》一卷，葛洪撰……《遁甲要用》四卷，葛洪撰。《遁甲秘要》一卷，葛洪撰，《遁甲要》一卷，葛洪撰……《龟决》二卷，葛洪撰……梁有《周易杂占》十卷，葛洪撰。亡……《肘后方》六卷，葛洪撰。梁二卷……《玉函煎方》五卷，葛洪撰。"卷三十五《经籍志四》："《抱朴君书》一卷，葛洪撰。"

　　鸠摩罗什返龟兹，受戒于王宫，学《十诵律》。《晋书》卷九十五《鸠摩罗什传》："年二十，龟兹王迎之还国，广说诸经，四远学徒莫之能抗。"《高僧传》卷二《鸠摩罗什传》："龟兹王躬往温宿，迎什还国，广说诸经，四远宗仰，莫之能抗。时王子为尼，字阿竭耶末帝，博览群经，特深禅要，云已证二果，闻法喜踊。乃更设大集，请开方等经奥。什为推辩诸法皆空无我，分别阴界假名非实。时会听者莫不悲感追悼，恨悟之晚矣。至年二十受戒于王宫，从卑摩罗叉学《十诵律》。有顷，什母辞往天竺，谓龟兹王白纯曰……于是留住龟兹，止于新寺。"

　　谢安除吴兴太守，拜见竺法旷约在此时。《晋书》卷七十九《谢安传》："温当北征，会万病卒，安投笺求归。寻除吴兴太守。在官无当时誉，去后为人所思。"谢万卒于升平五年，见卷七十九《谢万传》；桓温本年九月北伐，见卷八《哀帝纪》。则谢安投笺求归或在此前后，其除吴兴太守亦在此时。《高僧传》卷五《竺法旷传》："后辞师远游，广寻经要，还止于潜青山石室……谢安为吴兴，故往展敬。而山栖幽阻，车不通辙，于是解驾山椒，陵峰步往。"

公元 364 年（晋哀帝兴宁二年　甲子）

三月

　　哀帝司马丕不豫，好黄老，饵长生药，中毒。《晋书》卷八《哀帝纪》：本年三月"辛未，帝不豫。帝雅好黄老，断谷，饵长生药，服食过多，遂中毒，不识万机，崇德太后复临朝摄政"。

四月

　　桓温率军进合肥。此前有《上疏陈便宜七事》，奏请敦明学业，选建史官，修晋书。《晋书》卷八《哀帝纪》：本年"夏四月……桓温遣西中郎将袁真、江夏相刘岵等凿阳仪道以通运，温帅舟师次于合肥"。《晋书》卷九十八《桓温传》："温以既总督内外，不宜在远，又上疏陈便宜七事：'……其六，宜述遵前典，敦明学业。其七，宜选建史官，以成晋书。'有司皆奏行之。寻加羽葆鼓吹，置左右长史、司马、从事中郎四人。受鼓吹，余皆辞。复率舟军进合肥。"

五月

　　戊辰，以桓温为扬州牧、录尚书事。作《辞参朝政疏》。《晋书》卷八《哀帝纪》：本年"五月……戊辰……以桓温为扬州牧、录尚书事。壬申，遣使喻温入相，温不从。秋七月丁卯，复征温入朝。八月，温至赭圻，遂城而居之。"《辞参朝政疏》见卷九十八《桓温传》："加扬州牧、录尚书事，使侍中颜旄宣旨，召温入参朝政。温上疏曰……诏不许，复征温。温至赭圻，诏又使尚书车灌止之，温遂城赭圻，固让内录，遥领扬州牧。"当作于本年五月拜扬州牧之后，七月丁卯，复征温入朝之前。

王述为尚书令。《晋书》卷八《哀帝纪》：本年"五月……戊辰，以扬州刺史王述为尚书令、卫将军。"

本年

司马道子生。《晋书》卷六十四《简文三子传》："简文帝七子……李夫人生孝武帝、会稽文孝王道子。"同卷《会稽王道子传》："会稽文孝王道子字道子。"据《会稽王道子传》及卷十《安帝纪》，司马道子卒于元兴元年，时年三十九岁，则其当生于本年。

郑鲜之生于本年。《宋书》卷六十四《郑鲜之传》："郑鲜之，字道子，荥阳开封人也。高祖浑，魏将作大匠。曾祖袭，大司农。父遵，尚书郎。"校勘记："鲜之去郑浑且二百年，以寻常数计之，当在六世之外。此云高祖，于事不合。"据本传记载，郑鲜之卒于元嘉四年，时年六十四岁，则其生于本年。

鸠摩罗什广诵大乘经。《高僧传》卷二《鸠摩罗什传》："停住二年，广诵大乘经论，洞其秘奥。龟兹王为造金师子座，以大秦锦褥铺之，令什升而说法……西域诸国咸伏什神俊，每年讲说，诸王皆长跪座侧，令什践而登焉，其见重如此。什既道流西域，名被东川。"

释道安达襄阳，译佛经，撰经录。《高僧传》卷五《释道安传》："既达襄阳，复宣佛法。初经出已久，而旧译时谬，致使深藏隐没未通，每至讲说，唯叙大意转读而已。安穷览经典，钩深致远，其所注《般若》《道行》《密迹》《安般》诸经，并寻文比句，为起尽之义，乃析疑甄解，凡二十二卷。序致渊富，妙尽深旨，条贯既叙，文理会通，经义克明，自安始也。自汉魏迄晋，经来稍多，而传经之人，名字弗说。后人追寻，莫测年代，安乃总集名目，表其时人。诠品新旧，撰为经录，众经有据，实由其功。四方学士竞往师之。"张可礼《东晋文艺系年》第 407 页："道安到达襄阳时间未详。据本传，苻丕攻克襄阳时，道安在襄阳已十五年。太元四年苻丕克襄阳。据此上推，当于本年达襄阳。"

习凿齿往见释道安。《高僧传》卷五《释道安传》："时襄阳习凿齿锋辩天逸，笼罩当时，其先闻安高名，早已致书通好曰……及闻安至止，即往修造。"

支遁于瓦官寺与道人辩答，还东山，作《上书告辞哀帝》。《世说新语·文学第四》："有北来道人好才理，与林公相遇于瓦官寺，讲《小品》。于时竺法深、孙兴公悉共听。此道人语，屡设疑难，林公辩答清析，辞气俱爽。此道人每辄摧屈。孙问深公：'上人当是逆风家，向来何以都不言？'深公笑而不答。林公曰：'白旃檀非不馥，焉能逆风？'深公得此义，夷然不屑。"《高僧传》卷四《支遁传》："遁淹留京师，涉将三载，乃还东山，上书告辞曰：'……上愿陛下，时蒙放遣，归之林薄，以鸟养鸟，所荷为优。谨露板以闻，申其愚管，裹粮望路，伏待慈诏。'诏即许焉。资给发遣，事事丰厚，一时名流，并饯离于征虏……既而收迹剡山，毕命林泽。"张可礼《东晋文艺系年》第 408 页："据《建康实录》卷八《哀皇帝》，本年造瓦官寺。又遁于升平五年五月哀帝即位后至京都，'涉将三载，乃还东山'，据以上记载推测，上述事疑在本年。"

公元365年（晋哀帝兴宁三年　乙丑）

正月

桓温移镇姑孰。《晋书》卷九十八《桓温传》："属鲜卑攻洛阳，陈祐出奔，简文帝时辅政，会温于洌洲，议征讨事，温移镇姑孰。会哀帝崩，事遂寝。"《资治通鉴》卷一百一：本年正月"大司马（桓）温移镇姑孰"。

顾恺之随桓温游江津。《世说新语·言语第二》："桓征西治江陵城甚丽，会宾僚出江津望之，云'若能目此城者有赏。'顾长康时为客，在坐，目曰：'遥望层城，丹楼如霞。'桓即赏以二婢。"

二月

丙申，哀帝司马丕崩于西堂。有兴宁童谣。《晋书》卷八《哀帝纪》：本年二月"丙申，帝崩于西堂，时年二十五。葬安平陵"。《建康实录》卷八《哀帝纪》：本年"二月甲午，疾笃。丙申，帝崩于西堂。三月，葬安平陵……谥哀帝。帝虽即尊位，而政不由己，军事权于桓温，机务在于会稽，天子不得自由，故兴宁童谣云：'虽复转宁，后无聊生。'"

四月

习凿齿作《与释道安书》。《与释道安书》见《全晋文》卷一百三十四，其云："兴宁三年四月五日，凿齿稽首和南……"

七月

己酉，司马昱改封琅邪王。《晋书》卷九《简文帝纪》："废帝即位，以琅邪王绝嗣，复徙封琅邪，而封王子昌明为会稽王。帝固让，故虽封琅邪而不去会稽之号。"卷八《海西公纪》：本年"秋七月……己酉，改封会稽王昱为琅邪王。"

本年

陶渊明生于本年。《宋书》卷九十三《陶潜传》："陶潜字渊明，或云渊明字元亮，寻阳柴桑人也。曾祖侃，大司马……潜元嘉四年卒，时年六十有三。"据此上推，则其当生于本年。陶渊明的生年有几种不同的看法。对于陶渊明的生年和享年问题，最早提出质疑的是宋代张演，他根据《游斜川》推算陶渊明享年76岁，见其就吴仁杰《陶靖节先生年谱》所作的《辩证》。梁启超《陶渊明》一书中所附《陶渊明年谱》主张陶氏享年56岁，商务印书馆1923年版。古直《陶靖节年谱》主张陶氏享年52岁，中华书局1935年《层冰堂五种》本。袁行霈先生《陶渊明享年考辨》重申76岁说，见

《文学遗产》1996 年第 1 期，代表最新的研究成果。陶渊明卒于元嘉四年，没有异议。传统的说法根据沈约《宋书·陶潜传》"享年六十有三"的记载，认为其出生于兴宁三年。今姑且依据传统说法定于本年。

袁宏作《东征赋》《名士传》。伏滔苦谏袁宏。《晋书》卷九十二《袁宏传》："后为《东征赋》，赋末列称过江诸名德，而独不载桓彝。时伏滔先在温府，又与宏善，苦谏之。宏笑而不答。温知之甚忿；而惮宏一时文宗，不欲令人显问。"《世说新语·文学第四》注引《续晋阳秋》曰："宏为大司马记室参军，后为《东征赋》，悉称过江诸名望。时桓温在南州，宏语众云：'我决不及桓宣城。'时伏滔在温府，与宏善，苦谏之，宏笑而不答。滔密以启温，温甚忿，以宏一时文宗，又闻此赋有声，不欲令人显闻之。后游青山饮酌，既归，公命宏同载，众为危惧。行数里，问宏曰：'闻君作《东征赋》，多称先贤，何故不及家君？'宏答曰：'尊公称谓，自非下官所敢专，故未呈启，不敢显之耳。'温乃云：'欲为何辞？'宏即答云：'风鉴散朗，或搜或引。身虽可亡，道不可陨。则宣城之节，信为允也。'温泫然而止。"据上文可知，袁宏作《东征赋》时，"桓温在南州"。《文选》卷二十二殷仲文《南州桓公九井作》李善注引《水经注》曰："淮南郡之湖南县南，所谓姑孰，即南州矣。"据卷八《哀帝纪》记载：本年正月"大司马桓温移镇姑孰"。则袁宏作《东征赋》当在本年前后。《世说新语·文学第四》："袁伯彦作《名士传》成，见谢公。公笑曰：'我尝与诸人道江北事，特作狡狯耳！彦伯遂以著书。'"注云："宏以夏侯太初、何平叔、王辅嗣为正始名士，阮嗣宗、嵇叔夜、山巨源、向子期、刘伯伦、阮仲容、王浚仲为竹林名士，裴叔则、乐彦辅、王夷甫、庾子嵩、王安期、阮千里、卫叔宝、谢幼舆为中朝名士。"《名士传》写作时间不详，可能在桓温出仕后，姑系于此。

范汪卒。《晋书》卷七十五《范汪传》："后至姑孰，见温。温时方起屈滞以倾朝廷，谓汪远来诣己，倾身引望，谓袁宏曰：'范公来，可作太常邪？'汪既至，才坐，温谢其远来意。汪实来造温，恐以趋时致损，乃曰：'亡儿瘵此，故来视之。'温殊失望而止。时年六十五，卒于家。赠散骑常侍，谥曰穆。"《隋书》卷三十二《经籍志一》："梁有……《祭典》三卷，晋安北将军范汪撰……亡。"卷三十三《经籍志二》："《尚书大事》二十卷，范汪撰。《范氏家传》一卷，范汪撰。"《新唐书》卷五十八《艺文志二》："范汪《杂府州郡仪》十卷。"范汪著有《荆州记》，见《艺文类聚》卷六十四引。《隋书》卷三十四《经籍志三》："梁有……《棋九品序录》一卷，范汪等注……《范东阳方》一百五卷，录一卷，范汪撰。梁一百七十六卷……亡。"《隋书》卷三十五《经籍志四》："晋《范汪集》一卷，梁十卷。"

范宁作《春秋榖梁传集解》。《晋书》卷九十五《范宁传》："宁字武子。少笃学，多所通览……初，宁以《春秋榖梁氏》未有善释，遂沉思积年，为之集解。其义精审，为世所重。"《全晋文》卷一百二十五辑有范宁《春秋榖梁传集解序》："升平之末，岁次大梁，先君北蕃回轸，顿驾于吴，乃帅门生故吏，我兄弟子侄，研讲六籍，次及三传，左氏则有服杜之注，公羊则有何严之训，释榖梁传者虽近十家，皆肤浅末学，不经师匠，辞理典据，既无可观，又引左氏公羊以解此传，文义违反，斯害也已。于是乃商略名例，敷陈疑滞，博示诸儒同异之说，昊天不吊，太山其颓，匍匐墓次，死亡无日，日月逾迈，其跂及视息，乃与二三学士及诸子弟，各记所识，并言其意，业未及终，严霜夏坠，从弟雕落，二子泯没，天实丧予，何痛如之。今撰诸子之言，各记其姓名，名曰《春秋穀梁传集解》。"

公元 366 年（晋废帝太和元年　丙寅）

闰四月

四日，支遁卒，卒前作《切悟章》。郗超为支遁作序传。袁宏为支遁作铭赞。《高僧传》卷四《支道林传》："移还坞中，以晋太和元年闰四月四日，终于所住，春秋五十有三，即窆于坞中，厥冢存焉。或云终剡，未详。郗超为之序传，袁宏为之铭赞，周昙宝为之作诔，孙绰《道贤论》以遁方向子期，论云……遁有同学法虔，精理入神，先遁亡。遁叹曰：'昔匠石废斤于郢人，牙生辍弦于钟子，推己求人，良不虚矣！宝契既潜，发言莫赏，中心蕴结，余其亡矣！'乃著《切悟章》，临亡成之，落笔而卒。凡遁所著文翰，集有十卷，盛行于世。"

十月

司马昱为丞相。《晋书》卷八《海西公纪》："冬十月……以会稽王昱为丞相。"卷九《简文帝纪》："太和元年，进位丞相、录尚书事，入朝不趋，赞拜不名，剑履上殿，给羽葆鼓吹班剑六十人，又固让。"

范宁为司马昱所辟，未行，作《王弼何晏论》。《晋书》卷九十五《范宁传》："简文帝为相，将辟之，为桓温所讽，遂寝不行。故终温之世，兄弟无在列位者。时以浮虚相扇，儒雅日替，宁以为其源始于王弼、何晏，二人之罪深于桀纣，乃著论曰……宁崇儒抑俗，率皆如此。"《王弼何晏论》写作的具体时间不详，姑系于此。

本年

顾恺之任桓温参军。《晋书》卷九十二《顾恺之传》："桓温引为大司马参军，甚见亲昵。"顾恺之在桓温移镇姑孰时，曾随桓温游，其入桓温幕可能也在此期间。《世说新语·文学第四》注引《宋明帝文章志》曰："桓温云：'顾长康体中痴黠各半，合而论之，正平平耳。'世云有三绝，画绝、文绝、痴绝。"

公元 367 年（晋废帝太和二年　丁卯）

九月

郗愔任平北将军、徐州刺史，作《上言魏鹭事》。《晋书》卷六十七《郗愔传》："大司马桓温以愔与徐兖有故义，乃迁愔都督徐兖青幽扬州之晋陵诸军事、领徐兖二州刺史、假节。虽居藩镇，非其好也。"卷八《海西公纪》："秋九月，以会稽内史郗愔为都督徐兖青幽四州诸军事、平北将军、徐州刺史。"《上言魏鹭事》见《通典》卷五十九："东晋废帝太和中，平北将军郗愔上言……"此文当作于本年任平北将军之后、太和四年转会稽太守之前。

郗超任散骑侍郎。《晋书》卷六十七《郗超传》："寻除散骑侍郎。时（郗）愔在北府。"本年九月郗愔在北府。超除散骑侍郎当在本年九月后。

本年

王述作《上疏乞骸骨》。《晋书》卷七十五《王述传》："太和二年，以年迫悬车，上疏乞骸骨，曰……不许。述竟不起。"

裴松之学通《论语》、《毛诗》。《宋书》卷六十四《裴松之传》："松之年八岁，学通《论语》《毛诗》。"

王珣作《黄公酒垆下赋》。王珣作《黄公酒垆下赋》的时间有两种说法：《世说新语·文学第四》："裴郎作《语林》……载王东亭作经王公酒垆下赋，甚有才情。"据此，此赋作于裴启《语林》之前，《语林》作于隆和中，已见前述。《世说新语·轻诋第二十六》注引《续晋阳秋》曰："晋隆和中，河东裴启撰……《语林》……后说太傅事不实，而有人于谢坐叙其黄公酒垆，司徒王珣为之赋，谢公加以与王不平，乃云：'君遂复作裴郎学！'"据此可知，王珣作《黄公酒垆下赋》在裴启撰《语林》之后。隆和前一年，王珣年十二，似不太可能作此赋。今从第二种说法，系于本年，此时王珣十八岁。

公元368年（晋废帝太和三年　戊辰）

八月

壬寅，王述卒。《晋书》卷七十五《王述传》：太和"三年卒，时年六十六……追赠侍中、骠骑将军、开府，谥曰穆，以避穆帝，改曰简"。卷八《海西公纪》：本年"秋八月壬寅，尚书令、卫将军、蓝田侯王述卒。"《建康实录》卷八系王述卒于永和二年，疑误。今从本传和《海西公纪》。《隋书》卷三十二《经籍志一》："《春秋左氏经传通解》四卷，王述之撰……《春秋旨通》十卷，王述之撰。"《世说新语·轻诋第二十六》余嘉锡笺疏："六朝人名有之者，多去'之'为单名，述之疑即王述。故《金楼子·立言篇》云：'亡怀祖颇有儒术'，盖谓此也。"《隋书》卷三十五《经籍志四》："晋尚书仆射《王述集》八卷。"

王坦之以父忧去大司马桓温长史。《晋书》卷七十五《王坦之传》："出为大司马桓温长史。寻以父忧去职。"王坦之之父王述卒于本月壬寅。

本年

徐邈应选。《晋书》卷九十一《徐邈传》："及孝武帝始览典籍，招延儒学之士，邈既东州儒素，太傅谢安举以应选。"其应选的具体时间不详，此年孝武帝七岁，据"孝武帝始览典籍"，故系其应选于本年。

竺道壹出都，居瓦官寺从竺法汰受学。《高僧传》卷五《竺法壹传》："琅邪王珣兄弟深加敬事，晋太和中出都，止瓦官寺，从汰公受学。数年之中，思彻渊深，讲倾都邑。汰有弟子昙壹，亦雅有风操，时人呼昙壹为大壹，道壹为小壹。名德相继，为时论所宗。晋简文皇帝深所知重。"太和仅五年，今据"太和中"系于此。

公元 369 年（晋废帝太和四年　己巳）

四月

桓温北伐。《晋书》卷八《废帝海西公纪》：太和"四年夏四月庚戌，大司马桓温帅众伐慕容暐"。卷九十八《桓温传》："太和四年，又上疏悉众北伐。平北将军郗愔以疾解职，又以温领平北将军、徐兖二州刺史，率弟南中郎冲、西中郎袁真步骑五万北伐。"

郗愔辞平北将军，转会稽太守。《晋书》卷六十七《郗愔传》："俄属桓温北伐，愔请督所部出河上，用其子超计，以己非将帅才，不堪军旅，又固辞解职，劝温并领己所统。转冠军将军、会稽内史。"

郗超为其父郗愔更作《遗桓温笺》，谏桓温。《晋书》卷六十七《郗超传》："时愔在北府，徐州人多劲悍，温恒云'京口酒可饮，兵可用'，深不欲愔居之。而愔暗于事机，遣笺诣温，欲共奖王室，修复园陵。超取视，寸寸毁裂，乃更作笺，自陈老病，甚不堪人间，乞闲地自养。温得笺大喜，即转愔为会稽太守……太和中，温将伐慕容氏于临漳，超谏以道远，汴水又浅，运道不通。温不从，遂引军自济入河，超又进策于温曰：……温不从，果有枋头之败，温深惭之。"

袁宏从桓温北伐，作《北征赋》，被责免官。《晋书》卷九十二《袁宏传》："从桓温北征，作《北征赋》，皆其文之高者。"《世说新语·文学第四》："桓宣武命袁彦伯作《北征赋》。"其赋云："于时天高地涧，木落水凝。繁霜夜洒，劲风晨兴"，可见当作于本年秋季。袁宏被责免官，《世说新语·文学第四》："桓宣武北征，袁虎时从，被责免官。会需露布文，唤袁倚马前令作。手不辍笔，俄得七纸，殊可观。"注引《（桓）温别传》："温以太和四年上疏自征鲜卑。"被责免官的原因可能和他刚直的性格有关。《晋书》卷九十二《袁宏传》："性强正亮直，虽被温礼遇，至于辩论，每不阿屈，故荣任不至。与伏滔同在温府，府中呼为'袁伏'。宏心耻之，每叹曰：'公之厚恩未优国士，而与滔比肩，何辱之甚。'"

伏滔从桓温北伐，与王珣评论袁宏《北征赋》。《晋书》卷九十二《袁宏传》："尝与王珣、伏滔同在温坐，温令滔读其（按，即袁宏）《北征赋》，至'……岂一性之足伤，乃致伤于天下'，其本至此便改韵。珣云：'此赋方传千载，无容率耳。今于"天下"之后，移韵徙事，然于写送之致，似为未尽。'滔云：'得益写韵一句，或为小胜。'温曰：'卿思益之。'宏应声答曰：'感不绝于余心，愬流风而独写。'珣诵味久之，谓滔曰：'当今文章之美，故当共推此生。'"

九月

桓温北伐失败。《晋书》卷九十八《桓温传》："温……遂至枋头。先使袁真伐谯梁，开石门以通运。真讨谯梁皆平之，而不能开石门，军粮竭尽。温焚舟步退，自东燕出仓垣，经陈留，凿井而饮，行七百余里。垂以八千骑追之，战于襄邑，温军败绩，死者三万人……时温行役既久，又兼疾疠，死者十四五，百姓嗟怨。"卷八《废帝海西公纪》："九月……戊子，温至枋头。丙申，以粮运不继，焚舟而归。辛丑，慕容垂追败温后军于襄邑。冬十月……己巳，温收散卒，屯于山阳……十一月辛丑，桓温自山阳及会稽王昱会于途中，将谋后举。"

十月

罗含至山阳慰劳桓温军，时任侍中。后转廷尉。《晋书》卷八《废帝海西公纪》："冬十月，大星西流，有声如雷。己巳，温收散卒，屯于山阳。"卷九十八《桓温传》："帝遣侍中罗含以牛酒犒温于山阳。"罗含以后事迹具体系年不详，今系于此。卷九十二《罗含传》："累迁散骑常侍、侍中，仍转廷尉、长沙相。年老致仕，加中散大夫，门施行马。初，含在官舍，有一白雀栖集堂宇，及致仕还家，阶庭忽兰菊丛生，以为德行之感焉。年七十七卒，所著文章行于世。"《直斋书录解题》卷八："《湘中山水记》三卷，晋末阳罗含、君章撰。范阳卢丞注。其书颇及隋、唐以后事，则亦后人附益也。"《隋书》卷三十五《经籍志四》："晋中散大夫《罗含集》三卷。"《全晋文》卷一百三十一辑文两篇：《答孔安国书》《更生论》。

伏滔从桓温伐叛将袁真，作《正淮论》上、下。《晋书》卷八《废帝海西公纪》："冬十月，大星西流，有声如雷……豫州刺史袁真以寿阳叛。"卷九十二《伏滔传》："从温伐袁真，至寿阳，以淮南屡叛，著论二篇，名曰《正淮》。其上篇曰……其下篇曰……"

本年

孙盛作《晋阳秋》。《晋书》卷八十二《孙盛传》："盛笃学不倦，自少至老，手不释卷。著……《晋阳秋》……《晋阳秋》词直而理正，咸称良史焉。既而桓温见之，怒谓盛子曰：'枋头诚为失利，何至乃如尊君所说！若此史遂行，自是关君门户事。'其子遽拜谢，谓请删改之。时盛年老还家，性方严有轨宪，虽子孙白，而庭训愈峻。至此，诸子乃共号泣稽颡，请为百口切计。盛大怒。诸子遂尔改之。盛写两定本，寄于慕容俊。太元中，孝武帝博求异闻，始于辽东得之，以相考校，多有不同，书遂两存。"张可礼《东晋文艺系年》第436页："《晋阳秋》恐非一时之作，书中写及本年桓温枋头失利一事，据此可推断成书当在本年。"《资治通鉴》卷一百二亦系于本年。《隋书》卷三十三《经籍志二》："《晋阳秋》三十二卷，讫哀帝。孙盛撰。"《晋阳秋》写有海西公太和四年枋头之役，《隋书》所言"讫哀帝"，不确。《晋阳秋》全书已佚，今有汤球辑本三卷。

桓玄生。《晋书》卷九十九《桓玄传》："桓玄，字敬道，一名灵宝，大司马温之孽子也。其母马氏尝与同辈夜坐，于月下见流星坠铜盆水中，忽如二寸火珠，冏然明净，竞以瓢接取，马氏得而吞之，若有感，遂有娠。及生玄，有光照室，占者奇之，故小名灵宝。妳媪每抱诣温，辄易人而后至，云其重兼常儿，温甚爱异之。临终，命以为嗣，袭爵南郡公。"据本传记载，桓玄于元兴三年被斩，时年三十六岁，则其当生于本年。

孔琳之生。《宋书》卷五十六《孔琳之传》："孔琳之，字彦琳，会稽人。祖沈，晋丞相掾。父訚，光禄大夫。琳之强正有志力，好文义，解音律，能弹棋，妙善草隶……景平元年，卒，时年五十五。"据此可知，其生于本年。

吴隐之拜奉朝请、尚书郎。吴隐之生年不详。《晋书》卷九十《吴隐之传》："吴隐之，字处默，濮阳鄄城人，魏侍中质六世孙也。隐之美姿容，善谈论，博涉文史，以儒雅标名。弱冠而介立，有清操，虽日晏歠菽，不飧非其粟，儋石无储，不取非其道。年十余，丁父忧，每号泣，行人为之流涕。事母孝谨，及其执丧，哀毁过礼……及康伯为吏部尚书，隐之遂阶清级，解褐辅国功曹，转参征虏军事。兄坦之为袁真功曹，真败，将及祸，隐之诣桓温，乞代兄命，温矜而释之。遂为温所知赏，拜奉朝请、尚书郎。"《晋书》卷九十八《桓温传》："（桓温）遂至枋头。先使袁真伐谯梁……战于襄邑，温军败绩，死者三万人。温甚耻之，归罪于真。真怨温诬己，据寿阳以自固，潜通苻坚、慕容暐。"卷八《废帝海西公纪》："九月戊子，温至枋头。丙申，以粮运不继，焚舟而归。辛丑，慕容垂追败温后军于襄邑。冬十月……己巳，温收散卒，屯于山阳，豫州刺史袁真以寿阳叛。"据上述材料可知，吴隐之兄为袁真功曹，将及祸，隐之诣桓温乞代兄命，当在本年，其拜奉朝请、尚书郎亦在此后不久，姑系于此。

公元 370 年（晋废帝太和五年　庚午）

二月

袁真卒。《晋书》卷八《废帝海西公纪》："五年春正月己亥，袁真子双之、爱之害梁国内史朱宪、汝南内史朱斌。二月癸酉，袁真死，陈郡太守朱辅立真子瑾嗣事，求救于慕容暐。"

八月

癸丑，桓温自广陵率军击败袁瑾。《晋书》卷九十八《桓温传》："袁真病死，其将朱辅立其子瑾以嗣事。慕容暐、苻坚并遣军授瑾。温使督护竺瑶、矫阳之等与水军击之。时暐军已至，瑶等与战于武丘，破之。"卷八《废帝海西公纪》："八月癸丑，桓温击袁瑾于寿阳，败之。"

十二月

前秦苻坚歌劳止之诗。《十六国春秋》卷三十六《前秦录四·苻坚录上》："十二月……坚自邺至枋头，行饮至之礼，歌劳止之诗，以飨群臣。"

本年

何承天生。《宋书》卷六十四《何承天传》："何承天，东海郯人也。"据本传何承天卒于元嘉二十四年，时年七十八岁，则其当生于本年。

袁宏作《孟处士铭》。《世说新语·栖逸第十八》注引袁宏《孟处士铭》曰："处士名陋，字少孤……大将军命会稽王辟之，称疾不至，相府历年虚位，而澹然无闷。"《晋书》卷九十四《孟陋传》："孟陋，字少孤，武昌人也……陋少而贞立，清操绝伦，布衣蔬食，以文籍自娱。口不及世事……简文帝辅政，命为参军，称疾不起。桓温躬往造焉。或谓温曰：'孟陋高行，学为儒宗，宜引在府，以和鼎味。'温叹曰：'会稽王尚不能屈，非敢拟议也。'陋闻之曰：'桓公正当以我不往故耳。亿兆之人，无官者十居其九，岂皆高士哉！我疾病不堪恭相王之命，非敢为高也。'博学多通，长于《三礼》。注《论语》，行于世。"张可礼《东晋文艺系年》第441页："《晋书·孟陋传》载陋自称'我疾病不堪恭相王之命'，据此知铭当作于司马昱太和元年十月为丞相后、咸安元年十一月即帝位前。姑系于此。"

羊欣生。《宋书》卷六十二《羊欣传》："羊欣，字敬元，泰山南城人也。曾祖忱，晋徐州刺史。祖权，黄门郎。父不疑，桂阳太守。欣少靖默，无竞于人，美言笑，善容止。泛览经籍，尤长隶书……元嘉十九年，卒，时年七十三。"据此可知，当生于本年。

公元 371 年（晋废帝太和六年　晋太宗简文帝咸安元年　辛未）

正月

桓温斩袁瑾，平定袁真叛乱。《晋书》卷九十八《桓温传》："苻坚乃使其将王鉴、张蚝等率兵以救瑾，屯洛涧，先遣精骑五千次于肥水北。温遣桓伊及弟子石虔等逆击，大破之，瑾众遂溃，生擒之，并其宗族数十人及朱辅送于京都而斩之。"卷八《废帝海西公纪》："六年春正月，苻坚遣将王鉴来援袁瑾，将军桓伊逆击，大破之。丁亥，桓温克寿阳，斩袁瑾。"

伏滔封闻喜县侯，为隐士瞿硎作铭赞。《晋书》卷九十二《伏滔传》："寿阳平，以功封闻喜县侯，除永世令。"卷九十四《瞿硎先生传》："瞿硎先生者，不得姓名，亦不知何许人也。太和末，常居宣城郡界文脊山中，山有瞿硎，因以为名焉。大司马桓温尝往造之。既至，见先生被鹿裘，坐于石室，神无忤色，温及僚佐数十人皆莫测之，乃命伏滔为之铭赞。竟卒于山中。"铭赞已佚。

郗超对桓温进废立之计，迁中书侍郎。《晋书》卷六十七《郗超传》："寻而有寿阳之捷，（桓温）问超曰：'此足以雪枋头之耻乎？'超曰：'未厌有识之情也。'既而超就温宿，中夜谓温曰：'……明公既居重任，天下之责将归于公矣。若不能行废立大事、为伊霍之举者，不足镇压四海，震服宇内，岂可不深思哉！'温既素有此计，深纳其言，遂定废立，超始谋也。迁中书侍郎。谢安尝与王文度共诣超，日旰未得前……

其权重当时如此。"寿阳之捷在本年正月，郗超对桓温进废立之计当在此时。

前秦苻坚祭祀孔子，礼待儒学之士。《十六国春秋》卷三十六《前秦录四·苻坚录上》："建元七年，春正月，行礼于辟雍，祀先师孔子。太子及公侯、卿大夫、士之元子，皆束修释奠焉。高平苏通、长乐刘祥，并硕学耆儒，友精二礼。坚以通为《礼记》祭酒，居于东庠，祥为《仪礼》祭酒，处于西亭。坚每朔月，率百僚亲临讲论。"按，前秦建元七年即东晋太和六年。

十一月己酉，桓温废帝司马奕为海西公，立简文帝司马昱。《晋书》卷八《废帝海西公纪》："十一月癸卯，桓温自广陵屯于白石。丁未，诣阙，因图废立……己酉，集百官于朝堂，宣崇德太后令曰……于是百官入太极前殿，即日桓温使散骑侍郎刘享收帝玺绶……初，桓温有不臣之心，欲先立功河朔，以收时望。及枋头之败，威名顿挫，遂潜谋废立，以长威权。"

己酉，简文帝司马昱即位，咏庾阐诗。《晋书》卷九《太宗简文帝纪》："咸安元年冬十一月己酉，即皇帝位。桓温出次中堂，令兵屯卫……及帝登阼，荧惑又入太微，帝甚恶焉。时中书郎郗超在直，帝乃引入，谓曰：'命之修短，本所不计，故当无复近日事邪！'超曰：'大司马臣温方内固社稷，外恢经略，非常之事，臣以百口保之。'及超请急省其父，帝谓之曰：'致意尊公，家国之事，遂至于此！由吾不能以道匡卫，愧叹之深，言何能喻。'因咏庾阐诗云：'志士痛朝危，忠臣哀主辱'，遂泣下沾襟。"

乙卯，改元咸安。桓温作《表免武陵王晞》。司马晞被免官。《晋书》卷九《太宗简文帝纪》："乙卯，温奏废太宰、武陵王晞及子综。诏魏郡太守毛安之帅所领宿卫殿内，改元为咸安。"《表免武陵王晞》见卷六十四《武陵威王晞传》："晞无学术而有武干，为桓温所忌。及简文帝即位，温乃表晞曰：'……请免晞官，以王归藩……'"卷九《太宗简文帝纪》："乙卯，废晞及其三子，徙于新安。"

戊午，简文帝司马昱作《大赦诏》。《晋书》卷九《太宗简文帝纪》："戊午，诏曰：'王室多故，穆哀早世，皇胤凤迁，神器无主。东海王以母弟近属，入纂大统，嗣位经年，昏暗乱常，人伦亏丧，大祸将及，则我祖宗之灵靡知所托……朕以寡德，猥居元首，实惧眇然，不克负荷，战战兢兢，罔知攸济。思与兆庶更始，其大赦天下……'"

辛亥，桓温欲杀武陵王司马晞，作《除太宰父子表》。《晋书》卷九《太宗简文帝纪》："辛亥，桓温遣弟秘逼新蔡王晃诣西堂，自列与太宰、武陵王晞等谋反。帝对之流涕，温皆收付廷尉。"《除太宰父子表》见《世说新语·黜免第二十八》："桓宣武既废太宰父子，仍上表曰……简文手答表曰……宣武又重表，辞转苦切。简文更答曰……"

简文帝司马昱作《手诏报桓温》《诏谯王恬》。本年还有《不听桓温还姑孰诏》。《手诏报桓温》见《晋书》卷九《太宗简文帝纪》："帝以冲虚简贵，历宰三世，温素所敬惮。及初即位……有司承其旨，奏诛武陵王晞，帝不许。温固执至于再三，帝手诏报曰：'若晋祚灵长，公便宜奉行前诏。如其大运去矣，请避贤路。'温览之，流汗变色，不复敢言。"《诏谯王恬》见《资治通鉴》卷一百三："御史中丞谯王恬承温旨，请依律诛武陵王晞。诏曰……"《不听桓温还姑孰诏》见卷九十八《桓温传》："参军郗超进废立之计，温乃废帝而立简文帝。诏温依诸葛亮故事，甲仗百人入殿，赐钱五千万，绢二万匹，布十万匹。温多所废徙，诛庾倩、殷涓、曹秀等。是时温威势翕赫……温复还白石，上疏求归姑孰。诏曰……"卷九《太宗简文帝纪》："庚申，加大司马桓温为丞相，不受。辛酉，温旋自白石，因镇姑孰。"

本年

孙绰卒。《建康实录》卷八《太宗简皇帝录》：咸安元年，"是岁，散骑常侍领著作孙绰卒……时年五十八岁"。《隋书》卷三十二《经籍志一》："《集解论语》十卷，晋廷尉孙绰解。"《隋书》卷三十三《经籍志二》："《至人高士传赞》二卷，晋廷尉卿孙绰撰……《列仙传赞》三卷，刘向撰，鬷续，孙绰赞。"《嵇中散传》，孙绰撰，见《文选》卷二十一《五君咏五首·嵇中散》李善注引。《隋书》卷三十四《经籍志三》："《孙子》十二卷，孙绰撰。"卷三十五《经籍志四》："晋卫尉卿《孙绰集》十五卷，梁二十五卷。"《全晋文》卷六十一、卷六十二辑文36篇，其中有《游天台山赋并序》《望海赋》《表哀诗序》《漏刻铭》《贺司空循像赞》等文学性较强。《晋诗》卷十三辑诗十三首，上文未提及的还有：《表哀诗》《答许询诗》九章、《三月三日诗》《秋日诗》《情人碧玉歌》二首（《乐府诗集》卷四十四云宋汝南王作）等。《文心雕龙·才略》："孙绰规旋以矩步，故伦序而寡状。"《世说新语·轻诋第二十六》："孙绰作《列仙商丘子赞》曰……时人多以为能。王蓝田语人云：'近见孙家儿作文，道何物，真猪也。'"《晋书》卷五十六《孙绰传》："子嗣，有绰风，文章相亚，位至中军参军，早亡。"《隋书》卷三十五《经籍志四》："梁……有中军参军《孙嗣集》三卷，录一卷……亡。"《诗品序》："永嘉时，贵黄老，稍尚虚谈。于时篇什，理过其辞，淡乎寡味。爰及江表，微波尚传。孙绰、许询、桓、庾诸公，诗皆平典似道德论，建安风力尽矣。"

王献之尚新安公主。《世说新语·德行第一》注引《献之别传》曰："咸宁中，诏尚余姚公主，迁中书令，卒。"余嘉锡《世说新语笺疏》引程炎震云："新安公主，简文帝女也。见《晋书·孝武文李太后传》，母徐贵人。《初学记》十引王隐《晋书》曰：'安禧皇后王氏，字神受，王献之女，新安公主生，即安帝姑也。'《御览》一百五十二引《中兴书》曰：'新安愍公主道福，简文第三女，徐淑媛所生，适桓济，重适王献之。'献之以选尚主，必是简文即位之后，此咸宁当作咸安。"本年十一月改元为咸安，王献之尚新安公主当在此时。

王坦之作《废庄论》。《晋书》卷七十五《王坦之传》："坦之字文度。弱冠与郗超俱有重名……简文帝为抚军将军，辟为掾。累迁参军、从事中郎，仍为司马，加散骑常侍。出为大司马桓温长史。寻以父忧去职，服阕。征拜侍中，袭父爵……海西公废，领左卫将军。坦之有风格，尤非时俗放荡，不敦儒教，颇尚刑名学，著《废庄论》曰……"姑系于此。

有《太和百姓歌》《太和末童谣》。《晋书》卷二十八《五行志中》："海西公太和中，百姓歌曰：'青青御路杨，白马紫游缰。汝非皇太子，那得甘露浆？'识者曰：'白者，金行，马者，国族。紫为夺正之色，明以紫间朱也。'海西公寻废，其三子并非海西公之子，缢以马缰。死之明日，南方献甘露马。太和末，童谣曰：'犁牛耕御路，白门种小麦。'及海西公被废，百姓耕其门以种小麦，遂如谣言。"

苏蕙作《回文旋图诗》。苏蕙生卒年不详。《十六国春秋》卷四十二《前秦录第十·窦滔妻苏氏录》："窦滔妻苏氏，始平武功人。陈留令苏道贤之第三女也。名蕙，字若兰。善属文。智识精明，仪容妙丽，年十六归于窦滔，滔甚敬之。"《晋书》卷九十六《窦滔妻苏氏传》："窦滔妻苏氏，始平人也，名蕙，字若兰，善属文。滔苻坚时为秦州刺史，被徙流沙，苏氏思之，织锦为回文旋图诗以赠滔。宛转循环以读之，词甚凄惋，凡八百四十字，文多不录。"窦滔为前秦苻坚时秦州刺史，据《晋书》卷八《穆帝纪》和卷九《孝武帝纪》记载，苻坚于升平元年自立，至太元十年被杀，其间二十余年，姑系于此。本年苻坚在位十四年。

公元 372 年（晋太宗简文帝咸安二年　壬申）

三月

简文帝司马昱作《诏百官》《优恤军士诏》《诏增百官俸》。《晋书》卷九《简文帝纪》："三月丁酉，诏曰……癸丑，诏曰……乙卯，诏曰……"

前秦苻坚留心儒学。《十六国春秋》卷三十七《前秦录五·苻坚录中》："建元八年……三月，诏关东之民学通一经、才成一艺者，所在郡县，以礼送之。在官，百石以上，学不通一经、才不成一艺者，罢遣还民。复魏晋士籍，使役有常。其诸非正道典学，一皆禁之。自永嘉之乱，庠序无闻。及坚之僭，颇留心儒学。"按，前秦建元八年即东晋咸安二年。

六月

前秦苻坚祖于灞东，奏乐赋诗。有《长安民为苻坚歌》。《十六国春秋》卷三十七《前秦录五·苻坚录中》："六月癸酉……阳平公融为使持节、都督六州诸军事、镇东大将军、冀州牧。融将发，坚祖于灞东，奏乐赋诗……关陇清晏，百姓丰乐……百姓歌之曰……"

七月

简文帝司马昱遗诏以桓温辅政，卒。《晋书》卷九《太宗简文帝纪》："秋七月……己未，立会稽王昌明为皇太子，皇子道子为琅邪王，领会稽内史。是日，帝崩于东堂，时年五十三。葬高平陵，庙号太宗。遗诏以桓温辅政，依诸葛亮、王导故事。帝少有风仪，善容止，留心典籍，不以居处为意，凝尘满席，湛如也……（桓）温既仗文武之任，屡建大功，加以废立，威振内外。帝虽处尊位，拱默守道而已，常惧废黜。"《隋书》卷三十四《经籍志三》："《简文谈疏》六卷，简文帝撰。"卷三十五《经籍志四》："梁有……《简文帝集》五卷，录一卷……亡。"

桓温上疏荐谢安，作《帝不豫上疏》《与弟冲书》。《晋书》卷九十八《桓温传》："及帝不豫，诏温曰……于是一日一夜频有四诏。温上疏曰……疏未及奏而帝崩，遗诏家国事一禀之于公，如诸葛武侯、王丞相故事。温初望简文临终禅位于己，不尔便为周公居摄。事既不副所望，故甚愤怨，与弟冲书曰……及孝武即位，诏曰……又诏……复遣谢安征温入辅，加前部羽葆鼓吹，武贲六十人，温让不受。"

谢安任侍中，作《简文帝谥议》。桓温对此有评论。《晋书》卷七十九《谢安传》："征拜侍中，迁吏部尚书、中护军。"具体时间不详，今据《东晋将相大臣年表》系于本年。《简文帝谥议》见《世说新语·文学第四》注引刘谦之《晋纪》，当作于简文帝卒后。桓温对此有评论，《世说新语·文学第四》："桓公见谢安石作简文帝谥议，看竟，掷于坐上诸客曰：'此是安石碎金。'"

己未，司马曜为皇太子，即位，作《即位诏》《诏桓温》。《即位诏》见《晋书》卷九《孝武帝纪》："咸安二年秋七月己未，立为皇太子。是日，简文帝崩，太子即皇帝位。诏曰……帝幼称聪悟。简文之崩也，时年十岁，至晡不临，左右进谏，答曰：'哀至则哭，何常之有？'谢安尝叹以为精理不减先帝。"《诏桓温》见《晋书》卷九十八《桓温传》："及孝武即位，诏曰……又诏……复遣谢安征温入辅，加前部羽葆鼓吹，武贲六十人，温让不受。"

司马道子封琅邪王、领会稽内史。《晋书》卷六十四《会稽文孝王道子传》："少以清澹为谢安所称。年十岁，封琅邪王。"卷九《太宗简文帝纪》：本年七月，"皇子道子为琅邪王，领会稽内史"。

本年

陶渊明遭父丧。陶渊明《祭从弟敬远文》："相及龆齿，并罹偏咎。"李公焕注云："龆与龀义同，毁齿也。《家语》曰：男子八岁而龀。靖节年三十七，母孟氏卒，是偏咎为失怙也。"陶澍《靖节先生年谱考异》："按颜延之诔，有'母老家贫，棒檄致亲'云云，则以偏咎为失怙良是。则先生失怙可定在八岁时。"渊明本年八岁。

公元 373 年（晋孝武帝宁康元年　癸酉）

二月

桓温来朝，有篡夺之志，顿兵新亭。归姑孰。《晋书》卷九《孝武帝纪》："宁康元年春正月己丑朔，改元。二月，大司马桓温来朝。"卷九十八《桓温传》："及温入朝，赴山陵，诏曰……又敕尚书安等于新亭奉迎，百僚皆拜于道侧。当时豫有位望者咸战慑失色，或云因此杀王、谢，内外怀惧。温既至，以卢悚入宫，乃收尚书陆始付廷尉，责替慢罪也。于是拜高平陵，左右觉其有异，既登车，谓从者曰：'先帝向遂灵见。'既不述帝所言，故众莫之知，但见将拜时频言'臣不敢'而已……凡停京师十有四日，归于姑孰。"

孝武帝司马曜作《诏桓温》。《晋书》卷九十八《桓温传》："及温入朝，赴山陵，诏曰……"

郗超与桓温议芟夷群臣。《世说新语·雅量第六》："桓宣武与郗超议芟夷朝臣，条牒既定，其夜同宿。明晨起，呼谢安、王坦之入，掷疏示之，郗犹在帐内。谢都无言，王直掷还，云：'多！'宣武取笔欲除，郗不觉窃从帐中与宣武言。谢含笑曰：'郗生可谓入幕宾也。'"《资治通鉴》卷一百三系此事于本年二月。

谢安止桓温移晋室、加九锡。《晋书》卷七十九《谢安传》："时孝武帝富于春秋，政不自己，温威振内外，人情噂沓，互生同异。安与坦之尽忠匡翼，终能辑穆。及温病笃，讽朝廷加九锡，使袁宏具草。安见，辄改之，由是历旬不就。会温薨，锡命遂寝。"《世说新语·雅量第六》："桓公伏甲设馔，广延朝士，因此欲诛谢安、王坦之。王甚遽，问谢曰：'当作何计？'谢神意不变，谓文度曰：'晋阼存亡，在此一行。'相与俱前。王之恐状，转见于色。谢之宽容，愈表于貌。望阶趋席，方作洛生咏，讽'浩浩洪流'。桓惮其旷远，乃趣解兵。王、谢旧齐名，于此始判优劣。"

王坦之迁中书令，领丹阳尹。《晋书》卷十三《天文志下》："（简文）帝崩，桓温以兵擅权，将诛王坦之等，内外迫胁。"《晋书》卷七十五《王坦之传》："（桓）温薨，坦之与谢安共辅幼主，迁中书令，领丹阳尹。"

袁宏作文求朝廷加九锡于桓温。《晋书》卷七十六《王彪之传》"温遇疾，讽朝廷求九锡，袁宏为文，以示彪之。彪之视讫，叹其文辞之美，谓宏曰：'卿固大才，安可以此示人！'时谢安见其文，又频使宏改之，宏遂逡巡其事。既屡引日，乃谋于彪之。彪之曰：'闻彼病日增，亦当不复支久，自可更小迟回。'宏从之，温亦寻薨。"卷九十一《范弘之传》载弘之与会稽王道子笺云："（桓温）逼胁袁宏，使作九锡，备物光赫，其文具存，朝廷畏怖，莫不景从，惟谢安、王坦之以死守之，故得稽留耳。"此文当作于桓温归姑孰得病后。

四月

前秦苻融作《上疏谏用慕容暐等》。苻坚作《报苻融》。《十六国春秋》卷三十七《前秦录五·苻坚录中》："建元九年……夏四月，天鼓鸣，有彗星出于尾箕，长十余丈……太史令张孟言于坚曰：'……臣请就妖言之戮。'坚不纳，更以（慕容）暐为尚书……阳平公融闻之，上疏曰……坚报之曰……"按，前秦建元九年即东晋宁康元年。

七月

己亥，桓温薨。《晋书》卷九《孝武帝纪》："秋七月己亥，使持节、侍中、都督中外诸军事、丞相、录尚书、大司马、扬州牧、平北将军、徐兖二州刺史、南郡公桓温薨。"卷九十八《桓温传》："遂寝疾不起。讽朝廷加己九锡，累相催促。谢安、王坦之闻其病笃，密缓其事。锡文未及成而薨，时年六十二……追赠丞相。初，冲问温以谢安、王坦之所任，温曰：'伊等不为汝所处分。'温知己存彼不敢异，害之无益于冲，更失时望，所以息谋。"《隋书》卷三十五《经籍志四》："晋大司马《桓温集》十一卷。梁有四十三卷。又有《桓温要集》二十卷，录一卷……亡。"

袁宏作《丞相桓温碑铭》。见《全晋文》卷五十七，当作于桓温卒后。

顾恺之哭桓温。《晋书》卷九十二《顾恺之传》："桓温引为大司马参军，甚见亲昵。温薨后，恺之拜温墓，赋诗云：'山崩溟海竭，鱼鸟将何依！'或问之曰：'卿凭重桓公乃尔，哭状其可见乎？'答曰：'声如震雷破山，泪如倾河注海。'"

伏滔为征西将军桓豁参军。《晋书》卷九《孝武帝纪》："秋七月……庚戌，进右将军桓豁为征西将军。"卷九十二《伏滔传》："（桓）温薨，征西将军桓豁引为参军，领华容令。"

范宁为余杭令。《晋书》卷七十五《范宁传》："（桓）温薨之后，始解褐为余杭令。"

九月

谢安任尚书仆射。以舞相属。《晋书》卷九《孝武帝纪》："九月……丙申，以……吏部尚书谢安为尚书仆射。"《宋书》卷十九《乐志一》："前世乐饮，酒酣，必起自舞。《诗》云'屡舞仙仙'是也。宴乐必舞，但不宜屡尔。讥在屡舞，不讥舞也。汉武帝乐饮，长沙定王舞又是也。魏、晋已来，尤重以舞相属。所属者代起舞，犹若饮酒以杯相属也。谢安舞以属桓嗣是也。近世以来，此风绝矣。"上述事时间不详，姑系于此。

袁宏作《与谢仆射书》，任吏部郎，作颂九章。《全晋文》卷五十七辑袁宏《与谢仆射书》："闻见拟为吏部郎，不知审耳？果当如此，诚相遇之过。"谢仆射当指谢安，据《晋书》卷九《孝武帝纪》，本年九月谢安任尚书仆射。三年五月，"尚书仆射谢安领扬州刺史。"袁宏《与谢仆射书》当作于本年九月至三年五月间。姑系于此。《晋书》卷九十二《袁宏传》："宏见汉时傅毅作《显宗颂》，辞甚典雅，乃作颂九章，颂简文之德，上之于孝武。"其颂九章已佚，当作于孝武帝即位之后。

本年

王献之作《与郗超书》。《世说新语·品藻第九》："袁彦伯为吏部郎，子敬与郗嘉宾书曰：'彦伯已入，殊足顿兴往之气……'"袁宏作吏部郎的时间见上条，当在本年九月至三年五月之间。姑系于此。

孙盛约卒于本年。《晋书》卷八十二《孙盛传》："年七十二卒。盛笃学不倦，自少至老，手不释卷。著《魏氏春秋》……并造诗赋论难复数十篇。"曹道衡、沈玉成《中古文学史料丛考》第189页"孙盛生卒年与《晋阳秋》"条：本传云盛父恂（《孙楚传》作"洵"）为颍川太守，"在郡遇贼被害。盛年十岁，避难渡江"。《孙楚传》记，孙统"幼与绰及从弟盛过江"。据《怀帝纪》永嘉五年（311）六月石勒陷洛阳后，"冬十月，勒寇豫州诸郡，至江而还"，恂被害，孙盛兄弟渡江自在此时。以此上下推，其生年当在惠帝永宁二年（302），卒年当在孝武帝宁康元年（373）。《隋书》卷三十二《经籍志二》："《魏氏春秋》二十卷，孙盛撰。"《异同杂语》，孙盛撰，见《三国志》卷一《武帝纪》裴松之注引。《杂记》，孙盛撰，见《三国志·武帝纪》、卷四十四《姜维传》裴注引。《杂语》，孙盛撰，见《三国志》卷九《夏侯玄传》裴注引。《异同评》，孙盛撰，《三国志·武帝纪》裴注引。《魏氏谱》，孙盛撰，《三国志》卷四《三少帝纪》裴注引。《蜀世谱》，孙盛撰，《三国志》卷三十四《二主妃子传》裴注引。《隋书·经籍志二》："《晋阳秋》三十二卷，讫哀帝。孙盛撰。"《逸人传》，孙盛撰，《初学记》卷十七引。《老子考讯》孙盛撰，《广弘明集》卷五载七条。《隋书》卷三十五《经籍志四》："晋秘书监《孙盛集》五卷，残缺。梁十卷，录一卷。"《全晋文》卷六十三、卷六十四辑文十篇，有《镜赋序》《太伯三让论》《魏氏春秋评》等。《文心雕龙·才略》："孙盛、干宝，文胜为史，准的所拟，志乎典训，户牖虽异，而笔彩略同。"

袁豹生。《世说新语·文学第四》注引丘渊之《文章叙》："豹字士蔚，陈郡人。祖耽，历阳太守。父质，琅邪内史。"《南史》卷二十六《袁湛传》："湛少与弟豹并为从外祖谢安所知。"《宋书》卷五十二《袁豹传》："豹，字士蔚，亦为谢安所知，好学博闻，多览典籍……（义熙）九年，卒官。时年四十一。"以此推之，当生于本年。

公元 374 年（晋孝武帝宁康二年　甲戌）

二月

癸丑，王坦之为北中郎将、徐兖二州刺史，作《将之广陵镇上孝武帝表》。《答谢安书》作于出镇广陵时。《晋书》卷七十五《王坦之传》："俄授都督徐兖青三州诸军事、北中郎将、徐兖二州刺史，镇广陵。将之镇，上表曰……表奏，帝纳之。"卷九《孝武帝纪》："二月癸丑，以丹阳尹王坦之为北中郎将、徐兖二州刺史。"《答谢安书》见《晋书·王坦之传》："初，谢安爱好声律，期功之惨，不废妓乐，颇以成俗。坦之非而苦谏之。安遗坦之书曰……坦之答曰……书往反数四，安竟不从。"《建康实录》卷九《烈宗孝武皇帝》系此事于王坦之出镇广陵时。

谢安总中书事。丧不废乐，作《遗王坦之书》。《晋书》卷七十九《谢安传》："及中书令王坦之出为徐州刺史，诏安总关中书事。安义存辅导，虽会稽王道子亦赖弼谐之益。时强敌寇境，边书续至，梁益不守，樊邓陷没，安每镇以和靖，御以长算。德政既行，文武用命，不存小察，弘以大纲，威怀外著，人皆比之王导，谓文雅过之……性好音乐，自弟万丧，十年不听音乐。及登台辅，期丧不废乐。王坦之书喻之，不从，衣冠效之，遂以成俗。又于土山营墅，楼馆林竹甚盛，每携中外子侄往来游集，肴馔亦屡费百金，世颇以此讥焉，而安殊不以屑意。"作《遗王坦之书》见上条，其文在《晋书》卷七十五《王坦之传》。

四月

前秦苻坚作《下书遣邓羌讨蜀》。《十六国春秋》卷三十七《前秦录五·苻坚录中》："四月，坚下书曰：'巴夷险逆，寇乱益州……特进镇军将军、护羌校尉邓羌，可帅甲士五万，星夜赴讨。'"

七月

谢安、袁宏等议丧遇闰。王彪之作《丧不数闰启》，启改作新宫。徐广有关于这场争论的评论。郗愔作《论丧遇闰书则时》。《晋书》卷二十《礼志中》："宁康二年七月，简文帝崩再周而遇闰。博士谢攸、孔粲议……尚书仆射谢安、中领军王劭、散骑常侍郑袭、右卫将军殷康、骁骑将军袁宏、散骑侍郎殷茂、中书郎车胤、左丞刘遵、吏部郎刘耽意皆同。康曰……宏曰……袭曰……尚书令王彪之、侍中王混、中丞谯王恬、右丞戴谧等议异，彪之曰……于是启曰……己酉晦，帝除缟即吉。徐广论曰：'凡辨义详理，无显据明文可以折中夺易，则非疑如何。礼疑从重，丧易宁戚，顺情通物，固有成言矣。彪之不能征援正义，有以相屈，但以名位格人，君子虚受，心无适莫，岂其然哉！执政从而行之，其殆过矣。'"郗愔所作《论丧遇闰书则时》见《通典》卷一百："东晋孝武帝宁康二年七月，简文帝崩再周而遇闰……会稽内史郗愔书云……"

本年

孝武帝司马曜作《诏赗竺道潜》。《高僧传》卷四《竺道潜传》："竺潜字法深，姓王，琅邪人，晋丞相武昌郡公敦之弟也。年十八出家……以晋宁康二年卒于山馆，春秋八十有九，烈宗孝武诏曰……"

王珣作《法师墓下诗并序》。诗已佚。《全晋文》卷十九辑诗序曰："余以宁康二年，命驾之剡石城山，即法师之丘也……"

释道安作《众经录》一卷。《全晋文》卷一百五十八辑释道安文云："此土众经，出不一时，自孝灵光和已来，迄今晋宁康二年，近二百载，值残出残，遇全出全，非是一人难卒综理，为之《录》一卷。"

傅亮生。《宋书》卷四十三《傅亮传》："傅亮字季友，北地灵州人也。高祖咸，司隶校尉。父瑗，以学业知名，位至安成太守。"据本传，傅亮卒于元嘉三年，时年五十三岁，则当生于本年。

何承天丧父，聪明博学。《宋书》卷六十四《何承天传》："承天五岁失父，母徐氏，广之姊也，聪明博学，故承天幼渐训议，儒史百家，莫不该览。"

前秦秘书侍郎赵整作《谏歌》。赵整生卒年不详。《十六国春秋》卷四十二《前秦录十·赵整录》："赵整，字文业，一名正，略阳清水人，或云济阴人。年十八，为（苻）坚著作郎，后迁黄门侍郎、武威太守……然有情度敏达，学兼内外，性好几谏，无所回避。建元中，慕容垂夫人段氏，得幸于坚。坚与之同辇，游于后庭，正作歌以讽之，云……坚改容谢之，命夫人下辇。"按，建元为前秦年号，共21年，"建元中"改为建元十一年，即东晋宁康三年，今据"建元中"而暂系于本年。

范宁在余杭县崇学敦教。《晋书》卷七十五《范宁传》："温薨之后，始解褐为余杭令，在县兴学校，养生徒，洁己修礼，志行之士莫不宗之。期年之后，风化大行。自中兴已来，崇学敦教，未有如宁者也。"桓温薨，范宁为余杭令约在去年。"期年之后，风化大行"，故系上述事于本年。

公元 375 年（晋孝武帝宁康三年　乙亥）

正月

前秦苻坚征隐士王欢。《十六国春秋》卷三十七《前秦录五·苻坚录中》："建元十一年春正月，长安大风，宫中树悉拔。遣使巡行四方，观风俗，问政道，明黜陟，恤孤独不能自存者，赐谷物有差。以安车蒲轮征隐士王欢为国子祭酒。坚雅好文学，英儒毕集，纯博之英，莫如欢也。"按，前秦建元十一年即东晋宁康三年。

四月

八日，释道安于檀溪寺铸造金铜无量寿佛。《法苑珠林》卷二十一："东晋孝武宁康三年四月八日，襄阳檀溪寺沙门释道安盛德昭彰，擅声宇内，于郭西精舍铸造丈八金铜无量寿佛……建德三年，甲午之岁……（长孙）哲当毁像时，于腋下倒垂衣内铭云：'晋太元十九年，岁次甲午月朔日次，比丘道安于襄阳西都郭造丈八金像一躯，此像更三周甲午，百八十年当灭。'后计年月，悉符合焉。"道安卒于太元十年，铭文作"太元十九年"，误。

五月

甲寅，谢安领扬州刺史。《晋书》卷七十九《谢安传》："又领扬州刺史，诏以甲仗百人入殿。"卷九《孝武帝纪》：本年五月"甲寅……尚书仆射谢安领扬州刺史。"

丙午，王坦之卒。《晋书》卷七十五《王坦之传》："初，坦之与沙门竺法师甚厚，每共论幽明报应，便要先死者当报其事。后经年，师忽来云：'贫道已死，罪福皆不虚。惟当勤修道德，以开济神明耳。'言讫不见。坦之寻亦卒，时年四十六。临终，与谢安、桓冲书，言不及私，惟忧国家之事，朝野甚痛惜之。追赠安北将军，谥曰献。"卷九《孝武帝纪》："夏五月丙午，北中郎将、徐兖二州刺史、蓝田侯王坦之卒。"《隋书》卷三十五《经籍志四》："晋尚书仆射《王坦之集》七卷，梁五卷，录一卷，亡。"按，王坦之并未担任尚书仆射，《隋书》误。《晋书·王坦之传》："坦之有风格，尤非时俗放荡，不敦儒教，颇尚刑名学，著《废庄论》曰……坦之又尝与殷康子书论公谦之义曰……康子及袁宏并有疑难，坦之标章摘句，一一申而释之，莫不厌服。又孔严著《通葛论》；坦之与书赞美之。其忠公慷慨，标明贤胜，皆此类也。"

九月

九日，孝武帝司马曜讲《孝经》。《世说新语·言语第二》："孝武将讲《孝经》，谢公兄弟与诸人私庭讲习。"注引《续晋阳秋》曰："宁康三年九月九日，帝讲《孝经》。仆射谢安侍坐，吏部尚书陆纳兼侍中卞耽读，黄门侍郎谢石、吏部袁宏兼执经，中书郎车胤、丹阳尹王混摘句。"《晋书》卷九《孝武帝纪》："九月，帝讲《孝经》。"

谢安在孝武帝司马曜讲《孝经》时侍坐，撰《孝经注》。谢安在孝武帝司马曜讲

《孝经》时侍坐见上条。丁国钧《补晋书艺文志》卷一:"《孝经注》,谢安。谨按,见《孝经正义》。本书言孝武帝讲《孝经》,安与袁宏诸人同预其事,意此注当成于彼时。"

袁宏在孝武帝司马曜讲《孝经》时执经,出为东阳郡太守。袁宏在孝武帝司马曜讲《孝经》时执经见本年"九月九日条"。《晋书》卷九十二《袁宏传》:"谢安常赏其机对辩速。后安为扬州刺史,宏自吏部郎出为东阳郡,乃祖道于冶亭。时贤皆集,安欲以卒迫试之,临别执其手,顾就左右取一扇而授之曰:'聊以赠行。'宏应声答曰:'辄当奉扬仁风,慰彼黎庶。'时人叹其率而能要焉。"据卷九《孝武帝纪》谢安本年五月甲寅领扬州刺史,袁宏出为东阳郡太守当在本年九月侍孝武帝讲《孝经》之后。

十月

前秦苻坚作《下诏简学生受经》,尊崇儒教。《十六国春秋》卷三十七《前秦录五·苻坚录中》:"冬十月,下诏曰:'……今天下虽未大定,权可偃武修文,以称武侯雅旨。其尊崇儒教,禁老庄、图谶之学,犯者弃市。妙简学生,太子及公侯百僚之子,皆就学受业……'"

十二月

孝武帝司马曜祭祀孔子。《晋书》卷九《孝武帝纪》:"十二月癸未,神兽门灾。甲申,皇太后诏曰:'顷日蚀告变,水旱不适,虽克己思救,未尽其方。其赐百姓穷者米,人五斛。'癸巳,帝释奠于中堂,祠孔子,以颜回配。"

本年

桓玄袭封南郡公。《晋书》卷九十九《桓玄传》:"年七岁,温服终,府州文武辞其叔父冲,冲抚玄头曰:'此汝家之故吏也。'玄因涕泪覆面,众并异之。"《世说新语·德行第一》注引《桓玄别传》:"年七岁,袭封南郡公。"

宗炳生。《宋书》卷九十三《宗炳传》:"宗炳字少文,南阳涅阳人也。祖承,宜都太守。父繇之,湘乡令。母同郡师氏,聪辩有学义,教授诸子。"据本传宗炳卒于元嘉二十年,时年六十九岁,则其当生于本年。

公元 376 年(晋孝武帝太元元年 丙子)

正月

丙午,武帝司马曜临朝。《晋书》卷九《孝武帝纪》:"太元元年春正月壬寅朔,帝加元服,见于太庙。皇太后归政。甲辰,大赦,改元。丙午,帝始临朝。"

谢安加中书监,录尚书事。《晋书》卷七十九《谢安传》:"时帝始亲万机,进安中书监、骠骑将军、录尚书事,固让军号。"卷九《孝武帝纪》:正月"丙午……加尚书仆射谢安中书监、录尚书事"。

二月

前秦苻坚作《下诏分遣侍臣问民疾苦》。《十六国春秋》卷三十七《前秦录五·苻坚录中》："建元十二年……二月,下诏曰:'可分遣侍臣周巡郡县,问民疾苦。'"

四月

前秦苻坚作《下诏征张天锡入朝》。《十六国春秋》卷三十七《前秦录五·苻坚录中》："建元十二年……四月,下诏曰:'……下书征张天锡入朝,若有违王命,即进师扑讨。'"按,前秦建十二年为东晋太元元年。

五月

甲寅,孝武帝司马曜作《地震诏》。《晋书》卷九《孝武帝纪》:"夏五月癸丑,地震。甲寅,诏曰:……于是大赦,增文武位各一等。"

七月

孝武帝司马曜作《报桓冲请讨苻坚诏》。《晋书》卷七十四《桓冲传》:"苻坚寇凉州,冲……表曰……诏答曰……"卷九《孝武帝纪》:"秋七月,苻坚将苟苌陷凉州,虏刺史张天锡,尽有其地。"

前秦苻坚平张天锡,征郭瑀。于凉州得《清乐》。《晋书》卷九《孝武帝纪》:"秋七月,苻坚将苟苌陷凉州,虏刺史张天锡,尽有其地。"《晋书》卷九十四《郭瑀传》:"郭瑀字元瑜,敦煌人也。少有超俗之操,东游张掖,师事郭荷,尽传其业。精通经义,雅辩谈论,多才艺,善属文。……隐于临松薤谷……作《春秋墨说》《孝经错纬》,弟子著录千余人。……及(张)天锡灭,苻坚又以安车征瑀定礼仪,会父丧而止,太守辛章遣书生三百人就受业焉。"《隋书》卷十五《音乐志下》:"《清乐》,其始即《清商三调》是也,并汉来旧曲。乐器形制,并歌章古辞,与魏三祖所作者,皆被于史籍。属晋朝迁播,夷羯窃据,其音分散。苻永固平张氏,始于凉州得之。"

本年

孝武帝司马曜作《诏定病假限》《许桓秘辞散骑常侍诏》。《诏定病假限》见《太平御览》卷六三四引《晋起居注》:"孝武帝太元元年诏……"《许桓秘辞散骑常侍诏》见《晋书》卷七十四《桓秘传》:"温疾笃,秘与温子熙、济等谋共废冲。冲密知之,不敢入。顷温气绝,先遣力士拘录熙、济,而后临丧。秘于是废弃,遂居于墓所,放志田园,好游山水。后起为散骑常侍,凡三表自陈。诏曰……秘素轻冲,冲时贵盛,秘耻常侍位卑,故不应朝命,与谢安书及诗十首,辞理可观,其文多引简文帝之眄遇。"诏疑作于本年前后。

陶渊明母卒。《全晋文》卷一百十二《祭程氏妹文》云："慈妣早逝，时尚乳婴，我年二六。"

司马道子任散骑常侍、中军将军，进骠骑将军。《晋书》卷六十四《会稽文孝王道子传》："太元初，拜散骑常侍、中军将军，进骠骑将军。"

范泰任会稽王司马道子参军。《宋书》卷六十《范泰传》："泰初为太学博士……骠骑将军会稽王道子……府参军。"范泰任司马道子参军当在本年司马道子任骠骑将军后。

袁宏卒。《晋书》卷九十二《袁宏传》："太元初，卒于东阳，时年四十九。撰《后汉纪》三十卷及《竹林名士传》三卷、诗赋诔表等杂文凡三百首，传于世。"《隋书》卷三十二《经籍志一》："《周易谱》一卷。"脱著者。《旧唐书》卷四十六《经籍志上》定为袁宏撰。《新唐书》卷五十七《艺文志一·易类》："袁宏《略谱》一卷。"丁国钧《补晋书艺文志》卷一："《集议孝经》一卷，东阳太守袁宏。谨按，见《隋志》，旧题袁敬仲，家大人曰：袁宏为东阳太守，见本传。《释文·叙录》载此书亦作袁宏。"《晋书·袁宏传》："撰《后汉纪》三十卷及《竹林名士传》三卷。"《旧唐书·经籍志上》："《名士传》三卷，袁宏撰。"《新唐书》卷五十八《艺文志二》同。《山涛别传》，袁宏撰，《太平御览》卷四〇九引。《去伐论》，袁宏撰，《艺文类聚》卷二十三引。《晋书》卷七十五《韩伯传》："王坦之又尝著《公谦论》，袁宏作论以难之。"《隋书》卷三十五《经籍志四》："晋东阳太守《袁宏集》十五卷，梁二十卷，录一卷。"《文心雕龙·才略》："袁宏发轸以高骧，故卓出而多偏。"《全晋文》卷五十七辑文十八篇，除已见上文者外还有：《酾宴赋》《夜酾赋》《表》《与范曾书》《后汉记序》《七贤序》、《三国名臣序赞》《去伐论》《明谦》《祖逖碑》《祭牙文》。《晋诗》卷十四辑诗六首，未见上文者还有：《从征行方头山诗》《采菊诗》《拟古诗》和失题诗句。

释宝云生。《高僧传》卷三《释宝云传》："释宝云，未详氏族。传云，梁州人……以元嘉二十六年终于山寺，春秋七十有四。"据此推之，释宝云当生于本年。

公元 377 年（晋孝武帝太元二年　丁丑）

正月

前秦苻坚遣使求释道安、鸠摩罗什。《高僧传》卷二《鸠摩罗什传》："至苻坚建元十三年，岁次丁丑正月，太史奏云：'有星见于外国分野，当有大德智人入辅中国。'坚曰：'朕闻西域有鸠摩罗什，襄阳有沙门释道安，将非此耶？'即遣使求之。"按，前秦建元十三年即东晋太元二年。

八月

谢安为司徒。《晋书》卷七十九《谢安传》："于时悬象失度，亢旱弥年，安奏兴灭继绝，求晋初佐命功臣后而封之。顷之，加司徒，后军文武尽配大府，又让不拜。

复加侍中、都督扬豫徐兖青五州幽州之燕国诸军事、假节。"卷九《孝武帝纪》，本年八月"丁未，以尚书仆射谢安为司徒"。

十月

徐广被辟为谢玄从事。《南史》卷三十三《徐广传》："家贫，未尝以产业为意，妻中山刘谧之女忿之，数以相让。广终不改。如此数十年，家道日弊，遂与广离。"《晋书》卷八十二《徐广传》："谢玄为兖州，辟从事。"据卷九《孝武帝纪》，谢玄于本年十月辛丑为兖州刺史。徐广被辟为谢玄从事当在此后。

壬寅，王彪之卒。《晋书》卷七十六《王彪之传》："加光禄大夫、仪同三司，未拜。疾笃，帝遣黄门侍郎问所苦，赐钱三十万以营医药。太元二年卒，年七十三。即以光禄为赠，谥曰简。"卷九《孝武帝纪》：本年十月"壬寅。散骑常侍、左光禄大夫、尚书令王彪之卒"。《建康实录》卷九《烈宗孝武皇帝录》：王彪之卒于本年秋，时年五十六。记载与《晋书》本传和《孝武帝纪》不同，录以备考。《隋书》卷三十五《经籍志四》："晋左光禄《王彪之集》二十卷，梁有录一卷。"《庐山记》，王彪之撰，《北堂书钞》卷一百五十八引。《晋诗》卷十四辑诗四首：《登会稽刻石山诗》《游仙诗》《与诸兄弟方山别诗》《登冶城楼诗》。《全晋文》卷二十一辑文 40 篇，除已见上文者，比较重要的还有《庐山赋序》《水赋》《井赋》《闽中赋》《二疏画诗序》《伏牺赞》等。

十二月

郗超卒。《晋书》卷六十七《郗超传》："以为临海太守，加宣威将军，不拜。年四十二，先愔卒。初，超虽实党桓氏，以愔忠于王室，不令知之。将亡，出一箱书，付门生曰：'本欲焚之，恐公年尊，必以伤愍为弊。我亡后，若大损眠食，可呈此箱。不尔，便烧之。'愔后果哀悼成疾，门生依旨呈之，则悉与温往反密计。愔于是大怒曰：'小子死恨晚矣！'更不复哭。凡超所交友，皆一时秀美，虽寒门后进，亦拔而友之。及死之日，贵贱操笔而为诔者四十余人，其为众所宗贵如此……沙门支遁以清谈著名于时，风流胜贵，莫不崇敬，以为造微之功，足参诸正始。而遁常重超，以为一时之俊。"《资治通鉴》卷一百四：本年"十二月，临海太守郗超卒"。《高僧传》卷十四《序录》："郗景兴《东山僧传》……竞举一方，不通今古，务存一善，不及余行。"《隋书》卷三十五《经籍志四》："晋中郎《郗超集》九卷。梁十卷……亡。"《晋诗》卷十二辑有郗超《答傅郎诗》六章。《全晋文》卷一百十辑文四篇，除已见上文者外还有：《与亲友书论支道林》《与谢庆绪书论三幡义》《奉法要》。另《世说新语·赏誉第八》载有《与袁虎书》《排调第二十五》载有《与袁虎书》和《答范启书》，《全晋文》漏收。

本年

释道安在襄阳讲《放光般若》。孝武帝司马曜遣使通问。《高僧传》卷五《释道安传》："安在樊沔十五载，每岁常再讲《放光波若》，未尝废阙。晋孝武皇帝承风钦德，遣使通问，并有诏曰：'安法师器识伦通，风韵标朗，居道训俗，徽绩兼著，岂直规济当今，方乃陶津来世，俸给一同王公，物出所在。'时苻坚素闻安名，每云：'襄阳有释道安是神器，方欲致之，以辅朕躬。'后苻丕南攻襄阳。"本年正月，苻坚遣使求释道安，上述事当在此前后，暂系于此。

竺慧猷夜梦读诗五首。竺慧猷生平不详。《异苑》卷七："晋武帝太元二年，沙门竺慧猷夜梦读诗五首，其一篇后曰：'陌南酸枣树，名为六奇木。遣人以伐取，载还柱马屋。'"

周续之生。《宋书》卷九十三《周续之传》："周续之字道祖，雁门广武人也。其先过江居豫章建昌县……景平元年卒，时年四十七。"据此推之，其当生于本年。

公元378年（晋孝武帝太元三年　戊寅）

二月

前秦苻坚遣苻丕攻襄阳。《十六国春秋》卷三十七《前秦录五·苻坚录中》："建元十四年春二月，坚遣……（苻丕）寇襄阳。"

释道安为朱序所拘，分遣徒众。慧远别释道安东下。《高僧传》卷六《释慧远传》："秦将苻丕寇斥襄阳，道安为朱序所拘，不能得去。乃分张徒众，各随所之。临路，诸长德皆被诲约，远不蒙一言，远乃跪曰：'独无训勖，惧非人例?'安曰：'如公者，岂复相忧?'远于是与弟子数十人，南适荆州，住上明寺。"

十月

前秦苻坚命群臣作止马之诗。《十六国春秋》卷三十七《前秦录五·苻坚录中》："建元十四年……冬十月，大苑献天马千里驹，皆汗血朱鬣，五色，凤膺麟身，及诸珍异五百余种。坚曰：'吾尝慕汉文帝之返千里马，咨嗟美咏。今所献马，其悉返之，庶克念前王，仿佛古人矣。'乃命群臣作止马之诗而遣之，示无欲也。群下以为盛德之事，远同汉文，于是献诗者四百余人。"按，前秦建元十四年即东晋太元三年。

前秦赵整作《酒德歌》。《十六国春秋》卷四十二《前秦录十·赵整录》："（苻）坚与群臣饮酒，以秘书监朱彤为酒正，令人以极醉为限。整乃作《酒德歌》曰……"卷三十七《前秦录五·苻坚录中》系此事于本年十月。

本年

戴颙生。《宋书》卷九十三《戴颙传》："戴颙字仲若，谯郡铚人也。父逵，兄勃，并隐遁有高名。"据本传记载，戴颙卒于元嘉十八年，时年六十四，则其当生于本年。

邓粲为荆州别驾，著《元明纪》十篇，注《老子》。邓粲生卒年不详。《晋书》卷八十二《邓粲传》："邓粲，长沙人。少以高洁著名，与南阳刘骥之、南郡刘尚公同志友善，并不应州郡辟命。荆州刺史桓冲卑辞厚礼请粲为别驾，粲嘉其好贤，乃起应召。"据卷九《孝武帝纪》记载桓冲任荆州刺史在上年十月至太元九年二月卒前，邓粲为荆州别驾当在此时，暂系于本年。邓粲以后事迹，《晋书·邓粲传》云："……后患足疾，不能朝拜，求去职，不听，令卧视事。后以病笃，乞骸骨，许之。粲以父骞有忠信言而世无知者，著《元明纪》十篇，注《老子》，并行于世。"《隋书》卷三十三《经籍志二》："《晋纪》十一卷，讫明帝。晋荆州别驾邓粲撰。"

公元 379 年（晋孝武帝太元四年　己卯）

正月

孝武帝司马曜作《除三吴租布诏》。《除三吴租布诏》见《全晋文》卷十一，严可均系于本年正月，《晋书》卷九《孝武帝纪》："四年春正月辛酉，大赦，郡县遭水旱者减租税。"

二月

戊午，前秦苻坚攻陷襄阳，招致习凿齿、释道安至长安。《十六国春秋》卷三十七《前秦录五·苻坚录中》："建元十五年……（二月）戊午，克襄阳。"《晋书》卷八十二《习凿齿传》："及襄阳陷于苻坚，坚素闻其名，与道安俱舆而致焉。既见，与语，大悦之，赐遗甚厚。又以其蹇疾，与诸镇书：'昔晋氏平吴，利在二陆；今破汉南，获士裁一人有半耳。'"《十六国春秋》卷三十七《前秦录五·苻坚录中》系上述事在上年，误。《高僧传》卷五《释道安传》："后遣苻丕南攻襄阳，安与朱序俱获于坚，坚谓仆射权翼曰：'朕以十万之师取襄阳，唯得一人半。'翼曰：'谁耶？'坚曰：'安公一人，习凿齿半人也。'既至，住长安五重寺，僧众数千，大弘法化……安外涉群书，善为文章。长安中衣冠子弟为诗赋者，皆依附致誉。"按，前秦建元年十五年即东晋太元四年。

三月

壬戌，孝武帝司马曜作《苻坚攻陷襄阳下诏申警》。《晋书》卷九《孝武帝纪》："二月戊午，苻坚使其子丕攻陷襄阳，执南中郎将朱序。又陷顺阳。三月，大疫。壬戌，诏曰：'狡寇纵逸，藩守倾没，疆场之虞，事兼平日。其内外众官，各悉心戮力，以康庶事。又年谷不登，百姓多匮。其诏御所供，事从俭约，九亲供给，众官廪俸，权可减半。凡诸役费，自非军国事要，皆宜停省，以周时务。'"

六月

谢安遣谢石、谢玄征讨苻坚，大破之。《晋书》卷七十九《谢安传》："时苻坚强盛，疆场多虞，诸将败退相继。安遣弟石及兄子玄等应机征讨，所在克捷。"卷九《孝武帝纪》："六月，大旱。戊子，征虏将军谢玄及超、难战于君川，大破之。"

曹毗作《请雨文》。其任下邳太守，作《对儒》约在此时。《请雨文》见《艺文类聚》卷一百，其云："下邳内史曹毗，敬告山川诸灵。顷节运错戾，旱亢阴消。川竭谷虚，石流山焦。天无纤云，野有横飙。盛夏应暑而或凉，草木无霜而自凋。遑遑农夫，辍耕田畔。悠悠舟人，顿楫川岸……圣主当膳而减味，牧伯忘餐而过晏。"可知是曹毗任下邳太守时，夏遇大旱。张可礼《东晋文艺系年》第497页："考《晋书》卷二十八《五行志中》，从元帝建武元年至东晋末年，夏大旱二：一于永昌元年，一于太元四年。据卷九《孝武帝纪》，太元四年'六月，大旱'。曹毗所遇之大旱只能是太元四年。因永昌元年，曹毗是否出生尚待定，更不可能任职下邳内史。由此可知，曹毗本年已任下邳内史。《晋书》卷九十二《曹毗传》："累迁尚书郎、镇军大将军从事中郎、下邳太守。以名位不至，著《对儒》以自释。其辞曰……"曹毗任下邳太守，作《对儒》的具体时间不详，应在此后不久，姑系于此。

本年

徐邈作《君臣同谥议》。《通典》卷一百四："东晋孝武太元四年，光禄勋王欣之表……徐邈议……"

裴松之拜殿中将军，后拜员外散骑侍郎。《宋书》卷六十四《裴松之传》："博览坟籍，立身简素。年二十，拜殿中将军。此官直卫左右，晋孝武太元中革选名家以参顾问，始用琅邪王茂之、会稽谢辎，皆南北之望。舅庾楷在江陵，欲得松之西上，除新野太守，以事难不行。拜员外散骑侍郎。"裴松之拜员外散骑侍郎的具体时间不详，姑系于此。

范宁迁临淮太守，封阳遂乡侯。《晋书》卷七十五《范宁传》："在职六年，迁临淮太守，封阳遂乡侯。"范宁于宁康二年为余杭令，至本年凡六年。

公元380年（晋孝武帝太元五年　庚辰）

五月

谢安任卫将军，以厚德化物，去其烦细。始立国学。《晋书》卷七十九《谢安传》："拜卫将军、开府仪同三司，封建昌县公。"卷九《孝武帝纪》："五月，大水。以司徒谢安为卫将军、仪同三司。"《世说新语·政事第三》："谢公时，兵家逋亡……"余嘉锡《世说新语笺疏》注引《续晋阳秋》曰："自中原丧乱，民离本域，江左造创，豪族并兼，或客寓流离，名籍不立。太元中，外御强氏，搜简民实，三吴颇加澄检，正其里伍。其中时有山湖遁逸，往来都邑者。后将军（谢）安方接客，时人有于坐言：'宜纠舍藏之失者。'安每以厚德化物，去其烦细。又以强寇入境，不宜加动人情。乃答之云：'卿所忧，在于客耳！然不尔，何以为京都?'言者有惭色。"《宋书》卷五十五《臧焘传》："晋孝武帝太元中，卫将军谢安始立国学。"上述事件具体时间不详，今据"太元中"和谢安为"将军"姑系于此。

王献之复任谢安长史。性甚整峻，不交非类。《晋书》卷八十《王献之传》："（谢）安进号卫将军，复位长史。"《世说新语·忿狷第三十一》："王令诣谢公，值习凿齿已在坐，当与并榻。王徙倚不坐，公引之与对榻。去后，语胡儿曰：'子敬实自清立，但人为尔多矜咳，殊足损其自然。'"注引刘谦之《晋纪》曰："王献之性甚整峻，不交非类。"上述事时间未详，疑在王献之复任谢安长史至太元九年习凿齿卒之间。

六月

丁卯，司马道子领司徒。《晋书》卷九《孝武帝纪》：本年六月"丁卯，以骠骑将军、琅邪王道子为司徒"。卷六十四《会稽文孝王道子传》："后公卿奏：'道子亲贤莫二，宜正位司徒。'固让不拜。"

前秦苻坚征苻融录尚书事。时国内殷实，敕学士以释道安为师。《十六国春秋》卷三十七《前秦录五·苻坚录中》："建元十六年……六月，征阳平公融为侍中、中书监、都督中外诸军事、车骑大将军、领宗正，录尚书事……坚自平诸国之后，国内殷实，遂示人以侈……乃敕学士内外有疑，皆师于安。故时人为之谚：'学不师安，义不中难。'"按，前秦建元十六年即东晋太元五年。

前秦赵整作《琴歌》。《晋书》卷一百十三《苻坚载记上》："洛既平，坚以关东地广人殷，思所以镇静之……于是分四帅子弟三千户，以配苻丕镇邺，如世封诸侯，为新券主。坚送丕于灞上，流涕而别。诸戎子弟离其父兄者，皆悲号哀恸，酸感行人，识者以为丧乱流离之象。"卷一百十四《苻坚载记下》："坚之分氐户于诸镇也，赵整因侍，援琴而歌曰……坚笑而不纳。"《十六国春秋》卷三十七《前秦录五·苻坚录中》系苻坚分氐户，送苻丕于灞上于本年七八月间，赵整作《琴歌》当在此前后。

九月

癸丑，孝武帝司马曜作《皇后王氏崩下诏》。《晋书》卷九《孝武帝纪》：太元五年"秋九月癸未，皇后王氏崩"。《建康实录》卷九《烈宗孝武皇帝》记载与此相同。但《宋书》卷十五《礼志二》云："孝武帝太元四年九月，皇后王氏崩，诏曰……又诏……"今从《晋书》和《建康实录》的记载。

本年

范宁任中书侍郎约在此时。《晋书》卷七十五《范宁传》："顷之，征拜中书侍郎。在职多所献替，有益政道。时更营新庙，博求辟雍、明堂之制，宁据经传奏上，皆有典证。孝武帝雅好文学，甚被亲爱，朝廷疑议，辄谘访之。宁指斥朝士，直言无讳。"范宁任中书侍郎的确切时间不详，今据本传"迁临淮太守……顷之，征拜中书侍郎"，似任临淮太守不久后即征拜中书侍郎，范宁上年任临淮太守，姑系其征拜中书侍郎在本年。

公元 381 年（晋孝武帝太元六年　辛巳）

正月

孝武帝司马曜初奉佛法。《晋书》卷九《孝武帝纪》："六年春正月，帝初奉佛法，立精舍于殿内，引诸沙门以居之。"

八月

前秦苻坚收起居注及著作所录之事，大检史官。《十六国春秋》卷三十七《前秦录五·苻坚录中》："建元十七年……秋八月，收起居注及著作所录而观之，见苟太后、李威之事，惭怒，乃焚其书，而大检史官，将加其罪。"

十月

豫章太守殷允作《祭徐孺子文》。殷允生卒年不详。《世说新语·赏誉第八》："殷允出西，郗超与袁虎书云：'子思求良朋，托好足下，勿以开美求之。'"注引《中兴书》曰："允字子思，陈郡人，太常康第六子。恭素谦退，有儒者之风。历吏部尚书。"《祭徐孺子文》见《艺文类聚》卷三十八，其云："惟太元六年龙集荒洛，冬十月载生魄，试守豫章太守殷君谨遣左右某甲清酌芗合……再拜奠故聘士豫章徐先生……"殷允以后事迹不详。

十一月

己亥，郗愔拜司空。《晋书》卷六十七《郗愔传》："及帝践阼，就加镇军、都督浙江东五郡军事。久之，以年老乞骸骨，因居会稽。征拜司空，诏书优美，敦奖殷勤，固辞不起。"卷九《孝武帝纪》："冬十一月己亥，以镇军大将军郗愔为司空。"

本年

司马晞卒。孝武帝司马曜作《诏迎武陵王晞柩于新安》《诏封前武陵王晞并爵其三子》。本年还有《议祭皇子庙诏》。《晋书》卷六十四《武陵威王晞传》："太元六年，晞卒于新安，时年六十六。孝武帝三日临于西堂，诏曰……复下诏曰……"孝武帝司马曜《议祭皇子庙诏》见《通典》卷四十七："东晋孝武帝太元六年，诏曰……"

释道安与前秦赵整召集僧徒宣译《阿毗昙毗婆沙》，作《讽谏诗》两首。《高僧传》卷一《僧伽跋澄传》："僧伽跋澄……苻坚建元十七年，来入关中。先是大乘之典未广，禅数之学甚盛。既至长安，咸称法匠焉。苻坚秘书郎赵整崇仰大法，尝闻外国宗习《阿毗昙毗婆沙》，而跋澄讽诵，乃四事礼供，请译梵文。遂共名德法师释道安等集僧宣译。"《十六国春秋》卷四十二《前秦录十·赵整录》:"（苻坚）末年，宠惑鲜卑，惰于政治。整又援琴而歌曰……"具体时间不详，今据苻坚末年而暂系于此。

慧远至寻阳，立精舍。《莲社高贤传·慧远传》:"太元六年至寻阳，见庐山开旷，可以息心，乃立精舍。"

公元 382 年（晋孝武帝太元七年　壬午）

正月

前秦苻坚飨群臣，奏乐赋诗。《十六国春秋》卷三十八《前秦录六·苻坚录下》:"建元十八年，春正月，飨群臣于前殿，奏乐赋诗。"

九月

前秦苻坚讨伐龟兹、焉耆诸国。鸠摩罗什劝龟兹国王勿抗东来劲敌。《高僧传》卷二《鸠摩罗什传》:"（前秦建元）十八年九月，（苻）坚遣骁骑将军吕光、陵江将军姜飞，将前部王及车师王等，率兵七万西伐龟兹及乌耆诸国。临发坚饯光于建章宫，谓光曰:'……朕闻西国有鸠摩罗什，深解法相，善闲阴阳，为后学之宗，朕甚思之。贤哲者，国之大宝，若克龟兹，即驰驿送什。'光军未至，什谓龟兹王白纯曰:'国运衰矣，当有勍敌，日下人从东方来，宜恭承之，勿抗其锋。'纯不从而战。"按，前秦建元十八年即东晋太元七年。

十月

前秦苻坚欲讨东晋，引群臣会议，不从众谏。《晋书》卷一百十四《苻坚载记下》:"坚引群臣会议，曰:'吾统承大业垂二十载，芟夷逋秽，四方略定，惟东南一隅未宾王化。吾每思天下不一，未尝不临食辍铺，今欲起天下兵以讨之。'……群臣各有异同，庭议者久之。坚曰:'所谓筑室于道，沮计万端，吾当内断于心矣。'群臣出后，独留苻融议之。坚曰:'自古大事，定策者一两人而已，群议纷纭，徒乱人意，吾当与汝决之。'融曰:'……诸言不可者，策之上也，愿陛下纳之。'……先是，群臣以坚信重道安……故安因此而谏。苻融及尚书原绍、石越等上书面谏，前后数十，坚终不从。"《十六国春秋》卷三十八《前秦录六·苻坚录下》:"建元十八年……十月，坚临太极殿，引群臣会议。"按，前秦建元十八年即东晋太元七年。

王嘉预言苻坚南征必败。《晋书》卷九十五《王嘉传》:"苻坚累征不起，公侯已下咸躬往参诣，好尚之士无不师宗之。问其当世事者，皆随问而对。好为譬喻，状如戏调；言未然之事，辞如谶记，当时鲜能晓之，事过皆验。坚将南征，遣使者问之。嘉曰:'金刚火强。'乃乘使者马，正衣冠，徐徐东行数百步，而策马驰反，脱衣服，弃冠履而归，下马踞床，一无所言。使者还告，坚不语，复遣问之，曰:'吾世祚云何?'嘉曰:'未央。'咸以为吉。明年癸未，败于淮南，所谓未年而有殃也。"

前秦有《苻坚妾引谚》。《晋书》卷九十八《苻坚妾张氏传》:"苻坚妾张氏，不知何许人，明辩有才识。坚将入寇江左，群臣切谏不从。张氏进曰：'……谚言："鸡夜鸣者不利行师，犬群嗥者宫室必空，兵动马惊，军败不归。"秋冬已来，每夜群犬大嗥，众鸡夜鸣，伏闻厩马惊逸，武库兵器有声，吉凶之理，诚非微妾所论，愿陛下详而思之。'坚曰：'军旅之事，非妇人所豫也。'遂兴兵。"

本年

孝武帝司马曜作《赙赠周虓诏》。《晋书》卷五十八《周虓传》："太元三年，虓潜至汉中，坚追得之。后又与坚兄子苞谋袭坚，事泄……遂挞之，徙于太原……虓竟以病卒于太原。其子兴迎致其丧，冠军将军谢玄亲临哭之，因上疏曰……孝武帝诏曰……"《建康实录》卷九《烈宗孝武皇帝》：本年"周虓卒于秦之太原……帝悲之，追赠益州刺史"。

殷仲堪任谢玄参军、长史。殷仲堪生年不详。《晋书》卷八十四《殷仲堪传》："殷仲堪，陈郡人也。祖融，太常、吏部尚书。父师，骠骑咨议参军、晋陵太守、沙阳男。仲堪能清言，善属文，每云三日不读《道德论》，便觉舌本间强。其谈理与韩康伯齐名，士咸爱慕之。调补佐著作郎。冠军谢玄镇京口，请为参军。除尚书郎，不拜。玄以为长史，厚任遇之。"据卷七十九《谢玄传》、卷九《孝武帝纪》记载，谢玄于太和四年"进号冠军"，八年仍任冠军将军。殷仲堪任其参军、长史的确切时间不详，姑系于此。

公元383年（晋孝武帝太元八年　癸未）

八月

前秦苻坚伐晋。此前作《下诏伐晋》《下令国中》。《十六国春秋》卷三十八《前秦录六·苻坚录下》："建元十九年……秋七月……坚下诏书曰……又下书曰……八月……甲子，坚发长安……众号百万。"《晋书》卷九《孝武帝纪》："八月，苻坚帅众渡淮，遣征讨都督谢石、冠军将军谢玄、辅国将军谢琰、西中郎将桓伊等距之。"

释道安与赵整等译出《阿毗昙毗婆沙》。《高僧传》卷一《僧伽跋澄传》："苻坚秘书郎赵整崇仰大法，尝闻外国宗习《阿毗昙毗婆沙》，而跋澄讽诵，乃四事礼供，请译梵文。遂共名德法师释道安等集僧宣译。跋证口诵经本，外国沙门昙摩难提笔受为梵文，佛图罗刹宣译，秦沙门敏智笔受为晋本。以伪秦建元十九年译出，自孟夏至仲秋方讫。"按，前秦建元十九年即东晋太元11年。

九月

司马道子录尚书六条事，专政。《晋书》卷九《孝武帝纪》：本年"九月，诏司徒、琅邪王道子录尚书六条事"。卷二十九《五行志下》："孝武太元八年……是时，道子专政，亲近佞人，朝纲方替。"

十月

前秦苻融任伐晋前锋，陷寿春。《晋书》卷九《孝武帝纪》：本年"冬十月，苻坚弟融陷寿春"。《十六国春秋》卷三十八《前秦录六·苻坚录下》："建元十九年……冬十月，融等攻寿春，癸酉，克之。"

谢安加征讨大都督，指挥将帅于肥水大败苻坚。《晋书》卷七十九《谢安传》："（苻）坚后率众，号百万，次于淮肥，京师震恐。加安征讨大都督。玄入问计，安夷然无惧色，答曰：'已别有旨。'既而寂然。玄不敢复言，乃令张玄重请。安遂命驾出山墅，亲朋毕集，方与玄围棋赌别墅。安常棋劣于玄，是日惧，便为敌手而又不胜。安顾谓其甥羊昙曰：'以墅乞汝。'安遂游涉，至夜乃还，指授将帅，各当其任。玄等既破坚，有驿书至，安方对客围棋，看书既竟，便摄放床上，了无喜色，棋如故。客问之，徐答云：'小儿辈遂已破贼。'既罢，还内，过户限，心喜甚，不觉屐齿之折，其矫情镇物如此。以总统功，进拜太保。"卷九《孝武帝纪》："冬十月，苻坚弟融陷寿春。乙亥，诸将及苻坚战于肥水，大破之，俘斩数万计，获坚舆辇及云母车。十一月庚申，（校勘记：'十一月丙戌朔，无庚申。'）诏卫将军谢安劳旋师于金城。"校勘记云："《通鉴》一零五记肥水之捷在十一月，较合当时情事。"

孝武帝司马曜作《张天锡归国诏》，得关中檐橦胡伎，获乐工杨蜀等。《晋书》卷八十六《张天锡传》："（苻）坚大败于淮肥时，天锡为苻融征南司马，于阵归国。诏曰……又诏曰……"《南齐书》卷十一《乐志》："太元中，苻坚败后，得关中檐橦胡伎，进太乐。"《隋书》卷十三《音乐志上》："苻坚北败，孝武获登歌。"卷十五《音乐志下》："太元间，破苻永固，又获乐工杨蜀等，闲练旧乐，于是金石始备。寻其设悬音调，并与江左是同。"卷十三《音乐志上》："（梁武）帝曰：'著晋、宋史者，皆言太元、元嘉四年，四厢金石大备。今检乐府，止有黄钟、姑洗、蕤宾、太簇四格而已。六律不具，何谓四厢？备乐之文，其义焉在？'"

曹毗增造宗庙歌诗十一首，后任光禄勋。《晋书》卷二十三《乐志下》："太元中，破苻坚，又获其乐工杨蜀等，闲习旧乐，于是四厢金石始备焉。乃使曹毗、王珣等增造宗庙歌诗，然郊祀遂不设乐。今列其词于后云。"曹毗《歌宣帝》《歌景帝》《歌文帝》《歌武帝》《歌元帝》《歌明帝》《歌成帝》《歌康帝》《歌穆帝》《歌哀帝》《四时祠祀》，共11首。《晋书》卷九十二《曹毗传》："累迁至光禄勋，卒。凡所著文笔十五卷，传于世。"曹毗任光禄勋和卒的时间不详，姑系于此。曹毗是当时重要的文学家，《晋书·文苑传》云："至于吉甫、太冲，江右之才杰；曹毗、庾阐，中兴之时秀。信乃金相玉润，林荟川冲，埒美前修，垂裕来叶。"认为是东晋代表作家，可见其见重一时。《文苑传》又云："曹毗沉研秘籍，踠足下僚，绮靡降神之歌，朗畅对儒之论。"时人孙绰对曹毗有恶评："曹辅佐才如白地明光锦，裁为负版绔，非无文采，酷无裁制。"见《世说新语·文学第四》。《隋书》卷三十二《经籍志一》："《论语释》一卷，曹毗撰。"卷三十三《经籍志二》："《曹氏家传》一卷，曹毗撰。"《僧肇传》，曹毗撰，《北堂书钞》卷一百三引。《曹毗志怪》，曹毗撰，《初学记》卷七引。《隋书》卷三十五《经籍志四》："晋光禄勋《曹毗集》四卷。"《全晋文》卷一百七辑文20篇，除已见上文者外，还有《秋兴赋》《涉江赋》《观涛赋》《水赋》《湘中赋》、《魏都赋》（见《文选》卷四《南都赋》六臣注李善注引）、《临园赋》《咏冶赋》《冶成赋》《箜篌赋》《鹦鹉赋》《马射赋》《双鸿诗序》《屏风诗序》《王鼎颂》《黄帝赞》。《晋诗》卷十二、十九辑诗 20 首，除已见上文者外还有《黄帝赞》（《全晋文》卷一百七也收）、《正朝诗》《霖雨诗》《郗公墓诗》《箜篌诗》、失题诗、《军中诗》。

王珣增造宗庙歌诗二首。见上条《晋书》卷二十三《乐志下》的记载，王珣所增造二首是《歌简文帝》和《歌孝武帝》。

殷仲堪作《致谢玄书》。《晋书》卷八十四《殷仲堪传》："仲堪致书于玄曰：'胡亡之后，中原子女鬻于江东者不可胜数……'玄深然之。""胡亡之后"当指本年苻坚肥水溃败之事，此书当作于此后不久。

本年

戴逵作《与远法师书》《重与远法师书》《答远法师书》。三书均见释道宣《广弘明集》卷二十，写作时间不详。张可礼《东晋文艺系年》第 522 页："慧远于太元三年别道安东下，则《与远法师书》等均作于太元三年后。又《与远法师书》中有'是以自少束修，至于白首，行不负于所知，言不伤于物类'等句，盖书当作于戴逵晚期。姑一并系于此。"

慧远作《答戴处士书》《与戴处士书》。见释道宣《广弘明集》卷二十。写作时间不确定，今依据上条暂系于此。

公元 384 年（晋孝武帝太元九年　甲申）

正月

前秦赵整请僧伽跋澄译《婆须蜜》梵本，请昙摩难提译出《阿含》。《高僧传》卷一《竺佛念传》："苻氏建元中，有僧伽跋澄、昙摩难提等入长安。赵整请出诸经，当时名德，莫能传译，众咸推念，于是澄执梵文，念译为晋，质断疑义，音字方明。至建元二十年正月，复请昙摩难提出增《一阿含》及《中阿含》。于长安城内集义学沙门，请念为译，敷析研核二载乃竟。"《高僧传》卷一《僧伽跋澄传》："初跋澄又赍《婆须蜜》梵本自随。明年赵整复请出之，跋澄乃与昙摩难提及僧伽提婆三人共执梵本，秦沙门佛念宣译，慧嵩笔受，安公法和对共校定，故二经流布传学迄今。"按，前秦建元二十年即东晋太元九年。

二月

桓伊迁江州刺史，作《到江州上疏》。《晋书》卷八十一《桓伊传》："时谢安女婿王国宝专利无检行，安恶其为人，每抑制之。及孝武末年，嗜酒好内，而会稽王道子昏醟尤甚，惟狎昵谄邪，于是国宝谗谀之计稍行于主相之间。而好利险诐之徒，以安功名盛极，而构会之，嫌隙遂成。帝召伊饮宴，安侍坐……伊便抚筝而歌《怨诗》曰：

'为君既不易，为臣良独难。忠信事不显，乃有见疑患。周旦佐文武，《金縢》功不刊。推心辅王政，二叔反流言。'声节慷慨，俯仰可观。安泣下沾衿，乃越席而就之，捋其须曰：'使君于此不凡！'帝甚有愧色。伊在州十年，绥抚荒杂，甚得物情。桓冲卒，迁都督江州荆州十郡豫州四郡军事、江州刺史，将军如故，假节。伊到镇，以边境无虞，宜以宽恤为务，乃上疏……伊随宜拯抚，百姓赖焉。"据卷九《孝武帝纪》，桓冲卒于本年二月辛巳。

有《荆州百姓歌》。《晋书》卷二十八《五行志中》："桓石民为荆州，镇上明，百姓忽歌曰'黄昙子'。曲中（校勘记云：'中'当从《宋志》作'终'）又曰：'黄昙英，扬州大佛来上明。'顷之而桓石民死，王忱为荆州。黄昙子乃是王忱字也。忱小字佛大，是'大佛来上明'也。"据卷九《孝武帝纪》，桓冲卒于本年二月辛巳，则此歌当在此后。

三月

谢安为太保，上疏求自北征。《晋书》卷九《孝武帝纪》："三月，以卫将军谢安为太保。"卷七十九《谢安传》："以总统功，进拜太保。安方欲混一文轨，上疏求自北征。"

四月

己卯，孝武帝司马曜增置太学生百人，作《复张天锡西平郡公爵诏》。《复张天锡西平郡公爵诏》见《晋书》卷八十六《张天锡传》。卷九《孝武帝纪》："夏四月己卯，增置太学生百人。封张天锡为西平公。"

七月

慕容冲占据苻坚阿房城，此前有《长安为慕容冲歌》、《长安为凤凰谣》。《十六国春秋》卷三十八《前秦录六·苻坚录下》：本年三月，慕容冲据河东以叛。七月，"坚闻慕容冲去长安二百里，引师而归……冲遂据阿房城。初，坚之灭燕，冲姊清河公主年十四，有殊色，坚纳之，宠冠后庭。冲年十三，亦有龙阳之姿，坚又幸之。姊弟专宠，宫人莫进。长安歌之曰……及其母卒，葬以燕后之礼，长安又谣曰……"

八月

戊寅，郗愔卒。《晋书》卷六十七《郗愔传》："太元九年卒，时年七十二。追赠侍中、司空，谥曰文穆。"卷九《孝武帝纪》：本年"八月戊寅，司空郗愔薨"。《隋书》卷三十五《经籍志四》："晋新安太守《郗愔集》四卷，残缺。梁五卷。"

前秦吕光攻占龟兹城，赋诗言志，命段业著《龟兹宫赋》。得西域乐器、歌曲、舞曲。《十六国春秋》卷八十一《后凉录一·吕光录》："遂进攻龟兹城……城中寺塔千数……宫室壮丽，焕若神居。光乃大飨将士，赋诗言志，命参军京兆段业著《龟兹宫赋》以记之……因得其乐器，有箜篌、琵琶……等十五种为一部。工二十人。歌曲有《善善摩尼》、解曲《婆迦儿》、舞曲有《天殊勒监曲》……秋八月，光上疏奏捷于坚。"

鸠摩罗什被吕光所获。《高僧传》卷二《鸠摩罗什传》："光遂破龟兹……光既获什，未测其智量，见年齿尚少，乃凡人戏之，强妻以龟兹王女，什距而不受，辞甚苦到。光曰：'道士之操，不逾先父。何可固辞！'乃饮以醇酒，同闭密室。什被逼既至，遂亏其节。或令骑牛及乘恶马，欲使堕落，什常怀忍辱，曾无异色。光惭愧而止。"

九月

谢安都督扬、江等十五州诸军事。《晋书》卷九《孝武帝纪》：本年九月"甲午，加太保谢安大都督扬、江、荆、司、豫、徐、兖、青、冀、幽、并、梁、益、雍、凉十五州诸军事"。卷七十九《谢安传》："乃进都督扬、江、荆、司、豫、徐、兖、青、冀、幽、并、宁、益、雍、梁十五州军事，加黄钺，其本官如故，置从事中郎二人。安上疏让太保及爵，不许。是时桓冲既卒，荆、江二州并缺，物论以玄勋望，宜以授之。安以父子皆著大勋，恐为朝廷所疑，又惧桓氏失职，桓石虔复有沔阳之功，虑其骁猛，在形胜之地，终或难制，乃以桓石民为荆州，改桓伊于中流，石虔为豫州。既以三桓据三州，彼此无恐，各得所任。其经远无竞，类皆如此。"

十月

习凿齿作《临终上疏》《晋承汉统论》。卒。《晋书》卷八十二《习凿齿传》："寻而襄邓反正，朝廷欲征凿齿，使典国史，会卒，不果。临终上疏曰：'臣每谓皇晋宜越魏继汉，不应以魏后为三恪。而身微官卑，无由上达，怀抱愚情，三十余年。今沉沦重疾，性命难保，遂尝怀此，当与之朽烂，区区之情，切所悼惜，谨力疾著论一篇'……论曰……。"《建康实录》卷九《烈宗孝武皇帝录》记载习凿齿卒于本年十月。《隋书》卷三十三《经籍志二》："《汉晋阳秋》四十七卷，讫愍帝。晋荥阳太守凿齿撰。"同卷还记载："《襄阳耆旧记》五卷，习凿齿撰。"《旧唐书》卷四十六《经籍志上》："《逸人高士传》八卷，习凿齿撰。"《隋书》卷三十五《经籍志四》："晋荥阳太守《习凿齿集》五卷。"《晋诗》卷十四辑诗两篇：《咏灯笼》和《嘲道安诗》。《全晋文》卷一百三十四辑文27篇，比较重要的有《汉晋春秋论先主到当阳》《诸葛武侯宅铭》《孔明杀马谡》等。

孝武帝司马曜作《以苻朗为员外散骑侍郎诏》。见《太平御览》卷二二四引《晋中兴书》："苻坚青州刺史苻朗降，烈宗诏曰……"《晋书》卷九《孝武帝纪》：本年十月"苻坚青州刺史苻朗帅众来降"。

本年

颜延之生。《宋书》卷七十三《颜延之传》："颜延之，字延年，琅邪临沂人也。

曾祖含，右光禄大夫。祖约，零陵太守。父显，护军司马。延之少孤贫，居负郭，室巷甚陋。好读书，无所不览，文章之美，冠绝当时……孝建三年卒，时年七十三。"据此推之，当生于本年。

僧肇生。《高僧传》卷六《释僧肇传》："释僧肇，京兆人……义熙十年卒……春秋三十有一矣。"据此推之，其当生于本年。

陶渊明委怀琴书，逢世阻，家贫乏。《晋诗》卷十六辑陶渊明《始作镇军参军经曲阿》："弱龄寄事外，委怀在琴书。被褐欣自得，屡空常晏如。"同卷《怨诗楚调示庞主簿、邓治中》："弱冠逢世阻。"卷十七《有会而作》："弱年逢家乏"，上述事迹在陶渊明少年至二十岁间，暂系于此。

戴逵厉操东山，不改其乐。《晋书》卷七十九《谢玄传》："始从玄征伐者……戴逵字安丘，处士逵之弟，并骁果多权略。逵厉操东山，而逯以武勇显。谢安尝谓逵曰：'卿兄弟志业何殊？'逵曰：'下官不堪其忧，家兄不改其乐。'"上述事具体时间不详，当在肥水之战后、谢安卒前。谢安卒于明年，姑系于此。

公元 385 年（晋孝武帝太元十年　乙酉）

二月

孝武帝司马曜立国学。《晋书》卷九《孝武帝纪》："十年春……二月，立国学。"《建康实录》卷九《烈宗孝武皇帝》："（太元）十年春，尚书令谢石以学校陵迟，上疏请兴复国学太庙之南。"

释道安卒于长安。《高僧传》卷五《释道安传》："安每与弟子法遇等于弥勒前立誓，愿生兜率。后至秦建元二十一年……二月八日，忽告众曰：'吾当去矣。'是日斋毕，无疾而卒。葬城内五级寺中，是岁晋太元十年也，年七十二。"《隋书》卷三十二《经籍志二》："《四海百川水源记》一卷，释道安撰。"释道安著作见《全晋文》卷一百五十八。

四月

谢安率众救符坚，出镇广陵。《晋书》卷九《孝武帝纪》："（本年四月）壬戌，太保谢安帅众救符坚。"卷七十九《谢安传》："时会稽王道子专权，而奸谄颇相扇构，安出镇广陵之步丘，筑垒曰新城以避之。帝出祖于西池，献觞赋诗焉。安虽受朝寄，然东山之志始末不渝，每形于言色。及镇新城，尽室而行，造泛海之装，欲须经略粗定，自江道还东。雅志未就，遂遇疾笃。"《宋书》卷三十一《五行志二》："四月，谢安出镇广陵。"

八月

谢安上疏逊位。丁酉，卒。《晋书》卷九《孝武帝纪》："八月甲午，大赦。丁酉，使持节、侍中、中书监、大都督十五州诸军事、卫将军、太保谢安薨。"《晋书》卷七

195

十九《谢安传》："疏请量宜旋旆……诏遣侍中慰劳，遂还都。闻当舆入西州门，自以本志不遂，深自慨失，因怅然谓所亲曰……乃上疏逊位，诏遣侍中、尚书喻旨……寻薨，时年六十六。帝三日临于朝堂……赠太傅，谥曰文靖。以无下舍，诏府中备凶仪。及葬，加殊礼，依大司马桓温故事。又以平苻坚勋，更封庐陵郡公。"《隋书》卷三十五《经籍志四》："晋太傅《谢安集》十卷。梁十卷，录一卷……亡。"《全晋文》卷八十三辑文七篇，除已见上文者外，还有《上疏论王恭》《魏鸷周丧拜时议》等。《晋诗》卷十三辑诗三首，未见上文者还有《与王胡之诗》六章。

徐邈劝王献之奏加谢安殊礼。转祠部郎。《晋书》卷九十一《徐邈传》："及谢安薨，论者或有异同，邈固劝中书令王献之奏加殊礼，仍崇进谢石为尚书令，玄为徐州。邈转祠部郎，上南北郊宗庙迭毁礼，皆有证据。"

王献之作《上疏议谢安赠礼》。《晋书》卷八十《王献之传》："及安薨，赠礼有同异之议，惟献之、徐邈共明安之忠勋。献之乃上疏曰……孝武帝遂加安殊礼。"

孝武帝司马曜作《以琅邪王道子为都督中外诸军事诏》《诏谢石复职》。《以琅邪王道子为都督中外诸军事诏》见《晋书》卷六十四《会稽文孝王道子传》："及谢安薨，诏曰……"卷九《孝武帝纪》："（本年八月）庚子，以琅邪王道子为都督中外诸军事。"《诏谢石复职》见卷七十九《谢石传》："兄安薨，石迁卫将军，加散骑常侍。以公事与吏部郎王恭互相短长，恭甚忿恨，自陈褊厄不允，且疾源深固，乞还私门。石亦上疏逊位。有司奏，石辄去职，免官。诏曰……"当作于谢安卒后，姑系于此。

前秦苻坚卒。有《长安民谣》。《晋书》卷九《孝武帝纪》："八月……是月，姚苌杀苻坚而僭即皇帝位。"卷一百十四《苻坚载记下》："初，秦之未乱也，关中土然，无火而烟气大起……长安为之语曰……又为谣曰……秦人呼鲜卑为白虏。慕容垂之起于关东，岁在癸未……坚至五将山，姚苌遣将军吴忠围之……执坚以归新平，幽之于别室……坚既不许苌以禅代，骂而求死，苌乃缢坚于新平佛寺中，时年四十八。中山公诜及张夫人并自杀。是岁太元十年也。……初，坚强盛之时，国有童谣云……坚闻而恶之……时又童谣云……坚在位二十七年，因寿春之败，其国大乱，后二年，竟死于新平佛寺，咸应谣言矣。"

前秦赵整出家，作《出家更名颂》。《高僧传》卷一《昙摩难提传》："后因关中佛法之盛，乃愿欲出家，坚惜而未许。及坚死后，方遂其志。更名道整，因作颂曰……后遁迹商洛山，专精经律。"

九月

吕光东还姑臧，自领梁州刺史。《晋书》卷九《孝武帝纪》："九月，吕光据姑臧，自称凉州刺史。"《十六国春秋》卷八十一《后梁录一·吕光录》："建元二十一年，春正月，光既平龟兹，以龟兹饶乐，遂有久居之志，始获天竺沙门鸠摩罗什……什谓光曰：'此凶亡之地，不可淹留，推运揆数，将军宜速东归，中路自有福地可居。'……秋九月，光自龟兹还……光遂入姑臧，自领凉州刺史，护羌校尉。"

本年

谢灵运生。《宋书》卷六十七《谢灵运传》："谢灵运，陈郡阳夏人也。祖玄，晋车骑将军。父瑛，生而不慧，为秘书郎，蚤亡。灵运幼便颖悟，玄甚异之，谓亲知曰：'我乃生瑛，瑛那得生灵运！'灵运少好学，博览群书，文章之美，江左莫逮……太祖诏于广州行弃市刑。临死作诗曰……时元嘉十年，年四十九。"据此推之，谢灵运当生于本年。又《晋书》卷七十九《谢玄传》载谢玄本年上疏云："亡叔臣安、亡兄臣靖，数月之间，相系殂背，下逮稚子，寻复夭昏。"谢安卒于本年八月丁酉。据此谢灵运当生于本年十月前后。

殷仲堪领晋陵太守。《晋书》卷八十四《殷仲堪传》："领晋陵太守，居郡禁产子不举，久丧不葬，录父母以质亡叛者，所下条教甚有义理。父病积年，仲堪衣不解带，躬学医术，究其精妙，执药挥泪，遂眇一目。居丧哀毁，以孝闻。"上述事情确切时间不详。殷仲堪服丧后为太子中庶子，太元十七年十一月为荆州刺史，此时据其任荆州刺史有六、七年光景。张可礼《东晋文艺系年》第 545 页系于此时，今从。

谢道韫答桓玄问。《世说新语·排调第二十五》："谢公在东山，朝命屡降而不动。"注引《妇人集》"桓玄问王凝之妻谢氏曰：'太傅东山二十余年，遂复不终，其理云何？'谢答曰：'亡叔太傅先正，以无用为心，显隐为优劣，始末正当动静之异耳。'"谢道韫称谢安为"亡叔"，则答谢玄问当在本年谢安卒后。

公元 386 年（晋孝武帝太元十一年　丙戌）

五月

王嘉受姚苌礼遇。《晋书》卷九十五《王嘉传》："姚苌之入长安，礼嘉如苻坚故事，逼以自随，每事咨之。"《十六国春秋》卷五十五《后秦录三·姚苌录》：本年五月，"苌僭即皇帝位于长安"。

八月

庚午，孝武帝司马曜封孔靖之为奉圣亭侯，立宣尼庙。《建康实录》卷九《烈宗孝武皇帝》："秋八月庚午，诏封孔靖之为奉圣亭侯，奉宣尼庙，在故丹阳郡城前隔路东南。"

九月

范宁作《奏烝祠》。《晋书》卷十九《礼志上》："孝武太元十一年九月，皇女亡，及应烝祠，中书侍郎范宁奏……于是尚书奏使三公行事。"

本年

王献之卒。《晋书》卷八十《王献之传》："未几，献之遇疾，家人为上章，道家法应首过，问其有何得失。对曰：'不觉余事，惟忆与郗家离婚。'献之前妻，郗昙女也。俄而卒于官。安僖皇后立，以后父追赠侍中、特进、光禄大夫、太宰，谥曰宪。"张可礼《东晋文艺系年》第 549 页：关于王献之卒年有两种说法：一，《世说新语·伤逝第十七》注："献之以太元十三年卒，年四十五。"二，《书断中》："子敬为中书令，太元十一年卒于官，年四十三。族弟珉代居之，至十三年而卒，年三十八。"按，《晋书》卷六十五《王珉传》所载王珉代职及卒年均与《书断》同。又《晋书·王献之传》在叙谢安卒后，接叙曰："未几，献之遇疾……俄而卒于官。"当距谢安卒年很近，今从《书断》。丁国钧《补晋书艺文志》卷一："《孝经注》，王献之。谨按，见《孝经正义》。"《隋书》卷三十五《经籍志四》："金紫光禄大夫《王献之集》十卷，录一卷。"《晋诗》卷十三辑诗四首：《桃叶诗》三首，失题诗一首。《世说新语·品藻第九》："有问太傅：'子敬可是先辈谁比？'谢曰：'阿敬近撮王、刘之标。'注引《续晋阳秋》曰："献之文义并非所长，而能撮其胜会，故擅名一时，为风流之冠也。"《晋书·王献之传》："时议者以为羲之草隶，江左中朝莫有及者，献之骨力远不及父，而颇有媚趣。"

孝武帝司马曜作《以侍中王珉兼中书令诏》。见《艺文类聚》卷四十八所引《王珉别传》，具体时间见下条。

王珉代王献之为中书令，作《直中书诗》。其嫂家婢制《团扇歌》。《晋书》卷六十九《王珉传》："珉字季琰。少有才艺……后历著作、散骑郎、国子博士、黄门侍郎、侍中，代王献之为长兼中书令。二人素齐名，世谓献之为'大令'，珉为'小令'"。《书断中》："子敬为中书令，太元十一年卒于官，年四十三。族弟珉代居之，至十三年而卒，年三十八。"王献之卒于本年，则王珉任中书令也在此时。《直中书诗》见《初学记》卷十一："王珉《直中书诗》云……"当作于本年为中书令后。《宋书》卷十九《乐志一》："《团扇歌》者，晋中书令王珉与嫂婢有情，爱好甚笃，嫂棰挞婢过苦，婢素善歌，而珉好捉白团扇，故制此歌。"《乐府诗集》卷四十五引《古今乐录》曰："《团扇歌》者，晋中书令王珉捉白团扇，与嫂婢谢芳姿有爱，情好甚笃。嫂棰挞婢过苦。王东亭闻而止之。芳姿素善歌，嫂令歌一曲当赦之。应声歌曰……珉闻，更问之。'汝歌何遗？'芳姿即改云……"上述事具体时间不详，姑系于此。

慧远移居东林寺。《高僧传》卷六《释慧远传》："时有沙门慧永，居在西林，与远同门旧好，遂要远同止。永谓刺史桓伊曰：'远公方当弘道，今徒属已广而来者方多，贫道所栖褊狭，不足相处，如何？'桓乃为远复于山东更立房殿，即东林是也。"《莲社高贤传·慧远传》："桓伊大敬感，乃为建刹，名其殿曰'神运'。以在永师舍东，故号'东林'。时太元十一年也。"

雷次宗生。《宋书》卷九十三《雷次宗传》："雷次宗字仲伦，豫章南昌人也……（元嘉）二十五年，卒于钟山，时年六十三。"以此推之，当生于本年。

司马道子宴朝士，谢石为委巷之歌。《晋书》卷八十四《王恭传》："（司马）道子尝集朝士，置酒于东府，尚书令谢石因醉为委巷之歌，恭正色曰：'居端右之重，集藩王之第，而肆淫声，欲令群下何所取则！'石深衔之。淮陵内史虞珧子妻裴氏有服食之术，常衣黄衣，状如天师，道子甚悦之，令与宾客谈论，时人皆为降节。恭抗言曰：

'未闻宰相之坐有失行妇人。'坐宾莫不反侧，道子甚愧之。"据卷九《孝武帝纪》谢石于太元八年十二月任尚书令，十三年十二月卒。上述事或许在本年前后。

桓玄博综艺术，善属文。朝廷疑而未用。《晋书》卷九十九《桓玄传》："及长，形貌瑰奇，风神疏朗，博综艺术，善属文。常负其才地，以雄豪自处，众咸惮之，朝廷亦疑而未用。"上述事难系于某年，桓玄本年十八岁，姑系于此。

伏滔拜著作郎。《晋书》卷九十二《伏滔传》："太元中，拜著作郎，专掌国史，领本州大中正。孝武帝尝会于西堂，滔豫坐，还，下车先呼子系之谓曰：'百人高会，天子先问伏滔在坐不，此故未易得。为人作父如此，定何如也？'迁游击将军，著作如故。卒官。"伏滔拜著作郎及上述事具体时间不详，今据"太元中"姑系于此。《大司马僚属名》，伏滔撰，见《世说新语·赏誉第八》。《隋书》卷三十五《经籍志四》："晋《伏滔集》十一卷，并目录。梁五卷，录一卷。"《北征记》，伏滔撰，《文选》卷二十六《初发石首城》六臣注中的李善注。《旧唐书》卷四十七《经籍志下》："《晋元氏宴会游集》四卷，伏滔、袁豹、谢灵运等撰。"校勘记云："元氏"一作"元王"。《新唐书》卷六十《艺文志四》作"元正"，并云："伏滔、袁豹、谢灵运集。"《全晋文》卷一百三十三辑文七篇，除已见上文者外还有《望涛赋》、《长笛赋并序》《登故台诗序》《论青楚人物》《帝尧功德铭》。

湛方生作《庐山神仙诗并序》。湛方生生平不详。文廷式《补晋书艺文志》卷六："王谟《豫章十代文献略》云：'《隋志》不详何许人。今考湛氏望出豫章，而方生又有《庐山诗序》及《帆入南湖诗》，其为豫章人无疑也。'"《隋书》卷三十五《经籍志四》："晋卫军咨议《湛方生集》……"《晋诗》卷十五辑其《后斋诗》云："解缨复褐，辞朝归薮。门不容轩，宅不盈亩……素构易饱，玄根难朽。即之非远，可以长久。"据上述资料可以知道湛方生曾任卫军咨议参军，后辞职归隐。《庐山神仙诗并序》见《晋诗》卷十五，其云："寻阳有庐山者……太元十一年，有樵采其阳者……诗曰……"据此可知此诗当作于本年。《隋书》卷三十五《经籍志四》："晋卫军咨议《湛方生集》十卷，录一卷。"《晋诗》卷十五辑诗 12 首，未见上文者有《还都帆诗》《天晴诗》《诸人共讲老子诗》、失题诗三首、《怀归诗》《秋夜诗》《游园咏》。《全晋文》卷一百四十辑文 18 篇，上文未提及者有《风赋》《怀春赋》《上贞女解》《修学校教》《七欢》《羁鹤吟序》《木连理颂》《老子赞》《孔公赞》《北叟赞》《庭前植稻苗赞》《长鸣鸡赞》《灵秀山铭》《吊鹤文》，另《怀归》《秋夜谣》《游园咏》与《晋诗》卷十五重复。

公元 387 年（晋孝武帝太元十二年　丁亥）

五月

孝武帝司马曜作《诏议明堂郊祀》。《晋书》卷十九《礼志上》："孝武帝太元十二年五月壬戌，诏曰……"

壬戌，徐邈作《明堂郊祀配享议》，补中书舍人，撰正《五经》音训。《晋书》卷十九《礼志上》："孝武帝太元十二年五月壬戌，诏曰……祠部郎中徐邈议……"卷九十一《徐邈传》：“邈既东州儒素，太傅谢安举以应选。年四十四，始补中书舍人，在西省侍帝。虽不口传章句，然开释文义，标明指趣，撰正《五经》音训，学者宗之。”

六月

癸卯，孝武帝司马曜聘处士戴逵、龚玄之，作《征谯武戴、龚诏》。《晋书》卷九十四《龚玄之传》：“龚玄之，字道玄，武陵汉寿人也……玄之好学潜默，安于陋巷。州举秀才，公府辟，不就。孝武帝下诏曰‘……谯国戴逵、武陵龚玄之并高尚其操，依仁游艺，洁己贞鲜，学弘儒业，朕虚怀久矣……可并以为散骑常侍，领国子博士……’”卷九《孝武帝纪》：“六月癸卯，束帛聘处士戴逵、龚玄之。”

戴逵不就散骑常侍、国子博士，逃于吴。谢玄上疏请绝其召命，复还剡。《晋书》卷九十四《戴逵传》：“孝武帝时，以散骑常侍、国子博士累征，辞父疾不就。郡县敦逼不已，乃逃于吴。吴国内史王珣有别馆在武丘山，逵潜诣之，与珣游处积旬。会稽内史谢玄虑逵远遁不反，乃上疏曰：‘伏见谯国戴逵希心俗表，不婴世务，栖迟衡门，与琴书为友。虽策命屡加，幽操不回，超然绝迹，自求其志。且年垂耳顺，常抱羸疾，时或失适，转至委笃。今王命未回，将离风霜之患。陛下既已爱而器之，亦宜使其身名并存，请绝其召命。’疏奏，帝许之，逵复还剡。”谢玄上疏言戴逵“年垂耳顺”，可见本年戴逵已近六十岁。卷九《孝武帝纪》：“六月癸卯，束帛聘处士戴逵、龚玄之。”

本年

竺法汰卒。孝武帝司马曜作《诏赙竺法汰》。《高僧传》卷五《竺法汰传》：“以晋太元十二年卒，春秋六十有八。烈宗孝武诏曰……”《世说新语·赏誉第八》注引《太元起居注》载此诏文，其中有“法汰师丧逝，哀痛伤怀”，《全晋文》卷十一的诏文中漏收。

竺道壹至虎丘，作《答丹阳尹》。《高僧传》卷五《竺道壹传》：“及帝崩汰死，壹乃还东，止虎丘山，学徒苦留不止，乃令丹阳尹移壹还都，壹答移曰……壹于是闲居幽阜，晦影穷谷。”

谢灵运因颖悟为谢玄所称赏，谢氏家族始经营始宁山居。《宋书》卷六十七《谢灵运传》：“谢灵运，陈郡阳夏人也。祖玄，晋车骑将军。父瑍，生而不慧，为秘书郎，蚤亡。灵运幼便颖悟，玄甚异之，谓亲知曰：‘我乃生瑍，瑍那得生灵运！’”上述事时间不详，《资治通鉴》卷一百七：“（太元）十三年春正日，康乐县武公谢玄卒。”据上述记载，谢玄称许灵运必在明年正月前，姑系于此。《宋书·谢灵运传》载其《山居赋》自注：“余祖车骑建大功淮、肥，江左得免横流之祸。后及太傅既薨，建图已辍，于是便求解驾东归，以避君侧之乱。废兴隐显，当是贤达之心，故选神丽之所，以申高栖之意。经始山川，实基于此。”据《资治通鉴》卷一百七，谢玄于本年正月为会稽内史，明年正月卒。始创始宁山居当在本年。

公元 388 年（孝武帝太元十三年　戊子）

正月

后凉吕光杀杜进，得玉玺，令诸臣献诗赋。《十六国春秋》卷八十一《后梁录一·吕光录》："太安三年，春正月，光信谗言，杀武威太守杜进……是年，敦煌太守宗歆送同心梨，陈平仲得玉玺，献之……有三十四字，言光当王。又白雀巢于阳川令盖敏室。光下令，诸臣为之赋诗。献诗及赋者凡百余人。"按，后凉太安三年即东晋太元十三年。

四月

徐广任镇北参军。《晋书》卷八十二《徐广传》："谯王恬为镇北，补参军。"卷九《孝武帝纪》："十三年夏四月戊午……谯王恬之为镇北将军、青兖二州刺史。"谯王恬卒于后年正月乙亥，徐广任镇北参军当在谯王恬之为镇北将军后不久。

本年

范宁出为豫章太守，作《为豫章临发上疏》《陈时政疏》。《晋书》卷七十五《范宁传》："王国宝，宁之甥也，以谄媚事会稽王道子，惧为宁所不容，乃相驱扇，因被疏隔。求补豫章太守……临发，上疏曰……帝诏公卿牧守普议得失，宁又陈时政曰……帝善之。初，宁之出，非帝本意，故所启多合旨。"范宁始为豫章太守的确切时间不详，卷六十四《会稽文孝王道子传》："中书郎范宁亦深陈得失，帝由是渐不平于道子，然外每优崇之。国宝即宁之甥，以谄事道子，宁奏请黜之。国宝惧，使陈郡袁悦之因尼妙音致书与太子母陈淑媛，说国宝忠谨，宜见亲信。帝因发怒，斩悦之。国宝甚惧，复潜宁于帝。帝不获已，流涕出宁为豫章太守。道子由是专恣。"司马道子移扬州在明年六月，此前他已经恃宠专恣，范宁出为豫章太守正是因深陈其弊政所致。据《宋书》卷九十三《周续之传》记载本年周续之年十二，就"豫章太守范宁"学，可知范宁本年在豫章太守任上，详见下条。

周续之诣范宁受业。《宋书》卷九十三《周续之传》："豫章太守范宁于郡立学，招集生徒，远方至者甚众。续之年十二，诣宁受业。居学数年，通《五经》并《纬候》，名冠同门，号曰'颜子'。"按，《南史》卷七十五《周续之传》作："通《五经》《五纬》，号曰十经。"周续之生于太元二年，本年十二岁。

王珉卒。《晋书》卷六十五《王珉传》："太元十三年卒，时年三十八，追赠太常。"丁国钧《补晋书艺文志》卷一："《论语注》，王珉。谨按，江熙集解引，见皇侃《论语义疏序》。"《隋书》卷三十五《经籍志四》："晋太常卿《王珉集》十卷，梁录一卷。"《全晋文》卷二十辑文六篇：《告庙议》《答徐邈书》《杂帖》三、《论序高座师帛尸梨蜜多罗》）。

帛道猷作《与竺道壹书》《陵峰采药触兴为诗》。帛道猷生卒年不详。《高僧传》卷五《竺道壹传》："时若耶山有帛道猷者，本姓冯，山阴人。少以篇牍著称，性率素，好丘壑，一吟一咏有濠上之风，与道壹经有讲筵之遇。后与壹书云：'始得优游山林之下，纵心孔释之书，触兴为诗，陵峰采药，服饵蠲疴，乐有余也。但不与足下同日，以此为恨耳。因有诗曰……'壹既得书，有契心抱，乃东适耶溪，与道猷相会定于林下，于是纵情尘外，以经书自娱。"道壹上年至虎丘山，上述道猷事疑在本年或本年后。

王嘉被姚苌所斩约在本年。《晋书》卷九十五《王嘉传》："（姚苌）既与苻登相持，问嘉曰：'吾得杀苻登定天下不？'嘉曰：'略得之。'苌怒曰：'得当云得，何略之有！'遂斩之。先此，释道安谓嘉曰：'世故方殷，可以行矣。'嘉答曰：'卿其先行，吾负债未果去。'俄而道安亡，至是而嘉戮死，所谓'负债'者也。苻登闻嘉死，设坛哭之，赠太师，谥曰文……嘉之死日，人有陇上见之。其所造《牵三歌谶》，事过皆验，累世犹传之。又著《拾遗录》十卷，其记事多诡怪，今行于世。"卷九《孝武帝纪》：太元十一年"十一月，苻丕将苻登僭即皇帝位于陇东"。太元十四年"八月，姚苌袭破苻登，获其伪后毛氏"。姚苌与苻登相持当在此间，本年为太元十三年，姑系王嘉死于今年。《隋书》卷三十三《经籍志二》："《拾遗录》二卷，伪秦姚苌方士王子年撰。"丁国钧《补晋书艺文志》卷一："《王子年歌》一卷，王嘉。谨按，见《七录》，《南齐书·祥瑞记》引。"《晋诗》卷十四辑诗七首：《歌》三首、《歌》《皇娥歌》《白帝子歌》《采药歌》。

公元389年（晋孝武帝太元十四年　己丑）

六月

司马道子移扬州，多立郡守长吏，势倾天下，政事多阙。《建康实录》卷九《烈宗孝武皇帝》："六月，会稽王道子移扬州，理于东第。"《晋书》卷六十四《会稽文孝王道子传》："于时孝武帝不亲万机，但与道子酣歌为务，姆姆尼僧，尤为亲昵，并窃弄其权。凡所幸接，皆出自小竖。郡守长吏，多为道子所树立。既为扬州总录，势倾天下，由是朝野奔凑。中书令王国宝性卑佞，特为道子所宠昵。官以贿迁，政刑谬乱。又崇信浮屠之学，用度奢侈，下不堪命。太元以后，为长夜之宴，蓬首昏目，政事多阙。"

七月

苻朗为王国宝所害，作《临终诗》。《晋书》卷一百十四《苻朗载记》："后数年，王国宝潜而杀之。王忱将为荆州刺史，待杀朗而后发。临刑，志色自若，为诗曰……著《苻子》数十篇行于世，亦《老》《庄》之流也。"《世说新语·排调第二十五》注引裴景仁《秦书》："朗矜高忤物，不容于世，后众谮而杀之。"《资治通鉴》卷一百七记载，王忱为荆州刺史在本年七月。则苻朗为王国宝所害，亦在此时。《隋书》卷三十四《经籍志三》："《苻子》二十卷，东晋员外郎苻朗撰。"《晋诗》卷十四辑诗两首，除《临终诗》外，还有《拟关龙逢歌》。

本年

徐邈迁散骑侍郎，常为帝修饰诗章。作《与范宁书》。《晋书》卷九十一《徐邈传》："迁散骑常侍，犹处西省，前后十年，每被顾问，辄有献替，多所匡益，甚见宠待。帝宴集酣乐之后，好为手诏诗章以赐侍臣，或文词率尔，所言秽杂，邈每应时收敛，还省刊削，皆使可观，经帝重览，然后出之。是时侍臣被诏者，或宣扬之，故时议以此多邈……豫章太守范宁欲遣十五议曹下属城采求风政，并使假还，讯问官长得失。邈与宁书曰……"《资治通鉴》卷一百七系徐邈《与范宁书》作于本年。本传又云："初，范宁与邈皆为帝所任使，共补朝廷之阙。宁才素高而措心正直，遂为王国宝所谮，出守远郡。邈孤宦易危，而无敢排强族，乃为自安之计。会帝颇疏会稽王道子，邈欲和协之，因从容言于帝曰……帝纳焉。邈尝诣东府，遇众宾沉湎，引满喧哗。道子曰：'君时有畅不？'邈对曰：'邈陋巷书生，惟以节俭清修为畅耳。'道子以邈业尚道素，笑而不以为忤也。道子将用为吏部郎，邈以波竞成俗，非己所能节制，苦辞乃止。"

范宁欲遣十五议曹下属城采求风政。《晋书》卷九十一《徐邈传》："豫章太守范宁欲遣十五议曹下属城采求风政，并使假还，讯问官长得失。"徐邈曾为此作《与范宁书》，见上条。

范泰任天门太守。《宋书》卷六十《范泰传》："荆州刺史王忱，泰外弟也，请为天门太守。忱嗜酒，醉辄累旬，及醒，则俨然端肃。泰谓忱曰：'酒虽会性，亦所以伤生。游处以来，常欲有以相戒，当卿沉湎，措言莫由，及今之遇，又无假陈说。'忱嗟叹久之，曰：'见规者众矣，未有若此者也。'或问忱曰：'范泰何如谢邈？'忱曰：'茂度慢。'又问：'何如殷觊？'忱曰：'伯通易。'忱常有意立功，谓泰曰：'今城池既立，军甲亦充，将欲扫除中原，以申宿昔之志。伯通意锐，当令拥戈前驱。以君持重，欲相委留事，何如？'泰曰：'百年逋寇，前贤挫屈者多矣。功名虽贵，鄙生所不敢谋。'"据《资治通鉴》卷一百七、一百八记载，王忱于本年七月至太元十七年十月任荆州刺史，范泰任天门太守当在此间，暂系于此。

谢瞻作《紫石英赞》《果然诗》。《建康实录》卷十二《太祖文皇帝录》谓谢瞻"五岁能属文"，《宋书》卷五十六《谢瞻传》："年六岁，能属文，为《紫石英赞》《果然诗》，当时才士，莫不叹异。"《紫石英赞》《果然诗》今佚，本年谢瞻约六岁。

公元 390 年（晋孝武帝太元十五年　庚寅）

二月

司马道子恃宠骄恣，时亏礼敬，帝不能制。《晋书》卷六十四《会稽文孝王道子传》："道子既为皇太妃所爱，亲遇同家人之礼，遂恃宠乘酒，时失礼敬。帝益不能平，然以太妃之故，加崇礼秩。博平令吴兴闻人奭上疏曰……疏奏，帝益不平，而逼于太妃，无所废黜，乃出王恭为兖州，殷仲堪为荆州，王珣为仆射，王雅为太子少傅，以张王室，而潜制道子也。道子复委任王绪，由是朋党竞扇，友爱道尽。太妃每和解之，而道子不能改。"据卷九《孝武帝纪》："二月辛巳，以中书令王恭为都督青兖幽并冀五州诸军事、前将军、青兖二州刺史……九月丁未，以吴郡太守王珣为尚书仆射。"

九月

王珣为尚书右仆射，上疏征戴逵为国子祭酒。《晋书》卷六十五《王珣传》："征为尚书右仆射，领吏部。"卷九《孝武帝纪》："九月丁未，以吴郡太守王珣为尚书仆射。"卷九十四《戴逵传》："后王珣为尚书仆射，上疏复请征为国子祭酒，加散骑常侍，征之，复不至。"卷九《孝武帝纪》："九月丁未，以吴郡太守王珣为尚书仆射。"征戴逵事当在九月以后。

本年

孝武帝司马曜作《答孙潜诏》，作诗示殷仲堪。见《全晋文》卷十一，严可均注云："《释藏给》三集《殷金佛道论衡实录》一：孙盛子潜，以太元十五年上之，诏。"孝武帝作诗示殷仲堪见下条。

殷仲堪为太子中庶子，复领黄门侍郎，为孝武帝亲幸。《晋书》卷八十四《殷仲堪传》："服阕，孝武帝召为太子中庶子，甚相亲爱……复领黄门郎，宠任转隆。帝尝示仲堪诗，乃曰：'勿以己才而笑不才。'"上述事确切时间不详，今据后年殷仲堪出为荆州刺史，系上述事于本年。

徐邈为孝武帝亲幸，任前卫率，领本郡大中正，授太子经。作《王公妾子服其所生母议》。《晋书》卷九十一《徐邈传》："时皇太子尚幼，帝甚钟心，文武之选皆一时之俊。以邈为前卫率，领本郡大中正，授太子经。帝谓邈曰：'虽未敕以师礼相待，然不以博士相遇也。'古之帝王，受经必敬，自魏晋以来，多使微人教授，号为博士，不复尊以为师，故帝有云。邈虽在东宫，犹朝夕入见，参综朝政，修饰文诏，拾遗补阙，勤劳左右。帝嘉其谨密，方之于金霍，有托重之意，将进显位，未及行而帝暴崩。"《王公妾子服其所生母议》见《晋书》卷二十《礼志中》："孝武帝太元十五年，淑媛陈氏卒，皇太子所生也。有司参详母以子贵，赠淑媛为夫人，置家令典丧事。太子前卫率徐邈议……从之。"

公元 391 年（晋孝武帝太元十六年　辛卯）

正月

孝武帝司马曜诏徐广校秘阁四部，改筑太庙。《建康实录》卷九《烈宗孝武皇帝》：本年"春正月，诏徐广校秘阁四部，见书凡三万六千卷……二月庚申，改筑太庙。"改筑太庙的时间，《晋书》卷九《孝武帝纪》云："十六年春正月庚申，改筑太庙。"录以待考。

徐广为秘书郎，校秘阁四部，转员外散骑侍郎。《宋书》卷五十五《徐广传》："晋孝武帝以广博学除为秘书郎，校书秘阁，增置职僚。转员外散骑侍郎，领校书如故。"徐广校秘阁四部在本年正月，其他事当在此前后不久。

二月

后凉建康太守段业作表志诗《九叹》《七讽》十六篇。《十六国春秋》卷八十一《后凉录一·吕光录》："麟嘉三年春二月，著作郎段业，以光未能扬清激浊，使贤愚殊贯，因疗饥于天梯山，作表志诗《九叹》《七讽》十六篇以讽之。光览之而悦，署业为建康太守。"按，后凉麟嘉三年即东晋太元十六年。

九月

王珣为尚书左仆射。《晋书》卷九《孝武帝纪》：本年"秋九月，癸未，以尚书右仆射王珣为尚书左仆射"。

十一月

桓伊作《上马具装步铠表》。孝武帝司马曜作《受桓伊所上之铠诏》。《晋书》卷八十一《桓伊传》："初，伊有马步铠六百领，豫为表，令死乃上之。表曰……诏曰……"据《建康实录》卷九《烈宗孝武皇帝纪》记载，桓伊卒于本年十一月。

冬

慧远请僧迦提婆译《阿毗昙经》《三法度论》。《高僧传》卷六《释慧远传》："初，经流江东，多有未备。禅法无闻，律藏残阙。远慨其道缺，乃令弟子法净、法领等远寻众经，逾越沙雪，旷岁方反，皆获梵本得以传译。昔安法师在关，请昙摩难提出《阿毗昙心》。其人未善晋言，颇多疑滞。后有罽宾沙门僧伽提婆，博识众典，以晋太元十六年来至浔阳，远请重译《阿毗昙心》及《三法度论》，于是二学乃兴。"《全晋文》卷一百六十七辑阙名《阿毗昙心序》云："以晋泰元十六年岁在单阏贞于重光，其年冬，于浔阳南山精舍，提婆自执梵经，先诵本文，然后乃译为晋语，比丘道慈笔受。"

本年

徐邈作《答傅瑗难》《答伏系之问》。《通典》卷五十五："孝武帝太元十六年，告移庙奠币。祠部郎傅瑗问徐邈：'应设奠否？'邈答曰……瑗难曰……邈曰……又曰……伏系问……徐邈答……"

公元 392 年（晋孝武帝太元十七年　壬辰）

六月

京师地震。《晋书》卷九《孝武帝纪》："六月癸卯，京师地震。甲寅，涛水入石头，毁大桁。永嘉郡潮水涌起，近海四县人多死者。乙卯，大风，折木……十二月己未，地震。是岁，自秋不雨，至于冬。十八年春正月癸亥朔，地震。二月乙未，地又震。"

九月

桓玄出补义兴太守，弃官，作《上疏理谤》。《晋书》卷九十九《桓玄传》："太元末，出补义兴太守，郁郁不得志。尝登高望震泽，叹曰：'父为九州伯，儿为五湖长！'弃官归国。自以元勋之门而负谤于世，乃上疏曰……"《建康实录》卷九《烈宗孝武皇帝》：本年"九月，除南郡公桓玄义兴太守"。《世说新语·德行第一》："初桓南郡、杨广共说殷荆州，宜夺殷觊南蛮以自树。"注引《桓玄别传》曰："玄字敬道，谯国龙亢人，大司马温少子也……拜太子洗马、义兴太守。不得志，少时去职，归其国。"

十月

范泰为骠骑咨议参军，迁中书侍郎。《宋书》卷六十《范泰传》："会忱病卒。召泰为骠骑咨议参军，迁中书侍郎。时会稽王世子元显专权，内外百官请假，不复表闻，唯签元显而已。泰建言以为非宜，元显不纳。"《晋书》卷九《孝武帝纪》："冬十月丁酉，太白昼见。辛亥，都督荆益宁三州诸军事、荆州刺史王忱卒。"

十一月

王珣以才学文章见宠于孝武帝，议以殷仲堪为荆州刺史。《晋书》卷六十五《王珣传》："时帝雅好典籍，珣与殷仲堪、徐邈、王恭、郗恢等并以才学文章见昵于帝。及王国宝自媚于会稽王道子，而与珣等不协，帝虑晏驾后怨隙必生，故出恭、恢为方伯，而委珣端右。"《世说新语·识鉴第七》："王忱死，西镇未定，朝贵人人有望。时殷仲堪在门下，虽居机要，资名轻小，人情未以方岳相许。晋孝武欲拔亲近腹心，遂以殷为荆州。事定，诏未出。王珣问殷曰：'陕西何故未有处分？'殷曰：'已有人。'王历问公卿，咸云'非'。王自计才地必应在己，复问：'非我邪？'殷曰：'亦似非。'其夜诏出用殷。王语所亲曰：'岂有黄门郎而受如此任？仲堪此举乃是国之亡征。'"刘孝标注引《晋安帝纪》："孝武深为晏驾后计，擢仲堪代王忱为荆州。仲堪虽有美誉，议者未以方岳相许也。既受腹心之任，居上流之重，议者谓其殆矣。终为桓玄所败。"

癸酉，孝武帝司马曜作《与殷仲堪诏》，以殷仲堪为荆州刺史。《晋书》卷九《孝武帝纪》："十一月癸酉，以黄门郎殷仲堪为都督荆益梁三州诸军事、荆州刺史。"卷八十四《殷仲堪传》："帝以会稽王非社稷之臣，擢所亲幸以为藩捍，乃授仲堪都督荆益宁三州军事、振威将军、荆州刺史、假节，镇江陵。将之任，又诏曰……其恩狎如此。仲堪虽有英誉，议者未以分陕许之。既受腹心之任，居上流之重，朝野属想，谓有异政。及在州，纲目不举，而好行小惠，夷夏颇安附之。"卷八十三《王雅传》："帝以道子无社稷器干，虑晏驾之后皇室倾危，乃选时望以为藩屏，将擢王恭、殷仲堪等，先以访雅。雅……从容曰：'……仲堪虽谨于细行，以文义著称，亦无弘量，且干略不长。若委以连率之重，据形胜之地，今四海无事，足能守职，若道不常隆，必为乱阶矣。'"

慧远与荆州刺史殷仲堪论《易》。《高僧传》卷六《释慧远传》："殷仲堪之荆州，过山展敬，与远共临北涧，论《易》体，移景不倦，见而叹曰：'识信深明，实难庶几。'"《世说新语·文学第四》："殷荆州曾问远公：张野远法师铭曰：'《易》以何为体?'答曰：'《易》以感为体。'殷曰：'铜山西崩，灵钟东应，便是《易》耶?'远公笑而不答。"上述事在本年殷仲堪为荆州刺史后。

庚寅，司马道子为会稽王。其重用王绪，竞扇朋党，时人因之作《云中诗》。《晋书》卷九《孝武帝纪》：本年十一月"庚寅，徙封琅邪王道子为会稽王，封皇子德文为琅邪王"。卷六十四《会稽文孝王道子传》："子复委任王绪，由是朋党竞扇，友爱道尽。太妃每和解之，而道子不能改……时有人为《云中诗》以指斥朝廷曰：'相王沉醉，轻出教命。捕贼千秋，干预朝政。王恺守常，国宝驰竞。荆州大度，散诞难名；盛德之流，法护、王宁；仲堪、仙民，特有言咏，东山安道，执操高抗，何不征之，以为朝匠?'荆州，谓王忱也；法护，即王殉；宁，即王恭；仙民，即徐邈字；安道，戴逵字也。及恭帝为琅邪王，道子受封会稽国，并宣城为五万九千户。"

殷仲文为会稽王司马道子骠骑参军。《晋书》卷九十九《殷仲文传》："殷仲文，南蛮校尉觊之弟也。少有才藻，美容貌。从兄仲堪荐之于会稽王道子，即引为骠骑参军，甚相赏待。俄转咨议参军。"上述事具体时间不详，当在司马道子为会稽王之后。

本年

昙谛约生于本年。《高僧传》卷七《昙谛传》："释昙谛，姓康，其先康居人，汉灵帝时移附中国。献帝末乱，移止吴兴。谛父肜尝为冀州别驾。母黄氏昼寝。梦见一僧呼黄为母。寄一麈尾并铁镂书镇二枚。眠觉见两物具存，因而怀孕生谛……以宋元嘉末卒于山舍，春秋六十余。"据此推之，约生于本年。

谢弘微生于本年。《宋书》卷五十八《谢弘微传》："谢弘微，陈郡阳夏人也。祖韶，车骑司马。父思，武昌太守。从叔峻，司空琰第二子也，无后，以弘微为嗣。弘微本名密，犯所继内讳，故以字行。童幼时，精神端审，时然后言。所继叔父混名知人，见而异之，谓思曰：'此儿深中夙敏，方成佳器。有子如此，足矣。'……（元嘉）十年，卒，时年四十二。"

公元 393 年（晋孝武帝太元十八年　癸巳）

正月

后凉有《西海民谣》。《十六国春秋》卷八十一《后凉录·吕光录》："麟嘉五年春正月，初，光徙西海郡人于诸郡，至是谣曰……顷之，遂相煽动，复徙之于河西乐都。"本年为后凉麟嘉五年。

本年

陶渊明为江州祭酒，未几辞归，躬耕自资。《宋书》卷九十三《陶潜传》："亲老家贫，起为州祭酒，不堪吏职，少日，自解归。州召主簿，不就。躬耕自资，遂抱羸疾。"《晋诗》卷十七辑陶渊明《饮酒诗》二十首，其十九："畴昔苦长饥，投耒去学仕。将养不得节，冻馁固缠己。是时向立年，志意多所耻。遂尽介然分，终死归田里。""向立年"指接近三十岁。据此可知，陶渊明约在此时任江州刺史。

殷仲堪常与桓玄清谈，降号鹰扬将军。作《请奏巴西等三郡不戍汉中》。《世说新语·文学第四》："桓南郡与殷荆州共谈，每相攻难。年余后，但一两番。桓自叹才思转退。殷云：'此乃是君转解。'"注引周祇《隆安记》曰："玄善言理，弃郡还国，常与殷荆州仲堪终日谈论不辍。"与桓玄清谈当在殷仲堪为荆州刺史以后。《晋书》卷八十四《殷仲堪传》："时朝廷征益州刺史郭铨，犍为太守卞苟于坐劝铨以蜀反，仲堪斩之以闻。朝廷以仲堪事不预察，降号鹰扬将军。尚书下以益州所统梁州三郡人丁一千番戍汉中，益州未肯承遣。仲堪乃奏之曰……疏奏，朝廷许焉。"上述事当在殷仲堪任荆州刺史之后，姑系于此。

宗炳辞殷仲堪辟其为主簿。《宋书》卷九十三《宗炳传》："宗炳，字少文，南阳涅阳人也。祖承，宜都太守。父繇之，湘乡令。母同郡师氏，聪辩有学义，教授诸子。炳居丧过礼，为乡闾所称。刺史殷仲堪、桓玄并辟主簿，举秀才，不就。"殷仲堪于上年十一月任荆州刺史，其辟宗炳为主簿约在此时。

谢瞻善言玄理。《建康实录》卷十二《太祖文皇帝录》：谢瞻"十岁善玄理，风华黼藻，独步当时"。谢瞻本年十岁。

公元 394 年（晋孝武帝太元十九年　甲午）

六月

壬子，徐邈作《议宣太后不应配食元帝》。《资治通鉴》卷一百八："六月，壬子，追尊会稽王太妃郑氏曰简文宣太后。群臣谓宣太后应配食元帝，太子前率徐邈曰……乃立庙于太庙路西。"此文《全晋文》漏收。

七月

徐邈作《褚爽上表称太子名议》。《通典》卷一百四："东晋孝武太元十九年七月，义兴太守褚爽上表称太子名，下太学议……徐邈议云……"

前秦赵整遁迹商洛山著述不已。《高僧传》卷一《昙摩难提传》：赵整"后遁迹商洛山，专精经律"。《史通·外篇·古今正史》："先是，秦秘书郎赵整参撰国史，值秦灭，隐于商洛山著书不辍，有冯翊车频助其经费。"《资治通鉴》卷一百八：本年七月"苻登为姚兴所杀，前秦灭"。

本年

孝武帝司马曜作《上会稽太妃尊号诏》。《晋书》卷三十二《简文宣郑太后传》："太元十九年，诏曰……"

司马道子作《请崇正文立太妃名号启》。《晋书》卷三十二《孝武文李太后传》："及孝武帝初即位，尊为淑妃。太元……十九年，会稽王道子启……"

群臣上《木连理颂》。《隋书》卷三十五《经籍志四》："梁有……《木连理颂》二卷，太元十九年群臣上，亡。"

范宁在郡大设庠序，课读《五经》。拜佛讲经，作《答王珣书论慧远、慧持孰愈》《为豫章郡表》。《晋书》卷七十五《范宁传》："宁在郡又大设庠序，遣人往交州采磬石，以供学用，改革旧制，不拘常宪。远近至者千余人，资给众费，一出私禄。并取郡四姓子弟，皆充学生，课续五经。又起学台，功用弥广，江州刺史王凝之上言曰：'豫章郡居此州之半。太守臣宁入参机省，出宰名郡，而肆其奢浊，所为狼藉……'诏曰……以此抵罪。子泰时为天门太守，弃官称诉。帝以宁所务惟学，事久不判。会赦，免。"《世说新语·言语第二》："范宁作豫章，八日请佛有板。众僧疑，或欲作答。有小沙弥在坐末曰：'世尊默然，则为许可。'众从其义。"《为豫章郡表》见《全晋文》卷一百二十五。上述事在范宁为豫章太守后，姑系于此。

王珣作《与范宁书论释慧持》。《高僧传》卷六《释慧持传》："少时豫章太守范宁请讲《法华毗昙》。于是四方云聚，千里遥集。王珣与范宁书云：'远公、持公孰愈？'范宁答书云：'诚为贤兄弟也！'"上述事在范宁为豫章太守后，姑系于此。

王凝之任江州刺史，作《劾范宁表》。《晋书》卷八十《王凝之传》："凝之，亦工草隶，仕历江州刺史、左将军、会稽内史。王氏世事张氏五斗米道，凝之弥笃。"万斯同《东晋方镇年表》系王凝之任江州刺史于本年。《劾范宁表》见《晋书》卷七十五《范宁传》："江州刺史王凝之上言曰：'豫章郡居此州之半。太守臣宁入参机省，出宰名郡，而肆其奢浊，所为狼藉……'"

公元 395 年（晋孝武帝太元二十年　乙未）

三月

司马道子与王雅、王珣作《请征戴逵疏》。《晋书》卷九十四《戴逵传》："太元二十年，皇太子始出东宫，太子太傅会稽王道子、少傅王雅、詹事王珣又上疏曰……"卷六十五《王珣传》："加征虏将军，复领太子詹事。"《请征戴逵疏》在《全晋文》卷十七中系于司马道子名下。

戴逵病卒。《晋书》卷九十四《戴逵传》："后王珣为尚书仆射，上疏复请征为国子祭酒，加散骑常侍，征之，复不至。太元二十年，皇太子始出东宫，太子太傅会稽王道子、少傅王雅、詹事王珣又上疏曰：'逵执操贞厉，含味独游，年在耆老，清风弥劭。东宫虚德，式延事外，宜加旌命，以参僚侍。逵既重幽居之操，必以难进为美，宜下所在备礼发遣。'会病卒。"《隋书》卷三十二《经籍志一》："《五经大义》三卷，戴逵撰。"卷三十三《经籍志二》："《竹林七贤论》二卷，晋太子中庶子戴逵撰。"卷三十四《经籍志三》："梁有《老子音》一卷，晋散骑常侍戴逵撰，亡……《纂要》一卷，戴安道撰，亦云颜延之撰。"卷三十五《经籍志四》："晋征士《戴逵集》九卷，残缺，梁十卷，录一卷。"《全晋文》卷一百三十七辑文21篇，未见上文者尚有《流火赋》《离兴赋》、《栖林赋》《答范宁问马郑二义书》《山赞》《水赞》《琴赞》《酒赞》《颜回赞》《尚长赞》《申三复赞》《闲游赞》《松竹赞》《释疑论》《答周居士难释疑论》《竹林七贤论》三十三条。《诗品》卷下："安道诗虽嫩弱，有清上之句。"其诗不传。

本年

顾恺之为殷仲堪参军，作《与殷仲堪笺》，与桓玄作了语、危语。《晋书》卷九十二《顾恺之传》："恺之好谐谑，人多爱狎之。后为殷仲堪参军，亦深被眷接。仲堪在荆州，恺之尝因假还，仲堪特以布帆借之，至破冢，遭风大败。恺之与仲堪笺曰……还至荆州，人问以会稽山川之状。恺之云：'千岩竞秀，万壑争流。草木蒙笼，若云兴霞蔚。'桓玄时与恺之同在仲堪坐，共作了语……复作危语……因罢。恺之每食甘蔗，恒自尾至本。人或怪之，云：'渐入佳境。'"

桓玄与殷仲堪交游，论四皓。《晋书》卷八十四《殷仲堪传》："桓玄在南郡，论四皓来仪汉庭……以其文赠仲堪。仲堪乃答之曰……玄屈之。"卷九十九《桓玄传》："玄在荆、楚，优游无事，荆州刺史殷仲堪甚敬惮之。"

殷仲堪降为宁远将军约在此时。《晋书》卷八十四《殷仲堪传》："仲堪自在荆州，连年水旱，百姓饥馑，仲堪食常五碗，盘无余肴，饭粒落席间，辄拾以啖之，虽欲率物，亦缘其性真素也……其后蜀水大出，漂浮江陵数千家。以堤防不严，复降为宁远将军。"据卷九《孝武帝纪》记载，荆州大水有两次，一在上年七月，一在本年六月。殷仲堪被降为宁远将军当在上年七月或本年六月后，姑系于此。

公元 396 年（晋孝武帝太元二十一年 丙申）

六月

吕光僭即天王位。《十六国春秋》卷八十一《后凉录一·吕光录》："龙飞元年，夏六月，五龙见于浩亹，群臣咸贺，劝光称尊。光于是以晋太元二十一年僭即天王位，改元龙飞……著作郎段业等五人为尚书。"《晋书》卷九《孝武帝纪》："六月，吕光僭即天王位。"按，后凉龙飞元年即东晋太元二十一年。

七月

孝武帝司马曜有《遣兼司空谢琰纳太子妃王氏诏》。见《太平御览》卷一四九引《晋孝武帝起居注》："上临轩设悬而不乐，遣兼司空望蔡公谢琰纳太子妃王氏，诏曰……"据《资治通鉴》卷一百八记载，本年七月，"纳故中书令王献之女为太子妃"，此诏当作于此时。

司马道子作《皇太子纳妃启》。《皇太子纳妃启》见《太平御览》卷一四九引《东宫旧事》："司徒会稽王道子等启曰……太元二十一年，皇太子纳妃琅邪临沂王氏，时年十四。"据《资治通鉴》卷一百八记载，本年七月，"纳故中书令王献之女为太子妃"。

九月

庚申，孝武帝司马曜卒。《晋书》卷九《孝武帝纪》："秋九月庚申，帝崩于清暑殿，时年三十五。葬隆平陵。帝幼称聪悟……谢安尝叹以为精理不减先帝。既威权己出，雅有人主之量。既而溺于酒色，殆为长夜之饮。末年长星见，帝心甚恶之，于华林园举酒祝之曰：'长星，劝汝一杯酒，自古何有万岁天子邪！'太白连年昼见，地震水旱为变者相属。醒日既少，而傍无正人，竟不能改焉……时道子昏惑，元显专权，竟不推其罪人……俄而帝崩，晋祚自此倾矣。"《隋书》卷三十五《经籍志四》："梁……有……《孝武帝集》二卷，录一卷……亡。"

辛酉，太子司马德宗即皇帝位，大赦。《晋书》卷十《安帝纪》："安皇帝讳德宗，字德宗，孝武帝长子也。太元十二年八月辛巳，立为皇太子。二十一年九月庚申，孝武帝崩。辛酉，太子即皇帝位，大赦。"

癸亥，司马道子任太傅，摄政，作《命谒陵》。《晋书》卷十《安帝纪》："二十一年九月……癸亥，以司徒、会稽王道子为太傅，摄政。"卷六十四《会稽文孝王道子传》："安帝践阼，有司奏：'道子宜进位太傅、扬州牧、中书监，假黄钺，备殊礼。'固辞不拜，又解徐州。诏内外众事，动静谘之。"《命谒陵》见《宋书》卷十五《礼志二》："至孝武崩，骠骑将军司马道子命曰……"

王珣作《孝武帝哀策文》。止王恭杀王国宝。《孝武帝哀策文》见《艺文类聚》卷十三，当作于孝武帝卒后不久。《晋书》卷六十五《王珣传》："珣梦人以大笔如椽与之，既觉，语人云：'此当有大手笔事。'俄而帝崩，哀册谥议，皆珣所草。"王珣止王恭杀王国宝，亦见其《晋书》本传："隆安初，国宝用事，谋黜旧臣，迁珣尚书令。王恭赴山陵，欲杀国宝，珣止之曰……恭乃止。既而谓珣曰：'比来视君，一似胡广。'珣曰：'王陵廷争，陈平慎默，但问岁终何如耳。'"

王诞增益王珣所作《孝武帝哀策文》。《宋书》卷五十二《王诞传》："王诞，字茂世，琅邪临沂人……诞少有才藻，晋孝武帝崩，从叔尚书令珣为哀策文，久而未就，谓诞曰：'犹少序节物一句。'因出本示诞。诞揽笔便益之，接其秋冬代变后云：'霜繁广除，风回高殿。'珣嗟叹清拔，因而用之。袭爵雉乡侯，拜秘书郎，琅邪王文学，中军功曹。"王诞袭爵、拜秘书郎等事具体时间不详，暂系于此。

徐邈拜骁骑将军。《晋书》卷九十一《徐邈传》："邈虽在东宫，犹朝夕入见，参综朝政，修饰文诏，拾遗补阙，劬劳左右。帝嘉其谨密，方之于金霍，有托重之意，将进显位，未及行而帝暴崩。安帝即位，拜骁骑将军。"

殷仲堪进号冠军将军，固让不拜。《晋书》卷八十四《殷仲堪传》："安帝即位，进号冠军将军，固让不受。"

211

本年

有《太元末京口谣》。《晋书》卷二十八《五行志中》："孝武帝太元末，京口谣曰……"

后燕有《慕容德时民谣》。《晋书》卷一百二十七《慕容德载记》："宝既嗣位，以德为使持节、都督冀、兖、青、徐、荆、豫六州诸军事、特进、车骑大将军、冀州牧、领南蛮校尉，镇邺……魏将拓拔章攻邺，德遣南安王慕容青等夜击，败之……魏又遣辽西公贺赖卢率骑与章围邺，德遣其参军刘藻请救于姚兴……时魏师入中山，慕容宝出奔于蓟，慕容详又僭号。会刘藻自姚兴而至，兴太史令高鲁遣其甥王景晖随藻送玉玺一纽，并图识秘文，曰：'有德者昌，无德者亡。德受天命，柔而复刚。'又有谣曰……"《资治通鉴》卷一百八系慕容德镇邺、魏将攻邺于本年。

有《历阳百姓歌》。具体时间不详。《晋书》卷二十八《五行志中》："庾楷镇历阳，百姓歌曰……后楷南奔桓玄，为玄所诛。"据此可知，此歌当作于庾楷镇历阳时。又卷八十四《庾楷传》："初拜侍中，代兄准为西中郎将、豫州刺史、假节，镇历阳。隆安初，进号左将军。"本传系庾楷镇历阳在隆安前，姑系此歌于本年。

徐广素善历数。《宋书》卷十二《律历志中》："宋太祖颇好历数，太子率更令何承天私撰新法。元嘉二十年，上表曰：'臣授性顽惰，少所关解。自昔幼年，颇好历数，耽情注意，迄于白首。臣亡舅故秘书监徐广，素善其事，有既往《七曜历》，每记其得失。自太和至太元之末，四十许年……'"

赵整与郗恢同游。《高僧传》卷一《昙摩难提传》："晋雍州刺史郗恢钦其（按，指赵整）风尚，逼共同游。"据《晋书》卷六十七《郗恢传》、卷八十一《朱序传》、卷二十一《五行志上》记载，郗恢于太元十八年任雍州刺史，镇襄阳，隆安三年被杀。是其逼赵整同游的时间当在此期间，姑系于此。

公元 397 年（晋安帝隆安元年　丁酉）

正月

安帝司马德宗改元，会稽王司马道子稽首归政。《晋书》卷十《安帝纪》："隆安元年春正月己亥朔，帝加元服，改元，增文武位一等。太傅、会稽王道子稽首归政。"

王珣迁尚书令。请僧伽提婆讲《阿毗昙》，并重译《中阿含》。《晋书》卷十《安帝纪》："隆安元年春正月……以尚书右仆射王珣为尚书令。"《高僧传》卷一《僧伽提婆传》："至隆安元年来游京师。晋朝王公及风流名士莫不造席致敬。时卫军东亭侯琅邪王珣渊懿有深信，荷持正法，建立精舍，广招学众。提婆既至，珣即延请，仍于其舍讲《阿毗昙》。名僧毕集。提婆宗致既精，词旨明析，振发义理，众咸悦悟。时王弥亦在座听，后于别屋自讲，珣问法纲道人：'阿弥所得云何？'答曰：'大略全是，小未精核耳。'其敷析之明，易启人心如此。其冬珣集京都义学沙门释慧持等四十余人，更请提婆重译《中阿含》等。罽宾沙门僧伽罗叉执梵本，提婆翻为晋言，至来夏方讫。"王珣请僧伽提婆讲《阿毗昙》当在本年，具体月份不详。其请僧伽提婆重译《中阿含》，当在本年冬至明年夏。

四月

王恭讨伐王国宝。会稽王司马道子被迫杀王国宝、王绪。《晋书》卷六十四《会稽文孝王道子传》："帝既冠，道子稽首归政，王国宝始总国权，势倾朝廷。王恭乃举兵讨之。道子惧，收国宝付廷尉，并其从弟琅邪内史绪悉斩之，以谢于恭，恭即罢兵。道子乞解中外都督、录尚书以谢方岳，诏不许。道子世子元显，时年十六，为侍中，心恶恭，请道子讨之。乃拜元显为征虏将军，其先卫府及徐州文武悉配之。"卷十《安帝纪》："夏四月甲戌，兖州刺史王恭、豫州刺史庾楷举兵，以讨尚书左仆射王国宝、建威将军王绪为名。甲申，杀国宝及绪以悦于恭，恭乃罢兵。"

有《京口民谣》三首。《晋书》卷二十八《五行志中》："王恭镇京口，举兵诛王国宝。百姓谣云……识者曰：'昔年食白饭，言得志也。今年食麦麸，麸粗秽，其精已去，明将败也，天公将加谴谪而诛之也。捵咙喉，气不通，死之祥也。败复败，丁宁之辞也。'恭寻死，京都又大行欬疾，而喉并欬焉。王恭在京口，百姓间忽云……又云……黄字上恭字头也，小人恭字下也，寻如谣言者焉。"又据卷十《安帝纪》记载：本年四月王恭讨伐王国宝，明年九月王恭被斩，则此三首民谣当作于这段时间内。

桓玄劝殷仲堪推王恭为盟主。任广州刺史，受命不行。《晋书》卷九十九《桓玄传》："及中书令王国宝用事，谋削弱方镇，内外骚动，知王恭有忧国之言，玄潜有意于功业，乃说仲堪曰……仲堪曰……玄曰：'……推王恭为盟主，仆等亦皆投袂……'仲堪迟疑未决。俄而王恭信至，招仲堪及玄匡正朝廷。国宝既死，于是兵罢。玄乃求为广州，会稽王道子亦惮之，不欲使在荆楚，故顺其意。隆安初，诏以玄督交广二州、建威将军、平越中郎将、广州刺史、假节，玄受命不行。"

殷仲堪推王恭为盟主。抗表兴师。《晋书》卷八十四《殷仲堪传》："初，桓玄将应王恭，乃说仲堪，推恭为盟主，共兴晋阳之举，立桓、文之功，仲堪然之。仲堪以王恭在京口，去都不盈二百，自荆州道远连兵，势不相及，乃伪许恭，而实不欲下。闻恭已诛王国宝等，始抗表兴师，遣龙骧将军杨佺期次巴陵。会稽王道子遣书止之，仲堪乃还……国宝之役，仲堪既纳玄之诱，乃外结雍州刺史郗恢，内要从兄南蛮校尉颢、南郡相江绩等。恢、颢、绩并不同之，乃以杨佺期代绩，颢自逊位。"

王廞举兵讨伐王恭，溃败奔走。临拜作《长史变歌》。王廞生卒年不详。《世说新语·任诞第二十三》注引《王氏谱》："廞字伯舆，琅邪人。"《晋书》卷六十五《王荟传》："子廞，历太子中庶子、司徒左长史。以母丧，居于吴。王恭举兵，假廞建武将军、吴国内史，令起军，助为声援。廞即墨绖合众，诛杀异己，仍遣前吴国内史虞啸父等入吴兴、义兴聚兵，轻侠赴者万计。廞自谓义兵一动，势必未宁，可乘间而取富贵。而曾不旬日，国宝赐死，恭罢兵符，廞去职。廞大怒，回众讨恭。恭遣司马刘牢之距战于曲阿，廞众溃奔走，遂不知所在。"王廞举兵讨伐王恭在本年四月王国宝死后。《晋书》卷二十三《乐志下》："《长史变》者，司徒左长史王廞临败所制。凡此诸曲，始皆徒歌，即而被之管弦。又有因丝竹金石，造歌以被之，魏世三调歌辞之类是也。"《乐府诗集》卷四十五辑王廞《长史变》歌三首。

本年

徐邈卒。《晋书》卷九十一《徐邈传》："隆安元年，遭父忧。邈先疾患，因哀毁增笃，不逾年而卒，年五十四，州里伤悼，识者悲之。邈莅官简惠，达于从政，论议精密，当时多咨禀之，触类辩释，问则有对……所注《穀梁传》，见重于时。"《隋书》卷三十二《经籍志一》："《周易音》一卷，东晋太子前率徐邈传……《古文尚书音》一卷，徐邈撰。梁有《尚书音》五卷，孔安国、郑玄、李轨、徐邈等撰。"《新唐书》卷五十七《艺文志一》"《尚书》类"："徐邈《逸篇》三卷。"《隋书·经籍志一》："《毛诗音》二卷，徐邈撰……《礼记音》……梁有……徐邈音三卷……亡。"《经典释文》卷一《序录》："徐邈《周礼音》一卷。"《隋书·经籍志一》："《春秋左氏传音》三卷，徐邈撰……《春秋穀梁传》十二卷，徐邈撰……《春秋穀梁传义》十卷，徐邈撰……徐邈《答春秋穀梁义》三卷……梁有……《论语音》二卷，徐邈等撰。亡……《五经音》十卷，徐邈撰。"卷三十四《经籍志三》："《庄子音》三卷，徐邈撰。"卷三十五《经籍志四》："《楚辞音》一卷，徐邈撰。《庄子集音》三卷，徐邈撰……晋太子前率《徐邈集》九卷，并目录。梁二十卷，录一卷。"《全晋文》卷一百三十六辑文二十五篇。

宗炳辞桓玄辟。《宋书》卷九十三《宗炳传》："刺史……桓玄并辟主簿，举秀才，不就。"桓玄于本年任广州刺史，其辟宗炳为主簿当在此后。

公元 398 年（晋安帝隆安二年　戊戌）

六月

郗恢与魏主大战于荥阳，大败。《晋书》卷六十七《郗恢传》："恢字道胤……恢身长八尺，美鬓髯，孝武帝深器之，以为有藩伯之望。会朱序自表去职，擢恢为梁秦雍司荆扬并等州诸军事、建威将军、雍州刺史、假节、镇襄阳。恢甚得关陇之和，降附者动有千计……恢以功进征虏将军，又领秦州刺史，加督陇上军。时魏氏强盛，山陵危逼，恢遣江夏相邓启方等以万人距之，与魏主拓跋珪战于荥阳，大败而还。"卷十二《天文志中》："二年六月，郗恢遣邓启方等以万人伐慕容宝于滑台，启方败。"

七月

王恭、殷仲堪、桓玄等举兵反。《晋书》卷十《安帝纪》："秋七月……兖州刺史王恭、豫州刺史庾楷、荆州刺史殷仲堪、广州刺史桓玄、南蛮校尉杨佺期等举兵反。"卷九十九《桓玄传》："王恭又与庾楷起兵讨江州刺史王愉及谯王尚之兄弟。玄、仲堪谓恭事必克捷，一时响应。仲堪给玄五千人，与杨佺期俱为前锋……玄、佺期至石头，仲堪至芜湖。恭将刘牢之背恭归顺。"

九月

司马道子委事于世子元显。加黄钺。讨王恭、桓玄。《晋书》卷十《安帝纪》："九月辛卯，加太傅、会稽王道子黄钺。遣征虏将军会稽王世子元显、前将军王珣、右将军谢琰讨桓玄等。己亥，破庾楷于牛渚。丙午，会稽王道子屯中堂，元显守石头。"卷六十四《会稽文孝王道子传》："于时王恭威振内外，道子甚惧，复引谯王尚之以为腹心。尚之说道子曰：'藩伯强盛，宰相权轻，宜密树置，以自藩卫。'道子深以为然，乃以其司马王愉为江州刺史以备恭，与尚之等日夜谋议，以伺四方之隙。王恭知之，复举兵，以讨尚之为名。荆州刺史殷仲堪、豫州刺史庾楷、广州刺史桓玄并应之……元显攘袂慷慨谓道子曰：'去年不讨王恭，致有今役。今若复从其欲，则太宰之祸至矣。'道子日饮醇酒，而委事于元显。"

王恭卒，桓玄作《王孝伯诔》。《晋书》卷十《安帝纪》："己酉，前将军王珣守北郊，右将军谢琰备宣阳门。辅国将军刘牢之次新亭，使子敬宣击败恭，恭奔曲阿长塘湖，湖尉收送京师，斩之。"《世说新语·文学第四》："桓玄尝登江陵城南楼云：'我今欲为王孝伯作诔。'因吟啸良久。随而下笔。一坐之间，诔以之成。"刘孝标注引《晋安帝纪》："玄文翰之美，高于一世。"有注引《桓玄集》载其《诔叙》曰："隆安二年九月十七日，前将军青、兖二州刺史太原王孝伯薨……"《晋书》卷八十四《王恭传》："王恭字孝伯。"

十月

壬午，殷仲堪等于寻阳推桓玄为盟主。《晋书》卷十《安帝纪》："冬十月，新野言驺虞见。丙子，大赦。壬午，仲堪等盟于寻阳，推桓玄为盟主。"卷九十九《桓玄传》：恭既死，庾楷战败，奔于玄军。既而诏以玄为江州，仲堪等皆被换易，乃各回舟西还，屯于寻阳，共相结约，推玄为盟主。玄始得志，乃连名上疏申理王恭，求诛尚之、牢之等。朝廷深惮之，乃免桓修、复仲堪以相和解。初，玄在荆州豪纵，士庶惮之，甚于州牧。仲堪亲党劝杀之，仲堪不听。及还寻阳，资其声地，故推为盟主，玄逾自矜重。佺期为人骄悍，常自谓承藉华胄，江表莫比，而玄每以寒士裁之，佺期甚憾，即欲于坛所袭玄，仲堪恶佺期兄弟虓勇，恐克玄之后复为己害，苦禁之。于是各奉诏还镇。玄亦知佺期有异谋，潜有吞并之计，于是屯于夏口。"

十一月

北魏拓跋珪诏定律吕，协音乐。崔玄伯总而裁之。《魏书》卷二《太祖纪》："天兴元年……十有一月辛亥，诏尚书吏部郎中邓渊典官制，立爵品，定律吕，协音乐；仪曹郎中董谧撰郊庙、社稷、朝觐、飨宴之仪；三公郎中王德定律令，申科禁；太史令晁崇造浑仪，考天象；吏部尚书崔玄伯总而裁之。"按，北魏天兴元年即东晋隆重隆安二年。

本年

范晔生。《宋书》卷六十九《范晔传》："范晔字蔚宗，顺阳人，车骑将军范泰少子也。母如厕产之，额为砖所伤，故以砖为小字。出继从伯弘之，袭封武兴县五等侯。"据本传，范晔卒于元嘉二十二年，时年四十八岁，则其当生于本年。

徐广任祠部郎。《宋书》卷五十五《徐广传》："隆安中，尚书令王珣举为祠部郎。"据《晋书》卷六十五《王珣传》记载，王珣于隆安元年至四年任尚书令，徐广为祠部郎当在此期间，姑系于此。

王弘任骠骑参军主簿，作《陈会稽王道子请建屯田》。《宋书》卷四十二《王弘传》："弘少好学，以清恬知名，与尚书仆射谢混善。弱冠，为会稽王司马道子骠骑参军主簿。时农务顿息，末役繁兴，弘以为宜建屯田，陈之曰……道子欲以为黄门侍郎，（王）珣以其年少固辞。"上述事具体时间不详，今据"弱冠"，姑系于其二十岁时。王弘卒于元嘉九年，时年五十四岁，本年二十岁。

僧肇历观经史，学《维摩经》。《高僧传》卷六《僧肇传》："释僧肇，京兆人，家贫以佣书为业，遂因缮写，乃历观经史，备尽坟籍。爱好玄微，每以庄老为心要，尝读老子道德章，乃叹曰：'美则美矣，然期神冥累之方，犹未尽善也。'后见旧《维摩经》，欢喜顶受，披寻玩味。乃言'始知所归矣'，因此出家。学善方等，兼通三藏。"上述诸事，具体时间不详，姑系于此。

有《荆州童谣》。《晋书》卷二十八《五行志中》："殷仲堪在荆州，童谣曰……未几而仲堪败，桓玄遂有荆州。"据卷十《安帝纪》记载，本年十月"仲堪等盟于寻阳，推桓玄为盟主"，明年十二月，桓玄袭江陵，殷仲堪被害，此童谣当作于此期间。

袁豹为著作佐郎、记室参军。《晋书》卷八十三《袁豹传》："博学善文辞，有经国材，为刘裕所知。"《宋书》卷五十二《袁豹传》："初为著作佐郎，卫军桓谦记室参军。"时间未详。据《世说新语·文学第四》刘孝标注引《文章叙》记载，袁豹隆安中为著作佐郎，隆安共五年，姑系于此。

有《懊恼歌》。《宋书》卷十九《乐志一》："《懊恼歌》者，晋隆安初，民间讹谣之曲……宋少帝更制新歌，太祖常谓之《中朝曲》。"卷三十一《五行志二》："晋安帝隆安中，民忽作《懊恼歌》，其曲中有'草生可揽结，女儿可揽抱'之言。桓玄既篡居天位，义旗以三月二日扫定京都，玄之宫女及逆党之家子女伎妾，悉为军赏。东及瓯、越，北流淮、泗，皆人有所获焉。时则草可结，事则女可抱，信矣。"《乐府诗集》卷四十六引《古今乐录》："《懊恼歌》者，晋石崇（《太平御览》卷五七三引'崇'下有'为'字）绿珠所作，唯'丝布涩难缝'一曲而已。后皆隆安初民间讹谣之曲。宋少帝更制新歌三十六曲。齐太祖常谓之《中朝曲》。"《乐府诗集》卷四十六收录《懊恼歌》十二首，但其中无"草生可揽结，女儿可揽抱"二句。东晋《懊恼歌》写作具体时间不详，今据"隆安初"、"隆安中"，姑系于此。

公元 399 年（晋安帝隆安三年　己亥）

春

郗恢被殷仲堪所杀。《晋书》卷六十七《郗恢传》："以恢为尚书，将家还都，至杨口，仲堪阴使人于道杀之，及其四子，托以群蛮所杀。丧还京师，赠镇军将军。"卷二十七《五行志上》："安帝隆安三年五月，荆州大水，平地三丈。去年殷仲堪举兵向京师，是年春又杀郗恢，阴盛作威之应也。仲堪寻亦败亡。"

四月

司马道子有疾，解扬州刺史、司徒，委政司马元显。《晋书》卷六十四《会稽文孝王道子传》："会道子有疾，加以昏醉，元显知朝望去之，谋夺其权，讽天子解道子扬州、司徒，而道子不之觉。显自以少年顿居权重，虑有讥议，于是以琅邪王领司徒，元显自为扬州刺史。既而道子酒醒，方知去职，于是大怒，而无如之何……道子更为长夜之饮，政无大小，一委元显。时谓道子为东录，元显为西录。西府车骑填凑，东第门下可设雀罗矣。元显无良师友，正言弗闻，谄誉日至，或以为一时英杰，或谓为风流名士，由是自谓无敌天下。"卷十《安帝纪》："夏四月乙未，加尚书令王珣卫将军，以会稽王世子元显为扬州刺史。"

卢循与孙恩通谋，反，王凝之等被杀。卢循生年不详。《晋书》卷一百《卢循传》："卢循，字于先，小名元龙，司空从事中郎谌之曾孙也。双眸冏彻，瞳子四转，善草隶弈棋之艺。沙门慧远有鉴裁，见而谓之曰：'君虽体涉风素，而志存不轨。'循娶孙恩妹。及恩作乱，与循通谋。恩性酷忍，循每谏止之，人士多赖以济免。"卷十《安帝纪》："十一月甲寅，妖贼孙恩陷会稽，内史王凝之死之，吴国内史桓谦、临海太守新蔡王崇、义兴太守魏隐并委官而遁，吴兴太守谢邈、永嘉太守司马逸皆遇害。遣卫将军谢琰、辅国将军刘牢之逆击，走之。"

徐广任中军参军，迁领军长史。《晋书》卷六十四《会稽文孝王道子传》："既而孙恩乘衅作乱，加道子黄钺，元显为中军以讨之。又加元显录尚书事。"《宋书》卷五十五《徐广传》："时会稽王世子元显录尚书事，欲使百僚致敬，台内使广立议，由是内外并执下官礼，广常为愧恨焉。元显引为中军参军，迁领军长史。"司马元显录尚书事在卢循与孙恩反后，则徐广任中军参军，迁领军长史更在此后，姑系于此。

刘裕为刘牢之参府军事。《宋书》卷一《武帝纪上》："及长，身长七尺六寸，风骨奇特。家贫，有大志，不治廉隅。事继母以孝谨称。初为冠军孙无终司马。安帝隆安三年十一月，妖贼孙恩作乱于会稽，晋朝卫将军谢琰、前将军刘牢之东讨。牢之请高祖参府军事。十二月，牢之至吴，而贼缘道屯结，牢之命高祖与数十人，觇贼远近。会遇贼至，众数千人，高祖便进与战。所将人多死，而战意方厉，手奋长刀，所杀伤甚众。"

十二月

桓玄作《与殷仲堪书》。杀殷仲堪，占据荆州。经庐山，见慧远。《与殷仲堪书》见《全晋文》卷一一九。《晋书》卷九十九《桓玄传》："隆安中，诏加玄都督荆州四郡，以兄伟为辅国将军、南蛮校尉。仲堪虑玄跋扈，遂与佺期结婚为援……会姚兴侵洛阳，佺期乃建牙，声云援洛，密欲与仲堪共袭玄。仲堪虽外结佺期而疑其心，距而不许，犹虑弗能禁，复遣从弟遹屯于北境以遏佺期……玄于是兴军西征，亦声云救洛，与仲堪书，说佺期受国恩而弃山陵，宜共罪之……后荆州大水，仲堪振恤饥者，仓廪空竭。玄乘其虚而伐之……密报兄伟令为内应。伟遑遽不知所为，乃自赍疏示仲堪。仲堪执伟为质，令与玄书，辞甚苦至。玄曰：'仲堪为人不得专决，常怀成败之计，为儿子作虑，我兄必无忧矣。'玄既至巴陵，仲堪遣众距之，为玄所败。"卷十《安帝纪》："十二月，桓玄袭江陵，荆州刺史殷仲堪、南蛮校尉杨佺期并遇害。"《世说新语·尤悔第三十三》："桓公初报破殷荆州，曾讲《论语》，至'富与贵，是人之所欲，不以其道得之不处'。玄意色甚恶。"《高僧传》卷六《释慧远传》："桓玄征殷仲堪，军经庐山，要远出虎溪，远称疾不堪。玄自入山，左右谓玄曰：'昔殷仲堪入山礼远，愿公勿敬之。'玄答：'何有此理？仲堪本死人耳。'及至见远，不觉致敬。玄问：'不敢毁伤，何以剪削？'远答云：'立身行道。'玄称善。所怀问难，不敢复言。乃说征讨之意，远不答。玄又问：'何以见愿？'远云：'愿檀越安隐，使彼亦无他。'玄出山谓左右曰：'实乃生所未见。'"

殷仲堪为桓玄所俘获，逼令自杀。《晋书》卷八十四《殷仲堪传》："仲堪既失巴陵之积，又诸将皆败，江陵震骇。城内大饥，以胡麻为廪……出奔酂城，为玄追兵所获，逼令自杀，死于柞溪……仲堪少奉天师道，又精心事神，不吝财贿，而啬行仁义，啬于周急，及玄来攻，犹勤请祷。然善取人情，病者自为诊脉分药，而用计倚伏烦密，少于鉴略，以至于败。"《隋书》卷三十二《经籍志一》："《毛诗杂义》四卷，晋江州（当为'荆州'）刺史殷仲堪撰……梁有《常用字训》一卷，殷仲堪撰……亡。"卷三十四《经籍志三》："《论集》八十六卷，殷仲堪传。梁九十六卷……亡……梁有……《殷荆州要方》一卷，殷仲堪撰，亡。"卷三十五《经籍志四》："晋荆州刺史《殷仲堪集》十二卷并目录。梁十卷，录一卷，亡……《杂集》一卷，殷仲堪撰。"《全晋文》卷一百二十九辑文 17 篇，文学性较强者有《游园赋》《将离赋》《水赞》《琴赞》《酒盘铭》、《天圣论》等。

殷仲文答桓玄问。《世说新语·赏誉第八》："殷仲堪丧后，桓玄问仲文：'卿家仲堪，定是何似人？'仲文曰：'虽不能休明一世，足以映彻九泉。'"注引《续晋阳秋》曰："仲堪，仲文之从兄也，少有美誉。"

本年

郑鲜之为桓伟辅国主簿，作《滕羡仕宦议》。《宋书》卷六十四《郑鲜之传》："郑鲜之，字道子，荥阳开封人也。高祖浑，魏将作大匠。曾祖袭，大司农。父遵，尚书郎。袭初为江乘令，因居县境。鲜之下帷读书，绝交游之务。初为桓伟辅国主簿。先是，兖州刺史滕恬为丁零、翟辽所没，尸丧不反，恬子羡仕宦不废，议者嫌之。桓玄在荆州，使群僚博议，鲜之议曰……"桓伟任辅国将军在本年，《晋书》卷九十九《桓玄传》："隆安中，诏加玄都督荆州四郡，以兄伟为辅国将军、南蛮校尉。"郑鲜之上述事当在本年。

何承天任桓伟参军，解职还益阳。《宋书》卷六十四《何承天传》："隆安四年，南蛮校尉桓伟命为参军。时殷仲堪、桓玄等互举兵以向朝廷，承天惧祸难未已，解职还益阳。"【考证】桓伟任南蛮校尉似在本年，《晋书》卷八十四《杨佺期传》："佺期、仲堪与桓玄素不穆，佺期屡欲相攻，仲堪每抑止之。玄以是告执政，求广其所统。朝廷亦欲成其衅隙，故以桓伟为南蛮校尉。佺期内怀忿惧，勒兵建牙，声云援洛，欲与仲堪袭玄。"所以"隆安四年"当为"三年"之误。又卷十《安帝纪》："冬十月，姚兴陷洛阳。"桓玄和殷仲堪起兵，借声援洛阳"举兵以向朝廷"，故何承天解职当在本年十月后。

慧远作《答王谧书》。《答王谧书》见《全晋文》卷一百六十一。《高僧传》卷六《释慧远传》："司徒王谧、护军王默等，并钦慕风德，遥致师敬。谧修书曰：'年始四十，而衰同耳顺。'远答曰……"据《晋书》卷六十五《王谧传》记载，王谧卒于义熙三年，时年四十八，则其本年四十岁。慧远《答王谧书》当作于本年。

谢灵运欲做佛教徒，未遂。自钱塘回建康。《全宋文》卷三十三辑谢灵运《庐山慧远法师诔并序》："予志学之年，希门人之末。惜哉，诚愿弗遂。"《论语·为政》："子曰：'吾十有五而志于学。'"钟嵘《诗品》卷上："灵运……十五方还都。"

顾恺之与桓玄交游。《世说新语·巧艺第二十一》：谢太傅云，"顾长康画，有苍生来所无"。注引《续晋阳秋》曰："恺之尤好丹青，妙绝于时。曾以一厨画寄桓玄，皆其绝者，深所珍惜，悉糊题其前。桓乃发厨后取之，好加理。后恺之见封题如初，而画并不存，直云：'妙画通灵，变化而去，如人之登仙矣。'"《晋书》卷九十二《顾恺之传》："尤信小术，以为求之必得。桓玄尝以一柳叶绐之曰：'此蝉所翳叶也，取以自蔽，人不见己。'恺之喜，引叶自蔽，玄就溺焉，恺之信其不见己也，甚以珍之。"

竺道壹约于本年卒于虎丘山。《高僧传》卷五《竺道壹传》："后暂往吴之虎丘山，以晋隆安中遇疾而卒，即丧于山南，春秋七十有一矣。"竺道壹卒年的确切时间不详，今据"晋隆安中"，姑系于此。

僧肇至姑臧，从鸠摩罗什游。《高僧传》卷六《释僧肇传》："后罗什至姑臧，肇自远从之。什嗟赏无极。"僧肇至姑臧的确切时间不详，其后年随鸠摩罗什至长安。僧肇至姑臧似在此前不久，姑系于此。

公元 400 年（晋安帝隆安四年　庚子）

二月

庐山诸道人游石门山，作《游石门山诗并序》。《游石门山诗并序》见《晋诗》卷二十，未知作者。序云："石门在精舍南十余里，一名障山……释法师以隆安四年仲春之月，因咏山水，遂杖锡而游。于时交游同趣三十余人，咸拂衣晨征，怅然增兴……

各欣一遇之同欢，感良辰之难再，情发于中，遂共咏之云耳。"序中所云"释法师"疑是慧远。

三月

桓玄任后将军、荆州刺史，复领江州刺史。答版皆粲然成章。《晋书》卷九十九《桓玄传》："乃表求领江、荆二州。诏以玄都督荆司雍秦梁益宁七州、后将军、荆州刺史、假节，以桓修为江州刺史。玄上疏固争江州，于是进督八州及扬豫八郡，复领江州刺史。玄又辄以伟为冠军将军、雍州刺史。时寇贼未平，朝廷难违其意，许之。玄于是树用腹心，兵马日盛。"据《建康实录》卷十《安皇帝》记载，本年三月，"以桓玄为后将军、荆州刺史。"《世说新语·文学第四》："桓玄初并西夏，领荆、江二州，二府一国。于时始雪，五处俱贺，五版并入。玄在听事上，版至即答。版后皆粲然成章，不相揉杂。"

五月

陶渊明从建康还寻阳，途中作《庚子岁五月中从都还阻风于规林诗》二首。见《晋诗》卷十六，诗云："行行循归路，计日望旧居。一欣侍温颜，再喜见友于。鼓棹路崎曲，指景限西隅。江山岂不险，归子念前途。"根据题目和诗意可知，此诗乃从都城建康返回其故乡寻阳的途中所作。

七月

壬子，徐广作《孝武文李太后服议》。《宋书》卷十五《礼志二》："晋隆安四年，太皇太后李氏崩，尚书祠部郎徐广议……诏可。"《晋书》卷十《安帝纪》："秋七月壬子，太皇太后李氏崩。"

十一月

刘裕戍句章城。《宋书》卷一《武帝纪上》："十一月，刘牢之复率众东征，恩退走。牢之屯上虞，使高祖戍句章城。句章城既卑小，战士不盈数百人。高祖常被坚执锐，为士卒先，每战辄摧锋陷阵，贼乃退还浃口。于时东伐诸帅，御军无律，士卒暴掠，甚为百姓所苦。唯高祖法令明整，所至莫不亲赖焉。"

西凉李暠任凉公，立西凉。《十六国春秋》卷九十一《西凉录一·李暠录》："庚子元年，冬十一月，暠所居后园，有赤气起，龙迹见于小城。于是晋昌太守唐瑶叛（段）业，移檄六郡，推暠为大都督、冠军大将军、沙州刺史、领护羌校尉、敦煌太守、领秦凉二州牧、凉公。大赦境内殊死以下。建元庚子……招怀夷夏，人情悦服。"

本年

鸠摩罗什作《奏凉王吕纂》。《高僧传》卷二《鸠摩罗什传》："咸宁二年，有猪生子，一身三头。龙出东厢井中，到殿前蟠卧，比旦失之。纂以为美瑞，号大殿为龙翔殿。俄而有黑龙升于当阳九宫门。纂改九宫门为龙兴门。什奏曰：'比日潜龙出游，豺妖表异。龙者阴类，出入有时。而今屡见，则为灾眚。必有下人谋上之变。宜克己修德，以答天戒。'纂不纳。与什博戏。"本年是后凉咸宁二年。

吴隐之任龙骧将军、广州刺史，领平越中郎将，作《酌贪泉赋诗》。《晋书》卷九十《吴隐之传》："广州包带山海，珍异所出，一箧之宝，可资数世，然多瘴疫，人情惮焉。唯贫窭不能自立者，求补长史，故前后刺史皆多黩货。朝廷欲革岭南之弊，隆安中，以隐之为龙骧将军、广州刺史、假节，领平越中郎将。未至州二十里，地名石门，有水曰贪泉，饮者怀无厌之欲。隐之……乃至泉所，酌而饮之，因赋诗曰……及在州，清操逾厉，常食不过菜及干鱼而已，帷帐器服皆付外库，时人颇谓其矫，然亦终始不易。"【考证】吴隐之为龙骧将军、广州刺史的时间，其本传作"隆安中"，《东晋将相大臣年表》也系此事于本年。但《晋书》卷十《安帝纪》却作"元兴元年二月"，"以右将军吴隐之为都督交广二州诸军事、广州刺史。"《晋书》本传又云："元兴初，诏曰：'……龙骧将军、广州刺史吴隐之孝友过人，禄均九族，菲己洁素，俭愈鱼飧。夫处可欲之地，而能不改其操，飨惟错之富，而家人不易其服，革奢务啬，南域改观，朕有嘉焉。可进号前将军……'"诏书说吴隐之到广州"革奢务啬，南域改观"，从语气看，吴隐之来此已有一段时间，作元兴元年似不太可能，今从本传。

西凉刘昞任李暠儒林祭酒。刘昞生卒年不详。《魏书》卷五十二《刘昞传》："刘昞，字延明，敦煌人也。父宝，字子玉，以儒学称。昞年十四，就博士郭瑀学。时瑀弟子五百余人，通经业者八十余人。瑀有女始笄，妙选良偶，有心于昞……瑀遂以女妻之。昞后隐居酒泉，不应州郡之命，弟子受业者五百余人。李暠私署，征为儒林祭酒、从事中郎。暠好尚文典，书史穿落者亲自补治，昞时侍侧，前请代暠。暠曰：'躬自执者，欲人重此典籍。吾与卿相值，何异孔明之会玄德。'迁抚夷护军，虽有政务，手不释卷……昞以三史文繁，著《略记》百三十篇、八十四卷，《凉书》十卷，《敦煌实录》二十卷，《方言》三卷，《靖恭堂铭》一卷，注《周易》《韩子》《人物志》《黄石公三略》，并行于世。"刘昞任李暠儒林祭酒的具体时间，似在本年十一月李暠任凉公后。其著述亦非出自一时，姑系于此。

释宝云远适西域。《高僧传》卷三《释宝云传》："释宝云……少出家，精勤有学行，志韵刚洁，不偶于世，故少以方直纯素为名。而求法恳恻，亡身殉道，志欲躬睹灵迹，广寻经要，遂以晋隆安之初远适西域。与法显、智严先后相随，涉履流沙，登逾雪岭，勤苦艰危，不以为难。遂历于阗、天竺诸国，备睹灵异。乃经罗刹之野，闻天鼓之音，释迦影迹多所瞻礼。云在外域，遍学梵书，天竺诸国音字诂训，悉皆备解。"释宝云至西域在"隆安之初"，"与法显、智严先后相随"。同卷《释法显传》记载，法显本年自长安至西域，故系释宝云至西域的时间在本年。

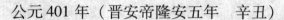

公元401年（晋安帝隆安五年　辛丑）

五月

王珣卒。《晋书》卷六十五《王珣传》："四年，以疾解职。岁余，卒，时年五十二。追赠车骑将军、开府，谥曰献穆。桓玄与会稽王道子书曰：'珣神情朗悟，经史明彻，风流之美，公私所寄。虽逼嫌谤，才用不尽；然君子在朝，弘益自多……'玄辅政，改赠司徒。"卷十《安帝纪》：隆安四年"五月丙寅，散骑常侍、卫将军、东亭侯王珣卒"。今从本传。《隋书》卷三十五《经籍志四》："晋司徒《王珣集》十一卷，并目录。梁十卷，录一卷，亡。"《晋诗》卷十四辑有《秋怀诗》二句。《全晋文》卷二十辑文九篇。

袁山松被害。《晋书》卷八十三《袁山松传》："山松历显位，为吴郡太守。孙恩作乱，山松守沪渎，城陷被害。"卷十《安帝纪》："夏五月，孙恩寇吴国，内史袁山松死之。"《隋书》卷三十三《经籍志二》："《后汉书》九十五卷。本一百卷。晋秘书监袁山松撰。"阮孝绪《七录》："袁山松撰《后汉书艺文志》。"《隋书》卷三十五《经籍志四》："《袁山松集》十卷……亡。"《晋诗》卷十四辑诗二首：《菊诗》《白鹿山诗》。《全晋文》卷五十六辑文八篇，文学性较强的还有《歌赋》《酒赋》《圆扇赋》《白鹿诗序》等。

六月

卢循陷广陵。《晋书》卷一百《孙恩传》："隆安四年……明年……害袁山松，仍浮海向京口。牢之率众西击，未达，而恩已至，刘裕乃总兵缘海距之。及战，恩众大败，狼狈赴船。寻又集众，欲向京都，朝廷骇惧，陈兵以待之。恩至新州，不敢进而退，北寇广陵，陷之。"据此可知，卢循北寇广陵在本年，《资治通鉴》卷一一二系于本年六月。《晋书》卷十《安帝纪》隆安四年："六月庚辰朔，日有蚀之。旱。辅国司马刘裕破恩于南山。恩将卢循陷广陵，死者三千余人。"今从《晋书·孙恩传》和《资治通鉴》的系年。

七月

陶渊明于江陵请假回家。还江陵，途中作《辛巳岁七月赴假还江陵夜行涂口诗》。**其母孟氏卒。**作《晋故征西大将军长史孟府君传》。《辛丑岁七月赴假还江陵夜行涂中诗》见《晋诗》卷十六。诗云："闲居三十载，遂与尘事冥。诗书敦宿好，林园无俗情。如何舍此去，遥遥至南荆。叩枻新秋月，临流别友生。"桓玄于去年三月领荆州刺史，江陵为荆州治所，陶渊明本年七月赴假还江陵，可能此时他在桓玄幕中任职。《全晋文》卷一百十二辑陶渊明《祭程氏妹文》："昔在江陵，重罹天罚……萧萧冬月，白雪掩晨。"据此，可知陶渊明在江陵任职时的冬天，其母卒。可能在本年前后。《晋故征西大将军长史孟府君传》见《全晋文》卷一百十二："渊明先亲，君之第四女也。凯风寒泉之思，实钟厥心。"此文当在孟氏卒后，姑系于此。

八月

刘裕屡破孙恩军，任建武将军、下邳太守。《宋书》卷一《武帝纪上》：隆安"五年春，孙恩频攻句章，高祖屡摧破之，恩复走入海……六月，恩乘胜浮海，奄至丹徒，战士十余万……高祖率所领奔击，大破之……八月，以高祖为建武将军、下邳太守，领水军追恩至郁洲，复大破恩，恩南走。十一月，高祖追恩于沪渎，及海盐，又破之。三战，并大获，俘馘以万数。恩自是饥馑疾疫，死者太半，自浹口奔临海"。

十二月

桓玄伺朝廷之隙以讨司马元显，作《致会稽王道子笺》。《晋书》卷九十九《桓玄传》："其后（孙）恩逼京都，玄建牙聚众，外托勤王，实欲观衅而进，复上疏请讨之。会恩已走，玄又奉诏解严。以伟为江州，镇夏口。"《致会稽王道子笺》见卷六十四《会稽文孝王道子传》："既而孙恩遁于北海，桓玄复据上流，致笺于道子曰……元显览而大惧。"《资治通鉴》卷一一二系此事于本年十二月。

鸠摩罗什至后秦长安，僧肇随之。《高僧传》卷二《鸠摩罗什传》："什停凉积年，吕光父子既不弘道，故蕴其深解无所宣化。苻坚已亡，竟不相见。及姚苌僭有关中，亦挹其高名，虚心要请。诸吕以什智计多解，恐为姚谋，不许东入。及苌卒，子兴袭位，复遣敦请。兴弘始三年三月，有树连理生于广庭。逍遥园葱变为茝，以为美瑞，谓智人应入。至五月兴遣陇西公硕德西伐吕隆，隆军大破。至九月，隆上表归降。方得迎什入关。以其年十二月二十日至于长安。兴待以国师之礼，甚见优宠，晤言相对则淹留终日，研微造尽则穷年忘倦。"本年系后秦弘始三年，鸠摩罗什于本年十二月二十日至长安。卷六《释僧肇传》："及什适长安，肇亦随人。"《莫高窟年表》："什公译事最极，而相从之助手，亦教理深契，文章优胜，故译著为中国佛教典籍中最佳胜之本。计弘始三年……僧睿为抄集《众家禅要》三卷，并出《十二因缘》及《要解》。"

本年

范宁卒。《晋书》卷七十五《范宁传》："既免官，家于丹阳，犹勤经学，终年不辍。年六十三，卒于家。"据《历代名人年谱》卷二，范宁卒于本年。《隋书》卷三十二《经籍志一》："《古文尚书舜典》一卷，晋豫章太守范宁注。梁有《尚书》十卷，范宁注，亡……《礼杂问》十卷，范宁撰。《春秋榖梁传》十二卷，范宁集解……《春秋榖梁传例》一卷，范宁撰。"丁国钧撰、子辰述注《晋书艺文志补遗》："《谷梁音》，范宁，见贾昌朝《群经音辨》。"丁国钧《补晋书艺文志》卷一：《论语注》，范宁。谨按，江氏《集解》引，见皇侃《论语义疏序》。家大人曰：是书《隋志》不著录，而别有范廙《论语别义》十卷。晁氏《读书后志》谓范廙或范宁之讹，此言颇可据信。"《隋书》卷三十五《经籍志四》："晋豫章太守《范宁集》十六卷。"《全晋文》卷一百二十五辑文 24 篇。

昙谛约于本年出家。《高僧传》卷七《释昙谛传》："释昙谛，姓康，其先康居人……谛父彤尝为冀州别驾……至年十岁出家。学不从师，悟自天发。后随父之樊邓……以宋元嘉末卒于山舍，春秋六十余。"释昙谛本年约十岁，则其出家约在此时。

有《后燕民谣》。《晋书》卷一百二十四《慕容熙载记》："垂以孝武帝太元八年僭立，至（慕容）熙四世，凡二十四年，以安帝义熙三年灭。初，童谣曰……蘸字上有草，下有禾，两头然则禾草俱尽而成高字。云父名拔，小字秃头，三子，而云季也。熙竟为云所灭，如谣言焉。"此歌谣的具体时间不祥，当为慕容熙即位后暴虐无道，臣民怨恨而作。据同卷《慕容盛载记》《慕容熙载记》，慕容熙于本年即位。

公元402年（晋安帝元兴元年　壬寅）

正月

司马元显讨伐桓玄。《晋书》卷十《安帝纪》："元兴元年春正月庚午朔，大赦，改元。以后将军元显为骠骑大将军、征讨大都督，镇北将军刘牢之为元显前锋，前将军、谯王尚之为后部，以讨桓玄。"

桓玄抗表作《讨元显檄》《与刘牢之书》。《晋书》卷九十九《桓玄传》："元兴初，元显称诏伐玄……既闻元显将伐之，甚惧，欲保江陵。长史卞范之说玄曰……玄大悦，乃留其兄伟守江陵，抗表率众，下至寻阳，移檄京邑，罪状元显。檄至。元显大惧，下船而不克发。玄既失人情，而兴师犯顺，虑众不为用，恒有回旆之计。既过寻阳，不见王师，意甚悦，其将吏亦振。"《与刘牢之书》见《晋书》卷八十四《刘牢之传》："元兴初，朝廷将讨桓玄，以牢之为前锋都督、征西将军，领江州事。元显遣使以讨玄事咨牢之。牢之以玄少有雄名，杖全楚之众，惧不能制，又虑平玄之后功盖天下，必不为元显所容，深怀疑贰，不得已率北府文武屯洌洲。桓玄遣何穆说牢之曰……"卷十《安帝纪》："三月己巳，刘牢之叛降于桓玄。"则此事当在本年三月己巳之前，姑系于此。

二月

司马元显讨桓玄，安帝饯行，群臣赋诗。《晋书》卷十《安帝纪》："二月丙午，帝戎服饯元显于西池。"《建康实录》卷十《安皇帝》："二月，帝戎服饯元显于西池，赋诗者九十八人。"

有《司马元显时民谣》二首。《宋书》卷三十一《五行志二》："司马元显时，民谣诗云……又云……此诗云襄阳道人竺昙林所作，多所道，行于世。孟颛释之曰，'十一口'者，玄字象也；'木亘'，桓也。桓氏当悉走入关、洛，故云'浩浩乡'也。'金刀'，刘也。倡义诸公，皆多姓刘。'娓娓'，美盛貌也。"当作于司马元显被害之前。

有《司马休之从者歌》。《艺文类聚》卷十九引《续安帝纪》曰："司马休之兄尚（当为"尚之"，《晋书》卷三十七《宗室传》记载，休之之兄为尚之），为桓玄所败，休之奔淮、泗，颇得彼之人心，从者为之歌曰……"《晋书》卷十《安帝纪》和《资治通鉴》卷一百一十二系桓玄败司马尚之、司马休之弃城在本年二月。

鸠摩罗什于逍遥园译《阿弥陀经》。本年还译《贤劫经》《大智度经》《思益梵天所问经》《百论》等。《高僧传》卷二《鸠摩罗什传》："自大法东被，始于汉明。涉历魏、晋，经论渐多，而支竺所出，多滞文格义。（姚）兴少达崇三宝，锐志讲集。什既至止，仍请入西明阁及逍遥园，译出众经。"《汉魏两晋南北朝佛教史》上册第213页：什本年二月八日，译《阿弥陀经》一卷。三月五日译《贤劫经》七卷。夏在逍遥园之西门阁，始译《大智度论》。十二月一日，在逍遥园译《思益梵天所问经》四卷。是年曾译《百论》，僧睿为作序。

三月

桓玄败王师于新亭，杀司马元显，总百揆，加丞相。《晋书》卷九十九《桓玄传》："玄至新亭，元显自溃。玄入京师，矫诏曰……又矫诏加己总百揆，侍中、都督中外诸军事、丞相、录尚书事、扬州牧，领徐州刺史，又加假黄钺、羽葆鼓吹、班剑二十人，置左右长史、司马、从事中郎四人，甲杖二百人上殿。玄表列太傅道子及元显之恶，徙道子于安成郡，害元显于市。"卷十《安帝纪》："三月己巳，刘牢之叛降于桓玄。辛未，王师败绩于新亭，骠骑大将军、会稽王世子元显，东海王彦璋，冠军将军毛泰，游击将军毛邃并遇害。壬申，桓玄自为侍中、丞相、录尚书事……俄又自称太尉、扬州牧，总百揆。"

孔琳之任西阁祭酒，作《废钱用谷帛议》。《宋书》卷五十六《孔琳之传》："桓玄辅政为太尉，以为西阁祭酒。桓玄时议欲废钱用谷帛，琳之议曰……"《晋书》卷二十六《食货志》："朝议多同琳之，故玄议不行。"

殷仲文弃郡投桓玄，为咨议参军。《晋书》卷九十九《殷仲文传》："仲文于玄虽为姻亲，而素不交密，及闻玄平京师，便弃郡投焉。玄甚悦之，以为咨议参军。时王谧见礼而不亲，卞范之被亲而少礼，而宠遇隆重，兼于王、卞矣。"《世说新语·品藻第九》："旧以桓谦比殷仲文。桓玄时，仲文入，桓于庭中望见之，谓同坐曰：'我家中军，那得及此也！'"

孙恩卒。卢循为孙恩余众之主。《晋书》卷十《安帝纪》：本年三月，"临海太守辛景击孙恩，斩之。"《晋书》卷十三《天文志下》："元兴元年正月，卢循自称征虏将军，领孙恩余众，略有永嘉、晋安之地。二月，帝戎服遣西军。"卷一百《卢循传》："恩亡，余众推循为主。"

五月

桓玄作《沙汰众僧教》《与释慧远书劝罢道》《与桓谦等书论沙门应致敬王者》《与王谧书论沙门应致敬王者》《难王谧》《重难王谧》《三难王谧》《与释慧远书》《重与慧远书》。上述九篇文章都见于《全晋文》卷一一九。《建康实录》卷十《安皇帝》：隆安六年，"五月，玄欲简汰沙门，非明至理者悉罢之。又议令沙门致敬王者，慧远答书论不可致之意"。桓玄作《与桓谦等书论沙门应致敬王者》后桓谦有《答桓玄书明沙门不应致敬王者》，见《全晋文》卷一一九，其文曰："中军将军、尚书令、宜阳开国侯桓谦等惶恐死罪",知此时桓谦为中军将军、尚书令。《晋书》卷十《安帝纪》:元兴元年三月壬申,"以桓谦为尚书仆射"。卷七十四《桓谦传》:"玄既用事,以谦为尚书左仆射,领吏部,加中军将军。"桓玄作《与王谧书论沙门应致敬王者》后,王谧有《答桓玄书明沙门不宜致敬王者》,见《全晋文》卷二十,其云:"领军将军、吏部将军、吏部尚书、中书令、武冈男王谧惶恐死罪,奉诲及道人抗礼至尊,并见于八座书。"知此时王谧任领军将军、吏部尚书。《晋书》卷六十五《王谧传》:"及桓玄举兵,诏谧衔命诣玄,玄甚敬昵焉……玄以为中书令、领军将军,吏部尚书。"《难王谧》《重难王谧》《三难王谧》可能作于此后不久。《与释慧远书》云:"沙门不敬王者,既是情所不了,于理又是所未谕。"所论亦关于沙门应不应该敬王者的问题,当在本年。

慧远作《答桓玄书》《与桓玄书论料简沙门》《沙门不敬王者论》五篇并序。《高僧传》卷六《释慧远传》:"玄后以震主之威,苦相延致,乃贻书骋说劝令登仕。远答辞坚正,确乎不拔,志逾丹石,终莫能回。俄而玄欲沙汰众僧,教僚属曰:'沙门有能申述经诰,畅说义理,或禁行修整,足以宣寄大化,其有违于此者,悉皆罢遣。唯庐山道德所居,不在搜简之例。'远与玄书曰……因广立条制。玄从之,昔成帝幼冲,庾冰辅政,以为沙门应敬王者……同异纷然,竟莫能定。及玄在姑孰,欲令尽敬,乃与远书曰……远答书曰……玄虽苟执先志,耻即外从,而睹远辞旨,趑趄未决。有顷,玄篡位。即下书曰……远乃著《沙门不敬王者论》,凡有五篇……自是沙门得全方外之迹矣。"慧远的上述论文当作于本年五月之后。

羊孚(孚子道)为桓玄记室参军。《世说新语·文学第四》:"桓玄下都,羊孚时为兖州别驾,从京来诣门,笺云:'自顷世故睽离,心事沦蕴。明公启晨光于积晦,澄百流以一源。'桓见笺,驰唤前,云:'子道,子道,来何迟?'即用为记室参军。"又:"羊孚作《雪赞》云:'资清以化,乘气以霏。遇象能鲜,即洁成辉。'桓胤遂以书扇。"同书《言语第二》:"桓玄问羊孚:'何以共重吴声?'羊曰:'当以其妖而浮。'"注引《羊氏谱》曰:'孚字子道,泰山。祖楷,尚书郎。父绥,中书郎。孚历太学博士、州别驾、太尉参军。年四十六卒。'"按《世说新语·伤逝第十七》:"羊孚年三十一卒。"羊孚卒时的年龄待考。其为桓玄记室参军当在本年,其余事迹具体时间不详,姑系于此。

七月

二十八日,慧远与刘遗民、周续之、毕颖之、宗炳、张莱民、张季硕等建斋立誓,令刘遗民著文,作《念佛三昧诗集序》。《高僧传》卷六《释慧远传》:"于是率众行道,昏晓不绝;释迦余化,于斯复兴。既而谨律息心之士,绝尘清信之宾,并不期而至,望风遥集。彭城刘遗民、豫章雷次宗、雁门周续之、新蔡毕颖之、南阳宗炳、张莱民、张季硕等,并弃世遗荣,依远游止。远乃于精舍无量寿像前建斋立誓,共期西方,乃令刘遗民著其文曰:'惟岁在摄提秋七月戊辰朔,二十八日乙未,法师释慧远贞感幽奥,宿怀待发,乃延命同志息心贞信之士百有二十三人,集于庐山之阴般若台精舍阿弥陀像前，率以香华敬廌而誓焉……'"游国恩《莲社成立年月考》（见《游国恩学术论文集》）：古代用岁星纪年，摄提格为寅年，据此可知刘遗民为誓文于寅年。《高僧传·释慧远传》中誓文所谓的摄提格，当指本年的庚寅。游国恩根据摄提格是寅年就把刘遗民为誓文定于本年，本年虽是寅年，根据陈垣《二十四史朔闰表》记载，本年七月朔是丁未，而不是戊辰。只有元兴元年七月朔才是戊辰。又，若定此事为太元十五年，刘次宗按《宋书》本传记载只有五岁，不可能参加建斋立誓，所以建斋立誓的时间当是兴元元年七月。《念佛三昧诗集序》见《全晋文》卷一百六十二。《汉魏两晋南北朝佛教史》上册第 260 页："同志立誓者有百二十三人……是时诸人唱和纂为《念佛三昧诗集》，远公作序……和诗诸人，今知确实有王齐之（诗亦载《广弘明集》，应即《佛祖统记》二六之王乔之），亦当与百二十三人之数。"《全晋文》卷一百六十四辑僧肇《答刘遗民书》："得君《念佛三昧咏》，并得远法师三昧咏及序，此作兴寄既高，辞致清婉，能文之士，率称其美，可谓游涉圣门，扣玄关之唱也。"《念佛三昧咏》与慧远序的写作时间，疑在本年或稍后，姑系于此。

十二月

庚申，司马道子为桓玄所害。《晋书》卷六十四《会稽文孝王道子传》："玄进次寻阳，传檄京师，罪状元显……元显奔入相府，唯张法顺随之。问计于道子，道子对之泣……玄又奏：'道子酗纵不孝，当弃市。'诏徙安成郡，使御史杜竹林防卫，竟承玄旨鸩杀之，时年三十九。帝三日哭于西堂。"《隋书》卷三十五《经籍志四》："晋会稽王《司马道子集》八卷。梁九卷……亡。"

本年

宗炳于庐山听慧远讲《丧服经》。《高僧传》卷六《释慧远传》："时远讲《丧服经》，雷次宗、宗炳等并持卷承旨。"此事具体时间不详，据《慧远传》和《宋书》卷九十三《宗炳传》记载，宗炳居庐山有两次，一次在本年，一次在义熙十一年，故系上述事于本年。

秃发傉作《高殿赋》。秃发傉生平不详。《太平御览》卷五八七引崔鸿《十六国春秋·南凉录》："秃发（傉）檀子傉，年始十三，命为《高殿赋》，下笔即成，影不移漏。（傉）檀览而善之，拟之于曹子建。"秃发傉作《高殿赋》的具体时间不详，姑系于秃发（傉）檀为凉王时，据《晋书》卷十《安帝纪》，本年三月"秃发利鹿孤死，弟傉檀嗣伪位。"

公元 403 年（晋安帝元兴二年 癸卯）

正月

陶渊明作《癸卯岁始春怀古田舍诗》二首。《癸卯岁始春怀古田舍诗二首》见《晋诗》卷十七。其一云："在昔闻南亩，当年竟未践。屡空既有人，春兴岂自免。夙

晨装吾驾，启途情已缅。鸟弄欢新节，泠风送余善。寒草被荒蹊，地为罕人远。是以植杖翁，悠然不复返。"当是本年春所作。

四月

十五日，鸠摩罗什译《大品般若》。《高僧传》卷二《鸠摩罗什传》："什既率多谙诵，无不究尽，转能汉言音译流便。既览旧经，义多纰僻，皆由先度失旨，不与梵本相应。于是（姚）兴使沙门僧䂮、僧迁、法钦、道流、道恒、道标、僧睿、僧肇等八百余人咨受什旨，更令出《大品》。什持梵本，兴执旧经，以相雠校，其新文异旧者义皆圆通，众心惬伏，莫不欣赞。兴以佛道冲邃，其行唯善，信为出苦之良津，御世之洪则，故托意九经，游心十二。乃著《通三世论》以勘示因果，王公已下并钦赞厥风。大将军常山公显、左军将军安城侯嵩并笃信缘业，屡请什于长安大寺讲说新经。"《汉魏两晋南北朝佛教史》上册第 213 页：本年四月二十三日，在逍遥园始译《大品般若》。此经《经序》云："法师手持胡本，口宣秦言。两译异音，交辨文旨。秦王躬攒旧经，验其得失。咨其通途，坦其宗致。与诸宿旧义业沙门释慧恭……五百余人，详其义旨，审其文中，然后书之。以其年十二月十五日出尽。校正检括，明年四月二十三日乃讫。"

僧肇参与鸠摩罗什翻译《大品般若》，名振关辅。《高僧传》卷六《僧肇传》："及在冠年，而名振关辅。时竞誉之徒莫不猜其早达，或千里趋负，入关抗辩。肇既才思幽玄，又善谈说。承机挫锐，曾不流滞。时京兆宿儒及关外英彦，莫不挹其锋辩，负气摧衂。"其参与翻译《大品般若》，见上条。

六月

刘裕因讨卢循有功，加彭城内史。《宋书》卷一《武帝纪上》："二年正月，玄复遣高祖破循于东阳。循奔永嘉，复追破之，斩其大帅张士道，追讨至于晋安，循浮海南走。六月，加高祖彭城内史。"

八月

桓玄自号相国、楚王。《晋书》卷十《安帝纪》："秋八月，玄又自号相国、楚王。"卷七十九《桓玄传》："元兴二年，玄诈表请平姚兴，又讽朝廷作诏，不许。玄本无资力，而好为大言，既不克行，乃云奉诏故止。初欲饰装，无他处分，先使作轻舸，载服玩及书画等物。或谏之，玄曰：'书画服玩既宜恒在左右，且兵凶战危，脱有不意，当使轻而易运。'众咸笑之。"

十一月

丁丑，桓玄作《祯祥矫诏》，矫诏加天子礼乐。作《与羊欣书》。《晋书》卷九十九《桓玄传》："是岁，玄兄伟卒……伟既死，玄乃孤危。而不臣之迹已著，自知怨满天下，欲速定篡逆，殷仲文、卞范之等又共催促之……玄伪上表求归藩，又自作诏留之，遣使宣旨，玄又上表固请，又讽天子作手诏固留焉。玄好逞伪辞，尘秽简牍，皆此类也。谓代谢之际宜有祯祥，乃密令所在上临平湖开除清朗，使众官集贺。矫诏曰……议复肉刑，断钱货，回复改异，造革纷纭，志无一定，条制森然，动害政理。性贪鄙，好奇异，尤爱宝物，珠玉不离于手……遣臣佐四出，掘果移竹，不远数千里，百姓佳果美竹无复遗余。信悦谄誉，逆忤谠言，或夺其所憎与其所爱。十一月，玄矫制加其冕十有二旒，建天子旌旗……"《与羊欣书》见《世说新语·伤逝第十七》："羊孚年三十一卒（《羊氏谱》作四十六岁），桓玄与羊欣书曰：贤从情所信寄，暴疾而殒……"刘孝标注引《宋书》曰："欣字敬元，太山南城人。少怀静默，秉操无竞。美姿容，善笑言，长于草隶。"注引《羊氏谱》曰："孚即欣从祖。"又《伤逝第十七》："桓玄当篡位，语卞鞠云：'昔羊子道恒禁吾此意，今腹心丧羊孚……'"可见桓玄篡位时，羊孚已卒，《与羊欣书》可能作于其篡位之前，姑系于此。

十二月

壬辰，桓玄篡位，作《受禅告天文》《下书受禅》《下书封晋帝为王》《论赏刘裕等将士诏》《许沙门不致礼诏》、《诏报卞嗣之、袁恪之》，改《鞞舞》《巾舞》。《晋书》卷十《安帝纪》："冬十一月壬午，玄迁帝于永安宫。癸未，移太庙神主于琅邪国。十二月壬辰，玄篡位，以帝为平固王。辛亥，帝蒙尘于寻阳。"卷九十九《桓玄传》："又矫诏使王谧兼太保，领司徒，奉皇帝玺禅位于己。又讽帝以禅位告庙，出居永安宫……百官到姑孰劝玄僭伪位，玄伪让，朝臣固请，玄乃于城南七里立郊，登坛篡位……榜为天告天皇后帝云……乃下书曰……于是大赦，改元永始。"《许沙门不致礼诏》《诏报卞嗣之、袁恪之》见《全晋文》卷一一九，当作于篡位后。《论赏刘裕等将士诏》见《宋书》卷一《武帝纪上》："十二月，桓玄篡帝位，迁天子于寻阳……玄见高祖，谓司徒王谧曰：'昨见刘讳（即刘裕），风骨不恒，盖人杰也。'每游集，辄引接殷勤，赠赐甚厚。高祖愈恶之……玄乃下诏曰……"当作于篡位之后。《宋书》卷十九《乐志一》："《鞞舞》，故二八，桓玄将即真，太乐遣众伎，尚书殿中郎袁明子启增满八佾，相承不复革。"《隋书》卷十五《音乐志下》："《巾舞》者，《公莫舞》也。伏滔云：'项庄因舞，欲剑高祖，项伯纾长袖以扞其锋，魏、晋传为舞焉。'检此虽非正乐，亦前代旧声。故梁武报沈约云：'《鞞》《铎》《巾》《拂》，古之遗风。'杨泓云：'此舞本二八人，桓玄即真，为八佾。后因而不改。'齐人王僧虔已论其事。平陈所得者，犹充八佾，于悬内继二舞后作之，为失斯大。检四舞由来，其实已久。请并在宴会，与杂伎同设，于西凉前奏之。"桓玄改《鞞舞》《巾舞》当在本年。

殷仲文任侍中，领左卫将军，为桓玄作九锡文。作《南州桓公九井作诗》。《晋书》卷九十九《殷仲文传》："（桓）玄将为乱，使总领诏命，以为侍中，领左卫将军。玄九锡，仲文之辞也。初，玄篡位入宫，其床忽陷，群下失色，仲文曰：'将由圣德深厚，地不能载。'玄大悦。以佐命亲贵，厚自封崇，舆马器服，穷极绮丽，后房伎妾数十，丝竹不绝音。性贪吝，多纳货贿，家累千金，常若不足。"《南州桓公九井作诗》

见《文选》卷二十二，李善注："《水经注》曰：'淮南郡之于湖南县，所谓姑孰，即南州矣。'庾仲雍《江图》曰：'姑孰至直渎十里，东通丹阳湖，南有铜山，一名九井山，山有九井，井与江通。'何法盛《桓玄录》曰：'桓玄……出姑孰，大筑府第。'"桓玄出镇姑孰并大筑府第在上年。《南州桓公九井作诗》云："独有清秋日，能使高兴尽"，似作于本年秋。

刘裕至建康，谋举义反桓玄。《宋书》卷一《武帝纪上》："先是，高祖东征卢循，何无忌随至山阴，劝于会稽举义。高祖以为玄未据极位，且会稽遥远，事济为难，俟其篡逆事著，徐于京口图之，不忧不克。至是桓修还京，高祖托以金创疾动，不堪步从，乃与无忌同船共还，建兴复之计。于是与弟道规、沛郡刘毅、平昌孟昶、任城魏咏之、高平檀凭之、琅邪诸葛长民、太原王元德、陇西辛扈兴、东莞童厚之，并同义谋。时桓修弟弘为征虏将军、青州刺史，镇广陵。道规为弘中兵参军，昶为州主簿。乃令毅潜往就昶，聚徒于江北，谋起兵杀弘。长民为豫州刺史刁逵左军府参军，谋据历阳相应。元德、厚之谋于京邑，聚众攻玄，并克期齐发。"

有《桓玄时童谣》《桓玄篡时童谣语》。《晋书》卷二十八《五行志中》："桓玄既篡，童谣曰……及玄败，走至江陵，时正五月中，诛如其期焉。"《宋书》卷三十一《五行志二》："桓玄既篡，童谣曰……及玄败走至江陵，五月中诛，如其期焉。桓玄时，民谣语云……征钟，至秽之服；桓，四体之下称。玄自下居上，犹征钟之厕歌谣，下体之咏民口也。而云'落地'，坠地之祥，进走之言，其验明矣。"民谣当作于桓玄篡位前后。

陶渊明作《癸卯岁十二月中作与从弟敬远诗》。《癸卯岁十二月中作与从弟敬远诗》见《晋诗》卷十六，其诗云："凄凄岁暮风，翳翳经日雪。倾耳无希声，在目皓已洁。劲气侵襟袖，箪瓢谢屡设。萧索空宇中，了无一可悦。"据诗题可知，此诗当作于本年十二月。

本年

孔琳之作《复议肉刑》，迁楚台员外散骑侍郎。《晋书》卷三十《刑法志》："至安帝元兴末，桓玄辅政，又议欲复肉刑斩左右趾之法，以轻死刑；命百官议。蔡廓上议曰……而孔琳之议不同，用王朗、夏侯玄之旨。时论多与琳之同，故遂不行。"据卷九十九《桓玄传》记载，本年桓玄为篡位，"议复肉刑，断钱货，回复改异，造革纷纭，志无一定，条制森然，动害政理"，议肉刑当在本年。《宋书》卷五十六《孔琳之传》："（桓）玄好人附悦，而琳之不能顺旨，是以不见知。迁楚台员外散骑侍郎。遭母忧，去职。"

蔡廓起家著作郎，作《复议肉刑》。《宋书》卷五十七《蔡廓传》："蔡廓，字子度，济阳考城人也。曾祖谟，晋司徒。祖系，抚军长史。父绑，司徒左西属。廓博涉群书，言行以礼。起家著作佐郎，时桓玄辅晋，议复肉刑，廓上议曰……"

徐广任大将军祭酒。《宋书》卷五十五《徐广传》："桓玄辅政，以为大将军文学祭酒……桓玄篡位，安帝出宫，广陪列悲恸，哀动左右。"卷三十《五行志一》："晋安帝元兴二年，衡阳有雌鸡化为雄，八十日而冠萎。衡阳，桓玄楚国封略也。后篡位八十日而败，徐广以为玄之象也。"

慧远游石门、南岭，作《游山记》。《世说新语·规箴第十》："远公在庐山中。"刘孝标注引《法师游山记》曰："自托此山二十三载，再践石门，四游南岭，东望香炉峰，北眺九江。传闻有石井方湖，中有赤鳞踊出，野人不能叙，直叹其奇而已矣。"慧远于太元六年至庐山，至本年二十三载。

后秦杜诞、相灵作诗赋讽谏姚兴。杜诞、相灵生卒年不详。《太平御览》卷八三一引崔鸿《十六国春秋·秦录》："姚兴性好游田，颇损农要。京兆杜诞以左仆射齐难无匡辅之益，作《丰草诗》以箴之，难具以闻。冯翊相灵作《德猎赋》以讽焉。兴皆览而善之，赐以金帛，然终不能改也。"《十六国春秋》卷五十七《后秦录五·姚兴录》系此事于本年。

刘义庆生。《宋书》卷五十一《长沙景王道怜传》："道怜六子：义欣嗣、义庆、义融、义宗、义宾、义綦。"同卷《刘义庆传》："（元嘉）二十一年，薨……时年四十二。"据此可知，刘义庆当生于本年。

颜延之文章之美冠绝当时。《宋书》卷七十三《颜延之传》："延之少孤贫，居负郭，室巷甚陋。好读书，无所不览，文章之美，冠绝当时。"颜延之本年二十岁，上述事具体时间不详，姑系于此。

谢道韫与刺史刘柳谈议。《晋书》卷九十六《王凝之妻谢氏传》："太守刘柳闻其名，请与谈议。道韫素知柳名，亦不自阻，乃簪髻素褥坐于帐中，柳束脩整带造于别榻。道韫风韵高迈，叙致清雅，先及家事，慷慨流涟，徐酬问旨，词理无滞。柳退而叹曰：'实顷所未见，瞻察言气，使人心形俱服。'道韫亦云：'亲从凋亡，始遇此士，听其所问，殊开人胸府。'"谢道韫此后事迹不详，张可礼《东晋文艺系年》第 672 页认为，从"亲从凋亡，始遇此士"来看，"当离凝之及诸子被害时不会太久。今暂系于此"。本传云："道韫所著诗赋诔颂并传于世。"《隋书》卷三十五《经籍志四》："晋江州刺史王凝之妻《谢道韫集》二卷。"《全晋文》卷一百四十四辑《论语赞》一篇。《晋诗》卷十三有诗三首：《咏雪联句》《泰山吟》《拟嵇中散咏松诗》。

释宝云还长安，从佛陀跋陀受业。《高僧传》卷三《释宝云传》："后还长安，随禅师佛陀跋陀业禅进道。"宝云还长安的具体时间不详。张可礼《东晋文艺系年》第 672 页："其游于阗、天竺诸国，遍学梵书，悉解天竺诸国音学训诂，估计至少须用三年，姑系其还长安于本年。"

公元 404 年（晋安帝元兴三年　甲辰）

正月

西凉李暠立泮宫。起嘉纳堂，图赞所志。《十六国春秋》卷九十一《西凉录一·李暠录》：本年"春正月，命立泮宫，增高门学生五百人。起嘉纳堂于后园，以图赞所志"。

二月

己丑，刘裕举兵讨桓玄。作《移檄京邑》。《宋书》卷一《武帝纪上》："（太元）三年二月己丑朔，乙卯，高祖托以游猎，与无忌等收集义徒，凡同谋何无忌……等二十七人；愿从者百余人……义军初克京城，（桓）修司马刁弘率文武佐吏来赴。高祖登城谓之曰：'郭江州已奉乘舆反正于寻阳，我等并被密诏，诛除逆党，同会今日。贼（桓）玄之首，已当枭于大航矣。诸君非大晋之臣乎，今来欲何为？'……众推高祖为盟主，移檄京邑，曰……"《晋书》卷十《安帝纪》："（本年二月）乙卯，建武将军刘裕帅沛国刘毅、东海何无忌等举义兵。丙辰，斩桓玄所署徐州刺史桓修于京口，青州刺史桓弘于广陵。丁巳，义师济江。"

何承天任辅国府参军，除浏阳令，寻去职还都。《宋书》卷六十四《何承天传》："义旗初，长沙公陶延寿以为其辅国府参军，遣通敬于高祖，因除浏阳令，寻去职还都。"

傅亮被桓玄选作秘书郎，未及拜。任建威参军。《宋书》卷四十三《傅亮传》："桓玄篡位，闻其博学有文采，选为秘书郎，欲令整正秘阁，未及拜而玄败。义旗初，丹阳尹孟昶以为建威参军。"

三月

庚申，刘裕为镇军将军、徐州刺史。《晋书》卷十《安帝纪》："三月戊午，刘裕斩玄将吴甫之于江乘，斩皇甫敷于罗落。己未，玄众溃而逃。庚申，刘裕置留台，具百官。壬戌，桓玄司徒王谧推刘裕行镇军将军、徐州刺史、都督扬徐兖豫青冀幽并八州诸军事、假节。"

陶渊明为刘裕镇军参军，途中作《始作镇军参军经曲阿诗》。本年有《停云诗》《时运诗》《荣木诗》及《连雨独饮诗》。《始作镇军参军经曲阿诗》见《晋诗》卷十六，当作于赴刘裕幕途中，似在本年三月刘裕任镇军参军之后。《停云诗》《时运诗》《荣木诗》见《晋诗》卷十六。王瑶《陶渊明集》："按《停云》《时运》《荣木》三诗，都是四言四章，而且前冠小序，序文句法也完全相同；诗题又都是以首句命名，当为同年所作。不过，《停云》中所写的景色是初春，《时运》是暮春，《荣木》是夏季。"《荣木》云："四十无闻，斯不足畏。"当作于陶渊明本年四十岁时，《连雨独饮诗》见《晋诗》卷十七："自我抱兹独，僶俛四十年。"亦当作于此时。

四月

袁豹复为记室参军，任建威司马。《宋书》卷五十二《袁豹传》："大将军武陵王遵承制，复为记室参军。其年，丹阳尹孟昶以为建威司马。"《晋书》卷十《安帝纪》："（三月）丙戌，密诏以幽逼于玄，万机虚旷，令武陵王遵依旧典，承制总百官行事，加侍中，余如故……夏四月己丑，大将军、武陵王遵称制，总万机。"袁豹为记室参军，任建威司马当在此前后不久。

范泰为国子博士，任南郡太守。《宋书》卷六十《范泰传》："义旗建，国子博士。司马休之为冠军将军、荆州刺史，以泰为长史、南郡太守。"据《资治通鉴》卷一一三，本年四月司马休之领荆州刺史，范泰为长史、南郡太守当在此后不久。

鸠摩罗什检校《大品经》。本年更译《百论》。僧肇作《百论序》。《汉魏两晋南北朝佛教史》上册第 214 页：本年"四月，检校《大品经》讫。十月十七日在中寺为弗若多罗度语，译《十颂律》'三分获二'，而多罗卒。是年姚嵩请什更译《百论》二卷。僧肇作序，较之二年前所译及睿师之序，此次'文义既正，作序亦好'（《百论疏》卷一)"。

五月

徐广谏桓玄宜追立七庙。《晋书》卷九十九《桓玄传》："元兴三年，玄之永始二年也……玄大纲不理……既不追尊祖曾，疑其礼义，问于群臣。散骑常侍徐广据晋典宜追立七庙，又敬其父则子悦，位弥高者情理得申，道愈广者纳敬必普也。"此事当在本年桓玄被斩之前，姑系于此。

壬午，桓玄被斩。本年有《桓玄时童谣》。《晋书》卷十《安帝纪》："（五月）癸酉，冠军将军刘毅及桓玄战于峥嵘洲，又破之……壬午，督护冯迁斩桓玄于貊盘洲。"卷九十九《桓玄传》："元兴中，衡阳有雌鸡化为雄，八十日而冠萎。及玄建国于楚，衡阳属焉，自篡盗至败，时凡八旬矣。其时有童谣云……其凶兆符会如此。"《世说新语·豪爽第十三》："桓玄西下，入石头。外白：'司马梁王奔叛。'玄时事形已济，在平乘上笳鼓并作，直高咏云：'箫管有遗音，梁王安在哉？'"《隋书》卷三十二《经籍志一》："《周易系辞》二卷，晋桓玄注。"卷三十五《经籍志四》："晋《桓玄集》二十卷。"《晋诗》卷十四有诗二首：《登荆山诗》《南林弹诗》，另有佚诗一句。《渚宫旧事》卷五："玄尝作《龙山猎诗》，其《序》云……"《初学记》卷五："（桓玄）《南游衡山诗序》云……"可见，桓玄曾有《龙山猎诗》和《南游衡山诗》，此二诗已佚。《全晋文》卷一一九辑文 35 篇，文学性较强的还有《风赋》《鹤赋》《鹦鹉赋》《与袁宜都书论啸》。

殷仲文叛桓玄，归京师，任镇军长史，转尚书。《晋书》卷九十九《殷仲文传》："（桓）玄为刘裕所败，随玄西走，其珍宝玩好悉藏地中，皆变为土。至巴陵，因奉二后投义军，而为镇军长史，转尚书。"《世说新语·黜免第二十八》："桓玄败后，殷仲文还为大司马咨议，意似二三，非复往日。大司马府厅前，有一老槐，甚扶疏。殷因月朔，与众在厅，视槐良久，叹曰：'槐树婆娑，无复生意！'"刘孝标注引《晋安帝纪》曰："桓玄败，殷仲文归京师，高祖以其卫从二后，且以大信宣令，引为镇军长史。自以名辈先达，位遇至重，而后来谢混之徒，皆畴昔之所附也。今比肩同列，常怏然自失，后果徙信安。"

十月

刘裕因讨桓玄功，领青州刺史。《宋书》卷一《武帝纪上》："十月，高祖领青州刺史。甲仗百人入殿。"

卢循攻略广州，败吴隐之。有《广州人谣》。《晋书》卷十《安帝纪》："冬十月，卢循寇广州，刺史吴隐之为循所败。"卷一百《卢循传》："元兴二年正月，寇东阳，八月，攻永嘉。刘裕讨循至晋安，循窘急，泛海到番禺，寇广州，逐刺史吴隐之，自摄州事，号平南将军，遣使献贡。时朝廷新诛桓氏，中外多虞，乃权假循征虏将军、广州刺史、平越中郎将。"《晋书》卷二十八《五行志中》："卢龙据广州，人为之谣曰……后挤上流数州之地，内逼京辇，应'天半'之言。""卢龙"在《太平御览》卷一千所引《中兴书》中作"卢循"。卢循小字元龙，卢龙或许是卢元龙的简称。

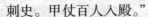

谢灵运袭封康乐公，除员外散骑侍郎，不就，作《谢封康乐侯表》。《宋书》卷六十七《谢灵运传》："灵运少好学，博览群书，文章之美，江左莫逮。从叔混特知爱之，袭封康乐公，食邑三千户。以国公例，除员外散骑侍郎，不就。"《谢封康乐侯表》见《艺文类聚》卷五十一，其云："泽洽往德，思覃来胤。永惟先踪，远感崩结。岂臣尩弱，所当忝承"，从语气看是答谢授侯之辞，非永初元年其降公爵为侯时所作。逯钦立《先秦汉魏晋南北朝诗·宋诗》卷三有谢灵运《初去郡诗》云："牵丝及元兴"，《宋书》本传载谢灵运于义熙十三年作《撰征赋》曰"荷庆云之优渥，周双七于此年"，知谢灵运袭封康乐公当在本年。

公元405年（晋安帝义熙元年　乙巳）

正月

刘毅作《请以并州刺史刘道轨镇夏口》，任抚军将军。《请以并州刺史刘道轨镇夏口》见《南齐书》卷十五《州郡志下》："义熙元年，冠军将军刘毅以为夏口二州之中，地居形要……"《晋书》卷八十五《刘毅传》："南阳太守鲁宗之起义，袭襄阳，破桓蔚。毅等诸军次江陵之马头……毅因率无忌、道规等诸军破冯该于豫章口，推锋而进，遂入江陵……毅遣部将击振，杀之……毅又攻拔迁陵……二州既平，以毅为抚军将军。"《宋书》卷一《武帝纪上》："义熙元年正月，毅等至江津，破桓谦、桓振，江陵平。"

西凉李暠自称大都督、大将军，领秦、凉二州牧，作《自称凉公领秦凉二州牧奉表诣阙》。《十六国春秋》卷九十一《西凉录一·李暠录》："建元元年，春正月，暠自称大都督、大将军，领秦凉二州牧，改元建初，大赦境内殊死以下……遣舍人黄始、梁兴间行奉表诣京师曰……"按，西凉建初元年为东晋义熙元年。

鸠摩罗什被后秦姚兴奉若神明。本年译《佛藏经》《杂譬如经》《大智度论》《菩萨藏经》《称扬诸佛功德经》。《十六国春秋》卷五十七《后秦录五·姚兴录中》："弘始七年，春正月，兴居罗什于逍遥园，以国师礼待之，奉之如神，甚见优宠，亲帅群臣如逍遥园，引诸沙门于澄玄堂，听什演说佛经。遂大营塔寺，起逍遥宫殿，庭左右有楼阁……今之新经，皆什所译。兴既托意于佛，公卿以下，莫不亲附。沙门自远而至者五千余人，有大道者五十人。起造浮屠于永贵里，立波若台于中宫。作须弥山，四面有崇岩峻壁，珍禽异兽，山林草木，精奇怪异，仙人佛像人所未识见者，皆以为奇。时沙门坐禅者，恒有千数，州郡化之，奉佛者十室而九。"按，后秦弘始七年即东晋义熙元年。《汉魏两晋南北朝佛教史》上册第 214 页：什本年六月十二日，译《佛藏经》四卷，十月译《杂譬喻经》一卷。十二月二十七日译《大智度论》讫，成百卷。先是什译《大品经》时，随出《释论》，随即校经，《释论》今既校讫，《大品经》文乃正。是年又译《菩萨藏经》三卷，《称扬诸佛功德经》三卷。是年秋昙摩流支至长安，因远公、姚兴请，与什共续译《十诵律》，前后成五十八卷。

三月

刘裕屡请归藩，加领兖州刺史。作《与臧焘书》。《宋书》卷一《武帝纪上》："义熙元年正月，毅等至江津，破桓谦、桓振，江陵平。天子反正。三月，天子至自江陵。诏曰：'……镇军可进位侍中、车骑将军、都督中外诸军事，使持节、徐青二州刺史如故……'高祖固让；加录尚书事，又不受，屡请归藩。天子不许，遣百僚敦劝，又亲幸公第。高祖惶惧，诣阙陈请，天子不能夺。是月，旋镇丹徒。天子重遣大使敦劝，又不受。乃改授都督荆、司、梁、益、宁、雍、凉七州，并前十六州诸军事，本官如故。于是受命解青州，加领兖州刺史。"《宋书》卷五十五《臧焘传》："高祖镇京口，与焘书曰……"《晋书》卷十《安帝纪》："夏四月，刘裕旋镇京口。"

谢灵运任琅邪王大司马行参军。《宋书》卷六十七《谢灵运传》："为琅邪王大司马行参军。性奢豪，车服鲜丽，衣裳器物，多改旧制，世共宗之，咸称谢康乐也。"《晋书》卷十《安帝纪》：本年三月壬申，"以琅邪王德文为太宰"，谢灵运任琅邪王大司马行参军当在本年三月后。

殷仲文谏刘裕备音乐，作《罪衅解尚书表》，为大司马咨议。《南史》卷一《宋本纪上》："朝廷未备音乐，长史殷仲文以为言，帝曰：'日不暇给，且所不解。'仲文曰：'屡听自然解之。'帝曰：'政以解则好之，故不习耳。'"《资治通鉴》卷一百一十四系上述事于本年三月，且言当时殷仲文为尚书，今从之。作《罪衅解尚书表》见《晋书》卷九十九《殷仲文传》："帝初反正，抗表自解曰……诏不许。"

陶渊明任江州刺史、建威将军刘敬宣参军，作《乙巳岁三月为建威参军使都经钱溪诗》。为彭泽令。妹程氏卒，辞官，作《归去来兮辞》并序。《宋书》卷九十三《陶潜传》："（陶渊明）复为镇军、建威参军。谓亲朋曰：'聊欲弦歌，以为三径之资，可乎？'执事者闻之，以为彭泽令。公田悉令吏种秫稻。妻子固请种粳，乃使二顷五十亩种秫，五十亩种粳。郡遣督邮至，县吏白应束带见之。潜叹曰：'我不能为五斗米折腰向乡里小人。'即日解印绶去职。赋《归去来》，其辞曰……"又卷四十七《刘敬宣传》："桓歆率氐贼杨秋寇历阳，敬宣与建威将军诸葛长民大破之。歆单骑走渡淮，斩杨秋于练固而还。迁建威将军、江州刺史。敬宣固辞，言于高祖曰……不许。敬宣既至江州，课集军粮……其年，桓玄兄子亮自号江州刺史，寇豫章；亮又遣苻宏寇庐陵，敬宣并讨破之。"《晋书》卷八十四《刘敬宣传》："与诸葛长民破桓歆于苻陵，迁建威将军、江州刺史,镇寻阳。"《宋书》卷一《武帝纪上》,系破桓歆于上年四月。刘敬宣于上年破桓歆以后,继诸葛长民任建威将军,至本年仍任建威将军,所以本年三月陶渊明为刘敬宣建威参军。《乙巳岁三月为建威参军使都经钱溪诗》见《晋诗》卷十六。《归去来兮辞》见《全晋文》卷一百十一,序云:"余家贫,耕植不足以自给。幼稚盈室,瓶无储粟,生生所资,未见其术。亲故多劝余为长吏,脱然有怀,求之靡途。会有四方之事,诸侯以惠爱为德,家叔以余贫苦,遂见用于小邑。于时风波未静,心惮远役,彭泽去家百里,公田之利,足以为酒,故便求之。及少日,眷然有归与之情,何则?质性自然,非矫厉所得。饥冻虽切,违己交病,尝从人事,皆口腹自役。于是怅然慷慨,深愧平生之志。犹望一稔,当敛裳宵逝。寻程氏妹丧于武昌,情在骏奔,自免去职。仲秋至冬,在官八十余日。因事顺心,命篇曰《归去来兮》,乙巳岁十一月也。"

四月

卢循任广州刺史、平越中郎将。《晋书》卷一百《卢循传》:"时朝廷新诛桓氏,中外多虞,乃权假循征虏将军、广州刺史、平越中郎将。"《资治通鉴》卷一百一十四系上述事在本年四月。

五月

刘毅任豫州刺史。此前作《启还终丧表》。《晋书》卷八十五《刘毅传》:"初,毅丁忧在家,及义旗初兴,遂墨绖从事。至是,军役渐宁,上表乞还京口,以终丧礼,曰……不许。诏以毅为都督豫州扬州之淮南历阳庐江安丰堂邑五郡诸军事、豫州刺史,持节、将军、常侍如故,本府文武悉令西属。"《资治通鉴》卷一百一十四:"五月……诏以毅为都督淮南等五郡军事,豫州刺史。"

本年

慧远作《与晋安帝书》《答秦主姚兴书》。《高僧传》卷六《释慧远传》:"晋安帝自江陵旋于京师,辅国何无忌劝远候觐,远称疾不行,帝遣使劳问,远修书曰……诏答……"又本传:"秦主姚兴钦德风名,叹其才思,致书殷勤,信饷连接,赠以龟兹国细缕杂变像,以申款心。又令姚嵩献其珠像,《释论》新出,兴送论并遗书曰:'《大智论》新译讫,此既龙树所作,又是方等旨归,宜为一序以申作者之意。然此诸道士,咸相推谢,无敢动手,法师可为作序,以贻后之学者。'远答书云……远常谓:'《大智论》文句繁广,初学难寻。'乃抄其要文,撰为二十卷,序致渊雅,使夫学者息过半之功矣。"据《汉魏两晋南北朝佛教史》上册第256页,鸠摩罗什译《大智论》于本年。

顾恺之任散骑常侍,作《拜员外散骑常侍表》。《晋书》卷九十二《顾恺之传》:"义熙初,为散骑常侍,与谢瞻连省,夜于月下长咏,瞻每遥赞之,恺之弥自力忘倦。瞻将眠,令人代己,恺之不觉有异,遂申旦而止。"《拜员外散骑常侍表》现在仅存三句，见《全晋文》卷一三五。

徐广撰《车服仪注》，除镇军咨议参军等职，领著作郎。《宋书》卷五十五《徐广传》："义熙初，高祖使撰车服仪注，乃除镇军咨议参军，领记室。封乐成县五等侯。转员外散骑常侍，领著作郎。"卷十八《礼志五》："晋立服制令，辨定众仪，徐广《车服注》，略明事目，并行于今者也。"

有《义熙初童谣》。《晋书》卷二十八《五行志中》："安帝义熙初，童谣曰……其时官养卢龙，宠以金紫，奉以名州，养之极也。而龙不能怀我好音，举兵内伐，遂成仇敌也。'芦生不止自成积'，及卢龙之败，斩伐其党，犹如草木以成积也。"

傅亮任员外散骑侍郎，转领军长史。《宋书》卷四十三《傅亮传》："义熙元年，除员外散骑侍郎，直西省，典掌诏命。转领军长史，以中书郎滕演代之。亮未拜，遭母忧。"傅亮转领军长史的具体时间不详，姑系于此。

僧肇著《般若无知论》。《高僧传》卷六《释僧肇传》："姚兴命肇与僧睿等入逍遥园，助详定经论，肇以去圣久远，文义多杂，先旧所解时有乖谬，及见什咨禀，所悟更多，因出《大品》之后，肇便著《般若无知论》，凡二千余言，竟以呈什，什读之称善，乃谓肇曰：'吾解不谢子，辞当相挹。'"《汉魏两晋南北朝佛教史》上册，第233页，认为僧肇译出《般若无知论》的时间在403至405年之间。

戴颙求海虞令，出居吴下。著《逍遥论》，注释《礼记·中庸》。《宋书》卷九十三《戴颙传》："（戴）勃疾患，医药不给。颙谓勃曰：'颙随兄得闲，非有心于默语。兄今疾笃，无可营疗，颙当干禄以自济耳。'乃告时求海虞令，事垂行而勃卒，乃止。桐庐僻远，难以养疾，乃出居吴下。吴下士人共为筑室，聚石引水，植林开涧，少时繁密，有若自然。乃述庄周大旨，著《逍遥论》，注《礼记·中庸》篇。三吴将守及郡内衣冠要其同游野泽，堪行便往，不为矫介，众论以此多之。"戴颙求出居吴下具体时间未详，当在其兄戴勃卒后，姑系于此。

裴松之任吴兴故鄣令。《宋书》卷六十四《裴松之传》："义熙初，为吴兴故鄣令，在县有绩。入为尚书祠部郎。"

丘渊之作《赠记室羊徽其属疾在外诗》六章。丘渊之生卒年不详。《宋书》卷八十一《顾琛传》："宋世江东贵达者，会稽孔季恭，季恭子灵符，吴兴丘渊之及琛，吴音不变。渊之字思玄，吴兴乌程人也。"《赠记室羊徽其属疾在外诗》六章见《宋诗》卷五，《宋书》卷六十二《羊徽传》："字敬猷，世誉多欣。高祖镇京口，以为记室参军掌事。"则羊徽本年任记室参军，则丘渊之的诗当作于此时。

雷次宗入庐山，师事慧远。《宋书》卷九十三《雷次宗传》："少入庐山，事沙门释慧远，笃志好学，尤明《三礼》《毛诗》，隐退不交世务。本州辟从事，员外散骑侍郎征，并不就。与子侄书以言所守，曰：'……吾少婴羸患，事钟养疾，为性好闲，志栖物表，故虽在童稚之年，已怀远迹之意。暨于弱冠，遂托业庐山，逮事释和尚。于时师友渊源，务训弘道，外慕等夷，内怀悱发，于是洗气神明，玩心坟典，勉志勤躬，夜以继日。爰有山水之好，悟言之欢，实足以通理辅性，成夫耄耋之业，乐以忘忧，不知朝日之晏矣……'"雷次宗本年二十岁，今据"暨于弱冠，遂托业庐山"，系上述事于本年。

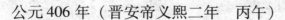

公元406年（晋安帝义熙二年　丙午）

六月

徐广作《殷祭议》。受敕撰写国史。《宋书》卷十六《礼志三》："晋安帝义熙二年六月，白衣领尚书左仆射孔安国启云：'元兴三年夏，应殷祠……'员外散骑侍郎领著作郎徐广议……"卷五十五《徐广传》："（义熙）二年，尚书奏曰：'……臣等参详，宜敕著作郎徐广撰成国史。'诏曰：'先朝至德光被，未著方策，宜流风缅代，永贻将来者也。便敕撰集。'"

御史中丞范泰作《殷祭议》。《宋书》卷十六《礼志三》："晋安帝义熙二年六月，白衣领尚书左仆射孔安国启云：'……御史中丞范泰议……就如所言，有丧可殷……'安国又启：'范泰云……泰为宪司，自应明审是非，群臣所启不允，即当责失奏弹，而愆堕稽停，遂非忘旧。请免泰、瑾官。'丁巳，诏皆白衣领职。"又卷六十《范泰传》："又除长沙相，散骑常侍，并不拜。入为黄门郎，御史中丞。坐议殷祠事谬，白衣领职。出为东阳太守。"范泰除长沙相，出为东阳太守的具体时间不详，姑系于此。

夏

鸠摩罗什于长安译《法华经》，出《维摩经》，译《华手经》。《汉魏两晋南北朝佛教史》上册第214页：鸠摩罗什于本年夏在大寺译《法华经》八卷。是年并在大寺出《维摩经》……又译《华手经》十卷。

八月

殷仲文迁东阳太守。《晋书》卷九十九《殷仲文传》："忽迁为东阳太守，意弥不平。刘毅爱才好士，深相礼接，临当之郡，游宴弥日。行至富阳，慨然叹曰：'看此山川形势，当复出一伯符。'何无忌甚慕之。东阳，无忌所统，仲文许当便道修谒，无忌故益钦迟之，令府中命文人殷阐、孔宁子之徒撰义构文，以俟其至。仲文失志恍惚，遂不过府。无忌疑其薄己，大怒，思中伤之。时属慕容超南侵，无忌言于刘裕曰：'桓胤、殷仲文并乃腹心之疾，北虏不足为忧。'"殷仲文迁东阳太守之时，正值"慕容超南侵"，据《资治通鉴》卷一百一十四记载，慕容超本年八月南侵。

十月

刘裕作《上言乞正封赏》，被封为豫章郡公。《宋书》卷一《武帝纪上》："（义熙）二年三月，督交、广二州。十月，高祖上言曰……于是尚书奏封唱义谋主镇军将军讳豫章郡公，食邑万户，赐绢三万匹。其余封赏各有差。镇军府佐吏，降故太傅谢安府一等。十一月，天子重申前令，加高祖侍中，进号车骑将军、开府仪同三司。固让。诏遣百僚敦劝。"《晋书》卷十《安帝纪》："冬十月，论匡复之功，封车骑将军刘裕为豫章郡公。"

刘毅封南平郡开国公，作《镇姑孰表》。《晋书》卷十《安帝纪》："冬十月，论匡复之功，封车骑将军刘裕为豫章郡公、抚军将军刘毅南平郡公。"卷八十五《刘毅传》："以匡复功，封南平郡开国公，兼都督宣城军事，给鼓吹一部。梁州刺史刘稚反，毅遣将讨擒之。初，桓玄于南州起斋，悉画盘龙于其上，号为盘龙斋。毅小字盘龙，至是，遂居之。"《南齐书》卷十四《州郡志上》："义熙二年，刘毅复镇姑孰。上表曰……"

　　周续之被任命为抚军参军，征太学博士，并不就。《宋书》卷九十三《周续之传》："刘毅镇姑孰，命为抚军参军，征太学博士，并不就。"

　　何承天为刘毅行参军。《宋书》卷六十四《何承天传》："抚军将军刘毅镇姑孰，版为行参军。毅尝出行，而鄱陵县吏陈满射鸟，箭误中直帅，虽不伤人，处法弃市。承天议曰：'狱贵情断，疑则从轻……今满意在射鸟，非有心于中人。按律过误伤人，三岁刑，况不伤乎？微罚可也。'出补宛陵令。赵恢为宁蛮校尉、寻阳太守，请为司马。寻去职。"何承天当在本年任刘毅参军，其出补宛陵令具体时间不详，姑系于此。

本年

　　谢灵运任刘毅记室参军，常与从叔谢混及从弟谢瞻、谢晦等于乌衣巷赏会宴游。谢混时为领军将军。《宋书》卷六十七《谢灵运传》："抚军将军刘毅镇姑孰，以为记室参军。"《南史》卷二十《谢弘微传》："义熙初……混风格高峻，少所交纳，唯与族子灵运、瞻、晦、曜、弘微以文义赏会，常共宴处，居在乌衣巷，故谓之乌衣之游。混诗所言'昔为乌衣游，戚戚皆亲姓'者也。其外虽复高流时誉，莫敢造门。瞻等才辞辩富，弘微每以约言服之，混特所敬贵，号曰微子。谓瞻等曰：'汝诸人虽才义丰辩，未必皆惬众心，至于领会机赏，言约理要，故当与我共推微子。常言"阿远刚躁负气，阿客博而无检，曜仗才而持操不笃，晦自知而纳善不周。设复功济三才，终亦以此为恨。至如微子，吾无间然"。又言"微子异不伤物，同不害正，若年造六十，必至公辅"。'尝因酾燕之余，为韵语以奖劝灵运、瞻等曰……灵运、瞻等并有诫厉之言，唯弘微独尽褒美。曜，弘微兄，多其小字。"上述事并非一时之事，时间未详，《南史》和《宋书》均序于"义熙初"，姑系于此。《晋书》卷七十九《谢混传》："历领军将军。"《东晋将相大臣年表》系谢混为领军将军于本年。

　　有《义熙初小儿谣》《义熙初谣》。《晋书》卷二十八《五行志中》："义熙二年，小儿相逢于道，辄举其两手曰……次曰……末曰……当时莫知所谓。其后卢龙内逼，舟舰盖川，'健健'之谓也。既至查浦，屡克期欲与官斗，'斗叹'之应也。'翁年老'，群公有期颐之庆，知妖逆之徒自然消殄也。其时复有谣言曰……卢龙果败，不得入石头也。"

　　陶渊明作《归园田居诗》五首。《归园田居诗》五首见《晋诗》卷十七。吴人杰《陶渊明年谱》："有《归园田居诗》五首。味其诗，盖自彭泽归明年所作也。首篇云：'误落尘网中，一去三十年。'按太元癸卯，先生出仕为州祭酒，至乙巳去彭泽而归，才甲子一周，不应云三十年，当作'一去十三年'。"

　　王韶之撰成《晋安帝阳秋》，除著作佐郎。《南史》卷二十四《王韶之传》："得父

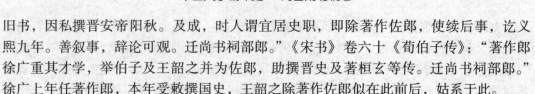

旧书，因私撰晋安帝阳秋。及成，时人谓宜居史职，即除著作佐郎，使续后事，讫义熙九年。善叙事，辞论可观。迁尚书祠部郎。"《宋书》卷六十《荀伯子传》："著作郎徐广重其才，举伯子及王韶之并为佐郎，助撰晋史及著桓玄等传。迁尚书祠部郎。"徐广上年任著作郎，本年受敕撰国史，王韶之除著作佐郎似在此前后，姑系于此。

袁豹转司徒左西属，迁抚军咨议参军，领记室。作《大田议》。《宋书》卷五十二《袁豹传》："岁余，转司徒左西属，迁刘毅抚军咨议参军，领记室。毅时建议大田，豹上议曰……豹善言雅俗，每商较古今，兼以诵咏，听者忘疲。"袁豹转司徒左西属等职的具体时间不详，今据其任建威司马"岁余，转司徒左西属"，姑系于此。

公元 407 年（晋安帝义熙三年　丁未）

二月

刘裕还京师，诣阙陈让。《宋书》卷一《武帝纪上》："三年二月，高祖还京师……旋于丹徒。闰月……乃诛（殷）仲文及仲文二弟。凡桓玄余党，至是皆诛夷。"

闰二月

殷仲文被斩首。《晋书》卷九十九《殷仲文传》："义熙三年，又以仲文与骆球等谋反，及其弟南蛮校尉叔文伏诛。仲文时照镜不见其面，数日而遇祸。"卷十《安帝纪》："三年春二月己酉，车骑将军刘裕来朝。诛东阳太守殷仲文、南蛮校尉殷叔文、晋陵太守殷道叔、永嘉太守骆球。"《宋书》卷一《武帝纪上》作闰二月，今从《宋书》。殷仲文是当时著名的文学家，《晋书·殷仲文传》："仲文善属文，为世所重，谢灵运尝云：'若殷仲文读书半袁豹，则文才不减班固。'言其文多而见书少也。"《诗品》卷下："义熙中，以谢益寿、殷仲文为华绮之冠；殷不竞矣。"《南齐书·文学传论》："仲文玄气，犹不尽除；谢混清新，得名未盛。"《文心雕龙·才略》："殷仲文之孤兴，谢叔源之闲情，并解散辞体，缥缈浮音，虽滔滔风流，而大浇文意。"他的诗歌还有很多玄言的残余。《世说新语·文学第四》注引《续晋阳秋》："仲文雅有才藻，著文数十篇。"《隋书》卷三十二《经籍志一》："东阳太守殷仲文……注《孝经》一卷。"丁国钧《补晋书艺文志》卷一："《论语解》，殷仲文。谨按，见皇侃《论语义疏》。"《隋书》卷三十五《经籍志四》："晋东阳太守《殷仲文集》七卷，梁五卷。"《晋诗》卷十四辑诗三首，上文未提及的还有：《送东阳太守诗》《入剡诗》。

五日，鸠摩罗什重订《禅法要》。本年译《自在王菩萨经》《小品般若经》。《汉魏两晋南北朝佛教史》上册第 214 页：本年闰月五日，什重订《禅法要》。是年姚显请译《自在王菩萨经》为二卷。《莫高窟年表》：本年鸠摩罗什"出《小品般若经》十卷"。

五月

陶渊明作《祭程氏妹文》。《祭程氏妹文》见《全晋文》卷一百十二，其云："维晋义熙三年五月甲辰，程氏妹服制再周，渊明以少牢之奠，俯而酹之。"

八月

刘裕表遣刘敬宣率众伐蜀。国子博士周祗作《与刘裕书谏伐蜀》。《晋书》卷十《安帝纪》："八月，遣冠军将军刘敬宣持节监征蜀诸军事。"《宋书》卷四十七《刘敬宣传》："高祖方大相宠任，欲先令立功。义熙三年，表遣敬宣率众五千伐蜀。国子博士周祗书谏高祖曰：'自义旗之建，所征无不必克，此可谓天人交助，信顺之征也。今大难已夷，君臣俱泰。顷五谷转丰，民无饥苦，劫盗之患，亦为弭息，比诚渐足无事，宜大宁治本……然益士荒残，野无青草，成都之内，殆无孑遗。计得彼利，与今行军之费，不足相补也……不从。'"

十月

南燕慕容超以太乐伎献姚兴。《魏书》卷一百九《乐志》："永嘉已下，海内分崩，伶官乐器，皆为刘聪、石勒所获，慕容俊平冉闵，遂克之。王猛平邺，入于关右。苻坚既败，长安纷扰，慕容永之东也，礼乐器用多归长子，及垂平永，并入中山。"《隋书》卷十五《音乐志下》："慕容垂破慕容永于长子，尽获苻氏旧乐。垂息为魏所败，其钟律令李佛等，将太乐细伎，奔慕容德于邺。德迁都广固，子超嗣立，其母先没姚兴，超以太乐伎一百二十人诣兴赎母。"《资治通鉴》卷一百一十四，太元十九年慕容垂破慕容永，太元二十年垂为魏所败。义熙三年十月，"南燕主超使左仆射张华、给事中宗正元献太乐伎一百二十人于秦，秦王兴乃还超母妻。"

十二月

西凉李暠作《复奉表》。郡僚勒铭于酒泉。刘昞作《酒泉铭》。《十六国春秋》卷九十一《西凉录一·李暠录》："建初三年，冬十二月，暠以前表未报，复遣沙门法泉间行奉表于晋，曰……暠既而迁酒泉，乃敦劝稼穑。郡僚以年谷频登，百姓乐业，请勒铭于酒泉。乃许之。于是使儒林祭酒刘昞为文，刻石颂德。"按，西凉建初三年即东晋义熙三年。

本年

宋文帝刘义隆生。《宋书》卷五《文帝纪》："太祖文皇帝讳义隆，小字车儿，武帝第三子也。晋安帝义熙三年，生于京口。"

慧远作《遣书通好鸠摩罗什》《重与鸠摩罗什书》。略问数十条事。此二书见《全晋文》卷一百六十一，写作的具体时间不详。《遣书通好鸠摩罗什》中有"去岁得姚左军书"句，张可礼《东晋文艺系年》第 706 页认为：《全晋文》卷一百六十有释僧睿《法华经后序》，弘始八年，称安城侯姚嵩为左将军，是姚嵩于上年已任左将军，慧远得姚嵩书或在上年，据此则系事于本年。《重与鸠摩罗什书》则云："去月法识道人至，闻君欲还本国，情以怅然。先闻君方当大出诸经，故未欲便相咨求。若此传不虚，众恨可言。今辄略问数十条事，冀有余暇，一一为释，此虽非经中之大难，要欲取决于

241

君耳。"当与上书作于一年。

公元408年（晋安帝义熙四年 戊申）

正月

刘毅等欲阻刘裕入朝辅政，议以中领军谢混为扬州刺史，未成。《宋书》卷四十二《刘穆之传》："义熙三年，扬州刺史王谧薨。高祖次应入辅，刘毅等不欲高祖入，议以中领军谢混为扬州。或欲令高祖于丹徒领州，以内事付尚书仆射孟昶。遣尚书右丞皮沈以二议咨高祖。沈先见穆之，具说朝议。穆之伪起如厕，即密疏白高祖曰……高祖从其言，由是入辅。"《宋书》卷一《武帝纪上》："（三年）十二月，司徒、录尚书、扬州刺史王谧薨。"本年正月，刘裕入辅朝政。

刘裕入朝辅政，任侍中、车骑将军、扬州刺史，录尚书。表解兖州。《宋书》卷一《武帝纪上》："四年正月，征公入辅，授侍中、车骑将军、开府仪同三司、扬州刺史、录尚书、徐兖二州刺史如故。表解兖州。先是，遣冠军刘敬宣伐蜀贼谯纵，无功而返。九月，以敬宣挫退，逊位，不许。乃降为中军将军，开府如故。"

诸葛长民作《请徙青州治京口表》。《南齐书》卷十四《州郡志上》："义熙二年，诸葛长民为青州，徙山阳。时鲜卑接境，长民表云……乃还镇京口。"《资治通鉴》卷一百一十四记载，义熙四年正月，诸葛长民任青州刺史，今从《通鉴》。

二月

六日，鸠摩罗什译《小品经》。《汉魏两晋南北朝佛教史》上册第215页：鸠摩罗什于本年二月六日至四月三十日，出《小品般若经》十卷。

夏

陶渊明家遭火灾，作《戊申岁六月中遇火诗》。《戊申岁六月中遇火诗》见《晋诗》卷十七，其云："正夏长风急，林室顿烧燔。一宅无遗宇，舫舟荫门前。迢迢新秋夕，亭亭月将圆。"此诗当作于本年七月。

本年

西凉李暠准史官记载祥瑞之事。著《槐树赋》。有出土文书《西凉建初四年秀才对策文》。《十六国春秋》卷九十一《西凉录·李暠录》："建初四年，时有白狼、白兔、白雀、白雉、白鸠，皆栖其园囿，群僚以为白祥，今精所诞，皆应时雍而至。又有神光、甘露、连理、嘉禾众瑞，请史官记其事，暠从之。初，河右不生楸、槐、柏、漆，张骏之世，取于秦陇而植之，终于皆死。至是，而酒泉宫之西北隅有槐树生焉，乃著《槐树赋》以寄情，盖叹僻陋遐方，立功非所也。遂命主簿梁中庸及儒林祭酒刘昞等并作。"《新疆考古三十年》第118页："《西凉建初四年秀才对策文》记三个应试的秀才马骘、张弘、还有一个名咨，姓不详。策问的题目已残缺，对策的一段是关于春秋战国时晋智伯联韩、魏攻赵的故事。从出土文书看，马骘是凉州秀才，张弘为护羌校尉秀才，咨的身份没注明。"

僧肇《般若无知论》传至庐山。《高僧传》："时庐山隐士刘遗民见肇此论，乃叹曰：'不意方袍，复有平叔。'因以呈远公。远乃抚机叹曰：'未尝有也。'因共披寻玩味，更存往复。"《汉魏两晋南北朝佛教史》上册第 233 页谓上述事可能发生在本年。

周续之从江州刺史游，注《高士传》。《宋书》卷九十三《周续之传》："江州刺史每相招请，续之不尚节峻，颇从之游。常以嵇康《高士传》得出处之美，因为之注。"《隋书》卷三十三《经籍志二》："《圣贤高士传赞》三卷，嵇康撰，周续之注。"上述事具体时间不详，据万斯同《东晋方镇年表》：何无忌于义熙二年至六年三月任江州刺史，上谓江州刺史当指何无忌。

公元 409 年（晋安帝义熙五年　己酉）

正月

庚戌，刘毅进拜卫将军、开府仪同三司。《晋书》卷十《元帝纪》："五年春正月辛卯，大赦。庚戌，以抚军将军刘毅为卫将军、开府仪同三司。"

三月

刘裕率师伐南燕。《宋书》卷一《武帝纪上》："初，伪燕王鲜卑慕容德僭号于青州，德死，兄子超袭位，前后数为边患。五年二月，大掠淮北，执阳平太守刘千载、济南太守赵元，驱略千余家。三月，公抗表北讨，以丹阳尹孟昶监中军留府事。四月，舟师发京都，溯淮入泗。五月，至下邳，留船舰辎重，步军进琅邪；所过皆筑城留守。鲜卑梁父、莒城二戍并奔走。"

周续之居建康安乐寺，为刘裕世子讲《礼》。《宋书》卷九十三《周续之传》："高祖之北讨，世子居守，迎续之馆于安乐寺，延入讲礼，月余，复还山。"

顾恺之作《祭牙文》。约卒于本年。《祭牙文》见《全晋文》卷一三五："维某年某月日，录尚书事、豫章公裕，敢告黄帝蚩尤五兵之灵……"《建康实录》卷十《安皇帝》：本年三月，"刘裕表伐南燕。甲午，建牙戒严。"《晋书》卷九十二《顾恺之传》："义熙初，为散骑常侍……年六十二，卒于官。"据此可知，顾恺之卒于义熙初年，最晚不可能超过本年。《世说新语·巧艺第二十一》："顾长康画人，或数年不点目精。人问其故，顾曰：'四体妍蚩，本无关于妙处；传神写照，正在阿堵中。'"又同卷："顾长康道画：'手挥五弦易，目送归鸿难。'"又同卷："谢太傅云：'顾长康画，有苍生来所无。'"《晋书·顾恺之传》："恺之每重嵇康四言诗，因为之图。"《晋书·顾恺之传》："所著文集及《启蒙集》行于世。"《启蒙集》，《三国志》卷三《明帝纪》注引作《启蒙注》，《太平御览》卷四十一引作《启蒙记注》，《文选》卷十一《游天台山赋》李善注引作《启蒙记注》。《隋书》卷三十二《经籍志一》："《启蒙记》三卷，晋散骑常侍顾恺之撰。"此书已佚，《玉函山房辑佚书》第七函有辑文九条；《隋书》卷三十二《经籍志一》："《启疑记》三卷，晋散骑常侍顾恺之撰。"卷三十五《经籍志四》："晋通直常侍《顾恺之集》七卷，梁二十卷。"《世说新语·文学第四》注引"顾恺之《晋文章记》曰……"《晋文章记》已佚；又《世说新语·赏誉第八》注引顾恺之《画赞》二条、《夷甫画赞》一条，《全晋文》未收；《世说新语·雅量第六》注引"顾恺之《书赞》"，已佚；《世说新语·夙惠第十二》注引"《顾恺之家传》曰……"已佚；《历代名画记》录有其画论：《魏晋胜流画赞》《论画》《画云台山记》《魏晋名臣画赞》；《高僧传》卷五《竺法旷传》有顾恺之的《竺法旷画赞》。《全晋文》卷一三五辑文十五篇，文学性较强者有：《雷电赋》《观涛赋》《冰赋》《湘中赋》《湘川赋》《筝赋》《风赋》《虎丘山序》《嵇康赞序》《水赞》等，其中顾恺之对《筝赋》颇为自负，《世说新语·文学第四》："或问顾长康：'君《筝赋》何如嵇康《琴赋》？'顾曰：'不赏者，作后出相遗。深识者，亦以高奇见贵。'"注引《中兴书》曰："恺之博学有才气，为人迟钝而自矜尚，为时所笑。"又注引《宋明帝文章志》曰："桓温云：'顾长康体中痴黠各半，合而论之，正平平耳。'世云有三绝，画绝、文绝、痴绝。"《晋诗》卷十四辑诗三首，上文没有提及的还有《神情诗》和诗。《神情诗》又见《陶渊明集》中，或作《四时诗》。钟嵘《诗品》卷中云："长康能以二韵答四首之美……文虽不多，气调警拔，吾许其进，则鲍照、江淹，未足逮止。越居中品，盖曰宜哉。"

六月

刘裕围广固，王诞作《伐广固祭牙文》。《宋书》卷一《武帝纪上》："六月，慕容超遣五楼及广宁王贺赖卢先据临朐城。既闻（刘裕）大军至，留羸老守广固，乃悉出。临朐有巨蔑水，去城四十里。"《宋书》卷五十二《王诞传》："除员外散骑常侍，未拜，高祖请为太尉咨议参军，转长史。尽心归奉，日夜不懈，高祖甚委仗之。北伐广固，领齐郡太守。"卷四十三《傅亮传》："高祖登庸之始，文笔皆是记室参军滕演；北征广固，悉委长史王诞。"《伐广固祭牙文》见《全晋文》卷十九，当作于刘裕率军攻广固之前。

九月

刘裕进太尉、中书监，固让。《宋书》卷一《武帝纪上》："七月，诏加公北青、冀二州刺史……九月，进公太尉、中书监，固让。"

陶渊明作《己酉岁九月九日诗》。见《晋诗》卷十七，诗云："靡靡秋已夕，凄凄风露交。蔓草不复荣，园本空自凋……杳蝉无留响，征雁鸣云霄。万化相寻绎，人生岂不劳……"当作于本年九月九日。

北魏崔浩拜经学祭酒，常授拓跋嗣经书。《魏书》卷三十五《崔浩传》："太宗初，拜博士祭酒，赐爵武城子，常授太宗经书。每至郊祠，父子并乘轩轺，时人荣之。太宗好阴阳术数，闻浩说《易》及《洪范》五行，善之，因命浩筮吉凶，参观天文，考定疑惑。浩综核天人之际，举其纲纪，诸所处决，多有应验。恒与军国大谋，甚为宠密。"卷三《太宗纪》："天赐六年冬十月，清河王绍作逆，太祖崩。帝入诛绍。壬申，即皇帝位，大赦，改年为永兴元年。"崔浩拜经学祭酒，在"太宗初"，姑系于此。

本年

鸠摩罗什译《中论》《十二门论》。《汉魏两晋南北朝佛教史》上册第 215 页：鸠摩罗什本年在大寺译《中论》四卷、《十二门论》一卷。

郑鲜之不屈意于刘毅。《宋书》卷六十四《郑鲜之传》："仍迁御史中丞。性刚直，不阿强贵，明宪直绳，甚得司直之体。外甥刘毅，权重当时，朝野莫不归附，鲜之尽心高祖，独不屈意于毅，毅甚恨焉。"具体时间不详，姑系于此。

袁豹转抚军司马，迁御史中丞。《宋书》卷五十二《袁豹传》："寻转抚军司马，迁御史中丞。鄱阳县侯孟怀玉上母檀氏拜国太夫人，有司奏许。豹以为妇人从夫之爵，怀玉父大司农绰见居列卿，妻不宜从子，奏免尚书右仆射刘柳、左丞徐羡之、郎何邵之官，诏并赎论。"据《东晋将相大臣年表》，刘柳于义熙五年至十一年任尚书右仆射。义熙六年袁豹任丹阳尹（详后），则袁豹转抚军司马，迁御史中丞当在任丹阳尹前，具体时间不详，姑系于此。

北魏高允好文学，博学，为郡功曹，作《塞上公诗》。《北史》卷三十一《高允传》："性好文学，担笈负书，千里就业。博通经史、天文、术数，尤好《春秋公羊》。曾作《塞上公诗》，有混欣戚、遗得丧之致。"《魏书》卷四十八《高允传》："郡召功曹。"以上事迹具体时间不详，高允本年二十岁，姑系于此。按，本年为永兴五年。

公元 410 年（晋安帝义熙六年　庚戌）

二月

刘裕攻克广固。作《请恤孟龙符表》。《宋书》卷一《武帝纪上》："六年二月丁亥，屠广固。（慕容）超逾城走，征虏贼曹乔胥获之，杀其亡命以下，纳口万余，马二千匹。送超京师，斩于建康市。"《晋书》卷十《安帝纪》："六年春二月丁亥，刘裕攻慕容超，克之，齐地悉平。"卷十二《天文志中》："六年二月，灭慕容超于鲁地。"《请恤孟龙符表》见《宋书》卷四十七《孟龙符传》："高祖伐广固，以龙符为车骑参军……军达临朐，与贼争水，龙符单骑冲突，应手破散，即据水源，贼遂退走。龙符乘胜奔逐，后骑不及……遂见害，时年三十三。高祖深加痛悼，追赠青州刺史。又表曰……"

卢循举兵反，寇江州，入庐山见慧远。《宋书》卷一《武帝纪上》："公之北伐也，徐道覆仍有窥窬之志，劝卢循乘虚而出，循不从。道覆乃至番禺说循曰：'本住岭外，岂以理极于此，正以刘公难与为敌故也。今方顿兵坚城之下，未有旋日。以此思归死士，掩袭何、刘之徒，如反掌耳……'循从之，乃率众过岭。"《晋书》卷十《安帝纪》："六年春二月丁亥，刘裕攻慕容超，克之，齐地悉平。是月，广州刺史卢循反，寇江州。"入庐山见慧远见下条。

慧远与卢循欢然道旧。请佛陀跋多罗出禅经，作《庐山出修行方便禅经统序》。《高僧传》卷六《释慧远传》："卢循初下据江州城，入山诣远。远少与循父瑕同为书

245

生，及见循，欢然道旧，因朝夕音问。僧有谏远者曰：'循为国寇，与之交厚得不疑乎？'远曰：'我佛法中情无取舍。岂不为识者所察？此不足惧。'及宋武追讨卢循设帐桑尾，左右曰：'远公素主庐山，与循交厚。'宋武曰：'远公世表之人，必无彼此。乃遣使赍书致敬，并遗钱米。'于是远近方服其明见。"《汉魏两晋南北朝佛教史》上册第243页：义熙六七年顷……佛陀跋多罗在长安被摈，南至匡山，远公请出禅经。《庐山出修行方便禅经统序》见《全晋文》卷一百六十二，可能作于佛陀跋多罗出禅经之后。

刘裕班师还击卢循。遣使向慧远致敬。《宋书》卷一《武帝纪上》："是月（二月），寇南康、庐陵、豫章，诸郡守皆委任奔走。于时平齐问未至，既驰使征公。公之初克齐也，欲停镇下邳，清荡河、洛，既而被征使至，即日班师。"刘裕遣使向慧远致敬，见上条。

四月

刘裕作《与刘毅书》，止刘毅讨伐卢循。《宋书》卷一《武帝纪上》："四月癸未，公至京师，解严息甲。抚军将军刘毅抗表南征，公与毅书曰……又遣毅从弟藩往止之。"

卢循逼京都，诸葛长民保卫京师，作《劾郭澄之表》。《晋书》卷十《安帝纪》："夏四月，青州刺史诸葛长民、兖州刺史刘藩、并州刺史刘道怜乃入卫京师。"卷八十五《诸葛长民传》："及何无忌为徐道覆所害，贼乘胜逼京师，朝廷震骇，长民率众人卫京都，因表曰：'妖贼集船伐木，而南康相郭澄之隐蔽经年，又深相保明……'诏原澄之。及卢循之败刘毅也，循与道覆连旗而下，京都危惧，长民劝刘裕权移天子过江。裕不听。"

刘义隆镇守京师。《宋书》卷五《文帝纪》："卢循之难，上年四岁，高祖使咨议参军刘粹辅上镇京城。"

五月

刘毅为卢循所败，降为后将军。《晋书》卷十《安帝纪》："五月丙子，大风，拔木。戊子，卫将军刘毅及卢循战于桑落洲，王师败绩。"卷八十五《刘毅传》："及何无忌为卢循所败，贼军乘胜而进，朝廷震骇。毅具舟船讨之，将发，而疾笃，内外失色。朝议欲奉乘舆北就中军刘裕，会毅疾瘳，将率军南征，裕与毅书曰……又遣毅从弟藩往止之。毅大怒，谓藩曰……投书于地。遂以舟师二万发姑孰……次于桑落洲，与贼战，败绩，弃船，以数百人步走，余众皆为贼所虏，辎重盈积，皆弃之……及裕讨循，诏毅知内外留事。毅以丧师，乞解任，降为后将军。"

傅亮作《为刘毅军败自解表》。此表见《艺文类聚》卷五十四，当作于本年五月刘毅败于桑落洲后。

刘裕军次石头，卢循惧。《宋书》卷一《武帝纪上》："五月，刘毅败绩于桑落洲……循至寻阳，闻公（指刘裕）已还，不信也。既破毅，乃审凯入之问，并相视失色。循欲退还寻阳，进平江陵，据二州以抗朝廷。道覆谓宜乘胜径进，固争之。疑议多日，乃见从……（刘裕）移屯石头……既而群贼大至……道覆欲自新亭、白石焚舟而上。循多疑少决，每欲以万全为虑。"《晋书》卷十《安帝纪》："五月丙子，大风，拔木……已未，大赦。乙丑，循至淮口，内外戒严……太尉刘裕次石头，梁王珍之屯南掖门，冠军将军刘敬宣屯北郊，辅国将军孟怀玉屯南岸，建武将军王仲德屯越城，广武将军刘怀默屯建阳门，淮口筑祖浦、药园、廷尉三垒以距之。"

　　袁豹任丹阳尹。《宋书》卷五十二《袁豹传》："孟昶卒，豹代为丹阳尹。"《晋书》卷十《安帝纪》："五月丙子，大风，拔木……尚书左仆射孟昶惧，自杀。"

　　谢混任尚书左仆射。《晋书》卷七十九《谢混传》："任尚书左仆射、领选。"具体时间不详，据卷十《安帝纪》记载，本年五月，尚书左仆射孟昶自杀，谢混当在孟昶卒后继任尚书左仆射。

　　范泰作《赠袁湛及谢混诗》。本年任镇武将军。《晋书》卷八十三《袁湛传》："湛字士深。少有操植，以冲粹自立，而无文华，故不为流俗所重。时谢混为仆射，范泰赠湛及混诗云：'亦有后出隽，离群颇骞翥。'湛恨而不答。"《宋书》卷六十《范泰传》："卢循之难，泰预发兵千人，开仓给稟，高祖加泰振武将军。"

七月

　　刘裕击败卢循，大治水军。《宋书》卷一《武帝纪上》："七月庚申，群贼自蔡洲南走，（刘裕）还屯寻阳。遣辅国将军王仲德、广川太守刘钟、河间太守蒯恩追之。公还东府，大治水军，皆大舰重楼，高者十余丈。"

　　卢循败走，后屡败，时有民谣。《晋书》卷十《安帝纪》："秋七月庚申，卢循遁走。甲子，使辅国将军王仲德、广川太守刘钟、河间内史蒯恩等帅众追之。是月，卢循寇荆州，刺史刘道规、雍州刺史鲁宗之等败之。又破徐道覆于华容，贼复走寻阳……十二月壬辰，刘裕破卢循于豫章。"《异苑》卷四："卢龙将寇乱京师，谣言……未几而败。"

八月

　　僧肇作《注维摩经序》、《答刘遗民书》，并遗以所注之《维摩经》。作《不真空论》《物不迁论》。《答刘遗民书》见《全晋文》卷一百六十四，其云："得去年十二月疏并问……八月十五日僧肇疏答……什法师以午年出《维摩经》。贫道时预德次，参承之暇，辄复条记成言，以为注解。辞虽不文，然义承有本。今因信持一本往南，君间详试可取看。"《汉魏两晋南北朝佛教史》上册第 233 页系《答刘遗民书》于本年。《高僧传》卷六《释僧肇传》："肇后又著《不真空论》《物不迁论》等，并注《维摩》及制诸经论序，并传于世。"《注维摩经序》见《全晋文》卷一百六十五，当作于本年。《不真空论》《物不迁论》见《全晋文》卷一百六十四，《汉魏两晋南北朝佛教史》上册第 409 页系于 410 年，姑系于此。

九月

陶渊明作《庚戌岁九月中于西田获早稻诗》。见《晋诗》卷十七，诗云："人生归有道，衣食固其端。孰是都不营，而以求自安。开春理常业，岁功聊可观。晨出肆微勤，日入负禾还。山中饶霜露，风气亦先寒。田家岂不苦，弗获辞此难。"当是本年九月中收获早稻时所作。

十一月

刘裕败卢循，作《敕孙季高》。《宋书》卷一《武帝纪上》："十一月，大破崇民军，焚其舟舰，收其散卒。循广州守兵，不以海道为防。是月，建威将军孙季高乘海奄至……季高焚贼舟舰，悉力而上，四面攻之，即日屠其城……初，公之遣季高也，众咸以海道艰远，必至为难；且分撤见力，二三非要。公不从。敕季高曰……季高受命而行，如期克捷。"

本年

郑鲜之授意治书侍御史弹劾刘毅。作《父疾去职议》。《宋书》卷六十四《郑鲜之传》："义熙六年，鲜之使治书侍御史丘洹奏弹毅曰：'上言传诏罗道盛辄开笺，遂盗发密事，依法弃市，奏报行刑，而毅以道盛身有侯爵，辄复停宥……'诏无所问。时新制长吏以父母疾去官，禁锢三年。山阴令沈叔任父疾去职，鲜之因此上议曰……从之。于是自二品以上父母没者，坟墓崩毁及疾病族属辄去，并不禁锢。"

徐广迁骁骑将军，作《献书宋公》。《宋书》卷五十五《徐广传》："六年，迁散骑常侍，又领徐州大中正，转正员常侍。时有风雹为灾，广献书高祖曰……"《校勘记》云："'散骑常侍'，《晋书》《南史》广传作'骁骑将军'。按下又云'转正员常侍'，正员常侍即散骑常侍。则此当从《晋书》《南史》改作'骁骑将军'为是。"

鸠摩罗什于大寺译新经，尝作颂，赠沙门法和。《汉魏两晋南北朝佛教史》上册第215页：约在本年，支发领赍西域所得新经至，鸠摩罗什于大寺译之。《高僧传》卷二《鸠摩罗什传》："初，沙门僧睿才识高明，常随什传写，什每为睿论西方辞体，商略同异云：'天竺国俗甚重文制，其宫商体韵，以入弦为善，凡觐国王必有赞德，见佛之仪，以歌叹为贵。经中偈颂，皆其式也。但改梵为秦，失其藻蔚，虽得大意，殊隔文体。有似嚼饭与人，非徒失味，乃令呕哕也。'什尝作颂，赠沙门法和云……凡为十偈，辞喻皆尔。什雅好大乘，志存敷广，常叹曰：'吾若着笔作大乘《阿毗昙》，非迦旃延子比也。今在秦地，深识者寡。折翮于此，将何所论。'乃凄然而止。唯为姚兴著《实相论》二卷，并注《维摩》。出言成章，无所删改，辞喻婉约，莫非玄奥。什为人神情朗彻，傲岸出群。应机领会，鲜有伦匹，且笃性仁厚，泛爱为心，虚己善诱，终日无倦。姚主常谓什曰：'大师聪明超悟，天下莫二。若一旦后世，何可使法种无嗣！'遂以妓女十人逼令受之。自尔以来，不住僧坊，别立廨舍，供给丰盈。每至讲说，常先自说。"上述事迹当在译新经前后，具体时间不详，姑系于此。

释宝云南下，至京师安止道场寺。《高僧传》卷三《释宝云传》："俄而禅师（佛驮跋陀）横为秦僧所摈，徒众悉同其咎，云亦奔散。会庐山释慧远解其摈事，共归京师，安止道场寺。众僧以云志力坚猛，弘道绝域，莫不披衿咨问，敬而爱焉。云译出新《无量寿》。晚出诸经，多云所治定。华戎兼通，音训允正。云之所定，众咸信服。"释宝云南下的时间，《汉魏两晋南北朝佛教史》上册第 275 页，定在本年或明年，姑系于此。

公元 411 年（晋安帝义熙七年　辛亥）

正月

刘裕征卢循凯旋京师，抑制豪强。《宋书》卷二《武帝纪中》："七年正月己未，振旅于京师，改授大将军、扬州牧，给班剑二十人，本官悉如故，固辞……晋自中兴以来，治纲大弛，权门并兼，强弱相凌，百姓流离，不得保其产业。桓玄颇欲厘改，竟不能行。公既作辅，大示轨则，豪强肃然，远近知禁。"

安帝因刘裕凯旋，宴群臣，令赋诗。刘毅作《西池应诏赋诗》。《晋书》卷八十五《刘毅传》："初，裕征卢循，凯归，帝大宴于西池，有诏赋诗。毅诗云：'六国多雄士，正始出风流。'自知武功不竞，故示文雅有余也。"《资治通鉴》卷一百一十六："春，正月，己未，刘裕还建康。"

三月

刘裕任太尉、中书监。表天子依旧策试秀才、孝廉。《宋书》卷二《武帝纪中》："于是改授太尉、中书监，乃受命。奉送黄钺，解冀州。交州刺史杜慧度斩卢循，传首京师。先是，诸州郡所遣秀才、孝廉，多非其人，公表天子，申明旧制，依旧策试。"《资治通鉴》卷一百一十六："三月，刘裕始受太尉、中书监。"

刘穆之转中军太尉司马，深受刘裕信任，劝刘裕习书法。《宋书》卷四十二《刘穆之传》："刘毅等疾穆之见亲，每从容言其权重，高祖愈信仗之。穆之外所闻见，莫不大小必白，虽复间里言谑，途陌细事，皆一二以闻。高祖每得民间委密消息以示聪明，皆由穆之也。又爱好宾游，坐客恒满，布耳目以为视听，故朝野同异，穆之莫不必知。虽复亲昵短长，皆陈奏无隐。人或讥之，穆之曰：'以公之明，将来会自闻达。我蒙公恩，义无隐讳，此张辽所以告关羽欲叛也。'高祖举止施为，穆之皆下节度。高祖书素拙，穆之曰：'此虽小事，然宣彼四远，愿公小复留意。'高祖既不能厝意，又禀分有在。穆之乃曰：'便纵笔为大字，一字径尺，无嫌。大既足有所包，且其势亦美。'高祖从之，一纸不过六七字便满……穆之与朱龄石并便尺牍，常于高祖坐与龄石答书。自旦至日中，穆之得百函，龄石得八十函，而穆之应对无废也。转中军太尉司马。"刘穆之转中军太尉司马，当在刘裕受太尉之后。

谢混衣冠轻纵见刘裕。《建康实录》卷十《安皇帝》："时刘裕拜太尉，既拜，朝贤毕集，混后来，衣冠轻纵，有傲慢之容。裕不平，乃谓曰：'谢仆射今日可谓傍若无人。'混对曰：'明公将隆伊、周之礼，方使四海开衿，谢混何人，而敢独异乎？'乃以手披拨其衿领，悉解散。裕大悦之。"

孔琳之补太尉主簿、尚书左丞、扬州治中从事史。作《建言便宜》。《宋书》卷五十六《孔琳之传》："服阕，补太尉主簿，尚书左丞，扬州治中从事史，所居著绩。时责众官献便宜，议者以为宜修庠序，恤典刑，审官方，明黜陟，举逸拔才，务农简调。琳之于众议之外，别建言曰……"孔琳之补太尉主簿当在本年三月，刘裕为太尉之后，其余事迹当在此后不久，姑系于此。

陶渊明作《与殷晋安别诗》。《与殷晋安别诗》见《晋诗》卷十六，诗序云："殷先作晋安南府长史掾，因居浔阳。后作太尉参军。移家东下，作此以赠。"诗云："去岁家南里，薄作少时邻。负杖肆游从，淹留忘宵晨。语默自殊势，亦知当乖分。未谓事已及，兴言有兹春。"《宋书》卷六十三《殷景仁传》："初为刘毅后军参军，高祖太尉行参军。建议宜令百官举才，以所荐能否为黜陟。"殷景仁为刘毅后军参军的时间，当在去年刘毅降为后将军之后。殷景仁为太尉行参军，当在本年三月刘裕为太尉后，陶渊明诗当作于本年春。

何承天任太尉行参军。《宋书》卷六十四《何承天传》："高祖以为太尉行参军。"当在本年刘裕为太尉之后，姑系于此。

四月

刘毅任江州都督，作《请移江州军府于豫章表》，倾意搜求书法之作。《晋书》卷八十五《刘毅传》："寻转卫将军、开府仪同三司、江州都督。毅上表曰……于是解悦，毅移镇豫章。"虞龢《论书表》："刘毅颇尚风流，亦深爱书，倾意搜求，及将败，大有所得。"《资治通鉴》卷一百十六：夏四月，刘毅任江州都督。

卢循投水死。《晋书》卷一百《卢循传》："（刘）裕乘胜击之，循单舸而走，收散卒得千余人，还保广州。裕先遣孙处从海道据番禺城，循攻之不下。道覆保始兴，因险自固。循乃袭合浦，克之，进攻交州。至龙编，刺史杜慧度谲而败之。循势屈，知不免，先鸩妻子十余人……因自投于水。慧度取其尸斩之，及其父暇；同党尽获，传首京都。"《晋书》卷十《安帝纪》："夏四月，卢循走交州，刺史杜慧度斩之。"

八月

陶渊明作《祭从弟敬远文》。见《全晋文》卷一百十二，其云："岁在辛亥，月惟仲秋，旬有九日，从弟敬远，卜辰云窆。"

九月

鸠摩罗什始译《成实论》。《汉魏两晋南北朝佛教史》上册第215页：本年九月八日，姚显请鸠摩罗什译《成实论》，昙晷笔受，昙影正写。

本年

傅亮迁散骑侍郎。《宋书》卷四十三《傅亮传》："七年，迁散骑侍郎，复代演直西省。仍转中书黄门侍郎，直西省如故。"

谢灵运见慧远。《高僧传》卷六《释慧远传》："陈郡谢灵运，负才傲俗，少所推崇，及一相间，肃然心服。"上述记载时间、地点不详。张可礼《东晋文艺系年》第735 页："考有关灵运生平资料，灵运见慧远，仅此一次，当是灵运任刘毅记室、本年随刘毅至江州后，特上庐山拜见慧远。"

孔宁子任太尉主簿，作《陈损益》。《宋书》卷六十三《王华传》："宁子先为高祖太尉主簿，陈损益曰……"孔宁子任太尉主簿，当在本年三月刘裕始任太尉之后。

裴松之入为尚书祠部郎，作《请禁私碑表》。《宋书》卷六十四《裴松之传》："入为尚书祠部郎。松之以世立私碑，有乖事实，上表陈之曰……"卷十五《礼志二》："汉以后，天下送死奢靡，多做石室石兽碑铭等物……义熙中，尚书祠部郎中裴松之又议禁断。"具体时间不详，今据"义熙中"，姑系于此。

袁豹降为太尉咨议参军。《宋书》卷五十二《袁豹传》："义熙七年，坐使徙上钱，降为太尉咨议参军，仍转长史。"

公元 412 年（晋安帝义熙八年　壬子）

五月

慧远为佛影立台。《高僧传》卷六《释慧远传》："远闻天竺有佛影，是佛昔化毒龙所留之影，在北天竺月氏国那竭呵城南，古仙人石室中，经道取流沙西一万五千八百五十里，每欣感交怀，志欲瞻睹。会有西域道士，叙其光相。远乃背山临流，营筑龛室，妙算画工，淡彩图写，色疑积空，望似烟雾。晖相炳炯，若隐而显。远乃著铭曰……"《全晋文》卷一百六十二辑有慧远《万佛影铭并序》："远昔寻先师，奉侍历载，虽启蒙兹训，托志玄籍，每想奇闻，以笃其诚。遇西域沙门，辄餐游方之说，故知有佛影，而传者尚未晓然。反在此山，值罽宾禅师，南国律学道士，与昔闻既同，并是其人游历所经因其详问，乃多有先，微然后验。神道无方，触像而寄，百虑所会，非一时之感。于是悟彻其诚，应深其信，将援同契，发其真趣，故与夫随喜之贤，图而铭焉……晋义熙八年岁在壬子五月一日，共立此台，拟像本山，因即以寄诚。虽成由人匠，而功无所加。"

八月

范泰徙太常，作《临川王道规嗣议》。《宋书》卷六十《范泰传》："徙为太常。初，司徒道规无子，养太祖，及薨，以兄道怜第二子义庆为嗣。高祖以道规素爱太祖，又令居重。道规追封南郡公，应以先华容县公赐太祖。泰议曰……从之。"《临川王道规嗣议》当作于本年，《晋书》卷十《安帝纪》："秋七月……庚子，征西大将军刘道规卒。"校勘记云："七月己巳朔，无庚子，《通鉴》一一六作'闰月'，《建康实录》

一〇作'八月',俱有庚子,未知孰是。"姑系于此。

九月

刘裕作《矫晋安帝诏》,讨刘毅。《晋书》卷十《安帝纪》:"九月癸酉……己卯,太尉刘裕害右将军兖州刺史刘藩、尚书左仆射谢混。庚辰,裕矫诏曰:'刘毅苞藏祸心,构逆南夏,藩、混助乱,志肆奸宄。赖宁辅玄鉴,抚机挫锐,凶党即戮,社稷乂安。夫好生之德,所因者本,肆眚覃仁,实资玄泽。况事兴大憝,祸自元凶。其大赦天下,唯刘毅不在其例。普增文武位一等。孝顺忠义,隐滞遗逸,必令闻达。'己丑,刘裕师师讨毅。"

刘毅任卫将军、荆州刺史,作《请兼督交广表》,加督交、广二州。被刘裕所败,自缢。《晋书》卷十《安帝纪》:"己丑,刘裕师师讨毅。裕参军王镇恶陷江陵城,毅自杀。"卷八十五《刘毅传》:"俄进毅为都督荆宁秦雍四州之河东河南广平扬州之义成四郡诸军事、卫将军、开府仪同三司、荆州刺史,持节、公如故。毅表……于是加督交、广二州……刘裕以毅贰于己,乃奏之。安帝下诏:'刘毅傲狠凶戾,履霜日久,中间覆败,宜即显戮……'刘裕自率众讨毅……毅众乃散,毅自北门单骑而走,去江陵二十里而缢。经宿,居人以告,乃斩于市,子侄皆伏诛。"《晋书》本传又云:"毅刚猛沉断,而专肆很愎,与刘裕协成大业,而功居其次,深自矜伐,不相推伏。及居方岳,常快快不得志,裕每柔而顺之。毅骄纵滋甚,每览史籍,至蔺相如降屈于廉颇,辄绝叹以为不可能也。尝云:'恨不遇刘项,与之争中原'……众咸恶其陵傲不逊。"

谢灵运转为刘毅卫军从事中郎。毅伏诛,任刘裕太尉参军。《宋书》卷六十七《谢灵运传》:"毅镇江陵,又以为卫军从事中郎。毅伏诛,高祖版为太尉参军,入为秘书丞,坐事免。"

谢混被收入狱,赐死。《晋书》卷八十五《刘毅传》:"刘裕以毅贰于己,乃奏之。安帝下诏曰:'……尚书左仆射谢混凭藉世资,超蒙殊遇,而轻佻躁脱,职为乱阶,扇动内外,连谋万里。是而可忍,孰不可怀!'乃诛藩、混。"卷十《安帝纪》:"九月癸酉……己卯,太尉刘裕害右将军兖州刺史刘藩、尚书左仆射谢混。庚辰,裕矫诏曰:'刘毅苞藏祸心,构逆南夏,藩、混助乱,志肆奸宄……'"谢混是东晋后期转变诗风的文学家,《宋书·谢灵运传论》:"叔源大变太玄之气。"《诗品·总论》:"逮义熙中,谢益寿斐然继作",肯定谢混的山水诗对改变"平典"的玄言诗风的贡献。当然,谢混的诗还有许多玄言的残余,《文心雕龙·才略》:"殷仲文之孤兴,谢叔源之闲情,并解散辞体,缥缈浮音,虽滔滔风流,而大浇文意。"《诗品·总序》认为"叔源离宴"为"斯皆五言之警策者也。所谓篇章之珠泽,文采之邓林"。《诗品》列谢混为中品,与谢瞻、袁淑、王微、王僧达同列,"其源出于张华。才力苦弱,故务其清浅,殊得风流媚趣。课其实录,则豫章(谢瞻)、仆射(谢混),宜分庭抗礼"。《诗品》卷下:"义熙中,以谢益寿、殷仲文为华绮之冠;殷不竞矣。"《南齐书·文学传论》:"仲文玄气,犹不尽除;谢混清新,得名未盛。"《隋书》卷三十五《经籍志四》:"晋左仆射《谢混集》三卷,梁五卷……《文章流别本》十二卷,谢混撰……《集苑》四十五卷,梁六十卷。"《新唐书》卷六十《艺文志四》:"谢混《集苑》六十卷。"《晋诗》卷十四辑诗五首,上文未提及者还有:《游西池诗》《送二王在领军府集诗》、失题诗、《秋夜长》。《文心雕龙·才略》:"谢叔源之《闲情》,并解散辞体,飘渺浮音。虽滔滔风流,而大浇文意。"

谢弘微经营谢混家业。《宋书》卷五十八《谢弘微传》:"义熙八年,混以刘毅党见诛,妻晋陵公主改适琅邪王练,公主虽执意不行,而诏其与谢氏离绝,公主以混家事委之弘微。混仍世宰辅,一门两封,田业十余处,僮仆千人,唯有二女,年数岁。弘微经纪生业,事若在公,一钱尺帛出入,皆有文簿。迁通直郎。"

诸葛长民监太尉军事,作《贻刘敬宣书》。《晋书》卷八十五《刘毅传》:"裕讨毅,以长民监太尉留府事,诏以甲杖五十人入殿。长民骄纵贪侈,不恤政事,多聚珍宝美色,营建第宅,不知纪极,所在残虐,为百姓所苦。自以多行无礼,恒惧国宪。及刘毅被诛,长民谓所亲曰:'昔年醢彭越,前年杀韩信,祸其至矣!'谋欲为乱……既而叹曰:'贫贱常思富贵,富贵必履机危。今日欲为丹徒布衣,岂可得也!'"《宋书》卷四十七《刘敬宣传》:"时高祖西讨刘毅,豫州刺史诸葛长民监太尉军事,贻敬宣书曰……敬宣报曰……遣使呈长民书。"

袁豹从刘裕讨刘毅,作《为宋公檄蜀文》。《宋书》卷五十二《袁豹传》:"从讨刘毅。高祖遣益州刺史朱龄石伐蜀,使豹为檄文,曰……"

何承天除太学博士。《宋书》卷六十四《何承天传》:"高祖讨刘毅……除太学博士。"

鸠摩罗什译成《成实论》。《汉魏两晋南北朝佛教史》上册第 215 页:本年九月十五日,什译《成实论》,共十六卷。

十一月

刘裕作《至江陵下书》。任太傅、扬州牧。作《函书付朱龄石》。《宋书》卷二《武帝纪中》:"十一月己卯,公至江陵,下书曰……以荆州十郡为湘州,公乃进督,以西阳太守朱龄石为益州刺史,率众伐蜀。进公太傅、扬州牧,加羽葆鼓吹,班剑二十人。"《函书付朱龄石》见《宋书》卷四十八《朱龄石传》:"九年,遣诸军伐蜀,令龄石为元帅……发自江陵……初,高祖与龄石密谋进取……别有函书,全封付龄石,署函边曰:'至白帝乃开。'……至白帝,发书,曰……"此处系于"九年",《晋书》卷十《安帝纪》《宋书》卷二《武帝纪中》《建康实录》卷十《安皇帝》等均系于本年。

本年

滕演卒。《宋书》卷四十三《傅亮传》:"演……官至黄门郎,秘书监。义熙八年卒。"《隋书》卷三十五《经籍志四》:"晋秘书监《滕演集》十卷,录一卷。"

北魏崔浩上《五寅元历》、作《上五寅元历表》。解《急就章》《孝经》《论语》《诗》《尚书》《春秋》《礼记》《周易》成讫。《魏书》卷三十五《崔浩传》:"浩又上

《五寅元历》，表曰：'太宗即位元年，敕臣解《急就章》《孝经》《论语》《诗》《尚书》《春秋》《礼记》《周易》。三年成讫。复诏臣学天文、星历、易式、九宫，无不尽看。'"据《魏书》卷三《太宗纪第三》记载，太宗于北魏永兴元年十月即位，至本年凡三年。

北凉宗钦任沮渠蒙逊中书郎、世子洗马，上《东宫侍臣箴》。宗钦生年不详。《魏书》卷五十二《宗钦传》："宗钦，字景若，金城人也。父燮，字文友，吕光太常卿。钦少而好学，有儒者之风，博综群言，声著河右。仕沮渠蒙逊为中书郎、世子洗马。钦上《东宫侍臣箴》曰……"宗钦仕沮渠蒙逊诸事，具体时间不详，可能在仕沮渠蒙逊即河西王位之后，《晋书》卷十《安帝纪》："冬十一月，沮渠蒙逊僭号河西王。"

公元413年（晋安帝义熙九年　癸丑）

二月

刘裕自江陵还京都，作《土断表》《请恤孙季高表》。《宋书》卷二《武帝纪中》："九年二月乙丑，公至自江陵……先是，山湖川泽，皆为豪强所专，小民薪采渔钓，皆责税直，至是禁断之。时民居未一，公表曰……于是依界土断，唯徐、兖、青三州居晋陵者，不在断例。诸流寓郡县，多被并省。以公领镇西将军、豫州刺史。公固让太傅、州牧及班剑，奉还黄钺。"《请恤孙季高表》见《宋书》卷四十九《孙处传》："孙处字季高……义熙……九年，高祖念季高之功，乃表曰……"

三月

西凉李暠宴于曲水，命群僚赋诗。《十六国春秋》卷九十一《西凉录一·李暠录》："建初九年，三月上巳，暠燕于曲水，命群僚赋诗，而亲为序。"此诗及序均已亡佚。按，西凉建初九年即东晋义熙九年。

四月

鸠摩罗什卒于长安。《高僧传》卷二《鸠摩罗什传》："什未终日，少觉四大不愈，乃口出三番神咒，令外国弟子诵之以自救，未及致力，转觉危殆，于是力疾，与众僧告别曰：'因法相遇殊，未尽伊心，方复后世，恻怆何言！自以暗昧，谬充传译。凡所出经、论三百余卷，唯《十诵》一部，未及删烦，存其本旨，必无差失。愿凡所宣译传流后世，咸共弘通。今于众前发诚实誓：若所传无谬者，当使焚身之后，舌不燋烂。'以伪秦弘始十一年八月二十日，卒于长安。是岁晋义熙五年也，即于逍遥园依外国法以火焚尸，薪灭形碎，唯舌不灰……然什死年月，诸记不同，或云弘始七年，或云八年，或云十一年。寻七与十一字或讹误，而译经录传中犹有一年者，恐雷同三家无以正焉。"关于鸠摩罗什的卒年，今从僧肇《鸠摩罗什法师诔》："癸丑之年，年七十，四月十三日薨乎大寺。"《旧唐书》卷四十七《经籍志下》："《老子》二卷，鸠摩罗什注。"《新唐书》卷五十九《艺文志三》同。据《汉魏两晋南北朝佛教史》上册第

215 页：鸠摩罗什翻译之重要典籍，除上文所列之外，其不知年月者还有：《金刚般若经》一卷；《首楞严经》三卷，《遗教经》一卷、《十住毗婆沙论》十四卷、《大庄严经》十五卷。《晋诗》卷二十存诗一首：《十喻》。

僧肇作《鸠摩罗什法师诔并序》《涅槃无名论》并《上秦主姚兴表》。《鸠摩罗什法师诔并序》见《全晋文》卷一百六十五，当作于鸠摩罗什卒后。《涅槃无名论》并《上秦主姚兴表》见《高僧传》卷六《释僧肇传》："及什之亡后，追悼永往，翘思弥厉，乃著《涅槃无名论》，其辞曰……其后十演九折，凡数千言，文多不载，论成之后，上表于姚兴曰……兴答旨殷勤，备加赞述，即敕令缮写，班诸子侄，其为时所重如此。"

徐广作《四府君迁主议》。《晋书》卷十九《礼志上》："义熙九年四月，将殷祭，诏博议迁毁之礼……大司农徐广议……"

袁豹作《四府君迁主议》，卒。《宋书》卷十六《礼志三》："安帝义熙九年四月，将殷祭，诏博议迁毁之礼。大司马琅邪王司马德文议……大司农徐广议……太尉咨议参军袁豹议……"卷五十二《袁豹传》："九年，卒官，时年四十一。次年，以参伐蜀之谋，追封南昌县五等子。"《隋书》卷三十五《经籍志四》："晋丹阳太守《袁豹集》八卷，梁十卷，录一卷。"

九月

慧远作《万佛影铭并序》，刻之于石。《万佛影铭并序》见《全晋文》卷一百六十二，《序》云："至于岁次星纪，赤奋若贞于太阴之墟九月三日，乃详检别记，铭之于石。爰自经始，人百其诚，道俗欣之，感遗迹以悦心，于是情以本应，事忘其劳。于时挥翰之宾，金焉同咏，咸思存远猷，托相异闻，庶来贤之重轨，故备时人于影。"《尔雅·释天》："太岁在丑曰赤奋若。"本年为癸丑年。

谢灵运任秘书丞。作《佛影铭》。《宋书》卷六十七《谢灵运传》："入为秘书丞，坐事免。"谢灵运为秘书丞，当在本年二月刘裕自江陵回京师后。其免职因何事，未详。《佛影铭》见《全宋文》卷三十三，铭序云："道秉道人远宣旨意，命余制铭，以充刊刻。"当遵慧远旨意而作，即上条慧远所云："于时挥翰之宾，金焉同咏，咸思存远猷，托相异闻，庶来贤之重轨，故备时人于影。"

十月

西凉李暠作《写诸葛亮训诫应璩奏谏以勖诸子》。《十六国春秋》卷九十一《西凉录一·李暠录》："冬十月，暠写诸葛亮训以勖诸子曰：'……览诸葛亮训励、应璩奏谏，寻其始终，周、礼之教，尽在中矣……'"

本年

王诞卒。《宋书》卷五十二《王诞传》：义熙九年，"卒，时年三十九。以南北从征，追封作唐县五等侯"。《隋书》卷三十五《经籍志四》："晋司徒长史《王诞集》二卷。"按《晋书》《宋书》有关王诞之记载，未见王诞任过司徒长史，此处记载当误。《隋书》卷三十五《经籍志四》："梁有……《四帝诫》三卷，王诞撰……亡。"

吴隐之卒。《晋书》卷九十《吴隐之传》："九年，卒，追赠左光禄大夫，加散骑常侍。隐之清操不渝，屡被褒饰，致事及于身没，常蒙优锡显赠，廉士以为荣。"卷八十三《车胤传》："吴隐之以寒素博学知名于世。"

荀伯子作《上表论先朝封爵》。《宋书》卷六十《荀伯子传》："迁尚书祠部郎。义熙九年，上表曰……诏付门下。"荀伯子迁尚书祠部郎的具体时间不详，可能在本年或本年前，姑系于此。

王韶之续《晋安帝阳秋》，迁尚书祠部郎。《南史》卷二十四《王韶之传》："王韶之字休泰……父伟之，少有志尚，当世诏命表奏，辄手自书写。太元、隆安时事，大小悉撰录……韶之家贫好学……好史籍，博涉多闻。初为卫将军谢琰行参军，得父旧书，因私撰《晋安帝阳秋》。及成，时人谓宜居史职，即除著作佐郎，使续后事，讫义熙九年。善叙事，辞论可观。迁尚书祠部郎。"

颜延之妹适刘穆之子，延之不仕。《宋书》卷七十三《颜延之传》："年三十，犹未婚。妹适东莞刘宪之，穆之子也。穆之既与延之通家，又闻其美，将仕之；先欲相见，延之不往也。"《校勘记》云："洪颐煊《诸史考异》云：'案《刘穆之缵》，穆之三子，长子虑之，中子式之，少子贞之，无名宪之者。'按宪虑形似，'宪之'或'虑之'之讹。"

刘义恭生。《宋书》卷六十一《武三王传》："武帝七男……袁美人生江夏文献王义恭。"同卷《江夏文献王义恭传》，义恭卒于永光元年（泰始元年），时年五十三岁，据此推算刘义恭当生于本年。

公元414年（晋安帝义熙十年　甲寅）

三月

刘裕执司马文思送还司马休之，欲休之杀之。《宋书》卷二《武帝纪中》："十年，息民简役。筑东府，起府舍。平西将军、荆州刺史司马休之，宗室之重，又得江汉人心，公疑其有异志。而休之兄子谯王文思在京师，招集轻侠，公执文思送还休之，令自为其所。休之表废文思，并与公书陈谢。"《资治通鉴》卷一百一十六系此事于本年三月。

本年

西凉李暠作《述志赋》、《大酒容赋》。《十六国春秋》卷九十一《西凉录·李暠录》："建初十年，暠以纬世之量，当吕氏之末，为群雄所奉，遂启霸图，兵无血刃，坐定千里，谓张氏之业指期而成，河西十郡岁月而一。既而秃发傉檀入据姑臧，沮渠蒙逊基宇稍广，于是慨然著《述志赋》焉，其辞曰……又感兵难繁兴，时俗喧竞，乃著《大酒容赋》以表恬豁之怀。初，暠与辛景、辛恭靖同志友善，景等归晋，遇害江南，暠闻而吊之。暠前妻，同郡辛纳女，贞顺有妇仪，先卒，乃亲为之诔。自余诗赋数十篇。”《大酒容赋》已亡佚，按，西凉建初十年即东晋义熙十年。

僧肇卒。《高僧传》卷六《释僧肇传》：“晋义熙十年卒于长安，春秋三十有一矣。”《隋书》卷三十五《经籍志四》：“晋姚苌沙门《释僧肇集》一卷。”《全晋文》卷一百六十四、一百六十五辑文十一篇，除已见上文者外还有《宗本义》《长阿含经序》《梵网经序》。

范晔被辟为主簿，不就。《宋书》卷六十九《范晔传》：“少好学，博涉经史，善为文章，能隶书，晓音律。年十七，州辟主簿，不就。”本年范晔十七岁。

戴法兴生。《宋书》卷九十四《戴法兴传》：“戴法兴，会稽山阴人也。家贫，父硕子，贩纻为业。法兴二兄延寿、延兴并修立，延寿善书，法兴好学。山阴有陈载者，家富，有钱三千万，乡人咸云：‘戴硕子三儿，敌陈载三千万钱。’”据本传记载戴法兴卒于泰始元年，时年五十二岁，则其当生于本年。

鲍照约生于本年。《南史》卷十三《临川烈武王道规传》附《鲍照传》：“鲍照字明远，东海人。”虞炎《鲍照集序》：鲍照“本上党人，家世贫贱”。钱仲联《鲍参军集注》附《鲍照年表》注曰：“此上党乃指南朝侨置者，《宋书·州郡志》：‘徐州淮阳郡上党令，本流寓郡，并省来配。’今江苏宿迁县地。本集卷一《拜侍郎上疏》云：‘臣北州衰沦。’”鲍照“家世贫贱”，其诗文中多次述及。《全宋文》卷四十六《解褐谢侍郎表》：“臣孤门贱生。”卷四十七《谢永安令解禁启》：“臣田茅下第，质非谢品。”卷四十六《侍郎满辞阁》：“臣嚣杌穷贱。”《宋诗》卷八《答客诗》：“我以荜门士，负学谢前基。”鲍照之生年，未见史载。虞炎《鲍照集序》谓鲍照卒时，“年五十余”。《鲍照年表》注云：“《在江陵叹年伤老诗》，振伦注曰：‘明远生年无考，临海王子顼系大明五月出镇荆州，此诗以“叹年伤老”为题，约以五十称老计之，似当生于晋末宋初。’联按《宋书·孝武本纪》，大明六年秋七月庚辰，临海王子顼为荆州刺史，（虞序云“大明五年”，误。）《在江陵叹年伤老诗》中所叙，是春日节物，写作时间不能早于大明七年春。今以大明七年照年五十计之，则当生于晋安帝义熙十年，下推至宋明帝泰始二年，得年五十三，与虞序所云‘年五十余’者相合。”

颜延之为刘柳行参军，因转主簿。《宋书》卷七十三《颜延之传》：“后将军、吴国内史刘柳以为行参军，因转主簿。”张可礼《东晋文艺系年》第759页：“明年，延之随刘柳至浔阳，延之为刘柳行参军，因转主簿当在本年。”

范泰转大司马长史，右卫将军，加散骑常侍，复为尚书。《晋书》卷六十《范泰传》：“转大司马左长史，右卫将军，加散骑常侍。复为尚书，常侍如故。”范泰上述事迹具体时间不详，疑在本年前后。

公元415年（晋安帝义熙十一年　乙卯）

正月

刘裕率军西讨司马休之，领荆州刺史。作《与韩延之书》。《宋书》卷二《武帝纪中》：“十一年正月，公收休之子文宝、兄子文祖，并于狱赐死。率众军西讨，复加黄钺，领荆州刺史。辛巳，发京师，以中军将军道怜监留府事。休之上表自陈曰……休之府录事参军韩延之，故吏也，有干用才能。公未至江陵，密使与之书曰……延之报曰……公视书叹息，以示诸佐曰：'事人当如此。'"

谢灵运任咨议参军，转中书侍郎。《宋书》卷六十七《谢灵运传》："高祖伐长安，骠骑将军道怜居守，版为咨议参军，转中书侍郎。"上述记载有误。卷五十一《长沙景王道怜传》："十年，进号中军将军，加散骑常侍，给鼓吹一部。明年，讨司马休之，道怜监留府事，甲仗百人入殿。江陵平，以为都督荆湘益秦宁梁雍七州诸军事、骠骑将军、开府仪同三司、镇护南蛮校尉、荆州刺史，持节，常侍如故。"卷二《武帝纪中》："十一年正月……率众军西讨……辛巳，发京师，以中军将军道怜监留府事……四月……以中军将军道怜为荆州刺史……十二年……羌主姚兴死，子泓……立公乃戒严北讨。八月丁巳，率大众发京师。以世子为中军将军，监太尉留府事。尚书右仆射刘穆之为左仆射，领监军、中军二府军司，入居东府，总摄内外。"张可礼《东晋文艺系年》第763页："综上记载，知明年刘裕伐长安姚泓时，世子刘义符、刘穆之总摄朝政，而道怜则是于本年刘裕讨司马休之时留监府事，且时仍任中军将军。《谢灵运传》中所云'长安'当为'荆州'，'骠骑将军'当为'中军将军'。是灵运任咨议参军当在本年正月，转中书侍郎，盖在本年四月道怜离京赴任荆州刺史后。"

宗炳辞刘裕辟为主簿，道怜命为记室参军，亦不就。《宋书》卷九十三《宗炳传》："高祖诛刘毅，领荆州，问毅府咨议参军申永曰：'今日何施而可？'永曰：'除其宿衅，倍其惠泽，贯叙门次，显擢才能，如此而已。'高祖纳之，辟炳为主簿，不起。问其故，答曰：'栖丘饮谷，三十余年。'高祖善其对。妙善琴书，精于言理，每游山水，往辄忘归。征西长史王敬弘每从之，未尝不弥日也。"卷二《武帝纪中》记载刘裕领荆州刺史在本年正月。宗炳辞刘裕辟为主簿，约在此时。《南史》卷七十五《宗炳传》："二兄早卒，孤累甚多，家贫无以相赡，颇营稼穑。人有饷遗，并受之。武帝敕南郡长给吏役，又数致饩赉。后子弟从禄，乃悉不复受。"据《宋书》卷五十一《长沙景王道怜传》记载，道怜于本年任骠骑将军、荆州刺史，其命宗炳为记室参军盖在本年。姑系于此。

三月

刘裕军次江陵，作《江陵平加领南蛮校尉下书》。《宋书》卷二《武帝纪中》："三月，军次江陵。初，雍州刺史鲁宗之常虑不为公所容，与休之相结，至是率其子竟陵太守轨会于江陵。江夏太守刘虔之邀之，军败见杀。公命彭城内史徐逵之、参军王允之出江夏口，复为轨所败，并没。时公军泊马头，即日率众军济江，躬督诸将登岸，莫不奋踊争先。休之众溃，与轨等奔襄阳。江陵平，加领南蛮校尉。将拜，值四废日，佐史郑鲜之、褚叔度、王弘、傅亮白迁日，不许。下书曰……"

《督护歌》约作于此时。《宋书》卷十九《乐志一》："《督护歌》者，彭城内史徐逵之为鲁轨所杀，宋高祖使府内直督护丁旿收敛殡埋之。逵之妻，高祖长女也，呼旿至阁下，自问敛送之事，每问，辄叹息曰：'丁督护！'其声哀切，后人因其声，广其曲焉。"彭城内史徐逵之为鲁轨所杀，在本年三月，见上条。

郑鲜之为太尉咨议参军，补侍中，复为太尉咨议。《宋书》卷六十四《郑鲜之传》："自中丞转司徒左长史，太尉咨议参军，俄而补侍中，复为太尉咨议参军。"卷二《武帝纪中》记载：十一年三月，"江陵平，加领南蛮校尉。将拜，值四废日，佐史郑鲜之、褚叔度、王弘、傅亮白迁日，不许"。称郑鲜之为"佐史"，则本年三月郑鲜之已在司徒左长史任上，其任太尉咨议参军，补侍中，复为太尉咨议当在三月后。

夏

谢灵运作《赠安成诗》。《文选》卷二五《于安成答灵运诗》，李善注引谢灵运《赠宣远序》曰："从兄宣远，义熙十一年正月，作守安成，其年夏赠以此诗，到其年冬，有答。"则《赠安成诗》作于本年夏，其序云"到其年冬，有答"，似为追记之语。

八月

刘穆之任尚书右仆射，迁左仆射。《宋书》卷四十二《刘穆之传》："十一年，高祖西伐司马休之，中军将军道怜知留任，而事无大小，一决穆之。迁尚书右仆射，领选，将军、尹如故。"《晋书》卷十《安帝纪》："八月丁未，尚书左仆射谢裕卒，以尚书右仆射刘穆之为尚书左仆射"。《建康实录》卷十《安皇帝》：本年八月，"谢裕卒，以刘穆之为尚书左仆射。"刘穆之转左仆射的时间，据《宋书》卷四十二《刘穆之传》："十二年……转穆之左仆射。"似作十一年为宜。

九月

北魏崔浩劝拓拔嗣不宜迁都。《魏书》卷三十五《崔浩传》："神瑞二年，秋谷不登，太史令王亮、苏垣因华阴公主等言谶书国家当治邺，应大乐五十年，劝太宗迁都。浩与特进周澹言于太宗曰：'今国家迁都于邺，可救今年之饥，非长久之策也……'太宗深然之，曰：'唯此二人，与朕意同。'复使中贵人问浩、澹曰：'今既糊口无以至来秋，来秋或复不熟，将如之何？'浩等对曰：'可简穷下之户，诸州就谷。若来秋无年，愿更图也。但不可迁都。'太宗从之，于是分民诣山东三州食，出仓谷以廪之。来年遂大熟。赐浩、澹妾各一人，御衣一袭，绢五十匹，绵五十斤。初，姚兴死之前岁也，太史奏：荧惑在匏瓜星中，一夜忽然亡失，不知所在。或谓下入危亡之国，将为童谣妖言，而后行其灾祸。太宗闻之，大惊，乃召诸硕儒十数人，令与史官求其所诣。浩对曰……后八十余日，荧惑果出于东井，留守盘旋，秦中大旱赤地，昆明池水竭，童谣讹言，国内喧扰。明年，姚兴死，二子交兵，三年国灭。于是诸人皆服曰：'非所及也。'"《资治通鉴》卷一百一十七系上述事于本年九月。按，北魏神瑞二年即东晋义熙十一年。

十月

谢灵运作《赠从弟弘远诗》。见《宋诗》卷二，诗序云："从弟弘远，为骠骑记室参军，义熙十一年十月十日从镇江陵，赠以此诗。"

冬

谢瞻作《于安成答灵运诗》《安成郡庭枇杷树赋》。时任安成相。《宋书》卷五十六《谢瞻传》："任安成相。"《于安成答灵运诗》见《文选》卷二五，李善注引谢灵运《赠宣远序》曰："从兄宣远，义熙十一年正月，作守安成，其年夏赠以此诗，到其年冬，有答。"又诗中有"岁寒霜雪严"句，亦证诗作于本年冬。《安成郡庭枇杷树赋》见《全宋文》卷三十三，当作于任安成相时，姑系于此。

本年

何承天为世子征虏参军。《宋书》卷六十四《何承天传》："义熙十一年，为世子征虏参军、转西中郎中军参军、钱唐令。"转西中郎中军参军、钱唐令的时间不详，姑系于此。

颜延之至寻阳与陶渊明交好。为豫章公世子刘义符中军行参军。《宋书》卷九十三《陶潜传》："颜延之为刘柳后军功曹，在寻阳，与潜情款。"《晋书》卷六十一《刘柳传》："出为徐、兖、江三州刺史。卒。"《宋书》卷四十七《孟怀玉传》："（义熙）八年，迁江州刺史……十一年……未去任，其年卒官。"《晋书》卷十《安帝纪》：义熙十二年六月，"己酉，新除尚书令、都乡亭侯刘柳卒。"《宋书》卷六十九《刘湛传》："父柳亡于江州。"综上所述，原江州刺史孟怀玉本年卒，刘柳继任，明年六月刘柳卒于江州刺史任上。颜延之与陶渊明情款，当在本年到寻阳后。陶渊明与颜延之的这段交往，在颜延之《陶征士诔》中有详细记载，见《全宋文》卷三十八。《宋书》卷七十三《颜延之传》："豫章公世子中军行参军。"《宋书》卷四《少帝纪》："少帝讳义符，小字车兵，武帝长子也……晋义熙二年，生于京口……年十岁，拜豫章公世子。"义符自义熙二年生至本年正十岁，则本年义符为豫章公世子。颜延之为豫章公世子中军行参军，可能在本年。

刘义庆袭封南郡公。除给事，不拜。《宋书》卷五十一《刘义庆传》："义庆幼为高祖所知，常曰：'此我家丰城也。'年十二，袭封南郡公。除给事，不拜。"

王微生。《宋书》卷六十二《王微传》："王微字景玄，琅邪临沂人，太保弘弟子也。父孺，光禄大夫。"据本传记载，王微卒于元嘉三十年，时年三十九岁，则王微当生于本年。

臧荣绪生。《南齐书》卷五十四《臧荣绪传》："臧荣绪，东莞莒人也。祖奉县，建陵令，父庸民，国子助教……永明六年，卒。年七十四。"据此推之，当生于本年。

周续之为刘柳所荐举。《宋书》卷九十三《周续之传》："江州刺史刘柳荐之高祖，曰：'……窃见处士雁门周续之，清真贞素，思学钩深，弱冠独往，心无近事，性之所遣，荣华与饥寒俱落，情之所慕，岩泽与琴书共远。加以仁心内发，义怀外亮……愿照其丹款，不以人废言。'"据《东晋方镇年表》，刘柳本年至明年六月任江州刺史，其荐周续之当在此时。

公元 416 年（晋安帝义熙十二年　丙辰）

正月

刘裕领平北将军、兖州刺史。《宋书》卷二《武帝纪中》："十二年正月，诏公依旧辟士，加领平北将军、兖州刺史。增都督南秦，凡二十二州。公以平北文武寡少，不宜别置，于是罢平北府，以并大府，以世子为豫州刺史。"

三月

刘裕加中外大都督，加领征西将军、司豫二州刺史，作《世子镇徐兖二州下书》。《宋书》卷二《武帝纪中》："三月，加公中外大都督。初，公平齐，仍有定关、洛之意，值卢循侵逼，故其事不谐。荆、雍既平，方谋外略。会羌主姚兴死，子泓立，兄弟相杀，关中扰乱，公乃戒严北讨。加领征西将军、司豫二州刺史。以世子为徐、兖二州刺史。下书曰……"《晋书》卷十《安帝纪》："二月，加刘裕中外大都督。"录以待考。

北凉张穆作《玄石神图赋》。《晋书》卷一百二十九《沮渠蒙逊载记》："蒙逊西祀金山，遣沮渠广宗率骑一万袭乌啼虏，大捷而还。蒙逊西至苕藿，遣前将军沮渠成都将骑五千袭卑和虏，蒙逊率中军三万继之，卑和虏率众迎降。遂循海而西，至盐池，祀西王母寺。寺中有《玄石神图》，命其中书侍郎张穆赋焉，铭之于寺前，遂如金山而归。"《十六国春秋》卷九十四《北凉录·沮渠蒙逊录》：玄始五年三月，蒙逊西祀金山，遣广宗袭破乌啼虏。张穆以后事迹不明。按，北凉玄始五年即东晋义熙十二年。

八月

刘裕率师北伐后秦姚泓。《宋书》卷二《武帝纪中》："公欲以义声怀远，奉琅邪王北伐。五月，羌伪黄门侍郎尹冲率兄弟归顺。又加公北雍州刺史，前部羽葆、鼓吹，增班剑为四十人，解中书监。八月丁巳，率大众发京师。"《晋书》卷十《安帝纪》："秋八月，刘裕及琅邪王德文帅众伐姚泓。"

刘穆之领监军、中军二府军司。内总朝政，外供军旅。《宋书》卷四十二《刘穆之传》："十二年，高祖北伐……转穆之左仆射，领监军、中军二府军司，将军、尹、领选如故。甲仗五十人，入殿。入居东城。穆之内总朝政，外供军旅，决断如流，事无拥滞。宾客辐辏，求诉百端，内外咨禀，盈阶满室，目览辞讼，手答笺书，耳行听受，口并酬应，不相参涉，皆悉赡举。又数客昵宾，言谈赏笑，引日亘时，未尝倦苦。裁有闲暇，自手写书，寻览篇章，校定坟籍。性奢豪，食必方丈，旦辄为十人馔。穆之既好宾客，未尝独餐，每至食时，客止十人以还者，帐下依常下食，以此为常。尝白高祖曰：'穆之家本贫贱，赡生多阙。自叨忝以来，虽每存约损，而朝夕所须，微为过丰。自此以外，一毫不以负公。'"

郑鲜之任右长史。《宋书》卷六十四《郑鲜之传》："十二年，高祖北伐，以为右长史。鲜之曾祖墓在开封，相去三百里，乞求拜省，高祖以骑送之。"

陶渊明作《丙辰岁八月中于下潠田舍获诗》《示周续之祖企谢景夷三郎时三人共在城北讲礼校书诗》。《丙辰岁八月中于下潠田舍获诗》见《晋诗》卷十七。《全梁文》卷二十辑有萧统《陶渊明传》："时周续之入庐山，事释惠远，彭城刘遗民，亦遁迹匡山，渊明又不应征命，谓之'浔阳三隐'。后刺史檀韶，苦请续之出州，与学士祖企、谢景夷三人，共在城北讲《礼》，加以雠校。所住公廨，近于马队。是故渊明示其诗云：'周生述孔业，祖、谢响然臻；马队非讲肆，校书亦已勤'"《宋书》卷四十五《檀韶传》："进号左将军……（义熙）十二年，迁督江州豫州之西阳、新蔡二郡诸军事、江州刺史，将军如故。"《示周续之祖企谢景夷三郎时三人共在城北讲礼校书诗》见《晋诗》卷十六，当作于本年。

慧远卒。《高僧传》卷六《释慧远传》："自远卜居庐阜，三十余年影不出山，迹不入俗。每送客游履常以虎溪为界焉。以晋义熙十二年八月初动散，至六日困笃。大德耆年，皆稽颡请饮豉酒，不许。又请饮米汁，不许。又请以蜜和水为浆，乃命律师，令披卷寻文，得饮与不？卷未半而终。春秋八十三矣。门徒号恸若丧考妣，道俗奔赴，穀继肩随。远以凡夫之情难割，乃制七日展哀。遗命使露骸松下，既而弟子收葬。浔阳太守阮侃于山西岭凿圹开隧。谢灵运为造碑文，铭其遗德。南阳宗炳又立碑寺门。初远善属文章，辞气清雅，席上谈吐，精义简要。加以容仪端整，风采洒落，故图像于寺，遐迩式瞻。所著论序铭赞诗书，集为十卷，五十余篇，见重于世焉。"关于慧远的卒年有几种说法，《世说新语·文学第四》注引张野《远法师铭》："年八十三而终。"《全宋文》卷三十三辑谢灵运《庐山慧远法师诔并序》作义熙十三年卒，年八十四岁。王祎《经行庐山记》谓卒于义熙十二年，年八十二。《文物》1987 年第五期载卡哈尔·巴拉提撰《回鹘文写本〈慧远传〉残页》译文云：慧远"当死期来临时，叫来弟子们嘱咐道：'我死后，将我露身放在松树下。'八十三岁右胁而化，交脚，见阿弥陀佛直来，威严带去"。今从《高僧传》。《经典释文》卷五《毛诗音义上》："周续之与雷次宗同受慧远法师诗义。"据此可知，慧远当有关于《毛诗》的著作。《隋书》卷三十五《经籍志四》："晋沙门《释慧远集》十二卷。"《晋诗》卷二十辑有慧远《庐山东林杂诗》一首。《全晋文》卷一百六十一、一百六十二辑文 33 篇，上文未提及的还有《与隐士刘遗民等书》《遣书通好昙摩流支》《庐山记》《三报论》《大智度钞序》等。

张野作《远法师铭》。《世说新语·文学第四》注："张野《远法师铭》曰……"此文当作于慧远卒后。

谢灵运作《庐山慧远法师诔并序》，又为慧远作碑铭。《庐山慧远法师诔并序》见《全晋文》卷三十三。《高僧传》卷六《释慧远传》：慧远卒后"谢灵运为造碑文，铭其遗德"。陈舜俞《庐山记》卷三《十八贤传》："远公卒，葬西岭，灵运为铭，（张）野序之。"此当作于慧远卒后。

九月

谢晦从刘裕北征关、洛，作《彭城会诗》。《南史》卷十九《谢晦传》："晦美风姿，善言笑，眉目分明，鬓发如墨。涉猎文义，博赡多通，时人以方杨德祖，微将不及。晦闻犹以爲恨。帝深加爱赏，从征关、洛，内外要任悉委之。帝于彭城大会，命纸笔赋诗，晦恐帝有失，起谏帝，即代作曰……于是群臣并作。时谢混风华爲江左第一，尝与晦俱在武帝前，帝目之曰：'一时顿有两玉人耳。'刘穆之遣使陈事，晦往往异同，穆之怒曰：'公复有还时不？'及帝欲以晦爲从事中郎，穆之坚执不与，故终穆之世不迁。"《宋书》卷二《武帝纪中》："九月，公次于彭城，加领徐州刺史。"

裴松之任司州主簿，转治中从事史。《宋书》卷六十四《裴松之传》："高祖北伐，领司州刺史，以松之为州主簿，转治中从事史。既克洛阳，高祖敕之曰……"松之为州主簿当在本年十月克洛阳前，姑系于此。

十月

傅亮从征关、洛，作《为宋公至洛阳谒五陵表》《策加宋公九锡文》。《宋书》卷四十三《傅亮传》："亮从征关、洛。"卷二《武帝纪中》："十月，众军至洛阳，围金墉。泓弟伪平南将军洸请降，送于京师，修复晋五陵，置守卫。"《为宋公至洛阳谒五陵表》当因此而作，见《文选》卷三十八。《策加宋公九锡文》见《武帝纪中》，《艺文类聚》卷五十三以为是傅亮作，亦作于此时。

范泰兼司空，随军到洛阳。《宋书》卷六十《范泰传》："兼司空，与右仆射袁湛授宋公九锡，随军到洛阳。"卷二《武帝纪中》：本年十月晋安帝策曰："……使持节、兼司空、散骑常侍、尚书、阳遂乡侯泰授宋公茅土……"

颜延之奉命北使洛阳，途中作《北使洛》《还至梁城作》二诗。《宋书》卷七十三《颜延之传》："义熙十二年，高祖北伐，有宋公之授，府遣一使庆殊命，参起居；延之与同府王参军俱奉使至洛阳，道中作诗二首，文辞藻丽，为谢晦、傅亮所赏。"《南史》卷三十四《颜延之传》："行至洛阳，周视故宫室，尽为禾黍，凄然咏《黍离篇》。道中作诗二首。"《宋书》和《南史》所指的诗歌可能是指《北使洛》和《还至梁城作》，二诗见《文选》卷二十七。《北使洛》云："王猷升八表，嗟行方暮年。阴风振凉野，飞云瞀穷天。"诗当作于本年冬。《还至梁城作》云："昔迈先祖师，今来后归军。振策眷东路，倾侧不及群。息徒顾将夕，极望梁陈分。故国多乔木，空城凝寒云。"诗当作于本年由洛阳归来，途经梁城时。

十一月

谢灵运奉命往彭城慰劳刘裕。作《彭城宫中直感岁暮诗》。《宋书》卷六十七《谢灵运传》："又为世子中军咨议，黄门侍郎。奉使慰劳高祖于彭城。"谢灵运为世子中军咨议，黄门侍郎当在本年八月世子刘义符为中军将军以后。本传有《撰征赋》序："……以义熙十有二年五月丁酉，敬戒九伐……余摄官承乏，谬充殊役，《皇华》愧于先《雅》，靡盬顿于征人。以仲冬就行，分春反命。途经九守，路逾千里……"则谢灵运奉使慰问刘裕当在本年十一月。《彭城宫中直感岁暮诗》见《宋诗》卷二，诗云："草草眷徂物，契契矜岁殚。"当是本年岁暮作于彭城。

本年

谢惠连能属文。《宋书》卷五十三《谢惠连传》："年十岁，能属文，族兄灵运深相知赏。"

徐广上《晋纪》，迁秘书监。《晋书》卷八十二《徐广传》："十二年，勒成《晋纪》，凡四十六卷，表上之。因乞解史任，不许。迁秘书监。"按，《晋纪》在《南史》卷三十三《徐广传》中作"四十二卷"，《隋书》卷三十三《经籍志二》作"四十五卷"。

公元417年（晋安帝义熙十三年　丁巳）

正月

刘裕率舟师进讨后秦，军次留城，经张良庙，命僚佐赋诗。《宋书》卷二《武帝纪》："十三年正月，公以舟师进讨，留彭城公义隆镇彭城。军次留城，经张良庙，令曰：'……张子房道亚黄中，照邻殆庶，风云言感，蔚为帝师，大拯横流，夷项定汉，固以参轨伊、望，冠德如仁……灵庙荒残，遗象陈昧，抚迹怀人，慨然永叹……可改构榱桷，修饰丹青，采蘩行潦，以时致荐。以纾怀古之情，用存不刊之烈。'天子追赠公祖为太常，父为左光禄大夫，让不受。"

谢瞻作《张子房诗》。《张子房诗》见《文选》卷二十一，李善注引沈约《宋书》："姚泓新立，关中乱。义熙十三年正月，公以舟师进讨，军顿留城，经张良庙也。"又注引王俭《七志》曰："高祖游张良庙，并命僚佐赋诗，瞻之所造，冠于一时。"

刘义隆任冠军将军、徐州刺史。《宋书》卷五《文帝纪》："高祖伐羌至彭城，将进路，板上行冠军将军留守。晋朝加授使持节、监徐兖青冀四州诸军事、徐州刺史，将军如故。"卷二《武帝纪中》《资治通鉴》卷一百一十八记载，本年正月刘裕留刘义隆镇守彭城，诏以为徐州刺史。

郑鲜之作《行经张子房庙诗》。见《宋诗》卷一，当作于本年正月随刘裕次留城、经张良庙时作。

傅亮作《为宋公修张良庙教》《从征诗》《从武帝平闽中诗》《征思赋》。《为宋公修张良庙教》见《宋书》卷二《武帝纪中》，又《文选》卷三十六题作傅亮作，二者文字稍有出入。当是本年正月刘裕修复张良庙宇时作。《从征诗》和《从武帝平闽中诗》见《宋诗》卷一，二诗当作于本年傅亮从刘裕北征时。逯钦立按，"宋武帝有平关中姚秦事，无平闽中事。'闽'，'关'之讹。"《征思赋》见《全宋文》卷二十六，其云："洒三川之积尘，廓二都之重阻。睹高掌于华阳，聆鸣凤于洛浦"，当作于本年随刘裕北伐时。

西凉李暠作《顾命长史宋繇》，卒。《十六国春秋》卷九十一《西凉录一·李暠录》："建初十三年，春正月，暠寝疾，顾命长史宋繇曰……晋义熙十三年二月，薨于广德殿，时年六十七岁。在位十八年。葬建世陵，谥武昭王，庙号太祖。"按，西凉建初十三年即在东晋义熙十三年。《隋书》卷三十五《经籍志四》："《靖恭堂颂》一卷，晋凉王李暠撰。"《全晋文》卷一百五十五辑文 15 篇，有七篇有题无文，未见上文提及的还有《贤明鲁颜回颂》《麒麟颂》。

三月

刘裕作《赐沈林子书》。《宋书》卷一百《自序》："初，绍退走，还保定城，留伪武卫将军姚鸾精兵守险。林子衔枚夜袭，即屠其城，剿鸾而坑其众。高祖赐书曰……"据《资治通鉴》卷一百一十八记载：本年三月，沈林子斩姚鸾。

春

谢灵运离彭城还京，作《撰征赋并序》。《宋书》卷六十七《谢灵运传》记载其作《撰征赋序》曰："以仲冬就行，分春反命。"其赋曰："尔乃孟陬发节，雷隐蛰惊。散叶黄柯，芳葩饰萌。麦萋萋于旆丘，柳依依于高城……转归舸而眷恋，望修樯而流连。"所写都是春天节物，此赋当作于本年春天。

八月

刘裕作《沈林子战功表》。《沈林子战功表》亦见《宋书》卷一百《自序》："十二年，高祖北伐，田子与顺阳太守傅弘之各领别军……所领江东勇士，便习短兵，鼓噪奔之，贼众一时溃散，所杀万余人，得泓伪乘舆服御。高祖表言曰：'征虏军事、振武将军、扶风太守沈田子，率领劲锐，背城电激，身先士卒，勇冠戎陈，奋寡对众，所向必摧，自辰及未，斩馘千数。泓丧旗弃众，奔还霸西，咸阳空尽，义徒四合，清荡余烬，势在跂踵。'"卷二《武帝纪中》："八月，扶风太守沈田子大破姚泓于蓝田。王镇恶克长安，生擒泓。"刘裕作《沈林子战功表》，可能作于此时。

九月

刘裕至长安，悉收后秦太乐伎、清乐。延请释智严还都。《宋书》卷二《武帝纪中》："九月，公至长安。长安丰稔，帑藏盈积。公先收其彝器、浑仪、土圭之属，献于京师；其余珍宝珠玉，以班赐将帅。执送姚泓，斩于建康市。谒汉高帝陵，大会文武于未央殿。"《隋书》卷十五《音乐志下》："及宋武帝入关，悉收南渡……《清乐》……苻永固平张氏，始于凉州得之。宋武平关中，因而入南，不复存于内地。及平陈后获之。高祖听之，善其节奏，曰：'此华夏正声也。昔因永嘉，流于江外，我受天明命，今复会同。虽赏逐时迁，而古致犹在。可以此为本，微更损益，去其哀怨，考而补之。以新定律吕，更造乐器。'其歌曲有《阳伴》，舞曲有《明君》《并契》。其乐器有钟、磬、琴、瑟、击琴、琵琶、箜篌、筑、筝、节鼓、笙、笛、箫、篪、埙等十五种，为一部。工二十五人。"《高僧传》卷三《释智严传》："晋义熙十三年。宋武帝西伐长安，克捷旋旆。途出山东。时始兴公王恢从驾游观山川至严精舍。见其同止三僧，各坐绳床，禅思湛然。恢至良久不觉，于是弹指。三人开眼，俄而还闭。问不与言。恢心敬其奇，访诸耆老。皆云：此三僧隐居求志高洁法师也。恢即启宋武帝延请还都，莫肯行者。既屡请恳至，二人推严随行。恢怀道素笃，礼事甚殷。还都即住始兴寺。"

傅亮《为宋公修复前汉诸陵教》。见《艺文类聚》卷四十："宋傅亮《修复前汉诸陵教》曰……"当作于本年九月刘裕至长安之后。

郭澄之诵诗劝诫刘裕不要西伐。《晋书》卷九十二《郭澄之传》："郭澄之，字仲静，太原阳曲人也。少有才思，机敏兼人……刘裕引为相国参军。从裕北伐，既克长安，裕意更欲西伐，集僚属议之，多不同。次问澄之，澄之不答，西向诵王粲诗曰：'南登霸陵岸，回首望长安。'裕便意定，谓澄之曰：'当与卿共登霸陵岸耳。'因还。"

陶渊明作《赠羊长史诗》《饮酒诗》二十首。《赠羊长史诗》见《晋诗》卷十六，其诗序云："左军羊长史，衔使秦川，作此与之。"其诗云："愚生三季后，慨然念黄虞。得知千载外，正赖古人书。贤圣留余迹，事事在中都。岂忘游心目，关河不可逾。九域甫已一，逝将理舟舆。闻君当先迈，负疴不获俱。"诗序云羊长史衔使秦川，当在本年九月刘裕伐后秦，收复长安以后，暂系于此。《饮酒诗》二十首见《晋诗》卷十七，王瑶《陶渊明集》注《饮酒诗》二十首云："据《序文》'比夜已长'及'既醉之后，辄题数句以自娱'，则这二十首诗当都是同一年秋夜醉后所作的，因此总题为《饮酒》。又第十九首中上面说'终死归田里'，下面说'亭亭复一纪'，一纪是十二年，渊明辞彭泽令归田在晋安帝义熙元年乙巳，因知《饮酒诗》当作于义熙十三年……第十六首中说'行行向不惑，淹留遂无成'，是追述以前的事情，说明'四十无闻'之意，不是实际作诗的时间。第十九首说'是时向立年'也是追述语气；'亭亭复一纪'这一句是承'终死归田里'而说，不是承'是时向立年'说的。"

十一月

刘穆之卒。《宋书》卷四十二《刘穆之传》："十三年，疾笃，诏遣正直黄门郎问疾。十一月卒，时年五十八。高祖在长安，闻问惊恸，哀恸者数日……追赠穆之散骑常侍、卫将军、开府仪同三司。高祖又表天子曰……于是重赠侍中、司徒，封南昌县侯，食邑千五百户。"

傅亮作《司徒刘穆之碑》《为宋公求加赠刘前军表》。《司徒刘穆之碑》见《艺文类聚》卷四十七，当作于刘穆之卒后。《为宋公求加赠刘前军表》见《宋书》卷四十二《刘穆之传》，又见《文选》卷三十八，题作傅亮作。亦为刘穆之卒后之作也。

十二月

范泰作《为宋公祭嵩山文》。见《初学记》卷五："宋范泰为宋公祭嵩山文曰：'刘裕敬荐中岳之灵……旧都既清，三秦期廓……逝将言旋，自雍徂洛……'"《宋书》

卷二《武帝纪中》："十二月庚子，发自长安，以桂阳公义真为安西将军、雍州刺史，留腹心将佐以辅之。闰月，公自洛入河，开汴渠以归。"《为宋公祭嵩山文》当作于本年十二月，刘裕东归途经嵩山时。

本年

孔琳之任侍中。《宋书》卷五十六《孔琳之传》："迁侍中"，《东晋将相大臣年表》系于本年。

公元418 年（晋安帝义熙十四年　戊午）

正月

刘裕解司州，领徐、冀二州刺史。作《请褒赠王镇恶表》。《宋书》卷二《武帝纪中》："十四年正月壬戌，公至彭城，解严息甲。以辅国将军刘遵考为并州刺史，领河东太守，镇蒲坂。公解司州，领徐、冀二州刺史，固让进爵。"《请褒赠王镇恶表》见卷四十五《王镇恶传》："镇恶率军出北地，为（沈）田子所杀……是岁，十四年正月十五日也，高祖表曰……"

刘义隆改授西中郎将、荆州刺史。《宋书》卷五《文帝纪》："关中平定，高祖还彭城，又授监司州豫州之淮西兖州之陈留诸军事、前将军、司州刺史，持节如故，将镇洛阳。仍改授都督荆益宁雍梁秦六州豫州之河南广平扬州之义成松滋四郡诸军事、西中郎将、荆州刺史，持节如故。"《资治通鉴》卷一百一十八系刘义隆任西中郎将、荆州刺史于本年正月。

刘义庆任豫州刺史。《宋书》卷五十一《刘义庆传》："义熙十二年，从伐长安，还拜辅国将军、北青州刺史，未之任，徙督豫州诸军事、豫州刺史，复督淮北诸军事，豫州刺史、将军并如故。"《资治通鉴》卷一百一十八刘义庆任豫州刺史于本年正月。

六月

刘裕为相国，进封宋公，作《受相国宋公九锡令》《进宝器表》。《宋书》卷二《武帝纪中》："六月，受相国宋公九锡之命。令曰……诏崇豫章公太夫人为宋公太妃，世子为中军将军，副贰相国府……又诏宋国所封十郡之外，悉得除用。"《进宝器表》见《太平御览》卷二引《义熙起居注》："十四年，相国表曰……"当在刘裕进封宋公之后。

王弘领彭城太守。迁尚书仆射，领选。《宋书》卷四十二《王弘传》："高祖还彭城，弘领彭城太守。宋国初建，迁尚书仆射，领选，太守如故。"王弘迁尚书仆射，领选在本年六月宋国初建后，姑系于此。

戴颙被征为散骑侍郎，不起。刘裕作《征戴颙等令》。《宋书》卷九十三《戴颙传》："宋国初建，令曰：'前太尉参军戴颙、辟士韦玄，秉操幽遁，守志不渝，宜加旌引，以弘止退。并可散骑侍郎，在通直。'不起。"戴颙被征为散骑侍郎的具体时间不详，今据"宋国初建"，姑系于此。

裴松之任世子洗马。刘裕作《敕裴松之》。《宋书》卷六十四《裴松之传》："既克洛阳，松之居州行事。宋国初建，毛德祖使洛阳。高祖敕之曰：'裴松之廊庙之才，不宜久尸边务，今召为世子洗马……'"可能在刘裕进封宋公之后，姑系于此。

宗炳和周续之被刘裕辟为太尉掾，未就。刘裕作《下书辟宗炳等》。《宋书》卷九十三《宗炳传》："高祖开府辟召，下书曰：'吾忝大宠，思延贤彦，而《兔罝》潜处，《考盘》未臻，侧席丘园，良增虚伫。南阳宗炳、雁门周续之，并植操幽栖，无闷巾褐，可下辟召，以礼屈之。'于是并辟太尉掾，皆不起。"可能在刘裕进封宋公之后，姑系于此。

谢灵运任宋国黄门侍郎。《宋书》卷六十七《谢灵运传》："仍除宋国黄门侍郎，迁相国从事中郎。"谢灵运担任上述官职，当在本年刘裕进封宋公之后。

郑鲜之转奉常，举颜延之为博士。《宋书》卷六十四《郑鲜之传》："宋国初建，转奉常。"举颜延之为博士见下条。

颜延之为博士，迁世子舍人。《宋书》卷七十三《颜延之传》："宋国建，奉常郑鲜之举为博士，仍迁世子舍人。"时间不详，当在本年六月刘裕进封宋公后，姑系于此。

九月

刘裕于戏马台大会群僚，饯别孔季恭。《南齐书》卷九《礼志上》："九月九日马射。或说云，秋金之节，讲武习射，像汉立秋之礼。史臣曰：案晋中朝元会，设卧骑、倒骑、颠骑，自东华门驰往神虎门，此亦角抵杂戏之流也。宋武为宋公，在彭城，九日出项羽戏马台，至今相承，以为旧准。"《宋书》卷五十四《孔季恭传》："孔靖，字季恭，会稽山阴人也……宋台初建，令书以为尚书令，加散骑常侍，又让不受，乃拜侍中、特进、左光禄大夫。辞事东归，高祖饯之戏马台，百僚咸赋诗以述其美。"刘裕饯别孔季恭，群僚赋诗当在本年九月九日。

谢瞻作《九日从宋公戏马台集送孔令诗》。《九日从宋公戏马台集送孔令诗》见《文选》卷二十，李善注引《宋书·七志》云："高祖游戏马台，命僚佐赋诗，瞻之所作冠于时。"诗云："风至授寒服，霜降休百宫"，知诗作于本年九月九日，刘裕会群僚时。

王昙首与会戏马台，赋诗。《宋书》卷六十三《王昙首传》："行至彭城，高祖大会戏马台，豫坐者皆赋诗；昙首文先成，高祖览读，因问弘曰：'卿弟何如卿？'弘答曰：'若但如民，门户何寄。'高祖大笑。昙首有识局智度，喜愠不见于色，闺门之内，雍雍如也。手不执金玉，妇女不得为饰玩，自非禄赐所及，一毫不受于人。"王昙首与会戏马台，所赋诗已佚。赋诗时间当在本年九月九日，刘裕会群僚时。

谢灵运作《九日从宋公戏马台集送孔令诗》。《九日从宋公戏马台集送孔令诗》见《宋诗》卷二，诗云"季秋边朔苦，旅雁违霜雪"，则当作于本年九月九日，刘裕会群僚时。

十一月

谢晦谏刘裕不宜北伐，咏王粲《七哀诗》。《南史》卷十九《谢晦传》："武帝闻咸阳沦没，欲复北伐，晦谏以士马疲怠，乃止。于是登城北望，慨然不悦，乃命群僚诵诗，晦咏王粲诗曰：'南登霸陵岸，回首望长安，悟彼下泉人，喟然伤心肝。'帝流涕不自胜。"《晋书》卷十《安帝纪》："十一月，赫连勃勃大败王师于青泥北。雍州刺史朱龄石焚长安宫殿，奔于潼关。寻又大溃，龄石死之。"谢晦谏刘裕不宜北伐，当在此时。

郑鲜之作《谏北伐表》。《宋书》卷六十四《郑鲜之传》："佛佛虏陷关中，高祖复欲北讨，行意甚盛。鲜之上表谏曰……"《资治通鉴》卷一百一十八系此事于本年十一月。

十二月

王韶之鸩毒晋安帝，后迁黄门侍郎，领著作。《晋书》卷十《安帝纪》："十二月戊寅，帝崩于东堂，时年三十七。葬休平陵。"《南史》卷二十四《王韶之传》："晋安帝之崩，武帝使韶之与帝左右密加酖毒。恭帝即位，迁黄门侍郎，领著作，西省如故。凡诸诏黄皆其辞也。"《晋书》卷十《恭帝纪》："十四年十二月戊寅，安帝崩。"

刘裕《矫安帝遗诏》，恭帝即位。《晋书》卷十《恭帝纪》："十四年十二月戊寅，安帝崩。刘裕矫称遗诏曰：'……咨尔大司马、琅邪王，体自先皇，明德光懋，属惟储贰，众望攸集。其君临晋邦，奉系宗祀，允执其中，燮和天下。阐扬末诰，无废我高祖之景命。'是日，即帝位，大赦。"

本年

范泰迁护军将军。拜金紫光禄大夫，加散骑常侍。讥笑王淮之所作五言诗。《宋书》卷六十《范泰传》："高祖还彭城，与共登城，泰有足疾，特命乘舆。泰好酒，不拘小节，通率任心，虽在公坐，不异私室，高祖甚赏爱之。然拙于为治，故不得在政事之官。迁护军将军，以公事免。高祖受命，拜金紫光禄大夫，加散骑常侍。"《晋书》卷七十五《范宁传》系范泰位护军将军于元熙中，疑误，今从《宋书》本传。《宋书》卷六十《王淮之传》："王淮之，字元曾，琅邪临沂人……淮之兼明《礼传》，赡于文辞……宋台建，除御史中丞，为僚友所惮。淮之父纳之、祖临之、曾祖彪之至淮之，四世居此职。淮之尝作五言，范泰嘲之曰：'卿唯解弹事耳。'淮之正色答：'犹差卿世载雄狐。'"

傅亮迁中书令。作《为宋公修楚元王墓教》。《宋书》卷四十三《傅亮传》："亮从征关、洛，还至彭城。宋国初建，令书除侍中，领世子中庶子。徙中书令，领中庶子如故。"《为宋公修楚元王墓教》见《文选》卷三十六，李善注云："宋公，楚元王后，故修治其墓。"又注引《汉书》曰："楚元王交……汉立交为楚王，王彭城。"

王弘任江州刺史。《宋书》卷四十二《王弘传》："十四年，迁监江州豫州之西阳新蔡二郡诸军事、抚军将军、江州刺史。至州，省赋简役，百姓安之。"

陶渊明被征著作佐郎，不就。作《怨诗楚调示庞主簿邓治中诗》。《宋书》卷九十三《陶潜传》："义熙末，征著作佐郎，不就。"《怨诗楚调示庞主簿邓治中诗》云："结发念善事，俛偋六九年"，陶渊明今年五十四岁故系于此。

张野常与陶渊明等游处，卒。《莲社高贤传·张野传》："义熙十四年与家人别，入室端坐而逝，春秋六十九。"《隋书》卷三十五《经籍志四》："梁有……《张野集》十卷。"《庐山记》，张野撰，《太平御览》卷八、卷四十一引。《晋诗》卷十四辑诗一首：《奉和慧远游诗》。

何承天作《鼓吹铙歌十五篇》。《宋书》卷二十二《乐志四》："鼓吹铙歌十五篇，何承天义熙中私造。"这十五篇为：《朱鹭篇》《思悲翁篇》《雍离篇》《战城南篇》《巫山高篇》、《上陵者篇》《将进酒篇》《君马篇》《芳树篇》《有所思篇》《雉子游原泽篇》、《上邪篇》《临高台篇》《远期篇》《石流篇》。郭茂倩《乐府诗集》卷十九云："按此诸曲皆承天私作，疑未尝被于歌也。虽有汉曲旧名，大抵别增新意，故其义与古辞考之多不合云。"《鼓吹铙歌十五篇》的写作时间，《乐府诗集》卷十九引《宋书·乐志》云"何承天晋义熙末私造"，这与上文《宋书·乐志四》所云"义熙中私造"不同。张可礼《东晋文艺系年》第798页：考《雍离篇》："雍士多离民，荆民怀怨情。二凶不量德，构难称其兵。王人衔朝命，正辞纠不庭。上宰宣九伐，万里举长旌……霜锋未及染，鄢郢忽已清……"诸句，当指刘裕率军西征荆州刺史司马休之及雍州刺史鲁宗之一事。据《宋书》卷二《武帝纪中》，刘裕征司马休之、鲁宗之在义熙十一年。据此，知"义熙末私造"之说可从，故系于本年。

羊徽任西中郎将长史。《宋书》卷六十二《羊徽传》："后为太祖西中郎将长史、河东太守。"《南史》卷三十六《羊欣传》："弟徽……任河东太守卒。"羊徽何时任河东太守，不详。《隋书》卷三十五《经籍志四》："晋西中郎长史《羊徽集》九卷，梁十卷，录一卷。"《全晋文》卷一百四十一辑有羊徽《木槿赋》一篇。《晋诗》卷十四辑诗二首：《赠傅长猷傅时为太尉主簿入为都官郎诗》四章、《答丘泉之诗》七章。

公元419年（晋恭帝元熙元年 己未）

正月

刘裕为宋王。《宋书》卷二《武帝纪中》："元熙元年正月，诏遣大使征公入辅。又申前命，进公爵为王。以徐州之海陵东海北谯北梁、豫州之新蔡、兖州之北陈留、司州之陈郡汝南颍川荥阳十郡，增宋国。"

裴松之参与议立五庙乐。《宋书》卷六十四《裴松之传》："于时议立五庙乐，松之以妃臧氏庙乐亦宜与四庙同。"卷十六《礼志三》："宋武帝初受晋命为宋王，建宗庙于彭城，依魏、晋故事，立一庙。初祠高祖开封府君、曾祖武原府君、皇祖东安府君、皇考处士府君、武敬臧后，从诸侯五庙之礼也。"裴松之参与议立五庙乐，当在本年刘裕为宋王之后。

七月

刘裕移镇寿阳。《宋书》卷二《武帝纪中》："七月，乃受命，赦国内五岁刑以下。迁都寿阳。"

何承天为尚书祠部郎。《宋书》卷六十四《何承天传》："高祖在寿阳，宋台建，召为尚书祠部郎，与傅亮共撰朝仪。"

蔡廓任侍中，作《鞫狱议》。《宋书》卷五十七《蔡廓传》："宋台建，为侍中，建议以为：'鞫狱不宜令子孙下辞明言父祖之罪，亏教伤情，莫此为大……'朝议咸以为允，从之。"

九月

傅亮作《与蔡廓书》。《宋书》卷五十七《蔡廓传》："时中书令傅亮任寄隆重，学冠当时，朝廷仪典，皆取定于亮，每咨廓然后施行。亮意若有不同，廓终不为屈。时疑扬州刺史庐陵王义真朝堂班次，亮与廓书曰……"据卷二《武帝纪中》、卷三《武帝纪下》记载，刘义真于本年九月至明年正月任扬州刺史，《与蔡廓书》当作于这段时间内，姑系于此。

十二月

刘裕加殊礼。《宋书》卷二《武帝纪中》："十二月，天子命王冕十有二旒，建天子旌旗，出警入跸，乘金根车，驾六马，备五时副车，置旄头云罕，乐舞八佾，设钟虡宫县。进王太妃为太后，王妃为王后，世子为太子，王子、王孙爵命之号，一如旧仪。"

本年

江州刺史王弘常以酒馈陶渊明。《晋书》卷九十四《陶潜传》"刺史王弘以元熙中临州，甚钦迟之，后自造焉。潜称疾不见，既而语人云：'我性不狎世，因疾守闲，幸非洁志慕声，岂敢以王公纡轸为荣邪！夫谬以不贤，此刘公干所以招谤君子，其罪不细也。'弘每令人候之，密知当往庐山，乃遣其故人庞通通等赍酒，先于半道要之。潜既遇酒，便引酌野亭！欣然忘进。……何劳弦上声。"

谢灵运任世子左卫率、因擅杀门生桂兴免官。王弘作《奏弹谢灵运》，刘裕作《答王弘弹谢灵运令》。《晋书》卷七十九《谢玄传》："（玄）子瑍嗣，秘书郎，早卒。子灵运嗣。……永熙中为刘裕世子左卫率。""永熙"乃"元熙"之误。《宋书》卷六十七《谢灵运传》"（灵运迁）世子左卫率。坐辄杀门生，免官。"《宋书》卷四十二《王弘传》："奏弹谢灵运曰：'……世子左卫率康乐县公谢灵运，力人桂兴淫其嬖妾，杀兴江涘，弃尸洪流。事实京畿，播闻遐迩。宜加重劾，肃正朝风……请以事见灵运所居官，上台削爵土，收付大理治罪……'高祖令曰：'灵运免官而已，余如奏。端右肃正风轨，诚副所期，岂拘常仪，自今为永制。'"

范泰领国子祭酒，作《请见国学表》《笺改钱法》。《宋书》卷六十《范泰传》："议建国学，以泰领国子祭酒。泰上表曰……时学竟不立。时言事者多以钱货减少，国用不足，欲悉市民铜，更造五铢钱。泰又谏曰……"

范晔任彭城王冠军参军。《宋书》卷六十九《范晔传》：（范晔任）"彭城王义康冠军参军"。据卷六十八《彭城王义康传》记载，刘义康本年任冠军将军，范晔任冠军参军约在此时。

郭澄之任相国从事中郎。《晋书》卷九十二《郭澄之传》："澄之位至（刘）裕相国从事中郎，封南丰侯，卒于官，所著文集行于世。"郭澄之任相国从事中郎的具体时间不详，疑在本年，姑系于此。《隋书》卷三十四《经籍志三》："《郭子》三卷，东晋中郎郭澄之撰。"卷三十五《经籍志四》："梁有……《郭澄之集》十卷……亡。"

第三章

宋元帝永初元年（魏明元帝泰常五年）至陈后主祯明三年
（420—589）共 170 年

·引 言·

　　魏收《魏书》卷八五《文苑传序》：永嘉之后，天下分崩，夷狄交驰，文章殄灭。
昭成、太祖之世，南收燕赵，网罗俊乂。逮高祖驭天，悦情文学，盖以颉颃汉彻，掩
踔曹丕，气韵高远，才藻独构。衣冠仰止，咸慕新风。肃宗历位，文雅大盛，学者如
牛毛，成者如麟角，孔子曰："才难，不其然乎？"

　　魏收《魏书》卷八四《儒林传序》：自晋永嘉之后，运钟丧乱，宇内分崩，群凶肆
祸，生民不见俎豆之容，黔首唯睹戎马之迹，礼乐文章，扫地将尽。而契之所感，斯
道犹存。高才有德之流，自强蓬荜；鸿生硕儒之辈，抱器晦己。太祖初定中原，虽日
不暇给，始建都邑，便以经术为先，立太学，置五经博士生员千有余人。天兴二年春，
增国子太学生员至三千。岂不以天下可马上取之，不可以马上治之，为国之道，文武
兼用，毓才成务，意在兹乎？圣达经猷，盖为远矣。四年春，命乐师入学习舞，释菜
于先圣、先师。太宗世，改国子为中书学，立教授博士。世祖始光三年春，别起太学
于城东，后征卢玄、高允等，而令州郡各举才学。于是人多砥尚，儒林转兴。

　　魏收《魏书》卷八四《儒林传序》：及迁都洛邑，诏立国子太学、四门小学。高祖
钦明稽古，笃好坟典，坐舆据鞍，不忘讲道。刘芳、李彪诸人以经书进，崔光、邢峦
之徒以文史达，其余涉猎典章，关历词翰，莫不縻以好爵，动贻赏眷。于是斯文郁然，
比隆周汉。世宗时，复诏营国学，树小学于四门，大选儒生，以为小学博士，员四十
人。虽黉宇未立，而经术弥显。时下承平，学业大盛。故燕齐赵魏之间，横经著录，
不可胜数。大者千余人，小者犹数百。州举茂异，郡贡孝廉，对扬王庭，每年愈众。

　　李百药《北齐书》卷四五《文苑传序》：有齐自霸图云启，广延髦俊，开四门以纳
之，举八纮以掩之，邺京之下，烟霏雾集，河间邢子才、钜鹿魏伯起、范阳卢元明、
钜鹿魏季景、清河崔长儒、河间邢子明、范阳祖孝徵、乐安孙彦举、中山杜辅玄、北
平阳子烈并其流也。复有范阳祖鸿勋，亦参文士之列。

　　李百药《北齐书》卷四四《儒林传序》：高祖生于边朔，长于戎马之间，因魏氏丧
乱之余，属尔朱残酷之举，文章咸荡，礼乐同奔，弦歌之音且绝，俎豆之容将尽。及
仗义建旗，扫清区县，以正君臣，以齐上下。至乎一人播越，九鼎潜移，文武神器，

顾眄斯在。犹且援立宗支，重安社稷，岂非踬名教之地，渐仁义之风与？

李百药《北齐书》卷四四《儒林传序》：然爰自始基，既于季世，唯济南之在储宫，性识聪敏。颇自砥砺，以成其美，自余多骄恣傲狠，动违礼度，日就月将，无闻焉尔。镂冰雕朽，迄用无成，盖有由也，夫帝子王孙，禀性淫逸，况义方之情不笃，邪僻之路竞开，自非得自生知，体包上智，而内有声色之娱，外多犬马之好，安能入便笃行，出则友贤者也。徒有师傅之资，终无琢磨之实。下之从化，如风靡草，是以世胄之门，罕闻强学。若使贵游之辈，饰以明经，可谓稽山竹箭，加之以括羽，俯拾青紫，断可知焉。而齐氏司存，或失其守，师、保、疑、丞皆赏勋旧，国学博士徒有虚名，唯国子一学，生徒数十人耳，欲求官正国治，其可得乎？胄子以通经仕者唯博陵崔子发、广平宋游卿而已，自外莫见其人。

李百药《北齐书》卷四四《儒林传序》：幸朝章宽简，政纲疏阔，游手浮惰，十室而九。故横经受业之侣，遍于乡邑。负笈从宦之徒，不远千里。伏膺无怠，善诱不倦。入闾里之内，乞食为资。憩桑梓之阴，动逾千数。燕、赵之俗，此众尤甚。齐制：诸郡并立学，置博士助教授经，学生俱差逼充员，士流及豪富之家皆不从调。备员既非所好，坟籍固不关怀，又多被州郡官人驱使。纵有游惰，亦不检治，皆由上非所好之所致也。诸郡俱得察孝廉，其博士、助教及游学之徒通经者，推择充举。射策十条，通八以上，听九品出身，其尤异者亦蒙抽擢。

令狐德棻《周书》卷四一《王褒庾信传论》：洎乎有魏，定鼎沙朔，南包河、淮，西吞关、陇。当时之士，有许谦、崔宏、崔浩、高允、高闾、游雅等，先后之间，声实俱茂，词义典正，有永嘉之遗烈焉。及太和之辰，虽复崇尚文雅，方骖并路，多乖往辙，涉海登山，罕值良宝。其后袁翻才称澹雅，常景思标沉郁，彬彬焉，盖一时之俊秀也。

令狐德棻《周书》卷四一《王褒庾信传论》：周氏创业，运属陵夷。纂遗文于既丧，聘奇士如弗及。是以苏亮、苏绰、卢柔、唐瑾、元伟、李昶之徒，咸奋鳞翼，自致青紫。然绰建言务存质朴，遂糠秕魏、晋，宪章虞、夏。虽属词有师古之美，矫枉非适时之用，故莫能常行焉。

令狐德棻《周书》卷四一《王褒庾信传论》：既而革车电迈，渚宫云撤。尔其荆、衡杞梓，东南竹箭，备器用于庙堂者众矣。唯王褒、庾信奇才秀出，牢笼于一代。是时，世宗雅词云委，滕、赵二王雕章间发。咸筑宫虚馆，有如布衣之交。由是朝廷之人，闾阎之士，莫不忘味于遗韵，眩精于末光。犹丘陵之仰嵩、岱，川流之宗溟渤也。

令狐德棻《周书》卷四五《儒林传序》：自有魏道消，海内版荡，彝伦攸斁，戎马生郊。先王之旧章，往圣之遗训，扫地尽矣。

令狐德棻《周书》卷四五《儒林传序》：及太祖受命，雅好经术。求阙文于三古，得至理于千载，黜魏、晋之制度，复姬旦之茂典。卢景宣学通群艺，修五礼之缺。长孙绍远才称洽闻，正六乐之坏。由是朝章渐备，学者向风。世宗纂历，敦尚学艺。内有崇文之观，外重成均之职。握素怀铅重席解颐之士，间出于朝廷。圆冠方领执经负笈之生，著录于京邑。济济焉足以逾于向时矣。洎高祖保定三年，乃下诏尊太傅燕公为三老。帝于是服衮冕，乘碧辂，陈文物，备礼容，清跸而临太学。袒割以食之，奉筋以酳之，斯固一世之盛事也。其后命轺轩而致玉帛，征沈重于南荆。及定山东，降至尊而劳万乘，待熊生以殊礼。是以天下慕向，文教远覃。衣儒者之服，挟先王之道，开黉舍延学徒者比肩。励从师之志，守专门之业，辞亲戚甘勤苦者成市。虽遗风盛业，不逮魏、晋之辰，而风移俗变，抑亦近代之美也。

魏徵《隋书》卷七六《文学传序》：暨永明、天监之际，太和、天保之间，洛阳、江左，文雅尤盛。于时作者，济阳江淹、吴郡沈约、乐安任昉、济阴温子升、河间邢子才、钜鹿魏伯起等，并学穷书圃，思极人文，缛彩郁于云霞，逸响振于金石。英华秀发，波澜浩荡，笔有余力，词无竭源。方诸张、蔡、曹、王，亦各一时之选也。闻其风者，声驰景慕，然彼此好尚，互有异同。江左宫商发越，贵于清绮，河朔词义贞刚，重乎气质。气质则理胜其词，清绮则文过其意，理深者便于时用，文华者宜于咏歌，此其南北词人得失之大较也。若能掇彼清音，简兹累句，各去所短，合其两长，则文质斌斌，尽善尽美矣。梁自大同之后，雅道沦缺，渐乖典则，争驰新巧。简文、湘东，启其淫放，徐陵、庾信，分路扬镳。其意浅而繁，其文匿而彩，词尚轻险，情多哀思。格以延陵之听，盖亦亡国之音乎？周氏吞并梁、荆，此风扇于关右，狂简斐然成俗，流宕忘返，无所取裁。

魏徵《隋书》卷七五《儒林传序》：自晋室分崩，中原丧乱，五胡交争，经籍道尽。魏氏发迹代阴，经营河朔，得之马上，兹道未弘。暨夫太和之后，盛修文教，搢绅硕学，济济盈朝，缝掖巨儒，往往杰出，其雅诰奥义，宋及齐、梁不能尚也。南北所治，章句好尚，互有不同。江左《周易》则王辅嗣，《尚书》则孔安国，《左传》则杜元凯。河、洛《左传》则服子慎，《尚书》《周易》则郑康成。《诗》则并主于毛公，《礼》则同遵于郑氏。大抵南人约简，得其英华，北学深芜，穷其枝叶。考其终始，要其会归，其立身成名，殊方同致矣。

魏徵《隋书》卷七五《儒林传序》：爰自汉、魏，硕学多清通，逮乎近古，巨儒必鄙俗。文、武不坠，弘之在人，岂独愚蔽于当今，而皆明哲于往昔？在乎用与不用，知与不知耳。然曩之弼谐庶绩，必举德于鸿儒，近代左右邦家，咸取士于刀笔。纵有学优入室，勤逾刺股，名高海内，擢第甲科，若命偶时来，未有望于青紫，或数将运舛，必委弃于草泽。然则古之学者，禄在其中，今之学者，困于贫贱，明达之人，志识之士，安肯滞于所习，以求贫贱者哉？此所以儒罕通人，学多鄙俗者也。昔齐列康庄之第，多士如林，燕起碣石之宫，群英自远。是知俗易风移，必由上之所好，非夫圣明御世，亦无以振斯颓俗矣。

李延寿《北史》卷八三《文苑传序》：洎乎有魏，定鼎沙朔。南包河、淮，西吞关、陇。当时之士，有许谦、崔宏、宏子浩、高允、高闾、游雅等，先后之间，声实俱茂，词义典正，有永嘉之遗烈焉。及太和在运，锐情文学，固以颉颃汉彻，跨蹑曹丕，气韵高远，艳藻独构。衣冠仰止，咸慕新风，律调颇殊，曲度遂改。辞罕泉源，言多胸臆，润古雕今，有所未遇。是故雅言丽则之奇，绮合绣联之美，眇历岁年，未闻独得。既而陈郡袁翻、河内常景，晚拔畴类，稍革其风。及明皇御历，文雅大盛，学者如牛毛，成者如麟角。孔子曰："才难。不其然也?"于时陈郡袁翻、翻弟跃、河东裴敬宪、弟庄伯、庄伯族弟伯茂、范阳卢观、弟仲宣、顿丘李谐、勃海高肃、河间邢臧、赵国李骞，雕琢琼瑶，刻削杞梓，并为龙光，俱称鸿翼。乐安孙彦举、济阴温子升，并自孤寒，郁然特起。咸能综采繁缛，兴属清华。比于建安之徐、陈、应、刘，元康之潘、张、左、束，各一时也。

李延寿《北史》卷八三《文苑传序》：有齐自霸业云启，广延髦俊，开四门以宾之，顿八纮以掩之，邺都之下，烟霏雾集。河间邢子才、钜鹿魏伯起、范阳卢元明、钜鹿魏季景、清河崔长儒、河间邢子明、范阳祖孝徵、中山杜辅玄、北平阳子烈并其流也。复有范阳祖鸿勋，亦参文士之列。及天保中，李愔、陆卬、崔瞻、陆元规并在中书，参掌纶诰。其李广、樊逊、李德林、卢询祖、卢思道始以文章著名。皇建之朝，常侍王晞独擅其美。河清、天统之辰，杜台卿、刘逖、魏骞亦参诏敕。自李愔已下，在省唯撰述除官诏旨，其关涉军国文翰，多是魏收作之。及在武平，李若、荀士逊、李德林、薛道衡并为中书侍郎，典司纶绰。

李延寿《北史》卷八三《文苑传序》：周氏创业，运属陵夷，纂遗文于既丧，聘奇士如弗及。是以苏亮、苏绰、卢柔、唐瑾、元伟、李昶之徒，咸奋鳞翼，自致青紫。然绰之建言，务存质朴，遂糠粃魏、晋，宪章虞、夏，虽属辞有师古之美，矫枉非适时之用，故莫能常行焉。既而革车电迈，诸宫云撤，梁、荆之风，扇于关右，狂简之徒，斐然成俗，流宕忘反，无所取裁。

李延寿《北史》卷八三《文苑传序》：夫人有六情，禀五常之秀。情感六气，顺四时之序。盖文之所起，情发于中。而自汉、魏以来，迄乎晋、宋，其体屡变，前哲论之详矣。暨永明、天监之际，太和、天保之间，洛阳、江左，文雅尤盛，彼此好尚，互有异同。江左宫商发越，贵于清绮。河朔词义贞刚，重乎气质。气质则理胜其词，清绮则文过其意。理深者便于时用，文华者宜于咏歌。此其南北词人得失之大较也。若能掇彼清音，简兹累句，各去所短，合其两长，则文质彬彬，尽美尽善矣。

李延寿《北史》卷八一《儒林传序》：魏道武初定中原，虽日不暇给，始建都邑，便以经术为先。

李延寿《北史》卷八一《儒林传序》：孝文钦明稽古，笃好坟籍，坐舆据鞍，不忘讲道。刘芳、李彪诸人以经书进，崔光、邢峦之徒以文史达。其余涉猎典章，闲集词翰，莫不縻以好爵，动贻赏眷。于是斯文郁然，比隆周、汉。

李延寿《北史》卷八一《儒林传序》：时天下承平，学业大盛，故燕、齐、赵、魏之间，横经著录，不可胜数。大者千余人，小者犹数百。州举茂异，郡贡孝廉，对扬王庭，每年逾众。

李延寿《北史》卷八一《儒林传序》：齐神武生于边朔，长于戎马，仗义建旗，扫清区县。因魏氏丧乱，属尔朱残酷，文章咸荡，礼乐同奔，弦歌之音且绝，俎豆之容将尽。

李延寿《北史》卷八一《儒林传序》：然爰自始基，暨于季世，唯济南之在储宫，性识聪敏，颇自砥砺，以成其美。自余多骄恣傲狠，动违礼度，日就月将，无闻焉尔，镂冰雕朽，迄用无成。盖有由焉。夫帝王子孙，习性骄逸，况义方之情不笃，邪僻之路竞开，自非得自生知，体包上智，而内纵声色之娱，外多犬马之好，安能入则笃行，出则友贤者也？徒有师傅之资，终无琢磨之实。贵游之辈，饰以明经，可谓稽山竹箭，加之括羽，俯拾青紫，断可知焉。而齐氏司存，或失其守，师保疑丞，皆赏勋旧，国学博士，徒有虚名。唯国子一学，生徒数十人耳。胄子以通经进仕者，唯博陵崔子发、广平宋游卿而已。自外莫见其人。幸朝章宽简，政纲疏阔，游手浮惰，十室而九。故横经受业之侣，遍于乡邑。负笈从宦之徒，不远千里。入闾里之内，乞食为资，憩桑梓之阴，动逾十数。燕、赵之俗，此众尤甚焉。齐制，诸郡并立学，置博士、助教授经。学生俱差逼充员，士流及豪富之家，皆不从调。备员既非所好，坟籍固不关怀。又多被州郡官人驱使，纵有游惰，亦不检察。皆由上非所好之所致也。诸郡俱得察孝廉，其博士、助教及游学之徒通经者，推择充举。射策十条，通八以上，听九品出身。其尤异者，亦蒙抽擢。

李延寿《北史》卷八一《儒林传序》：周文受命，雅重经典。于时西都板荡，戎马生郊，先王之旧章，往圣之遗训，扫地尽矣。于是求阙文于三古，得至理于千载，黜魏、晋之制度，复姬旦之茂典。卢景宣学通群艺，修五礼之缺。长孙绍才称洽闻，正六乐之坏。由是朝章渐备，学者向风。明皇纂历，敦尚学艺，内有崇文之观，外重成均之职。握素怀铅，重席解颐之士，间出于朝廷。圆冠方领，执经负笈之生，著录于京邑。济济焉，足以逾于向时矣。洎保定三年，帝乃下诏尊太傅燕公为三老。帝于是服衮冕，乘碧辂，陈文物，备礼容，清跸而临太学，祖割以食之，奉觞以酳之，斯固一世之盛事也。其后命轺轩而致玉帛，征沈重于南荆。及定山东，降至尊而劳万乘，待熊安生以殊礼。是以天下慕向，文教远覃。衣儒者之服，挟先王之道，开黉舍、延学徒者比肩。励从师之志，守专门之业，辞亲戚、甘勤苦者成市。虽通儒盛业，不逮魏、晋之臣，而风移俗变，抑亦近代之美也。

李延寿《北史》卷八一《儒林传序》：大抵南北所为章句，好尚互有不同。江左，《周易》则王辅嗣，《尚书》则孔安国，《左传》则杜元凯。河洛，《左传》则服子慎，《尚书》《周易》则郑康成。《诗》则并主于毛公，《礼》则同遵于郑氏。南人约简，得其英华。北学深芜，穷其枝叶。考其终始，要其会归，其立身成名，殊方同致矣。

《世说新语·文学》第85条：简文称许掾云："玄度五言诗，可谓妙绝时人。"刘孝标注引檀道鸾《续晋阳秋》曰：询有才藻，善属文。自司马相如、王褒、扬雄诸贤世尚赋颂，皆体则《诗》《骚》，傍综百家之言。及至建安，而诗章大盛。逮乎西朝之末，潘、陆之徒虽时有质文，而宗归不异也。正始中，王弼、何晏好《庄》《老》玄胜之谈，而世遂贵焉。至过江，佛理尤盛，故郭璞五言始会合道家之言而韵之，询及太原孙绰转相祖尚。又加以三世之辞，而《诗》《骚》之体尽矣。询、绰并为一时文宗，自此作者悉体之。至义熙中，谢混始改。

沈约《宋书·谢灵运传论》：史臣曰：民禀天地之灵，含五常之德，刚柔迭用，喜愠分情。夫志动于中，则歌咏外发。六义所因，四始攸系，升降讴谣，纷披风什。虽虞夏以前，遗文不睹，禀气怀灵，理无或异。然则歌咏所兴，宜自生民始也。周室既衰，风流弥著，屈平、宋玉，导清源于前，贾谊、相如，振芳尘于后，英辞润金石，高义薄云天。自兹以降，情志愈广。王褒、刘向、扬、班、崔、蔡之徒，异轨同奔，递相师祖。虽清辞丽曲，时发乎篇，而芜音累气，固亦多矣。若夫平子艳发，文以情变，绝唱高踪，久无嗣响。至于建安，曹氏基命，二祖陈王，咸蓄盛藻，甫乃以情纬文，以文被质。自汉至魏，四百余年，辞人才子，文体三变。相如巧为形似之言，班固长于情理之说，子建、仲宣以气质为体，并标能擅美，独映当时。是以一世之士，各相慕习，原其飙流所始，莫不同祖《风》《骚》。徒以赏好异情，故意制相诡。降及元康，潘、陆特秀，律异班、贾，体变曹、王，缛旨星稠，繁文绮合。缀平台之逸响，采南皮之高韵，遗风余烈，事极江右。有晋中兴，玄风独振，为学穷于柱下，博物止乎七篇，驰骋文辞，义单乎此。自建武暨乎义熙，历载将百，虽缀响联辞，波属云委，莫不寄言上德，托意玄珠，遒丽之辞，无闻焉尔。仲文始革孙、许之风，叔源大变太元之气。爰逮宋氏，颜、谢腾声。灵运之兴会标举，延年之体裁明密，并方轨前秀，垂范后昆。若夫敷衽论心，商榷前藻，工拙之数，如有可言。夫五色相宜，八音协畅，由乎玄黄律吕，各适物宜。欲使宫羽相变，低昂互节，若前有浮声，则后须切响。一简之内，音韵尽殊；两句之中，轻重悉异。妙达此旨，始可言文。至于先士茂制，讽高历赏，子建函京之作，仲宣霸岸之篇，子荆零雨之章，正长朔风之句，并直举胸情，非傍诗史，正以音律调韵，取高前式。自《骚》人以来，而此秘未睹。至于高言妙句，音韵天成，皆暗与理合，匪由思至。张、蔡、曹、王，曾无先觉，潘、陆、谢、颜，去之弥远。世之知音者，有以得之，知此言之非谬。如曰不然，请待来哲。

刘勰《文心雕龙·明诗》：晋世群才，稍入轻绮。张、潘、左、陆，比肩诗衢。采缛于正始，力柔于建安；或析文以为妙，或流靡以自妍：此其大略也。江左篇制，溺乎玄风；嗤笑徇务之志，崇盛忘机之谈。袁、孙以下，虽各有雕采，而辞趣一揆，莫与争雄。所以景纯《仙篇》，挺拔而为隽矣。宋初文咏，体有因革，庄、老告退，而山水方滋。俪采百字之偶，争价一句之奇；情必极貌以写物，辞必穷力而追新，此近世之所竞也。

刘勰《文心雕龙·时序》：元皇中兴，披文建学，刘、刁礼吏而宠荣，景纯文敏而优擢。逮明帝秉哲，雅好文会，升储御极，孳孳讲艺，练情于诰策，振采于辞赋，庾以笔才愈亲，温以文思益厚，揄扬风流，亦彼时之汉武也。及成、康促龄，穆、哀短祚。简文勃兴，渊乎清峻，微言精理，函满玄席；淡思浓采，时洒文囿。至孝武不嗣，安恭已矣。其文史则有袁、殷之曹，孙、干之辈；虽才或浅深，珪璋足用。自中朝贵玄，江左称盛；因谈余气，流成文体。是以世极迍邅，而辞意夷泰，诗必柱下之旨归，赋乃漆园之义疏。故知文变染乎世情，兴废系乎时序，原始以要终，虽百世可知也。自宋武爱文，文帝彬雅，秉文之德，孝武多才，英采云构。自明帝以下，文理替矣。尔其缙绅之林，霞蔚而飙起：王、袁联宗以龙章，颜、谢重叶以凤采；何、范、张、沈之徒，亦不可胜数也。盖闻之于世，故略举大较。

刘勰《文心雕龙·才略》：景纯艳逸，足冠中兴，《郊赋》既穆穆以大观，《仙诗》亦飘飘而凌云矣。庾元规之表奏，靡密以闲畅；温太真之笔记，循理而清通：亦笔端之良工也。孙盛、干宝，文胜为史，准的所拟，志乎《典》《训》；户牖虽异，而笔彩略同。袁宏发轸以高骧，故卓出而多偏；孙绰规旋以矩步，故伦序而寡状。殷仲文之孤兴，谢叔源之闲情，并解散辞体，缥缈浮音；虽滔滔风流，而大浇文意。①

《南齐书·文学传》：史臣曰：文章者，盖情性之风标，神明之律吕也。蕴思含毫，游心内运，放言落纸，气韵天成。莫不禀以生灵，迁乎爱嗜，机见殊门，赏悟纷杂。若子桓之品藻人才，仲治之区判文体，陆机辩于《文赋》，李充论于《翰林》，张眎摘句褒贬，颜延图写情兴，各任怀抱，共为权衡。属文之道，事出神思，感召无象，变化不穷。俱五声之音响，而出言异句；等万物之情状，而下笔殊形。吟咏规范，本之雅什，流分条散，各以言区。若陈思《代马》群章，王粲《飞鸾》诸制，四言之美，前超后绝。少卿离辞，五言才骨，难与争鹜。桂林湘水，平子之华篇，飞馆玉池，魏文之丽篆，七言之作，非此谁先。卿、云巨丽，升堂冠冕，张、左恢廓，登高不继，赋贵披陈，未或加矣。显宗之述傅毅，简文之摛彦伯，分言制句，多得颂体。裴颉内侍，元规凤池，子章以来，章表之选。孙绰之碑，嗣伯喈之后；谢庄之诔，起安仁之尘。颜延《杨瓒》，自比《马督》，以多称贵，归庄为允。王褒《僮约》，束晳《发蒙》，滑稽之流，亦可奇玮。五言之制，独秀众品。习玩为理，事久则渎，在乎文章，弥患凡旧。若无新变，不能代雄。建安一体，《典论》短长互出；潘、陆齐名，机、岳之文永异。江左风味，盛道家之言，郭璞举其灵变，许询极其名理，仲文玄气，犹不尽除，谢混情新，得名未盛。颜、谢并起，乃各擅奇，休、鲍后出，咸亦标世。朱蓝共妍，不相祖述。今之文章，作者虽众，总而为论，略有三体。一则启心闲绎，托辞华旷，虽存巧绮，终致迂回。宜登公宴，本非准的。而疏慢阐缓，膏肓之病，典正可采，酷不入情。此体之源，出灵运而成也。次则缉事比类，非对不发，博物可嘉，职成拘制。或全借古语，用申今情，崎岖牵引，直为偶说。唯睹事例，顿失精采。此则傅咸五经，应璩指事，虽不全似，可以类从。次则发唱惊挺，操调险急，雕藻淫艳，倾炫心魂。亦犹五色之有红紫，八音之有郑、卫。斯鲍照之遗烈也。三体之外，请试妄谈。若夫委自天机，参之史传，应思悱来，勿先构聚。言尚易了，文憎过意，吐石含金，滋润婉切。杂以风谣，轻唇利吻，不雅不俗，独中胸怀。轮扁斫轮，言之未尽，文人谈士，罕或兼工。非唯识有不周，道实相妨。谈家所习，理胜其辞，就此求文，终然翳夺。故兼之者鲜矣。赞曰：学亚生知，多识前仁。文成笔下，芬藻丽春。

钟嵘《诗品序》：永嘉时，贵黄老，稍尚虚谈。于时篇什，理过其辞，淡乎寡味。爰及江表，微波尚传。孙绰、许询、桓、庾诸公，诗皆平典似道德论，建安风力尽矣。先是，郭景纯用隽上之才，变创其体；刘越石仗清刚之气，赞成厥美。然彼众我寡，未能动俗。逮义熙中，谢益寿斐然继作。元嘉中，有谢灵运，才高词盛，富艳难踪，固以含跨刘、郭，陵轹潘、左。故知陈思为建安之杰，公干、仲宣为辅。陆机为太康之英，安仁、景阳为辅。谢客为元嘉之雄，颜延年为辅：斯皆五言之冠冕，文词之命世也……灵运邺中……王微风月，谢客山泉……鲍照戍边……颜延入洛，陶公咏贫之制，惠连捣衣之作，斯皆五言之警策者也。所以谓篇章之珠泽，文采之邓林。

---

① 按王运熙、杨明先生指出上述刘孝标注引檀道鸾《续晋阳秋》所论"具有开创性的意义，后来沈约《宋书·谢灵运传论》、刘勰《文心雕龙·明诗》《时序》、钟嵘《诗品序》显然均受其影响。"见《中国文学批评史·魏晋南北朝卷》第二编《南北朝文学批评》第二章《南朝文学批评》第二节《颜延之、谢灵运、范晔、檀道鸾》之四《檀道鸾》，上海：上海古籍出版社 1996 年版。

《梁书·儒林传》：江左草创，日不暇给；以迄于宋、齐。国学时或开置，而劝课未博，建之不及十年，盖取文具，废之多历世祀，其弃也忽诸。乡里莫或开馆，公卿罕通经术。朝廷大儒，独学而弗肯养众；后生孤陋，拥经而无所讲习。三德六艺，其废久矣。高祖有天下，深愍之，诏求硕学，治五礼，定六律，改斗历，正权衡。天监四年，诏曰："二汉登贤，莫非经术，服膺雅道，名立行成。魏、晋浮荡，儒教沦歇，风节罔树，抑此之由。朕日昃罢朝，思闻俊异，收士得人，实惟酬奖。可置《五经》博士各一人，广开馆宇，招内后进。"于是以平原明山宾、吴兴沈峻、建平严植之、会稽贺蒨补博士，各主一馆。馆有数百生，给其饩廪。其射策通明者，即除为吏。十数月间，怀经负笈者云会京师。

许学夷《诗源辩体》卷七之第一条：钟嵘云："谢客（灵运，小名客儿，袭封康乐公）为元嘉之雄，颜延年（名延之）为辅。"愚按，太康五言，再流而为元嘉。然太康体虽渐入俳偶，语虽渐入雕刻，其古体犹有存者；至于谢灵运诸公，则风气益漓，其习尽移，故其体尽俳偶，语尽雕刻，而古体遂亡矣。此五言之三变也（下流至谢玄晖、沈休文五言）。刘勰云："宋初文咏，俪采百字之偶，争价一句之奇，情必极貌以写物，辞必穷力而追新，此近世之所竞也。"是也。《南史》载："灵运车服鲜丽，衣物多改旧形制，世共宗之。"其畔古趋变类如此。

《隋书·文学传序》：《易》曰："观乎天文，以察时变，观乎人文，以化成天下。"《传》曰："言，身之文也，言而不文，行之不远。"故尧曰则天，表文明之称，周云盛德，著焕乎之美。然则文之为用，其大矣哉！上所以敷德教于下，下所以达情志于上，大则经纬天地，作训垂范，次则风谣歌颂，匡主和民。或离谗放逐之臣，途穷后门之士，道轷感轲而未遇，志郁抑而不申，愤激委约之中，飞文魏阙之下，奋迅泥滓，自致青云，振沉溺于一朝，流风声于千载，往往而有。是以凡百君子，莫不用心焉。自汉、魏以来，迄乎晋、宋，其体屡变，前哲论之详矣。暨永明、天监之际，太和、天保之间，洛阳、江左，文雅尤盛。于时作者，济阳江淹、吴郡沈约、乐安任昉、济阴温子升、河间邢子才、钜鹿魏伯起等，并学穷书圃，思极人文，缛彩郁于云霞，逸响振于金石。英华秀发，波澜浩荡，笔有余力，词无竭源。方诸张、蔡、曹、王，亦各一时之选也。闻其风者，声驰景慕，然彼此好尚，互有异同。江左宫商发越，贵于清绮，河朔词义贞刚，重乎气质。气质则理胜其词，清绮则文过其意，理深者便于时用，文华者宜于咏歌，此其南北词人得失之大较也。若能掇彼清音，简兹累句，各去所短，合其两长，则文质斌斌，尽善尽美矣。

《梁书·文学传》：昔司马迁、班固书，并为《司马相如传》，相如不预汉廷大事，盖取其文章尤著也。固又为《贾邹枚路传》，亦取其能文传焉。范氏《后汉书》有《文苑传》，所载之人，其详已甚。然经礼乐而纬国家，通古今而述美恶，非文莫可也。是以君临天下者，莫不敦悦其义，缙绅之学，咸贵尚其道，古往今来，未之能易。高祖聪明文思，光宅区宇，旁求儒雅，诏采异人，文章之盛，焕乎俱集。每所御幸，辄命群臣赋诗，其文善者，赐以金帛，诣阙庭而献赋颂者，或引见焉。其在位者，则沈约、江淹、任昉，并以文采妙绝当时。至若彭城到沆、吴兴丘迟、东海王僧孺、吴郡张率等，或入直文德，通宴寿光，皆后来之选也。约、淹、昉、僧孺，率别以功迹论。

今缀到沆等文兼学者，至太清中人，为《文学传》云。

《隋书·文学传序》：梁自大同之后，雅道沦缺，渐乖典则，争驰新巧。简文、湘东，启其淫放，徐陵、庾信，分路扬镳。其意浅而繁，其文匿而彩，词尚轻险，情多哀思。格以延陵之听，盖亦亡国之音乎！

《陈书·文学传序》：《易》曰"观乎人文以化成天下"，孔子曰"焕乎其有文章"也。自楚、汉以降，辞人世出，洛沔、江左，其流弥畅。莫不思侔造化，明并日月，大则宪章典谟，褝赞王道，小则文理清正，申纾性灵。至于经礼乐，综人伦，通古今，述美恶，莫尚乎此。后主嗣业，雅尚文词，傍求学艺，焕乎俱集。每臣下表疏及献上赋颂者，躬自省览，其有辞工，则神笔赏激，加其爵位，是以搢绅之徒，咸知自励矣。若名位文学显著者，别以功迹论。今缀杜之伟等学既兼文，备于此篇云尔。

公年 420 年（宋武帝永初元年　魏明元帝泰常五年　庚申）

本年

永初元年夏六月丁卯，刘裕即皇帝位，标志着晋朝灭亡、宋朝建立，改晋元熙二年为永初元年，立长子刘义符为皇太子。诏曰："可降始兴公封始兴县公，庐陵公封柴桑县公，各千户；始安公封荔浦县侯，长沙公封醴陵县侯，康乐公可即封县侯，各五百户：以奉晋故丞相王导、太傅谢安、大将军温峤、大司马陶侃、车骑将军谢玄之祀……庚午，以司空道怜为太尉，封长沙王。追封司徒道规为临川王。尚书仆射徐羡之加镇军将军，右卫将军谢晦为中领军，宋国领军檀道济为护军将军，中领军刘义欣为青州刺史。立南郡公义庆为临川王……乙亥，立桂阳公义真为庐陵王，彭城公义隆为宜都王，第四皇子义康为彭城王。"按《宋书·谢灵运传》说："谢灵运，陈郡阳夏人也。祖玄，晋车骑将军。父瑛……灵运少好学，博览群书，文章之美，江左莫逮。从叔混特知爱之，袭封康乐公，食邑二千户。"[①] 可知此年，谢灵运从"康乐公"降为"县侯"，而特别欣赏他的族叔谢混，已在晋义熙八年九月（412），因归心于刘毅，被刘裕投于狱中赐死。

陈郡谢氏的地位已经衰落。《宋书·谢灵运传》说："高祖受命，降公爵为侯，食邑五百户。起为散骑常侍，转太子左卫率。灵运为性偏激，多愆礼度，朝廷唯以文义处之，不以应实相许。自谓才能宜参权要，既不见知，常怀愤愤。庐陵王义真少好文籍，与灵运情款异常。"《宋书·王弘传》说："永初元年……高祖因宴集，谓群臣曰：'我布衣，始望不至此。'傅亮之徒并撰辞欲盛称功德。弘率尔对曰；'此所谓天命，求之不可得，推之不可去。'时人称其简举。"春泓按，关于东晋门阀政治，依照田余庆先生《东晋门阀政治》的阐释，认为门阀政治仅存在于东晋一朝，然而这样的政治格局，自晋入宋之后，不可能戛然而止，它在宋代仍然余波荡漾。按东晋陈郡谢氏因谢安、谢玄在淝水之战中的功绩，后来居上，迅速成为强宗大族，琅邪王氏等著姓亦受其压制，这样的局面到东晋末年发生了逆转。《宋书·武帝本纪中》说："（刘）毅与

① 《宋书·羊欣传》记述谢灵运在族叔谢混处，相与清谈。

公俱举大义，兴复晋室，自谓京城、广陵，功业足以相抗。虽权事推公，而心不服也。毅既有雄才大志，厚自矜许，朝士素望者多归之。与尚书仆射谢混、丹阳尹郗僧施并深相结。及西镇江陵，豫州旧府，多割以自随，请僧施为南蛮校尉。既知毅不能居下，终为异端，密图之。毅至西，称疾笃，表求从弟兖州刺史藩以为副贰，伪许焉。九月，藩入朝，公命收藩及谢混，并于狱赐死。自表讨毅……"

在东晋政坛上，值简文、孝武之际，出自太原王氏的王文度被时人与谢安并举，《世说新语·任诞》第 38 条载刘遗民问："谢安、王文度并佳不？"连高尚隐逸之士也知道谢、王是并列的人物，《世说新语·品藻》第 52 条说："有人问谢安石、王坦之优劣于桓公。桓公停欲言，中悔，曰：'卿喜传人语，不能复语卿。'"可见谢、王二人名望在当时势均力敌。在桓温主政当中，他们与出自高平郗氏的郗超一起参与谋划朝中大事，《世说新语·赏誉》第 126 条说："谚曰：'扬州独步王文度，后来出人郗嘉宾。'"注引《续晋阳秋》曰："时人为一代盛誉者语曰：'大才槃槃谢家安，江东独步王文度，盛德日新郗嘉宾。'"可见在当时的门第排列中，谢、王和郗三氏炙手可热。而作为东晋的老牌名门，琅邪王氏却显得文虽盛而武不足，其地位落于谢氏之后，高门著姓对于权势的争斗一直未曾停歇，琅邪王氏自然不会甘心于自己的衰落。

关于禅代，时人的看法比较现实，如《宋书·武帝本纪上》说高祖（刘裕）答曰："晋室微弱，民望久移，乘运禅代，有何不可？"这几乎成为普遍的看法，坚守儒家道德伦理观念者，已属凤毛麟角，高门士族大抵均泯灭了君臣大义，其向背忠叛，亦唯以是否有助保全自己家族、家庭的权益，来作出立身的选择。

沈约《宋书自序》说："臣今谨更创立，制成新史，始自义熙肇号，终于升明三年。桓玄、谯纵、卢循、马、鲁之徒，身为晋贼，非关后代。吴隐、谢混、郗僧施，义止前朝，不宜滥入宋典。刘毅、何无忌、魏咏之、檀凭之、孟昶、诸葛长民，志在兴复，情非造宋，今并刊除，归之晋籍。"虽然陈郡谢氏也有效忠刘裕者，譬如谢景仁、谢方明等，然而，谢混的影响更大、地位更高，陈郡谢混和高平郗僧施的政治倾向是左袒晋室，无怪乎入宋之后，会影响到其家族在新朝的利益分配，而随着谢晦被文帝所杀，陈郡谢氏在朝廷中的地位更加衰落。

《宋书·王弘传》说："王弘字休元，琅邪临沂人也……曾祖导，晋丞相……宋国初建，迁尚书仆射领选，太守如故。奏弹谢灵运曰：'……世子左卫率康乐县公谢灵运，力人桂兴淫其嬖妾，杀兴江涘，弃尸洪流……案世子左卫率康乐县公谢灵运过蒙恩奖，频叨荣授……罔顾宪轨，恣杀自由。此而勿治，典刑将替。请以见事免灵运所居官，上台削爵土，收付大理治罪……'高祖令曰：'灵运免官而已，余如奏'……永初元年，（王弘）加散骑常侍。以佐命功，封华容县公，食邑二千户。"春泓按，琅邪王氏与陈郡谢氏在东晋时也曾有姻戚之谊，但是高门联姻，亦出于功利的目的，并无真正的情义可言。王弘奏弹谢灵运，时在"宋国初建"，并称谢灵运为"康乐县公"，谢灵运在入宋后降"公"为"侯"，所以此时应该在义熙十四年（418）至永初元年（420）之前，王弘意在乘机削弱陈郡谢氏的势力，这反映了高门大族暗中的角力，争斗的一方善于利用机会，可谓无孔不入。而建议"上台削爵土"，是颇有深意的，无论

"康乐公"或者"康乐县公",都象征着陈郡谢氏之先辈谢安和谢玄余势尚存①,如果剥夺了谢灵运的封号,则可以打击谢氏的影响力,从而在门第的较量中,可以有效地制约谢氏势力的重振和扩张。

谢弘微居丧以孝称。《南史·谢弘微传》说:"文帝初封宜都王,镇江陵,以琅邪王球为友,弘微为文学。母忧去职,居丧以孝称。服阕,蔬素逾时。"

傅亮当时文笔出众。《宋书·傅亮传》说:"亮博涉经史,尤善文词……永初元年,迁太子詹事,中书令如故……入直中书省,专典诏命。以亮任总国权,听于省见客。神虎门外,每旦车常数百两。高祖登庸之始,文笔皆是记室参军滕演;北征广固,悉委长史王诞;自此后至于受命,表策文诰,皆亮辞也。"

颜延之文才已崭露头角。《宋书·颜延之传》说:"颜延之,字延年,琅邪临沂人也。曾祖含,右光禄大夫。祖约,零陵太守。父显,护军司马。延之少孤贫,居负郭,室巷甚陋。好读书,无所不览,文章之美,冠绝当时。饮酒不护细行……后将军、吴国内史刘柳以为行参军,因转主簿,豫章公世子中军行参军。义熙十二年,高祖北伐,有宋公之授,府遣一使庆殊命,参起居;延之与同府王参军俱奉使至洛阳,道中作诗二首,文辞藻丽,为谢晦、傅亮所赏。宋国建,奉常郑鲜之举为博士,仍迁世子舍人。高祖受命,补太子舍人。"颜延之作《直东宫答郑尚书诗》。

沈演之与谢晦交往。《南齐书·文学传》之《丘灵鞠传》说:"灵鞠少好学,善属文。与上计,仕郡为吏。州辟从事,诣领军沈演之。演之曰:'身昔为州职,诣领军谢晦,宾主坐处,政如今日。卿将来或复如此也。'"春泓按,沈演之在永初年间,与谢晦有交往。

北朝

本年

昙摩谶译《方等大集经》二十九卷。《出三藏记集》卷二注曰:"或云《大集经》。玄始九年译出。或三十卷,或二十四卷。"

法勇召集僧猛、昙朗之徒二十五人西行求法。《出三藏记集》卷十五《法勇法师传》曰:"释法勇者。胡言昙无竭。本姓李,幽州黄龙国人也。……尝闻沙门法显、宝云诸僧躬践佛国,慨然有忘身之誓,遂以宋永初之元,招集同志沙门僧猛、昙郎之徒二十五人,共赍幡盖供养之具,发迹北土,远适西方。……其所译出《观世音受记经》,今传于京师。"

公元 421 年(宋武帝永初二年　魏明元帝泰常六年　辛酉)

本年

宋初玄风仍未消歇。《宋书·张邵传》说:"(张)敷字景胤……性整贵,风韵端

---

① 《宋书·谢景仁传》说宋高祖对谢景仁颇有好感,"常谓景仁是太傅安孙。及京邑平,入镇石头,景仁与百僚同见高祖,高祖目之曰:'此名公孙也。'"可见高祖对谢安还是十分敬重的。

雅，好玄言，善属文。初，父邵使与南阳宗少文谈《系》《象》，往复数番，少文每欲屈，握麈尾叹曰：'吾道东矣。'于是名价日重。武帝闻其美，召见奇之，曰：'真千里驹也。'以为世子中军参军，数见接引。"

宋初儒学式微。《宋书·范泰传》载范泰"议建国学，以泰领国子祭酒"，范泰上表议开国学，但未被采纳。春泓按，《宋书·臧焘传》收录了高祖镇京口时与儒者臧焘的一封书信，其中有"然荆玉含宝，要俟开莹，幽兰怀馨，事资扇发"云云，似有弘扬儒学的愿望，但是篡夺成功之后，则并不急于重振儒学，永初三年，刘裕去世，宋代儒学大致上处于自发状态。

谢氏三杰，辞采华美。《宋书·谢瞻传》说："谢瞻，字宣远，一名檐字通远，陈郡阳夏人，卫将军晦第三兄也。年六岁，能属文，为《紫石英赞》《果然诗》，当时才士，莫不叹异……永初二年，在郡遇疾，不肯自治，幸于不永……遂卒，时年三十五。瞻善于文章，辞采之美，与族叔混、族弟灵运相抗。"钟嵘《诗品》卷中有评语。《南史·谢晦传》附《谢瞻传》记载："后因宴集，灵运问晦：'潘、陆与贾充优劣。'晦曰：'安仁诣于权门，士衡邀竞无已，并不能保身，自求多福。公间勋名佐世，不得为并。'灵运曰：'安仁、士衡才为一时之冠，方之公间，本自辽绝。'瞻敛容曰：'若处贵而能遗权，斯则是非不得而生，倾危无因而至。君子以明哲保身，其在此乎？'常以裁止晦如此。"许学夷《诗源辩体》卷七之第 21 条说："谢宣远（名瞻）、谢惠连五言，篇什不多，而俳偶雕刻，其语实工，与灵运绝相类。《南史》载：'瞻尝作《喜霁诗》（即《答灵运》诗），灵运写之，混咏之（谢叔源）。王弘在座，以为三绝。'又：'宋公游戏马台，命僚佐赋诗，瞻之所作冠于时。'愚按，《喜霁诗》尤近自然，《语录》乃谓'宣远有诗不工'，非也。"

颜延之恃才傲物，触怒当权者。《宋书·颜延之传》说雁门人周续之以儒学著称，永初中，被征诣京师。高祖亲幸，颜延之与之辩难，连挫续之。徙尚书仪曹郎，太子中舍人。"时尚书令傅亮自以文义之美，一时莫及，延之负其才辞，不为之下，亮甚疾焉。庐陵王义真颇好辞义，待接甚厚；徐羡之等疑延之为同异，意甚不悦。"

刘义真评谢、颜，可谓入木三分。《宋书·武三王传》说："（刘）义真聪明爱文义，而轻动无德业。与陈郡谢灵运、琅邪颜延之、慧琳道人并周旋异常，云得志之日，以灵运、延之为宰相，慧琳为西豫州都督。徐羡之等嫌义真与灵运、延之昵狎过甚，故使范晏从容戒之，义真曰：'灵运空疏，延之隘薄，魏文帝云鲜能以名节自立者。但性情所得，未能忘言于悟赏，故与之游耳。'"

北朝

本年

十月二十三日，天竺昙摩谶译毕《大般涅槃经》三十六卷。《出三藏记集》卷二注云："伪河西王沮渠蒙逊玄始十年十月二十三日译出。"卷八所载释道朗所为序云："天竺沙门昙摩谶者，中天竺人，婆罗门种。天怀秀拔，领鉴明邃，机变清胜，内外兼综。将乘运流化，先至敦煌，停止数载。大沮渠河西王者，至德潜著，建隆王业，虽形处

万机，每思弘大道，为法城堑。会开定西夏，斯经与谶自远而至，自非至感先期，孰
有若兹之遇哉。谶既达此，以玄始十年，岁次大梁，十月二十三日，河西王劝请令译。
谶手执梵文，口宣秦言。其人神情既锐，而为法殷重，临译敬甚，殆无遗隐，搜研本
正，务存经旨。"又释慧皎《高僧传》卷二《晋河西昙无谶传》云："河西王沮渠蒙逊
僭据凉土，自称为王，闻谶名，呼与相见，接待甚厚。蒙逊素奉大法，志在弘通，欲
请出经本。谶以未参土言，又无传译，恐言舛于理，不许即翻，于是学语三年，方译
写《初分》十卷。时沙门慧嵩、道朗，独步河西，值其宣出经藏，深相推重，转易梵
文，嵩公笔受。道俗数百人，疑难纵横，臣临机释滞，清辩若流，兼富于文藻，辞制
华密，嵩、朗等更请广出诸经、次译《大集》《大云》《悲华》《地持》《优婆塞戒》
《金光明》《海龙王》《菩萨戒本》等，六十余万言。谶以《涅槃经》本，品数为足，
还外国究寻，值其母亡，遂留岁余。后于于阗，更得经本《中分》，复还姑藏译之。后
又遣使于阗，寻得《后分》，于是续译为三十三卷，以伪玄始三年初就翻译，至玄始十
年十月二十三日裹方竟，即宋武永初二年也"。

十二月，昙摩谶译出《菩萨戒优婆塞戒坛文》一卷。《出三藏记集》卷二注曰：
"玄始十年十二月出"，又曰："十一部，凡一百一十七卷。晋安帝时，天竺沙门昙摩谶
（或作昙无谶）至西凉州，为伪河西王大沮渠蒙逊译出"。

公元 422 年（宋武帝永初三年　魏明元帝泰常七年　壬戌）

本年

宋武帝崩。《宋书·武帝本纪下》说："（永初三年）三月，上不豫。太尉长沙王
道怜、司空徐羡之、尚书仆射傅亮、领军将军谢晦、护军将军檀道济并入侍医药。"在
这个顾命大臣的名单里，没有重臣王弘的名字，王弘在此年入朝，进号卫将军、开府
仪同三司。《宋书·荀伯子传》记载，荀氏的妻弟是谢晦，"伯子常自矜荫籍之美，谓
弘曰：'天下膏梁，唯使君与下官耳。宣明之徒，不足数也。'"宣明是谢晦的字，《宋
书·谢瞻传》记述谢瞻是谢晦第三兄，他见谢晦权大势重，心怀忧虑，对宋高祖说：
"臣本素士，父、祖位不过二千石"，可见谢瞻、谢晦一支在陈郡谢氏宗族中并非谢安、
谢玄之嫡传，荀、王辈对于东晋后来居上的陈郡谢氏一直心怀鄙夷。王弘在朝廷中的
地位可与徐、傅辈相埒，但是却不如徐、傅辈受宠，最后这些顾命大臣的性命全部葬
送在琅邪王弘等人的谋划之下，高门大族之间的暗中较量，当与宋初政局的变化存在
密切关系。

沈林子卒，时年四十六岁。《宋书自序》说："永初三年，（沈林子）薨，时年四
十六……林子简泰廉靖，不交接世务，义让之美，著于闺门，虽在戎旅，语不及军事。
所著诗、赋、赞、三言、箴、祭文、乐府、表、笺、书记、白事、启事、论、老子一
百二十一首。太祖后读林子集，叹息曰：'此人作公，应续王太保。'"

谢灵运出为永嘉太守。《宋书·谢灵运传》说："少帝即位，权在大臣，灵运构扇
异同，非毁执政，司徒徐羡之等患之，出为永嘉太守。郡有名山水，灵运素所爱好，
出守既不得志，遂肆意游遨，遍历诸县，动逾旬朔，民间听讼，不复关怀。所至辄为

诗咏，以致其意焉。在郡一周，称疾去职，从弟晦、曜、弘微等并与书止之，不从。灵运父祖并葬始宁县，并有故宅及墅，遂移籍会稽，修营别业，傍山带江，尽幽居之美。与隐士王弘之、孔淳之等纵放为娱，有终焉之志。每有一诗至都邑，贵贱莫不竞写，宿昔之间，士庶皆遍，远近钦慕，名动京师。"谢灵运作有《过始宁墅诗》、《富春渚诗》《七里濑诗》《登江中孤屿诗》和《初去郡诗》等。《文选》卷二十六载谢灵运《永初三年七月十六日之郡初发都一首》说："述职期阑暑，理棹变金素。秋岸澄夕阴，火旻团朝露。辛苦谁为情，游子值颓暮。爰似庄念昔，久敬曾存故。如何怀土心，持此谢远度。李牧愧长袖，邰克惭蹒步。良时不见遗，丑状不成恶。曰余亦支离，依方早有慕。生幸休明世，亲蒙英达顾。空班赵氏璧，徒乖魏王瓠。从来渐二纪，始得傍归路。将穷山海迹，永绝赏心悟。"

北朝

本年

崔浩拜相州刺史，加左广禄大夫，随明元帝南伐。及车驾之还也，与天师寇谦之论古治乱之迹。《魏书》卷三无《崔浩传》："及车驾之还也，浩从太宗幸西河、太原。登憩高陵之上，下临河流，傍览川域，之慨然有感，遂与同僚论五等郡县一是非，考秦始皇、汉武帝之违失。好古识治，时伏其言。天师寇谦之每与浩言，闻其论古治乱之迹，常自夜达旦，辣意敛容，无有懈倦。既而叹美之曰：'斯言也惠，皆可底行，亦当今之皋繇也。但世人贵远贱近，不能深察之耳。'因谓浩曰：'吾行道隐居，不营世务，忽受神中之诀，当兼修儒教，辅助泰平真君，继千载之绝统。而学不稽古，临事暗昧。卿为吾撰列王者治典，并论其大要。'浩乃著书二十余篇，上推太初，下尽秦汉变弊之迹，大旨先以复五等为本。"《魏书》本传系此于刘裕死，元明帝南伐之后，太武帝即位之前。检《魏书》卷三《太宗纪》，本年四月刘裕卒，十月元明帝议亲南伐。卷四上《世祖纪》明年十一月，太武帝即位。则其事当在今明两年之际，今姑系于是。所谓"著书二十余篇"，未必尽作于本年。然因其与谦之论列古今之事而起，故系于此。

公元 423 年（宋少帝景平元年　魏明元帝泰常八年　癸亥）

本年

傅亮深感仕途凶险。《宋书·傅亮传》说："初，亮见世路屯险，著论名曰《演慎》，曰：大道有言，慎终如始，则无败事矣。《易》曰：'括囊无咎。'慎不害也。又曰：'藉之用茅，何咎之有。'慎之至也。文王小心，《大雅》咏其多福；仲由好勇，冯河贻其苦箴。《虞书》著慎身之誉，周庙铭陛坐之侧。因斯以谈，所以保身全德，其莫尚于慎乎！夫四道好谦，三材忌满，祥萃虚室，鬼瞰高屋，丰屋有蔀家之灾，鼎食无百年之贵。然而徇欲厚生者，忽而不戒；知进忘退者，曾莫之惩。前车已摧，后銮不息，乘危以庶安，行险而徼幸，于是有颠坠覆亡之祸，残生夭命之衅。其故何哉？流溺忘反，而以身轻于物也。故昔之君子，同名爵于香饵，故倾危不及；思忧患而豫防，则针石无用。洪流壅于涓涓，合拱挫于纤蘖，介焉是式，色斯而举，悟高鸟以风逝，鉴醴酒而投绂。夫岂敝著而后谋通，患结而后思复云尔而已哉！故《诗》曰：'慎尔侯度，用戒不虞。'言防萌也。夫单以营内丧表，张以治外失中，齐、秦有守一之败，偏恃无兼济之功，冰炭涤于胸心，岩墙绝于四体。夫然，故形神偕全，表里宁一，营魄内澄，百骸外固，邪气不能袭，忧患不能及，然可以语至而言极矣！夫以嵇子之抗心希古，绝羁独放，五难之根既拔，立生之道无累，人患殆乎尽矣。徒以忽防于钟、吕，肆言于禹、汤，祸机发于豪端，逸翮铩于垂举。观夫贻书良友，则匹厚味于甘酖，□□□□□□□□其惧患也，若无辔而乘奔，其慎祸也，犹履冰而临谷。或振褐高栖，揭竿独往，或保约违丰，安于卑位。故漆园外楚，忌在龟牺；商洛遐遁，畏此驷马。平仲辞邑，殷鉴于崔、庆，张临挹满，灼戒乎桑、霍。若君子览兹二涂，则贤鄙之分既明，全丧之实又显。非知之难，慎之惟艰，慎也者，言行之枢管乎！夫据图挥刃，愚夫弗为，临渊登峭，莫不惴栗。何则？害交故虑笃，患切而惧深。故《诗》曰：'不敢暴虎，不敢冯河。'慎微之谓也。故庖子涉族，怵然为戒，差之一毫，弊犹如此。况乎触害犯机，自投死地。祸福之具，内充外斥，陵九折于邛崃，泛冲波于吕梁，倾侧成于俄顷，性命哀而莫救。呜呼！呜呼！故语有之曰，诚能慎之，福之根也。曰是何伤，祸之门尔。言慎而已矣。亮布衣儒生，侥幸际会，兼总重权，少帝失德，内怀忧惧，作《感物赋》以寄意焉，其辞曰：余以暮秋之月，述职内禁，夜清务隙，游目艺苑。于时风霜初戒，蛰类尚繁，飞蛾翔羽，翩翾满室，赴轩幌，集明烛者，必以燋灭为度。虽则微物，矜怀者久之。退感庄生异鹊之事，与彼同迷而忘反鉴之道，此先师所以鄙智，及齐客所以难日论也。怅然有怀，感物兴思，遂赋之云尔。

在西成之暮暑，肃皇命于禁中。聆蜻蜋于前庑，鉴朗月于房栊。风萧瑟以陵幌，霜澄澄而被墉。怜鸣蜩之应节，惜落景之怀东。嗟劳人之萃感，何夕永而虑充。眇今古以遐念，若循环之无终。咏倚相之遗矩，希董生之方融。钻光灯而散褰，温圣哲之遗踪。坟素杳以难暨，九流纷其异封。领三百于无邪，贯五千于有宗。考旧闻于前史，访心迹于污隆。岂夷阻之在运，将全丧之由躬。游翰林之彪炳，嘉美手于良工。辞存丽而去秽，旨既雅而能通。虽源流之深浩，且扬榷而发蒙。

习习飞蚋，飘飘纤蝇，缘幌求隙，望焰思陵。糜兰膏而无悔，赴朗烛而未惩。瞻前轨之既覆，忘改辙于后乘。匪微物之足悼，怅永念而捬膺。彼人道之为贵，参二仪而比灵。禀清旷以授气，修缘督而为经。照安危于心术，镜纤兆于未形。有徇末而舍本，或耽欲而忘生。碎随侯于微爵，捐所重而要轻。矧昆虫之所昧，在智士其犹婴。悟雕陵于庄氏，几鉴浊而迷清。仰前修之懿轨，知吾迹之未并。虽宋元之外占，曷在予之克明。岂知反之徒尔，喟投翰以增情。"

谢灵运谓王弘之隐居不仕"可谓千载盛美"。《宋书·隐逸传》之《王弘之传》说王氏"性好钓，上虞江有一处名三石头，弘之常垂纶于此。经过者不识之，或问：'渔师得鱼卖不？'弘之曰：'亦自不得，得亦不卖。'日夕载鱼入上虞郭，经亲故门，各以一两头置门内而去。始宁沃川有佳山水，弘之又依岩筑室。谢灵运、颜延之并相钦重，灵运与庐陵王义真笺曰：'会境既丰山水，是以江左嘉遁，并多居之。但季世慕荣，幽栖者寡，或复才为时求，弗获从志。至若王弘之拂衣归耕，逾历三纪；孔淳之隐约穷岫，自始迄今；阮万龄辞事就闲，纂成先业；浙河之外，栖迟山泽，如斯而已。既远同羲、唐，亦激贪厉竞。殿下爱素好古，常若布衣，每意昔闻，虚想岩穴，若遣一介，有以相存，真可谓千载盛美也。'"

谢灵运写出不朽名篇《山居赋》。《宋书·谢灵运传》说："作《山居赋》并自注，以言其事。曰：古巢居穴处曰岩栖，栋宇居山曰山居，在林野曰丘园，在郊郭曰城傍，四者不同，可以理推。言心也，黄屋实不殊于汾阳。即事也，山居良有异乎市廛。抱疾就闲，顺从性情，敢率所乐，而以作赋。扬子云云：'诗人之赋丽以则。'文体宜兼，以成其美。今所赋既非京都宫观游猎声色之盛，而叙山野草木水石谷稼之事，才乏昔人，心放俗外，咏于文则可勉而就之，求丽，邈以远矣。览者废张、左之艳辞，寻台、皓之深意，去饰取素，倘值其心耳。意实言表，而书不尽，遗迹索意，托之有赏。"春泓按，作者明确提示："求丽，邈以远矣。览者废张、左之艳辞，寻台、皓之深意，去饰取素，倘值其心耳。"这表明此赋不是游戏之作，读者须舍"丽"以求"则"，其意在宣泄作为在野者对于在朝者的一种对峙情绪，而这种对峙情绪中所包含的复杂、痛切的心理因素，只有在明了宋初政局以及谢氏家族处境之余，才能够深刻地认识到。

班固《汉志》曰："春秋之后，周道浸坏，聘问歌咏不行于列国，学《诗》之士逸在布衣，而贤人失志之赋作矣。大儒孙卿及楚臣屈原离谗忧国，皆作赋以风，咸有恻隐古诗之义。其后宋玉、唐勒；汉兴，枚乘，司马相如，下及扬子云，竞为侈俪闳衍之词，没其风谕之义。是以扬子悔之，曰：'诗人之赋丽以则，辞人之赋丽以淫。如孔氏之门人用赋也，则贾谊登堂，相如入室矣，如其不用何！'"刘勰《文心雕龙·诠赋》云："原夫登高之旨，盖睹物兴情。情以物兴，故义必明雅；物以情睹，故词必巧丽。丽词雅义，符采相胜，如组织之品朱紫，画绘之著玄黄；文虽新而有质，色虽糅而有本：此立赋之大体也。然逐末之俦，蔑弃其本；虽读千赋，愈惑体要。遂使繁华损枝，膏腴害骨；无贵风轨，莫益劝戒。此扬子所以追悔于雕虫，贻诮于雾縠者也。"虽然谢灵运标榜其《山居赋》重则轻丽，然而其所表达的"则"，却丝毫没有"风谕"与"劝戒"之意。赋中列举古来名士出处得失，像李斯、陆机等不知进退，其结局是悲惨的，而唯有"选自然之神丽"，才能够真正安顿身心，作者铺叙山居四时节物之繁富自足，显示其"高栖"有别于以往苦节隐逸之士，以张扬其精神上的优越感，意在与摒弃他的朝廷分庭抗礼，从而平复由政治失势所带来的心理失衡。《山居赋》亦叙述了作者的学术修养和文章学见解："嗟夫！六艺以宣圣教，九流以判贤徒。国史以载前纪，家传以申世模。篇章以陈美刺，论难以核有无……伊昔龆龀，实爱斯文。援纸握管，会性通神。诗以言志，赋以敷陈。箴铭诔颂，咸各有伦。爰暨山栖，弥历年纪。幸多暇日，自求诸己。研精静虑，贞观厥美。怀秋成章，含笑奏理。〔谓少好文章，及山栖以来，别缘既阑，寻虑文咏，以尽暇日之适。便可得通神会性，以永终朝。〕"此节文字中"箴铭诔颂，咸各有伦"，说明谢氏深知文体的分别，亦恪守文体的规范，但是"赋以敷陈"，承袭着西晋陆机《文赋》"赋体物而浏亮"的观念，古来赋体"风谕之义"，在新的时势下，已彻底泯失了。谢氏这篇作品，就文体而言，就应该看作是赋体的变异，而文体的变异，在根本上与作者的写作心态有着直接的关联。谢氏借用了大赋的文体，表现其因家族及个人权势丧失之后的愤怒心情，这与汉代大赋作家的写作方式是很不相同的。

这种不同还凸现在此赋最后有较多的义理阐发和心理独白，其辞曰："敬承圣诰，恭窥前经。山野昭旷，聚落膻腥。故大慈之弘誓，拯群物之沦倾。岂寓地而空言，必有货以善成。钦鹿野之华苑，羡灵鹫之名山。企坚固之贞林，希庵罗之芳园。虽綷容之缅邈，谓哀音之恒存。建招提于幽峰，冀振锡之息肩。庶镫王之赠席，想香积之惠餐。事在微而思通，理匪绝而可温。[贾谊《吊屈》云：'恭承嘉惠。'敬承，亦此之流。聚落是墟邑，谓歌哭诤讼，有诸喧哗，不及山野为僧居止也。经教欲令在山中，皆有成文。老子云：'善贷且善成。'此道惠物也。鹿苑，说《四真谛》处。灵鹫山，说《般若法华》处。坚固林，说泥洹处。庵罗园，说不思议处。今旁林艺园制苑，仿佛在昔，依然托想，虽綷容缅邈，哀音若存也。招提，谓僧不能常住者，可持作坐处也。所谓息肩。镫王、香积，事出《维摩经》。《论语》云：'温故知新。'理既不绝，更宜复温，则可待为己之日用也。]"谢灵运把山中别业与景色均佛教化了，他要在人间虚拟出一片佛教的西方净土，其目的是进一步抚平其失落的心灵。他征引了中土庄子、老子以及神仙道教等各个流派代表人物的处世方式和思想言论，最终归趋于佛理，他将山居营造出一种佛教的氛围，"法音晨听，放生夕归。研书赏理，敷文奏怀……山中兮清寂，群纷兮自绝。周听兮匪多，得理兮俱悦"，一旦参透佛理，则心中充满了禅悦。而在大赋中寄托"佛理"，并且其自注有受当时佛教"合本子注"影响之痕迹①，这都堪称赋体的创格。

根据杨勇《谢灵运年谱》，谢氏一些重要的诗篇，譬如《郡东山望溟海诗》《过瞿溪山饭僧诗》《斋中读书诗》《登池上楼》《过白岸亭诗》《登江中孤屿诗》等都是本年的作品。可以说本年是谢氏山水诗创作的丰收年。

附录：谢氏山水诗写作理念与佛学影响

晋宋之际，佛教兴盛，形成玄释交融的局面，当翻译和阐释佛教义理时，运用所谓的"格义"也就成为不可或缺的的方法，但是这种方法却逐渐受到质疑。东晋支道林《大小品对比要抄序》认为必须"无物于物"、"无智于智"，方能达到"至无空豁"之境界，虽然借用《老子》的"玄之又玄"，而其实质思想却截然不同②。支道林《咏怀诗五首》曰：

> 傲兀乘尸素，日往复月旋。
> 弱丧困风波，流浪逐物迁。
> 中路高韵益，窈窕钦重玄。
> 重玄在何许，采真游理间。
> 苟简为我养，逍遥使我闲。
> 寥亮心神莹，含虚映自然。
> 亹亹沉情去，彩彩冲怀鲜。
> 踟蹰观象物，未始见牛全。

---

① 陈寅恪：《读洛阳伽蓝记书后》，《陈寅恪文集·金明馆丛稿二编》，北京：三联书店 2001 年版。

② 僧佑：《出三藏记集》卷第八，北京：中华书局 1995 年版。

　　毛鳞有所贵，所贵在忘筌。

　　……

　　涉老咍双玄，披庄玩太初。

　　咏发清风集，触思皆恬愉。

　　俯欣质文蔚，仰悲二匠徂。

　　萧萧柱下迥，寂寂蒙邑虚，

　　廓矣千载事，消液归空无。

　　……

　　支道林借助老庄以会通佛理，虽然处处可见其引用《老》《庄》语词，但是其所谓"重玄"或"双玄"，则体现出企图超越《老》《庄》的意向，将《老》《庄》仅仅视作得意之后必须弃置的言筌，当思辨提升到《庄子》"忘"的层次之后，仍然不能止歇，更要直抵"忘忘"的境界，即支氏"寥亮心神莹，含虚映自然"和"廓矣千载事，消液归空无"之谓也。而在以支遁为代表的佛学思想侵袭之下，中土固有的思想观念顿受其笼罩。

　　慧皎《高僧传》卷第六《义解三》之《晋庐山释慧远》说慧远"故少为诸生，博综六经，尤善《庄》《老》"，然而在拜道安为师之后，豁然而悟，乃叹曰："儒道九流，皆糠秕耳。"[1] 释慧远作《大智论抄序》[2] 提倡突破"常训"和"名教"，以向过去不曾涉足的精神空间作无穷的升华[3]。宗炳是慧远的弟子，其《明佛论》（一名《神不灭论》）说："彼佛经也，包五典之德，深加远大之实；含老庄之虚，而重增皆空之尽。"老庄玄学与佛学虽有重叠部分，但是佛学却并非老庄一端可以尽之矣；又说："若老子庄周之道，松乔列真之术，信可以洗心养身，而亦皆无取于六经，而学者唯守救粗之阙文，以书礼为限断，闻穷神积劫之远化，炫目前而永忽，不亦悲乎！"[4] 对于老庄和"五典"、"六经"，宗炳尚且有亲疏之别，而相对于佛经而言，它们尽属无甚高论的学说，其地位必定骤然下降。佛教徒逐渐认识到"格义"对于正确理解佛学存在着障碍，因此必须否定"格义"之功，然则否定"格义"，即不再承认中土思想作为嫁接佛学本枝的作用，必将导致世人日益藐视中土固有的文化传统。

　　这使得当时的思想和学术界处于一段非常特殊的时期。以往所尊奉的精神偶像和圣贤经典的基础均遭动摇，而佛教因其庞杂，且新说迭出，士人谈论接受亦处在朦胧和困惑之中，它尚未能作为一个完整清晰的体系在中土扎根，此时晋宋之际的思想和学术界几乎出现了一段空白。而这种空白状态恰恰对于中土固有思想观念产生巨大的

---

① 慧皎：《高僧传》，北京：中华书局 1996 年版。

② 僧佑：《出三藏记集》卷第十。

③ 慧远：《大智论抄序》又说："故游其樊者，心不待虑，智无所缘，不灭相而寂，不修定而闲，非神遇以斯通，焉识空空之为玄。斯其至也，斯其极也，过此以往，莫之或知。"其"空空之为玄"则与《庄》《老》玄学有实质的不同。

④ 僧佑：《弘明集》卷第二，上海：上海古籍出版社 1994 年版。

"净化"作用①，以往的天经地义和玄谈风流顿然失色，就《庄》《老》而言，它们在津梁佛教之后，遭遇到"过河拆桥"的命运，经常受到佛教徒的鄙薄。在诗歌之中，儒家的微言大义固然难以入诗，而已经兴起的以庄老为主旨的玄言诗亦成明日黄花，即使王弼之《老》《易》之学，以及向、郭之《庄》旨，在佛学面前，亦不能跻身于第一义，思想宗主挪移，而佛学又往往"言语道断，心行处灭"，此时惟有自然景物才能够暂时安顿士人的心灵，士人投注情感于山林皋壤，于是所谓"山水诗"的出现亦势所必然。

慧皎《高僧传》卷第五《义解二》之《晋吴虎丘东山寺竺道壹（帛道猷、道宝）》说："时若耶山有帛道猷者，本姓冯，山阴人，少以篇牍著称。性率素，好丘壑，一吟一咏，有濠上之风。与道壹经有讲筵之遇，后与壹书云：'始得优游山林之下，纵心孔释之书，触兴为诗，陵峰采药，服饵蠲屙，乐有余也。但不与足下同日，以此为恨耳。因有诗曰：连峰数千里，修林带平津，云过远山翳，风至梗荒榛。茅茨隐不见，鸡鸣知有人。闲步践其径，处处见遗薪。始知百代下，故有上皇民。'壹既得书，有契心抱，乃东适耶溪，与道猷相会，定于林下。于是纵情尘外，以经书自娱。"所谓"触兴为诗"、"纵情尘外"，应该联系刘勰《文心雕龙·比兴》所谓"毛公述传，独标'兴'体"来理解，帛道猷对于世情本来就比较淡漠，一旦投身林间，其诗歌愈益摆脱了社会意识的羁绊，刊落俗世的负累，于是能够亲近自然，写出山居生活的真实见闻和感受，此在某种程度上堪称向着《诗经》写作传统的一次回归，于是一个"兴"字将人生从观念集结的社会转向了率真自由之自然，而此对于理解谢灵运山水诗颇有启发意义。

沈约《宋书·谢灵运传》指责"有晋中兴，玄风独振，为学穷于柱下，博物止乎七篇，驰骋文辞，义单乎此……爰逮宋氏，颜、谢腾声。灵运之兴会标举，延年之体裁明密，并方轨前秀，垂范后昆。"特指谢氏的出现，是在殷仲文和谢叔源的基础上，进一步革新玄言诗风；又钟嵘《诗品》上之"宋临川太守谢灵运条"说："……嵘谓：若人兴多才高，寓目辄书，内无乏思，外无遗物，其繁富，宜哉！然名章迥句，处处间起；丽典新声，络绎奔发。譬犹青松之拔灌木，白玉之映尘沙，未足贬其高洁也。"两者均肯定谢氏的"兴会标举"和"兴多才高"，他们均出于有感谢氏反拨概念化、抽象性的诗风而下这样的断语。按沈约《休沐寄怀诗》说：

> 虽云万重岭，所玩终一丘。
> 阶墀幸自足，安事远遨游。
> 临池清溽暑，开幌望高秋。
> 园禽与时变，兰根应节抽。

---

① 僧佑：《出三藏记集》卷第十一载僧睿法师《十二门论序》说："《十二门论》者，盖是实相之折中，道场之要轨也……是以龙树菩萨开出者之由路，作十二门以正之。正之以十二，则有无兼畅，事无不尽。事尽于有无，则忘功于造化；理极于虚位，则丧我于二际。然则丧我在乎落筌，筌忘存乎遗寄，筌我兼忘，始可以几乎实矣。几乎实矣，则虚实两冥，得失无际。冥而无际，则能忘造次于两玄，泯颠沛于一致，整归驾于道场，毕趣心于佛地。恢恢焉，真可谓运虚刃于无间，奏希声于宇内，济溺丧于玄津，出有无于域外者矣。"

凭轩寥木末，垂堂对水周。
紫箨开绿筱，白鸟映青畴。
艾叶弥南浦，荷花绕北楼。
送日隐层阁，引月入轻帱。
爨熟寒蔬剪，宾来春蚁浮。
来往既云倦，光景为谁留。①

　　沈约既为谢氏立传，自当熟悉谢氏的诗歌特点，此诗所谓"园禽与时变，兰根应节抽"，即从谢氏《登池上楼诗》之"池塘生春草，园柳变鸣禽"脱胎而来，故而此几乎是谢诗的仿作，在沈约的理解中，谢诗代表着一种脱离喧嚣、优游于山水之间的人生情趣，其诗中理应汇集自然界种种清雅美好的景物，虽然沈约并不完全认同谢氏的处世态度，但是联系其所赞赏谢氏"兴会标举"，这首诗正可以起到注脚的作用。沈约体会到谢诗比较彻底地摆脱了现世种种观念意识的缠绕，其诗意独与自然交流，显得比较纯净，而这恰是谢氏被逐出政治主流的遭际使然；而钟嵘《诗品》评价五言诗人，用到"兴"字者，除了谢灵运之外，计有张华、陶渊明和谢庄，钟嵘称晋司空张华"……其体华艳，兴托不奇，巧用文字，务为妍冶"。评宋征士陶潜曰："……笃意真古，词兴婉惬。"又论宋光禄谢庄曰："……然兴属闲长，良无鄙促也。"②后二者的诗风都体现"兴"的特征，盖指此辈抒情有所假借，景物描写构成了其诗歌重要的组成部分，而张华则"儿女情多"，故"兴托不奇"。按钟嵘《诗品序》说："故诗有三义焉：一曰兴，二曰比，三曰赋。文已尽而义有余，兴也……若专用比兴，则患在意深，意深则词踬。若但用赋体，则患在意浮，意浮则文散，嬉成流移，文无止泊，有芜蔓之累矣。"钟嵘定义"兴"为"文已尽而义有余"，乃指诗歌借助有限的物象或意象，传递无穷的旨意。据此可以印证陶潜、谢庄二氏既已不同程度地祛除了思辨的玄言习气，又戒除了直接抒情的弊病，而惟独谢灵运被置于上品，其在"兴会标举"和"兴多才高"方面，应是南朝人心目中的楷模。

　　诗歌发展到谢灵运为何会产生这样的变化，这是值得探究的。就谢氏本身来看，谢氏因其独特的身世，他与山水之间的关系，非"止足"求存的一般士人可比，尤其其诗学理念与佛学存在着不解之缘，这对于形成其山水诗风貌有着极大的影响。谢氏后裔唐释皎然《诗式》卷一《文章宗旨》说："评曰：康乐公早岁能文，性颖神彻，及通内典，心地更精，故所作诗，发皆造极，得非空王之道助邪？"③所谓"及通内典，心地更精"意指佛教对于谢灵运的诗学思想产生了根本性的启迪，皎然还隐约指出谢灵运之接受佛学，有一渐进的过程。如谢灵运《山居赋》作者自己加注曰："……柱下，老子；濠上，庄子。二、七是篇数也。云此二书最有理，过此以往，皆是圣人之教，独往者所弃。"这表明谢氏认为老庄高于圣人之教，其评价不低。但是相对于佛教

①　逯钦立辑校：《先秦汉魏晋南北朝诗》之《梁诗》卷六，北京：中华书局1983年版。
②　曹旭：《诗品集注》，上海：上海古籍出版社1994年版。
③　《诗式校注》，李壮鹰校注，北京：人民文学出版社2003年版。

却相形见绌，无甚可观。释慧皎《高僧传·释慧严传》载元嘉时，宋文帝谈到："范泰、谢灵运常言六经典文，本在济俗为治，必求灵性真奥，岂得不以佛经为指南耶？"显然此说中谢氏将"六经典文"和"佛经"视作两种不同层次的学术资源，并且两者之间几乎存在着不可逾越的鸿沟，这与当时佛教信徒为佛教张目的思潮完全一致；谢氏《山居赋》说："伊昔韶龀，实爱斯文，援纸握管，会性通神"，而在谢氏眼里，诗歌当以追求"会性通神"为能事，此与"灵性真奥"义近，自然应以佛经为旨归；同传又说慧严与慧观、谢灵运一起改编了《大涅槃经》①，此经内容极其繁富，被称为"众经之渊镜"，释道朗撰《大涅槃经序》突出了其"任运而动，见机而赴"的特点②，谢灵运《金刚般若经注》曰："诸法性空，理无乖异，谓之为如，会如解故，名如来。"③ 启发于诗歌叙述，则弱化了玄言诗所凸现的叙事主体，玄言诗作者，大多以玄机深通之智者的姿态现身说法，庄老语辞奔趋笔端，全诗从结构形式到题旨内容，都呈现出程序化的特征，整体上是一封闭的形态，缺乏令读者想象的空间；而佛教之般若意趣，与之不同者在于，它虽有更高智慧的自信，但是表现于诗歌，却不落言筌，力戒涉乎主观之理路，叙述者的身影在诗歌里较为隐蔽。

关于谢氏的佛学修养，慧远和宗炳是重要的参照④，释慧远《阿毗昙心序》说："……其颂声也，拟象天乐，若云篇自发，仪形群品，触物有寄。若乃一吟一咏，状鸟步兽行也；一弄一引，类乎物情也。情与类迁，则声随九变而成歌；气与数合，则音协律吕而俱作。拊之金石，则百兽率舞。奏之管弦，则人神同感。斯乃穷音声之妙会，极自然之众趣，不可胜言者矣。"⑤ 这里讲"颂声"，盖指佛教音乐，指其听觉效果，"极自然之众趣"，令听者联想到自然的各种意趣，而至于"类乎物情"和"情与类迁"，则将叙述或演奏者主体的主观情感搁置起来，以表现所拟客观对象之情感。据说是慧远所撰《庐山诸道人游石门诗序》说："……其中则有石台石池，宫馆之象，触类之形，致可乐也。清泉分流而合注，绿渊镜净于天池，文石发彩，焕若披面，柽松芳草，蔚然光目，其为神丽，亦已备矣！……乃其将登，则翔禽拂翮，鸣猿厉响，归云回驾。想羽人之来仪，哀声相和，若玄音之有寄，虽仿佛犹闻，而神以之畅。虽乐不期欢，而欣以永日。当其冲豫自得，信有味焉，而未易言也。退而寻之，夫崖谷之间，会物无主，应不以情而开兴，引人致深若此！岂不以虚明朗其照，闲遂笃其情耶？并三复斯谈，犹昧然未尽。俄而太阳告夕，所存已往，乃悟幽人之玄览，达恒物之大情，其为神趣，岂山水而已哉！"其诗曰："超兴非有本，理感兴自生，忽闻石门游，奇唱

----

① 具体情形可看王邦维《谢灵运〈十四音训叙〉辑考》，北京大学传统文化研究中心编：《国学研究》第3卷，北京：北京大学出版社 1995 年版。

② 僧佑：《出三藏记集》卷第八。

③ 见李善注《文选》卷五十九《碑文》之《头陀寺碑文》之李善注之引文，北京：中华书局 1983 年版。

④ 慧皎《高僧传》卷第六《义解三》之《晋庐山释慧远》说："陈郡谢灵运负才傲俗，少所推崇。及一相见，肃然心服。"谢灵运曾见慧远于匡庐，肃然心服，慧远卒于义熙十二年，谢灵运撰有《庐山慧远法师诔》。《宋书·武三王传》说："九年……（江夏文献王）义恭上表曰：'窃见南阳宗炳，操履闲远，思业贞纯，砥节丘园，息宾盛世，贫约而苦，内无改情，轩冕屡招，确尔不拔。若以蒲帛之聘，感以大伦之美，庶投竿释褐，翻然来仪，必能毗赞九官，宣赞百揆……'"可见宗炳亦已著名当世。

⑤ 僧佑：《出三藏记集》卷第十。

发幽情……神仙同物化，未若两俱冥。"此节文字中，所谓"应不以情而开兴，引人致深若此！岂不以虚明朗其照，闲遂笃其情耶"？还有"超兴非有本，理感兴自生，忽闻石门游，奇唱发幽情"，尤其值得玩味，这道出了在佛教观照之下，如何欣赏山水之美的态度。此间"理"与"情"两个范畴的关系，完全出自佛学的思想①，此理属于佛理，而"应不以情"之"情"则指停滞在主观俗情的阶段，山水诗的写作，应该是佛理的感发，以达成自然"神丽"之再现，慧远之"其为神丽，亦已备矣"，即谢氏"选自然之神丽"之所本。故而作者起兴，则必须虚静其心，使得一切的俗世概念和意识彻底清除，由此而呈现的心灵与诗境才能直抵"灵性真奥"，亦才能"会性通神"。非将道教的神仙说和道家的物化说净化之后，方能办到。而在此前提之下，所感悟之"情"，则属于"理感"之"幽情"，其境界与"俗情"绝不可同日而语，玄言诗因此而被改造，对于山水诗的写作，在创作论上，慧远这番议论可谓有发轫之功。

慧远《庐山东林杂诗》曰：

> 崇岩吐清气，幽岫栖神迹。
> 希声奏群籁，响出山溜滴。
> 有客独冥游，径然忘所适。
> 挥手抚云门，灵关安足辟。
> 流心叩玄扃，感至理弗隔。
> 孰是腾九霄，不奋冲天翮。
> 妙同趣自均，一悟超三益。

此诗中有"有客独冥游，径然忘所适"句，可以体会到玄言诗内主体强势性的特征不复存在了，由此作者才能够将眼光转投到山水景物，写出"崇岩吐清气，幽岫栖神迹。希声奏群籁，响出山溜滴"这样比较清新的诗句，尤其应该注意到，此四句诗中所用"吐"、"栖"、"奏"和"出"四个动词，赋予了山水景物以拟人化的效果，虽然此仍然出自创作主体的观照，但万物仿佛皆有自主性，慧远显然已将其佛学思想运用到山水诗的写作之中。

谢氏友人宗炳《明佛论》也恰可与之相印证。宗炳说："夫生之起也，皆由情兆，令男女构精万物化生者，皆精由情构矣。情构于己而则百众神受，身大似知，情为生本矣。若五帝三后，虽超情穷神，然无理不类，苟昔缘所会，亦必循俯入精化，相与顺生而敷万族矣。况今以情贯神，一身死坏安得不复受一身生死无量乎？识能澄不灭之本，禀日损之学，损之又损，必至无为无欲，欲情唯神独照，则无当于生矣，无生则无身，无身而有神，法身之谓也……人之神理有类于此，伪有累神成精粗之识，识附于神，故虽死不灭，渐之以空，必将习渐至尽而穷本神矣，泥洹之谓也。"他认为

---

① 参见《宋书·隐逸传》载雷次宗"少入庐山，事沙门释慧远"，他与子侄书以言所守，曰："爱有山水之好，悟言之欢，实足以通理辅性，成夫亹亹之业，乐以忘忧，不知朝日之晏矣。"可见借助欣赏山水，以"通理辅性"，此辈均受到慧远的影响。

"以情贯神"或"识附于神"造成了众生的孽障，改铸法身，必须去情去识以固神，亦如《世说新语·文学》有曰："佛经以为祛练神明，则圣人可致。"由于义理堆砌，会将诗歌几乎等同于哲理思辨，这非但于佛学落为第二义，并且于诗学而言，也由哲学本体排斥了文学本体①。因此，人于佛理的观照，心行处灭，凭借语言，则言不尽意，于是他在其《画山水序》中标举"圣人含道应物，贤者澄怀味象"之一途；在其《明佛论》中则说："彼佛经也，包五典之德，深加远大之实；含老庄之虚，而重增皆空之尽。"而所谓"澄怀味象"与"皆空之尽"，则弱化了创作主体在观照对象面前的显现，相对地为自然意象的充分呈现留有更大的空间，近人王国维《人间词话》拈出"有我之境"与"无我之境"的分别，谢氏山水诗较之玄言诗，显然更接近后者。这于山水画、诗创作是至关重要的。虽然艺术中的自然皆属于人化自然，绝无纯客观的自然，谢氏之诗，宗炳之画，概不例外，但作为叙述方法，"澄怀味象"却是这一派共通的法则。

而这样的佛学思想作用于谢灵运的诗歌写作，会对谢氏产生深刻的影响，谢氏所谓"理来情无存"②，《山居赋》说"选自然之神丽"，按其《从游京口北固应诏诗》说"事为名教用，道以神理超"，可知其所谓"理"具有佛理的内涵，而这样的"理"以遣荡世俗之情为指归。佛学又使他领会到，佛教原来并非仅仅依靠抽象义理来作宣讲，它可以借助自然众趣，令人有更形象更深刻的悟入。如释慧远《大智论抄序》说："其人以《般若经》为灵府妙门宗一之道……故叙夫体统，辨其深致，若意在文外，而理蕴于辞，"联系谢灵运《辩宗论》所谓"并业心神道，求解言外"，涉及意与文、理与辞关系问题，就般若学而言，最忌讳直露地宣讲。这显然与诗歌的意境理论相通，移植于诗歌创作，即为诗歌禅趣之萌芽。

而谢灵运则是在慧远和宗炳的基础上进一步发展，终于形成了比较成熟的山水诗。按其《从斤竹涧越岭溪行诗》曰：

> 猿鸣诚知曙，谷幽光未显。
> 岩下云方合，花上露犹泫。
> 逶迤傍隈隩，迢递陟陉岘。
> 过涧既厉急，登栈亦陵缅。
> 川渚屡径复，乘流玩回转。
> 苹萍泛沉深，菰蒲冒清浅。
> 企石挹飞泉，攀林摘叶卷。
> 想见山阿人，薜萝若在眼。
> 握兰勤徒结，折麻心莫展。
> 情用赏为美，事昧竟谁辨。

---

① 《弘明集》卷第三载宗炳《答何承天书》说："佛经所谓现在不住矣，诚能明之，则物我常虚，岂非理之奥耶？盖悟之者寡，故不以为教本耳，支公所谓未与佛同也。"同书卷第四宗炳《又答何衡阳书》说："灵化超于玄极之表"，佛理远高于中土玄学。

② 《石门新营所住四面高山回溪石濑茂林修竹诗》。

观此遗物虑，一悟得所遣。

按皎然《诗式》卷一《文章宗旨》谈及"曩者尝与诸公论康乐，为文真于情性，尚于作用，不顾词彩而风流自然"云云，所谓"真于情性"，盖指谢灵运因接受佛学而"净化"了内心世界，虽然其高门的自负一贯耿耿于怀，但是却超越了玄学和儒学的思维惯性，使得其情性不致过多地受后天思想观念的萦绕或侵扰，这在同属释家的皎然看来，就是"真于情性"。而表现在这一首诗里，谢氏几乎忘我地叙述山行过程中所见的各种物象，进一步消减慧远诗中谈理的成分，而最后"观此遗物虑，一悟得所遣"，他有意将作者主体的情思损之又损，如钟嵘所谓"寓目辄书"，使得外界景物不受主观意志和成心的干扰，因此而得以比较充分和真切的呈现。譬如其《石门岩上宿诗》说："鸟鸣识夜栖，木落知风发，异音同至听，殊响俱清越。"自然的声响，犹如天籁，善于欣赏者惟在于摒除杂念，悉心聆听；《过始宁墅诗》说："白云抱幽石，绿筿媚清涟。"《登池上楼》曰："池塘生春草，园柳变鸣禽。"《登江中孤屿诗》曰："乱流趋孤屿，孤屿媚中川。"观这些诗句中，譬如"抱"、"媚"、"生"、"变"、"趋"和"媚"诸动词，似乎其动作主体都各有生命和灵性，而这种生命和灵性又并非诗人直接武断地赋予所描写的客体之上，而是属于客体在主体观照之下所呈现出的生命状态，这就与玄言诗存在着明显的差异。

《文心雕龙·神思》篇说："赞曰：神用象通，情变所孕。物以貌求，心以理应。刻镂声律，萌芽比兴。结虑司契，垂帷制胜。"其实指出了诗歌一类文体写作的基本原则，神必须通过物象来传递其灵光，心以理应，亦道出了主观应遵循的限度，而在此之间，情感的变化亦包孕于其中了，所以切忌作者直截地抒情，据此可证刘勰也深受慧远和宗炳等人的影响，而在将景物拟人化方面，谢氏对于慧远和宗炳的诗歌、绘画理念更有直接的继承。"山水诗"亦应运而生，这在谢氏一边，正是其因佛学置换庄老之后，其诗作出现的新的现象，这样的作品之中，作者的主观情志缺乏鲜明的表露，无怪乎梁萧子显《南齐书·文学传论》对于谢灵运一系的诗歌，从其新变派的角度，亦即从世俗情感的角度，给予"酷不入情"的批评①。

北朝

十一月

元明帝卒，皇太子拓跋焘即皇帝位，是为太武帝。据《魏书》卷四上《世祖纪》。

---

① 按《南齐书·武陵昭王晔传》记载萧道成第五子萧晔学谢灵运体，萧道成评价说："见汝二十字，诸儿作中最为优者。但康乐放荡，作体不辨有首尾，安仁、士衡深可宗尚，颜延之抑其次也。"意指谢诗诗句情感、意思不够集中和连贯，甚至首句可作尾句，尾句亦可置换成首句，这恰是由其过于关注"模山范水"而忽略了抒情所致。

崔浩为太武帝左右忌恨，共排毁之。帝不免群议，出浩，以公归第。师寇谦之，**修服食养性之术。**《魏书》卷三五《崔浩传》："世祖即位，左右忌浩正直，共排毁之。世祖虽知其能，不免群议，故出浩，以公归第。及有疑议，召而问焉。浩纤妍洁白，如美妇人。而性敏达，长于谋计。常自比张良，谓己稽古过之。既得归第，因欲修服食养性之术，而寇谦之有《神中录图新经》，浩因师之。"

公年 424 年（宋少帝景平二年　宋文帝元嘉元年　魏太武帝始光元年　甲子）

元嘉共 30 年。"谢客为元嘉之雄，颜延年为辅。"宋文帝元嘉年间前后共计有 30 年，《宋书》本纪中史臣评曰："及正位南面，历年长久……故能内清外晏，四海谧如也。"这或许是溢美过誉之词，其间也发生过许多残忍杀戮之事，但是按照《宋书自序》说元嘉后期"天下殷实"，《宋书·宗悫传》说："时天下无事，士人并以文义为业。"这说明在宋代较长的时期内，士人崇尚"文义"，此期间，如钟嵘《诗品序》所说："谢客为元嘉之雄，颜延年为辅。"宋代涌现出许多文士，文史著述方面足以彪炳千秋，当时文坛可谓光彩夺目。

颜延之出为始兴太守。《宋书·颜延之传》说："少帝即位，以为正员郎，兼中书，寻徙员外常侍，出为始安太守。领军将军谢晦谓延之曰：'昔荀勖忌阮咸，斥为始平郡，今卿又为始安，可谓二始。'黄门郎殷景仁亦谓之曰：'所谓俗恶俊异，世疵文雅。'延之之郡，道经汨潭，为湘州刺史张纪祭屈原文以致其意，曰：恭承帝命，建旟旧楚。访怀沙之渊，得捐佩之浦。弭节罗潭，舣舟汨渚，敬祭楚三闾大夫屈君之灵：兰薰而摧，玉贞则折。物忌坚芳，人讳明洁。曰若先生，逢辰之缺。温风迨时，飞霜急节。赢、芊遭纷，昭、怀不端。谋折仪、尚，贞蔑椒、兰。身绝郢阙，迹遍湘干。比物荃荪，连类龙鸾。声溢金石，志华日月。如彼树芬，实颖实发。望汨心欷，瞻罗思越。藉用可尘，昭忠难阙。"按，《资治通鉴》卷一百四十将颜延之出为始安太守时间定于景平二年。《宋书·隐逸传》说："先是，颜延之为刘柳后军功曹，在寻阳，与潜情款。后为始安郡，经过，日日造潜，每往必酣饮致醉。临去，留二万钱与潜，潜悉送酒家，稍就取酒。"

少帝遭废弑。庐陵王刘义真被害。文帝刘义隆即位。《宋书·王弘传》说："少帝景平二年，徐羡之等谋废立，召弘入朝。"《宋书·檀道济传》说："徐羡之将废庐陵王义真，以告道济，道济意不同，屡陈不可，不见纳。羡之等谋欲废立，讽道济入朝，既至，以谋告之。"《宋书·少帝本纪》说此年六月，徐羡之、傅亮等废弑少帝。按《宋书·武三王传》说徐羡之等因少帝失德，密谋废立，而废黜少帝，若依次第则义真当立，而义真素为徐羡之辈所憎恶，所以在废黜少帝之前，先奏废义真，并且于景平二年六月癸未，派人杀死义真，以除后患。《宋书·徐羡之传》叙述废弑的过程，曰："……先是帝于华林园为列肆，亲自酤卖，又开渎聚土，以像破岗，率左右唱呼引船为乐。是夕，寝于龙舟，在天渊池。兵士进杀二人，又伤帝指。扶帝出东阁，收玺绶。群臣拜辞，卫送故太子宫，迁于吴郡。侍中程道惠劝立第五皇帝义恭，羡之不许。遣使杀义真于新安，杀帝于吴县。"《宋书·谢晦传》说："少帝既废，司空徐羡之录诏命，以晦行都督荆湘雍益宁南北秦七州诸军事、抚军将军、领护南蛮校尉、荆州刺史，欲令居外为援，虑太祖至或别用人，故遽有此授……初，晦与徐羡之、傅亮谋为自全之计，晦据上流，而檀道济镇广陵，各有强兵，以制持朝廷；羡之、亮于中秉权，可得持久。"《宋书·王华传》说："王华，字子陵，琅邪临沂人，太保弘从祖弟也……太祖入奉大统，以少帝见害，疑不敢下。华建议曰：'羡之等受寄崇重，未容便敢背德，废主若存，虑其将来受祸，致此杀害。盖由每生情多，宁敢一朝顿怀逆志。且三人势均，莫相推伏，不过欲握权自固，以少主仰待耳。今日就征，万无所虑。'太祖从之。"《宋书·王昙首传》说："王昙首，琅邪临沂人，太保弘少弟也……景平中，有龙见西方，半天腾上，荫五彩云，京都远近聚观，太史奏曰：'西方有天子气。'太祖入奉大统，上及议者皆疑不敢下，昙首与到彦之、从兄华固劝，上犹未许。昙首又固陈，并言天人符应，上乃下。率府州文武严兵自卫，台所遣百官众力，不得近部伍，中兵参军朱容子抱刀在平乘户外，不解带者数旬。既下在道，有黄龙出负上所乘舟，左右皆失色，上谓昙首曰：'此乃夏禹所以受天命，我何德以堪之。'及即位，又谓昙首曰：'非宋昌独见，无以致此。'以昙首为侍中，寻领右卫将军，领骁骑将军。以朱容子为右军将军。诛徐羡之等，平谢晦，昙首及华之力也。"《宋书·宗室传》说："元嘉元年，（刘义庆）转散骑常侍，秘书监，徙度支尚书，迁丹阳尹，加辅国将军、常侍并如故。"

在政治漩涡之中，傅亮心迹微妙隐晦。《宋书·傅亮传》说："初，奉迎大驾，道路赋诗三首，其一篇有悔惧之辞，曰：'凤棹发皇邑，有人祖我舟。饯离不以币，赠言重琳球。知止道攸贵，怀禄义所尤。四牡倦长路，君辔可以收。张邴结晨轨，疏董顿夕輈。东隅诚已谢，西景逝不留。性命安可图，怀此作前修。敷衽铭笃诲，引带佩嘉谋。迷宠非予志，厚德良未酬。抚躬愧疲朽，三省惭爵浮。重明照蓬艾，万品同率由。忠诰岂假知，式微发直讴。'亮自知倾覆，求退无由，又作辛有、穆生、董仲道赞，称其见微之美。"《南史·谢弘微传》说："文帝即位，为黄门侍郎，与王华、王昙首、殷景仁、刘湛等，号曰五臣。"

北朝

本年

释智猛始从天竺还凉州。《出三藏记集》卷十五《释智猛传》："以甲子岁发天竺，同行四僧于路无常，唯猛与昙纂还于凉州。译出《泥洹》本，得二十卷。"

太武帝崇奉天师道。宋释志磐《佛祖统纪》卷三八"法运通塞志"："太武帝崇奉天师道，遂起道场于京城之东南，重坛五层，遵其新经之制。给道士百二十人衣食，齐肃祈请，六时礼拜，月设厨会数千人。"《魏书》卷一四四《释老志》："世祖即位，富于春秋。既而锐志武功，每以平定祸乱为先。虽归宗佛法，敬重沙门，而未存览经教，深求缘报之意。及得寇谦之道，帝以清净无为，有仙化之证，遂信行其术。时司徒崔浩，博学多闻，帝每访以大事。浩奉谦之道，尤不信佛，与帝言，数加非毁，常谓虚诞，为世费害。帝以其辩博，颇信之。"

诏天下寺改名招提。据宋释志磐《佛祖统纪》卷三八"法运通塞志"。

公元 425 年（宋文帝元嘉二年　魏太武帝始光二年　乙丑）

本年

徐羡之、傅亮等招致嫉恨。《宋书·王华传》载："（孔）宁子与华并有富贵之愿，自羡之等秉权，日夜构之于太祖。"《宋书·文帝本纪》说："（元嘉二年）秋八月甲申……乙酉，骠骑将军、南徐州刺史彭城王义康为开府仪同三司，新除司空王弘为车骑大将军、开府仪同三司。"春泓按，此与元嘉三年春正月丙寅，杀徐羡之、傅亮有直接的联系。元嘉二年春正月丙寅，文帝逼迫徐、傅交出权力，然后依靠王弘，对于弑宋少帝的徐、傅和谢晦予以惩治，以儆效尤。

戴颙、宗炳隐逸自处。《宋书·隐逸传》说："太祖元嘉二年，诏曰：'新除通直散骑侍郎戴颙、太子舍人宗炳，并志托丘园，自求衡荜，恬静之操，久而不渝。颙可国子博士，炳可通直散骑侍郎。'"但戴与宗并不应就。

北朝

本年

崔浩进爵东郡公，拜太常卿。并议讨赫连昌。《魏书》卷三五《崔浩传》曰："始光中。"始光凡四年，若在去年当曰"初"，而本传序此事于太武帝克夏之前，事在始光末。故当在今明两年之际，姑系于是。

公元 426 年（宋文帝元嘉三年　魏太武帝始光三年　丙寅）

正月

元嘉三年正月下诏治徐羡之、傅亮、谢晦废弑之罪，徐羡之畏罪自杀；傅亮被诛，时年五十三。钟嵘《诗品》卷下《宋尚书傅亮诗》说："季友文，余尝忽而不察。今沈特进撰诗，载其数首，亦复平美。"《宋书·谢晦传》载："及太祖将行诛，王华之徒咸云：'道济不可信。'太祖曰：'道济止于胁从，本非事主。杀害之事，又所不关。吾召而问之，必异。'于是诏道济入朝，授之以众，委之西讨。晦闻羡之等死，谓道济必不独全，及闻率众来上，惶惧无计。"可见文帝颇具韬略，他破坏了顾命大臣在行废弑之时所订下的同盟，打击的重点十分明确，而对于非"首恶"者则先不追究，尤其对于掌握兵权的檀道济"胁从"不究，然后利用檀氏消灭谢晦，可谓得计。

谢晦之死，颇具文学意味。《宋书·谢晦传》又说："谢晦，字宣明，陈郡阳夏人也……高祖受命，于石头登坛，备法驾入宫。晦领游军为警备，迁中领军，侍中如故……太祖诛羡之等及晦子新除秘书郎世休，收曜、曜子世平、兄子著作佐郎绍等。

乐冏又遣使告晦：'徐、傅二公及曜等并已诛。'晦先举羡之、亮哀，次发子弟凶问。既而自出射堂，配衣军旅。数从高祖征讨，备睹经略，至是指麾处分，莫不曲尽其宜。二三日中，四远投集，得精兵三万人。乃奉表曰：

臣阶缘幸会，蒙武皇帝殊常之眷，外闻政事，内谋帷幄，经纶夷险，毗赞王业，预佐命之勋，膺河山之赏。及先帝不豫，导扬末命，臣与故司徒臣羡之、左光禄大夫臣亮、征北将军臣道济等，并升御床，跪受遗诏，载贻话言，托以后事。臣虽凡浅，感恩自厉，送往事居，诚贯幽显。逮营阳失德，自绝宗庙，朝野岌岌，忧及祸难，忠谋协契，徇国忘己，援登圣朝，惟新皇祚。陛下驰传乘流，曾不惟疑，临朝殷勤，增崇封爵。此则臣等赤心已亮于天鉴，远近万邦咸达于圣旨。若臣等志欲专权，不顾国典，便当协翼幼主，孤背天日，岂复虚馆七旬，仰望鸾旗者哉？故庐陵王于营阳之世，屡被猜嫌，积怨犯上，自贻非命。天祚明德，属当昌运，不有所废，将何以兴？成人之美，《春秋》之高义，立帝清馆，臣节之所司。耿弇不以贼遗君父，臣亦何负于宋室邪？况衅结阋墙，祸成畏逼，天下耳目，岂伊可诬。

臣忝居蕃任，乃诚匪懈，为政小大，必先启闻。纠剔群蛮，清夷境内，分留弟侄，并侍殿省。陛下聿遵先志，申以婚姻，童稚之目，猥荷齿召，荐女迁子，合门相送。事君之道，义尽于斯。臣羡之总录百揆，翼亮三世，年耆乞退，屡抗表疏，优旨绸缪，未垂顺许。臣亮管司喉舌，恪虔夙夜，恭谨一心，守死善道。此皆皇宋之宗臣，社稷之镇卫，而谗人倾覆，妄生国衅，天威震怒，加以极刑，并及臣门，同被孥戮。虽未知臣道济问，推理即事，不容独存。先帝顾托元臣翼命之佐，勠于佞邪之手，忠贞匪躬之辅，不免夷灭之诛。陛下春秋方富，始览万机，民之情伪，未能鉴悉。王弘兄弟，轻躁昧进；王华猜忌忍害，规弄威权，先除执政，以逞其欲。天下之人，知与不知，孰不为之痛心愤怨者哉！

臣等见任先帝，垂二十载，小心谨慎，无纤介之愆，伏事甫尔，而婴若斯之罪。若非先帝谬于知人，则为陛下未察愚款。臣去岁末使反，得朝士及殿省诸将书，并言嫌隙已成，必有今日之事。臣推诚仰期，罔有二心，不图奸回潜遘，理顺难恃，忠贤陨朝，愚臣见袭，到彦之、萧欣等在近路。昔白公称乱，诸梁婴胄，恶人在朝，赵鞅入伐。臣义均休戚，任居分陕，岂可颠而不扶，以负先帝遗旨！辄率将士，缮治舟甲，须其自送，投袂扑讨。若天祚大宋，卜世灵长，义师克振，中流清荡，便当浮舟东下，戮此三竖，申理冤耻，谢罪阙庭，虽伏锧赴镬，无恨于心。伏愿陛下远寻永初托付之旨，近存元嘉奉戴之诚，则微臣丹款，犹有可察。临表哽慨，言不自尽。

……晦檄京邑曰：王室多故，祸难荐臻。营阳失德，自绝宗庙。庐陵王构阋有本，屡被猜嫌，且居丧失礼，退迩所具，积怨犯上，自贻非道。群后释位，爰登圣明，乱之未乂，职有所系。按车骑大将军王弘、侍中王昙首，谬蒙时私，叨窃权要。弘于永初之始，实荷不世之恩，元嘉之让，自谓任遇浮浅，进诬先皇委诚之寄，退长嫌隙异同之端。昙首往因使下，访以今上起居，不能光扬令德，彰于朝听，其言多诬，故不具说。王华贼亡之余，赏擢之次，先帝常见访逮，庶有一分可取，而华禀性凶猜，多所忍害。曩者纵人入城，托疾辞事，此都士庶，咸所闻知。以其所启及上手答示宗叔献，又令宣告徐、傅二公。及周纠使下，又令见咨，云：'欲自揽政事，求离任还都，并令县首具述此意。'又惠观道人说，外人告华及到彦之谋反，不谓无之。城内东将，数日之内，操戈相待。华说数为秋当所谮，常不自安。凡此诸事，岂有忠诚冥契若此者邪？自以父亡道侧，情事异人，外绝酒醴，而宵饮是恣。□□□□凡厥士庶，谁不侧目。又常叹宰相顿有数人，是何愤愤，规总威权，不顾国典。保佑皇家者，罹屠戮之诛；效勤社稷者，致奸夷之祸。搢绅之徒，孰不慷慨！遂矫违诏旨，遣到彦之、萧欣之轻舟见袭。即日监利左尉露檄众军已至扬子。

虽以不武，忝荷蕃任，国家艰难，悲愤兼集。若使小人得志，君子道消，凡百有殄瘁之哀，苍生深横流之惧。辄纠勒义徒，缮治舟甲，舳舻亘川，驷介蔽野，武夫鸷勇，人百其诚。今遣南蛮司马宁远将军庾登之统参军事建武将军建平太守安泰、宣威将军昭弘宗、参军事宣威将军王绍之等，精锐一万，前锋致讨。南蛮参军、振武将军魏像统参军事、宣威将军陈珍虎旅二千，参军事、建威将军、新兴太守贺愔甲卒三千，相系取道。南蛮参军、振威将军郭卓铁骑二千，水步齐举。大军三万，骆驿电迈。行冠军将军竟陵内史河东太守谢遁、建威将军南平太守谢世猷骁勇一万，留守江陵。分命参军、长宁太守窦应期步骑五千，直出义阳。司马、建威将军、行南义阳太守周超之统军司马、振武将军胡崇之精悍一万，北出高阳，长兼行参军、宁远将军朱澹之步骑五千，西出雁塞，同讨刘粹，并趋襄阳。奇兵尚速，指景齐奋。诸贤并同国恩，情兼义烈，今诚志士忘身之日，义夫著绩之秋，见机而动，望风而不待勖。

……晦又上表曰：臣闻凶邪败国，先代成患；谗竖乱朝，异世齐祸。故赵高矫逼，秦氏用倾；董卓阶乱，汉祚伊覆。虽哲王宰世，大明照临，未能使其渐弗兴，兹害不作。奸臣王弘等窃弄威权，兴造祸乱，遂与弟华内外影响，同恶相成，忌害忠贤，图希非望。故司徒臣羡之、左光禄大夫臣亮横被酷害，并及臣门。虽未知征北将军臣道济存亡，不容独免。遂遣萧欣、到彦之等轻舟见袭，奸伪之甚，一至于斯。羡之及亮，或宿德元臣，姻娅皇极，或任总文武，位班三事，道济职惟上将，扞城是司，皆受遇先朝，栋梁一代。臣昔因时幸，过蒙先眷，内闻政事，外经戎旅，与羡之、亮等同被齿盼。既经启王基，协济大业，爰自权舆，暨于揖让，诚策虽微，仍见纪录，并蒙丹书之誓，各受山河之赏，欲使与宋升降，传之无穷。及圣体不预，穆卜无吉，召臣等四人，同升御床，顾命领遗，委以家国。仰奉成旨，俯竭股肱，忠贞不效，期之以死。但营阳悖德，自绝于天，社稷之危，忧在托付，不有所废，将焉以兴。乃远稽殷、汉，用升圣德。陛下顺流乘传，不听张武之疑，入邸龙飞，非俟宋昌之议，斯乃主臣相信，天人合契，九五当阳，化形四海。羡之及亮，内赞皇猷，臣与道济，分翰于外，普天之下，孰曰不宜。遂蒙宠授，来镇此方，分留弟侄，以侍台省。到任以来，首尾三载，虽形在远外，心系本朝，事无大小，动皆咨启，八州之政，罔一专辄，尊上之心，足贯幽显。陛下远述先旨，申以婚姻，大息世休，复蒙引召，是以去年送女遣儿，阖家俱下，血诚如此，未知所愧。而凶狡无端，妄生衅祸，羡之内诛，臣受外伐，顾省诸怀，不识何罪？天听遐邈，陈诉靡由。弘等既蒙宠任，得侍左右，自谓势擅狐鼠，理隔熏掘。又以陛下富于春秋，始览政事，欲冯陵恩幸，窥望国权，亲从磐峙，规自封殖，不除臣等，罔得专权，所以交结谗慝，成是乱阶。又惟弘等所构，当以营阳为言，庐陵为罪。又以臣等位高功同，内外胶固。陛下信其厚貌，忘厥左道，三至下机，能不暂惑。

伏自寻省，废昏立明，事非为己。庐陵之事，不由傍人，内积萧墙之衅，外行叔段之罚，既制之有主，臣何预焉。然庐陵为性轻险，悌顺不足，武皇临崩，亦有口诏，比虽发自营阳，实非国祸。至于羡之、亮等，周旋同体，心腹内外，政欲戮力皇家，尽忠报主。若令臣等颇欲执权，不专为国，初废营阳，陛下在远，武皇之子，尚有童幼，拥以号令，谁敢非之。而沂流三千，虚馆三月，奉迎銮驾，以遵下武，血心若斯，易为可鉴。且臣等奉事先朝，十有七年，并居显要，世称恭谨，不图一旦致兹衅罚。夫周公大贤，尚有流言之谤，伯奇至孝，不免潜愬之祸。慈父非无情于仁子，明君岂有志于贞臣。奸遭所移，势回山岳，况乃精诚微浅，而望求信者哉！《诗》不云乎：'谗人罔极，交乱四国。恺悌君子，无信谗言。'陛下躬览篇籍，研核是非，衅兆之萌，宜应深察。臣窃惧王室小有皇甫之患，大有阎乐之祸，夙夜殷忧，若无首领。夫周道浸微，桓、文称伐，君侧乱国，赵鞅入诛。况今凶祸滔天，辰极危逼，台辅孥戮，岳牧倾陷。臣才非绛侯，安汉是职，人愧博陆，厕奉遗旨。国难既深，家痛亦切。辄简徒缮甲，军次巴陵，萧欣窘慑，望风奔进。臣诚短劣，在国忘身，仰凭社稷之灵，俯厉义勇之气，将长驱电扫，直入石头，枭翦元凶，诛夷首恶，吊二公之冤魂，写私门之祸痛。然后分归司寇，甘赴鼎镬，虽死之日，犹生之年。

伏惟陛下德合乾元，道侔玄极，鉴凶祸之无端，察贞亮之有本，回日月之照，发霜电之威，枭四凶于庭庭，悬三监于绛阙，申二台之匪辜，明两蕃之无罪，上谢祖宗，下告百姓，遣一乘之使，赐咫尺之书，臣便勒众旋旗，还保所任。须次近路，寻复表闻。

……至安陆延头，（谢晦）为戍主光顺之所执。顺之，晦故吏也。槛送京师，于路作《悲人道》，其词曰：

悲人道兮，悲人道之实难。哀人道之多险，伤人道之寡安。懿华宗之冠胄，固清流而远源。树文德于庭户，立操学于衡门。应积善之余祐，当履福之所延。何小子之凶放，实招祸而作愆。

值革变之大运，遭一顾于圣皇。参谋猷于创物，赞帝制于宏纲。出治戎于禁卫，入关言于帷房。分河山之珪组，继文武之龟章。禀顾命于西殿，受遗寄于御床。伊懦劣其无节，实怀此而不忘。荷隆遇于先主，欲报之于后王。忧托付之无效，惧愧言于存亡。谓继体其嗣业，能增辉于前光。居遏密之未几，越礼度而洄荒。普天壤而殒气，必社稷之沦丧。矧吾侪之体国，实启处而匪遑。藉亿兆之一志，固昏极而明彰。谅主尊而民晏，信卜祚之无疆。国既危而重构，家已衰而载昌。获扶颠而休否，冀世道之方康。

朝褒功以疏爵，祗命服于西蕃。奏箫管之嘈嘈，拥朱旄之赫煌。临八方以作镇，响文武之桓桓。厉薄弱以为政，实忘食于日旰。岂申甫之敢慕，庶惟宋之屏翰。甫逾历其三稔，实周回其未再。岂有虑于内□□□□其云裁。痛夹辅之二宰，并加辟而靡贷。哀弱息之从祸，悲发中而心痗。

伊荆汉之良彦，逮文武之子民。见忠贞而弗亮，睹理屈而莫申。皆义概而同愤，咸荷戈而竞臻。浮舳舻之弈弈，陈车骑之辚辚。观人和与师整，谓兹兵其谁陈。庶亡魂之雪怨，反泾渭于彝伦。齐轻舟于江曲，殄锐敌其皆湮。勒陆徒于白水，寇无反于只轮。气有捷而益壮，威既肃而弥振。嗟时哉之不与，忤风雨以逾旬。我谋战而不克，彼继奔其蹑尘。乏智勇之奇正，忽孟明而是遵。苟成败其有数，岂怨天而尤人。恨矢石之未竭，遂摧师而覆陈。诚得丧之所遭，固当之其无吝。痛同怀之弱子，横遭罹之殃衅。智未穷而事倾，力未极而莫振。誓同尽于锋镝，我怯劣而惩信。愍弟侄之何辜，实吾咎之所婴。谓九夷其可处，思致免以全生。嗟性命之难遂，乃窘绁于边亭。亦何忤于天地，备艰危而是丁。

我闻之于昔诰，功弥高而身蹙。霍芒刺而幸免，卒倾宗而灭族。周叹贵于狱吏，终下蕃而靡鞠。虽明德之大贤，亦不免于残戮，怀今惮而忍人，忘向惠而莫复。绩无赏而震主，将何方以自牧。非砂石之䦟照，孰违祸以取福，著殷鉴于自古，岂独叹于季叔。能安亲而扬名，谅见称于先哲。保归全而终孝，伤在余而皆缺。辱历世之平素，忽盛满而倾灭。惟烝尝与洒扫，痛一朝而永绝。问其谁而为之，实孤人之险戾。罪有逾于丘山，虽百死其何雪。

羁角偓兮衡闾，亲朋交兮平义。虽履尚兮不一，隆分好兮情寄。俱惮耕兮从禄，睹世道兮艰诐。规志局兮功名，每谓之兮为易。今定谥兮阖棺，惭明智兮昔议。虽待尽兮为耻，嗟厚颜兮靡置。长揖兮数子，谢尔兮明智。百龄兮浮促，终焉兮斟克。卧尽兮斧斤，理命兮同得。世安彼兮非此，岂晓分兮辨惑。御庄生之达言，请承风以为则

……晦死时，年三十七。"《南史·谢晦传》说："世基，（谢晦兄）绚之子也。有才气，临死为连句诗曰：'伟哉横海鳞，壮矣垂天翼，一旦失风水，翻为蝼蚁食。'晦续之曰：'功遂侔昔人，保退无智力。既涉太行险，斯路信难陟。'"春泓按，《宋书·庾登之传》载："晦时位高权重，朝士莫不加敬。"谢晦曾经显赫一时，最后却穷途末路，死于非命，观其表、檄之类文字，按《南史·袁湛传》之《袁颛传》载袁颛子袁戬曰："一奉表疏，便为彼臣，以臣伐君，于义不可。"可见谢晦首先上表，乃表示自己仍然承认君臣之间的关系，希望君能够赦免臣的罪过。然而不获宽恕，于是发表檄文，想作兵戎相见之一搏。按《文心雕龙·檄移》篇说："凡檄之大体，或述此休明，或叙彼苟虐，指天时，审人事，算强弱，角权势，标蓍龟于前验，悬鞶鉴于已然，虽本国信，实参兵诈。谲诡以驰旨，炜晔以腾说，凡此众条，莫或违之者也。"可见借檄文以表示关系彻底破裂，矛盾已经激化，两者属于敌对的双方了；接着谢晦又上一表，这是武力抗争之余，感到无力抵御之后，怀着侥幸的心理，想有最后转圜的余地，可是兵败如山倒，捞救命稻草只是幻想而已，谢晦难逃一死。据《宋书·何承天传》记述，这些表、檄出自何承天的手笔，但是亦真切地表现出谢氏陷于灭顶之灾时的心声，尤其《悲人道》充分表达了谢晦人生的感慨，可谓字字血泪，情感充沛，理应视作珍贵的文学作品。

本年

谢灵运返京。《宋书》本传记载，既诛徐羡之等，谢灵运被征为秘书监。在赴京途中，经丹徒，拜谒庐陵王墓，撰《庐陵王墓下作诗》及《庐陵王诔》。其诗云："晓月发云阳，落日次朱方。含凄泛广川，洒泪眺连岗。眷言怀君子，沈痛切中肠。道消结愤懑，运开申悲凉。神期恒若存，德音初不忘。徂谢易永久，松柏森已行。延州协心许，楚老惜兰芳。解剑竟何及，抚坟徒自伤。平生疑若人，通蔽互相妨。理感深情恸，定非识所将。脆促良可哀，夭枉特兼常。一随往化灭，安用空名扬。举声泣已洒，长叹不成章。"其《庐陵王诔》序云："事非淮南，而痛深于中雾。迹非任城，而暴甚于仰毒。托体皇极，衔怨至尽。岂惟有识伤慨，故亦率土凄心。盖出罔己之悲，以陈酸切之事云尔。"

颜延之征为中书侍郎。《宋书·颜延之传》说："元嘉三年，羡之等诛，征为中书侍郎，寻转太子中庶子。顷之，领步兵校尉，赏遇甚厚。"颜延之撰《始安郡还都与张湘州登巴陵城楼作诗》《和谢监灵运诗》。

裴松之论碑铭多虚假，建议由朝议审定虚实。注《三国志》。《宋书·裴松之传》说："裴松之，字世期，河东闻喜人也……松之年八岁，学通《论语》《毛诗》。博览坟籍，立身简素。"晋义熙初年，入为尚书祠部郎。"松之以世立私碑，有乖事实，上表陈之曰：'碑铭之作，以明示后昆，自非殊功异德，无以允应兹典。大者道勋光远，世所宗推；其次节行高妙，遗烈可纪。若乃亮采登庸，绩用显著，敷化所莅，惠训融远，述咏所寄，有赖镌勒，非斯族也，则几乎僭黩矣。俗敝伪兴，华烦已久，是以孔悝之铭，行是人非；蔡邕制文，每有愧色。而自时厥后，其流弥多，预有臣吏，必为建立，勒铭寡取信之实，刊石成虚伪之常，真假相蒙，殆使合美者不贵，但论其功费，又不可称。不加禁裁，其敝无已。'以为'诸欲立碑者，宜悉令言上，为朝议所许，然后听之。庶可以防遏无征，显彰茂实，使百世之下，知其不虚，则义信于仰止，道孚于来叶'……太祖元嘉三年，诛司徒徐羡之等，分遣大使，巡行天下……松之使湘州……松之反使奏曰：'臣闻天道以下济光明，君德以广运为极。古先哲后，因心溥被，是以文思在躬，则时雍自洽，礼行江汉，而美化斯远。故能垂大哉之休咏，廓造周之盛则。伏惟陛下神睿玄通，道契旷代，冕旒华堂，垂心八表。咨敬敷之未纯，虑明扬之靡畅。清问下民，哀此鳏寡，涣焉大号，周爱四达。远猷形于《雅》《诰》，惠训播乎遐陬。是故率土仰咏，重译咸说，莫不讴吟踊跃，式铭皇风。或有扶老携幼，称欢路左，诚由亭毒既流，故忘其自至，千载一时，于是乎在。臣谬蒙铨任，忝厕显列，猥以短乏，思纯八表，无以宣畅圣旨，肃明风化，黜陟无序，搜扬寡闻，惭惧屏营，不知所措。奉二十四条，谨随事为牒。伏见癸卯诏书，礼俗得失，一依周典，每各为书，还具条奏。谨依事为书以系之后。'松之甚得奉使之议，论者美之。转中书侍郎、司冀二州大中正。上使注陈寿《三国志》，松之鸠集传记，增广异闻，既成奏上。上善之，曰：'此为不朽矣！'出为永嘉太守，勤恤百姓，吏民便之。入补通直为常侍，复领二州大中正。寻出为南琅邪太守。"春泓按，曹丕《典论·论文》已有"铭诔尚实"之说，裴松之论私立碑铭的世风，认为这些碑铭内容失实，毫无可信度可言，建议由朝议来评定其真伪，然后决定是否可以刊勒，裴氏表达了关于写作碑铭一类文体应遵循的规范。宋文帝令裴氏注陈寿《三国志》，裴氏搜集了大量的文献资料，使后人读《三国志》时，可以参考许多珍贵的史料，极大地增广了后世对于三国时期政治、军事、经济和文化等方面的了解，其旁征博引的存史之功与辨析真伪的史学研究，都堪称不朽！

琅邪王氏受重用。《宋书·王弘传》说："徐羡之等以废弑之罪将见诛，弘既非首谋，弟昙首又为上所亲委，事将发，密使报弘。羡之等诛，征弘为侍中、司徒、扬州刺史，录尚书。给班剑三十人。上西征谢晦，弘与骠骑彭城王义康居守，入住中书下省，引队仗出入。"春泓按，徐、傅等顾命大臣擅行废弑之举，本以为徐、傅居内，谢、檀在外，举事则无所不可，亦图谋借助琅邪王氏以张大声势，联手以成就其类似西汉霍光废除昌邑王刘贺一般的事业，使自己的犯上之举成为不可逆转的铁案。王弘在此事件中的表现可谓首鼠两端，实在亦难脱参与之干系。而他之所以被宋文帝网开一面，除了文帝消灭徐、傅与谢等人，需要依靠王华、王昙首等人这一原因之外，从政治尚需名门望族为自己装扮门面的因素考虑，文帝对于著姓既打又拉，他不能把著姓杀戮殆尽，当陈郡谢氏之谢混、谢晦相继被杀之后，王弘作为另一著姓琅邪王氏的代表人物，文帝还须利用。而从此之后，按王弘十分内敛、谦逊的政治表现来看，可见其内心的不安与惶恐。

北朝

二月

起太学于平城城东，祀孔子、以颜渊配。事据《魏书》卷四上《世祖纪》。

四月

二十三日，天竺昙摩谶于河西译《优婆塞戒经》。见《出三藏记集》卷九。无名氏《优婆塞戒经记》："太岁在丙寅，夏四月二十三日，河西王世子，抚军将军、录尚书事大沮渠兴国，与诸优婆塞等五百余人，共于都城之内，请天竺法师昙摩谶译此在家菩萨戒，至秋七月二十三日都讫，秦沙门道养笔授。"按，同书卷三载，昙摩谶译经是在玄始十年（421）。又释慧皎《高僧传》本传谓译经在玄始十年译《大涅槃经》之前。

公年 427 年（宋文帝元嘉四年　魏太武帝始光四年　丁卯）

本年

王华卒，时年四十三。《宋书·王华传》说："及王弘辅政，而弟昙首为太祖所任，与华相埒，华尝谓己力用不尽，每叹息曰：'宰相顿有数人，天下何由得治！'四年，卒，时年四十三。追赠散骑常侍、卫将军。"

时王弘辅政，王华、王昙首任事居中，刘湛颇不平。《宋书·王昙首传》说："晦平后，上欲封昙首等，会宴集，举酒劝之，因抚御床曰：'此坐非卿兄弟，无复今日。'……"《宋书·刘湛传》说："时王弘辅政，而王华、王昙首任事居中，湛自谓才能不后之，不愿外出，是行也，谓为弘等所斥，意甚不平，常曰：'二王若非代邸之旧，无以至此，可谓遭遇风云。'"

王弘之卒，时年六十三。《宋书·隐逸传》说："王弘之字方平，琅邪临沂人……元嘉四年，征为通直散骑常侍，又不就。敬弘尝解貂裘与之，即着以采药……弘之四年卒，时年六十三。"

陶潜卒。《宋书·隐逸传》说："（陶）潜元嘉四年卒，时年六十三。"按学界已发表的多种陶潜年谱，各家对陶潜卒于元嘉四年的记载并无异议，但是，关于陶潜是否享年六十三，却存在着不同的看法，这自然影响到对于陶潜生年之考定。梁昭明太子为陶潜作序说："其文章不群，辞采精拔，跌宕昭彰，独超众类，抑扬爽朗，莫之与京，横素波而傍流，干青云而直上，语时事则指而可想，论怀抱则旷而且真，加以贞志不休，安道苦节，不以躬耕为耻，不以无财为病。"钟嵘《诗品》卷中《宋徵士陶潜》说："其源出于应璩。又协左思风力。文体省静，殆无长语，笃意真古，辞兴婉惬，每观其文，想其人德，世叹其质直。至如欢言酌春酒，日暮天无云。风华清靡，岂直为田家语耶，古今隐逸诗人之宗也。"许学夷《诗源辩体》卷六之第五条说："钟嵘谓：'渊明诗（前人以渊明为字，故直称渊明），其源出于应璩，又协左思风力。'叶少蕴尝辩之矣。愚按，太冲诗浑朴，与靖节略相类。又太冲常用鱼、虞二韵（鱼、虞古为一韵），靖节亦常用之，其声气又相类。应璩有《百一诗》，亦用此韵，中有云：'前朝隳官去，有人适我闾。田家无所有，酌醴焚枯鱼。'又《三叟诗》简朴无文，中具问答，亦与靖节口语相近，嵘盖得之于骊黄间耳。要知靖节为诗，但欲写胸中之妙，何尝依仿前人哉。山谷谓：'渊明为诗，直寄焉耳。'斯得之矣。"同书同卷之第二十九条说："晋宋间谢灵运辈，纵情丘壑，动逾旬朔，人相尚以为高，乃其心则未尝无累者（灵运尝求入远公社，远公察其心杂，拒之）。惟陶靖节超然物表，遇境成趣，不必泉石是娱、烟霞是托耳……"

谢惠连为杜德灵赋诗。《宋书·宗室传》说："义融弟义宗，幼为高祖所爱，字曰伯奴，赐爵新渝县男。永初元年，进爵为侯，历黄门侍郎，太子左卫率。元嘉八年，坐门生杜德灵放横打人，还第内藏，义宗隐蔽之，免官。德灵雅有姿色，为义宗所爱宠，本会稽郡吏。谢方明为郡，方明子惠连爱幸之，为之赋诗十余首，《乘流遵归渚》篇是也。又为侍中、太子詹事，加散骑常侍、征虏将军、南兖州刺史。二十一年，卒，追赠散骑常侍、平北将军，谥曰惠侯。爱士乐施，兼好文籍，世以此称之。"[春泓按，《宋书·谢方明传》记述：谢方明卒于元嘉三年，年四十七。其子谢惠连，"幼而聪敏，年十岁，能属文，族兄灵运深相知赏……惠连先爱会稽郡吏杜德灵，及居父忧，赠以五言诗十余首，文行于世。坐被徙废塞，不豫荣伍。尚书仆射殷景仁爱其才，因言次白太祖：'臣小儿时，便见世中有此文，而论者云是谢惠连，其实非也。'太祖曰：'若如此，便应通之。'元嘉七年，方为司徒彭城王义康法曹参军"。]谢惠连为杜德灵赋五言诗十余首，应在元嘉三年之后，居父忧之时，后因殷景仁进言太祖，为之解脱罪名，终于在元嘉七年步入仕途，姑定殷景仁进言之时为元嘉六年，而谢惠连赋诗则在元嘉三年至六年之间，作于元嘉四年的可能性最大。

北朝

本年

太武帝克夏，得夏太史令张渊、徐辩，晋故将毛修之、著作郎赵逸。事据《魏书》卷四上《世祖纪》、卷九五《铁弗刘虎传附赫连昌传》。《魏书》卷九一有《张渊传》，谓："张渊，不知何许人。明占候，晓内外星分。自云尝事苻坚，坚欲南征司马昌明，渊劝不行，坚不从，果败。又仕姚兴父子，为灵台令。姚泓灭，入赫连昌，昌复以渊及徐辩对为太史令。世祖平统万，渊与辩俱见获。世祖以渊为太史令，数见访问"，其所作《观象赋》见本传。卷五二《赵逸传》云："世祖平统万，见逸所著，曰：'此竖无道，安得为此言乎。作者谁也？其速推之。'司徒崔浩进曰：'彼之谬述，亦犹子云之美新。皇王之道，固宜容之。'世祖乃止。拜中书侍郎。"

崔浩力谏太武帝早图赫连昌。《魏书》卷三五《崔浩传》："及世祖复讨昌，次其城下，收众伪退。昌鼓噪而前，舒阵为两翼。会有风雨从东南来，扬沙昏冥。宦者赵倪进曰：'今风雨从贼后来，我向彼背，天不助人。又将士饥渴，愿陛下摄骑避之，更待后日。'浩叱之曰：'是何言欤？千里制胜，一日之中岂得变易？贼前行不止，后已离绝，宜分军隐出，奄击不意。风道在人，岂有常也。'世祖曰：'善'。分骑奋击，昌军大溃。"

公元 428 年（宋文帝元嘉五年　魏太武帝神䴥元年　戊辰）

本年

王弘引咎逊位。《宋书·王弘传》说："五年春，大旱，（王）弘引咎逊位，曰……"

范泰卒。《宋书·范泰传》说："泰博览篇籍，好为文章，爱奖后生，孜孜无倦。撰《古今善言》二十四篇及文集传于世。暮年事佛甚精，于宅西立祇洹精舍。五年，卒，时年七十四。追赠车骑将军，侍中、特进、王师如故。谥曰宣侯。"

谢灵运撰写《晋书》不就。《宋书·谢灵运传》说："太祖登祚，诛徐羡之等，征为秘书监，再召不起，上使光禄大夫范泰与灵运书敦奖之，乃出就职。使整理秘阁书，补足遗阙。又以晋氏一代，自始至终，竟无一家之史，令灵运撰《晋书》，粗立条流。书竟不就。寻迁侍中，日夕引见，赏遇甚厚。灵运诗书皆兼独绝，每文竟，手自写之，文帝称为二宝。既自以名辈，才能应参时政，初被召，便以此自许，既至，文帝唯以文义见接，每侍上宴，谈赏而已。王昙首、王华、殷景仁等，名位素不逾之，并见任遇，灵运意不平，多称疾不朝直。穿池植援，种竹树董，驱课公役，无复期度。出郭游行，或一日百六七十里，经旬不归，既无表闻，又不请急，上不欲伤大臣，讽旨令自解。灵运乃上表陈疾，上赐假东归。将行，上书劝伐河北曰：

"自中原丧乱，百有余年，流离寇戎，湮没殊类。先帝聪明神武，哀济群生，将欲荡定赵魏，大同文轨，使久沦反于正化，偏俗归于华风。运谢事乖，理违愿绝，仰德抱悲，恨存生尽。况陵茔未几，凶房伺隙，预在有识，谁不愤叹。而景平执事，并非其才，且遭纷京师，岂虑托付。遂使孤城穷陷，莫肯拯赴。忠烈囚朔漠，绵河三千，翻为寇有。晚遣镇戍，皆先朝之所开拓，一旦沦亡，此国耻宜雪，被于近事者也。又北境自染逆虏，穷苦备罹，征调赋敛，靡有止已，所求不获，辄致诛殒，身祸家破，阖门比屋，此亦仁者所为伤心者也。"

"咸云西虏舍末，远师陇外，东虏乘虚，呼可掩袭。西军既反，得据关中，长围咸阳，还路已绝，虽遣救援，停住河东，遂乃远讨大城，欲为首尾。而西寇深山重阻，根本自固，徒弃巢窟，未足相拯。师老于外，国虚于内，时来之会，莫复过此。观兵耀威，实在兹日。若相持未已，或生事变，忽值新起之众，则异于今，苟乖其时，难为经略，虽兵食倍多，则万全无必矣。又历观前代，类以兼弱为本，古今圣德，未之或殊。岂不以天时人事，理数相得，兴亡之度，定期居然。故古人云：'既见天殃，又见人灾，乃可以谋。'昔魏氏之强，平定荆、冀，乃乘袁、刘之弱；晋世之盛，拓开吴、蜀，亦因葛、陆之衰。此皆前世成事，著于史策者也。自羌平之后，天下亦谓虏当俱灭，长驱滑台，席卷下城，夺气丧魄，指日就尽。但长安违律，潼关失守，用缓天诛，假延岁月，日来至今，十有二载，是谓一纪，曩有前言。况五胡代数齐世，虏期余命，尽于来年。自相攻伐，两取其困，卞庄之形，验之今役。仰望圣泽，有若渴饥，注心南云，为日已久。来苏之冀，实归圣明，此而弗乘，后则未兆。即日府藏，诚无兼储，然凡造大事，待国富兵强，不必乘会，于我为易，贵在得时。器械既充，众力粗足，方于前后，乃当有优。常议损益，久证冀州口数，百万有余，田赋之沃，著自《贡》典，先才经创，基趾犹存，澄流引源，桑麻蔽野，强富之实，昭然可知。为国长久之计，孰若一往之费邪！

"或惩关西之败，而谓河北难守。二境形势，表里不同，关西杂居，种类不一，昔在前汉，屯军霸上，通火甘泉。况乃远戍之军，值新故交代之际者乎？河北悉是旧户，差无杂人，连岭判阻，三关作隘。若游骑长驱，则沙漠风靡；若严兵守塞，则冀方山固。昔陇西伤破，晁错兴言；匈奴慢侮，贾谊愤叹。方于今日，皆为赊矣。晋武中主耳，值孙皓虐乱，天祚其德，亦由钜平奉策，荀、贾折谋，故能业崇当年，区宇一统。况今陛下聪明圣哲，天下归仁，文德与武功并震，霜威共素风俱举，协以宰辅贤明，诸王美令，岳牧宣烈，虎臣盈朝，而天威远命，亦何敌不灭，矧伊顽虏，假日而已哉！伏惟深机志务，久定神谟。臣卑贱侧陋，窜景岩穴，实仰希太平之道，倾睹岱宗之封，虽乏相如之笔，庶免史谈之愤，以此谢病京师，万无恨矣。久欲上陈，惧在触置，蒙赐恩假，暂违禁省，消渴十年，常虑朝露，抱此愚志，昧死以闻。"春泓按，此书提到"但长安违律，潼关失守，用缓天诛，假延岁月，日来至今，十有二载，是谓一纪，曩有前言。"此指义熙十四年（418）（见沈约《宋书自序》），在高祖刘裕军北伐夺取长安之后，因沈田子与王镇恶内讧，刘义真又杀王修。最终导致长安、潼关失守，以此后推十二年，似不应早于元嘉六年，但是《宋书》却说时在元嘉五年，复按所谓"惧在触置，蒙赐恩假，暂违禁省，消渴十年"，盖指义熙十四年时，宋国初建，谢灵运"仍除宋国黄门侍郎，迁相国从事中郎，世子左卫率。坐辄杀门生，免官"，至元嘉五年，恰好十年，故谢氏所谓"十有二载"当是虚数。《梁书·止足传》说："汉世张良功成身退，病卧却粒，比于乐毅、范蠡至乎颠狈，斯为优矣。其后薛广德及二疏等，去就以礼，有可称焉。鱼豢《魏略·知足传》，方田、徐于管、胡，则其道本异。谢灵运《晋书·止足传》，先论晋世文士之避乱者，殆非其人；唯阮思旷遗荣好遁，远殆辱矣。《宋书·止足传》有羊欣、王微，咸其流亚。"可证谢氏《晋书》虽未完成，但亦有单篇流传者。谢氏上此书，一则并非说明他有一统区宇、大张宋威的心志，而是借助"北伐"这个题目，来缅怀自己军功卓著的谢氏先祖，也寄寓自己遭遇冷落的愤激之情；另则果真朝廷大兴军事，意味着政治可能会出现变数甚或重新"洗牌"的几率，自己或陈郡谢氏亦或有机会东山再起。谢灵运《田南树园激流植楥诗》说："樵隐俱在山，由来事不同。不同非一事，养痾亦园中。中园屏氛杂，清旷招远风。卜室倚北阜，启扉面南江，激涧代汲井，插槿当列墉。群木既罗户，众山亦当窗。靡迤趋下田，迢递瞰高峰。寡欲不期劳，即事罕人功，唯开蒋生径，永怀求羊踪。赏心不可忘，妙善冀能同。"（《文选》卷三十）

灵连既东还，与族弟惠连、东海何长瑜、颍川荀雍、泰山羊璿之，以文章赏会，共为山泽之游，时人谓之四友。《宋书》本传："灵运以疾东归，而游娱宴集，以夜续昼，复为御史中丞傅隆所奏，坐以免官。是岁，元嘉五年……惠连幼有才悟，而轻薄不为父方明所知。灵运去永嘉还始宁，时方明为会稽郡。灵运尝自始宁至会稽造方明，过视惠连，大相知赏。时长瑜教惠连读书，亦在郡内，灵运又以为绝伦，谓方明曰：'阿连才悟如此，而尊作常儿遇之。何长瑜当今仲宣，而饴以下客之食。尊既不能礼贤，宜以长瑜还灵运。'灵运载之而去……长瑜文才之美，亚于惠连，雍、璿之不及也。临川王义庆招集文士，长瑜自国侍郎至平西记室参军。尝于江陵寄书与宗人何勖，以韵语序义庆州府僚佐云：'陆展染鬓发，欲以媚侧室。青青不解久，星星行复出。'如此者五六句，而轻薄少年遂演而广之，凡厥人士，并为题目，皆加剧言苦句，其文流行。义庆大怒，白太祖除为广州所统曾城令。及义庆薨，朝士诣第叙哀，何勖谓袁淑曰：'长瑜便可还也。'淑曰：'国新丧宗英，未宜便以流人为念。'庐陵王绍镇寻阳，以长瑜为南中郎行参军，掌书记之任。行至板桥，遇暴风溺死。"此时期，谢灵运作有《登临海峤初发疆中作与从弟惠连见羊何共和之诗》。

谢灵运信奉佛教，拥有净土信仰，他尤其喜好《维摩诘经》[1]，这与鸠摩罗什的传播有关，当时及以后的南朝士大夫广泛地受其影响。在谢灵运诗文里密集出现的"疾病"语词，其实与《维摩诘经》存在着关联。唐王勃《越州秋日宴山亭序》说："是以东山可望，林泉生谢客之文。"[2] 已经注意到"东山"、"林泉"与谢氏诗文之间深切的关系。而谢氏从现实政治之名利场退守至"东山"、"林泉"，常常好以"卧疾"示人。其《山居赋》有所谓"抱疾就闲，顺从性情"、"谢子卧疾山顶"、"年与疾而偕来"云云；《宋书》本传载其上书劝伐河北曰："臣卑贱侧陋，窜景岩穴，实仰希太平之道，倾睹岱宗之封，虽乏相如之笔，庶免史谈之愤，以此谢病京师，万无恨矣。"其《初去郡诗》说："无庸方周任，有疾像长卿。"其《诣阙自理表》说："臣自抱疾归山。"其《辩宗论》说："余枕疾务寡。"其《昙隆法师诔》说："余时谢病东山。"其

---

① 谢灵运著有《维摩经十譬赞》；其《山居赋》自注云："镫王、香积，事出《维摩经》……《维摩诘经》楝树园。"

② 王勃：《王子安集注》卷六，蒋清翊注，上海：上海古籍出版社1995年版。

《登池上楼诗》曰:"卧痾对空林。"其《石门新营所住四面高山廻溪石濑茂林修竹诗》说:"跻险筑幽居,披云卧石门。"其《斋中读书诗》说:"卧疾丰暇豫。"其《命学士讲书诗》说:"卧病同淮阳。"其《北亭与吏民别诗》说:"矧乃卧沈痾。"其《田南树园激流植楥诗》说:"养痾亦园中。"其《初至都诗》曰:"卧病云高心。"其《还旧园作见颜范二中书诗》说:"辞满岂多秩,谢病不待年。偶与张邴合,久欲还东山。"其《酬从弟惠连诗》说:"寝瘵谢人徒,灭迹入云峰。"而事实上谢氏经常率随从者"寻山陟岭",此非体健者不能办到,所谓"卧疾"乃托词耳。

谢灵运境遇每况愈下。时以维摩诘自况。上已述及与谢灵运十分亲近的族叔谢混,已在晋义熙八年九月(412),被刘裕投于狱中赐死。按,《宋书·王弘传》所载王弘在宋国初建(418)时,曾奏弹谢灵运"罔顾宪轨,恣杀自由",建议严惩。而永初元年(420),谢灵运从"康乐公"降为"县侯"。此皆昭示着谢灵运的境遇每况愈下,而王弘对于谢氏的排挤,似乎隐含着琅邪王氏对陈郡谢氏的夙敌情结;至元嘉三年,谢灵运族弟谢晦因废弑少帝之罪而被处死,陈郡谢氏在宋朝可谓大势已去,谢灵运诗文中密集出现的"卧疾"一词,真实地反映出他对于政治深感无奈的心结。宋初以来,谢灵运的境遇每况愈下,若分析"卧疾"一词的内涵,首先第一层意思,结合其"维摩诘"信仰来看,其所谓"卧病"、"养痾"等,出自《维摩诘所说经》之《文殊师利问疾品》,谢氏好以维摩诘自况。维摩诘是一个世俗化的菩萨形象,也是居士佛的始祖,他为中土佛教徒既可不遵循清规戒律、心安理得地享受尘世的快乐,又拥有涅槃成佛的希冀,提供了理据。谢灵运"因父祖之资,生业甚厚",东晋石季伦之金谷别庐,拥有山川林木池沼水碓的富豪庄园生活,谢灵运对此十分认同,这在其《山居赋》里可以得到印证。这说明谢氏虽信奉佛教,而尘世的享受,则绝不肯放弃,维摩诘的处世方式最能够获得其认同;更主要者在于,维摩诘神通广大,法力无边,谢氏以此来指代自己的才能卓绝,仍然流露出作为高门世族的不可一世,他挣扎于出世的孤傲与入世的躁竞之间,而维摩诘恰好可以囊括其出世与在俗心理之两端;第二层意思,所谓"东山"最能表现其先祖谢安、谢玄的名士风流,在他们退隐的表象之下,入世进取的激情却在蓄势待发。谢安曾高卧东山,《世说新语·排调》第26条载时人有"安石不肯出,将如苍生何"的呼声。谢灵运之"谢病东山",在表面的宁静超然之下,同样潜藏着奔涌的情绪,所以其"东山"意象颇有矫情的特征,表象与本质自相矛盾。因此,"东山"既是隐逸避世的象征,更有待机察变的潜台词,在此静与动的结合点上,谢灵运标举谢安、谢玄曾经高蹈的"东山",正提醒世人不忘其先祖使"中华免乎左衽"的功绩①。而谢氏当下正时运不济,是否能够再次"东山再起"呢?谢氏是怀有幻想的。即使幻想落空,谢氏也要借"东山"以建构起江湖与朝廷之间尖锐的对立,在此对立之中,挑战朝政,发泄一己高门特权被剥夺的愤慨,这就造成了其诗歌表层意象与内心深处的矛盾和冲突。维摩诘无可无不可,尽可游走八方,谢灵运也深受《庄子》"适性"说的影响,但是,作为高门接受"维摩诘"思想,亦必定会受其身份的约束,他决不肯放下身份,混同流俗,所以非危峙"东山",非特立独行,不足以显示其落势高

---

① 谢灵运:《撰征赋》。

门的不同凡响。如《山居赋》讲士人的隐逸方式："言心也，黄屋实不殊于汾阳；即事也，山居良有异乎市廛。"固守山林，其意在藐视当政，因此，当遭刘宋政权抛弃之后，其笔下的"维摩诘"也就是其本人，面对"朝廷"和"山林"之间，就难以调和二者，这将他本人置于"当途"者的对立面了，这有悖于《维摩经》的圆融周至，而这恰是谢氏高门世族的心态使然，他非故作崖异，不足于表现其优越感。故此，"谢病东山"表现在谢氏诗文中，从中正可以体会到其内心的暗流汹涌

谢氏寄情山水，却不肯安于山水之间，故其踪迹所至，不免骚扰当地。《宋书·谢灵运传》说："灵运因父祖之资，生业甚厚。奴僮既众，义故门生数百，凿山浚湖，功役无已。寻山陟岭，必造幽峻，岩嶂千重，莫不备尽。登蹑常著木履，上山则去前齿，下山去其后齿。尝自始宁南山伐木开径，直至临海，从者数百人。临海太守王琇惊骇，谓为山贼，徐知是灵运乃安。又要琇更进，琇不肯，灵运赠琇诗曰：'邦君难地险，旅客易山行。'在会稽亦多徒众，惊动县邑。太守孟顗事佛精恳，而为灵运所轻，尝谓顗曰：'得道应须慧业文人，生天当在灵运前，成佛必在灵运后。'顗深恨此言。"

公元 429 年（宋文帝元嘉六年　魏太武帝神䴥二年　己巳）

本年

宋文帝作书告诫同父异母弟刘义恭。《宋书·武三王传》载："六年……义恭涉猎文义，而骄奢不节，既出镇，太祖与书诫之曰：……"春泓按，宋文帝告诫同父异母弟的书信，较少册命之类文体的严肃峻切，多有家训一类文体的语重心长，堪称家训文体的典范，有针对性，且十分切实，可见文帝是颇具头脑的政治人物。

刘义庆加尚书左仆射。《宋书·宗室传》说："（元嘉）六年，（刘义庆）加尚书左仆射。"

北朝

本年

崔浩授命共参著作，叙成《国书》三十卷。《魏书》卷三五《崔浩传》："初，太祖诏尚书郎邓渊著《国记》十余卷，编年次事，体例未成。逮于太宗，废而不述。神䴥二年，诏集诸文人撰录《国书》，浩及弟览、高谠、邓颖、晁继、范亨、黄辅等共参著作，叙成《国书》三十卷"。

公元 430 年（宋文帝元嘉七年　魏太武帝神䴥三年　庚午）

本年

王昙首卒。《宋书·王昙首传》说："七年，（王昙首）卒。太祖为之恸，中书舍人周赳侍侧，曰：'王家欲衰，贤者先殒。'上曰：'直是我家衰耳。'追赠左光禄大夫，加散骑常侍，詹事如故。"

王微父忧去官。《宋书·王微传》载王微元嘉三十年卒，时年三十九，当他十六岁

时，州举秀才，衡阳王义季右军参军，并不就。起家司徒祭酒，转主簿，始兴王濬后军功曹记室参军，太子中舍人，始兴王友。父忧去官，此时应在元嘉七年。

谢惠连撰《雪赋》。《宋书·谢方明传》说："元嘉七年，（谢惠连）方为司徒彭城王义康法曹参军。是时义康治东府城，城堑中得古冢，为之改葬，使惠连为祭文，留信待成，其文甚美。又为《雪赋》，亦以高丽见奇。文章并传于世。"

北朝

正月

太武帝临温泉，作《温泉之歌》。事据《魏书》卷四上《世祖纪》。

本年

太武帝频幸崔浩，浩出入卧内，加侍中、特进、抚军大将军、左光禄大夫、赏谋谟之功。《魏书》本传序之于去夏伐蠕蠕之后，本年三月议伐宋之前。事在二年之际。姑系于是。据《魏书》卷三五《崔浩传》，三月，太武帝闻宋将寇边，欲犯河南。诸将皆欲逆之，诏公卿议之，咸言宜许。独崔浩称不可，帝从浩议。后南镇复表宋军将至，崔浩以为不可妄动，并陈天时之不利。然群议汹汹，帝不得违众，卒从公卿议。浩复固争，不听。

夏赫连定与宋约共攻魏，太武帝欲先讨赫连。群臣以为当先攻宋。帝因以问浩，浩以为当先攻夏。帝卒从浩议。遂攻平凉、安定，大败赫连定。迁浩司徒。《魏书》卷三五《崔浩传》曰："平凉既平，其日宴会，世祖执浩手以示蒙逊使曰：'所云崔公，此是也。才略之美，当今无比。朕行止必问，成败决焉，若合符契，初无失矣。'后冠军将军安颉军还，献南俘，因说南贼之言云：'义隆（宋文帝名）敕其诸将，若北国兵动，先其未至，径前入河，若其不动，住彭城勿进。'如浩所量。世祖谓公卿曰：'卿辈前谓我用浩计为谬，惊怖固谏。常胜之家，始皆自谓逾人远矣，至于归终，乃不能及。'迁浩司徒。"据《魏书》卷三五《崔浩传》，时方士祁纤奏欲以日东西南北为名立四王，崔浩以邦国藩屏，不应假名以祈福驳之。太武帝从之。按，其先，纤曾有奏改"代"为"万年"之举，浩并以国家积德"不待假名以为益"驳之，并称纤为非义。事俱见《魏书》本传。

太武帝舅阳平王杜超行征南大将军，高允为从事中郎，年四十余。《魏书》卷四八《高允传》："超以方春而诸州囚多不决，乃表允与中郎吕熙等分诣诸州，共评狱事。熙等皆以贪秽得罪，唯允以清平获赏。府解，还家教授，受业者千余人。"

公元431年（宋文帝元嘉八年　魏太武帝神䴥四年　辛未）

本年

刘义庆心怀恐惧。《宋书·宗室传》说："（元嘉）八年，太白星犯右执法，义庆惧有灾祸，乞求外镇。太祖诏譬之曰：'玄象茫昧，既难可了。且史家诸占，各有异同，兵星王时，有所干犯，乃主当诛。以此言之，益无惧也。郑仆射亡后，左执法尝有变，王光禄至今平安。日蚀三朝，天下之至忌，晋孝武初有此异，彼庸主耳，犹竟无他。天道辅仁福善，谓不足横生忧惧。兄与后军，各受内外之任，本以维城，表里经之，盛衰此怀，实有由来之事。设若天必降灾，宁可千里逃避邪？既非远者之事，又不知吉凶定所，若在都则有不测，去此必保利贞者，岂敢苟违天邪？'义庆固求解仆射，乃许之，加中书令，进号前将军，常侍、尹如故。"

范晔善为文章。《宋书·范晔传》记载："范晔字蔚宗，顺阳人，车骑将军泰少子也……少好学，博涉经史，善为文章，能隶书，晓音律。"按本传，范晔于元嘉二十二年被杀，得年四十八岁，他出生于东晋安帝隆安元年（397），"年十七，州辟主簿，不就。高祖相国掾，彭城王义康冠军参军，随府转右军参军，入补尚书外兵郎，出为荆州别驾从事史。寻召为秘书丞，父忧去职。服终，为征南大将军檀道济司马，领新蔡太守。道济北征，晔惮行，辞以脚疾，上不许，使由水道统载器仗部伍。军还，为司徒从事中郎。顷之，迁尚书吏部郎"。范晔随檀道济北伐。

谢灵运与孟顗争田。《宋书·谢灵运传》说谢灵运与会稽太守孟顗争田，孟顗"因灵运横恣，百姓惊扰，乃表其异志，发兵自防，露板上言。灵运驰出京都，诣阙上表曰：'臣自抱疾归山，于今三载，居非郊郭，事乖人间，幽栖穷岩，外缘两绝，守分养命，庶毕余年。忽以去月二十八日得会稽太守臣顗二十七日疏云："比日异论喧嚣，此虽相了，百姓不许寂默，今微为其防。披疏骇愕，不解所由，便星言奔驰，归骨陛下。及经山阴，防卫彰赫，彭排马枪，断截衢巷，侦逻纵横，戈甲竟道。不知微臣罪为何事。及见顗，虽曰见亮，而装防如此，唯有罔惧。臣昔忝近侍，豫蒙天恩，若其罪迹炳明，文字有证，非但显戮司败，以正国典，普天之下，自无容身之地。今虚声为罪，何酷如之。夫自古谗谤，圣贤不免，然致谤之来，要有由趣。或轻死重气，结党聚群，或勇冠乡邦，剑客驰逐。未闻俎豆之学，欲为逆节之罪；山栖之士，而构陵上之衅。今影迹无端，假谤空设，终古之酷，未之或有。匪吝其生，实悲其痛。诚复内省不疚，而抱理莫申。是以牵曳疾病，束骸归款。仰凭陛下天鉴曲临，则死之日，犹生之年也。臣忧怖弥日，羸疾发动，尸存恍惚，不知所陈。'太祖知其见诬，不罪也。"

北朝

八月

乙酉，沮渠蒙逊遣子安周内侍，世祖遣兼太常李顺持节拜蒙逊为假节，加侍中，都督凉州、西域羌戎诸军事，太傅，行征西大将军，凉州牧，凉王。崔浩为之作册。据《魏书》卷四上《世祖纪》、卷九九《卢水胡沮渠蒙逊传》。

九月

太武帝诏举范阳卢玄、博陵崔绰、赵郡李灵、河间邢颖、渤海高允、广平游雅、太原张伟等贤俊之胄，冠冕之族。遂以礼发遣，至者数百人，皆差次叙用。此亦游雅仕宦之始。据《魏书》卷四上《世祖纪》。又据《魏书》卷四八《高允传》，高允亦在被征之列，拜中书博士。《高允传》并谓："迁侍郎，与太原张伟并以本官领卫大将军、乐安王范从事中郎。范，世祖之宠弟，西镇长安，允甚有匡益，秦人称之。寻被征还。"

十月

诏司徒崔浩改定律令。据《魏书》卷四上《崔浩传》。

公元 432 年（宋文帝元嘉九年　魏太武帝延和元年　壬申）

本年

王弘薨，时年五十四。弘明敏有思致，既以民望所宗，造次必存礼法，凡动止施为，及书翰仪体，后人皆依仿之，谓为王太保家法。据《宋书·王弘传》。

追封王华新建县侯。《宋书·王华传》说："九年，上思（王华）诛羡之之功，追封新建县侯，食邑千户，谥曰宣侯。世祖即位，配飨太祖庙庭。"

追封王昙首豫宁县侯。《宋书·王昙首传》说："九年，以预诛羡之等谋，追封（王昙首）豫宁县侯，邑千户，谥曰文侯。世祖即位，配飨太祖庙庭。"

谢灵运为临川内史，山水诗创作甚丰。《宋书·谢灵运传》记载太祖"不欲使东归，以为临川内史"。谢灵运作《初发石首城诗》《入彭蠡湖口诗》《登庐山绝顶望诸峤诗》《初发入南城诗》《入华子冈是麻源第三谷诗》等，这是其山水诗写作的又一高峰期。

刘义庆出为荆州刺史。《宋书·宗室传》说："（刘义庆）在京尹九年，出为使持节、都督荆雍益宁梁南北秦七州诸军事、平西将军、荆州刺史。荆州居上流之重，地广兵强，资实兵甲，居朝廷之半，故高祖使诸子居之。义庆以宗室令美，故特有此授。性谦虚，始至及去镇，迎送物并不受。"

刘义恭上表称美宗炳"操履闲远"。《宋书·武三王传》说："九年……（江夏文献王）义恭上表曰：'窃见南阳宗炳，操履闲远，思业贞纯，砥节丘园，息宾盛世，贫约而苦，内无改情，轩冕屡招，确尔不拔。若以蒲帛之聘，感以大伦之美，庶投竿释褐，翻然来仪，必能毗燮九官，宣赞百揆……'"春泓按，这可从一个侧面了解宗炳的立身处世。

谢灵运被治罪。《宋书·谢灵运传》说："在郡游放，不异永嘉，为有司所纠。司徒遣使随州从事郑望生收灵运，灵运执录望生，兴兵叛逸，遂有逆志。为诗曰：'韩亡子房奋，秦帝鲁连耻。本自江海人，忠义感君子。'追讨禽之，送廷尉治罪。廷尉奏灵运率部众反叛，论正斩刑。上爱其才，欲免官而已。彭城王义康坚执谓不宜恕，乃诏曰：'灵运罪衅累仍，诚合尽法。但谢玄勋参微管，宜宥及后嗣，可降死一等，徙付广州。'"

北朝

本年

　　魏李顺奉使至凉，梁沮渠蒙逊不为礼，顺乃举齐桓虽受命无拜，犹不敢失臣礼之事斥之，蒙逊乃拜受诏。据《资治通鉴》卷一百二十二《宋纪四》。

　　魏又遣李顺征沙门昙无谶，沮渠蒙逊留不遣，仍杀之。魏由是怒凉。据《通鉴》卷一百二十二《宋纪四》。蒙逊杀昙无谶，《资治通鉴》系之本年。释慧皎《高僧传》卷二《晋河西昙无谶传》："至逊义和三年（433）三月，谶固请西行，更寻《涅槃后分》，逊忿其欲去，乃密图害谶，……比发，逊果遣刺客于路害之，春秋四十九，是岁宋元嘉十年（433）也"，事在明年。今从《资治通鉴》。《魏书》卷九九《卢水胡沮渠蒙逊传》："昙无谶以男女交接之术教授妇人，蒙逊诸女、子妇皆往受法。世祖（太武帝）闻诸行人，言昙无谶之法，乃召昙无谶。蒙逊不遣，遂发露其事，拷讯杀之"。《资治通鉴》卷一百二十二《宋纪四》亦谓："昙无谶，自云能使鬼治病，且有秘术。凉王蒙逊甚重之，谓之'圣人'，诸女及子妇皆往受术。"

公元433年（宋文帝元嘉十年　魏太武帝延和二年　癸酉）

本年

　　谢灵运被定死罪。因被告发出资劫取谢灵运，太祖诏于广州将谢氏行弃市刑。《宋书》本传载："临死作诗曰：'龚胜无余生，李业有终尽。嵇公理既迫，霍生命亦殒。凄凄凌霜叶，网网冲风菌。邂逅竟几何，修短非所愍。送心自觉前，斯痛久已忍。恨我君子志，不获岩上泯。'诗所称龚胜、李业，犹前诗子房、鲁连之意也。时元嘉十年，年四十九。所著文章传于世。"钟嵘《诗品》上之"宋临川太守谢灵运条"说："其源出于陈思，杂有景阳之体。故尚巧似，而逸荡过之，颇以繁芜为累。嵘谓：若人兴多才高，寓目辄书，内无乏思，外无遗物，其繁富，宜哉！然名章迥句，处处间起；丽典新声，络绎奔发。譬犹青松之拔灌木，白玉之映尘沙，未足贬其高洁也。初，钱塘杜明师夜梦东南有人来入其馆，是夕，即灵运生于会稽。旬日，而谢玄亡。其家以子孙难得，送灵运于杜治养之。十五方还都，故名'客儿'。"许学夷《诗源辩体》卷七之第4条："五言自士衡至灵运，体尽俳偶，语尽雕刻，不能尽举。然士衡语虽雕刻，而佳句尚少，至灵运始多佳句矣。灵运如'晓霜枫叶丹，夕曛岚气阴'；'初篁苞绿箨，新蒲含紫茸'；'春晚绿野秀，岩高白云屯'；'初景革绪风，新阳改故阴'；'白云抱幽石，绿篠媚清涟'；'憩石挹飞泉，攀林搴落英'；'秋岸澄夕阴，火旻团朝露'；'远岩映兰薄，白日丽江皋'等句，皆佳句也。然语虽秀美，而未尽镕液。至如'水宿淹晨暮，阴霞屡兴没'；'扬帆采石华，挂席拾海月'；'海鸥戏春岸，天鸡弄和风'；'岩下云方合，花上露犹泫'；'池塘生春草，园柳变候禽'；'云日相辉映，空水共澄鲜'；'昏旦变气候，山水含清晖'；'林壑敛暝色，云霞收夕霏'等句，始为镕液矣。即鲍明远所谓'如初发芙蓉，自然可爱'；王元美谓'琢磨之极，妙亦自然'者也。"许学夷《诗源辩体》卷七之第5条："五言至灵运，雕刻极矣，遂生转想，反乎自然。如'水宿淹晨暮'等句，皆转想所得也。观其以'池塘生春草'为佳句，则可知矣。

然自然者十之一，而雕刻者十之九。沧浪谓灵运'透彻之悟'，则予未敢信也。"

　　谢惠连卒。《宋书·谢方明传》载谢惠连卒于元嘉十年，时年二十七，竟与谢灵运同年凋零。钟嵘《诗品》卷中《宋法曹参军谢惠连诗》说："小谢才思富捷，恨其兰玉夙凋，故长辔未骋。秋怀捣衣之作，虽复灵运锐思，亦何以加焉。又工为绮丽歌谣，风人第一。谢氏家录云：康乐每对惠连，辄得佳语。后在永嘉西堂尝思诗竟日不就，寤寐间忽见惠连，即成池塘生春草。故常云：此语有神助，非吾语也。"许学夷《诗源辩体》卷七之第22条说："宣远五言，如'开轩灭华烛，月露皓已盈'；'巢幕无留燕，遵渚有来鸿。轻霞冠秋日，迅商薄清穹'；'四筵霑芳醴，中堂起丝桐'。惠连如'亭亭映江月，飀飀出谷飙。斐斐气幕岫，泫泫露盈条'；'夕阴结空幕，宵月皓中闺'；'萧瑟含风蝉，寥唳度云雁。寒商动清闺，孤灯暖幽幔'等句，其语实工，但未尽镕液耳。至如宣远'颓阳照通津，夕阴暧平陆'，其气魄甚胜；若惠连'昔离秋已两，今聚夕无双'；'颓魄不再圆，倾羲无两旦'，则伤于拙矣。要不可以此定优劣也。"

北朝

本年

　　蒙逊杀昙无谶。事见去年。

公元434年（宋文帝元嘉十一年　魏太武帝延和三年　甲戌）

本年

　　颜延之出为永嘉太守。《宋书·颜延之传》说："延之好酒疏诞，不能斟酌当世，见刘湛、殷景仁专当要任，意有不平，常云：'天下之务，当与天下共之，岂一人之智所能独了！'辞甚激扬，每犯权要。谓湛曰：'吾名器不升，当由作卿家吏。'湛深恨焉，言于彭城王义康，出为永嘉太守。延之甚怨愤，乃作《五君咏》以述竹林七贤，山涛、王戎以贵显被黜，咏嵇康曰：'鸾翮有时铩，龙性谁能驯。'咏阮籍曰：'物故可不论，途穷能无恸。'咏阮咸曰：'屡荐不入官，一麾乃出守。'咏刘伶曰：'韬精日沉饮，谁知非荒宴。'此四句，盖自序也。湛及义康以其辞旨不逊，大怒。时延之已拜，欲黜为远郡，太祖与义康诏曰：'降延之为小邦不政，有谓其在都邑，岂动物情，罪过彰著，亦士庶共悉，直欲选代，令思愆里闾。犹复不悛，当驱往东土。乃志难恕，自可随事录治。殷、刘意咸无异也。'乃以光禄勋车仲远代之。延之与仲远世素不协，屏居里巷，不豫人间者七载。中书令王球名公子，遗务事外，延之慕焉；球亦爱其材，情好甚款。延之居常罄匮，球辄赡之。晋恭思皇后葬，应须百官，湛之取义熙元年除身，以延之兼侍中。邑吏送札，延之醉，投札于地曰：'颜延之未能事生，焉能事死！'"春泓按，《宋书》本传载刘湛在元嘉八年因殷景仁举荐，二者并被任遇。故颜延之对此辈出言不逊，应该在元嘉八年或稍后。按此传所载颜氏"不豫人间者七载"，至刘湛被诛，颜氏才重新出来做官，而刘湛死时，正是元嘉十七年，所以颜延之大发上述牢骚之言，应在元嘉十一年。根据逯钦立《先秦汉魏晋南北朝诗》之《宋诗》卷五，颜延之于元嘉十一年作《应诏宴曲水作诗》，此诗收于《文选》卷二十，李善注引裴子野《宋略》曰："宋文帝元嘉十一年三月丙申。禊饮于乐游苑。且祖道江夏王义恭、衡阳王义季。有诏会者赋诗。"

公元 435 年（宋文帝元嘉十二年　魏太武帝太延元年　乙亥）

本年

召檀道济入朝。《宋书·檀道济传》说："道济立功前朝，威名甚重，左右腹心，并经百战，诸子又有才气，朝廷疑畏之。太祖寝疾累年，屡经危殆，彭城王义康虑宫车晏驾，道济不可复制。十二年，上疾笃，会索虏为边寇，召道济入朝。既至，上间。"

刘义庆上表举荐贤人。《宋书·宗室传》说："（元嘉）十二年，普使内外群官举士，义庆上表曰：'诏书畴咨群司，延及连牧，旌贤仄陋，拔善幽遐。伏惟陛下惠哲光宣，经纬明远，皇阶藻曜，风猷日升，而犹询衢室之令典，遵明台之睿训，降渊虑于管库，纡圣思乎版筑，故以道邈往载，德高前王。臣敢竭虚暗，祗承明旨。伏见前临沮令新野庾寔，秉真履约，爱敬淳深。昔在母忧，毁瘠过礼；今罹父疚，泣血有闻。行成闺庭，孝著邻党，足以敦化率民，齐教轨俗。前征奉朝请武陵龚祈，恬和平简，贞洁纯素，潜居研志，耽情坟籍，亦足镇息颓竞，奖勖浮动。处士南郡师觉，才学明敏，操介清修，业均井渫，志固冰霜。臣往年辟为州祭酒，未污其虑。若朝命远暨，玉帛遐臻，异人间出，何远之有。'义庆留心抚物，州统内官长亲老，不随在官舍者，年听遣五吏饷家。先是，王弘为江州，亦有此制。"

北朝

六月

太武帝诏言得祥瑞，曹道衡、刘跃进《南北朝文学编年史》称其"行文质朴"，今观其文，有"盖神灵之报应也"、"白雉三只"、"以求福禄"之语，所谓"质朴"，当即此类。曹道衡、刘跃进《南北朝文学编年史》以之系于去年，非。

十二月

诏言平赋定法及九品事，文亦平遂，语间骈俪。以上并见《魏书》卷四上《世祖纪》。

本年

高允作《塞上翁诗》。《魏书》卷四八《高允传》称其"有混欣戚，遗得丧之志"。《魏书》本传序之于明年参乐平王丕军事之前，则其诗至迟作于本年。故系于是。

公元 436 年（宋文帝元嘉十三年　魏太武帝太延二年　丙子）

本年

檀道济被诛。《宋书·檀道济传》说："十三年春，将遣道济还镇，已下船矣，会上疾动，召入祖道，收付廷尉。诏曰：'檀道济阶缘时幸，荷恩在昔，宠灵优渥，莫与为比。曾不感佩殊遇，思答万分，乃空怀疑贰，履霜日久。元嘉以来，猜阻滋结，不义不昵之心，附下罔上之事，固已暴之民听，彰于遐迩。谢灵运志凶辞丑，不臣显著，纳受邪说，每相容隐。又潜散金货，招诱剽猾，逋逃必至，实繁弥广，日夜伺隙，希冀非望。镇军将军仲德往年入朝，屡陈此迹。朕以其位居台铉，豫班河岳，弥缝容养，庶或能革。而长恶不悛，凶愿遂遘，因朕寝疾，规肆祸心。前南蛮行参军庞延祖具悉奸状，密以启闻。夫君亲无将，刑兹罔赦。况罪衅深重，若斯之甚。便可收付廷尉，肃正刑书。事止元恶，余无所问。'于是收道济及其子给事黄门侍郎植、司徒从事中郎粲、太子舍人隰、征北主簿承伯、秘书郎遵等八人，并于廷尉伏诛。又收司空参军薛彤，付建康伏法。又遣尚书库部郎顾仲文、建武将军茅亨至寻阳，收道济子夷、邕、演及司空参军高进之诛之。薛彤、进之并道济腹心，有勇力，时以比张飞、关羽。初，道济见收，脱帻投地曰：'乃复坏汝万里之长城！'邕子孺乃被宥，世祖世，为奉朝请。"春泓按，此诏所谓"谢灵运志凶辞丑，不臣显著，纳受邪说，每相容隐"，可见文帝解读灵运诗文，看出了其中的"不臣"之心。

何尚之爱好文义，教诲门生，形成"南学"。《宋书·何尚之传》："何尚之，字彦德，庐江灊人也……尚之雅好文义，从容赏会，甚为太祖所知。十二年，迁侍中，中庶子如故。寻改领游击将军。十三年，彭城王义康欲以司徒左长史刘斌为丹阳尹，上不许。乃以尚之为尹，立宅南郭外，置玄学，聚生徒。东海徐秀、庐江何昙、黄回、颍川荀子华、太原孙宗昌、王延秀、鲁郡孔惠宣，并慕道来游，谓之南学。"

雷次宗告诫子侄，表明高洁之心志。《宋书·隐逸传》说："雷次宗字仲伦，豫章南昌人也。少入庐山，事沙门释慧远，笃志好学，尤明《三礼》《毛诗》，隐退不交世务。本州辟从事，员外散骑侍郎征，并不就。与子侄书以言所守，曰：夫生之修短，咸有定分，定分之外，不可以智力求，但当于所禀之中，顺而勿率耳。吾少婴羸患，事钟养疾，为性好闲，志栖物表，故虽在童稚之年，已怀远迹之意。暨于弱冠，遂托业庐山，逮事释和尚。于时师友渊源，务训弘道，外慕等夷，内怀排发，于是洗气神明，玩心坟典，勉志勤躬，夜以继日。爰有山水之好，悟言之欢，实足以通理辅性，成夫亹亹之业，乐以忘忧，不知朝日之晏矣。自游道餐风，二十余载，渊匠既倾，良朋凋索，续以衅逆违天，备尝荼蓼，畴昔诚愿，顿尽一朝，心虑荒散，情意衰损，故遂与汝曹归耕垄畔，山居谷饮，人理久绝。日月不处，忽复十年，犬马之齿，已逾知命。崦嵫将迫，前途几何，实远想尚子五岳之举，近谢居室琐琐之勤。及今耄未至昏，衰不及顿，尚可厉志于所期，纵心于所托，栖诚来生之津梁，专气莫年之摄养，玩岁日于良辰，偷余乐于将除，在心所期，尽于此矣。汝等年各成长，冠娶已毕，修惜衡泌，吾复何忧。但愿守全所志，以保令终耳。自今以往，家事大小，一勿见关，子平之言，可以为法。"春泓按，写作此书时，雷次宗"已逾知命"，而他卒于元嘉二十五年，享年六十三岁，所以此书应写于元嘉十三年或稍后。

北朝

本年

诏遣散骑侍郎、广平子游雅等使于宋。据《魏书》卷四上《世祖纪》。

乐平王丕西讨杨难当，高允以侍郎参丕军事，高允谏以勿掠。据《魏书》卷四八《高允传》、卷一七《乐平王传》。《魏书》卷四上《世祖纪》载本年七月，诏乐平王丕等讨杨难当，故系于是。

公元 437 年（宋文帝元嘉十四年　魏太武帝太延三年　丁丑）

本年

傅隆论礼。《宋书·傅隆传》说："（元嘉）十四年，太祖以新撰《礼论》付隆使下意，隆上表曰：'臣以下愚，不涉师训，孤陋闾阎，面墙靡识，谬蒙询逮，愧惧流汗。原夫礼者，三千之本，人伦之至道。故用之家国，君臣以之尊，父子以之亲。用之婚冠，少长以之仁爱，夫妻以之义顺。用之乡人，友朋以之三益，宾主以之敬让。所谓极乎天，播乎地，穷高远，测深厚，莫尚于礼也。其乐之五声，《易》之八象，《诗》之《风》《雅》，《书》之《典诰》，《春秋》之微婉劝惩，无不本乎礼而后立也。其源远，其流广，其体大，其义精，非夫睿哲大贤，孰能明乎此哉。况遭暴秦焚亡，百不存一。汉兴，始征召故老，搜集残文，其体例纰缪，首尾脱落，难可详论。幸高堂生颇识旧义，诸儒各为章句之说，既明不独达，所见不同，或师资相传，共枝别干。故闻人、二戴，俱事后苍，俄已分异；卢植、郑玄，偕学马融，人各名家。又后之学者，未逮曩时，而问难星繁，充斥兼两，摛文列锦，焕烂可观。然而五服之本或差，哀敬之制舛杂，国典未一于四海，家法参驳于缙绅，诚宜考详远虑，以定皇代之盛礼者也。伏惟陛下钦明玄圣，同规唐、虞，畴咨四岳，兴言《三礼》，而伯夷未登，微臣窃位，所以大惧负乘，形神交恶者，无忘夙夜矣。而复猥充博采之数，与闻爰发之求，实无以仰酬圣旨万分之一。不敢废默，谨率管穴所见五十二事上呈。蛙鄙茫浪，伏用竦赧。明年，致仕，拜光禄大夫。归老在家，手不释卷，博学多通，特精《三礼》。谨于奉公，常手抄书籍。二十八年，卒，时年八十三。史臣曰：选贤于野，则治身业弘；求士于朝，则饰智风起。《六经》奥远，方轨之正路；百家浅末，捷至之偏道。汉世登士，间党为先，崇本务学，不尚浮诡，然后可以俯拾青组，顾蔑簪金。于是人厉从师之志，家竞专门之术，艺重当时，所居一旦成市，黉舍暂启，著录或至万人。是故仕以学成，身由义立。自魏氏膺命，主爱雕虫，家弃章句，人重异术。又选贤进士，不本乡间，铨衡之寄，任归台阁。以一人之耳目，究山川之险情，贤否臆断，万不值一。由是仕凭借誉，学非为己，崇诡遇之巧速，鄙税驾之迟难，士自此委笥植《经》，各从所务，早往晏退，以取世资。庠序黉校之士，传经聚徒之业，自黄初至于晋末，百余年中，儒教尽矣。高祖受命，议创国学，宫车早晏，道未及行。迄于元嘉，甫获克就，雅风盛烈，未及曩时，而济济焉，颇有前王之遗典。天子鸾旗警跸，清道而临学馆，

319

储后冕旒黼黻，北面而礼先师，后生所不尝闻，黄发未之前睹，亦一代之盛也。臧焘、徐广、傅隆、裴松之、何承天、雷次宗，并服膺圣哲，不为雅俗推移，立名于世，宜矣。颍川庾蔚之、雁门周野王、汝南周王子、河内向琰、会稽贺道养，皆托志经书，见称于后学。蔚之略解《礼记》，并注贺循《丧服》，行于世云。"春泓按，元嘉年间，儒学亦呈现一时繁荣景象，然而这些当时儒学的代表人物，其知识结构和学术倾向却具有了新的时代特点，纯儒已不可复闻矣。

北朝

四月

凉州沙门释道泰及西域沙门浮陀跋摩共译《阿毗昙毗婆沙》一百卷，至己卯岁（439）始成。佚四十卷，至梁仅存六十卷。《出三藏记集》卷二注曰："丁丑岁四月出，至己卯岁七月讫。右一部，凡六十卷。晋安帝时，凉州沙门释道泰，共西域沙门浮陀跋摩，于凉州城内苑闲豫宫寺译出。初出一百卷，寻值凉王大沮渠国乱亡，散失经文四十卷。所余六十卷，传至京师。"卷十释道梃《毗婆沙经序》曰："时有天竺沙门浮陀跋摩，周流敷化，会至凉境。其人开悟渊博，神怀深邃，研味钻仰，逾不可测。遂以乙丑之岁四月中旬，逾凉城内苑闲豫宫寺，请令传译。理味沙门智嵩、道朗等三百余人，考文详义，务存本旨，除烦即实，质而不野。王亲屡回御驾，陶其幽趣，使文当理诣，片言有寄。至丁卯岁七月上旬都讫，通一百卷。会凉城覆没，沦湮遐境，所出经本，零落殆尽"。案，乙丑岁为425年，丁卯岁在427年，其间并无平凉事。所谓"大沮渠国乱亡"，"凉城覆灭"，当指439年北魏伐北凉，沮渠牧犍率文武五千人降魏之事，其时岁在己卯，年在北凉永和（又作承和）七年。检释慧皎《高僧传》卷三《宋河西浮陀跋摩传》有"浮陀跋摩……是蒙逊已死，子茂虔袭位。以虔承和五年（437）岁次丁丑四月八日，即宋元嘉十四年于凉州城内闲豫宫中，请跋摩议焉。……凡一百卷。……有顷，魏虏拓跋焘（即魏太武帝）西伐，凉土崩乱，经书什物，皆被焚荡，遂失四十卷，今唯有六十存焉"之语，故知其事当在永和年间，至永和七年伐梁之际散佚。三文之中，《高僧传》言之最切，且于史皆合，故从之。

公元438年（宋文帝元嘉十五年　魏太武帝太延四年　戊寅）

本年

雷次宗于鸡笼山讲学。《宋书·隐逸传》说："雷次宗字仲伦，豫章南昌人也。少入庐山，事沙门释慧远，笃志好学，尤明《三礼》《毛诗》，隐退不交世务……元嘉十五年，征次宗至京师，开馆于鸡笼山，聚徒教授，置生百余人。"《南齐书·高帝本纪》说："儒士雷次宗立学于鸡笼山，太祖年十三，受业，治《礼》及《左氏春秋》。"

北朝

本年

太武帝诏高允与崔浩述成《国记》，以本官领著作郎。据《魏书》卷四八《高允传》。《魏书》卷三五《崔浩传》已言述成"《国书》"事，明言神麚二年（429）。此处又见《国记》，不知是否别为一书。按，《魏书》本传载高允神麚三年前仅在郡为功曹，不得列纂国史。且其序此事于平凉之后，明年与崔浩议论《魏历》之前，当别为一事，今姑系于是。

公元 439 年（宋文帝元嘉十六年　魏太武帝太延五年　己卯）

本年

范晔母亡。《宋书·范晔传》说范晔母亡于此年，服阕，为始兴王濬后军长史，领南下邳太守，按下年范晔活跃于政坛来看，范晔并未真正为其母亲守孝。

鲍照追随刘义庆，开始显露文才。《宋书·宗室传》说："（刘义庆）在州八年，为西土所安。撰《徐州先贤传》十卷，奏上之。又拟班固《典引》为《典叙》，以述皇代之美。十六年，改授散骑常侍、都督江州豫州之西阳晋熙新蔡三郡诸军事、卫将军、江州刺史，持节如故。"鲍照、袁淑、陆展、何长瑜等与刘义庆切磋文义。鲍照于本年出仕。作《解褐谢侍郎表》《游思赋》《登大雷岸与妹书》《凌烟楼铭》《登庐山望石门》和《从登香庐峰》等。

宋文帝官学之大致情形。《南史·宋本纪中》卷第二《宋文帝纪》说："（元嘉十六年），上好儒雅，又命丹阳尹何尚之立玄素学，著作佐郎何承天立史学，司徒参军谢元立文学，各聚门徒，多就业者。江左风俗，于斯为美，后言政化，称元嘉焉。"春泓按：《南齐书·陆澄传》说："永明元年……时国学置郑王《易》，杜服《春秋》，何氏《公羊》，麋氏《穀梁》，郑玄《孝经》。澄谓尚书令王俭曰：'《孝经》，小学之类，不宜列在帝典。'乃与俭书论之曰：《易》……元嘉建学之始，玄、弼两立。逮颜延之为祭酒，黜郑置王，意在贵玄，事成败儒。今若不大弘儒风，则无所立学。众经皆儒，惟《易》独玄，玄不可弃，儒不可缺。谓宜并存，所以合无体之义。且弼于注经中已举《系辞》，故不复别注。今若专取弼《易》，则《系》说无注。"《宋书·隐逸传》说当时雷次宗、何尚之、何承天及谢元各领一学，"四学并建"，其间雷次宗与何尚之都笃信佛教，惟何承天比较排斥佛教，此时学风儒玄佛交杂的情形可见一斑。

北朝

本年

太武帝将讨沮渠牧犍，李顺等俱以北凉略无水草，不任久驻为由请止，独崔浩引《汉书·地理志》称凉州多饶水草。后平凉，果如浩言。据《魏书》卷三五《崔浩传》。又据《魏书》卷四上《世祖纪》，九月，太武帝伐北凉，沮渠牧犍率左右文武五千人降魏。魏收起城内户口二十余万，仓库珍宝不可称计。十月，车驾东还，徙凉州民三万余家于京师。《通鉴》于此曰："凉州自张氏以来，号为多士。沮渠牧犍尤喜文学，以阚骃为姑臧太守，张湛为兵部尚书，刘昞、索敞、阴兴为国师助教，金城宋钦为世子洗马（"宋"当为"宗"之误。《魏书》卷五二《宗钦列传》有"仕沮渠蒙逊，为中书郎、世子洗马"语），赵柔为金倍郎，广平程骏、骏从弟弘为世子侍讲。魏主克凉州，皆礼而用之，以阚骃、刘昞为乐平王丕从事中郎。安定胡叟，少有俊才，往从牧犍，牧犍不甚重之，叟谓程弘曰：'贵主居僻陋之国而淫名僭礼，以小事大而心不纯一，外慕仁义而实无道德，其亡可翘足待也。吾将择木，先集于魏；与子暂违，非久阔也'。遂适魏。岁余而牧犍败。魏主以叟为先识，拜虎威将军，赐爵始复男。河内常爽，世寓凉州，不受礼命，魏主以为宣威将军。河西右相宋繇从魏主至平城而卒。魏主以索敞为中书博士。时魏朝方尚武功，贵游子弟不以讲学为意。敞为博士十余年，勤于诱导，肃而有礼，贵游皆严惮之，多所成立，前后显达至尚书、牧守者数十人。常爽置官于温水之右，教授七百余人；爽立赏罚之科，弟子事之如严君。由是魏之儒风始振。高允每称爽训厉有方，曰：'文翁柔胜，先生刚克，立教虽殊，成人一也。'陈留江强，寓居凉州，献经、史、诸子千余卷及书法，亦拜中书博士。魏主命崔浩兼秘书事，综理史职；以中书侍郎高允、散骑侍郎张伟参著作。浩启称：'阴仲达，段承根，梁土美才，请同修国史。'皆除著作郎。仲达，武威人；承根，晖之子也。"可见凉士入魏，颇有益于北魏汉化。曹道衡、刘跃进《南北朝文学编年史》于此称："宗钦、段承根诸人，后皆与崔浩同诛，疑崔浩之好用河西人，正为欲加速北魏之汉化，故浩被杀而宗、段辈亦受株连也。"

崔浩集诸历家，考校汉元以来日月薄食、五星行度，并讥前史之失，别为《魏历》，以示高允。《魏书》卷四八《高允传》曰："允曰：'天文历数不可空论。夫善言远者必先验于近。且汉元年冬十月，五星聚于东井，此乃历术之浅。今讥汉史，而不觉此谬，恐后人讥今犹今之讥古。'浩曰：'所谬云何？'允曰：'案《星传》，金水二星常附日而行。冬十月，日在尾箕，昏没于申南，而东井方出于寅北。二星何因背日而行？是史官欲神其事，不复推之于理。'浩曰：'欲为变者何所不可，君独不疑三星之聚，而怪二星之来？'允曰：'此不可以空言争，宜更审之。'时坐者咸怪，唯东宫少傅游雅曰：'高君长于历数，当不虚也。'后岁余，浩谓允曰：'先所论者，本不注心，及更考究，果如君语，以前三月聚于东井，非十月也。'又谓雅曰：'高允之术，阳元之射也。'众乃叹服。允虽明于历数，初不推步，有所论说。唯游雅数以灾异问允，允曰：'昔人有言，知之甚难，既知复恐漏泄，不如不知也。天下妙理至多，何遽问此？'雅乃止。"《魏书》本转不载确年，《资治通鉴》卷一百二十三《宋纪五》系之于本年，今从之。

公元 440 年（宋文帝元嘉十七年　魏太武帝太平真君元年　庚辰）

本年

刘义庆爱好文义，因世路艰难，处世小心谨慎。《宋书·宗室传》说："（元嘉）十七年，（刘义庆）即本号都督南兖徐兖青冀幽六州诸军事、南兖州刺史。寻加开府仪同三司。为性简素，寡嗜欲，爱好文义，才词虽不多，然足为宗室之表。受任历藩，无浮淫之过，唯晚节奉养沙门，颇致费损。少善骑乘，及长以世路艰难，不复跨马。招聚文学之士，近远必至。太尉袁淑，文冠当时，义庆在江州，请为卫军咨议参军；其余吴郡陆展、东海何长瑜、鲍照等，并为辞章之美，引为佐史国臣。太祖与义庆书，常加意斟酌。"参照《宋书·袁淑传》说："袁淑字阳源，陈郡阳夏人也…………不为章句之学，而博涉多通，好属文，辞采遒艳，纵横有才辩……卫军临川王义庆雅好文章，请为咨议参军。"春泓按：陈师道《何氏语林·后序》说："抑义庆宗王牧将，幕府所贤，当时如袁淑、陆展、鲍照、何长瑜之流，皆一时名彦，为之佐史，虽曰笔削自己，而检寻赞润，夫岂无人。"众文士对刘义庆的撰述活动多有帮助，故《世说新语》亦极有可能是当时刘义庆主持、并成于众手的著作。

刘义庆作《乌夜啼》。《旧唐书·音乐志二》记载："《乌夜啼》，宋临川王义庆所作也。元嘉十七年，徙彭城王义康于豫章。义庆时为江州，至镇，相见而哭，为帝所怪，征还宅，大惧。妓妾夜闻乌啼声，叩斋阁云：'明日应有赦。'其年更为南兖州刺史，作此歌。故其和云：'笼窗窗不开，乌夜啼，夜夜望郎来。'今所传歌似非义庆本旨。辞曰：'歌舞诸少年，娉婷无种迹。菖蒲花可怜，闻名不相识。'"

太祖开始消灭义康党羽。《宋书·武二王传》说元嘉十七年十月，"司徒主簿谢综，素为义康所狎，以为记室参军，左右爱念者，并听随从至豫章。"

范晔政治上得势于一时。《宋书·范晔传》说："及濬为扬州，未亲政事，悉以委晔。"《宋书·文帝纪》载元嘉十七年十二月癸亥，"以南豫州刺史始兴王濬为扬州刺史"。《南史·沈约传》说："元嘉十七年，始兴王濬为扬州刺史。"

殷景仁卒。《宋书·殷景仁传》说：元嘉十二年，因刘湛嫉恨之缘故，殷景仁称疾解职，停家养病。卧疾五年卒，其卒年应在元嘉十七年。《宋书·文帝纪》说在元嘉十七年十一月癸丑："尚书仆射、扬州刺史殷景仁卒。"按《宋书·沈演之传》载："十七年，义康出藩，诛湛等，以演之为右卫将军。景仁寻卒，乃以后军长史范晔为左卫将军，与演之对掌禁旅，同参机密。"《宋书·徐湛之传》说："初，刘湛伏诛，殷景仁卒，太祖委任沈演之、庾冰之、范晔等……"《宋书·谢景仁传》说："（元嘉）十七年，刘湛诛，义康外镇，将行，叹曰：'谢述唯劝吾退，刘湛唯劝吾进，今述亡而湛存，吾所以得罪也。'太祖亦曰：'谢述若存，义康必不至此。'"

范晔参机密，意趣异常。《宋书·何尚之传》说："时左卫将军范晔任参机密，尚之察其意趣异常……"

元嘉十七年，宋文帝与彭城王义康的争斗日趋激烈，朝臣在两派之间，亦如履薄冰。《宋书·刘湛传》记述元嘉十七年十月，下诏斥责刘湛罪恶，刘湛伏诛，时年四十九。"子黯，大将军从事中郎。黯及二弟亮、俨并从诛。湛弟素，黄门侍郎，徙广州。湛初被收，叹曰：'便是乱邪。'仍又曰：'不言无我应乱，杀我自是乱法耳。'入狱见素，曰：'乃复及汝邪？相劝为恶，恶不可为；相劝为善，正见今日。如何！'湛生女辄杀之，为士流所怪"。

北朝

本年

　　太武帝欲拜代人伊馛为尚书，封郡公。馛辞以过恩。帝问其欲，馛以中、秘二省多诸文士，欲参其列。世祖贤之，遂拜为中护将军、秘书监。以功赐爵魏安侯，加冠军将军。据《魏书》卷四四《伊馛传》。

　　太武帝作《命崔浩综理史务诏》，颇有文采。崔浩于是监秘书事，以中书侍郎高允、散骑史郎张伟参著作，叙成前纪。至于损益褒贬，折中润色，浩所总焉。据《魏书》卷三五《崔浩传》。今观诏文有"秦陇克定"，"讨逆竖于凉城"，知其作于平凉之后，则当在太平真君之初。姑系于是。

　　崔浩作《易》注。《魏书》卷五二《张湛传》："浩注《易》，叙曰：'国家西平河右，敦煌张湛、金城宗钦、武威段承根三人，皆儒者，并有俊才，见称于西州。每与余论《易》，余以《左氏传》卦解之，遂相劝为注。故因退朝之余暇，而为之解焉'"。《张湛列传》于此段前后曰："入国，年五十余矣，赐爵南浦男，加宁远将军。司徒崔浩识而礼之"；"湛至京师，家贫不粒，操尚无亏，浩常给其衣食"。故知并叙湛初入魏事，本年为湛入魏初年，则浩作《易》注当在此际。姑系于是。

　　刘昞（？—440）卒。《魏书》卷五二《刘昞传》："世祖平凉州，士民东迁，凤闻其名，拜乐平王从事中郎。世祖诏诸年七十以上听留本乡，一子扶养。昞时老矣，在姑臧。岁余，思乡而返，至凉州西四百里韭谷窟，遇疾而卒。"言"岁余"，当在今明两年之际，今姑系于是。本传又曰："昞以三史文繁，著《略记》百三十篇、八十四卷，《凉书》十卷，《敦煌实录》二十卷，《方言》三卷，《靖恭堂铭》一卷，注《周易》《韩子》《人物志》《黄石公三略》，并行于世。"

公元441年（宋文帝元嘉十八年　魏太武帝太平真君二年　辛巳）

本年

　　颜延之撰《王球石志》。《南齐书·礼志》说："宋元嘉中，颜延之作《王球石志》，素族无碑策，故以纪德。"而按《宋书》本传，王球卒于元嘉十八年。

公元442年（宋文帝元嘉十九年　魏太武帝太平真君三年　壬午）

本年

　　皇太子讲《孝经》，何承天、颜延之同为执经。《宋书·何承天传》说："何承天，东海郯人也。从祖伦，晋右卫将军。承天五岁失父，母徐氏，广之姊也，聪明博学，故承天幼渐训义……十九年，立国子学，以本官领国子博士。皇太子讲《孝经》，承天与中庶子颜延之同为执经。"

北朝

正月

寇谦之奏曰："今陛下以真君御世，建静轮天宫之法，开古以来，未之有也。应登受符书，以彰圣德。"太武帝从之。于是亲至道坛，受符录。备法驾，旗帜尽青，以从道家之色也。自后诸帝，每即位皆如之。据《魏书》卷一四四《释老志》。

寇谦之又奏作静轮宫，必令其高不闻鸡犬，欲以上接天神。据《资治通鉴》卷一百二十四《宋纪》六。

公元 443 年（宋文帝元嘉二十年　魏太武帝太平真君四年　癸未）

本年

宋文帝作书劝刘义季戒酒。《宋书·武三王传》说："（衡阳文王）义季素嗜酒，自彭城王义康废后，遂为长夜之饮，略少醒日。太祖累加诘责，义季引愆陈谢。上诏报之曰……"春泓按，这两封劝同父异母弟戒酒的书信，写得情真意切，可见文帝性格里亦具有人情味的一面。

颜延之作《皇太子释奠会作诗》。根据逯钦立《先秦汉魏晋南北朝诗》之《宋诗》卷五，颜延之于元嘉二十年作《皇太子释奠会作诗》（九章），李善注引裴子野《宋略》曰："文帝元嘉二十年三月，皇太子劭释奠于国学。"

宗炳卒。《宋书》本传记载宗炳卒于元嘉二十年，时年六十九。

北朝

二月

太武帝至恒山之阳，诏有司刊石勒铭。据《魏书》卷四下《世祖纪》。

十一月

诏使皇太子副理万机，总统百揆。《高僧传》卷十二《玄高传》并载太武帝诏书，与《魏书》所载略有出入。按释慧皎《高僧传》成书于梁武帝天监十八年（519），早于魏收始作《魏书》之北齐天保二年（551），此诏必久传南朝，非慧皎节自《魏书》也。《魏书》卷四上《世祖纪》亦载其事。

本年

乌洛侯国朝于魏，称其国西北有魏先祖旧墟。太武帝遣中书侍郎李敞诣石庙致祭，刻祝文于壁而还，去平城四千余里。据《魏书》卷四下《世祖纪》，《通鉴》卷一百二十四《宋纪六》。

崔浩昨岁劝帝为静轮宫，功费万计，经年不成。太子晃谏曰："天人道殊，卑高定分，不可相接，理在必然。今虚耗府库，疲弊百姓，为无益之事，将安用之！比如谦之所言，请因东山万仞之高，为功差易。"帝不从。据《资治通鉴》卷一百二十四《宋纪六》。

公元 444 年（宋文帝元嘉二十一年　魏太武帝太平真君五年　甲申）

本年

卫将军临川王刘义庆薨。《宋书》刘义庆传："义庆在广陵有疾，而白虹贯城，野麇入府，心甚恶之，固陈求还。太祖许解州以本号还朝。二十一年薨于京邑，时年四十二。追赠侍中司空，谥曰'康正'。"

北朝

正月

皇太子始总百揆。侍中、中书监、宜都王穆寿，司徒、东郡公崔浩，侍中、广平公张黎，侍中、建兴公古弼，辅太子以决庶政。诸上书者皆称臣，上疏仪与表同。据《魏书》卷四下《世祖纪》。

九月

十五日，平城释玄高（402—444）被杀。释慧皎《高僧传》卷十一《宋伪魏平城释玄高传》："释玄高，姓魏，本名灵育，冯翊万年人也。……时崔浩、寇天师先得宠于焘（太武帝），恐晃（魏太子）纂承之日，夺其威柄，乃僭云……焘遂纳之，勃然大怒，即敕收高。……至伪太平五年（即太平真君五年）九月，高与崇公俱被幽絷，其月十五就祸。卒于平城之东隅，春秋四十有三。是岁宋元嘉二十一年也。"

本年

魏将讨蠕蠕，刘洁复致异议。太武帝诏问浩，浩以当俟时而击对。据《魏书》卷三五《崔浩传》。

太武帝诏禁"私养师巫，挟藏谶记、阴阳、图纬、方伎之书"。又诏令"王公已下至于卿士，其子息皆诣太学。其百工伎巧、驺卒子息，当习其父兄所业，不听私立学校"。据《魏书》卷四下《世祖纪》。

李彪（444—501）生。彪字道固，顿丘卫国人，北魏史学家、文学家。

乐平王丕卒。高允遂著《筮论》曰："昔明元末起白台，其高二十余丈，乐平王尝梦登其上，四望无所见。王以问日者董道秀，筮之曰：'大吉。'王默而有喜色。后事发，王遂忧死，而道秀弃市。道秀若推六爻以对王曰：'《易》称"亢龙有悔"，穷高曰亢，高而无民，不为善也。'夫如是，则上宁于王，下保于己，福禄方至，岂有祸哉？今舍于本而从其末，咎衅之至不亦宜乎。"据《魏书》卷十七《乐平王丕传》。

北魏自入中原以来，虽颇用古礼祀天地、宗庙、百神，而犹循其旧俗，所祀胡神甚众。崔浩请存合于祀典者五十七所，其余复重及小神悉罢之。太武帝从之。据《资治通鉴》卷一百二十四《宋纪六》。

公元 445 年（宋文帝元嘉二十二年　魏太武帝太平真君六年　乙酉）

十一月

　　徐湛之上表告发范晔、孔熙先、谢综等人谋反事，"悉出檄书、选事、及同恶人名、手墨翰迹"。此辈拥戴彭城王义康，《宋书·武二王传》说："二十二年，太子詹事范晔等谋反，事逮义康，事在《晔传》。"文帝下诏逮捕参与者，并"依法穷诘"；范晔起初不肯承认企图谋反，但是孔熙先供认曰："凡诸处分，符檄书疏，皆范晔所造及治定。"范晔似无法辩解，只得认罪。

　　文帝对于孔熙先才气纵横，深表惋惜，孔熙先于狱中上书，感慨自己未尽其才，只能抱憾而死，透露出希望文帝念其才、而免其死的侥幸心理，这封上书，写于生命行将终结之时，险士之内心极其复杂，此书文辞精微，其才气逼人，亦可见一斑。其书曰："囚小人狷狂，识无远概，徒徇意气之小感，不料逆顺之大方。与第二弟休先首为奸谋，干犯国宪，鞶脍脯醢，无补尤戾。陛下大明含弘，量苞天海，录其一介之节，猥垂优逮之诏。恩非望始，没有遗荣，终古以来，未有斯比。夫盗马绝缨之臣，怀璧投书之士，其行至贱，其过至微，由识不世之恩，以尽躯命之报，卒能立功齐、魏，致勋秦、楚。囚虽身陷祸逆，名节俱丧，然少也慷慨，窃慕烈士之遗风。但坠崖之木，事绝升跻，覆盆之水，理乖收汲。方当身膏铁钺，诒诚方来，若使魂而有灵，结草无远。然区区丹抱，不负凤心，贪及视息，少得申畅。自惟性爱群书，心解数术，智之所周，力之所至，莫不穷揽，究其幽微。考论既往，诚多审验。谨略陈所知，条牒如故别状，愿且勿遗弃，存之中书。若囚死之后，或可追存，庶九泉之下，少塞衅责。"所陈并天文占候，谶上有骨肉相残之祸，其言深切。其性好"露才扬己"，却并无特操，为此他及其同伙均付出了惨重的代价。

本年

　　范晔被诛。《宋书》本传记述："晔本意谓入狱便死，而上穷治其狱，遂经二旬，晔更有生望。狱吏因戏之曰：'外传詹事或当长系。'晔闻之惊喜，综、熙先笑之曰：'詹事尝共畴昔事时，无不攘袂瞋目。及在西池射堂上，跃马顾盼，自以为一世之雄。而今扰攘纷纭，畏死乃尔。设令今时赐以性命，人臣图主，何颜可以生存？'晔谓卫狱将曰：'惜哉！蘸如此人。'将曰：'不忠之人，亦何足惜。'晔曰：'大将言是也。'将出市，晔最在前，于狱门顾谓综曰：'今日次第，当以位邪？'综曰：'贼帅为先。'在道语笑，初无暂止。至市，问综：'时欲至未？'综曰：'势不复久。'晔既食，又苦劝综，综曰：'此异病笃，何事强饭。'晔家人悉至市，监刑职司问：'须相见不？'晔问综曰：'家人以来，幸得相见，将不暂别。'综曰：'别与不别，亦何所存。来必当号泣，正足乱人意。'晔曰：'号泣何关人，向见道边亲故相瞻望，亦殊胜不见。吾意故欲相见。'于是呼前。晔妻先下抚其子，回骂晔曰：'君不为百岁阿家，不感天子恩遇，身死固不足塞罪，奈何枉杀子孙。'晔干笑云罪至而已。晔所生母泣曰：'主上念汝无极，汝曾不能感恩，又不念我老，今日奈何？'仍以手击晔颈及颊，晔颜色不怍。妻云：'罪人，阿家莫念。'妹及妓妾来别，晔悲涕流涟，综曰：'舅殊不同夏侯色。'晔收泪而止。综母以子弟自蹈逆乱，独不出视。晔语综曰：'姊今不来，胜人多也。'晔转醉，子蔼亦醉，取地土及果皮以掷晔，呼晔为别驾数十声。晔问曰：'汝恚我邪？'蔼曰：'今日何缘复恚，但父子同死，不能不悲耳。'晔常谓死者神灭，欲著《无鬼论》；至是与徐湛之书，云'当相讼地下'。其谬乱如此。又语人：'寄语何仆射，天下决无佛鬼。若有灵，自当相报。'收晔家，乐器服玩，并皆珍丽，妓妾亦盛饰，母住止单陋，唯有一厨盛樵薪，弟子冬无被，叔父单布衣。晔及子蔼、遥、叔蒌、孔熙先及弟休先、景先、思先、熙先子桂甫、桂甫子白民、谢综及弟约、仲承祖、许耀，诸所连及，并伏诛。晔时年四十八……晔性精微有思致，触类多善，衣裳器服，莫不增损制度，世人皆法学之。撰《和香方》，其序之曰：'麝本多忌，过分必害；沈实易和，盈斤无伤。零藿虚燥，詹唐粘湿。甘松、苏合、安息、郁金、榛多、和罗之属，并被珍于外国，无取于中土。又枣膏昏钝，甲煎浅俗，非唯无助于馨烈，乃当弥增于尤疾也。'此序所言，悉以比类朝士：'麝本多忌'，比庾炳之；'零藿虚燥'，比何尚之；'詹唐粘湿'，比沈演之；'枣膏昏钝'，比羊玄保；'甲煎浅俗'，比徐湛之；'甘松、苏合'，比慧琳道人；'沈实易和'，以自比也。晔狱中与诸甥侄书以自序曰：吾狂衅覆灭，岂复可言，汝等皆当以罪人弃之。然平生行己任怀，犹应可寻。至于能不，意中所解，汝等或不悉知。吾少懒学问，晚成人，年三十许，政始有向耳。自尔以来，转为心化，推老将至者，亦当未已也。往往有微解，言乃不能自尽。为性不寻注书，心气恶，小苦思，便愦闷；口机又不调利，以此无谈功。至于所通解处，皆自得之于胸怀耳。文章转进，但才少思难，所以每于操笔，其所成篇，殆无全称者。常耻作文士。文患其事尽于形，情急于藻，义牵其旨，韵移其意。虽时有能者，大较多不免此累，政可类工巧图缋，竟无得也。常谓情志所托，故当以意为主，以文传意。以意为主，则其旨必见；以文传意，则其词不流。然后抽其芬芳，振其金石耳。此中情性旨趣，千条百品，屈曲有成理。自谓颇识其数，尝为人言，多不能赏，意或异故也……"春泓按，范晔这些话是针对当时形式主义文风的有感而发，是切中要害的意见，文坛上日益骈骊化的写作风尚，使得文以传意的首要功能被削弱了，范晔强调作文当"以意为主"，然后再考虑如何使文章写得美，否则就会本末倒置。而他关注到语言文字的声律现象，虽然仅仅是出于一种天赋本能的直觉，尚未能够从规律上加以把握，但是这也应该视作齐永明声律论的先声了。范晔天才卓绝，无疑应归入宋代第一流文士之列，惜乎陷命于政治纷争，未能尽其才，实在令后人叹惋不已！

释昙迁为范晔经营葬事。 释慧皎《高僧传》卷第十三《经师》之《齐乌衣寺释昙迁传》说："及范晔被诛，门有十二丧，无敢近者。迁抽货衣物，悉营葬送。孝武闻而叹赏，谓徐爰曰：'卿著《宋书》，勿遗此士。'"

徐湛之上表为自己开脱。 他是宋高祖的外孙，所以即使与范晔等人谋反案有涉，却也蒙文帝宽宥。《宋书》本传记述徐湛之"善于尺牍，音辞流畅"。元嘉二十二年，范晔等谋逆，湛之始与之同，后来追究其事，根据范晔等人交代，事与徐湛之有牵连，徐乃诣廷尉归罪，湛之上表曰："贼臣范晔、孔熙先等，连结谋逆，法静尼宣分往还，与大将军臣义康共相唇齿，备于鞫对。伏寻仲承祖始达熙先等意，便极言奸状。而臣儿女近情，不识大体，上闻之初，不务指斥，纸翰所载，尤复漫略者，实以凶计既表，逆事归露；又仰缘圣慈，不欲穷尽，故言势依违，未敢缕陈。情旨无隐，已昭天鉴。及群凶收禽，各有所列，晔等口辞，多见诬谤，承祖丑言，纷纭特甚。乃云臣与义康宿有密契，在省之言，期以为定，潜通奸意，报示天文。末云熙先县指必同，以诳于晔，或以智勇见称，或以愚懦为目。既美其信怀可覆，复骇其动止必启。凡诸诡妄，还自违伐，多举事端，不究源统，赍传之信，无有主名，所征之人，又已死没，首尾乖互，自为矛楯。即臣诱引之辞，以为始谋之证，衔臣纠告，并见怨咎，纵肆狂言，必规祸陷。伏自探省，亦复有由。昔义康南出之始，敕臣入相伴慰，晨夕觐对，经逾旬日。逆图成谋，虽无显然，怼容异意，颇形言旨。遗臣利刃，期以际会，臣苦相谏譬，深加拒塞。以为怨愤所至，不足为虑，便以关启，惧成虚妄，思量反复，实经愚心，非为纳受，曲相蔽匿。又令申情范晔，释中间之憾，致怀萧思话，恨婚意未申，谓此侥幸，亦不宣达。陛下敦惜天伦，彰于四海，藩禁优简，亲理咸通，又昔蒙眷顾，不容自绝，音翰信命，时相往来。或言少意多，旨深文浅，辞色之间，往往难测。臣每惧异闻，皆略而不答。惟心无邪悖，故不稍以自嫌。偻偻丹实，具如此启。至于法静所传，及熙先等谋，知实不早，见关之日，便即以闻。虽晨光幽烛，曲昭穷款，裁以正义，无所逃刑。束骸北阙，请罪司寇，乾施含宥，未加治考，中旨频降，制使还往，仰荷恩私，哀惶失守。臣殃积罪深，丁罹酷罚，久应屏弃，永谢人理。况奸谋所染，忠孝顿阙，智防愚浅，暗于祸萌，士类未明其心，群庶谓之同恶，朝野侧目，众议沸腾，专信仇隙之辞，不复稍相申体。臣虽驽下，情非木石。岂不知丑点难婴，伏剑为易。而觍然视息，忍此余生，实非苟吝微命，假延漏刻。诚以负戾灰灭，贻恶方来，贪及视息，少自披诉。冀幽诚丹款，倘或昭然，虽复身膏草土，九泉无恨。显居官次，垢秽朝班，厚颜何地，可以自处。乞蒙隳放，伏待铁锧。"春泓按，此表展现了极高的写作技巧，既要澄清自己与范晔等人并无瓜葛，又要说明作为皇室亲戚，在错综复杂的关系之中，自己陷于政治旋涡的无奈之情，最终表白自己是无辜的，而且自己是丹心不渝的忠臣。此表竭力写得合乎情理，其分寸感把握十分精微，可见其文章功力之深厚，文帝于是对于其罪过不加追究。

张永以才艺为宋文帝所知。《宋书·张茂度传》说张茂度有子永，"永字景云……二十二年，除建康令，所居皆有称绩。又除广陵王诞北中郎录事参军。永涉猎书史，能为文章，善隶书，晓音律，骑射杂艺，触类兼善，又有巧思，益为太祖所知。纸及墨皆自营造，上每得永表启，辄执玩咨嗟，自叹供御者了不及也。"

颜延之造歌诗。《宋书·乐志一》说："二十二年，南郊，始设登歌，诏御史中丞颜延之造歌诗，庙舞犹阙。"《南齐书·乐志》说："宋文帝使颜延之造《郊天夕牲》《迎送神》《飨神歌》诗三篇，是则宋初又仍晋也。"春泓按：元嘉二十二年似不应称之为"宋初"。

沈璞撰《旧宫赋》。《宋书自序》说："二十二年，范晔坐事诛，于时浚虽曰亲览，州事一以付璞。太祖从容谓始兴王曰：'沈璞奉时无纤介之失，在家有孝友之称，学优才赡，文义可观，而沉深守静，不求名誉，甚佳。汝但应委之以事，乃宜引与晤对。'

浚既素加赏遇，又敬奉此旨。璞尝作《旧宫赋》，久而未毕，浚与璞疏曰：'卿常有速藻，《旧宫》何其淹耶？想行就尔。'璞因事陈答，辞义可观。浚重教曰：'卿沉思淹日，向聊相敦问，还白斐然，遂兼纸翰。昔曹植有言，下笔成章，良谓逸才赡藻，夸其辞说，以今况之，方知其信。执省踌躇，三复不已。吾远惭楚元，门盈申、白之宾，近愧梁孝，庭列枚、马之客，欣恶交至，谅唯深矣。薄因末牒，以代一面。'又与主簿顾迈、孔道存书曰：'沈璞淹思逾岁，卿研虑数旬，瑰丽之美，信同在昔。向聊问之，而还答累翰，辞藻艳逸，致慰良多。既欣股肱备此髦楚，还惭予躬无德而称。复裁少字，宣志于璞，聊因尺纸，使卿等具知厥心。'（此书真本犹存）"

王僧虔以书法名家。《南齐书·王僧虔传》说："僧虔弱冠，弘厚，善隶书。宋文帝见其书素扇，叹曰：'非唯迹逾子敬，方当器雅过之。'除秘书郎，太子舍人。退默少交接，与袁淑、谢庄善。转义阳王文学，太子洗马，迁司徒左西属。"按《南齐书》本传记载王僧虔死于永明三年（485），得年六十，所以其弱冠大概在元嘉二十二年（445）。

公元 446 年（宋文帝元嘉二十三年　魏太武帝太平真君七年　丙戌）

本年

何承天上《安边论》，倡仪"安边固守"。《宋书·何承天传》说："顷之，迁御史中丞。时索虏侵边，太祖访群臣威戎御远之略。"何承天上表《安边论》，提出"安边固守，于计为长"的看法，沈约称赞"承天《安边论》，博而笃矣"。《南齐书·文学传》之《祖冲之传》亦载祖冲之在齐代造《安边论》。参看《南齐书·陆澄传》说："元嘉建学之始，玄、弼两立。逮颜延之为祭酒，黜郑置王，意在贵玄，事成败儒。"据此可见颜延之的学术特点，他更倾向以王弼为代表的玄学，而对于郑玄之经学却并不重视。

北朝

本年

太武帝亲伐薛永宗，用崔浩计急击之。永宗大败，与家人皆赴汾水死。又破盖吴，拔杏城。遂下诏灭佛。《资治通鉴》卷一百二十四《宋纪六》云："魏主与崔浩皆信重寇谦之，奉其道。浩素不喜佛法，每言于魏主，以为佛法虚诞，为世费害，宜悉除之。及魏主讨盖吴，至长安，入佛寺，沙门饮从官酒。从官入其室，见大有兵器，出以白帝，帝怒曰：'此非沙门所用，必与盖吴通谋，欲为乱耳。'命有司按诛阖寺沙门，阅其财产，大的酿具及州郡牧守、富人所寄藏物以万计，又为窟室以匿妇女。浩因说帝悉诛天下沙门，毁诸经像，并敕留台下四方，令一用长安法。诏曰：'昔后汉荒君，信惑邪伪以乱天常，自古九州之中，未尝有此。夸诞大言，不本人情，叔季之世，莫不眩焉。由是政教不行，礼仪大坏，九服之内，鞠为丘墟。朕承天绪，欲除伪定真，复羲、农之治，其一切荡除，灭其踪迹。自今已后，敢有事胡神及造形像泥人、铜人者门诛。有非常之人，然后能行非常之事，非朕孰能去此历代之伪物！有司宣告征镇诸军、刺史，诸有浮图形像及胡经，皆击破焚烧，沙门无少长悉坑之'。太子晃肃好佛法，屡谏不听；乃缓宣诏书，使远近豫闻之，得各为计，沙门多亡匿获免，或收藏经像，唯塔庙在魏境者无复孑遗。"《魏书》卷三五《崔浩传》：太武帝伐盖吴，初无所克，悔不听崔浩计。后以浩辅东宫之勤，赐缯絮布帛各千段。

沙门昙曜誓守佛法。据《魏书》卷一一四《释老志》，沙门昙曜誓守死佛法，不欲还俗。太子晃亲加劝谕，至于再三，不得已，乃止。昙曜密持法服器物，不暂离身，闻者叹重之。

寇谦之预言崔浩被诛。《魏书》卷一四四《释老志》："始（寇）谦之与浩同从车驾，苦与浩净，浩不肯，谓浩曰：'卿今促年受戮，灭门户矣。'后四年，浩诛。"浩诛于太平真君十一年，去本年正为四年。故系于是。

公元 447 年（宋文帝元嘉二十四年　魏太武帝太平真君八年　丁亥）

本年

徐湛之与释惠休交往。《宋书·徐湛之传》说："二十四年，服阕，转中书令，领太子詹事。出为前军将军、南兖州刺史。善于为政，威惠并行。广陵城旧有高楼，湛之更加修整，南望钟山。城北有陂泽，水物丰盛。湛之更起风亭、月观、吹台、琴室，果竹繁茂，花药成行，招集文士，尽游玩之适，一时之盛也。时有沙门释惠休，善属文，辞采绮艳，湛之与之甚厚。世祖命使还俗。本姓汤，位至扬州从事史。"

何承天卒。《宋书·何承天传》说："二十四年，承天……卒于家，年七十八。先是，《礼论》有八百卷，承天删减并合，以类相从，凡为三百卷，并《前传》《杂语》《纂文》、论并传于世。又改定《元嘉历》，语在《律历志》。"[春泓按，《南齐书·文学传》之《祖冲之传》记载祖冲之对于何承天所制历的批评，认为何承天历"尚疏"，有待更加精确。]

鲍照作《河清颂》。《宋书·宗室传》之《刘义庆传》所附《鲍照传》记载："鲍照字明远，文辞赡逸，尝为古乐府，文甚遒丽。元嘉中，河、济俱清，当时以为美瑞，照为《河清颂》。"其序中有"圣上天飞践极，迄兹二十四载"云云，可知此颂作于元嘉二十四年。

公元 448 年（宋文帝元嘉二十五年　魏太武帝太平真君九年　戊子）

本年

雷次宗卒。据《宋书·沈怀文传》记述，"隐士雷次宗被征居钟山，后南还庐岳，何尚之设祖道，文义之士毕集，为连句诗，怀文所作尤美，辞高一座。"按雷次宗被征至庐山，时在元嘉十五年，他讲学钟山，经历了一段较长的时期，后返归庐山，又再蒙召至钟山。从《宋书》的叙述体例来看，何尚之所发起的为雷次宗祖道之事，应在元嘉十五年之后至元嘉二十五年之前的某一天，而在元嘉二十年左右的可能性较大，沈怀文之文才于此可见一斑。

北朝

本年

崔浩作《易》注成。《魏书》卷四八《高允传》曰:"是时,著作令史闵湛、郗标巧佞,为浩信待。见浩所注《诗》《论语》《尚书》《易》,遂上疏,言马、郑、王、贾虽注述《六经》,并多疏谬,不如浩之精微。乞收境内诸书,藏之秘府。班浩所注,命天下习业。并求敕浩注《礼传》,令后生得观正义。浩亦表荐湛有著述之才。既而劝浩刊所撰国史于石,用垂不朽,欲以彰浩直笔之迹"。卷三五《崔浩传》载"著作令史太原闵湛、赵郡郗标素谄事浩,乃请立石铭,刊载《国书》,并勒所注《五经》。浩赞成之。恭宗(太子晃)善焉,遂营于天郊东三里,方百三十步,用功三百万乃讫"。《魏书》本传序此事于太武帝克盖吴之后,"搜于河西"之前,检《魏书》卷四下《世祖纪》,知太武帝"搜于河西"在太平镇君十年。则浩作成《易》注当在七年后,十年前,至迟在本年,姑系于是。今检《隋书》卷三二《经籍志一》"经",有"《周易》十卷,后魏司徒崔浩注"。其余诸经皆不见著录。

公元449年(宋文帝元嘉二十六年 魏太武帝太平真君十年 己丑)

本年

袁淑"辞采遒艳"。《宋书·袁淑传》说:"元嘉二十六年,(袁淑)迁尚书吏部郎。其秋,大举北伐,淑侍坐从容曰:'今当鸣銮中岳,席卷赵、魏,检玉岱宗,今其时也。臣逢千载之会,愿上《封禅书》一篇。'太祖笑曰:'盛德之事,我何足以当之。'"《宋书》本传记载袁淑"好属文,辞采遒艳"。

江淹早慧。江淹《自序传》说:"幼传家业,六岁能属诗。"

北朝

三月

太武帝北伐,搜于河西。崔浩上表。《魏书》卷四下《世祖纪》:"三月,太武帝北伐,搜于河西。"《魏书》卷三五《崔浩传》:"世祖搜于河西,诏浩诣行在所议军事。浩表曰:'昔汉武帝患匈奴强盛,故开凉州五郡,通西域,劝农积谷,为灭贼之资,东西迭击。故汉未疲,而匈奴已弊,后遂入朝。昔平凉州,臣愚以为北贼未平,征役不息,可不徙其民,案前世故事,计之长者。若迁民人,则土地空虚,虽有镇戍,适可御边而已,至于大举,军资必乏。陛下以此事阔远,竟不施用。如臣愚意,犹如前议,募徙豪强大家,充实凉土。军举之日,东西齐势,此计之得者'。"

本年

崔浩上《五寅元历》。《魏书》卷一○七上《律历志》云:"真君中,司徒崔浩为《五寅元历》,未及施行,浩诛,遂寝。"崔浩上《历》,《魏书》本传系于太武帝"搜于河西”之后，而诛浩在明年六月，且明年太武帝正月至洛阳，二月正悬瓠，未必有暇于历法。故系于是。本传载崔浩表云："太宗即位元年，敕臣解《急就章》《孝经》《论语》《诗》《尚书》《春秋》《礼记》《周易》。三年成讫。复诏臣学天文、星历、易式、九宫，无不尽看。至今三十九年，昼夜无废。……"故知浩治五经早在太宗永兴元年（409），所谓"三年而成"，并非皆成于永兴三年（411），当有先后。如《易》注则始作于太平真君元年（440），见前论。而谓"三十九年"，则诏浩学天文律历当在永兴二年（410）。

公元 450 年（宋文帝元嘉二十七年　魏太武帝太平真君十一年　庚寅）

本年

宋朝国势转衰。《宋书·良吏传》说："暨元嘉二十七年，北狄南侵，戎役大起，倾资扫蓄，犹有未供，于是深赋厚敛，天下骚动。自兹至于孝建，兵连不息，以区区之江东，地方不至数千里，户不盈百万，荐之以师旅，因之以凶荒，宋氏之盛，自此衰矣。"

周朗文有奇气。《宋书·周朗传》说："周朗字义利，汝南安城人也……朗少而爱奇，雅有风气……元嘉二十七年春，朝议当遣义恭出镇彭城，为北讨大统。朗闻之解职。及义恭出镇，府主簿羊希从行，与朗书戏之，劝令献奇进策。朗报书曰：羊生足下：……凡士之置身有三耳：一则云户岫寝，栾危桂荣，秣芝浮霜，剪松沉雪，怜肌蓄髓，宝气爱魂，非但土石侯卿，腐鸩梁锦，实乃仡意天后，睨目羽人。次则刲心扫智，剖命驱生，横议于云台之下，切辞于宣室之上，衍主德而批民患，进贞白而鸩奸猾，委玉人而齐声礼，揭金出而烹勋寇，使车轨一风，甸道共德，令功日济而己无迹，道日富而君难名，致诸侯敛手，天子改观。其末则餍粕而出，望旎而入，结冕两宫之下，鼓袖六王之间，俯眉胁肩，言天下之道德，瞑目扼腕，陈纵横于四海，理有泰则止而进，调觉忓则反而还，闲居违官，交造顿罢，捐慕遗忧，夷毁销誉，呼嘘以补其气，缮嚼以辅其生。凡此三者，皆志士仁人之所行，非吾之所能也。若吾幸病不及死，役不至身，蓬藜既满，方杜长者之辙；谷稼是咨，自绝世豪之顾。尘生床帷，苔积阶月，又檐中山木，时华月深，池上海草，岁荣日蔓。且室间轩左，幸有陈书十箧，席隔奥右，颇得宿酒数壶。按弦拭徽，雠方校石，时复陈局露初，莫爵星晚，欢然不觉是羲、轩后也。近春田三顷，秋园五畦，若此无灾，山装可具。候振饮之罢，俟封勒之毕，当敬观邠、丰，肃寻伊、郿，傍眺燕、陇，邪履辽、卫，觇我周之轸迹，吊他贤之忧天。当其少涉，未休此欲，但理实诡固，物好交加，或征势而笑其言，或观谋而害其意。夫杨朱以此，犹见嗤于梁人，况才减杨子之器，物甚魏君之意者哉！若如汉宗之言李广，此固许天下之有才，又知天下之时非也。岂若党巷闾里之间，忌见贞士之遭遇，便谓是臧获庸人之徒耳。士固愿呈心于其主，露奇于所归。卿相，末事也。若广者，何用侯为。至乃复有致谒于为乱之日，被讪于害正之徒，心奇而无由露，事直而变为枉，岂不痛哉！岂不痛哉！若足下可谓冠负日月，籍践渊海，心支身首，无不通照。今复出入燕、河，交关姬、卫，整笏振豪，已议于帷筵之上，提鞭鸣剑，复呵于军场之间，身超每深恩之所集，心动必明主之所亮。可不直议正身，辅人君之过误，明目张胆，谋军家之得失，拔志勇之将，荐俊正之士，此乃足下之所以报也。不尔，便揽甲修戈，徘徊左右，卫君王之身，当马首之镝，关必固之垒，交死进之战，使身分而主豫，寇灭而兵全，此亦报之次也。如是，则系匈奴于北阙无日矣。亡但默默，窥宠而坐。谓子有心，敢书薄意。"春泓按，《宋书·武三王传》记述义恭总统群帅，出镇彭城，时在元嘉二十七年秋，周朗此书，颇见文士意趣，其入世和进取之心，已经淡漠，舍身为国为君，壮夫不为也！

沈亮卒。《宋书自序》说："二十七年（沈亮），卒官，时年四十七。所著诗、赋、颂、赞、三言、谏、哀辞、祭告请雨文、乐府、挽歌、连珠、教记、白事、笺、表、签、议一百八十九首。"

谢朓有神童之誉。《梁书·谢朓传》说："谢朓字敬冲，陈郡阳夏人也。祖弘微，宋太常卿，父庄，右光禄大夫，并有名前代。朓有聪慧，庄器之，常置左右。年十岁，能属文。庄游土山赋诗，使朓命篇，朓揽笔便就。琅邪王景王谓庄曰：'贤子足称神童，复为后来特达。'庄笑，因抚朓背曰：'真吾家千金。'"春泓按，据《梁书·武帝纪》，谢朓卒于天监五年，时年六十六，所以谢朓十岁，当在元嘉二十七年。

北朝

二月

太武帝亲征悬瓠，不克。据《宋书》卷九五《索虏传》、《资治通鉴》卷一百二十五《宋纪七》。

六月

太武帝诛崔浩。四月，太武帝致书宋文帝，文甚直白，如末段云："知彼公时旧臣，都已杀尽，彼臣若在，年几虽老，犹有智策，今已杀尽，岂不天资我也。取彼亦不须我兵刃，此有能祝婆罗门，使鬼缚彼送来也。"本年崔浩被诛，此文盖亦汉化受挫之征兆。《魏书》卷三五《崔浩传》："真君十一年六月诛浩，清河崔氏无远近，范阳卢氏、太原郭氏、河东柳氏，皆浩之姻亲，尽夷其族。初，郗标等立石铭刊《国记》，浩尽述国事，备而不典。而石铭显在衢路，往来行者咸以为言，事遂闻发。有司按验浩，取秘书郎吏及长历生数百人意状。浩伏受赇，其秘书郎吏已下尽死。"崔浩死因，史传亦颇言之。除前有寇谦之预浩之诛外，本传又谓："浩非毁佛法，而妻郭氏敬好释典，时时读诵。浩怒，取而焚之，捐灰于厕中。及浩幽执，置之槛内，送于城南，使卫士数十人溲其上，呼声嗷嗷，闻于行路。"又"始浩与冀州刺史赜、荥阳太守模等年皆相次，浩为长，次模，次赜。三人别祖，而模、赜为亲。浩恃其家世魏晋公卿，常侮模、赜。模谓人曰：'桃简正可欺我，何可轻我家周儿也。'浩小名桃简，赜小名周儿。世祖颇闻之，故诛浩时，二家获免。浩既不信佛、道，模深所归向，每虽粪土之中，礼拜形象。浩大笑之，云：'持此头颅不净处跪是胡神也'"。又"自宰司之被戮辱，未有如浩者，世皆以为报应之验也。初浩构害李顺，基萌已成，夜梦秉火熟顺寝室，火作而顺死，浩与室家群立而观之。俄而顺弟息号哭而出，曰：'此辈，吾贼也。'以戈击之，悉投于河。瘗而恶之，以告馆客冯景仁。景仁曰：'此真不善也，非复虚事。夫以火熟人，暴之极也。阶乱兆祸，复己招也。《商书》曰："恶之易也，如火之燎于原，不可向迩，其犹可扑灭乎？"且兆始恶者有终殃，积不善者无余庆。厉阶成矣，公其图之。'浩曰：'吾方思之。'而不能悛，至是而族"。《魏书》卷四七《卢玄传》："司徒崔浩，玄之外兄……浩大欲齐整人伦，分明姓族。玄劝之曰：'夫创制立事，各有其时，乐为此者，讵几人也？宜其三思。'浩当时虽无异言，竟不纳，浩败颇亦由此。"《魏书》卷四八《高允传》："初，崔浩荐冀、定、相、幽、并五州之士数十人，各起家郡守。恭宗谓浩曰：'先召之人，亦州郡选也，在职已久，勤劳未答。令可先补前召外任郡县，以新召者代为郎吏。又守令宰民，宜使更事者。'浩固争而遣之。允闻之，谓东宫博士管恬曰：'崔公其不免乎？苟逞其非，而校胜于上，何以胜济。'"本传又谓："浩既工书，人多托写《急就章》。从少至老，初不惮劳，所书盖以百数，必称'冯代强'，以示不敢犯国，其谨也如此。浩书体势及其先人，而妙巧不如也。世宝其迹，多裁割缀连以为模楷。"本在所载史臣曰："崔浩才艺通博，究览天人，政事筹策，时莫之二，此其所以自比于子房也。属太宗为政之秋，值世祖经营之日，言听计从，宁廓区夏。遇既隆也，勤亦茂哉。谋虽盖世，威未震主，末途邂逅，遂不自全。岂鸟尽弓藏，民恶其上？将器盈必概，阴害贻祸？何斯人而遭斯酷，悲夫。"

宗钦（？—450）以崔浩故被杀。《魏书》卷五二《宗钦传》："崔浩之诛也，钦亦赐死。钦在河西，撰《蒙逊记》十卷，无足可称。"钦有《东宫侍臣箴》《与高允书》（附四言诗十二章），高允亦有答书（亦附诗）。并见《魏书》本传。

段承根以崔浩故（？—450）被杀。《魏书》卷五二《段承根传》："浩诛，承根与宗钦等俱死。"承根有《赠李宝诗》四言七章，见《魏书》本传。

张湛悉焚与崔浩赠答诗。据《魏书》卷五二《张湛列传》。

高允廷对《国书》事，虽与崔浩同列，终因直豁免。《魏书》卷四八《高允传》："初，浩之被收也，允直中书省。恭宗使东宫侍郎吴延召允，仍留宿宫内。翌日，恭宗入奏世祖，命允骖乘。至官门，谓曰：'入当见至尊，吾自导卿。脱至尊有何，但依吾语。'允请曰：'为何等事也？'恭宗曰：'入自知之。'既入见帝。恭宗曰：'中书侍郎高允自在臣宫，同处累年，小心密慎，臣所委悉。虽与浩同事，然允微贱，制由于浩。请赦其命。'世祖召允，谓曰：'《国书》皆崔浩作不？'允对曰：'《太祖记》，前著作郎邓渊所撰。《先帝记》及《今记》，臣与浩同作。然浩综务处多，总裁而已。至于注疏，臣多于浩。'世祖大怒曰：'此甚于浩，安有生路。'恭宗曰：'天威严重，允是小臣，迷乱失次耳。臣向备问，皆云浩作。'世祖问：'如东官言不？'允曰：'臣以下才，谬参著作，犯逆天威，罪应灭族，今已分死，不敢虚妄。殿下以臣侍讲日久，哀臣乞命耳。实不问臣，臣无此言。臣以实对，不敢迷乱。'世祖谓恭宗曰：'直哉。此亦人情所难，而能临死不移，不亦难平。且对君以实，贞臣也。如此言，宁失一有罪，宜宥之。'允竟得免。于是召浩前，使人诘浩。浩惶惑不能对。允事事申明，皆有条理，时世祖怒甚，敕允为诏，自浩已下、僮吏已上百二十八人皆夷五族。允持疑不为，频诏催切。允乞更一见，然后为诏。诏引前，允曰：'浩之所坐，若更有余衅，非臣敢知。直以犯触，罪不至死。'世祖怒，命介士执允。恭宗拜请。世祖曰：'无此人忿朕，当有数千口死矣。'浩竟族灭，余皆身死。宗钦临刑，叹曰：'高允其殆圣乎？'"

公元451年（宋文帝元嘉二十八年　魏太武帝正平元年　辛卯）

本年

　　宋文帝赐刘义康死。《宋书·武二王传》记载：二十八年正月，因豫章胡诞世等谋反，打着拥戴义康的旗号，（文帝）"遣中书舍人严龙赍药赐（义康）死……时年四十三"。

　　裴松之卒。《宋书·裴松之传》说："（裴松之）续何承天国史，未及撰述，（元嘉）二十八年，卒，时年八十。子骃，南中郎参军。松之所著文论及《晋纪》，骃注司马迁《史记》，并行于世。"

北朝

六月

　　高允谏太子晃斥去佞邪，勿营私田，与民争利。据《通鉴》卷一百二十六《宋纪八》。《资治魏书》卷四八《高允传》，高允依《洪范传》《天文志》撮其事要，略其文辞，凡为八篇。太武帝览之，谓其不减崔浩。

七月

　　太子晃卒。《资治通鉴》卷一百二十六《宋纪八》："太子为政精察，而中常侍宗爱，性俭暴，多不法，太子恶之。给事中仇尼道盛、侍郎任平城，有宠于太子，颇用事，皆与爱不协。爱恐为道盛等所纠，岁构告其罪。魏主（太武帝）怒，斩道盛等于都街，东宫官属多坐死，帝怒其。戊辰，太子以忧卒"。《魏书》卷四八《高允传》：太子卒后，高允被诏进见太武帝，无言而泣，悲不能止。帝亦流泪，命允使出。

　　太武帝巡阴山。时宣城公李孝伯疾笃，传者以为卒也。帝闻而悼之，谓左右曰："李宣城可惜。"又曰："朕向失言。崔司徒可惜，李宣城可哀。"《魏书》卷四下《世祖纪》序此事为"崔浩既死之后，帝北伐"之时，此时崔浩已死，又正值太武帝北伐。又检《魏书》卷五三《李孝伯列传》载世祖封孝伯宣城公，在真君末之后，兴安二年（453）之前。本年正为"真君末"之后。明年二月太武帝崩，不得有封爵之举。故系于本年。

　　崔光（451—523）生。崔光本名孝伯，字长仁。孝文帝时改名光。东河清鄃人。北魏作家。

公元 452 年（宋文帝元嘉二十九年　魏文成帝兴安元年　壬辰）

本年

颜延之上表请求解职，未被允许。《宋书·颜延之传》说（元嘉）二十九年，颜氏上表自陈，因年老体衰，乞解所职，未被允许。

何尚之撰《退居赋》。《宋书·何尚之传》说："（元嘉）二十五年，迁左仆射，领汝阴王师，常侍如故。二十八年，转尚书令，领太子詹事。二十九年，致仕，于方山著《退居赋》以明所守，而议者咸谓尚之不能固志。太子左卫率袁淑与尚之书曰：'昨遣修问，承丈人已晦志山田，虽曰年礼宜遵，亦事难斯贵，俾疏、班、邴、魏，通美于前策，龚、贡、山、卫，沦惭乎曩篇。规迨休告，雪涤素怀，冀寻幽之欢，毕栖玄之适。但淑逸操偏迥，野性蹭滞，果兹冲寂，必沉乐忘归。然而已议途闻者，谓丈人徽明未耗，誉业方籍，倘能屈事康道，降节殉务，舍南濑之操，淑此行永决矣。望眷有积，约日无误。'尚之宅在南涧寺侧，故书云'南濑'，《毛诗》所谓"于以采苹，南涧之濒"也。诏书敦劝，上又与江夏王义恭诏曰：'今朝贤无多，且羊、孟尚不得告谢，尚之任遇有殊，便未宜申许邪？'义恭答曰：'尚之清忠贞固，历事唯允，虽年在悬车，而体独充壮，未相申许，下情所同。'尚之复摄职。"

袁淑、谢庄等为《赤鹦鹉赋》。《宋书·谢庄传》说："二十九年，除太子中庶子。时南平王铄献赤鹦鹉，普诏群臣为赋。太子左卫率袁淑文冠当时，作赋毕，赍以示庄，庄赋亦竟，淑见而叹曰：'江东无我，卿当独秀。我若无卿，亦一时之杰也。'遂隐其赋。"

北朝

十二月

魏初复佛法。于是向所毁浮图，率皆修复，文成帝亲为沙门师贤等五人祝发，以师贤为道人统。据《魏书》卷五《高宗纪》《资治通鉴》卷一百二十六《宋纪八》。又《魏书》卷一一四《释老志》："高宗（文成帝）践极，下诏曰：'夫为帝王者，必祗奉明灵，显彰仁道。其能惠著生民，济益群品者，虽在古昔，犹序其风烈。是以《春秋》嘉崇明之礼，祭典载功施之族。况释迦如来功济大千，惠流尘境，等生死者叹其达观，览文义者贵其妙明，助王政之禁律，益仁智之善性，排斥群邪，开演正觉。故前代已来，莫不崇尚，亦我国家常所尊事也。世祖太武皇帝，开广边荒，德泽遐及。沙门道士善行纯诚，惠始之伦，无远不至，风义相感，往往如林。夫山海之深，怪物多有，奸淫之徒，得容假托，讲寺之中，致有凶党。是以先朝因其瑕衅，戮其有罪。有司失旨，一切禁断。景穆皇帝每为慨然，值军国多事，未遑修复，朕承洪绪，君临万邦，思述先志，以隆斯道，今制诸州郡县，于众居之所，各听建佛图一区，任其财用，不制会限。其好乐道法，欲为沙门，不问长幼，出于良家，性行素笃，无诸嫌秽，乡里所明者，听其出家。率大州五十，小州四十人，其郡遥远台者十人。各当局分，皆足以化恶就善，播扬道教也。'天下承风，朝不及夕，往时所毁图寺，仍还修矣。佛像经论，皆复得显。"文成帝亲命沙门师贤为道人统。诏有司为石像，令如帝身。既成，像体有黑石，冥同帝体之黑子。

魏用北凉赵匪欠《玄始历》。《魏书》卷一〇七上《律历志》："世祖平凉土，得赵匪欠所修《玄始历》，后谓为密，以代《景初》。"《资治通鉴》为北魏初用《景初》，后得赵历，时人以为密，本年始用《玄始历》，与《律历志》小异。

本年

宗爱以弑逆罪被杀。《资治通鉴》卷一百二十六《宋纪八》：太武帝自太子晃死后，追悼不已。二月，中常侍宗爱惧诛，弑帝。立南安王余。宗爱专恣，余谋夺其权。十月，爱使小黄门贾周等就东庙弑余。刘尼、陆丽、贺源等迎立皇孙濬，登永安殿，大赦，改元兴安是为文成帝。执杀宗爱，具五刑，夷三族。

游肇（452—520）**生。**肇字伯使，北魏作家，游明根子。

公元453年（宋文帝元嘉三十年　魏文成帝兴安二年　癸巳）

本年

颜延之论文、笔之辨。《宋书·颜延之传》记载，此年颜氏"致事"。至"元凶弑立，以为光禄大夫"。颜延之子竣为宋世祖（刘骏）南中郎咨议参军。及义师入讨刘劭，颜竣参定密谋，兼造书檄。"（刘）劭召延之，示以檄文，问曰：'此笔谁所造？'延之曰：'竣之笔也。'又问：'何以知之？'延之曰：'竣笔体，臣不容不识。'劭又曰：'言辞何至乃尔。'延之曰：'竣尚不顾老父，何能为陛下。'劭意乃释，由是得免。世祖登阼，以为金紫光禄大夫，领湘东王师。"［春泓按，《宋书·颜竣传》说："太祖问延之：'卿诸子谁有卿风？'对曰：'竣得臣笔，测得臣文……'"颜竣"兼造书檄"，刘劭和颜延之均称之为"笔"，《南齐书·文惠太子传》说："五年冬，太子临国学，亲临策试诸生，于坐问少傅王俭曰：'《曲礼》云"无不敬"。寻下之奉上，可以尽礼，上之接下，慈而非敬。今总同敬名，将不为昧？'……太子又以此义问诸学生，谢几卿等十一人，并以笔对。"《南齐书·武十七王传》之《萧子良传》说萧子良"所著内外文笔数十卷，虽无文采，多是劝戒"。同书同传之《萧子懋传》载世祖敕曰："及文章诗笔，乃是佳事，然世务弥为根本，可常忆之。"刘勰《文心雕龙·总术》说："今之常言，有文有笔，以为无韵者笔也，有韵者文也。夫文以足言，理兼《诗》《书》，别目两名，自近代耳。颜延年以为：'笔之为体，言之文也；经典则言而非笔，传记则笔而非言。'请夺彼矛，还攻其盾矣。何者？《易》之《文言》，岂非言文？若笔果言文，不得云经典非笔矣。将以立论，未见其论立也。予以为：'发口为言，属翰曰笔，常道曰经，述经曰传。经传之体，出言入笔，笔为言使，可强可弱。六经以典奥为不刊，非以言笔为优劣也。'"刘勰指出关于文与笔的分别和讨论，始于晋宋时期，颜延之代表了重要的一家之言，在其观念中，书檄一类文体，应划归于"笔"的范畴。

沈璞横罹世难，时年三十八。所著诗赋等多失散。《宋书自序》说元嘉三十年，元凶弑立，沈璞"横罹世难，时年三十八。所著赋、颂、赞、祭文、诔、七、吊、四五言诗、笺、表，皆遇乱零失，今所余诗笔杂文凡二十首"。

北朝

八月

文成帝于苑内获玉印，下诏大酺，文甚典雅，不复太武帝《与宋文帝书》之浅陋。据《魏书》卷五《高宗纪》。

本年

刘芳（453—513）生。芳字伯文，彭城人。北魏学者、作家。

公元 454 年（宋孝武帝孝建元年　魏文成帝兴光元年　甲午）

本年

刘劭弑逆，刘骏即皇帝位，率众消灭刘劭。据《宋书·孝武帝本纪》。《宋书·孝武帝纪》说："世祖孝武皇帝讳骏，字休龙，小字道民，文帝第三子也。"

宋世形成尚文的社会风气。《南史·王昙首传》说："先是宋孝武好文章，天下悉以文采相尚，莫以专经为业。"

沈怀远因文才而得以保命。《宋书·沈怀文传》说："（沈怀文）弟怀远，为始兴王浚征北长流参军，深见亲待。坐纳王鹦鹉为妾，世祖徙之广州，使广州刺史宗悫于南杀之。会南郡王义宣反，怀远颇闲文笔，悫起义，使造檄书，并衔命至始兴，与始兴相沈法系论起义事。事平，悫具为陈请，由此见原。终世祖世不得还。怀文虽亲要，屡请终不许。前废帝世，流徙者并听归本，官至武康令。撰《南越志》及怀文文集，并传于世。"春泓按，义宣反，时在孝建元年。

隐逸诗人朱百年卒。《宋书·隐逸传》说："朱百年，会稽山阴人也……颇能言理，时为诗咏，往往有高胜之言……百年孝建元年卒山中，时年八十七。"

颜、谢文人相轻。《南史·谢弘微传》说："孝建元年，迁左将军。庄有口辩，孝武尝问颜延之曰：'谢希逸《月赋》何如？'答曰：'美则美矣；但庄始知"隔千里兮共明月"。'帝召庄以延之答语语之，庄应声曰：'延之作《秋胡诗》，始知"生为久离别，没为长不归"。'帝抚掌竟日。又王玄谟问庄何者为双声，何者为叠韵。答曰：'玄护为双声，碻磝为叠韵。'其捷速若此。初，孝武尝赐庄宝剑，庄以与豫州刺史鲁爽，后爽叛，帝因宴问剑所在。答曰：'昔以与鲁爽别，窃为陛下杜邮之赐。'上甚悦，当时以为知言。"

檀超以善为文得宋孝武帝爱赏。《南齐书·文学传》之《檀超传》说："超少好文学，放诞任气，孝建初，坐事徙梁州，板宣威府参军。孝武闻超有文章，敕还直东宫，除骠骑参军，宁蛮主簿，镇北咨议……超嗜酒，好言咏，举止和靡，自比晋郗超，为'高平二超'。谓人曰：'犹觉我为优也。'太祖爱赏之。"

谢朓获奇童之誉。《梁书·谢朓传》说："孝武帝游姑孰，敕庄携谢从驾，诏使为《洞井赞》，于坐奏之。帝曰：'虽小，奇童也。'"春泓按，元嘉二十七年，谢朓十岁，武帝称赞谢朓"奇童"，可能是谢朓十岁稍稍出头之时，所以定为孝建元年，当时谢朓十四岁。

北朝

二月

文成帝至道坛，登受图箓。据《魏书》卷五《高宗纪》。

九月

闭都城门，大索三日，获奸人亡命数百人。据《魏书》卷五《高宗纪》。

秋

敕有司于五级大寺内，为太祖以下五帝铸释迦立像五，各长一丈六尺，共计赤金二十五万斤。据《魏书》卷一一四《释老志》。

公元 455 年（宋孝武帝孝建二年　魏文成帝太安元年　乙未）

本年

刘义恭撰《要记》五卷。《宋书·武三王传》说孝建二年："义恭撰《要记》五卷，起前汉迄晋太元，表上之，诏付秘阁。"

北朝

六月

诏遣尚书穆伏真等三十人，巡行州郡，观察风俗，考察政绩。据《魏书》卷五《高宗纪》。

本年

有师子国胡沙门邪奢遗多、浮陀难提等五人，奉佛像三至平城。皆云备历西域诸国，见佛影迹及肉髻，外国诸王相承，咸遣工匠，摹写其容，莫能及难提所造者，去十余步，视之炳然，转近转微。又沙勒胡沙门，赴京师致佛钵并画像迹。据《魏书》卷一一四《释老志》。

公元 456 年（宋孝武帝孝建三年　魏文成帝太安二年　丙申）

本年

颜延之卒。《宋书·颜延之传》说："孝建三年，（颜延之）卒，时年七十三。追赠散骑常侍、特进，金紫光禄大夫如故。谥曰宪子。延之与陈郡谢灵运俱以词彩齐名，自潘岳、陆机之后，文士莫及也，江左称颜、谢焉。所著并传于世。"钟嵘《诗品》卷中《宋光禄大夫颜延之诗》说："其源出于陆机。尚巧似，体裁绮密，情喻渊深，动无虚散，一句一字，皆致意焉。又喜用古事，弥见拘束，虽乖秀逸，是经纶文雅才。才减若人，则蹈于困踬矣。汤惠休曰：谢诗如芙蓉出水，颜如错采镂金。颜终身病之。"《南史·颜延之传》说："延之与陈郡谢灵运俱以辞采齐名，而迟速悬绝。文帝尝各敕拟《乐府·北上篇》，延之受诏便成，灵运久之乃就。延之尝问鲍照己与灵运优劣，照曰：'谢五言如初发芙蓉，自然可爱。君诗若铺锦列绣，以雕绘满眼。'延之每薄汤惠休诗，谓人曰：'惠休制作，委巷中歌谣耳，方当误后生。'是时议者以延之、灵运自潘岳、陆机之后，文士莫及，江右称潘、陆，江左称颜、谢焉。"许学夷《诗源辩体》卷七第 17 条说："延年诗本雕刻求新，然四言如《皇太子释奠》云'国尚师位，家崇儒门'，元美谓'老生板对'；五言如《侍游曲阿》云'虞风载帝狩，夏谚颂王游'、《应诏观北湖田收》云'周御穷辙迹，夏载历山川'、《拜陵庙》云'周德恭明祀，汉道遵光灵'，意既浅近，体又一律，何太窘迫耶！元美谓其'才不胜学'，得之。"

北朝

二月

丁零数千家亡匿井陉山，聚为寇盗。据《魏书》卷五《高宗纪》。《魏书》卷三〇《陆真传》："高宗即位，拜冠军将军，进爵都昌侯。迁散骑常侍，选部尚书。时丁零数千家寇窃并定，真与并州刺史乞伏成龙自乐平东入，与定州刺史许崇之并力讨灭。从驾巡东海，以真为宁西将军。寻迁安西将军、长安镇将，假建平公。胡贼帅贺略孙聚众千余人叛于石楼。真击破之，杀五百余人。是时，初置长蛇镇，真率众筑城，未讫，而氐豪仇辱檀等反叛，氐民咸应，其众甚盛。真击平之，杀四千余人，卒城长蛇而还"。检《魏书》卷五《高宗纪》贺略孙聚众叛魏事在和平五年（462）。由此可知北魏早期各族杂处，未必心服鲜卑。

公元 457 年（宋孝武帝大明元年　魏文成帝太安三年　丁酉）

本年

裴景仁撰《秦记》十卷，叙苻氏僭伪本末。《宋书·沈昙庆传》说："大明元年，（沈昙庆）督徐兖二州及梁郡诸军事、辅国将军、徐州刺史。时殿中员外将军裴景仁助成彭城，本伧人，多悉戎荒事。昙庆使撰《秦记》十卷，叙苻氏僭伪本末，其书传于世。"

公元 458 年（宋孝武帝大明二年　魏文成帝太安四年　戊戌）

本年

何尚之"爱尚文义"。《宋书·何尚之传》说："大明二年，（何尚之）以为左光禄、开府仪同三司，侍中如故……爱尚文义，老而不休，与太常颜延之论议往反，传于世……四年，疾笃……薨于位，时年七十九。"

谢庄作《舞马歌赋》。《南史·谢弘微传》说："（大明）二年……（谢）庄及度支尚书顾觊之并补选职。迁左卫将军，加给事中。时河南献舞马，诏群臣为赋，庄所上甚美。又使庄作《舞马歌》，令乐府歌之。"

刘宏卒，宋孝武帝自为墓志铭并序。《宋书·文九王传》之《建平宣简王宏传》说刘宏薨于大明二年，时年二十五。"上痛悼甚至，每朔望辄出临灵，自为墓志铭并序"。可见墓志铭这一文体在当时已颇流行。

范云年八岁，机警有识，善属文。《梁书·范云传》说："范云字彦龙，南乡舞阴人，晋平北将军汪六世孙也。年八岁，遇宋豫州刺史殷琰于途，琰异之，要就席，云风姿应对，傍若无人。琰令赋诗，操笔便就，坐者叹焉。尝就亲人袁照学，昼夜不怠。照抚其背曰：'卿精神秀朗而勤于学，卿相才也。'少机警有识，且善属文，便尺牍，下笔辄成，未尝定稿，时人每疑其宿构。父抗，为郢府参军，云随父在府，时吴兴沈约、新野庾杲之与抗同府，见而友之。"春泓按，《梁书》本传载范云卒于天监二年，时年五十三，故范云八岁时在宋大明二年。

北朝

二月

文成帝登碣石山，观沧海。据《魏书》卷五《高宗纪》，正月，文成帝至于辽西黄山宫，游宴数日，亲对高年，劳问疾苦。二月，登碣石山，观沧海，大飨群臣于山下。改碣石山为乐游山，筑坛记行于海滨。

三月

文成帝欲大起宫室，高允谏阻。《魏书》卷四八《高允传》，《资治通鉴》卷一百二十八《宋纪十》：三月，给事中郭善明，性多机巧，劝文成帝大起宫室。高允谏曰："太祖既定天下，始建都邑。其所营立，必因农隙。况建国已久，永安前殿足以朝会万国，西堂温室足以安御圣躬，紫楼临望可以观望远近。纵有修广，宜渐致之，不可仓卒。计今所当役二万人，老弱供饷，又当倍之，期半年可讫。一夫不耕，或受其饥。一妇不织，或受其寒。况四万之损废，亦以多矣。诚圣主所宜思量。"文成帝纳之。据《魏书》卷四八《高允传》，高允作《谏文成帝不厘改风俗》《代都赋》等，与厘正风俗，使婚丧中礼。据《资治通鉴》卷一百二十八《宋纪十》：高允好切谏，朝廷事有不便，允辄求见，帝常屏左右以待之。或自朝至暮，或连日不出。语常痛切。或有为之激讦者，文成帝乃省之左右："如高允者，忠臣也。朕有过，未尝不面言，至有朕所不堪闻者，允皆无所避，可不谓忠乎？"又允二十七年不徙官，文成帝谓群臣曰："允执笔佐我国家数十年，为宜不小，不过为郎，汝等不自愧乎！"乃拜允中书令。又允为官清检自持，常使诸子樵采以自给。司徒陆丽言于帝。文成帝即日至允第，唯草屋数间，布被，缊袍，厨中盐菜而已。帝叹息，赐帛五百匹，粟千斛，拜长子悦为长乐太守。文成帝重高允，常呼为令公而不名。游雅亦常谓："高子内文明而外柔弱，其言呐呐不能出口。崔公谓余云：'生丰才博学，一代佳士，所乏者矫矫风节耳。'余亦然之。司徒之谴，起于纤微，及于诏责，崔公声嘶股战不能言，宗钦已下伏地流汗，都无人色。高子独敷陈事理，申释是非，辞义清辩，音韵高亮。明主为之动容，听者无不称善。此非所谓矫矫者乎？宗爱之任势也，威振四海。尝召百司于都坐，王公以下，望庭毕拜，高子独升阶长揖。由此观之，汲长孺可卧见卫青，何抗礼之有！此非谓风节者乎？"

本年

　　索敞作《丧服要记》《名字论》。高允著《名字论》以释其惑。《魏书》卷五二《索敞传》曰："凉州平，入国，以儒学见拔，为中书博士。笃勤训授……遂讲授十余年。敞以丧服散在众篇，遂撰比为《丧服要记》。其《名字论》文多不载。"《魏书》卷四八《高允传》曰："时中书博士索敞与侍郎傅默、梁祚论名字贵贱，著议纷纭。允遂著《名字论》以释其惑，甚有典证。复以本官领秘书监，解太常卿，进爵梁城侯，加左将军。"按太武帝平凉，在太延五年（439），至本年凡十九年。故《索敞传》曰"十余年"。《高允传》序此事于论婚丧风俗之后，游雅论高允风节之前。此二事《资治通鉴》并系之本年，故苏、高论难亦当在本年前后，姑系于是。

公元 459 年（宋孝武帝大明三年　魏文成帝太安五年　己亥）

本年

　　颜竣在狱中赐死。《宋书·颜竣传》记载颜竣在此年被"于狱赐死"，"竣文集行于世"。

　　张稷年十一，性疏率，朗悟有才略。《梁书·张稷传》说："张稷字公乔，吴郡吴人也。父永，宋右光禄大夫。稷所生母遘疾历时，稷始年十一，夜不解衣而养，永异之。及母亡，毁瘠过人，杖而后起。性疏率，朗悟有才略，与族兄充、融、卷等具知名，时称之曰：'充融卷稷，是为四张。'起家著作佐郎，不拜。"春泓按，《梁书·康绚传》记述天监十年，"青州刺史张稷为土人徐道角所杀"；而按《梁书》本传则记载张稷享年六十三，因此推算其十一岁时，恰好是宋大明三年。据此可知，吴郡张氏一门亦人才济济，而所谓"性疏率"，乃其备受压制之余的一种表现。

公元 460 年（宋孝武帝大明四年　魏文成帝和平元年　庚子）

本年

　　刘宏好文义。《宋书·文九王传》说："（建平王刘宏）子景素，少好文义，有父风。大明四年，为宁朔将军、南济阴太守，徙历阳、南谯二郡太守，将军如常故……"

　　沈氏一门多文才。《南齐书·沈冲传》说："宋大明中，（沈）怀文有文名，（沈）冲以涉猎文义。"

　　谢超宗有文辞。《南齐书·谢超宗传》说："谢超宗，陈郡阳夏人也。祖灵运，宋临川内史。父凤，元嘉中坐灵运事，同徙岭南，早卒。超宗元嘉末得还。与慧休道人来往，好学，有文辞，盛得名誉。解褐奉朝请。新安王子鸾，孝武帝宠子，超宗以选补王国常侍。"春泓按，《南史·宋宗室及诸王传下》之《始平孝敬王子鸾传》说："始平孝敬王子鸾字孝羽，孝武第八子也，大明四年，封襄阳王，寻改封新安。五年，为北中郎将、南徐州刺史，领南琅邪太守。" 故谢超宗以选补王国常侍，当在大明四年。

沈约年二十，有撰晋史之意。按《梁书》本传说沈约卒于天监十二年，时年七十三岁，所以大明四年，他正好二十岁。沈约《宋书·自序》说："常以晋氏一代，竟无全书，年二十许，便有撰述之意。"

王志卒时年五十四。《梁书·王志传》说王志是王僧虔之子，由齐入梁，于天监十二年卒，时年五十四，"志善草隶，当时以为楷法。齐游击将军徐希秀亦号能书，常谓志为'书圣'"。此是琅邪王氏继王羲之之后，又一人获得"书圣"之称号。

北朝

本年

北魏复置史官。《资治通鉴》卷一百二十九《宋纪十一》，北魏自崔颢之诛也，史官遂废，至是复置。

沙门师贤卒，释昙曜代之，始建石窟于平城西武州塞，即今大同云冈石窟。《魏书》卷一一四《释老志》曰："和平初，师贤卒。昙曜代之，更名沙门统。初昙曜以复佛法之明年，自中山被命赴京，值帝出，见于路，御马前衔曜衣，时以为马识善人。帝后奉以师礼。昙曜白帝，于京城西武州塞，凿山石壁，开窟五所，镌建佛像各一。高者七十尺，次六十尺，雕饰奇伟，冠于一世。昙曜奏：平齐户及诸民，有能岁输谷六十斛入僧曹者，即为'僧祇户'，粟为'僧祇粟'，至于俭岁，赈给饥民。又请民犯重罪及官奴以为'佛图户'，以供诸寺扫洒，岁兼营田输粟。高宗并许之。于是僧祇户、粟及寺户，遍于州镇矣。昙曜又与天竺沙门常那邪舍等，译出新经十四部。又有沙门道进、僧超、法存等，并有名于时，演唱诸异。"

公元461年（宋孝武帝大明五年　魏文成帝和平二年　辛丑）

本年

宋孝武帝为刘义恭作传。《宋书·武三王传》说："大明中撰国史，世祖自为义恭作传。"

宋孝武帝令丘巨源助徐爰撰国史。《南齐书·文学传》说："丘巨源，兰陵兰陵人也……巨源少举丹阳郡孝廉，为宋孝武所知。大明五年，敕助徐爰撰国史。"

陶弘景年十岁，已有养生之志。《梁书·处士传》之《陶弘景传》说："陶弘景字通明，丹阳秣陵人也……年十岁，得葛洪《神仙传》，昼夜研寻，便有养生之志。谓人曰：'仰青云，睹白日，不觉为远矣。'"春泓按，本传记载，陶弘景卒于大同二年，时年八十五，所以其十岁，时在宋大明五年。

北朝

三月

文成帝在灵丘南刊石勒铭。《魏书》卷五《高宗纪》，三月，文成帝在灵丘南，诏群官仰射山峰，无能逾者。帝弯弧发矢，出山三十余丈，过山南二百二十步，遂刊石勒铭。

十月

诏游明根聘于宋。据《魏书》卷五《高宗纪》。

本年

秘书监游雅（？—461）卒。雅曾奉诏作《太华殿赋》，文多不载。据《魏书》卷五四《游雅传》。《魏书》本传曰："雅性刚愎，好自矜诞，陵猎人物。高允重雅文学，而雅轻薄允才，允性柔宽，不以为恨。允将婚于邢氏，雅劝允娶于其族，允不从。雅曰：'人贵河间邢，不胜广平游。人自弃伯度，我自敬黄头。'贵己贱人，皆此类也。……雅因论议长短，忿儒者陈奇，遂陷奇至族，议者深责之。"

公元 462 年（宋孝武帝大明六年　魏文成帝和平三年　壬寅）

本年

孝武帝拟汉武《李夫人赋》。《宋书·孝武十四王传》说："始平孝敬王子鸾字孝羽，孝武帝第八子也。（大明）六年，丁母忧……上（指孝武帝）自临南掖门，临过丧车，悲不自胜，左右莫不感动。上痛爱不已，拟汉武《李夫人赋》，其词曰：朕以亡事弃日，阅览前王词苑，见《李夫人赋》，凄其有怀，亦以嗟咏久之，因感而会焉。巡灵周之残册，略鸿汉之遗篆。吊新宫之奄映，嗟璧台之芜践。赋流波以谣思，诏河济以崇典。虽媛德之有载，竟滞悲其何遣。访物运之荣落，讯云霞之舒卷。念桂枝之秋贾，惜瑶华之春翦。桂枝折兮沿岁倾，瑶华碎兮思联情。彤殿闭兮素尘积，翠阝芜兮紫苔生。宝罗暍兮春幌垂，珍簟空兮夏帱扃。秋台恻兮碧烟凝，冬宫冽兮朱火清。流律有终，深心无歇。徙倚云日，裴回风月。思玉步于凤墀，想金声于鸾阙。竭方池而飞伤，损圜渊而流咽。端蚕朝之晨罢，泛葇路之晚清。辒南陆，跸闾阎，辂北津，警承明。面缟馆之酸素，造松帐之葱青。俯众胤而恸兴，抚藐女而悲生。虽哀终其已切，将何慰于尔灵。存飞荣于景路，没申藻于服车。垂葆旒于昭术，竦鸾剑于清都。朝有俪于征准，礼无替于粹图。阅瑶光之密陛，宫虚梁之余阴。俟玉羊之晨照，正金鸡之夕临。升云馨以引思，锵鸿钟以节音。文七星于霜野，旗二耀于寒林。中云枝之夭秀，寓坎泉之曾岑。屈封赢之自古，申反周乎在今。遣双灵兮达孝思，附孤魂兮展慈心。伊鞠报之必至，谅显晦之同深。予弃西楚之齐化，略东门之遥袿。沧涟两拍之伤，奄抑七萃之箴。"

谢超宗作《殷淑仪诔》，得宋孝武帝嗟赏。《南齐书·谢超宗传》说："（新安）王

（子鸾）母殷淑仪卒，超宗作诔奏之，帝大嗟赏。曰：'超宗殊有凤毛，恐灵运复出。'转新安王抚军行参军。"按《南史·宋宗室及诸王传下》之《始平孝敬王子鸾传》说："（大明）六年，丁母忧。"故谢超宗此诔当作于是年。《南齐书·文学传》之《丘灵鞠传》说："宋孝武殷贵妃亡，灵鞠献挽歌诗三首，云'云横广阶暗，霜深高殿寒'。帝摘句嗟赏。"

北朝

十月

文成帝诏诸曹选补，宜各先尽劳旧才能，并曰："今选举之官，多不以次，令斑白处后，晚近居先。"可见北魏任官，已颇论年资。诏游明根聘于宋。以上据《魏书》卷五《高宗纪》。

公元463年（宋孝武帝大明七年　魏文成帝和平四年　癸卯）

本年

张融作《海赋》。《南齐书·张融传》说："张融字思光，吴郡吴人也。祖祎，晋琅邪王国郎中令。父畅，宋会稽太守。融年弱冠，道士同郡陆修静以白鹭羽麈尾扇遗融，曰：'此既异物，以奉异人。'宋孝武闻融有早誉，解褐为新安王北中郎参军。孝武起新安寺，僚佐多倰钱帛，融独倰百钱。帝曰：'融殊贫，当序以佳禄。'出为封溪令。从叔永出后渚送之，曰：'似闻朝旨，汝寻当还。'融曰：'不患不还，政恐还而复去。'广越嶂险，獠贼执融，将杀食之，融神色不动，方作洛生咏，贼异之而不害也。浮海至交州，于海中作《海赋》曰：……"春泓按，根据本传，张融卒于建武四年，年五十四岁。所以其弱冠之年当在大明七年。他提出"盖言之用也，情矣形乎"，堪称主情文学思潮之先驱。

江淹年二十，作《从冠军建平王登庐山香炉峰诗》。按江淹《自序传》说："十三而孤，邈过庭之训，长遂博览群书，不事章句之学，颇留精于文章。所诵咏者，盖二十万言。而爱奇尚异，深沉有远识。常慕司马长卿、梁伯鸾之徒，然未能悉行也。所与神游者，唯陈留袁叔明而已。弱冠，以五经授宋始安王刘子真，略传大义。"根据《梁书》本传记载，江淹卒于天监四年，时年六十二岁，所以其弱冠之年大约在大明七年或稍前。《文选》卷二十二收江淹《从冠军建平王登庐山香炉峰诗》，李善注曰："江淹年二十，以《五经》授宋建平王景素，待以客礼。"故此诗作于本年。

北朝

八月

成帝畋于河西。诏禁滥杀。据《魏书》卷五《高宗纪》。

十月

游明根又使于宋。据《魏书》卷五《高宗纪》。又《资治通鉴》卷一百二十九《宋纪十一》："明根奉使三返，上以其长者，礼之有加。"

十二月

诏禁皇族、师傅、王公侯伯及士民之家，不得与白工、伎巧、卑姓为婚。据《魏书》卷五《高宗纪》。

本年

阳固（463—523）生。固字敬安。北平无终人。北魏作家。

公元 464 年（宋孝武帝大明八年　魏文成帝和平五年　甲辰）

本年

宋孝武帝崩于玉烛殿。据《宋书·孝武帝本纪》。钟嵘《诗品》卷下《宋孝武帝，宋南平王铄，宋建平王宏诗》说："孝武诗雕文织彩，过为精密，为二藩希慕，见称轻巧矣。"《宋书·孝武十四王传》记载："（大明）八年，（萧子鸾）加中书令，领司徒。前废帝即位，解中书令，领司徒，加持节之镇。帝素疾子鸾有宠，既诛群公，乃遣使赐死，时年十岁。子鸾临死，谓左右曰：'愿身不复生王家。'同生弟妹并死，仍葬京口。"

丘巨源任江夏王刘仪恭掌书记。《南齐书·文学传》之《丘巨源传》说："帝崩，江夏王义恭取为掌书记。"

傅昭年十一，神情不凡，为袁颛所叹赏。《梁书·傅昭传》说："傅昭字茂远，北地灵州人，晋司隶校尉咸七世孙也……十一，随外祖于朱雀航卖历日。为雍州刺史袁颛客，颛尝来昭所，昭读书自若，神色不改。颛叹曰：'此儿神情不凡，必成佳器。'"

北朝

本年

王肃（464—501）生。肃字恭懿，祖籍琅邪临沂。北魏作家。

公元 465 年（宋明帝泰始元年　魏文成帝和平六年　乙巳）

十二月

丙寅，刘彧即皇帝位。据《宋书》本纪。帝少而和令，风姿端雅……大明世，诸弟多被猜忌，唯上见亲，常侍路太后医药。好读书，爱文义，在藩时，撰《江左以来文章志》，又续卫瓘所注《论语》二卷，行于世。

本年

袁粲转司徒左长史。《宋书·袁粲传》说："太宗泰始元年，转司徒左长史，冠军将军，南东海太守。愍孙清整有风操，自遇甚厚，常著《妙德先生传》以续嵇康《高士传》以自况，曰：有妙德先生，陈国人也。气志渊虚，姿神清映，性孝履顺，栖冲业简，有舜之遗风。先生幼夙多疾，性疏懒，无所营尚，然九流百氏之言，雕龙谈天之艺，皆泛识其大归，而不以成名。家贫尝仕，非其好也。混其声迹，晦其心用，故深交或忤，俗察罔识。所处席门常掩，三径裁通，虽扬子寂寞，严叟沉冥，不是过也。修道遂志，终无得而称焉。又尝谓周旋人曰：'昔有一国，国中一水，号曰狂泉。国人饮此水，无不狂，唯国君穿井而汲，独得无恙。国人既并狂，反谓国主之不狂为狂，于是聚谋，共执国主，疗其狂疾。火艾针药，莫不毕具。国主不任其苦，于是到泉所酌水饮之，饮毕便狂。君臣大小，其狂若一，众乃欢然。我既不狂，难以独立，比亦欲试饮此水。'"

明帝定乱，谢庄得赦。《南史·谢弘微传》说谢庄被前废帝系于尚方等待被宣判死刑，"明帝定乱得出，使为赦诏。庄夜出署门方坐，命酒酌之，已微醉，传诏停待诏成，其文甚工……所著文章四百余首行于世"。

北朝

五月

文成帝崩于太华殿，时年二十六。拓跋弘即位，是为献文帝。据《魏书》。《魏书》卷五《高宗纪》所载史臣曰："高宗（文成帝）与时消息，静以镇之，养威布德，怀缉中外。自非机悟深裕，矜济为心，亦何能若此。可谓有君人之度矣"。又《魏书》卷六《显祖纪》：拓跋弘即位，是为献文帝。

九月

宋征北将军义阳王刘昶自彭城降魏。据《魏书》卷六《显祖纪》。《南史》卷一四《晋熙王昶传》载昶知事不捷，乃夜开门奔魏，弃母妻，唯携妾一人，作丈夫服骑马自随。在道慷慨为断句曰："白云满鄣来，黄尘半天起。关山四面绝，故乡几千里。"故知刘昶能诗。《资治通鉴》卷一百三十《宋纪十二》曰："昶颇涉学，能属文，魏人重之，使尚公主，拜侍中、征南将军、驸马督尉，赐爵丹阳王。"

公元466年（宋明帝泰始二年　魏献文帝天安元年　丙午）

本年

宋明帝使丘灵鞠撰《大驾南讨纪论》。《南齐书·文学传》之《丘灵鞠传》说："褚渊为吴兴，谓人曰：'此郡才士，唯有丘灵鞠及沈勃耳。'乃启申之。明帝使著《大驾南讨纪论》。"春泓按，《宋书·明帝本纪》记载宋明帝统众军南讨，时在泰始二年春正月，《南齐书》本传记述褚渊在明帝即位后，出为吴兴太守，因此，丘灵鞠著《大驾南讨纪论》当在明帝南讨告成之后，可能在泰始二年之年末或稍后。

鲍照于本年为乱兵所杀。钟嵘《诗品》卷中《宋参军鲍照诗》说："其源出于二张。善制形状写物之词，得景阳之诔诡，含茂先之靡嫚。骨节强于谢混，驱迈疾于颜延。总四家而擅美，跨两代而孤出。嗟其才秀人微，故取埋当代，然贵尚巧似，不避危仄，颇伤清雅之调。故言险俗者，多以附照。"《南齐书·文学传》说："次则发唱惊挺，操调险急，雕藻淫艳，倾炫心魄。亦犹五色之有红紫，八音之有郑、卫，斯鲍照之遗烈也。"《南史》本传点出其东海寒门的出身，所以鲍照的诗歌代言着寒士的心声，是宋代文学史上极其重要的一家。钟嵘《诗品序》说："次有轻薄之徒，笑曹、刘为古拙，谓鲍照羲皇上人，谢朓古今独步。"反映鲍、谢在梁代代表着新兴的文学趣味，已深得诗坛之声誉；而直至唐代，"俊逸鲍参军"则对于后世李白等亦产生了巨大影响。许学夷《诗源辩体》卷七之第 26 条说："明远五言，既渐入律体，中复有成律句而绮靡者。如'归华先委露，别叶早辞风'；'蜀琴抽白雪，郢曲发阳春'；'珠帘无隔露，罗幌不胜风'；'扬芬紫烟上，垂綵绿云中'等句，则皆律句而绮靡者也。然此实不多见，故必至永明乃为四变耳。"同书同卷之第 27 条说："《南史》载：'文帝（他书作世祖）以照为中书舍人。上好文章，自谓人莫能及。照悟其旨，为文章多鄙言累句，咸谓才尽。'实不然也。明远诗如'申黜褒女进，班去赵姬升'；'虚容遗剑佩，实貌戢衣巾'；'嬛绵好眉目，闲丽美腰身'；'舟迁庄甚笑，水流孔急难'；'匹命无单年，偶影有双夕'；'倏悲坐还合，俄思甚兼秋'等句，皆鄙言累句也。要亦是俳偶雕刻使然，非必皆有意为之也。"

谢庄卒于本年。钟嵘《诗品》卷下《宋光禄谢庄诗》说："希逸诗气候清雅，不逮于王、袁，然兴属间长，良无鄙促也。"

北朝

二月

文明太后诛杀乙浑，引高允参决大政。据《魏书》卷六《显祖纪》、卷四八《高允传》，丞相、太原王乙浑专擅朝命，谋危社稷，二月，文明太后诛之。文明太后引高允入禁中，参决大政。允表请制诸郡立博士、助教、学生，献文帝从之。北魏郡国立学，自此始也。允表有"学生取郡中清望，人行修谨，堪循名教者，先尽高门，次及中第"之语。北魏自太武帝悔诛崔浩以来，汉化之风复兴，门第观念因亦稍渐。

公元 467 年（宋明帝泰始三年　魏献文帝皇兴元年　丁未）

本年

顾颛之卒，年七十六。《宋书·顾觊之传》说："顾觊之字伟仁，吴郡吴人也……（泰始）三年卒，时年七十六……觊之常谓秉命有定分，非智力所移，唯应恭己守道，信天任运，而暗者不达，妄求侥幸，徒亏雅道，无关得丧。乃以其意命弟子愿著《定命论》。"春泓按：据此《定命论》，可见南士对于政治十分冷漠，这种心态反映出政权仍然被高门大族把持，当时南人尚无出头之机会。

萧道成作《塞客吟》以喻志。《南齐书·苏侃传》说："苏侃字休烈，武邑人也……是时张永、沈攸之败后，新失淮北，始遣上北戍，不满千人，每岁秋冬间，边淮骚动，恒恐虏至。上广遣侦候，安集荒余，又营缮城府。上在兵中久，见疑于时，乃作《塞客吟》以喻志曰：'宝纬紊宗，神经越序。德晦河、晋，力宣江、楚。云雷兆壮，天山骚武。直发指秦关，凝精越汉渚。秋风起，塞草衰，雕鸿思，边马悲。平原千里顾，但见转蓬飞。星严海净，月澈河明。清辉映幕，素液凝庭。金筛夜厉，羽辔晨征。斡晴潭而怅泗，柮松洲而悼情。兰涵风而泻艳，菊笼泉而散英。曲绕首燕之叹，吹轸绝越之声。歇园琴之孤弄，想庭藿之余馨。青关望断，白日西斜。恬源靓雾，垄首辉霞。戒旋鹋，跃还波，情绵绵而方远，思袅袅而遂多。粤击秦中之筑，因为塞上之歌。歌曰：朝发兮江泉，日夕兮陵山。惊飙兮沛泪，淮流兮潺湲。胡埃兮云聚，楚斾兮星悬。愁堘兮思宇，恻怆兮何言。定寰中之逸鉴，审雕陵之迷泉。悟樊笼之或累，怅遐心以栖玄。'侃达上此旨，更自勤励。委以府事，深见知待。"按张永、沈攸之兵败，时在泰始三年，萧道成之作《塞客吟》，应在泰始三年或稍后。这篇作品写秋景十分出色，充分展现了萧氏的文学修养和才能。

周颙精于声律之学。《南齐书·周颙传》说："宋明帝颇好言理，以颙有辞义，引入殿内，亲近宿直。帝所为惨毒之事，颙不敢显谏，辄诵经中因缘罪福事，帝亦为之小止……颙音辞辩丽，出言不穷，宫商朱紫，发口成句。泛涉百家，长于佛理。著《三宗论》。立空假名，立不空假名。设不空假名难空假名，设空假名难不空假名。假名空难二宗，又立假名空。西凉州智林道人遗颙书曰：'此义旨趣似非始开，妙声中绝六七十载。贫道年二十时，便得此义，窃每欢喜，无与共之。年少见长安耆老，多云关中高胜乃旧有此义，当法集盛时，能深得斯趣者，本无多人。过江东略是无一。贫道捉麈尾来四十余年，东西讲说，谬重一时，余义颇见宗录，唯有此途白黑无一人得者，为之发病。非意此音猥来入耳，始是真实行道第一功德。'其论见重如此。"春泓按，《佛祖统纪》卷三十六说宋明帝泰始三年"帝幸庄严寺观三教谈论，周颙迁直殿省。时帝好玄理，而遇人惨毒，不敢显谏，辄举佛经罪福事，帝为之迁善。颙著《三宗论》言空假义，西凉州道人智林遗书以赞美之。"依此可知周颙《三宗论》撰于泰始三年。而周颙长于声律，亦与其佛学修养有深切的关系。[1]

江淹于狱中上书。刘景素览书，即日释之。《梁书·江淹传》说："江淹字文通，济阳考城人也。少孤贫好学，沉靖少交游。起家南徐州从事，转奉朝请。宋建平王景素好士，淹随景素在南兖州。广陵令郭彦文得罪，辞连淹，系州狱。淹狱中上书曰：

昔者贱臣叩心，飞霜击于燕地；庶女告天，振风袭于齐台。下官每读其书，未尝不废卷流涕。何者？士有一定之论，女有不易之行。信而见疑，贞而为戮，是以壮夫义士伏死而不顾者此也。下官闻仁不可恃，善不可依，始谓徒语，乃今知之。伏愿大王暂停左右，少加怜鉴。

---

① 曹道衡《兰陵萧氏与南朝文学》上编《兰陵萧氏的世系和南齐皇朝》之第二章《南齐皇族》之五《萧子良和他的"竟陵八友"》指出："四声"的发明者是周颙，沈约关于"四声八病"的探讨，正是受到了周颙的影响。北京：中华书局 2004 年版。

下官本蓬户桑枢之民，布衣韦带之士，退不饰《诗》《书》以惊愚，进不买名声于天下。日者谬得升降承明之阙，出入金华之殿，何尝不局影凝严，侧身扃禁者乎？窃慕大王之义，为门下之宾，备鸣盗浅术之余，豫三五贱伎之末。大王惠以恩光，眄以颜色。实佩荆卿黄金之赐，窃感豫让国士之分矣。常欲结缨伏剑，少谢万一，剖心摩踵，以报所天。不图小人固陋，坐贻谤缺，迹坠昭宪，身限幽圄。履影吊心，酸鼻痛骨。下官闻亏名为辱，亏形次之，是以每一念来，忽若有遗。加以涉旬月，迫季秋，天光沉阴，左右无色。身非木石，与狱吏为伍。此少卿所以仰天搥心，泣尽而继之以血者也。下官虽乏乡曲之誉，然尝闻君子之行矣。其上则隐于帘肆之间，卧于岩石之下；次则结绶金马之庭，高议云台之上；次则虏南越之君，系单于之颈：俱启丹册，并图青史。宁当争分寸之末，竞刀锥之利哉！然下官闻积毁销金，积谗糜骨。古则直生取疑于盗金，近则伯鱼被名于不义。彼之二才，犹或如此；况在下官，焉能自免。昔上将之耻，绛侯幽狱；名臣之羞，史迁下室，如下官尚何言哉！夫鲁连之智，辞禄而不反；接舆之贤，行歌而忘归。子陵闭关于东越，仲蔚杜门于西秦，亦良可知也。若使下官事非其虚，罪得其实，亦当钳口吞舌，伏匕首以殒身，何以见齐鲁奇节之人，燕赵悲歌之士乎？

方今圣历钦明，天下乐业，青云浮雒，荣光塞河。西洎临洮、狄道，北距飞狐、阳原，莫不浸仁沐义，照景饮醴。而下官抱痛圜门，含愤狱户，一物之微，有足悲者。仰惟大王少垂明白，则梧丘之魂，不愧于沉首；鹄亭之鬼，无恨于灰骨。不任肝胆之切，敬因执事以闻。此心既照，死且不朽。

景素览书，即日出之。"春泓按，《宋书·明帝纪》说："（泰始二年九月）庚戌，以太子左卫率建平王景素为南兖州刺史。"又说："（泰始三年八月）壬寅，以中领军沈攸之行南兖州刺史，率众北讨。"这说明刘景素的南兖州刺史位置被沈攸之替代了。刘景素在泰始二年九月至三年八月期间担任南兖州刺史，姑且把江淹狱中上书定于泰始三年。关于狱中上书，这在西汉有邹阳著名的《狱中上书自明》、后汉有蔡邕的《戍边上章》，都以带罪之身上书申诉，辩白冤屈，以企求获得宽恕。近代如宋文帝元嘉二十二年，孔熙先于狱中上书等，都可视作"狱中上书"这一独特文体的一脉相承。当身陷圄圆或流徙边陲之时，恐慌笼罩着士人的内心，自身命悬一线，而满腹的才学本想卖给帝王家，如今非但未能"沽之哉"，而且连性命也搭进去了，用儒家的观念来讲，不仅未能"兼济天下"，而且连"独善其身"亦落空了，人生将面临着全盘的失败，所以士人心内如汤煮，在此时用狱中上书的方式，想捞救命稻草，其痛苦哀怨悔恨甚至绝望浓缩于文中，同时一丝侥幸求生的复杂心理，亦在其书中毕现无遗。想古来有多少囚犯，只要粗通文墨，当刽子手的屠刀就要落下之际，他们都会本能地写出申冤和乞求宽恕的书信，然而大多没有邹阳和江淹那么幸运，大抵都泥牛入海无消息，犹如被宰杀的牛羊鸡鸭临死前的几声哀鸣，转瞬就归于沉寂。而前有周朗所谓"凡士之置身有三耳：一则云户岫寝，栾危桂荣，秣芝浮霜，剪松沉雪，怜肌蓄髓，宝气爱魂，非但土石侯卿，腐鸱梁锦，实乃仡意天后，睨目羽人。次则剋心扫智，剖命驱生，横议于云台之下，切辞于宣室之上，衍王德而批民患，进贞白而鸩奸猾，委玉人而齐声礼，揭金出而烹勋寇，使车轨一风，甸道共德，令功日济而己无迹，道日富而君难名，致诸侯敛手，天子改观。其末则餍粕而出，望旐而入，结冕两宫之下，鼓袖六王之间，俯眉胁肩，言天下之道德，瞋目扼腕，陈从横于四海，理有泰则止而进，调觉忤则反而还，闲居违官，交造顿罢，捐慕遗忧，夷毁销誉，呼噏以补其气，缮嚼以辅其生。凡此三者，皆志士仁人之所行，非吾之所能也"，此与江淹的"君子之行"相近，可见当时士人均以高蹈为最上境界。

北朝

八月

皇子拓跋宏生。**此即魏孝文帝**。《魏书》卷七上《高祖纪》，八月戊申，皇子拓跋宏（467—499）生于平城紫宫，神光照于室内，天地氛氲，和气充塞。此即魏孝文帝。

公元468年（宋明帝泰始四年　魏献文帝皇兴二年　戊申）

北朝

二月

刘芳、刘峻入魏。**后刘芳为北魏名儒，刘峻南归，亦以文学名世**。《魏书》卷六《显祖纪》："二月，宋崔道固降魏。刘芳、刘峻由此入魏。后芳滞北，为北魏名儒，峻南归，亦以文学名世。"《魏书》卷五五《刘芳传》："芳随伯母房逃窜青州，会赦免。舅元庆，为刘子业青州刺史沈文秀建威府司马，为文秀所杀。芳母子入梁邹城。慕容白曜南讨青齐，梁邹降，芳北徙为平齐民，时年十六。南部尚书李敷妻，司徒崔浩之弟女。芳祖母，浩之姑也。芳至京师，诣敷门，崔耻芳流播，拒不见之。芳虽处穷窘之中，而业尚贞固，聪敏过人，笃志坟典。昼则备书，以自资给，夜则读诵，终夕不寝，至有易衣并日之弊，而澹然自守，不汲汲于荣利，不戚戚于贱贫，乃著《穷通论》以自慰焉。"《梁书》卷五〇《刘峻传》："峻生期月，母携还乡里。宋泰始初，青州陷魏，峻年八岁，为人所略至中山，中山富人刘实愍峻，以束帛赎之，教以书学。魏人闻其江南有戚属，更徙之桑乾。峻好学，家贫，寄人庑下，自课读书，常燎麻炬，从夕达旦，时或昏睡，蒸其发，既觉复读，终夜不寐，其精力如此。"

公元469年（宋明帝泰始五年　魏献文帝皇兴三年　己酉）

本年

袁粲具名士气。《南史·袁湛传》附《袁粲传》说："（泰始）五年，加中书令，又领丹阳尹。粲负才尚气，爱好虚远，虽位任隆重，不以事务经怀。独步园林，诗酒自适。家居负郭，每杖策逍遥，当其意得，悠然忘反。郡南一家颇有竹石，粲率尔步往，亦不通主人，直造竹所，啸咏自得。主人出，语笑款然。俄而车骑羽仪并至门，方知是袁尹。又尝步屧白杨郊野间，道遇一士大夫，便呼与酤饮，明日此人谓被知顾，到门求进。粲曰：'昨饮酒无偶，聊相要耳。'竟不与相见。尝作五言诗，言'访迹虽中宇，循寄乃沧洲'。盖其志也。"

王僧孺年五岁，能读《孝经》。《梁书·王僧孺传》说："王僧孺字僧孺，东海郯人，魏卫将军肃八世孙。曾祖雅，晋左光禄大夫、仪同三司。祖准，宋司徒左长史。僧孺年五岁，读《孝经》，问授者此书所载述，曰：'论忠孝二事。'僧孺曰：'若尔，常愿读之。'六岁能属文，既长好学。家贫，常佣书以养母，所写既毕，讽诵亦通。"春泓按，本传称王僧孺卒于普通三年，时年五十八，所以他五岁时应在宋泰始五年。

公元 470 年（宋明帝泰始六年　魏献文帝皇兴四年　庚戌）

本年

时设儒、玄、文、史四科。《南史·王昙首传》说："宋时国学颓废，未暇修复，宋明帝泰始六年，置总明观以集学士，或谓之东观，置东观祭酒一人，总明访举郎二人；儒、玄、文、史四科，科置学士十人，其余令史以下各有差。"

王素撰《蚿赋》以自况。《宋书·隐逸传》说："王素字休业，琅邪临沂人也……爱好文义，不以人俗累怀……太宗泰始六年，又召为太子中舍人，并不就。素既屡被征辟，声誉甚高。山中有蚿虫，声清长，听之使人不厌，而其形甚丑，素乃为《蚿赋》以自况。"

刘瓛一代儒宗。《南齐书·刘瓛传》说："（刘瓛）少笃学，博通《五经》。聚徒教授，常有数十人。丹阳尹袁粲于后堂夜集，瓛在座，粲指庭中柳树谓瓛曰：'人谓此是刘尹时树，每想高风，今复见卿清德，可谓不衰矣。'"按袁粲在泰始五年领丹阳尹，本传称"（泰始）六年，上于华林园茅堂讲《周易》，粲为执经"。当时明帝有讲学的兴趣，袁粲和刘瓛都参预其事，因此袁粲和刘瓛此番对话可能正在此年。《梁书·刘峻传》记载刘峻著《辨命论》称赞"近世有沛国刘瓛，瓛弟琎，并一时之秀士也。琎则关西孔子，通涉《六经》，循循善诱，服膺儒行。琎则志烈秋霜，心贞昆玉，亭亭高竦，不杂风尘"。

北朝

本年

诏高允兼太常，至兖州祭孔子庙。《魏书》卷四八《高允传》序此事于显文帝北伐前，并曰"皇兴中"。检《显祖纪》，载皇兴四年九月壬申，献文帝至自北伐，饮至策勋，告于宗庙。则祭孔子事至此在本年。故系于是。《魏书》本传于祭孔子庙前，并有著《高老诗》及《征士颂》，未知确年。并系于是。《高允传》曰："后允以老疾，频上表乞骸骨，诏不许。于是乃著《告老诗》。又以昔岁同征，零落将尽，感逝怀人，作《征士颂》，盖止于应命者，其有命而不至，则阙焉。"

公元 471 年（宋明帝泰始七年　魏孝文帝延兴元年　辛亥）

本年

徐勉文才早慧。《梁书·徐勉传》说："（徐）勉幼孤贫，早励清节。年六岁，时属霖雨，家人祈霁，率尔为文，见称耆宿。"春泓按，徐勉卒于梁大同元年，时年七十，所以其六岁，时在宋泰始七年。

北朝

八月

孝文帝即皇帝位于太华前殿，大赦，改元延兴元年。《魏书卷七上·《高祖纪》云："帝生而洁白，有异资，襁褓岐嶷，长而渊裕仁孝，卓然有君人之表"。《资治通鉴》卷一百三十三《宋纪十五》云："高祖幼有至性，前年，显祖病痈，高祖亲吮。及受禅，悲泣不自胜。显祖问其故，对曰：'代亲之感，内切于心。'"

献文帝欲传位京兆王子推，高允跪劝，乃止。于是传位于孝文帝，赐允帛千匹，以标忠亮。见《魏书》卷四八《高允传》。《魏书》卷六《显祖纪》于传位京兆王事曰"语在任城王云传"，今检卷一九《任城王云传》谓"延兴中"。本年为延兴元年，八月孝文帝即位，则传位京兆王事不得在延兴元年八月之后。故系于是。

献文帝自称太上皇，好黄老、浮屠之学。《魏书》卷六《显祖纪》《魏书》卷七上《高祖纪》《通鉴》卷一百三十三：献文帝自称太上皇。《资治通鉴》云："魏显祖聪睿夙成，刚毅有断；而好黄老、浮屠之学，每引朝士及沙门共谈玄理，雅薄富贵，常有遗世之心。"

高允作《鹿苑赋》。据《广弘明集》卷二十九。此文作于献文帝称太上皇之后，时昙曜五窟已完成。去年冬，献文帝已幸鹿野苑、石窟寺。

高闾上表颂献文帝传位，自称《至德颂》。《魏书》卷四十二《高闾传》，载其全文。献文帝命作《鹿苑颂》《北伐碑》，颇受称赏。

公元 472 年（宋废帝泰豫元年　魏孝文帝延兴二年　壬子）

四月

宋明帝崩，时年三十四。《宋书·明帝纪》说："泰豫元年春正月甲寅朔，上有疾不朝会。以疾患未瘥，故改元。"夏四月己亥，明帝崩于景福殿，时年三十四。

本年

傅昭参定袁粲所制哀策文，时傅昭十九岁。《梁书·傅昭传》说："或有称昭于廷尉虞愿，愿乃遣车迎昭。时愿宗人通之在坐，并当世名流，通之赠昭诗曰：'英妙擅山东，才子倾洛阳。清尘谁能嗣，及尔遘遗芳。'太原王延秀荐昭于丹阳尹袁粲，深为所礼，辟为郡主簿，使诸子从昭受学。会明帝崩，粲造哀策文，乃引昭定其所制。"春泓按，本年傅昭十九岁，他得到当时名流之礼遇，应在此年或稍前。

北朝

二月

孝文帝下诏更定孔子庙祠典。《魏书》卷七上《高祖纪》云："二月乙巳，诏曰：'尼父禀达圣之姿，体生知之量，穷理尽性，道光四海。顷者淮徐未宾，庙隔非所，致令祠典寝顿，礼章殄灭，遂使女巫妖觋，淫进非礼，杀生鼓舞，倡优媟狎，岂所以尊明神敬圣道者也。自今已后，有祭孔子庙，制用酒脯而已，不听妇女合杂，以祈非望之福。犯者以违制论。其公家有事，自如常礼，牺牲粢盛，务尽丰洁。临事致敬，令肃如也。牧司之官，明纠不法，使禁令必行。'"

四月

孝文帝下诏论州郡选举。《魏书》卷七上《高祖纪》："四月，孝文帝下诏论州郡选举。"《高祖纪》云："丙申，诏曰：'顷者州郡选贡，多不以实，硕人所以穷处幽仄，鄙夫所以超分妄进，岂所谓旌贤树德者也。今年贡举，尤为猥滥。自今所遣，皆门尽州郡之高，才极乡闾之选。'"由此可见，魏之选举，已重门第。

本年

高允上《北伐颂》。《魏书》卷四十八《高允传》："后允从显祖北伐，大捷而还，至武川镇，上《北伐颂》，其词曰：……"。

公元 473 年（宋后废帝元徽元年　魏孝文帝延兴三年　癸丑）

本年

周颙出为剡令。《南齐书·周颙传》说："元徽初，出为剡令，有恩惠，百姓思之。还历邵陵王南中郎三府参军。"

桂阳王刘休范以钱物饷丘巨源。《南齐书·文学传》之《丘巨源传》："元徽初，桂阳王休范在寻阳，以巨源有笔翰，遣船迎之，饷以钱物。巨源因太祖自启，敕板起巨源使留京都。"

北朝

二月

孝文帝下诏，令地方官勤政亲民。《魏书》卷七上《高祖纪》："二月癸丑，孝文帝诏牧守令长，使之勤率百姓，无令失时。同部之内，贫富相通，家有兼牛，通借无者，若不从诏，一门之内终身不仕。守宰不督察，勉所居官。"

四月

诏以孔子二十八世孙孔乘为崇圣大夫。《魏书》卷七上《高祖纪》："四月，诏以孔子二十八世孙鲁郡孔乘为崇圣大夫，给十户以供洒扫。"

献文帝屡引程俊与论《易》《老》之义。《魏书》卷六〇《程骏传》："太上皇帝顾谓群臣曰：'朕与此人言，意甚开畅。'又问骏曰：'卿年几何？'对曰：'臣六十有一。'显祖曰：'昔太公既老而遭文王。卿今遇朕，岂非早也？'骏曰：'臣虽才谢吕望，而陛下尊过西伯。傥天假余年，竭《六韬》之效。'"本传又载，骏尝谓其师刘晒曰："今世名教之儒，咸谓老庄其言虚诞，不切实要，弗可以经世，骏意以为不然。夫老子著抱一之言，庄生申性本之旨，若斯者，可谓至顺矣。人若乖一则烦伪生，若爽性则冲真丧。"

西域三藏吉迦夜及释昙曜在平城译《杂宝藏经》十三卷、《付法藏因缘经》六卷、《方便心经》二卷。《出三藏记集》卷二注："右三部，凡二十卷。宋明帝时，西域三藏吉迦夜于北国，以伪延兴三年，共僧正释昙曜译出，刘孝标笔受。此三经并未至京都。"

公元 474 年（宋后废帝元徽二年　魏孝文帝延兴四年　甲寅）

本年

江州刺史桂阳王休范举兵于寻阳。事平，丘巨源未获封赏，乃上书袁粲。《南齐书·文学传》之《丘巨源传》说："桂阳事起，（太祖）使于中书省撰符檄，事平，除奉朝请。巨源望有封赏，既而不获，乃与尚书令袁粲书曰：民信理推心，暗于量事，庶谓丹诚感达，赏报屡期；岂虞寂寥，忽焉三稔？议者必云笔记贱伎，非杀活所待；开劝小说，非否判所寄。然则先声后实，军国旧章，七德九功，将名当世。仰观天纬，则右将而左相，俯察人序，则西武而东文，固非胥祝之伦伍，巫匠之流匹矣。去昔奇兵，变起呼吸，虽凶渠即剿，而人情更迷。茅恬开城，千龄出叛，当此之时，心膂胡、越，奉迎新亭者，士庶填路，投名朱雀者，愚智空闾。人惑而民不惑，人畏而民不畏。其一可论也。临机新亭，独能抽刃斩贼者，唯有张敬儿；而中书省独能奋笔弗顾者，唯有丘巨源。文武相方，诚有优劣，就其死亡以决成败，当崩天之敌，抗不测之祸，请问海内，此胆何如？其二可论也。又尔时颠沛，普唤文士，黄门中书，靡不毕集，摛翰振藻，非为乏人，朝廷洪笔，何故假手凡贱？若以此贼强盛，胜负难测，群贤怯不染豪者，则民宜以勇获赏；若云羽檄之难，必须笔杰，群贤推能见委者，则民宜以才赐列。其三可论也。窃见桂阳贼赏不赦之条凡二十五人，而李恒、钟爽同在此例，战败后出，罪并释然，而吴迈远族诛之。罚则操笔大祸而操戈无害，论以赏科，则武人超越而文人埋没，其四可论也。且迈远置辞，无乃侵慢，民作符檄，肆言晋辱，放笔出手，即就齑粉。若使桂阳得志，民若不镮裂军门，则应腰斩都市。婴孩脯脍，伊可熟念。其五可论也。往年戎旅，万有余甲，十分之中，九分冗隶，可谓众矣。攀龙附骥，翻焉云翔。至若民狂夫，可谓寡矣。徒关敕旨，空然泥沉。讵其荷殿尘末，皆是白起，操牍事始，必非鲁连邪？民慎，国算迅足，驰烽寘之机，帝择逸翰，赴尉罗之会。既能陵敌不殿，争先无负，宜其微赐存在，少沾饮齰。遂乃弃之沟间，如蜉如蚁，掷之言外，如土如灰。盭隶帖战，无拳无勇，并随资峻级矣；凡豫台内，不文不武，已坐拱清阶矣。抚骸如此，瞻例如彼，既非草木，何能弭声？巨源竟不被申。”

江淹《恨赋》《别赋》等作于宋后废帝元徽二年秋以后，元徽四年建平王景素之败前后①。

北朝

六月

孝文帝下诏废除灭门、灭房之刑。《资治通鉴》卷一百三十三《宋纪十五》：“魏诏曰：‘下民凶戾，不顾亲戚，一人为恶，殃及阖门。朕为民父母，深所愍悼。自今非谋反大逆外叛，罪止其身。’于是始罢门、房之诛。”“魏显祖勤于为治，赏罚严明，慎择牧守，进廉废贪。诸曹疑事，久多奏决，又口传诏敕，或致矫擅。上皇命事无大小，皆据律正名，不得为疑奏；合则制可，伪则弹诘，尽用墨诏，由是事皆精审。尤重刑法，大刑多令覆鞫，或囚系积年。群臣颇以为言，上皇曰：‘滞狱诚非善治，不犹愈于仓猝而滥乎！夫人忧苦则思善，故智者以囹圄为福堂，朕特苦之，欲其改悔而加矜恕尔。’由是囚系虽滞，而所刑多得其宜。又以赦令长奸，故自延兴以后，不复有赦。”

本年

高允年八十五，久典史事。末年荐高闾以自代。《魏书》卷四十八《高允传》：“高允八十五岁，久典史事，然而不能专勤属述，时与校书郎刘模有所缉缀，大较续崔浩故事，准《春秋》之体，而时有刊正。自高宗迄于显祖，军国书檄，多允文也。末年乃荐高闾以自代。”

刘芳著《穷通论》以自慰。见《魏书》卷五十五《刘芳传》。《穷通论》全文已佚，未知写作时间，其被荐引在太和二年，姑系于此，待考。

公元 475 年（宋后废帝元徽三年　魏孝文帝延兴五年　乙卯）

本年

谢超宗以“才翰”得萧道成、袁粲嘉许。《南齐书·谢超宗传》说：“太祖为领军，数与超宗共属文，爱其才翰。卫将军袁粲闻之，谓太祖曰：‘超宗开亮迥悟，善可与语。’”春泓按，《南齐书·高帝本纪上》记载桂阳王休范于元徽二年五月于寻阳举兵反，萧道成率兵平乱之后，“迁散骑常侍、中领军、都督南兖徐兖青冀五州军事、镇军将军、南兖州刺史，持节如故。进爵为公，增邑二千户”。萧道成于元徽二年升为领军；而朝廷加袁粲卫将军于元徽元年，袁粲不受，“（元徽）三年，徙尚书令，卫军、

① 曹道衡、沈玉成：《中古文学史料丛考》，作者指出江淹集中辞赋作于建安吴兴者甚多。北京：中华书局2003 年版，第 466 页。

开府如故，并固辞，服终乃受"，这说明至元徽三年，袁粲"卫将军"的官职才得以确认，他于昇明元年被萧道成所杀，所以谢超宗蒙萧、袁之嘉许，当在元徽三年。

刘景素进号镇北将军。招集才义之士，以收名誉。《宋书·文九王传》之《建平宣简王宏传》附《子景素传》说："桂阳王休范为逆，景素虽纂集兵众，以赴朝廷为名，而阴怀两端。及事平，进号镇北将军。齐王为南兖州，景素解都督。时太祖诸子皆殂，众孙唯景素为长，建安王休祐诸子并废徙，无在朝者。景素好文章书籍，招集才义之士，倾身礼接，以收名誉，由是朝野翕然，莫不属意焉。"《南齐书·文学传》之《王智深传》说："太祖为镇军时，丘巨源荐之于太祖，板为府行参军，除豫章王国常侍，迁太学博士，豫章王大司马参军，兼记室。"

公元 476 年（宋后废帝元徽四年　魏孝文帝承明元年　丙辰）

本年

卞彬作童谣以讽四贵。《南齐书·文学传》之《卞彬传》说："卞彬，字士蔚，济阴冤句人也……彬才操不群，文多指刺。州辟西曹主簿，奉朝请，员外郎。宋元徽末，四贵辅政。彬谓太祖曰：'外间有童谣云："可怜可念尸著服，孝子不在日代哭，列管暂鸣死灭族。"公颇闻不？'时王蕴居父忧，与袁粲同死，故云尸著服也。服者衣也，褚字边衣也，孝除子，以日代者，谓褚渊也。列管，萧也。彬退，太祖笑曰：'彬自作此。'"

王智深和刘景素《观法篇》，见赏，辟为西曹书佐。未到职而景素败。《南齐书·文学传》之《王智深传》说："王智深，字云才，琅邪临沂人也。少从陈郡谢超宗学属文。好饮酒，拙涩乏风仪。宋建平王景素为南徐州，作《观法篇》，智深和之，见赏，辟为西曹书佐。贫无衣，未到职而景素败。后解褐为州祭酒。"春泓按，景素为南徐州刺史，时在泰始六年稍后，而景素之败则在元徽四年。

北朝

六月

献文帝为文明太后所鸩，卒。孝文帝改元承明。《资治通鉴》卷一百三十四《宋纪十六》："魏冯太后内行不正，以李奕之死怨显祖，密行鸩毒，夏，六月，辛未，显祖殂。壬申，大赦，改元承明。"

本年

袁翻（476—528）**生。**袁翻字景翔。陈郡项人。

释昙鸾（476—542）**生。**释道宣《续高僧传》卷六《魏西河石壁谷玄中寺释昙鸾传》："释昙鸾，或为峦，未详其氏，雁门人。"

释僧范（476—555）**生。**释道宣《续高僧传》卷八《齐邺东大觉寺释僧翻传》："释僧范，姓李氏，平乡人也。"

释僧实（476—563）生。释道宣《续高僧传》卷十六《周京师大追远寺释僧实传》："释僧实，俗姓程氏，咸阳灵武人也。"

公元 477 年（宋顺帝昇明元年　魏孝文帝太和元年　丁巳）

七月

刘宋气数将尽。《宋书·后废帝纪》说：元徽五年七月，帝在宫中被杀，萧道成迎立顺帝，改元昇明元年，萧道成进位侍中、司空、录尚书事、骠骑大将军。按，《南齐书·孔稚珪传》说："太祖为骠骑，以稚珪有文翰，取为记室参军，与江淹对掌辞笔。"

本年

褚炫与刘俣、谢朏、江斅并称"四友"。《南齐书·褚炫传》说："昇明初，炫以清尚，与刘俣、谢朏、江斅入殿侍文义，号为'四友'。"

萧道成引接周颙、丘巨源、江淹等。《宋书》本传记载，沈攸之于昇明元年末起兵，《南齐书·周颙传》说："太祖辅政，引接颙。颙善尺牍，沈攸之送绝交书，太祖口授令颙裁答。"《南齐书·文学传》之《丘巨源传》说："沈攸之事，太祖使巨源为尚书符荆州，巨源以此又望赏异，自此意常不满。"《梁书·江淹传》说："昇明初，齐帝辅政，闻其才，召为尚书驾部郎、骠骑参军事……是时军书表记，皆使淹具草。"

张充发誓于而立之年改节，终成学者。《梁书·张充传》说："张充字延符，吴郡人。父绪，齐特进、金紫光禄大夫，有名前代。充少时，不持操行，好逸游。绪尝请假还吴，始入西郭，值充出猎，左手臂鹰，右手牵狗，遇绪船至，便放绁脱韝，拜于水次。绪曰：'一身两役，无乃劳乎？'充跪对曰：'充闻三十而立，今二十九矣，请至来岁而敬易之。'绪曰：'过而能改，颜氏子有焉。'及明年，便修身改节。学不盈载，多所该览，尤明《老》《易》，能清言，与从叔稷俱有令誉。"

河东裴氏，文史传家。《梁书·裴子野传》说："裴子野字几原，河东闻喜人，晋太子左率康八世孙。兄黎，弟楷、绰，并有盛名，所谓'四裴'也。曾祖松之，宋太中大夫。祖駰，南中郎外兵参军。父昭明，通直散骑常侍。子野生而偏孤，为祖母所养，年九岁，祖母亡，泣血哀恸，家人异之。少好学，善属文。"春泓按，本传记载裴子野卒于中大通二年，年六十二，其九岁时，正在宋昇明元年。

许懋年十四，入太学。《梁书·许懋传》说："许懋字昭哲，高阳新城人……十四入太学，受《毛诗》，且领师说，晚而覆讲，座下听者常数十百人，因撰《风雅比兴义》十五卷，盛行于世。尤晓故事，称为仪注之学。"春泓按，本传记载其卒年在中大通四年，享年六十九，故当他十四岁时，在宋昇明元年。

萧洽年七岁，诵《楚辞》略上口。《梁书·萧介传》附《萧洽传》说："洽字宏称，介从父兄也……洽幼敏寤，年七岁，诵《楚辞》略上口。及长，好学博涉，亦善属文。"春泓按，本传记载，萧洽卒于普通六年，时年五十五，所以其七岁时，正值宋昇明元年。

北朝

本年

魏诏群臣定律令，正音乐。《魏书》卷一〇九《乐志》："太和初，高祖垂心雅古，务心音声。时司乐上书，典章有阙，求集中秘群官议定其事，并访吏民，有能体解古乐者，与之修广器数，甄立名品，以谐八音。诏'可'。虽经众议，于时卒无洞晓声律者，乐部不能立，其事弥缺。然方乐之制及四夷歌舞，稍增列于太乐。金石羽旄之饰，为壮丽于往时矣。"

程骏见宋后废帝为萧道成所杀，上表欲致讨。不从。事与表文俱见《魏书》卷六〇《程骏传》。

公元 478 年（宋顺帝昇明二年　魏孝文帝太和二年　戊午）

本年

沈攸之于是年被消灭，萧道成取代刘宋已成大势所趋。琅邪王氏是将要出现的南齐新政权的合作者。《南齐书·王僧虔传》说："……（昇明）二年，为尚书令。僧虔好文史，解音律，以朝廷礼乐多违正典，民间竞造新声杂曲，时太祖辅政，僧虔上表曰：'夫悬钟之器，以雅为用；凯容之礼，八佾为仪。今总章羽佾，音服舛异。又歌钟一肆，克谐女乐，以歌为务，非雅器也。大明中，即以宫悬合和《韎》《拂》，节数虽会，虑乖《雅》体，将来知音，或讥圣世。若谓钟舞已谐，重违成宪，更立歌钟，不参旧例。四县所奏，谨依《雅》条，即义沿理，如或可附。又今之《清商》，实由铜爵，三祖风流，遗音盈耳，京、洛相高，江左弥贵。谅以金石干羽，事绝私室，桑、濮、郑、卫，训隔绅冕，中庸和雅，莫复于斯。而情变听移，稍复销落，十数年间，亡者将半。自顷家竞新哇，人尚谣俗，务在噍杀，不顾音纪，流宕无崖，未知所极，排斥正曲，崇长烦淫。士有等差，无故不可去乐，礼有攸序，长幼不可共闻。故喧丑之制，日盛于廛里；风味之响，独尽于衣冠……'"春泓按，关于此节文字，尤其应注意写作时间在"昇明二年"，亦即萧道成篡夺刘宋之前夜，其意在于向"辅政"之齐太祖表明其合作的态度，表示愿意为新政权礼仪建设效力[①]。他将音乐表演分为"私室"和"绅冕"二派，并将二者置于对立的地位，他所要维护的礼乐正典，具有"中庸和雅"的恒定特征，而他所贬斥的"新声杂曲"却充满了变数，"不顾音纪，流宕无崖"，即展现出民间新声无所依傍的创新性意识，而这正是新变文学的本质特征。音乐最能折射出一时代的精神，王僧虔所要捍卫的是礼乐之正典，是王氏家族所处的政治主流阶层的文化象征，希冀这样的主流文化牢固不变，就是幻想自己及其家族永保其社会特权。所以他必然要借助主流文化来制约"家竞新哇，人尚谣俗"所代表的寒族

[①]《南齐书·王俭传》说："史臣曰：……自是世禄之盛，习为旧准，羽仪所隆，人怀羡慕，君臣之节，徒致虚名。贵仕素资，皆由门庆，平流进取，坐致公卿，则知殉国之感无因，保家之念宜切。"这道出了士族重视文化秩序甚于政权更迭的心理特征。《梁书·太宗王皇后传》载王骞谓诸子曰："吾家门户，所谓素族，自可随流平进，不须苟求也。"这从一个侧面反映守成为素族人物的性格特点，他们已难以担当文化革新主力的角色。

文化，然而"青山遮不住，毕竟东流去"，与"文义"思潮同步，当大部分士人被摒弃于政治主流之外时，"金石干羽"之礼乐必然曲高者和寡，而奏于"私室"之"桑、濮、郑、卫"却因能表现个人的情感，而得以大行其道。复按《南齐书·萧惠基传》说："自宋大明以来，声伎所尚，多郑卫淫俗，雅乐正声，鲜有好者。"王僧虔所叙述的音乐变迁，其实正是音乐从国家礼仪转为私人行为之表征，文章之学亦不例外。

丘灵鞠参掌诏策。《南齐书·文学传》之《丘灵鞠传》说："昇明中，迁正员郎，领本郡中正，兼中书郎如故。时方禅让，太祖使灵鞠参掌诏策。"

尚书令王昙首为飞白书题尚书省壁。《南史·王昙首传》之《王僧虔传》说："昇明二年，为尚书令。尝为飞白书题尚书省壁曰：'圆行方止，物之定质，修之不已则溢，高之不已则慄，驰之不已则踬，引之不已则迭，是故去之宜疾。'当时嗟赏，以比《坐右铭》。"

谢超宗诣东府门自通，萧道成对之甚欢。《南齐书·谢超宗传》说："昇明二年，（谢超宗）坐公事免。诣东府门自通，其日风寒惨厉，太祖谓四座曰：'此客至，使人不衣自暖矣。'超宗既坐，饮酒数瓯，辞气横出，太祖对之甚欢。"

谢朓有重名，为萧道成所钦属。《梁书·谢朓传》说："齐高帝为骠骑将军辅政，选朓为长史，敕与河南褚炫、济阳江斅、彭城刘俁俱入侍宋帝，时号为天子四友。续拜侍中，并掌中书、散骑二省诏册。高帝进太尉，又以朓为长史，带南东海太守。高帝方图禅代，思佐命之臣，以朓有重名，深所钦属。"而谢朓忠于宋朝，不为之所动，最后萧道成选择了王俭，而谢朓在齐、梁两朝，都基本保持了其宋代遗民的气节，即使出仕，亦仅"内图止足，且实避事"。

北朝

五月

魏禁皇族、贵戚及士民之家不顾氏族，下与非类婚偶；犯者以违制论。据《资治通鉴》卷一百三十四《宋纪十六》。

十月

诏员外散骑常侍郑羲使宋。据《魏书》卷七上《高祖纪》。

本年

高允又以老乞还乡里，十余章，孝文帝卒不听许，遂以疾告归。其年，诏以安车征允，敕州郡发遣。至都，拜镇军大将军，令中书监。固辞不许。又扶引就内，改元《皇诰》。允上《酒训》。据《魏书》卷四十八《高允传》。

公元479年（宋顺帝昇明三年　南齐高帝建元元年　魏孝文帝太和三年　己未）

高门士族人物转投新主，往往借助礼乐建设来表示态度。《南齐书·乐志》："宋世王韶之造七庙登歌七篇。昇明中，太祖为齐王，令司空褚渊造太庙登歌二章。"

孔逖与宰相王俭为至交。《南齐书·虞玩之传》说："孔逖字世远，玩之同郡人。好典故学。与王俭至交。昇明中，为齐台尚书仪曹郎，太祖谓之曰：'卿仪曹才也。'俭为宰相，逖尝谋议帷幄，每及选用，颇失乡曲情。俭从容启上曰：'臣有孔逖，犹陛下之有臣也。'……时人呼孔逖、何宪为王俭三公。"春泓按，以王俭为首的文士群体，颇开以学问为文之先。

王僧虔《诫子书》代表高门氏族在宋末的心声。《南齐书·王僧虔传》说："僧虔宋世尝有书诫子曰：知汝恨吾不许汝学，欲自悔厉，或以阖棺自欺，或更择美业，且得有慨，亦慰穷生。但恧闻斯唱，未睹其实。请从先师听言观行，冀此不复虚身。吾未信汝，非徒然也。往年有意于史，取《三国志》聚置床头，百日许，复徙业就玄，自当小差于史，犹未近仿佛。曼倩有云：'谈何容易。'见诸玄，志为之逸，肠为之抽，专一书，转诵数十家注，自少至老，手不释卷，尚未敢轻言。汝开《老子》卷头五尺许，未知辅嗣何所道，平叔何所说，马、郑何所异，《指例》何所明，而便盛于麈尾，自呼谈士，此最险事。设令袁令命汝言《易》，谢中书挑汝言《庄》，张吴兴叩汝言《老》，端可复言未尝看邪？谈故如射，前人得破，后人应解，不解即输赌矣。且论注百氏，荆州《八帙》，又《才性四本》《声无哀乐》，皆言家口实，如客至之有设也。汝皆未经拂耳瞥目，岂有庖厨不脩，而欲延大宾者哉？就如张衡思侔造化，郭象言类悬河，不自劳苦，何由至此？汝曾未窥其题目，未辨其指归；六十四卦，未知何名；《庄子》众篇，何者内外；《八帙》所载，凡有几家；《四本》之称，以何为长。而终日欺人，人亦不受汝欺也。由吾不学，无以为训。然重华无严父，放勋无令子，亦各由己耳。汝辈窃议亦当云：'何日不学？在天地间可嬉戏，何忽自课谪？幸及盛时逐岁暮，何必有所减？'汝见其一耳，不全尔也。设令吾学如马、郑，亦必甚胜；复倍不如今，亦必大减。致之有由，从身上来也。汝今壮年，自勤数倍许胜，劣及吾耳。世中比例举眼是，汝足知此，不复具言。吾在世，虽乏德素，要复推排人间数十许年，故是一旧物，人或以比数汝等耳。即化之后，若自无调度，谁复知汝事者？舍中亦有少负令誉弱冠越超清级者，于时王家门中，优者则龙凤，劣者犹虎豹，失荫之后，岂龙虎之议？况吾不能为汝荫，政应各自努力耳。或有身经三公，蔑尔无闻；布衣寒素，卿相屈体。或父子贵贱殊，兄弟声名异。何也？体尽读数百卷书耳。吾今悔无所及，欲以前车诫尔后乘也。汝年入立境，方应从官，兼有室累，牵役情性，何处复得下帷如王郎时邪？为可作世中学，取过一生耳。试复三思，勿讳吾言。犹捶挞志辈，冀脱万一，未死之间，望有成就者，不知当有益否？各在尔身己切，岂复关吾邪？鬼唯知爱深松茂柏，宁知子弟毁誉事！因汝有感，故略叙胸怀。"春泓按：王僧虔此书作于宋世，其中提到谢中书，即谢庄。《宋书·谢庄传》说："（大明）六年……太宗定乱，得出。及即位，以庄为散骑常侍、光禄大夫，加金章紫绶，领寻阳王师，顷之，转中书令，常侍、王师如故……泰始二年，卒，时年四十六。"故谢氏得"谢中书"之称号，应在泰始元年。其中提到的袁令，即袁粲。《宋书·袁粲传》说："（泰始）二年，迁领军将军，仗士三十人入六门。其年，徙中书令，领太子詹事，增封三百户，固辞不受。三年，转尚书仆射，寻领吏部。五年，加中书令，又领丹阳尹。六年，上于华林园茅堂讲《周易》，粲为执经。又知东宫事，徙为右仆射。七年，领太子詹事，仆射如故。未拜，迁尚书令，丹阳尹如故。坐前选武卫将军江柳为江州刺史，柳有罪，降为守尚书令。"他在泰始二年"徙中书令"，泰始七年任尚书令，故有"袁令"之称。《梁书·谢朏传》中袁粲有曰："谢令不死。"盖谢庄曾任中书令故也，可相互印证。因捍卫刘宋，在升明元年，袁粲被萧道成部下所杀。其中提及的张吴兴，即张绪。按《南齐书·张绪传》说："张绪字思曼，吴郡吴人也……宋明帝每见绪，辄叹其清淡……绪长于《周易》，言精理奥，见宗一时。常云何平叔所不解《易》中七事，诸卦中所有时义，是其一也。"他是由宋入齐的人物。体味王僧虔此书所谓"设令袁令命汝言《易》，谢中书挑汝言《庄》，张吴兴叩汝言《老》，端可复言未尝看邪"？设若此时袁、谢及张当时都还在世，而三人中以谢庄最早凋零，故此书写作时间似不应晚于泰始二年。因王僧虔死于永明三年，享年六十，故在泰始二年，其年纪正好是四十一岁。而恰在此年，袁粲可有"袁令"之称号。然而按《南齐书》记载，王僧虔儿子有王慈、王志和王寂，王慈较年长（未必是长子），他于永明九年卒，享年四十一岁，与其父王僧虔相比，年少二十五岁。另《梁书·王筠传》记载王僧虔还有一子楫，但是不明其行年。如果此书正写于泰始二年，当时王慈年方十六岁，则与书中提及"汝年入立境，方应从官"不合；而王志和王寂则更年轻，书中说到"犹捶挞志辈"，而王寂卒年二十一岁，故排除了此书写作的对象是王志和王寂的可能性，王僧虔此书应写给儿子王慈。当写作此书时，谢庄与袁粲应已不在人世，王僧虔本意是，若起死者于地下来谈玄的意思。当王慈在宋世将近三十岁时，恰应在宋升明三年或稍前[①]。玄学重点谈论《老》《庄》和《易》，上述三人是宋后期玄学的代表人物，所以均兼修三者，而在王僧虔眼里则此辈各有擅长。

卞彬心系宋室，太祖闻之，不加罪。《南齐书·文学传》之《卞彬传》说："齐台初建，彬又曰：'谁谓宋远，跂予望之。'太祖闻之，不加罪也。"

王逡重儒术。《南齐书·文学传》之《王逡之传》说："王逡之字宣约，琅邪临沂

---

① 余英时《王僧虔〈诫子书〉与南朝清谈考辨》考定袁令是袁粲，谢中书为谢庄，尤其排比材料，认为张吴兴则是张吴郡之讹误，其非张绪莫属。并且从"设令袁令命汝言《易》"之语，指出"袁令"之由来，是因袁粲始于泰始七年迄于升明元年任尚书令，故有此称。余英时分析此书写作的实际时间，假如拘泥于王慈年届而立的当年，应是齐建元二年，然而《南齐书》明言是"宋世"，所以"年人立境"，自然是指王慈三十岁之前，究竟哪一年可能性较大？余文结合袁粲于升明元年被杀，而作书诫子，若出之于"设令袁令命汝言《易》"之语，则殊不近情理，因此此书撰写时间应在袁粲任尚书令期间，即 477 年 7 月以前。余文刊于《中国文化》第八期，香港：中华书局（香港有限公司）1993 年版。春泓按，关于"袁令"称号之由来，袁粲泰始二年任中书令，此时似亦可以称之为"袁令"；观"设令袁令命汝言《易》"一句，是否作为诫子书应以一位在世者作譬喻，否则就有不吉利之嫌？因为袁氏之死，在当时博得广泛的同情和敬佩，譬如刘祥和谢超宗就曾当面指责褚渊，称颂袁粲，令褚渊这样苟活的人无地自容，所以王僧虔在袁粲身后说此话，亦并非不可能，姑将此诫子书写作时间定于升明三年。

人也。父祖皆为郡守。逡之少礼学博闻……昇明末，右仆射王俭重儒术，逡之以著作郎兼尚书左丞，参定齐国仪礼。初，俭撰《古今丧服集记》，逡之难俭十一条。更撰《世行》五卷。转国子博士。"

宋明帝诛戮蕃戚，宋朝元气大伤，走向衰落。南兰陵人萧道成，利用刘宋朝廷内部自残，分化明帝临死前托付后事的顾命大臣，废杀后废帝（苍梧王），改立宋顺帝。进而斩顾命大臣袁粲和刘秉，进而消灭握有兵权的荆州刺史沈攸之，于是在此年接受宋帝禅位。按《南齐书·崔祖思传》说："宋朝初议封太祖为梁公，祖思启太祖曰：'谶书云"金刀利刃齐刘之"。今宜称齐，实应天命。'从之。"按《梁书·刘季连传》说："齐高帝受禅，悉诛宋室近属。"可见萧道成亦在血腥的杀戮中建立起其新政权。

谢超宗辞采出众。《南齐书·谢超宗传》说："有司奏撰立郊庙歌，敕司徒褚渊、侍中谢朏、散骑侍郎孔稚珪、太学士王暕之、总明学士刘融、何法阆、何昙秀十人并作，超宗辞独见用。"春泓按，褚渊在建元元年、二年固让司徒之位。

王俭为易代之事出力甚多。《南齐书·王俭传》说："王俭字仲宝，琅邪临沂人也。祖昙首，宋右光禄。父僧绰，金紫光禄大夫。俭生而僧绰遇害，为叔父僧虔所养……上表求校坟籍，依《七略》撰《七志》四十卷，上表献之，表辞甚典。又撰定《元徽四部书目》……俭察太祖雄异，先于领府衣裾，太祖为太尉，引为右长史，恩礼隆密，专见任用。转左长史。及太傅之授，俭所唱也。少有宰相之志，物议咸相推许。时大典将行，俭为佐命，礼仪诏策，皆出于俭，褚渊唯为禅诏文，使俭参治之。"这说明，在禅代之际，高门士族从事粉饰篡夺的事宜，最无廉耻，其文章文体多在"礼仪诏策"和"禅诏文"之类，而寒士是无缘参预的，这对寒士操翰于自家"文义"亦产生了很大的作用。

王氏以善书名家。《南齐书·王僧虔传》说："太祖善书，及即位，笃好不已。与僧虔赌书毕，谓僧虔曰：'谁为第一？'僧虔曰：'臣书第一，陛下亦第一。'上笑曰：'卿可谓善自为谋矣。'示僧虔古迹十一帙，就求能书人名。僧虔得民间所有，帙中所无者，吴大皇帝、景帝、归命侯书，桓玄书，及王丞相导、领军洽、中书令珉、张芝、索靖、卫伯儒、张翼十二卷奏之。又上羊欣所撰《能书人名》一卷。"春泓按，王僧虔书法既有家学渊源，又有自己全面深入的研究心得，堪称杰出的书法家和书法理论家，他对书法倾注了极大的兴趣和心血，形成了自己独到的艺术观点。而人何以会对某种艺术产生如醉如痴的兴趣和情感，是因为从中可以找到生命的寄托，只有将生命寄托于某种艺术门类，才会在此种艺术中达到登峰造极的境地。而艺术门类繁多，从艺者若能臻于极致，其艺术的境界就不分彼此，实有殊途同归之妙。而生命超乎物质之上的需求是情感和审美，这也是一切文学艺术的本质。譬如曹丕《典论·论文》说："而文非一体，鲜能备善。"意指文体众多，人所擅长者往往偏于某种文体，即使通才亦很少能各体兼备。其实这个"文"字可以引伸为"文艺"，稍有艺术天赋的人可以在某种文体甚或某种文艺门类中，寻找近于自己情性的一种，从而获得情感和审美的愉悦与满足，并无必要成为兼通之才。此时研究者会发现，某人对于自己所钟情的文学或艺术种类，一旦其实践或欣赏的水准由技进乎道，此时他所感悟到的真知灼见就接近了文艺的本体，所以《庄子》中"庖丁解牛"等世俗的工作尽与艺术相通，不同领域的艺术家亦可以异曲同工，所谓英雄所见略同也。有些文学艺术理论批评史的研究者尚需解蔽，其蔽在于不能知人论世。当一个外行谈论文艺之时，其实仅仅表现出无知；当然一个艺术外行如果他是一个重要的历史人物，其艺术上的无知也是值得研究的；而一个艺术家因某种障碍或企图（譬如政治等因素）而言不由衷之时，其言论是否代表了其真实思想则应审慎辨析。王僧虔是中国书法史上的重要人物，非但精于书艺，而且对秦汉魏晋书法发展史作出过精到的评判，故而他是由书法升华到"书道"的大家，书法成为其生命中的一部分，体现了其生命的最高追求和审美意识，他关于书法的理解，才代表了其文艺观最本质的内涵。按其《书赋》说："情凭虚而测有，思沿想而图空，心经于则，目像其容，手以心麾，毫以手从，风摇挺气，妍嬁深功。尔其隶明敏蜿蟆，绚蒨趂将，摛文筐缛，托韵笙篁。仪春等爱，丽景依光。沉若云郁，轻若蝉扬，稠必昂萃，约实箕张。垂端整曲，裁邪制方。或具美于片巧，或双兢于两伤。形髴靡而多态，气陵厉其如芒。故其委貌也必妍，献体也贵壮。迹乘规而骋势，志循检而怀放。"① 此前古人在谈论文章之时，大多不能摆脱事功的羁绊，而这种价值观经常湮没了文章同时具有的抒情和审美价值，因此使得更突出抒情和审美功能的文章发展受到限制。这样的文章观是否属于士人的共识，是令人怀疑的，然在儒家思想的主导下，却似乎成为社会的主流观念。而书法爱好属于王僧虔躲避政治纷争的一种精神活动，尤其自晋宋玄学的洗礼，文艺更具有私人化的特质，在书艺之中，生命的本质充分地得以展现，理论与实践存在着"非知之难，实能之难也"的差异，但理论本身却更显示其人生之祈向，所以《书赋》仿照陆机的《文赋》，能够直抵文艺之真谛。王氏首先就指出书法是抒情的艺术，奔涌于艺术家心底的情思借助手中的笔得以抒写出来，这就是书法的第一功能。"情凭虚而测有，思沿想而图空，心经于则，目像其容"，王氏受玄学"有无之辩"的影响，认为情感在书法中的表现，亦在"有生于无"的范畴；书法是体现情思的，王氏曰："心经于则。"扬雄讲"诗人之赋丽以则"，"则"指有真实的情感内涵或思想倾向，然而挥洒翰墨却难以言指只可意会，意会实际上是一种高度浓缩的精神交流；书法是线条的艺术，除了抒情之外，它还具有无限的美感，譬如光影之明暗与质感之轻重，都可以现于腕底，操翰者由心至手以至于毫端，"摛文筐缛，托韵笙篁"②，所谓"言不尽意"，犹如语言的尽头是音乐一样，书法拥有不可言说之美，这种美妙在于具象和抽象之间，"风摇挺气，妍嬁深功"，风，可以与骨组合成为"风骨"一词，呈现出力度之美；而气，亦可以与韵组合，即"气韵"生动之谓也，总之，书法可以表现柔刚阴阳的生命力之美，其姿态万方，世间一切的美感尽可以为其所囊括，世间的风情万种亦可凭藉书法来表达。曹丕《典论·论文》讲"诗赋欲丽"，陆机《文赋》说"诗缘情而绮靡"，已经鲜明地标举出诗赋的美感特点，但是曹丕依然不忘"经国之大业"，陆机所兼顾的十种文体亦非尽属"缘情"、"绮靡"一系的。相比较之下，惟有王僧虔谈论书法，才彻底将艺术与政治功用脱钩，纯粹地

---

① 欧阳询：《艺文类聚》卷七十四，汪绍楹校，上海：上海古籍出版社 1999 年版。
② "摛文"一词在《文心雕龙》中多有出现；《魏故博陵太守邢（伟）府君墓志（延昌四年二月十一日）》说："振藻春华，摛文玉润。"见《记后魏邢伟墓出土物及邢蛮墓的发现》，刊于《考古》1959 年第 4 期。

将抒情和审美作为书法的艺术本体，堪称艺术观念的真正独立。

王僧虔书法在当时享有盛名。《南齐书·王慈传》说："王慈字伯宝，琅邪临沂人，司空僧虔子也……谢超宗尝谓慈曰：'卿书何当及虔公？'慈曰：'我之不得仰及，犹鸡之不及凤也。'时人以为名答。"

谢超宗造庙乐歌诗。《南齐书·乐志》说："建元初，诏黄门侍郎谢超宗造庙乐歌诗十六章。"《南齐书·谢超宗传》说："有司奏撰立郊庙歌，敕司徒褚渊、侍中谢朏、散骑侍郎孔稚珪、太学博士王哃之、总明学士刘融、何法冏、何昙秀十人并作，超宗辞独见用。"

丘灵鞠转中书郎。《南齐书·文学传》之《丘灵鞠传》说："建元元年，转中书郎，中正如故，敕知东宫手笔。寻又掌知国史。"

陆澄、褚渊叙述历代左丞弹文之通例，有助于对弹文文体的了解。《南齐书·陆澄传》说："建元元年，骠骑咨议沈宪等坐家奴客为劫，子弟被劾，宪等晏然。左丞任遐奏澄不纠，请免澄官。澄上表自理曰：

周称旧章，汉言故事，爰自河雒，降逮淮海，朝之宪度，动尚先准。若乃任情违古，率意专造，岂谓酌诸故实，择其茂典？

案遐启弹新除咨议参骠骑大将军军事沈宪、太子庶子沈旷并弟息，敕付建康，而宪被使，旷受假，俱无归罪事状。臣以不纠宪等为失。伏寻晋、宋左丞案奏，不乏于时，其及中丞者，从来殆无。王献之习达朝章，近代之宗，其为左丞，弹司徒属王濛懆罚自解，属疾游行，初不及中丞。桓秘不奔山陵，左丞郑袭不弹秘，直弹中丞孔欣时，又云别摄兰台检校，此径弹中丞之谓。唯左丞庾登之奏镇北檀道济北伐不进，致虎牢陷没，蕃岳宰臣，引咎谢愆，而责帅之劾，曾莫奏闻，请收治道济，免中丞何万岁。夫山陵情敬之极，北伐专征之大，秘霸季之贵，道济元勋之盛，所以咎及南司，事非常宪，然秘事犹非及中丞也。今若以此为例，恐人之贵贱，事之轻重，物有其伦，不可相方。

左丞江奥弹段景文，又弹裴方明；左丞甄法崇弹萧珍，又弹杜骥，又弹段国，又弹范文伯；左丞羊玄保又弹萧汪；左丞殷景熙弹张仲仁；兼左丞何承天弹吕万龄。并不归罪，皆为重劾。凡兹十弹，差是宪、旷之比，悉无及中丞之议。左丞荀万秋、刘藏、江谧弹王僧朗、王云之、陶宝度，不及中丞，最是近例之明者。谧弹在今氒匒之后，事行圣照。远取十奏，近征二案，自宜依以为体，岂得舍而不遵？

臣窃此人乏，谬奉国宪。今遐所纠，既行一时，若默而不言，则向为来准，后人被绳，方当追请，素餐之责，贻尘千载。所以备举显例，弘通国典，虽有愚心，不在微躬。请出臣表付外详议。若所陈非谬，裁由天鉴。

诏委外详议。尚书令褚渊奏：'宋世左丞荀伯子弹彭城令张道欣等，坐界劫累发不禽，免道欣等官；中丞王准不纠，亦免官。左丞羊玄保弹豫州刺史管义之谯梁群盗，免义之官；中丞傅隆不纠，亦免隆官。左丞羊玄保又弹兖州刺史郑从之滥上布及加课租绵，免从之官；中丞傅隆不纠，免隆官。左丞陆展弹建康令丘珍孙、丹阳尹孔山士劫发不禽，免珍孙、山士官；中丞何勖不纠，亦免勖官。左丞刘矇弹青州刺史刘道隆失火烧府库，免道隆官；中丞萧惠开不纠，免惠开官。左丞徐爰弹右卫将军薛安都属疾不直，免安都官；中丞张永结免。澄谀闻肤见，贻挠后昆，上掩皇明，下笼朝识，请以见事免澄所居官。'诏曰：'澄表据多谬，不足深劾，可白衣领职。'"这对于认识"弹"这一文体在政治中的作用，以及曾经有过哪些代表性的作者作品，颇具立此存照的价值。

周颙任山阴令。《南齐书·周颙传》记述："建元初，为长沙王参军，后军参军，山阴令。县旧订滂民，以供杂使。"周颙同情滂民极其悲惨的境遇，向太守闻喜公萧子良为民请命，体现了读书人的良心，而当时被称为"滂民"的一类百姓的生存状态，也幸赖周颙之笔，得以记录下来了。

王俭阻挠南士居清显之官位。《南齐书·张绪传》说："建元元年，转中书令，常侍如故。绪善言，素望甚重。太祖深加敬异。仆射王俭谓人曰：'北士中觅张绪，过江未有人，不知陈仲弓、黄叔度能过之不耳？'车驾幸庄严寺听僧达道人讲，座远，不闻绪言，上难移绪，乃迁僧达以近之。寻加骁骑将军。欲用绪为右仆射，以问王俭，俭曰：'南士由来少居此职。'褚渊在座，启上曰：'俭年少，或不尽忆。江左用陆玩、顾和，皆南人也。'俭曰：'晋氏衰政，不可以为准则。'上乃止。"春泓按，张绪深得时人之嘉评，但是作为"南士"，却不能官居右仆射之职，可见北人（侨人）对于南士仍然深怀偏见。

丘巨源不乐为武昌太守。改授余杭令。《南齐书·文学传》之《丘巨源传》说："建元元年，为尚书主客郎，领军司马，越骑校尉。除武昌太守，拜竟，不乐江外行，世祖问之，巨源曰：'古人云："宁饮建业水，不食武昌鱼。"臣年已老，宁死于建业。'以为余杭令。"

范云早从竟陵王子良游。《梁书·范云传》说："齐建元初，竟陵王子良为会稽太守，云始随王，王未之知也。会游秦望，使人视刻石文，时莫能识，云独诵之，王悦，自是宠冠府朝。"

江淹参掌诏册，典国史。《梁书·江淹传》说："建元初，又为骠骑豫章王记室，带东武令，参掌诏册，并典国史。"

何点讽刺褚渊、王俭，体现出借隐以表达狷介态度的处世观。《梁书·处士传》之《何点传》说："何点字子晰，庐江灊人也。祖尚之，宋司空……容貌方雅，博通群书，善谈论。家本甲族，亲姻多贵仕。点虽不入城府，而遨游人世，不簪不带，或驾柴车，蹑草鞋，恣心所适，致醉而归，士大夫多慕从之，时人号为'通隐'……齐初，累征中书郎、太子中庶子，并不就。与陈郡谢瀹、吴国张融、会稽孔稚珪为莫逆友。从弟遁，以东篱门园居之，稚珪为筑室焉。园内有卞忠贞冢，点植花卉于冢侧，每饮必举酒酹之。初，褚渊、王俭为宰相，点谓人曰：'我作《齐书赞》，云"渊既世族，俭亦国华；不赖舅氏，遑恤国家"。'王俭闻之，欲候点，知不可见，乃止。豫章王嶷命驾造点，点从后门遁去。司徒、竟陵王子良欲就见之，点时在法轮寺，子良乃往请，点角巾登席，子良欣悦无已，遗点嵇叔夜酒杯、徐景山酒铛。"所谓"处士"何点，实际上是以宋遗民的姿态，来表示对于出卖君主者的抗议，而他不拒绝与萧子良来往，这说明萧子良在士人心目中，与南齐政权尚有本质区别。

北朝

十一月

魏遣假梁郡王嘉督二将出淮阴，陇西公琛督三将出广陵，河东公薛虎子督三将出寿阳，奉丹阳王刘昶入寇；许昶以克复旧业，世胙江南，称番于魏。据《资治通鉴》卷一百三十五《齐纪一》。《魏书》卷七上《高祖纪》：程骏上表谏，不从。表见《魏书》卷六〇《程骏传》。

本年

诏中书监高允议定律令。允虽笃老，而志识不衰。诏以允家贫养薄，令乐部丝竹十人五日一诣允以娱其志，朝晡给膳，朔望致牛酒，月给衣服绵绢；入见则备几杖，问以政治。据《资治通鉴》卷一百三十五《齐纪一》。

公元 480 年（南齐高帝建元二年　魏孝文帝太和四年　庚申）

三月

车驾幸乐游苑宴会，王公以下赋诗。《南齐书·高帝纪下》说："（建元二年三月）己亥，车驾幸乐游苑宴会，王公以下赋诗。"

本年

柳世隆自云马矟第一，清谈第二，弹琴第三。《南齐书·柳世隆传》说："世隆性爱涉猎，启太祖借秘书阁书，上给二千卷……世隆少立功名，晚专以谈义自业。善弹琴，世称柳公双琐，为士品第一。常自云马矟第一，清谈第二，弹琴第三。在朝不干世务，垂帘鼓琴，风韵清远，甚获世誉。"

王僧虔留意雅乐。《南齐书·王僧虔传》说："（建元）二年，进号左卫将军，固让不拜。改授左光禄大夫，侍中、尹如故……僧虔留意雅乐，昇明中所奏，虽微有厘改，尚多遗失。是时上始欲通使，僧虔与兄子俭书曰：'古语云"中国失礼，问之四夷"。计乐亦如之。苻坚败后，东晋始备金石乐，故知不可全诬也。北国或有遗乐，诚未可便以补中夏之阙，且得知其存亡，亦一理也。但《鼓吹》旧有二十一曲，今所能者十一而已，意谓北使会有散役，得今乐署一人粗别同异者，充此使限。虽复延州难追，其得知所知，亦当不同。若谓有此理者，可得申吾意上闻否？试为思之。'事竟不行。"

刘善明与崔祖思书，清丽异常，感慨深沉，堪谓文人书信之佳作。《南齐书·刘善明传》说："善明身长七尺九寸，质素不好声色，所居茅斋斧木而已，床榻几案，不加划削。少与崔祖思友善，祖思出为青、冀二州，善明遗书曰：'昔时之游，于今邈矣。或携手春林，或负杖秋涧，逐清风于林杪，追素月于园垂，如何故人，徂落殆尽。足下方拥旄北服，吾剖竹南甸，相去千里，间以江山，人生如寄，来会何时！尝览书史，数千年来，略在眼中矣。历代参差，万理同异。夫龙虎风云之契，乱极必夷之几，古今岂殊，此实一揆……"春泓按，《南齐书·崔祖思传》说崔于建元二年"督青冀二州刺史"，而刘善明卒于建元二年，所以此书应写于建元二年，几可视为绝笔之作了。

时黄籍多讹乱。《南齐书·虞玩之传》说："建元二年，诏朝臣曰：'黄籍，民之大纪，国之治端。自顷氓俗巧伪，为日已久，至乃窃注爵位，盗易年月，增损三状，贸袭万端。或户存而文书已绝，或人在而反托死叛，停私而云隶役，身强而称六疾。编户齐家，少不如此。皆政之巨蠹，教之深疵。比年虽却籍改书，终无得实。若约之以刑，则民伪已远；若绥之以德，则胜残未易。卿诸贤并深明治体，可各献嘉谋，以振浇化。又台坊访募，此制不近，优剧素定，闲剧有常。宋元嘉以前，兹役恒满，大明以后，乐补稍绝。或缘寇难频起，军荫易多，民庶从利，投坊者寡。然国经未变，朝纪恒存，相揆而言，隆替何速。此急病之洪源，暑景之切患，以何科算，革斯弊邪？'玩之上表曰：'宋元嘉二十七年八条取人，孝建元年书籍，众巧之所始也。元嘉中，故光禄大夫傅隆，年出七十，犹手自书籍，躬加隐校。隆何必有石建之慎，高柔之勤，盖以世属休明，服道修身故耳。今陛下日旰忘食，未明求衣，诏逮幽愚，谨陈妄说。古之共治天下，唯良二千石，今欲求治取正，其在勤明令长。凡受籍，县不加检合，但封送州，州检得实，方却归县。吏贪其赂，民肆其奸，奸弥深而却弥多，赂愈厚而答愈缓。自泰始三年至元徽四年，扬州等九郡四号黄籍，共却七万一千余户。于今十一年矣，而所正者犹未四万。神州奥区，尚或如此，江、湘诸部，倍不可念。愚谓宜以元嘉二十七年籍为正。民惰法既久，今建元元年书籍，宜更立明科，一听首悔，迷而不反，依制必戮。使官长审自检校，必令明洗，然后上州，永以为正。若有虚昧，州县同咎。今户口多少，不减元嘉，而板籍顿阙，弊亦有以。自孝建已来，入勋者众，其中操干戈卫社稷者，三分殆无一焉。勋簿所领，而诈注辞籍，浮游世要，非官长所拘录，复为不少。寻苏峻平后，庾亮就温峤求勋簿，而峤不与，以为陶侃所上，多非实录。寻物之怀私，无世不有，宋末落纽，此巧尤多。又将位既众，举恤为禄，实润甚微，而人领数万，如此二条，天下合役之身，已据其太半矣。又有改注籍状，诈入仕流，昔为人役者，今反役人。又生不长发，便谓为道人，填街溢巷，是处皆然。或抱子并居，竟不编户，迁徙去来，公违土断。属役无满，流亡不归。宁丧终身，疾病长卧。法令必行，自然竞反。又四镇戍将，有名寡实，随才部曲，无辨勇懦，署位借给，巫媪比肩，弥山满海，皆是私役。行货求位，其途甚易，募役卑剧，何为投补？坊吏之所以尽，百里之所以单也。今但使募制明信，满复有期，民无径路，则坊可立表而盈矣。为治不患无制，患在不行，不患不行，患在不久。'上省玩之表，纳之。乃别置板籍官，置令史，限人一日得数巧，以防懈怠。于是货赂因缘，籍注虽正，犹强推却，以充程限。至世祖永明八年，谪巧者戍缘淮各十年，百姓怨望。世祖乃诏曰：'夫简贵贱，辨尊卑者，莫不取信于黄籍。岂有假器滥荣，窃服非分。故所以澄革虚妄，式允旧章。然衅起前代，过非近失，既往之愆，不足追咎。自宋昇明以前，皆听复注。其有谪役边疆，各许还本。此后有犯，严加剪治。'"

檀超与江淹掌史职。《南齐书·文学传》之《檀超传》说："建元二年，初置史官，以超与骠骑记室江淹掌史职。上表立条例，开元纪号，不取宋年。封爵各详本传，无假年表。立十志：《律历》《礼乐》《天文》《五行》《郊祀》《刑法》、《艺文》依班

369

固,《朝会》《舆服》依蔡邕、司马彪,《州郡》依徐爰。《百官》依范晔,合《州郡》。班固五星载《天文》,日蚀载《五行》;改日蚀入《天文志》。以建元为始。帝女体自皇宗,立传以备甥舅之重。又立《处士》《列女传》。诏内外详议。左仆射王俭议:'金粟之重,八政所先,食货通则国富民实,宜加编录,以崇务本。《朝会志》前史不书,蔡邕称先师胡广说《汉旧仪》,此乃伯喈一家之意,曲碎小仪,无烦录。宜立《食货》,省《朝会》。《洪范》九畴,一曰五行。五行之本,先乎水火之精,是为日月五行之宗也。今宜宪章前轨,无所改革。又立《帝女传》,亦非浅识所安。若有高德异行,自当载在《列女》,若止于常美,则仍旧不书。'诏:'日月灾隶《天文》,余如俭议。'超史功未就,卒官。江淹撰成之,犹不备也。时豫章熊襄著《齐典》,上起十代。其序云:'《尚书·尧典》,谓之《虞书》,则附所述,故通谓之齐,名为《河洛金匮》。'"春泓按,当时对于史传的体例,史家展开讨论,王俭重视食货的观点十分可贵,说明他对于司马迁《史记》深有会心。《南齐书·袁彖传》说:"檀超以《天文志》纪纬序位度,《五行志》载当时详祲,二篇所记,事用相悬,日蚀为灾,宜居《五行》。超欲立处士传。彖曰:'夫事关业用,方得列其名行。今栖遁之士,排斥皇王,陵轹将相,此偏介之行,不可长风移俗,故迁书未传,班史莫编。一介之善,无缘顿略,宜列其姓业,附出他篇。'"此可见袁氏极端的入世事功的观念,而檀超主张立处士传,"处士"确实代表了士人中一类人的处世方式,为之作传,应有其价值,不容轻忽。

时国学久废。《南齐书·文学传》之《王逡之传》说:"国学久废,建元二年,逡之先上表立学,又兼著作,撰《永明起居注》……逡之率素,衣裘不汗,机案尘黑,年老,手不释卷。建武二年卒。"

公元481年（南齐高帝建元三年　魏孝文帝太和五年　辛酉）

本年

南方文人画已端倪初显。《南齐书·何戢传》说:"(建元)三年,出为左将军、吴兴太守。上颇好画扇,宋孝武赐戢蝉雀扇,善画者顾景秀所画。时陆探微、顾彦先皆能画,叹其巧绝。戢因王晏献之,上令晏厚酬其意。"

刘祥指斥褚渊无耻。《南齐书·刘祥传》说:"刘祥字显征,东莞莒人也……建元中,为冠军征虏功曹,为府主武陵王晔所遇。除正员外。祥少好文学,性韵刚疏,轻言肆行,不避高下。司徒褚渊入朝,以腰扇障日,祥从侧过,曰:'作如此举止,羞面见人,扇障何益?'渊曰:'寒士不逊。'祥曰:'不能杀袁、刘,安得免寒士?'"[①]春泓按,此"建元中"姑且定于建元三年。高门无耻的行径,令寒士深感不齿,所以他们敢于挑战其地位。

虞玩之上表告退。《南齐书·虞玩之传》说:"玩之以久宦衰疾,上表告退,曰:'臣闻负重致远,力穷则困,竭诚事君,智尽必倾,理固然也。四十仕进,七十悬车,

---

① 《南史·谢灵运传》附《谢超宗传》有类似的记述,但是谢回答褚渊"寒士不逊"曰:"不能卖袁、刘得富贵,焉得免寒士。"

壮则驱驰，老宜休息。臣生于晋，长于宋，老于齐，世历三代，朝市再易。臣以宋元嘉二十八年为王府行佐，于兹三十年矣。自顷以来，衰耗渐笃。为性不懒惰，而倦怠顿来。耳目本聪明，而聋瞽转积。脚不支身，喘不绪气。景刻不推，朝昼不保。大功兄弟，四十有二人，通塞寿夭，唯臣独存。朝露末光，宁堪长久！且知足不辱，臣已足矣。禀命饥寒，不求富贵，铜山由命，臣何恨焉，久甘之矣。直道事人，不免缧绁，属遇圣明，知其非罪，臣之幸厚矣。授命于道消之晨，效节于百揆之日，臣忠之效也。庆降于文明之初，荷泽于天飞之运，臣命之偶也。不谋巧宦而位至九卿，德惭李陵而忝居门下。尧舜无穷，臣亦通矣。年过六十，不为夭矣。荣期之三乐，东平之一善，臣俱尽之矣。经昏践乱，涉艰履危，仰圣德以求全，凭贤辅以申节，未尝厌屈于勋权，畏溺于狐鼠，臣立身之本，于斯不亏。在其壮也，当官不让。及其衰矣，豪露靡因。伏愿慈临，赐臣骸骨。非为希高慕古，爱好泉林，特以丁运孤贫，养礼多阙，风树之感，夙自缠心。庶天假其辰，得二三年闲，扫守丘墓，以此归全，始终之报遂矣。'上省玩之表，许之。"春泓按，虞玩之身仕二朝，却自诩"臣立身之本，于斯不亏"，可见南朝士人已全无忠君之节操。

到沆幼聪敏。《梁书·文学传》之《到沆传》说："到沆字茂瀣，彭城武原人也。曾祖彦之，宋将军。父挚，齐五兵尚书。沆幼聪敏，五岁时，挚于屏风抄古诗，沆请教读一遍，便能讽诵，无所遗失。既长勤学，善属文，工篆隶。美风神，容止可悦。"春泓按，本传记载，到沆卒于天监五年，年三十，所以其五岁时正值齐建元三年。

北朝

二月

沙门法秀谋反伏诛。程骏上表贺，并上《庆国颂》十六章，又奏《得一颂》，文明太后下令褒扬。程骏时年六十七岁。《魏书》卷六〇《程骏传》曰："骏又奏《得一颂》，始于固业，终于无为，十篇。文多不载。文明太后令曰：'省表并颂十篇，闻之。鉴戒既备，良用钦玩。养老乞言，其斯之谓。'"

本年

魏与齐战于淮阳。《魏书》卷七上《高祖纪》："南征诸将击破萧道成游击将军桓康于淮阳。道成豫州刺史垣崇祖寇下蔡，昌黎王冯熙击破之。假梁郡王嘉大破道成将，俘获三万余口送京师。"

魏中书令高闾等更定新律。《魏书》卷一〇一《刑法志》：魏中书令高闾等更定新律成。先是，以律令不具，奸吏用法，致有轻重。诏中书令高闾集中秘官等修改旧文，随例增减。又敕群官，参议厥衷，经御刊定。五年冬讫，凡八百三十二章，门房之诛十有六，大辟之罪二百三十五，刑三百七十七。除群行剽劫首谋门诛，律重者止枭首。

文明太后、高祖并为歌章。《魏书》卷一〇九《乐志》：文明太后、高祖并为歌章，戒劝上下，皆宣之管弦。

公元482年（南齐高帝建元四年　魏孝文帝太和六年　壬戌）

本年

张绪任国子祭酒。《南齐书·张绪传》说："四年，初立国学，以绪为太常卿，领国子祭酒，常侍、中正如故。"

高帝崩。《南齐书·高帝本纪下》说："（建元四年三月）壬戌，上崩于临光殿，年五十六……上少沉深有大量，宽严清俭，喜怒无色。博涉经史，善属文，工草隶书，弈棋第二品。虽经纶夷险，不废素业。"

萧赜即位。《南齐书·武帝本纪》说："世祖武皇帝讳赜，字宣远，太祖长子也……建元四年三月壬戌，太祖崩，上即位……六月甲申，立皇太子长懋……丙申……进封闻喜公子良为竟陵王。"

褚渊卒于本年。王俭撰《太宰褚彦回碑文》称赞褚氏"仁经义纬"、"金声玉振"，掩盖了其作为贰臣的劣迹，并记录其卒年：建元四年八月二十一日。此文载于《文选》卷五十八《碑文上》和《艺文类聚》卷四十五。

丘灵鞠任东观祭酒。《南史·文学传》之《丘灵鞠传》说："武帝即位，为通直常侍，寻领东观祭酒。灵鞠曰：'人居官愿数迁，使我终身为祭酒不恨也。'"

萧赜主导《宋书》修撰。《南齐书·文学传》之《王智深传》说："世祖使太子家令沈约撰《宋书》，拟立《袁粲传》，以审世祖。世祖曰：'袁粲自是宋家忠臣。'约又多载孝武、明帝诸鄙渎事，上遣左右谓约曰：'孝武事迹不容顿尔。我昔经事宋明帝，卿可思讳恶之义。'于是多所省除。"春泓按，《梁书》本传记载，沈约齐初即侍奉齐文惠太子，而太子为皇太子时在太祖崩、世祖即位之后，沈约被任命为太子家令。

沈约奉敕撰修国史。《宋书·自序》沈约叙述自己的史学业绩，说修晋史的工程，"建元四年未终，被敕撰国史"，即又从事《齐纪》的编撰。

公元483年（南齐武帝永明元年　魏孝文帝太和七年　癸亥）

正月

永明元年春正月辛亥，改元。永明年间是南齐以至整个南朝政治上比较平稳、经济上比较繁荣的时期，文学也在这一时期呈现出繁盛的景象。按《南齐书·良政传》说："永明之世，十许年中，百姓无鸡鸣犬吠之警，都邑之盛，士女富逸，歌声舞节，袨服华妆，桃花绿水之间，秋月春风之下，盖以百数。"沈约撰《为齐竟陵王发讲疏》说："思欲敷震微言，昭感未悟，乃以永明元年二月八日，置讲席于上邸，集名僧于帝畿。皆深辨真俗，洞测名相；分微靡滞，临疑若晓。同集于邸内之法云精庐，演玄音于六霄，启法门于千载。济济乎，实旷代之盛事也。"

本年

谢超宗死于非命。《南齐书·谢超宗传》记载永明元年，谢超宗儿女亲家张敬儿被诛，谢氏颇有怨恨之言，齐武帝得知，使袁彖、王永先和王逡之等上奏告发，罗织谢超宗罪行，于是下诏徙越州，行至豫章令谢氏自尽。此数人众口一词称谢氏"根性浮险，率情躁薄"，联系谢灵运的品行，莫非这正是作为杰出文人家族的谢氏的生命基因，这种特征与琅邪王氏存在着差异，使得在南朝的家族之争中，王氏略占上风。

刘祥与修《宋书》，讥斥禅代。《南齐书·刘祥传》说："永明初，（刘祥）迁长沙王镇军，板咨议参军，撰《宋书》，讥斥禅代……"此"永明初"姑且定于永明元年。

刘瓛与张融、王思远书表明其愿与政治保持若即若离之心迹。《南齐书·刘瓛传》说："永明初，竟陵王子良请为征北司徒记室。瓛与张融、王思远书曰：'奉教使恭召，会当停公事，但念生平素抱，有乖恩顾。吾性拙人间，不习仕进，昔尝为行佐，便以不能及公事免黜，此皆眷者所共知也。量己审分，不敢期荣。夙婴贫困，加以疏懒，衣裳容发，有足骇者。中以亲老供养，褰裳徒步，脱尔逮今，二代一纪。先朝使其更自修正，勉厉于阶级之次，见其褴褛，或复赐以衣裳，袁、褚诸公咸加劝励，终不能自反也。一不复为，安可重为哉？昔人有以冠一免不重加于首，每谓此得进止之仪。古者以贤制爵，或有秩满而辞老，以庸制禄，或有身病而求归者，永瞻前良，在己何若。又上下年尊，益不愿居官次，废晨昏也。先朝为此，曲申从许，故得连年不拜荣授，而带帖薄禄。既习此岁久，又齿长疾侵，岂宜摄斋河间之听，厕迹东平之僚？本无绝俗之操，亦非能偃蹇为高，此又诸贤所当深察者也。近奉初教，便自希得托迹于客游之末，而固辞荣级，其故何耶？以古之王侯大人，或以此延四方之士，甚美者则有辐凑燕路，慕君王之义，躟镳魏阙，高公子之仁，继有追申、白而入楚，羡邹、枚而游梁，吾非敢叨夫曩贤，庶欲从九九之遗踪。既于闻道集泮不殊，而幸无职司拘碍，可得奉温清，展私计，志在此尔。'"

南齐儒学状况。《南齐书·陆澄传》说："永明元年，转度支尚书。寻领国子博士。时国学置郑、王《易》，杜、服《春秋》，何氏《公羊》，麋氏《穀梁》，郑玄《孝经》。澄谓尚书令王俭曰：'《孝经》，小学之类，不宜列在帝典。'乃与俭书论之曰：

'《易》近取诸身，远取诸物，弥天地之道，通万物之情。自商瞿至田何，其间五传。年未为远，无讹杂之失；秦所不焚，无崩坏之弊。虽有异家之学，同以象数为宗。数百年后，乃有王弼。王济云弼所悟者多，何必能顿废前儒。若谓《易》道尽于王弼，方须大论，意者无乃仁智殊见。且《易》道无体不可以一体求，屡迁不可以一迁执也。晋太兴四年，太常荀崧请置《周易》郑玄注博士，行乎前代，于时政由王、庾，皆俊神清识，能言玄远，舍辅嗣而用康成，岂其妄然。太元立王肃《易》，当以在玄、弼之间。元嘉建学之始，玄、弼两立。逮颜延之为祭酒，黜郑置王，意在贵玄，事成败儒。今若不大弘儒风，则无所立学。众经皆儒，惟《易》独玄，玄不可弃，儒不可缺。谓宜并存，所以合无体之义。且弼于注经中已举《系辞》，故不复别注。今若专取弼《易》，则《系》说无注。

《左氏》太元取服虔，而兼取贾逵《经》，由服传无《经》，虽在注中，而《传》又有无《经》者故也。今留服而去贾，则《经》有所阙。案杜预注《传》，王弼注《易》，俱是晚出，并贵后生。杜之异古，未如王之夺实，祖述前儒，特举其违。又《释例》之作，所弘惟深。

《穀梁》太元旧有麋信注，颜益以范宁，麋犹如故。颜论闰分范注，当以同我者亲。常谓《穀梁》劣《公羊》，为注者又不尽善。竟无及《公羊》之有何休，恐不足两立。必谓范善，便当除廖。

世有一《孝经》，题为郑玄注，观其用辞，不与注书相类。案玄自序所注众书，亦无《孝经》。'

俭答曰：'《易》体微远，实贯群籍，施、孟异闻，周、韩殊旨，岂可专据小王，便为该备？依旧存郑，高同来说。元凯注《传》，超迈前儒，若不列学官，其可废矣。贾氏注《经》，世所罕习，《穀梁》小书，无俟两注，存廖略范，率由旧式。凡此诸义，并同雅论。疑《孝经》非郑所注，仆以此书明百行之首，实人伦所先，《七略》《艺文》并陈之六艺，不与《仓颉》《凡将》之流也。郑注虚实，前代不嫌，意谓可安，仍旧立置。'俭自以博闻多识，读书过澄。澄曰：'仆年少来无事，唯以读书为业。且年已倍令君，令君少便鞅掌王务，虽复一览便谙，然见卷轴未必多仆。'俭集学士何宪等盛自商略，澄待俭语毕，然后谈所遗漏数百千条，皆俭所未睹，俭乃叹服。俭在尚书省，出巾箱几案杂服饰，令学士隶事，事多者与之，人人各得一两物，澄后来，更出诸人所不知事复各数条，并夺物将去。"复按，《梁书·沈约传》说："先此，约尝侍宴，值豫州献栗，径寸半，帝奇之，问曰：'栗事多少？'与约各疏所忆，少帝三事。出谓人曰：'此公护前，不让即羞死。'帝以其言不逊，欲抵其罪，徐勉固谏乃止。"春泓按，观此可知晋、宋以来的学术概况，郑玄和王弼、王肃之争是重要议题，体现汉儒经学和魏晋玄学等矛盾；而像陆澄这样的读书人，"唯以读书为业"，考察齐梁文学尚"隶事"以资炫耀渊博的文风，实质上受到当时这种缺乏灵魂的读书风气之影响；而琅邪王俭由玄学转向玄儒之学，是因为魏晋玄学至此时已经式微，为在学术界继续保持其优势地位，王氏于是转向儒家经学，并且掌握立官学之权力，这无非是为了维护其家族的政治地位。

贾渊世传谱学。《南齐书·文学传》之《贾渊传》说："贾渊字希镜，平阳襄陵人也……世传谱学……永明初，转尚书外兵郎，历大司马司徒府参军。竟陵王子良使渊撰《见客谱》，出为句容令。先是谱学未有名家，渊祖弼之广集百氏谱记，专心治业。晋太元中，朝廷给弼之令史书吏，撰定缮写，藏秘阁及左民曹。渊父及渊三世传学，凡十八州士族谱，合百帙七百余卷，该究精悉，当世莫比。永明中，卫军王俭抄次《百家谱》，与渊参怀撰定。" 春泓按，贾渊的家学适应重视门第的社会之需要。《南齐书》本传记载"孝武世，青州人发古冢，铭云'青州世子，东海女郎'。帝问学士鲍照、徐爰、苏宝生，并不能悉。渊对曰：'此是司马越女，嫁荀晞儿。'检访果然。由是见遇。敕渊注郭子"。由此可见贾渊精于谱牒之学。本传还记载"建武初，渊迁长水校尉。荒伧人王泰宝买袭琅邪谱，尚书令王晏以启高宗，渊坐被求，当极法，子栖长谢罪，稽颡流血，朝廷哀之，免渊罪"，当时人借伪造家谱以图晋身，名门的心理，可见一斑。

陆杲任卫军王俭主簿。《梁书·陆杲传》说："陆杲字明霞，吴郡吴人……杲少好学，工书画，舅张融有高名，杲风韵举动，颇类于融，时称之曰：'无对日下，惟舅与甥。'起家齐中军法曹行参军，太子舍人，卫军王俭主簿。"春泓按，《南齐书·王俭传》说王俭"永明元年，进号卫军将军。参掌选事"，所以陆杲任卫军王俭主簿，应在永明元年。

高爽、江洪、虞骞并工属文。《梁书·文学传》之《吴均传》说："先是，有广陵高爽、济阳江洪、会稽虞骞，并工属文。爽，齐永明中赠卫军王俭诗，为俭所赏，及领丹阳尹，举爽郡孝廉。"春泓按，高爽赠王俭诗当在本年后稍后。

北朝

七月

孝文帝、文明太后幸神渊池，欣然作歌。《魏书》卷七上《高祖纪》：七月，孝文帝、文明太后幸神渊池。《魏书》卷十三《文成文明皇后冯氏传》：文明太后曾与高祖幸灵泉池，燕群臣及藩国使人、诸方渠帅，各令为其方舞。高祖帅群臣上寿，太后忻然作歌，帝亦和歌，遂命群臣各言其志，于是和歌者九十人。

十二月

诏禁同姓婚姻。《魏书》卷七上《高祖纪》：十二月，诏曰："淳风行于上古，礼化用乎近叶。是以夏殷不嫌一族之婚，周世始绝同姓之娶。斯皆教随时设，治因事改者也。皇运初基，中原未混，拨乱经纶，日不暇给，古风遗朴，未遑厘改，后遂因循，迄兹莫变。朕属百年之期，当后仁之政，思易质旧，式昭惟新。自今悉禁绝之，有犯以不道论。"

公元 484 年（南齐武帝永明二年　魏孝文帝太和八年　甲子）

八月

宋武帝幸旧宫小会，设金砾，在位者赋诗。《南齐书·武帝纪》说："（永明二年）八月丙午，车驾幸旧宫小会，设金石乐，在位者赋诗……冬十月丁巳，以桂阳王铄为南徐州刺史。"

本年

太子步兵校尉伏曼容表定礼乐。《南齐书·礼志上》说："永明二年，太子步兵校尉伏曼容表定礼乐。于是诏尚书令王俭制定新礼，立治礼乐学士及职局，置旧学四人，新学六人，正书令史各一人，干一人，秘书省差能书弟子二人。因集前代，撰治五礼，吉、凶、宾、军、嘉也。"

制定郊庙歌辞。《南齐书·乐志》说："永明二年，尚书殿中曹奏：'太祖高皇帝庙神室奏《高德宣烈之舞》，未有歌诗，郊应须歌辞。穆皇后庙神室，亦未有歌辞。案傅玄云："登歌庙异其文，飨神七室同辞。"此议为允。又寻汉世歌篇，多少无定，皆称事立文，并多八句，然后转韵。时有两三韵而转，其例甚寡。张华、夏侯湛亦同前式。傅玄改韵颇数，更伤简节之美。近世王韶之、颜延之并四韵乃转，得赊促之中。颜延之、谢庄作三庙歌，皆各三章，章八句，此于序述功业详略为宜，今宜依之。郊配之日，改降尊作主，礼殊宗庙，穆后母仪之化，事异经纶。此二歌为一章八句，别奏事御奉行。'诏'可'。尚书令王俭造太庙二室及郊配辞。"

南士不满于其政治地位。《南齐书·文学传》之《丘灵鞠传》说："永明二年，领骁骑将军。灵鞠不乐武位，谓人曰：'我应还东掘顾荣冢。江南地方数千里，士子风流，皆出此中。顾荣忽引诸伧渡，妨我辈途辙，死有余罪。'改正员常侍。"春泓按，丘氏此番言论，反映了南方士人乡邦情绪之抬头，他们长期受到压制，于是怪罪当年顾荣与北渡者的合作，认为从此之后，南士就受北人的压迫。《南齐书》本传又说："灵鞠好饮酒，臧否人物，在沈渊座见王俭诗，渊曰：'王令文章大进。'灵鞠曰：'何如我未进时？'此言达俭。灵鞠宋世文名甚盛，入齐颇减。蓬发弛纵，无形仪，不治家业。王俭谓人曰：'丘公仕宦不进，才亦退矣。'迁长沙王车骑长史，太中大夫，卒。著《江左文章录序》，起太兴，迄元熙。文集行于世。"春泓按，王俭死于永明七年，此番话当说在此前，至于沈渊，《南齐书·高逸传》之《沈骥士传》有"永明六年，吏部郎沈渊、中书郎沈约又表荐骥士义行"云云。引人关注者在于，丘灵鞠这样的文士参预了禅代之事，但是因其南人的身份，仍然难以出人头地，所以当他一时作为政治的工具，其文才得以大放异彩，待到入齐之后，王俭等人把持了经国文章的著作权，丘灵鞠等寒士就无用武之地了，所以方有王俭"才亦退矣"之讥。对此丘灵鞠必然怀有深深的愤慨，其所撰《江左文章录序》，大概是为一部搜罗乡邦文献的总集作序，体现的依然是其江左士人的地域意识。

丘巨源作《秋胡诗》。《南齐书·文学传》之《丘巨源传》说："高宗为吴兴，巨源作《秋胡诗》，有讥刺语，以事见杀。"春泓按，《南齐书·明帝纪》说："（永明）二年，出为征虏将军，吴兴太守。"

沈约兼著作郎，撰次起居注。沈约《宋书·自序》说："永明二年，又忝兼著作郎，撰次起居注。自兹王役，无暇搜撰。"

张充为父发泄不平之气。《梁书·张充传》说："时尚书令王俭当朝用事，武帝皆取决焉。武帝尝欲以充父绪为尚书仆射，访于俭，俭对曰：'张绪少有清望，诚美选也；然东土比无所执，绪诸子又多薄行，臣谓此宜详择。'帝遂止。先是充兄弟皆轻侠，充少时又不护细行，故俭言之。充闻而惧，因与俭书曰：吴国男子张充致书于琅邪王君侯侍者：顷日路长，愁霖韬晦，凉暑未平，想无亏摄。充幸以鱼钓之闲，镰采之暇，时复以卷轴自娱，逍遥前史。纵横万古，动默之路多端；纷纶百年，升降之途不一。故以圆行方止，器之异也；金刚水柔，性之别也。善御性者，不违金水之质；善为器者，不易方圆之用。所以北海挂簪带之高，河南降玺书之贵。充生平少偶，不以利欲干怀，三十六年，差得以栖贫自澹。介然之志，峭耸霜崖；确乎之情，峰横海岸。彯缨天阁，既谢廊庙之华；缀组云台，终惭衣冠之秀。所以摈迹江皋，阳狂陇畔者，实由气岸疏凝，情涂狷隔。独师怀抱，不见许于俗人；孤秀神崖，每遭回于在世。故君山直上，蠖压于当年；叔阳复举，辖轹乎千载。充所以长群鱼鸟，毕影松阿。半顷之田，足以输税；五亩之宅，树以桑麻。啸歌于川泽之间，讽味于渑池之上，泛滥于渔父之游，偃息于卜居之下。如此而已，充何谢焉。

若夫惊岩罩日，壮海逢天；竦石崩寻，分危落仞。桂兰绮靡，丛杂于山幽；松柏森阴，相缭于涧曲。元卿于是乎不归，伯休亦以兹长往。若乃飞竿钓渚，濯足沧洲；独浪烟霞，高卧风月。悠悠琴酒，岫远谁来？灼灼文谈，空罢方寸。不觉郁然千里，路阻江川。每至西风，何尝不眷？聊因疾隙，略举诸襟；持此片言，轻枉高听。

丈人岁路未强，学优而仕；道佐苍生，功横海望。入朝则协长倩之诚，出议则抗仲子之节。可谓盛德维时，孤松独秀者也。素履未详，斯旅尚眇。茂陵之彦，望冠盖而长怀；霸山之氓，伫衣车而耸叹。得无惜乎？若鸿装撰御，鹤驾轩空，则岸不辞枯，山被其润。奇禽异羽，或岩际而逢迎；弱雾轻烟，乍林端而庵蔼。东都不足奇，南山岂为贵。

充昆西之百姓，岱表之一民。蚕而衣，耕且食，不能事王侯，觅知己，造时人，骋游说，蓬转于屠博之间，其欢甚矣。丈人早遇承华，中逢崇礼。肆上之眷，望溢于早辰；乡下之言，谬延于造次。然举世皆谓充为狂，充亦何能与诸君道之哉？是以披闻见，扫心胸，述平生，论语默，所以通梦交魂，推衿送抱者，其惟丈人而已。

关山复隔，书罢莫因，倘遇樵者，妄尘执事。

俭言之武帝，免充官，废处久之。"春泓按，此书远绍"书"这一文体有助于抒发愤懑之情的特性，与稽康《与山巨源绝交书》等有异曲同工之妙。张充卒于天监十三年，时年六十六，所以当他三十六岁时，正在永明二年。永明年间，南士深感压抑，《梁书》本传说蔡撙是蔡兴宗之子，蔡兴宗有重名于前代，"齐左卫将军王俭高选府僚，以撙为主簿"。王俭极其重视门第出身，他对于维护门第秩序、压制南人，在其间发挥了较重要的作用。

孔稚珪《北山移文》作于本年或永明三年。[①]

北朝

八月

魏诏更定班禄之制。《魏书》卷七上《高祖纪》："八月，魏诏更定官班禄之制。"诏曰："'帝业至重，非广询无以致治。王务至繁，非博采无以兴功。先王知其如此，故虚己以求过，明恕以思咎。是以谏鼓置于尧世，谤木立于舜庭，用能耳目四达，庶类咸熙。朕承累圣之洪基，属千载之昌运，每布遐风，景行前式。承明之初，班下内外，听人各尽规，以补其阙。中旨虽宣，允称者少，故变时法，远遵古典，班制俸禄，改更刑书。宽猛未允，人或异议，思言者莫由申情，求谏者无因自达，故令上明不周，下情壅塞。今制百辟卿士，工商吏民，各上便宜。利民益治，损化伤政，直言极谏，勿有所隐，务令辞无烦华，理从简实。朕将亲览，以知世事之要，使言之者无罪，闻之者足以为戒。'（九月）戊戌，诏曰：'俸制已立，宜时班行，其以十月为首，每季一请。'于是内外百官，受禄有差。"

---

① 见曹道衡、沈玉成《中古文学史料丛考》，北京：中华书局 2003 年版，第 428 页。

十一月

诏李彪、兰英使齐。《魏书》卷七上《高祖纪》：十一月，诏员外散骑常侍李彪、员外郎兰英使于齐。

公元 485 年（南齐武帝永明三年　魏孝文帝太和九年　乙丑）

本年

王俭成为官学领袖。《南齐书·王俭传》说："是岁（永明三年），（武帝）省总明馆，于俭宅开学士馆，悉以四部书充俭家，又诏俭以家为府。"《南史·王昙首传》之《王俭传》说："是岁，以国学既立，省总明观，于（王）俭宅开学士馆，以总明四部书充之。又诏俭以家为府。"

王僧虔论书，颇尚新变。《南齐书·王僧虔传》说："永明三年，薨……僧虔时年六十……其论书曰：'宋文帝书，自云可比王子敬，时议者云"天然胜羊欣，功夫少于欣"。王平南廙、右军叔，过江之前以为最。亡曾祖领军书，右军云"弟书遂不减吾"。变古制，今唯右军、领军；不尔，至今犹法钟、张。亡从祖中书令书，子敬云"弟书如骑骡，骎骎恒欲度骅骝前"。庾征西翼书，少时与右军齐名，右军后进，庾犹不分，在荆州与都下人书云"小儿辈贱家鸡，皆学逸少书，须吾下，当比之"。张翼，王右军自书表，晋穆帝令翼写题后答，右军当时不别，久后方悟，云"小人几欲乱真"。张芝、索靖、韦诞、钟会、二卫并得名前代，无以辨其优劣，唯见其笔力惊异耳。张澄当时亦呼有意。郗愔章草亚于右军。郗嘉宾草亚于二王，紧媚过其父。桓玄自谓右军之流，论者以比孔琳之。谢安亦入能书录，亦自重，为子敬书嵇康诗。羊欣书见重一时，亲受子敬，行书尤善，正乃不称名。孔琳之书天然放纵，极有笔力，规矩恐在羊欣后。丘道护与羊欣俱面受子敬，故当在欣后。范晔与萧思话同师羊欣，后小叛，既失故步，为复小有意耳。萧思话书，羊欣之影，风流趣好，殆当不减，笔力恨弱。谢综书，其舅云紧生起，是得赏也，恨少媚好。谢灵运乃不伦，遇其合时，亦得入流。贺道力书亚丘道护。庾昕学右军，亦欲乱真矣。'又著《书赋》传于世。"从这节文字中可以看出当时评论书法与评论诗歌一样是士人热衷的话题，书法之为学，一则须有天赋，另则亦需要后天的功力，所谓"天然"和"功夫"、"放纵"与"规矩"以及"媚好"与"笔力"等相对概念就是指此二者之间的关系；王氏称"张芝、索靖、韦诞、钟会、二卫并得名前代，无以辨其优劣，唯见其笔力惊异耳"，意指其积学的功夫实在是无以复加了，但是这些前辈书家的面貌似乎处于伯仲之间，尚缺乏鲜明的个性。王氏肯定了书学发展之"变"的可能性和必要性，他说"变古制。今唯右军、领军；不尔，至今犹法钟、张"，从汉魏之钟、张，演变至自己王氏先祖王羲之和王洽，书法发生了革命，其实质是"变古制"，王氏肯定了此种变革的正面意义，此种"变"之表征可以一个"媚"字作为基本的概括，书法于是更突现其抒情性和审美意味，这既是事物发展的必然趋势，亦由江左地域因素影响使然。王氏同时也为书坛各家略溯源流，各家其实多有所本，又有自己个人的特点，这道出了文艺的基本规律，亦部分符合刘勰《文心雕龙·通变》的思想。但总体而言，王僧虔之"变古制"，其程度更剧于刘飆，即使与文学上的"新变"派存在着趣味方面的歧异，却仍可以划归到"新变"一派。在古代政治中，礼乐是政治的工具或点缀，书法与音乐因此在王僧虔头脑里存在着截然的判分，与其书法理论恰可形成鲜明对照。王氏在音乐上所体现出的保守性，和其关于书法的"新变"理念，确实相映成趣，而观察此二者之间的矛盾现象，若究其根本，其实并不矛盾。引人关注者在于，学界所讨论的南朝"新变派"尚丽和主情的文学观，其实由王僧虔导夫先路，然则新变、保守以及折衷派之间的分野，当面对文艺之真谛和本体时，似乎并不那么泾渭分明了。

当时书法的发展呈现重视王羲之的趋势。《南齐书·刘休传》说："元嘉世，羊欣受子敬正隶法，世共宗之，右军之体微古，不复见贵。休始好此法，至今此体大行。"《南齐书·周颙传》说："少从外氏车骑将军臧质家得卫恒散隶书法，学之甚工。文惠太子使颙书玄圃茅斋壁，国子祭酒何胤以倒薤书就颙换之，颙笑而答曰：'天下有道，丘不与易也。'"

北朝

正月

诏禁图谶。《魏书》卷七上《高祖纪》：正月，诏曰："图谶之兴，起于三季。既非经国之典，徒为妖邪所凭。自今图谶、秘纬及名为《孔子闭房记》者，一皆焚之。留者以大辟论。又诸巫觋假称神鬼，妄说吉凶，及委巷诸卜非坟典所载者，严加禁断。"

本年

冯太后作《皇诰》十八篇。《资治通鉴》卷一百三十六《齐纪二》：冯太后作《皇诰》十八篇，癸未，大飨群臣于太华殿，班《皇诰》。

程骏（414—485）卒，时年七十二岁。《魏书》卷六〇《程骏传》曰："太和九年正月，病笃，乃遗令曰：……遂卒，年七十二。"本传称："程骏才业未多，见知于世者，盖当时之长策乎？"本传又称"所制文笔，自有集录"。今佚，为本传所录章表及《庆国颂》尚存。

诏均给天下民田。《资治通鉴》卷一百三十六《齐纪二》：七月，给事中李安世上言，"民多荫附，荫附者皆无官役，豪强征敛，倍于公赋"。又据《魏书》卷一一〇《食货志》：于是下诏均给天下民田。

公元 486 年（南齐武帝永明四年　魏孝文帝太和十年　丙寅）

本年

护军将军兼司徒竟陵王子良进号车骑将军。《南齐书·武十七王传》之《竟陵文宣王子良传》说："竟陵文宣王子良字云英，世祖第二子也……子良敦义爱古……后于西邸起古斋，多聚古人器服以充之……世祖即位，封竟陵郡王……永明元年，徙为侍中、都督南兖兖徐青冀五州、征北将军、南兖州刺史，持节如故。给油络车。明年，入为护军将军，兼司徒，领兵置佐，侍中如故。镇西州。三年，给鼓吹一部。四年，进号车骑将军。子良少有清尚，礼才好士，居不疑之地，倾意宾客，天下才学皆游集焉。善立胜事，夏月客至，为设瓜饮及甘果，著之文教。士子文章及朝贵辞翰，皆发教撰录。"

江淹造《藉田歌》，齐武帝付太乐歌之。《南齐书·乐志》说："永明四年藉田，诏骁骑将军江淹造《藉田歌》。淹制二章，不依胡、傅，世祖口敕付太乐歌之。"

陆慧晓、沈约、萧琛等均为萧子良宾客。《南齐书·陆慧晓传》说："子良于西邸抄书，令慧晓参知其事。"春泓按，《梁书·张充传》说："与琅邪王思远、同郡陆慧晓等，并为司徒竟陵王宾客。"《梁书·沈约传》说："时竟陵王亦招士，约与兰陵萧琛、琅邪王融、陈郡谢朓、南乡范云、乐安任昉等皆游焉，当世号为得人……高祖在西邸，与约游旧。"另根据《梁书》本传，说萧琛在西邸，已与梁武帝有所交往；《梁书·任昉传》说："始高祖与昉遇竟陵王西邸，从容谓昉曰：'我登三府，当以卿为记室。'昉亦戏高祖曰：'我若登三事，当以卿为骑兵。'谓高祖善骑也。"《梁书·宗夬传》说："宗夬字明勅，南阳涅阳人也，世居江陵。祖炳，宋时征太子庶子不就，有高名。父繁，西中郎咨议参军。夬少勤学，有局干。弱冠，举郢州秀才，历临川王常侍、骠骑行参军。齐司徒竟陵王集学士于西邸，并见图画，夬亦预焉。"

陆倕为萧子良宾客。年十七，举本州秀才。《梁书·陆倕传》说："陆倕字佐公，吴郡吴人也……父慧晓，齐太常卿。倕少勤学，善属文。于宅内起两间茅屋，杜绝往来，昼夜读书，如此者数载。所读一遍，必诵于口。尝借人《汉书》，失《五行志》四卷，乃暗写还之，略无脱遗。幼为外祖张岱所异，岱常谓诸子曰：'此儿汝家之阳元也。'年十七，举本州秀才。刺史竟陵王子良开西邸延英俊，倕亦预焉。"春泓按，陆倕卒于普通七年，年五十七，所以其十七岁时，正是永明四年。

王导之六世孙王亮亦为竟陵王宾客。《梁书·王亮传》说："王亮字奉叔，琅邪临沂人，晋丞相王导六世孙也。祖偃，宋光禄大夫、开府仪同三司。父攸，给事黄门侍郎。亮以名家子，宋末选尚公主，拜驸马都尉、秘书郎，累迁桂阳王文学，南郡王友，秘书丞。齐竟陵王子良开西邸，延才俊以为士林馆，使工图画其像，亮亦预焉。"

谢璟与从叔谢朓俱知名。《梁书·文学传》之《谢征传》说："谢征字玄度，陈郡阳夏人。高祖景仁，宋尚书左仆射。祖稚，宋司徒主簿。父璟，少与从叔朓俱知名。齐竟陵王子良开西邸，招文学，璟亦预焉。"

张率年十二，能属文。《梁书·张率传》说："张率字士简，吴郡吴人。祖永，宋右光禄大夫。父瑰，齐世显贵，归老乡邑，天监初，授右光禄，加给事中。率年十二，能属文，常日限为诗一篇，稍进作赋颂，至年十六，向二千余首。"春泓按，本传称张率卒于大通元年，时年五十三，所以当他十二岁时，正是齐永明四年。

何逊弱冠举秀才。《梁书·文学传》之《何逊传》说："何逊字仲言，东海郯人也。曾祖承天，宋御史中丞……逊八岁能赋诗，弱冠举秀才，南乡范云见其对策，大相称赏，因结忘年交好。自是一文一咏，云辄嗟赏，谓所亲曰：'顷观文人，质则过儒，丽则伤俗，其能含清浊，中今古，见之何生矣。'沈约亦爱其文，尝谓逊曰：'吾每读卿诗，一日三复，犹不能已。'其为名流所称如此。"春泓按，今人李伯齐撰《何逊行年考》，考得其生年为宋明帝泰始二年，故其弱冠举秀才，当在本年。[1] 而范云对于当时诗歌的评价，最能体现折衷一派的观点，亦应是诗歌发展的正确方向，何逊诗则是折衷一派的理想形态。

钟嵘为国子生，明《周易》，得王俭赏识。《梁书·文学传》之《钟嵘传》说："钟嵘字仲伟，颍川长社人，晋侍中雅七世孙也。父蹈，齐中军参军。嵘与兄岏、弟屿并好学，有思理。嵘，齐永明中为国子生，明《周易》，卫军王俭领祭酒，颇赏接之。举本州秀才。"春泓按，根据张伯伟《钟嵘年谱简编初稿》，钟嵘在本年得到王俭的赏识。[2]

北朝

本年

孝文帝用夏变夷。《魏书》卷七下《高祖纪》：正月，孝文帝始服衮冕，朝飨万国。《资治通鉴》卷一百三十六《齐纪二》注云："史言孝文用夏变夷。"《魏书》卷七下《高祖纪》：四月，始制五等公服。甲子，孝文帝初以法服御辇，祀于西郊。《魏书》卷七下《高祖纪》：八月，给尚书五等品爵以朱衣、玉佩、大小组绶。《魏书》卷七下《高祖纪》：九月，诏起明堂、辟雍。

孝文帝擅制文章。《魏书》卷七下《高祖纪》曰："自太和十年以后诏册，皆帝之文也。"

给事中李冲上言建立基层行政机构。《魏书》卷一一〇《食货志》载李冲上言曰："宜准古，五家立一邻长，五邻立一里长，五里立一党长，长取乡人强谨者。邻长复一夫，里长二，党长三。所复复征戍，余若民。三载亡愆则陟用，陟之一等。其民调，一夫一妇帛一匹，粟二石。民年十五以上未娶者，四人出一夫一妇之调。奴任耕，婢任绩者，八口当未娶者四。耕牛二十头当奴婢八。其麻布之乡，一夫一妇布一匹，下至牛，以此为降。大率十匹为公调，二匹为调外费，三匹为内外百官俸，此外杂调。民年八十已上，听一子不从役。孤独癃老笃疾贫穷不能自存者，三长内迭养食之。"孝文帝从之。

公元 487（南齐武帝永明五年　魏孝文帝太和十一年　丁卯）

本年

竟陵王萧子良礼才好士，天下才学皆游集焉。《南齐书·武十七王传》之《竟陵文宣王子良传》说："五年，正位司徒，给班剑二十人，侍中如故。移居鸡笼山邸，集学士抄《五经》、百家，依《皇览》例为《四部要略》千卷。招致名僧，讲语佛法，造经呗新声，道俗之盛，江左未有也。"复按萧绎《金楼子·说蕃》篇说："竟陵萧子良……少有清尚，礼才好士，居不疑之地，倾意宾客，天下才学皆游集焉。善立胜事，

---

① 刘跃进、范子烨编撰：《六朝作家年谱辑要》（下册），哈尔滨：黑龙江教育出版社 1999 年版。
② 刘跃进、范子烨编撰：《六朝作家年谱辑要》（下册），哈尔滨：黑龙江教育出版社 1999 年版。

夏日客至，为设瓜饮及甘果，著之文教。士子文章，及朝贵辞翰皆发教撰录。居鸡笼山西邸，集学士抄五经、百家，依《皇览》例为《四部要略》千卷，招致名僧讲法经，造经呗新声，道俗之盛，江左未有也。好文学，我高祖、王元长、谢玄晖、张思光、何宪、任昉、孔广、江淹、虞炎、何僩、周颙之俦，皆当时之杰，号为'士林'也。"

谢朓、江淹以五言诗为王俭所称。《南史·谢弘微传》说："齐武帝问王俭：'当今谁能为五言诗？'俭曰：'朓得父膏腴，江淹有意。'上起禅灵寺，敕瀹撰碑文。瀹子览。"春泓按，王俭死于永明七年，姑且将武帝与他的这番对话置于永明五年。

萧惠基解音律，尤好魏三祖曲及《相和歌》。《南齐书·萧惠基传》说："五年，迁太常，加给事中。自宋大明以来，声伎所尚，多郑卫淫俗，雅乐正声，鲜有好者。惠基解音律，尤好魏三祖曲及《相和歌》，每奏，辄赏悦不能已。"

刘孝绰年七岁，能属文。《梁书·刘孝绰传》说："刘孝绰字孝绰，彭城人，本名冉。祖勔，宋司空忠昭公。父绘，齐大司马霸府从事中郎。孝绰幼聪敏，七岁能属文。舅齐中书郎王融深赏异之，常与同载适亲友，号曰神童。融每言曰：'天下文章，若无我当归阿士。'阿士，孝绰小字也。绘，齐世掌诏诰。孝绰年未志学，绘常使代草之。父党沈约、任昉、范云等闻其名，并命驾先造焉，昉尤相赏好。"春泓按，本传记载刘孝绰卒于大同五年，时年五十九，所以其七岁时正值齐永明五年。

王筠年七岁，能属文。《梁书·王筠传》说："王筠字元礼，一字德柔，琅邪临沂人。祖僧虔，齐司空简穆公。父楫，太中大夫。筠幼警寤，七岁能属文。"春泓按，本传称王筠卒于太清三年，年六十九，所以其七岁时正在永明五年。

北朝

正月

诏定乐章，非雅者除之。《魏书》卷七下《高祖纪》：正月，诏定乐章，非雅者除之。《魏书》卷一〇九《乐志》曰："十一年春，文明太后令曰：'先王作乐，所以和风改俗，非雅曲正声不宜庭奏。可集新旧乐章，参探音律，除去新声不典之曲，裨增钟悬铿锵之韵'。"

六月

齐州刺史韩麒麟表陈时务。《魏书》卷六十《韩麒麟传》：五六月间，春夏大旱，齐州刺史韩麒麟表陈时务。

九月

高祐上疏论选举，出为西兖州刺史。《魏书》卷五十七《高祐传》：九月，孝文帝问高祐以止灾之方，祐又上疏论选举。出为西兖州刺史，以郡国虽有太学，县党宜有黉序，乃县立讲学，党立小学。

十二月

诏李彪、崔光依纪传体改析《国记》。《魏书》卷七下《高祖纪》：十二月，孝文帝诏秘书丞李彪、著作郎崔光改析《国记》，依纪传之体。李彪时年四十四岁，崔光三十七岁。

本年

高允（390—487）卒，时年九十八岁。《资治通鉴》卷一百三十六《齐纪二》："魏光禄大夫咸阳文公高允，历事五帝，出入三省，五十余年，未尝有谴；冯太后及魏主甚重之，常命中黄门苏性寿扶侍。允仁恕简静，虽处贵重，情同寒素；执书吟览，昼夜不去手；诲人以善，恂恂不倦；笃亲念故，无所遗弃。显祖平青、徐，悉徙其望族于代，其人多允之婚媾，流离饥寒；允倾家赈施，咸得其所，又随其才行，荐之于朝。议者多以初附间之，允曰：'任贤使能，何有新旧！必若有用，岂可以此抑之！'允体素无疾，至是微有不适，犹起居如常，数日而卒，年九十八；赠侍中、司空，赙襚甚厚。魏初以来，存亡蒙赉，皆莫及也。"《魏书》卷四十八《高允传》曰："依仁游艺，执义守哲，其司空高允乎？蹈危祸之机，抗雷电之气，处死夷然，忘身济物，卒悟明主，保己全身。自非体邻知命，鉴照穷达，亦何能以若此？宜其光宠四世，终享百龄，有魏以来，斯人而已。"本传又曰："允所制诗赋诔颂箴论表赞，《左氏》，《公羊释》，《毛诗拾遗》，《论杂解》，《议何郑膏肓事》，凡百余篇，别有集行于世。允明算法，为算术三卷。"据《隋书·经籍志》，《高允集》二十一卷，《旧唐书·经籍志》、《新唐书·艺文志》著录为二十卷。《宋史·艺文志》未见著录。今佚，存诗四首，文十四篇。张溥《汉魏六朝百三家集·高令公集》题辞："《征士颂》感逝怀人，三十有四，纥缟弦韦，纷集于怀。答宗著作诗，表丹岁寒，能言其志。观彼平生，求友分深，爱敬终始，不独于君臣有情也。集中文字如《上书东宫》《谏起宫室》《矫颓俗五异》，及《乐平王笺论》，皆耿介有声，余亦整而不污。"

公元 488 年（南齐武帝永明六年　魏孝文帝太和十二年　戊辰）

本年

齐武帝晚信佛法。《南齐书·王奂传》说："六年，迁散骑常侍，领军将军。奂欲请车驾幸府。上晚信佛法，御膳不宰牲。使王晏谓奂曰：'吾前去年为断杀事，不复幸诣大臣，已判，无容欻尔也。'"春泓按，此说明齐代帝王亦笃信佛教。

沈渊、沈约表荐沈骥士义行。《南齐书·高逸传》之《沈骥士传》说："永明六年，吏部郎沈渊、中书郎沈约又表荐骥士义行。"

刘祥著《连珠》十五首以寄怀。《南齐书》本传记载，刘祥"著《连珠》十五首以寄其怀。辞曰：……盖闻百仞之台，不挺陵霜之木；盈尺之泉，时降夜光之宝。故理有大而乖权；物有微而至道"。刘祥的诗作典型地表达了寒士的心声。最后触怒了齐武帝，他被流放至广州，在三十九岁时郁郁而终。

沈约修成《宋书》。《宋书·自序》说自己修《宋书》"六年二月，毕功"，所化时间仅仅一年。何以如此神速，沈约在完成《宋书》之后，所上表中交代得很清楚，那就是在其之前，已有何承天、山谦之、苏宝生、徐爰、宋孝武帝等人做过部分撰写宋代历史的工作，沈约是在这些人的基础上进一步拾遗补缺、完善体例，尤其补充了永光至齐开国这十多年的历史，因此煌煌巨著的《宋书》可以在一年之内顺利竣工。

王僧孺撰《东宫新记》。《梁书·王僧孺传》说："仕齐，起家王国左常侍、太学博士。尚书仆射王晏深相赏好。晏为丹阳尹，召补郡功曹，使僧孺撰《东宫新记》。迁大司马豫章王行参军，又兼太学博士。"春泓按，《南齐书》本传称王晏为丹阳尹在永明六年，所以王僧孺撰《东宫新记》应在本年。

公元489年（南齐武帝永明七年　魏孝文帝太和十三年　己巳）

二月

诏崇祀孔子。《南齐书·武帝本纪》说："（永明七年二月）己丑，诏曰：'宣尼诞敷文德，峻极自天，发辉七代，陶钧万品，英风独举，素王谁匹。功隐于当年，道深于日月。感麟厌世，缅邈千祀，川竭谷虚，丘夷渊塞，非但洙泗湮沦，至乃飨尝乏主。前王敬仰，崇修寝庙，岁月亟流，鞠为茂草。今学敩兴立，实禀洪规，抚事怀人，弥增钦属。可改筑宗祊，务在爽垲。量给祭秩，礼同诸侯。奉圣之爵，以时绍继。'"这是齐代崇儒的举措。

本年

刘瓛以儒学冠于当时。《南齐书·刘瓛传》说："瓛姿状纤小，儒学冠于当时，京师士子贵游莫不下席受业……竟陵王子良亲往修谒。七年，表世祖为瓛立馆，以扬烈桥故主第给之，生徒皆贺。瓛曰：'室美为人灾，此华宇岂吾宅邪？幸可诏作讲堂，犹恐见害也。'未及徙居，遇病，子良遣从瓛学者彭城刘绘、顺阳范缜将厨于瓛宅营斋。及卒，门人受学者并吊服临送。时年五十六……初，瓛讲《月令》毕，谓学生严植曰：'江左以来，阴阳律数之学废矣。吾今讲此，曾不得其仿佛。'时济阳蔡仲熊礼学博闻，谓人曰：'凡钟律在南，不容复得调平。昔五音金石，本在中土；今既来南，土气偏陂，音律乖爽。'瓛亦以为然。""表世祖为瓛立馆"，可看作永明七年崇儒举措之一，从中亦可见北方中原人士对于南士的偏见依然存在。

刘绘代豫章王萧嶷撰表，"须臾便成"。《南齐书·武十七王传》说："鱼复侯子响字云音，世祖第四子也。豫章王嶷无子，养子响，后有子，表留为嫡。"永明七年，因有罪，自杀。豫章王萧嶷上表，欲求葬之，其表实由刘绘代撰，《南齐书》本传说刘绘"须臾便成"，博得萧嶷的赞叹："祢衡何以过此。"

临川献王萧映薨，年三十二。《南齐书·高帝十二王传》之《临川献王映传》说："（永明）七年，薨。映善骑射，解声律，工左右书左右射，应接宾客，风韵韶美，朝野莫不惋惜焉。时年三十二。"

鄱阳王萧锵好文章，桂阳王萧铄好名理，时人称为"鄱桂"。《南齐书·高帝十二王传》之《桂阳王铄传》说："桂阳王铄字宣朗，太祖第八子也……（永明）七年，转中书令，加散骑常侍。时鄱阳王锵好文章，铄好名理，时人称为'鄱桂'。"

根据刘跃进先生的考证，参预写作《高松赋》者，计有萧子良、萧子恪、谢朓、沈约、王俭诸人，又沈约、范云作有《咏寒松诗》，估计亦同时所作。此赋当作于永明七年，且在五月以前。[①]《梁书·萧子恪传》说："萧子恪字景冲，兰陵人，齐豫章文献王嶷第二子也。永明中，以王子封南康县侯。年十二，和从兄司徒竟陵王《高松赋》，卫军王俭见而奇之。"春泓按，本传称萧子恪卒于大通三年，时年五十二，所以其十二岁时正是永明七年。

谢朓于本年撰《杜若赋》。

北朝

七月

孝文帝与群臣赋诗。《魏书》卷七下《高祖纪》：七月，孝文帝幸灵泉池，与群臣御龙舟，赋诗而罢。立孔子庙于平城。

八月

诏邢产、侯灵绍使齐。《魏书》卷七下《高祖纪》：八月，诏兼员外散骑常侍邢产、兼员外散骑侍郎侯灵绍使于齐。

本年

孝文帝临皇信堂引见群臣，论禘、祫之义。据《魏书》卷一〇八之一《礼志》记载，尚书游明根、左丞郭祚、中书侍郎封琳、著作郎崔光等赞同郑玄说；中书监高闾、仪曹令李韶、中书侍郎高遵等对以禘祭圆丘之禘与郑义同，其宗庙禘祫之祭与王（肃）义同。

公元 490 年（南齐武帝永明八年　魏孝文帝太和十四年　庚午）

本年

萧子隆为荆州刺史，召庾於陵为主簿。《梁书·文学传》之《庾於陵传》说："庾於陵字子介，散骑常侍黔娄之弟也。七岁能言玄理。既长，清警博学有才思。齐随王子隆为荆州，召为主簿，使与谢朓、宗夬抄撰群书。"春泓按，《南齐书》本传记述，萧子隆为荆州刺史，在永明八年，故庾於陵被召为子隆主簿，当在本年。

周颙善晤语，辞韵如流。《南齐书·周颙传》说："每宾友会同，颙虚席晤语，辞韵如流，听者忘倦。兼善《老》《易》，与张融相遇，辄以玄言相滞，弥日不解。清贫

---

① 刘跃进：《永明文学研究》，台北：文津出版社 1992 年版，第 55 页。

寡欲，终日长蔬食。虽有妻子，独处山舍。卫将军王俭谓颙曰：'卿山中何所食？'颙曰：'赤米白盐，绿葵紫蓼。'文惠太子问颙：'菜食何味最胜？'颙曰：'春初早韭，秋末晚菘。'时何胤亦精信佛法，无妻妾。太子又问颙：'卿精进何如何胤？'颙曰：'三途八难，共所未免。然各有其累。'太子曰：'所累伊何？'对曰：'周妻何肉。'其言辞应变，皆如此也。转国子博士，兼著作如故。太学诸生慕其风，争事华辩。后何胤言断食生，犹欲食白鱼、鲥脯、糖蟹，以为非见生物。疑食蚶蛎，使学生议之。学生钟岏曰：'鲥之就脯，骤于屈伸；蟹之将糖，躁扰弥甚。仁人用意，深怀如怛。至于车螯蚶蛎，眉目内阙，惭浑沌之奇，矿壳外缄，非金人之慎。不悴不荣，曾草木之不若；无馨无臭，与瓦砾其何算。故宜长充庖厨，永为口实。'竟陵王子良见岏议，大怒。"据刘跃进先生考证，周颙卒于本年①。

北朝

二月

诏定起居注制。《魏书》卷七下《高祖纪》：二月，诏定起居注制。

九月

太皇太后冯氏崩。《魏书》卷七下《高祖纪》：九月，太皇太后冯氏崩。孝文帝引见群臣，虽经安定王休、李彪等劝谏，仍坚持欲行三年之丧。《魏书》卷一〇八之三《礼志》曰："唯高祖太和十四年文明太后崩，将营山陵，九月，安定王休，齐郡王简，咸阳王禧，河南王干，广陵王羽，颍川王雍，始平王勰，北海王详，侍中、太尉、录尚书事、东阳王丕，侍中、司徒、淮阳王尉元，侍中、司空、长乐王穆亮，侍中、尚书左仆射、平原王陆睿等，率百僚诣阙表曰：'上灵不吊，大行太皇太后崩背，溥天率土，痛慕断绝。伏惟陛下孝思烝烝，攀号罔极。臣等闻先王制礼，必有随世之变。前贤创法，亦务适时之宜。良以世代不同，古今异致故也。三年之丧，虽则自古，然中代已后，未之能行，先朝成式，事在可准，圣后终制，刊之金册。伏惟陛下至孝发衷，哀毁过礼，欲依上古，丧终三年。诚协大舜孝慕之德，实非俯遵济世之道。今虽中夏穆清，庶邦康静，然万机事殷，不可暂旷，春秋烝尝，事难废阙。伏愿天鉴，抑至孝之深诚，副亿兆之企望，丧期礼数，一从终制，则天下幸甚。日月有期，山陵将就，请展安兆域，以备奉终之礼。'诏曰：'凶或甫尔，未忍所请。'"

公元491年（南齐武帝永明九年　魏孝文帝太和十五年　辛未）

本年

王融为《三月三日曲水诗序》，文藻富丽，当世称之。《南齐书·王融传》说："九年，上幸芳林苑禊宴群臣，使融为《曲水诗序》，文藻富丽，当世称之。"《文选》

① 刘跃进：《永明文学研究》之附录《周颙卒年新探》，台北：文津出版社1992年版，第350页。

卷四十六载王融《三月三日曲水诗序》说:"有诏曰:'今日嘉会,咸可赋诗。'凡四十有五人。"王融文名甚至远播北朝。

庾杲之卒。《南齐书·庾杲之传》说:"(永明)九年,卒……杲之历在上府,以文学见遇。上造崇虚馆,使为碑文。卒时年五十一,上甚惜之。"在永明中,"诸王年少,不得妄与人接,敕杲之与济阳江淹五日一诣诸王,使申游好。"可见其文学才能颇得朝廷的重视。

苟丕致书王秀之,责其养尊处优,不礼寒士。《南齐书·王秀之传》说:"出为辅国将军、随王镇西长史、南郡内史。州西曹苟丕遗秀之交知书,秀之拒不答。丕乃遗书曰:'仆闻居《谦》之位,既刊于《易》;傲不可长,《礼》明其文。是以信陵致夷门之义,燕丹收荆卿之节,皆以礼而然矣。丈夫处世,岂可寂漠恩荣,空为后代一丘土?足下业润重光,声居朝右,不修高世之绩,将何隔于愚夫?仆耿介当年,不通群品,饥寒白首,望物嗟来。成人之美,《春秋》所善,荐我寸长,开君尺短,故推风期德,规于相益,实非碌碌有求于平原者也。仆与足下,同为四海国士。夫盛衰迭代,理之恒数,名位参差,运之通塞,岂品德权行为之者哉?第五之号,既无易于骠骑;西曹之名,复何推于长史?足下见答书题久之,以君若此非典,何宜施之于国士?如其循礼,礼无不答,谨以相还,亦何犯于逆鳞哉?君子处人以德不以位,相如不见屈于渑池,毛遂安受辱于郢门,造敌临事,仆必先于二子。未知足下之贵,足下之威,孰若秦、楚两王?仆以德为宝,足下以位为宝,各宝其宝,于此敬宜。常闻古人交绝,不泄恶言,仆谓之鄙。无以相赆,故荐贫者之赠。'丕,颍川人。豫章王嶷为荆州时,丕献书令减损奢丽,豫章王优教酬答。尚书令王俭当世,丕又与俭书曰:'足下建高世之名,而不显高世之迹,将何以书于齐史哉?'至是南郡纲纪启随王子隆请罪丕,丕上书自申。"春泓按,《南齐书》本传载随郡王子隆于永明八年,任镇西将军、荆州刺史,实际上在永明九年。亲府州事。复按《南齐书·谢朓传》说:"子隆在荆州,好辞赋,数集僚友,朓以文才,尤被赏爱,流连晤对,不舍日夕。长史王秀之以朓年少相动,密以启闻。"故将苟氏写此书的时间定于永明九年。此书最能体现寒士对于高门傲慢的愤慨,高门养尊处优,视寒士如草芥,他们凭什么如此目中无人?苟氏在书中提出了尖锐的质问,这也说明腐朽的门第观念逐渐受到寒士无畏的挑战。

陆厥少有风概,好属文,长于五言诗。《南齐书·文学传》之《陆厥传》说:"陆厥字韩卿,吴郡吴人,扬州别驾闲子也。厥少有风概,好属文,五言诗体甚新变。永明九年,诏百官举士,同郡司徒左西掾顾暠之表荐焉。州举秀才,王晏少傅主簿,迁后军行参军。"

中军参军王颢上其父王圭之所撰《齐职仪》,诏付秘阁。《南齐书·文学传》之《王逡之传》说:"从弟圭之,有史学,撰《齐职仪》。永明九年,其子中军参军颢上启曰:'臣亡父故长水校尉珪之,藉素为基,依儒习性。以宋元徽二年,被敕使纂集古设官历代分职,凡在坟策,必尽详究。是以等级掌司,咸加编录。黜陟迁补,悉该研记。述章服之差,兼冠佩之饰。属值启运,轨度惟新。故太宰臣渊奉宣敕旨,使速洗正。刊定未毕,臣私门凶祸。不揆庸微,谨冒启上。凡五十卷,谓之《齐职仪》。仰希永升天阁,长铭秘府。'诏付秘阁。"春泓按,此《齐职仪》应是职官方面的重要著作。

萧琛引《诗经》以答魏使，十分得体，令在座者赞叹。《梁书·萧琛传》说："永明九年，魏使通好。"稍后在与魏使的交往中，萧琛引用《诗经》作答，十分得体，令在座者赞赏。复按《梁书·儒林传》之《范缜传》说："范缜字子真，南乡舞阴人也。晋安北将军汪六世孙……既长，博通经术，尤精《三礼》。性质直，好危言高论，不为士友所安。唯与外弟萧琛相善，琛名曰口辩，每服缜简诣……起家齐宁蛮主簿，累迁尚书殿中郎。永明年中，与魏氏和亲，岁通聘好，特简才学之士，以为行人。缜及从弟云、萧琛、琅邪颜幼明、河东裴昭明相继将命，皆著名邻国。于时竟陵王子良盛招宾客，缜亦预焉。"

刘之遴十五岁，茂才对策，沈约、任昉见而异之。《梁书·刘之遴传》说："刘之遴字思贞，南阳涅阳人也。父虬，齐国子博士，谥文范先生。之遴八岁能属文，十五举茂才对策，沈约、任昉见而异之。"春泓按，本传称刘之遴卒于太清二年，享年七十二，故其十五岁时正在齐永明九年。

北朝

正月

初置左右史官。《魏书》卷七下《高祖纪》：正月，孝文帝始听政于皇信东室。初分置左右史官。

二月

成淹不许齐使以朱衣入凶庭，孝文帝喜成淹之敏。《魏书》卷七九《成淹传》：二月，齐使裴昭明等吊魏文明太后之丧，魏使成淹应对，不许齐使以朱衣入凶庭，孝文帝喜成淹之敏。

四月

李冲参订律令，忠勤明断。《魏书》卷七下《高祖纪》：四月，始经明堂，改营太庙。五月己亥，议改律令，于东明观折疑狱。《资治通鉴》卷一百三十七曰："魏主更定律令于东明观，亲决疑狱；命李冲议定轻重，润色辞旨，帝亲笔书之。李冲忠勤明断，加以慎密，为帝所委，情义无间，群臣旧戚，莫不心服，中外推之。"《魏书》卷五三《李冲传》："文明太后崩后，高祖居丧，引见待接有加。及议礼仪律令，润饰辞旨，刊定轻重，高祖虽自下笔，无不访决焉。冲竭忠奉上，知无不尽，出入忧勤，形于颜色，虽旧臣戚辅，莫能逮之，无不服其明断慎密而归心焉。于是天下翕然，及殊方听望，咸宗奇之。高祖亦深相杖信，亲敬弥甚，君臣之间，情义莫二，及改制百司，开建五等，以冲参订典式……"按，李冲为陇西公李宝之子。

十一月

李彪使齐，见重于齐武帝。《魏书》卷七下《高祖纪》：十一月，诏假通直散骑常侍李彪、假散骑侍郎蒋少游使齐。据《魏书》卷六二《李彪传》，其接对者为刘绘，齐设宴乐，李彪以魏丧故，辞乐。彪与刘绘议礼，颇有往复。"彪将还，赜（齐武帝）亲谓曰：'卿前使还日，赋阮诗云"但愿长闲暇，后岁复来游"，果如今日。卿此还也，复有来理否？'彪答言：'使臣请重赋阮诗曰："宴衍清都中，一去永矣哉"。赜悯然曰："清都可尔，一去何事？观卿此言，似成长阔，朕当以殊礼相送。"赜遂亲至琅邪城，登山临水，命群臣赋诗以送别，其见重如此。彪前后六度衔命，南人奇其謇谔。'

十二月

诏简选乐官。《魏书》卷七下《高祖纪》：十二月，诏简选乐官。《魏书》卷一〇九《乐志》曰："十五年冬，高祖诏曰：'乐者所以动天地，感神祇，调阴阳，通人鬼。故能关山川之风，以播德于无外。由此言之，治用大矣。逮乎末俗陵迟，正声顿废，多好郑卫之音以悦耳目，故使乐章散缺，伶官失守。今方厘革时弊，稽古复礼，庶令乐正雅颂，各得其宜。今置乐官，实须任职，不得仍令滥吹也。'遂简置焉。"《资治通鉴》卷一百三十七《齐纪三》曰："初，魏世祖克统万及姑臧，获雅乐器服工人，并存之。其后累朝无留意者，乐工浸尽，音制多亡。高祖始命有司访民间晓音律者议定雅乐，当时无能知音。然金、石、羽旄之饰，稍壮丽于往时矣。辛亥，诏简置乐官，使修其职；又命中书监高闾参定。"

本年

杜弼（491—559）生。杜弼字辅玄，中山曲阳人。

公元 492 年（南齐武帝永明十年　魏孝文帝太和十六年　壬申）

本年

萧嶷薨，年四十九。沈约婉言拒绝撰写碑文。《南齐书·豫章文献王传》说："（永明）十年……（萧嶷）薨，年四十九……（乐）蔼又与右率沈约书曰：'夫道宣余烈，竹帛有时先朽，德孚遗事，金石更非后亡。丞相独秀生民，傍照日月。标胜丘园，素履穆于忠义，誉应华衮，功迹著于弼谐。无得而称，理绝照载。若夫日用闅寂，虽无取于锱铢，岁功宏达，谅有寄于衡石。窃承贵州士民，或建碑表，俾我荆南，阅感无地。且作纪江、汉，道基分陕，衣冠礼乐，咸被后昆。若其望碑尽礼，我州之旧俗，倾壝罢肆，鄙土之遗风，庶几弘烈或不泯坠。荆、江、湘三州策名不少，并欲各率毫厘，少申景慕。斯文之托，历选惟疑，必待文蔚辞宗，德金茂履，非高明而谁？岂能骋无愧之辞，酬式瞻之望！吾西州穷士，一介寂寥，恩周荣誉，泽遍衣食。永惟道荫，日月就远，缅寻遗烈，触目崩心。常谓福齐南山，庆钟仁寿。吾侪小人，贻尘帷盖，岂图一旦，遂投此请。'约答曰：'丞相风道弘旷，独秀生民，凝猷盛烈，方轨伊、旦。愍遗之感，朝野同悲。承当刊石纪功，传华千载，宜须盛述，实允来谈。郭有道汉末之匹夫，非蔡伯喈，不足以偶三绝，谢安石素族之台辅，时无丽藻，迄乃有

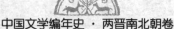

碑无文。况文献王冠冕彝伦，仪形宇内，自非一世辞宗，难或与此。约间闾鄙人，名不入第，欸酬今旨，便是以礼许人，闻命惭颜，已不觉汗之沾背也。'"从乐蔼和沈约的书信往来中可以看出，当时达官贵人去世之后，立碑纪念是一件大事，而对于碑文的讲究，亦十分重视其文采斐然，沈约指谢安石"时无丽藻，迄乃有碑无文"，重要人物的碑文必须内容和文采相得益彰；而从乐蔼对于沈约的赞誉来看，沈约在当时文坛已经占据了重要的地位，备受朝野的尊重①。

萧子良主盟永明文坛。（永明）十年春正月戊午，司徒竟陵王子良领尚书令；五月己巳，司徒竟陵王子良为扬州刺史。《南齐书·刘绘传》说："永明末，京邑人士盛为文章谈义，皆凑竟陵王西邸。绘为后进领袖，机悟多能。时张融、周颙并有言功，融音旨缓韵，颙辞致绮捷，绘之言吐，又顿挫有风气。时人为之语曰：'刘绘贴宅，别开一门。'言在二家之中也。"春泓按，萧子良薨于隆昌元年，永明十一年是多事之秋，所以此则记载附于永明十年。萧子良在永明年间，扮演了文坛盟主的角色，对于文学的发展，发挥了重要的影响。而周颙对于言辞的讲究，无论从声律，还是丽辞等方面，都对于南朝骈体文提供了探讨其形成的参照。

傅映少与刘绘、萧琛相友善。按《梁书·傅昭传》附《傅映传》说："映泛涉记传，有文才，而不以篇什自命。少时与刘绘、萧琛相友善，绘之为南康相，映时为府丞，文教多令具草。"此是其早年交游情形。

周颙、沈约等自觉讲求声律创"永明体"。《南齐书·文学传》之《陆厥传》说："永明末，盛为文章。吴兴沈约、陈郡谢朓、琅邪王融以气类相推毂。汝南周颙善识声韵。约等文皆用宫商，以平上去入为四声，以此制韵，不可增减，世呼为'永明体'。沈约《宋书·谢灵运传》后又论宫商。厥与约书曰：

范詹事《自序》'性别宫商，识清浊，特能适轻重，济艰难。古今文人，多不全了斯处，纵有会此者，不必从根本中来'。沈尚书亦云'自灵均以来，此秘未睹'。或'暗与理合，匪由思至。张蔡曹王，曾无先觉，潘陆颜谢，去之弥远'。大旨钧使'宫羽相变，低昂舛节。若前有浮声，则后须切响，一简之内，音韵尽殊，两句之中，轻重悉异'。辞既美矣，理又善焉。但观历代众贤，似不都暗此处，而云'此秘未睹'，近于诬乎？案范云'不从根本中来'。尚书云'匪由思至'。斯可谓揣情谬于玄黄，摛句差其音律也。范又云'时有会此者'。尚书云'或暗与理合'。则美咏清讴，有辞章调韵者，虽有差谬，亦有会合，推此以往，可得而言。夫思有合离，前哲同所不免，文有开塞，即事不得无之。子建所以好人讥弹，士衡所以遗恨终篇。既曰遗恨，非尽美之作，理可诋诃。君子执其诋诃，便谓合理为暗。岂如指其合理而寄诋诃为遗恨邪？自魏文属论，深以清浊为言，刘桢奏书，大明体势之致，岨峿妥帖之谈，操末续颠之说，兴玄黄于律吕，比五色之相宣，苟此秘未睹，兹论为何所指邪？故愚谓前英已早识宫徵，但未屈曲指的，若今论所申。至于掩瑕藏疾，合少谬多，则临淄所云'人之著述，不能无病'者也。非知之而不改，谓不改则不知，斯曹、陆又称'竭情多悔，不可力强'者也。今许以有病有悔为言，则必自知无悔无病之地；引其不了不合为暗，

---

① 刘跃进：《永明文学研究》第48页，揭示沈约婉言拒绝撰写碑文，实有隐情。

何独诬其一合一了之明乎？意者亦质文时异，古今好殊，将急在情物，而缓于章句。情物，文之所急，美恶犹且相半；章句，意之所缓，故合少而谬多。义兼于斯，必非不知明矣。《长门》《上林》，殆非一家之赋；《洛神》《池雁》，便成二体之作。孟坚精正，《咏史》无亏于东主；平子恢富，《羽猎》不累于凭虚。王粲《初征》，他文未能称是；杨修敏捷，《暑赋》弥日不献。率意寡尤，则事促乎一日；翳翳愈伏，而理赊于七步。一人之思，迟速天悬；一家之文，工拙壤隔。何独宫商律吕，必责其如一邪？论者乃可言未穷其致，不得言曾无先觉也。

约答曰：

宫商之声有五，文字之别累万。以累万之繁，配五声之约，高下低昂，非思力所举。又非止若斯而已也。十字之文，颠倒相配，字不过十，巧历已不能尽，何况复过于此者乎？灵均以来，未经用之于怀抱，固无从得其仿佛矣。若斯之妙，而圣人不尚，何邪？此盖曲折声韵之巧，无当于训义，非圣哲立言之所急也。是以子云譬之'雕虫篆刻'，云'壮夫不为'。自古辞人岂不知宫羽之殊，商徵之别？虽知五音之异，而其中参差变动，所昧实多，故鄙意所谓'此秘未睹'者也。以此而推，则知前世文士便未悟此处。若以文章之音韵，同弦管之声曲，则美恶妍媸，不得顿相乖反。譬由子野操曲，安得忽有阐缓失调之声？以《洛神》比陈思他赋，有似异手之作。故知天机启，则律吕自调；六情滞，则音律顿舛也。士衡虽云'炳若缛锦'，宁有濯色江波，其中复有一片是卫文之服？此则陆生之言，即复不尽者矣。韵与不韵，复有精粗，轮扁不能言，老夫亦不尽辨此。"日僧遍照金刚《文镜秘府论·天卷·四声论》说："宋末以来，始有四声之目。沈氏乃著其谱论，云起自周颙。"春泓按，在此节文字中沈约系统地阐述了其声律理论。永明声律论是南朝文学史上重要的一段公案，陆厥与沈约之辩值得关注。沈约意在将声律化作一种自觉的知识，运用到写作之中，认为此前的人不懂此奥秘，有时合乎声律，也仅仅是偶然暗合而已。沈约等人的声律说为诗歌走向格律化产生了重大的影响。《旧唐书·文苑传序》说："近代唯沈隐侯斟酌《二南》，剖陈三变；摅云、渊之抑郁，振潘、陆之风徽。俾律吕和谐，宫商辑洽，不独子建总建安之霸，客儿擅江左之雄。"对沈约在诗歌史上的地位有极高的评价。同时陆、沈二氏辩难所使用的前人理论批评材料，譬如扬雄、曹丕、曹植、刘桢、陆机以及近人范晔等，尽在其视野之中，这说明中国古代文学理论批评已形成涓涓细流，未来将汇聚成滔滔江河。

王元长批评过度注重声律的风尚。钟嵘《诗品序》说："齐有王元长者，尝谓余云：宫商与二仪俱生，自古词人不知之。惟颜宪之乃云，律吕音调，而其实大谬，唯见范晔、谢庄颇识之耳。常欲进知音论，未就。王元长创其首，谢朓、沈约扬其波，三贤或贵公子孙，幼有文辩，于是士流景慕，务为精密，襞积细微，专相凌架，故使文多拘忌，伤其真美。余谓文制，本须讽读，不可蹇碍，但令清浊通流，口吻调利，斯为足矣。至平上去入，则余病未能。蜂腰鹤膝，闾里已具。"对于过度注重声律的诗歌写作风尚，当时就有批评的声音。

虞炎、范岫等为文惠太子所礼遇。《南齐书·文学传》之《陆厥传》说："会稽虞炎，永明中以文学与沈约俱为文惠太子所遇，意眄殊常。官至骁骑将军。"《梁书》本传记载范岫："文惠太子之在东宫，沈约之徒以文才见引，岫亦预焉。岫文虽不逮约，而名行为时辈所与，博涉多通，尤悉魏晋以来吉凶故事。"

萧衍与沈约、谢朓、王融、萧琛、范云、任昉、陆倕等并游，号曰"八友"。《梁书·武帝本纪》说："起家巴陵王南中郎法曹行参军，迁卫将军王俭东阁祭酒。俭一见，深相器异，谓庐江何宪曰：'此萧郎三十内当作侍中，出此则贵不可言。'竟陵王子良开西邸，招文学，高祖与沈约、谢朓、王融、萧琛、范云、任昉、陆倕等并游焉，号曰八友。融俊爽，识鉴过人，尤敬异高祖。每谓所亲曰：'宰制天下，必在此人。'"春泓按，萧子显叙述"西邸"人物似不涉及萧衍，《梁书》在此叙述中，可能夸大了萧衍在当时的声誉。

裴子野撰《宋略》二十卷，为沈约等称重。《梁书·裴子野传》说："初，子野曾祖松之，宋元嘉中受诏续修何承天《宋史》，未及成而卒，子野常欲继成先业。及齐永明末，沈约所撰《宋书》既行，子野更删撰为《宋略》二十卷，其叙事评论多善，约见而叹曰：'吾弗逮也。'兰陵萧琛、北地傅昭、汝南周舍咸称重之。"

王僧孺为文惠太子等所重。《梁书·王僧孺传》说："司徒竟陵王子良开西邸招文学，僧孺亦游焉。文惠太子闻其名，召入东宫，直崇明殿。欲拟为宫僚，文惠薨，不果。时王晏子德元出为晋安郡，以僧孺补郡丞，除侯官令。"

何胤受命撰录新礼。《梁书·处士传》之《何胤传》说："胤字子季，点之弟也。年八岁，居忧哀毁若成人。既长好学。师事沛国刘瓛，受《易》及《礼记》《毛诗》，又入钟山定林寺听内典，其业皆通。而纵情诞节，时人未之知也，唯瓛与汝南周颙深器异之……尚书令王俭受诏撰新礼，未就而卒。又使特进张绪续成之，绪又卒；属在司徒竟陵王子良，子良以让胤，乃置学士二十人，佐胤撰录。永明十年，迁侍中，领步兵校尉，转为国子祭酒。"春泓按，从王俭、张绪以至何胤，可见齐武帝年间，朝廷一直有重建儒学的举措。

陶弘景致仕，公卿饯送于征虏亭，供帐甚盛。《梁书·处士传》之《陶弘景传》说："永明十年，上表辞禄，诏许之，赐以束帛。及发，公卿祖之于征虏亭，供帐甚盛，车马填咽，咸云宋、齐以来，未有斯事。朝野荣之。"

北朝

二月

诏祀唐尧于平阳、虞舜于广宁、夏禹于安邑、周文于洛阳。丁未，改谥宣尼曰文圣尼父，告谥孔庙。据《魏书》卷七下《高祖纪》。

四月

幸皇宗学，亲问博士经义。据《魏书》卷七下《高祖纪》。

五月

诏群臣于皇信堂更定律条，流徒限制，帝亲临决之。据《魏书》卷七下《高祖纪》。

十二月

魏主亲与齐使萧琛、范云谈论。《资治通鉴》卷一百三十七《齐纪三》：十二月，司徒参军萧琛、范云聘于魏。魏主甚重齐人，亲与谈论。顾谓群臣曰："江南多好臣。"侍臣李元凯对曰："江南多好臣，岁一易主；江北无好臣，百年一易主。"魏主甚惭。

孝文帝下诏令高闾定乐。《资治通鉴》卷一百三十七《齐纪三》：群臣议行次，高闾以为当是土德，李彪、崔光以为当是水德。孝文帝下诏令高闾定乐。《魏书》卷一〇九《乐志》曰："诏曰：'礼乐之道，自古所先，故圣王作乐以和中，制礼以防外。然音声之用，其致远矣，所以通感人神，移风易俗。至乃《箫韶》九奏，凤凰来仪。击石拊石，百兽率舞。有周之季，斯道崩缺，故夫子忘味于闻《韶》，正乐于返鲁。逮汉魏之间，乐章复阙，然博采音韵，粗有篇条。自魏室之兴，太祖之世尊崇古式，旧典无坠。但干戈仍用，文教未淳，故令司乐失治定之雅音，习不典之繁曲。比太乐奏其职司，求与中书参议。览其所请，愧感兼怀。然心丧在躬，未忍闻此。但礼乐事大，乃为化之本，自非通博之才，莫能措意。中书监高闾器识详富，志量明允，每闻陈奏乐典，颇体音律，可令与太乐详采古今，以备兹典。其内外有堪此用者，任其参议也。'闾历年考度，粗以成立，遇迁洛不及精尽，未得施行。寻属高祖崩，未几，闾卒。"

郑羲（？—492）卒。《魏书》卷五六《郑羲传》："尚书奏谥曰宣，诏曰：'盖棺定谥，先典成式，激扬清浊，治道明范。故何曾幼孝，良史不改"缪丑"之名；贾充宠晋，直士犹立"荒公"之称。羲虽宿有文业，而治阙廉清。稽古之效，未光于朝策。昧货之谈，已形于民听。谥以善问，殊乖其衷。又前岁之选，匪由备行充举，自荷后任，勋绩未昭。尚书何乃情遗至公，愆违明典。依谥法：博闻多见曰"文"，不勤成名曰"灵"，可赠以本官，加谥文灵。'"本传之史臣曰：'郑羲机识明悟，为时所许。'"

公元 493 年（南齐武帝永明十一年　魏孝文帝太和十七年　癸酉）

七月

南齐皇室变故迭起，萧昭业即位。永明十一年春正月，文惠太子薨。武帝崩于是年秋七月。《南齐书》本传说"太子与竟陵王子良俱好释氏，立六疾馆以养穷民。风韵甚和，而性颇奢丽"。皇太孙郁林王昭业字元尚，文惠太子之长子，太子在世时，昭业被立为皇太孙，武帝崩后，继承皇位。八月，以司徒竟陵王子良为太傅。

本年

王融文名已远播北方。《南齐书》本传说："上以融才辩，十一年，使兼主客，接

本年

王肃见魏主于邺，陈伐齐之策。《资治通鉴》卷一百三十八《齐纪》四：孝文帝如邺城。王肃见魏主于邺，陈伐齐之策。《通鉴注》曰："是年三月王肃奔魏，今方得见魏主。"《魏书》卷六三《王肃传》曰："高祖幸邺，闻肃至，虚襟待之，引见问故。肃辞义敏切，辩而有礼，高祖甚哀恻之。遂语及为国之道，肃陈说治乱，音韵雅畅，深会帝旨。高祖嗟纳之，促席移景，不觉坐之疲淹也。"

彭城王元勰，仿王肃《悲平城》作《问松林》；元勰以音韵为王肃笑，祖莹救之，仿《悲平城》，为作《悲彭城》。《魏书》卷二一下《彭城王元勰传》曰："后幸代都，次于上党之铜鞮山。路旁有大松树十数根。时高祖进伞，遂行而赋诗，令人示勰曰：'吾始作此诗，虽不七步，亦不言远。汝可作之，比至吾所，令就之也。'时勰去帝十余步，遂且行且作，未至帝所而就。诗曰：'问松林，松林经几冬？山川何如昔，风云与古同。'高祖大笑曰："汝此诗亦调责吾耳。'"《魏书》卷八二《祖莹传》曰："尚书令王肃曾于省中咏《悲平城诗》，云：'悲平城，驱马入云中。阴山常晦雪，荒松无罢风。'彭城王勰甚嗟其美，欲使肃更咏，乃失语云：'王公吟咏情性，声律殊佳，可更为诵《悲彭城诗》。'肃因戏勰云：'何意《悲平城》为《悲彭城》也？'勰有惭色。莹在座，即云：'所有《悲彭城》，王公自未见耳。'肃云：'可为诵之。'莹应声云：'悲彭城，楚歌四面起。尸积石梁亭，血流睢水里。'肃甚嗟赏之。勰亦大悦，退谓莹曰：'即定是神口。今日若不得卿，几为吴子所屈。'"

王肃尚魏公主，及肃前妻谢氏至魏，赠以诗，公主为作答。《洛阳伽蓝记》卷三云："肃在江南日，聘谢氏女为妻，及至京师，复尚公主。谢作五言诗以赠之。其诗曰：'本为箔上蚕，今作机上丝，得路逐胜去，颇忆缠绵时。'公主代肃答谢云：'针是贯线物，目中恒任丝，得帛缝新去，何能纳故时'。肃甚有愧谢之色。"

公元 494 年（南齐明帝建武元年　魏孝文帝太和十八年　甲戌）

正月

春正月改元隆昌，加太傅、竟陵王子良殊礼。秋七月癸巳，主要以镇军大将军萧鸾为首，假借皇太后名义下令废除郁林王。改元延兴，于延兴元年秋七月，改立文惠太子第二子、海陵恭王昭文字季尚为皇帝，萧鸾实际上大权在握。冬十月，宣城公萧鸾进爵为王，并于此月辛亥，再次假借太后令，废弑海陵王，萧鸾继位，改元建武，立第二子宝卷为皇太子。《南齐书·郁林王传》记载"（郁林王）昭业少美容止，好隶书，世祖敕皇孙手书不得妄出，以贵重之……昭业谓豫章王妃庾氏曰：'阿婆，佛法言，有福德生帝王家。今日见作天王，便是大罪，左右主帅，动见拘执，不如作市边屠酤富儿百倍矣。'"春泓按，此大略尽是诬蔑不实之词。

本年

萧子良卒，年仅三十五岁。《南齐书》本传记载竟陵王萧子良薨于是年，享年仅三十五岁。"所著内外文笔数十卷，虽无文采，多是劝戒"。

萧子隆有文才，今年被杀。《南齐书·武十七王传》本传称随郡王子隆字云兴，世祖第八子，有文才。于延兴元年与鄱阳王锵同夜见杀，"子隆娶尚书令王俭女为妃，上以子隆能属文，谓俭曰：'我家东阿也。'俭曰：'东阿重出，实为皇家藩屏。'……文集行于世"。延兴为南朝齐海陵王年号。

萧颖胄好文义，为南东海太守。《南齐书·萧赤斧传》附《萧颖胄传》说："隆昌元年，永嘉王昭粲为南徐州，以颖胄为南东海太守，行南徐州事……"本传说："颖胄好文义，弟颖基好武勇，世祖登烽火楼，诏群臣赋诗。颖胄诗合旨，上谓颖胄曰：'卿文弟武，宗室便不乏才。'"

萧晔卒，年二十八。《南齐书·高帝十二王传》之《武陵昭王晔传》说萧晔"隆昌元年，年二十八，薨"。他是萧道成第五子，本传记载他"刚颖隽出，工弈棋，与诸王共作短句，诗学谢灵运体，以呈上，报曰：'见汝二十字，诸儿作中最为优者。但康乐放荡，作体不辨有首尾，安仁、士衡深可宗尚，颜延之抑其次也。'"这说明萧道成对于五言诗颇具心得。

陆澄卒，年七十。《南齐书·陆澄传》说："隆昌元年，以老疾，转光禄大夫，加散骑常侍，未拜，卒。年七十。谥靖子。澄当世称为硕学，读《易》三年不解文义，欲撰《宋书》竟不成。王俭戏之曰：'陆公，书厨也。'家多坟籍，人所罕见。撰地理书及杂传，死后乃出。"

谢朓掌霸府文笔、中书诏诰。《南齐书》本传称："隆昌初，敕（谢）朓接北使，朓自以口讷，启让不当，不见许。高宗辅政，以朓为骠骑咨议，领记室，掌霸府文笔。又掌中书诏诰，除秘书丞，未拜，仍转中书郎。"春泓按，《南齐书·武帝本纪》记述武帝于永明十一年秋七月病危，下诏令萧鸾辅政，直至改元隆昌，谢朓才获高宗上述任命。

周兴嗣善属文，为谢朓称赏。《梁书·文学传》之《周兴嗣传》说："周兴嗣字思纂，陈郡项人，汉太子太傅堪后也。高祖凝，晋征西府参军、宜都太守。兴嗣世居姑孰。年十三，游学京师，积十余载，遂博通记传，善属文……齐隆昌中，侍中谢朓为吴兴太守，唯与兴嗣谈文史而已。及罢郡还，因大相称荐。本州举秀才，除桂阳郡丞，太守王嵘素相赏好，礼之甚厚。"

王寂欲献《中兴颂》，为兄王志劝止。《南齐书·王僧虔传》说："建武初，（王寂）欲献《中兴颂》，兄志谓之曰：'汝膏粱年少，何患不达，不镇之以静，将恐贻讥。寂乃止。'"

孔稚珪上表论北魏事，主和，帝不纳。《南齐书·孔稚珪传》说："建武初，迁冠军将军、平西长史、南郡太守。稚珪以虏连岁南侵，征役不息，百姓死伤。乃上表曰：'匈奴为患，自古而然，虽三代智勇，两汉权奇，算略之要，二途而已。一则铁马风驰，奋威沙漠；二则轻车出使，通驿虏庭。权而言之，优劣可睹。今之议者，咸以丈夫之气，耻居物下，况我天威，宁可先屈？吴、楚劲猛，带甲百万，截彼鲸鲵，何往不碎？请和示弱，非国计也。臣以为戎狄兽性，本非人伦，鸱鸣狼踞，不足喜怒，蜂目虿尾，何关美恶。唯宜胜之以深权，制之以远笇，弘之以大度，处之以蛮贼。岂足肆天下之忿，捐苍生之命，发雷电之怒，争虫鸟之气。百战百胜，不足称雄，横尸千里，无益上国。而蚁聚蚕攒，穷诛不尽，马足毛群，难与竞逐。汉高横威海表，窘迫长围；孝文国富刑清，事屈陵辱；宣帝抚纳安静，朔马不惊；光武卑辞厚礼，寒山无霭。是两京四主，英济中区，输宝货以结和，遣宗女以通好，长辔远驭，子孙是赖。岂不欲战，惜民命也。唯汉武藉五世之资，承六合之富，骄心奢志，大事匈奴。遂连兵积岁，转战千里，长驱瀚海，饮马龙城，虽斩获名王，屠走凶羯，而汉之卒甲十亡其九。故卫霍出关，千队不反，贰师入漠，百旅顿降，李广败于前锋，李陵没于后阵，其余奔北，不可胜数。遂使国储空悬，户口减半。好战之功，其利安在？战不及和，相去何若？

自西朝不纲，东晋迁鼎，群胡沸乱，羌狄交横，荆棘攒于陵庙，豺虎咆于宫闱，山渊反复，黔首涂地，逼迫崩腾，开辟未有。是时得失，略不稍陈。近至元嘉，多年无事，末路不量，复挑强敌。遂乃连城覆徙，虏马饮江，青、徐之际，草木为人耳。建元之初，胡尘犯塞；永明之始，复结通和，十余年间，边候且息。

陛下张天造历，驾日登皇，声雷宇宙，势压河岳。而封豕残魂，未屠剑首，长蛇余喘，偷窥外甸，烽亭不静，五载于斯。昔岁蚁坏，瘘食樊、汉，今兹虫毒，浸淫未已。兴师十万，日费千金，五岁之费，宁可赀计。陛下何惜匹马之驿，百金之略，数行之诏，诱此凶顽，使河塞息肩，关境全命，蓄甲养民，以观彼弊？我策若行，则为不世之福；若不从命，不过如战失一队耳。或云"遣使不受，则为辱命"。夫以天下为量者，不计细耻；以四海为任者，宁顾小节。一城之没，尚不足惜；一使不反，曾何取惭？且我以权取贵，得我略行，何嫌其耻？所谓尺蠖之屈，以求伸也。臣不言遣使必得和，自有可和之理；犹如欲战不必胜，而有可胜之机耳。今宜早发大军，广张兵势，征犀甲于岷峨，命楼船于浦海。使自青徂豫，候骑星罗，沿江入汉，云阵万里。据险要以夺其魂，断粮道以折其胆，多设疑兵，使精悉而计乱，固列金汤，使神茹而虑屈。然后发衷诏，驰轻驿，辩辞重币，陈列吉凶。北虏顽而爱奇，贪而好货，畏我之威，喜我之略，畏威喜赂，愿和必矣。陛下用臣之启，行臣之计，何忧玉门之下，而无款塞之胡哉？

彼之言战既殷勤，臣之言和亦慊阔。伏愿察两途之利害，检二事之多少，圣照玄省，灼然可断。所表谬奏，希下之朝省，使同博议。臣谬荷殊恩，奉佐侯岳，敢肆瞽直，伏奏千里。'

帝不纳。征侍中，不行，留本任。稚珪风韵清疏，好文咏，饮酒七八斗。与外兄张融情趣相得，又与琅邪王思远、庐江何点、点弟胤并款交。不乐世务，居宅盛营山水，凭几独酌，傍无杂事。门庭之内，草莱不剪，中有蛙鸣，或问之曰：'欲为陈蕃乎？'稚珪笑曰：'我以此当两部鼓吹，何必期效仲举。'"春泓按，此表对于汉代以来历朝历代的对外政策进行了反思和评价，他主张和的策略，与士人的主流思想是一致的。而此表虽名之曰表，实际上又有论的内涵，论在表中时常有所体现。

王智深迁为竟陵王司徒参军。王智深、袁炳等曾为袁粲所知。《南齐书·文学传》之《王智深传》说："隆昌元年，敕索其书（《宋纪》），智深迁为竟陵王司徒参军，坐事免。江夏王锋、衡阳王钧并善待之。初，智深为司徒袁粲所接，及撰《宋纪》，意常依依。綮幼孤，祖母名其为愍孙，后慕荀綮，自改名，会稽贺乔讥之，智深于是著论。家贫无人事，尝饿五日不得食，掘荬根食之。司空王僧虔及子志分其衣食。卒于家。先是陈郡袁炳，字叔明，有文学，亦为袁綮所知。著《晋书》未成，卒。颍川庾铣，善属文，见赏豫章王，引至大司马记室参军，卒。"

沈约进号辅国将军。《梁书》沈约本传说："隆昌元年，除吏部郎，出为宁朔将军、东阳太守。明帝即位，进号辅国将军，征为五兵尚书，迁国子祭酒。明帝崩，政归冢宰，尚书令徐孝嗣使约撰定遗诏。迁左卫将军，寻加通直散骑常侍。"

江淹兼御史中丞，多所劾治。《梁书·江淹传》说："少帝初，以本官兼御史中丞。时明帝作相，因谓淹曰：'君昔在尚书中，非公事不妄行，在官宽猛能折衷；今为南司，足以震肃百僚。'淹答曰：'今日之事，可谓当官而行，更恐才劣志薄，不足以仰称明旨耳。'于是弹中书令谢朏、司徒左长史王缋、护军长史庾弘远，并以久疾不预山陵公事；又奏前益州刺史刘悛、梁州刺史阴智伯，并赃货巨万，辄收付廷尉治罪。临海太守沈昭略、永嘉太守庾昙隆，及诸郡二千石并大县官长，多被劾治，内外肃然。明帝谓淹曰：'宋世以来，不复有严明中丞，君今日可谓近世独步。'"春泓按，江淹并无高远的政治理想，唯随顺上意以求自保，所以亦写了不少弹、奏一类的公文。

任昉雅善属文，深为沈约所推挹。《梁书·任昉传》说："初，齐明帝既废郁林王……使昉具表。"任昉撰表辞含微讽，招致帝之恼怒，于是终建武中，位不过列校，"昉雅善属文，尤长载笔，才思无穷，当世王公表奏，莫不请焉。昉起草即成，不加点窜。沈约一代词宗，深所推挹"。

到洽年十八，清警有才学士行。《梁书·到洽传》说："洽年十八，为南徐州迎西曹行事。洽少知名，清警有才学士行。谢朓文章盛于一时，见洽深相赏好，日引与谈论，每谓洽曰：'君非直名人，乃亦兼资文武。'"春泓按，到洽卒于大通元年，时年五十一，所以其十八岁时，当在齐建武元年。

裴邃撰八公山庙碑文，甚见称赏。《梁书·裴邃传》说："裴邃字渊明，河东闻喜人……邃十岁能属文，善《左氏春秋》。齐建武初，刺史萧遥昌引为府主簿。寿阳有八公山庙，遥昌为立碑，使邃为文，甚见称赏。"

刘孝绰为范云所重。《梁书·刘孝绰传》说："范云年长绘十余岁，其子孝才与孝绰年并十四五，及云遇孝绰，便申伯季，乃命孝才拜之。"

刘峻为吏部尚书徐孝嗣所抑。《梁书·文学传》之《刘峻传》说："刘峻字孝标，平原平原人……时竟陵王子良博招学士，峻因人求为子良国职，吏部尚书徐孝嗣抑而不许，用为南海王侍郎，不就。"春泓按，《南齐书》本传说徐孝嗣于"晏诛，转尚书令"，而《南齐书》本传又记述王晏之被诛，在建武元年，可见萧子良之广招学士，从永明年间起，一直延续到本年他去世之前，持续近十年之久。

僧柔卒，春秋六十有四。《高僧传》卷第八《义解·僧柔传》说："……奄然而卒。是岁延兴元年，春秋六十有四，即葬于山南。沙门僧祐与柔少长山栖，同止岁久。亟把道心，预闻法味，为立碑墓所，东莞刘勰制文。"

何胤辞职隐居。《梁书·处士传》之《何胤传》说："胤虽贵显，常怀止足。建武初，已筑室郊外，号曰小山，恒与学徒游处其内。至是，遂卖园宅，欲入东山，未及发,闻谢朓罢吴兴郡不还,胤恐后之,乃拜表辞职,不待报辄去。明帝大怒,使御史中丞袁昂奏收胤,寻有诏许之。胤以会稽山多灵异,往游焉,居若邪山云门寺。初,胤二兄求、点并栖遁,求先卒,至是胤又隐,世号点为大山;胤为小山,亦曰东山。"

陶弘景遍历名山,寻访仙药。《梁书·处士传》之《陶弘景传》说:"于是止于句容之句曲山。恒曰:'此山下是第八洞宫,名金坛华阳之天,周回一百五十里。昔汉有咸阳三茅君得道,来掌此山,故谓之茅山。'乃中山立馆,自号华阳隐居。始从东阳孙游岳受符图经法。遍历名山,寻访仙药。每经涧谷,必坐卧其间,吟咏盘桓,不能已已。时沈约为东阳郡守,高其志节,累书要之,不至。"春泓按,《梁书》本传记载,沈约于隆昌元年任东阳太守,故陶弘景之遍历名山当在是年前后。

诸葛璩博涉经史,安贫守道。《梁书·处士传》之《诸葛璩传》说:"诸葛璩字幼玟,琅邪阳都人,世居京口。璩幼事征士关康之,博涉经史。复师征士臧荣绪。荣绪著《晋书》,称璩有发摘之功,方之壶遂。齐建武初,南徐州行事江祀荐璩于明帝曰:'璩安贫守道,悦《礼》敦《诗》,未尝投刺邦宰,曳裾府寺,如其简退,可以扬清厉俗。请辟为议曹从事。'帝许之,璩辞不去。"

北朝

本年

孝文帝经比干之墓,祭以太牢。《魏书》卷七下《高祖纪》:孝文帝经殷比干之墓,祭以太牢。《资治通鉴》卷一百三十九《齐纪五》:"戊辰,过比干墓,祭以太牢,魏主自为祝文曰:'乌呼介士,胡不我臣!'"

孝文帝求嵇绍兆域,遣使吊祭。《魏书》卷一九《任城王澄传》:孝文帝至北邙,"遂幸洪池,命澄侍升龙舟,因赋诗以序怀。高祖曰:'朕昨夜梦一老公,头鬓皓白,正理冠服,拜立路左。朕怪而问之,自云晋侍中嵇绍,故此奉迎。神爽卑惧,似有求焉。'澄对曰:'晋世之乱,嵇绍以身卫主,殒命御侧,亦是晋之忠臣。比干遭纣凶虐,忠谏剖心,可谓殷之良士。二人俱死于王事,坟茔并在于道周。然陛下徙御瀍洛,经殷墟而吊比干,至洛阳而遗嵇绍,当是希恩而感梦。'高祖曰:'朕何德,能幽感达士也。然实思追礼先贤,标扬忠懿。比干、嵇绍皆是古之诚烈,而朕务浓于比干,礼略于嵇绍,情有愧然。既有此梦,或如任城所言。'于是求其兆域,遣使吊祭焉"。

孝文帝亲饯大将军刘昶,命百僚赋诗赠之。《魏书》卷五九《刘昶传》:十二月,除刘昶使持节、都督吴、越、楚彭城诸军事,大将军,固辞,诏不许,又赐布千匹。及发,孝文帝亲饯之,命百僚赋诗赠昶,又以其《文集》一部赐昶。高祖因以所制文笔示之,谓昶曰:"时契胜残,事钟文业,虽则不学,欲罢不能。脱思一见,故以相示。虽无足味,聊复为笑耳。"据此,魏孝文帝有集,《隋书·经籍志》有《后魏孝文帝集》三十九卷,今佚。

元顺(494—528)生。元顺字子和,鲜卑族。北魏宗室文人。

公元 495 年（南齐明帝建武二年　魏孝文帝太和十九年　乙亥）

本年

　　北魏元宏入寿春境，齐崔庆远、朱选之诣宏，辞令甚美。《南齐书·宗室传》之《萧遥昌传》说："遥昌字季晖……建武元年，进号冠军将军。封丰城县公，千五百户。未之镇，徙督豫州郢州之西阳司州之汝南二郡军事、征虏将军、豫州刺史，持节如故。二年，虏主元宏寇寿春，遣使呼城内人。遥昌遣参军崔庆远、朱选之诣宏。庆远曰：'旌盖飘摇，远涉淮、泗，风尘惨烈，无乃上劳？'宏曰：'六龙腾跃，倏忽千里，经途未远，不足为劳。'庆远曰：'川境既殊，远劳轩驾。屈完有言："不虞君之涉吾地也，何故？"'宏曰：'故当有故。卿欲使我含瑕依违；为欲指斥其事？'庆远曰：'君包荒之德，本施北政，未承来议，无所含瑕。'宏曰：'朕本欲有言，会卿来问。齐主废立，有其例不？'庆远曰：'废昏立明，古今同揆。中兴克昌，岂唯一代？主上与先武帝，非唯昆季，有同鱼水。武皇临崩，托以后事。嗣孙荒迷，废为郁林，功臣固请，爰立明圣。上逼太后之严令，下迫群臣之稽颡，俯从亿兆，践登皇极。未审圣旨，独何疑怪？'宏曰：'闻卿此言，殊解我心。但哲妇倾城，何足可用。果如所言，武帝子弟今皆何在？'庆远曰：'七王同恶，皆伏管、蔡之诛，其余列藩二十余国，内升清阶，外典方牧。哲妇之戒，古人所惑；然十乱盈朝，实唯文母。'宏曰：'如我所闻，靡有孑遗。卿言美而乖实。未之全信。'宏又曰：'云罗所掩，六合宜一。故往年与齐武有书，言今日之事，书似未达齐主，命也。南使既反，情有怆然，朕亦休兵。此段犹是本意，不必专为问罪。若如卿言，便可释然。'庆远曰：'见可而进，知难而退，圣人奇兵。今旨欲宪章圣人，不失旧好，岂不善哉！'宏曰：'卿为欲朕和亲？为欲不和？'庆远曰：'和亲则二国交欢，苍生再赖；不和则二国交怨，苍生涂炭。和与不和，裁由圣衷。'宏曰：'朕来为复游行盐境，北去洛都，率尔便至。亦不攻城，亦不伐坞，卿勿以为虑。'宏设酒及羊炙杂果，又谓庆远曰：'听卿主克黜凶嗣，不违忠孝。何以不立近亲，如周公辅成王，而苟欲自取？'庆远答曰：'成王有亚圣之贤，故周公得辅而相之。今近藩虽无悖德，未有成王之贤。霍光亦舍汉藩亲而远立宣帝。'宏曰：'若尔，霍光向自立为君，当复得为忠臣不？'庆远曰：'此非其类，乃可言宣帝立与不立义当云何。皇上岂得与霍光为匹？若尔，何以不言"武王伐纣，何意不立微子而辅之，苟贪天下？"'宏大笑。明日引军向城东，遣道登道人进城内施众僧绢五百匹，庆远、选之各袴褶络带。"春泓按，按《南齐书·宗室传》之《萧遥光传》说齐明帝萧鸾即位之后，萧遥光成为其得力的辅佐大臣，"（建武）二年……每与上久清闲，言毕，上索香火，明日必有所诛杀。上以亲近单少，憎忌高、武子孙，欲并诛之，遥光计画参议，当以此施行。"上述元宏和崔庆远的对话近于杜撰，模仿了《左传》中两军对垒时敌我双方人物之间的交谈，言词大加修饰，以呈现应对之美。但是真实性却极其不可靠，这种小说家言，主要是为明帝篡位和杀戮高、武子孙作辩护。

　　北魏军围钟离城，张欣泰移魏广陵侯，劝其退兵。《南齐书·张欣泰传》说："建武二年，虏围钟离城。欣泰为军主，随崔慧景救援。欣泰移虏广陵侯曰：'闻攻钟离，是子之深策，可无谬哉！《兵法》云"城有所不攻，地有所不争"。岂不闻之乎？我国家舟舸百万，覆江横海，所以案甲于今不至，欲以边城疲魏士卒。我且千里运粮，行留俱弊，一时霖雨，川谷涌溢，然后乘帆渡海，百万齐进，子复奚以御之？乃令魏主以万乘之重，攻此小城，是何谓欤？攻而不拔，谁之耻邪？假令能拔，子守之，我将连舟千里，舳舻相属，西过寿阳，东接沧海，仗不再请，粮不更取，士卒偃卧，起而接战，乃鱼鳖不通，飞鸟断绝，偏师淮左，其不能守，皎可知矣。如其不拔，吾将假法于魏之有司，以请子之过。若挫兵夷众，攻不卒下，驱士填隍，拔而不能守，则魏朝名士，其当别有深致乎？吾所未能量。昔魏之太武佛狸，倾一国之众，攻十雉之城，死亡太半，仅以身返。既智屈于金墉，亦虽拔而不守，皆算失所为，至今为笑。前鉴未远，已忘之乎？和门邑邑，戏载往意。'"春泓按，按《文心雕龙·檄移》篇说："故檄移为用，事兼文武，其在金革，则逆党用檄，顺众资移，所以洗濯民心，坚同符契，意用小异而体义大同，与檄参伍，故不重论也。"檄和移两种文体大致是相同的，相对而言，移更多用于处理可化解之矛盾，而檄则表示与对方势不两立，张欣泰此移，表示要用委婉的方式，化解敌我之冲突，希望敌方能够明智地退兵。

刘系宗以娴于吏事为武帝所重。《南史·恩倖传》之《刘系宗传》说："刘系宗，丹阳人也……永明中，魏使书常令系宗题答，秘书局皆隶之。再为少府。郁林即位，除宁朔将军、宣城太守。系宗久在朝省，闲于职事，武帝常云：'学士辈不堪经国，唯大读书耳。经国，一刘系宗足矣。沈约、王融数百人，于事何用。'其重吏事如此。建武二年，卒官。"春泓按，武帝一则尊重名门子弟如王俭之辈，另则重用能吏如刘系宗者，而像沈约、王融辈文士则被冷落了，所以他们会聚集到竟陵王西邸，最终与齐朝产生离心离德现象。

谢朓于本年作《晚登三山还望京邑诗》《京路夜发诗》和《之宣城郡出新林浦向板桥诗》等作品。

北朝

正月

孝文帝朝飨群臣于悬瓠，酒酣作歌，有吞并江左之志。《魏书》卷七下《高祖纪》：正月，孝文帝朝飨群臣于悬瓠。《魏书》卷五六《郑羲列传附子道昭传》："从征沔汉，高祖飨侍臣于悬瓠方丈竹堂，道昭与兄懿俱侍坐焉。乐作酒酣，高祖乃歌曰：'白日光天无不曜，江左一隅独未照。'彭城王勰续歌曰：'愿从圣明兮登衡会，万国驰诚混江外。'郑懿歌曰：'云雷大振兮天门辟，率土来宾一正历。'邢峦歌曰：'舜舞干戚兮天下归，文德远被莫不思。'道昭歌曰：'皇风一鼓兮九地匝，戴日依天清六合。'高祖又歌曰：'遵彼汝坟兮昔化贞，未若今日道风明。'宋弁歌曰：'文王政教兮晖江沼，宁如大化光四表。'高祖谓道昭曰：'自比迁务虽猥，与诸才俊不废咏缀，遂命邢峦总集叙记。当尔之年，卿频丁艰祸，每眷文席，常用慨然。'"

六月

诏不得以北俗之言语于朝廷。《魏书》卷七下《高祖纪》：六月，孝文帝诏不得以北俗之言语于朝廷，若有违者，免所居官。《魏书》卷二一《咸阳王禧传》："高祖引见朝臣，诏之曰：'卿等欲令魏朝齐美于殷周，为令汉晋独擅于上代？'禧曰：'陛下圣明御运，实愿迈迹前王。'高祖曰：'若然，将以何事致之？为欲修身改俗，为欲仍染前事？'禧对曰：'宜应改旧，以成日新之美。'高祖曰：'为欲止在一身，为欲传之子孙？'禧对曰：'既卜世灵长，愿欲传之来叶。'高祖曰：'若然，必须改作，卿等当各从之，不得违也。'禧对曰：'上命下从，如风靡草。'高祖曰：'自上古以来及诸经籍，焉有不先正名，而得行礼乎？今欲断诸北语，一从正音。年三十以上，习性已久，容或不可卒革。三十以下，见在朝廷之人，语音不听仍旧。若有故为，当降爵黜官。各宜深戒。如此渐习，风化可新。若仍旧俗，恐数世之后，伊洛之下复成被发之人。王公卿士，咸以然不？'禧对曰：'实如圣旨，宜应改易。'高祖曰：'朕尝与李冲论此。冲言："四方之语，竟知谁是？帝者言之，即为正矣，何必改旧从新。"冲之此言，应合死罪。'乃谓冲曰：'卿实负社稷，合令御史牵下。'冲免冠陈谢。又引见王公卿士，责留京之官曰：'昨望见妇女之服，仍为夹领小袖。我徂东山，虽不三年，既离寒暑，卿等何为而违前诏？'禧对曰：'陛下圣过尧舜，光化中原，臣虽仰禀明规，每事乖互，将何以宣布皇经，敷赞帝则。舛违之罪，实合刑宪。'高祖曰：'若朕言非，卿等当须庭论，如何入则顺旨，退有不从。昔舜语禹，汝无面从，退有后言。其卿等之谓乎？'"

九月

魏六宫及文武尽迁洛阳。据《魏书》卷七下《高祖纪》。

本年

魏主雅重门族。《魏书》卷七下《高祖纪》：孝文帝诏"迁洛之民，死葬河南，不得还北"，于是代人南迁者，悉为河南洛阳人。又诏改长尺大斗，依《周礼》制度，班之天下。《魏书》卷一一三《官氏志》载孝文帝诏："代人诸胄，先无姓族，虽功贤之胤，混然未分，故官达者位极公卿，其功衰之亲，仍居猥任。比欲制定姓族，事多未就，且宜甄擢，随时渐铨。其穆、陆、贺、刘、楼、于、嵇、尉八姓，皆太祖已降，勋著当世，位尽王公，灼然可知者，且下司州、吏部，勿充猥官，一同四姓。"《资治通鉴》卷一百四十《齐纪六》："魏主雅重门族，以范阳卢敏、清河崔宗伯、荥阳郑羲、太原王琼四姓，衣冠所推，咸纳其女以充后宫。陇西李充以才识见任，当朝贵重，所结姻亲，莫非清望；第亦以其女为夫人。诏黄门侍郎、司徒左长史宋弁定诸州士族，多所升降。"

孝文帝雅好读书，手不释卷，才藻富赡，喜为文章。《资治通鉴》卷一百四十《齐纪六》：八月，孝文帝游华林园，观故景阳山，黄门侍郎郭祚曰："山水者，仁者之所乐，宜复修之。"帝曰："魏明帝以奢失之于前，朕岂可袭之于后乎？"帝好读书，手不释卷，在舆、据鞍，不忘讲道。善属文，多于马上口占，既成，不更一字；自太和十年以后，诏策皆自为之。好贤乐善，情如饥渴，所与游接，常接以布素之意，如李冲、李彪、高闾、王肃、郭祚、宋弁、刘芳、崔光、邢峦之徒，皆以文雅见亲，贵显用事；

制礼作乐，郁然可观，有太平之风焉。《魏书》卷七下《高祖纪》："（帝）雅好读书，手不释卷。五经之义，览之便讲，学不师受，探其奥义。史传百家，无不该涉。善谈庄老，尤精释义。才藻富赡，好为文章，诗赋铭颂，任兴而作。"

孝文帝品藻韩显宗、程灵虬诸人。《魏书》卷六〇《韩麒麟列传附子显宗传》：韩显宗论政，言及孝文帝"文章之业，日成篇卷"。本传云："后乃启乞宋王刘昶府咨议参军事，欲立效南境，高祖不许。高祖曾谓显宗及程灵虬曰：'著作之任，国书是司。卿等之文，朕自委悉，中省之品，卿等所闻。若欲取况古人，班马之徒，固自辽阔。若求之当世，文学之能，卿等应推崔孝伯。'又谓显宗曰：'见卿所撰《燕志》及在齐诗咏，大胜比来之文。然著述之功，我所不见，当更访之监、令。校卿才能，可居中第。'又谓程灵虬曰："卿比显宗复有差降，可居下上。'显宗对曰：'臣才第短浅，猥闻上天，至乃比于崔光，实为隆渥。然臣窃谓陛下贵古而贱今，臣学微才短，诚不敢仰希古人，然遭圣明之世，睹惟新之礼，染翰勒素，实录时事，亦未惭于后人。昔扬雄著《太玄经》，当时不免覆盎之谈，二百年外，则越诸子。今臣之所撰，虽未足光述帝载，裨晖日月。然万祀之后，仰观祖宗巍巍之功，上睹陛下明明之德，亦何谢钦明于《唐典》，慎徽于《虞书》。'高祖曰：'假使朕无愧于虞舜，卿复何如于尧臣？'显宗曰：'臣闻君不可以独治，故设百官以赞务。陛下齐踪尧舜，公卿宁非二八之俦？'高祖曰：'卿为著作，仅名奉职。未是良史也。'显宗曰：'臣仰遭明时，直笔而无惧，又不受金，安眠美食，此臣优于迁固也。'高祖哂之。"

孝文帝令道登法师讲《成实论》。宋释志磐《佛祖统记》卷三十八《法运通塞志》：孝文帝幸徐州白塔寺，令道登法师讲《成实论》，谓左右曰："朕每览此论，可以释人深情。"

温子升（495—?）生。温子升字鹏举，自称太原人，晋温峤之后。北魏作家。

释法上（495—580）生。释道宣《续高僧传》卷八《齐大统合水寺释法上传》："释法上，姓刘氏，朝歌人也。"

公元496年（南齐明帝建武三年　魏孝文帝太和二十年　丙子）

本年

时明帝多所杀害，王敬则父子心怀忧恐。《南齐书·王敬则传》说："（明）帝既多杀害，敬则自以高、武旧臣，心怀忧恐……三年中，遣萧坦之将斋仗五百人，行武进陵。敬则诸子在都，忧怖无计。上知之，遣敬则世子仲雄入东安慰之。仲雄善弹琴，当时新绝。江左有蔡邕焦尾琴，在主衣库，上敕五日一给仲雄。仲雄于御前鼓琴作《懊侬曲》歌曰：'常叹负情侬，郎今果行许！'帝愈猜愧。"

张率、陆倕与任昉定交。《梁书·张率传》说："建武三年，举秀才，除太子舍人。与同郡陆倕相友狎，常同载诣左卫将军沈约，适值任昉在焉，约乃谓昉曰：'此二子后进才秀，皆南金也，卿可与定交。'由此与昉友善。"

王筠清静好学，与从兄王泰齐名。《梁书·王筠传》说："年十六，为《芍药赋》，甚美。及长，清静好学，与从兄泰齐名。陈郡谢览，览弟举，亦有重誉，时人为之语曰：'谢有览举，王有养炬。'炬是泰，养即笃，并小字也。"

北朝

正月

　　孝文帝下诏，改拓跋氏为元氏。《魏书》卷七下《高祖纪》：正月，孝文帝下诏，改拓跋氏为元氏。《资治通鉴》卷一百四十《齐纪六》："魏主下诏，以为'北人谓土为拓，后为跋。魏之先出于黄帝，以土德王，故为拓跋氏。夫土者，黄中之色，万物之元也；宜改姓元氏。诸功臣旧族自代来者，姓或重复，皆改之。'于是始改拔拔氏为长孙氏，达奚氏为溪氏，乙旃氏为叔孙氏，邱穆陵氏为穆氏，步六孤氏为陆氏，贺赖氏为贺氏，独孤氏为刘氏，贺楼氏为楼氏，勿忸于氏为于氏，尉迟氏为尉氏；其余所改，不可胜纪。"

十二月

　　废太子恂为庶人。《魏书》卷七下《高祖纪》："十二月，废太子恂位庶人。"《魏书》卷二二《废太子恂传》："恂不好书学，体貌肥大，深忌河洛暑热，意每追乐北方。中庶子高道悦数苦言致谏，恂甚衔之。高祖幸嵩岳，恂留守金墉，于西掖门内与左右谋，欲召牧马轻骑奔代，手刃道悦于禁中。领军元俨勒门防遏，夜得宁静。厥明，尚书陆琇驰启高祖于南，高祖闻之骇惋，外寝其事，仍至汴口而还。引恂数罪，与咸阳王禧等亲杖恂，又令禧等更代，百余下，扶曳出外，不起者月余。拘于城西别馆。"

本年

　　孝文帝下诏确定宗室通婚原则，深受汉人门阀观念的影响。《魏书》卷二一《咸阳王禧传》："于时，王国舍人应取八族及清修之门，禧取任城王隶户为之，深为高祖所责。诏曰：'夫婚姻之义，曩叶攸崇，求贤择偶，绵代斯慎。故刚柔著于《易经》，《鹊巢》载于《诗》典，所以重夫妇之道，美尸鸠之德，作配君子，流芳后昆者也。然则婚者，合二姓之好，结他族之亲，上以事宗庙，下以继后世，必敬慎重正而后亲之。夫妇既亲，然后父子君臣、礼义忠孝，于斯备矣。太祖龙飞九五，始稽远则，而拨乱创业，日昃不暇。至于诸王聘合之仪，宗室婚姻之戒，或得贤淑，或乖好逑。自兹以后，其风渐缺，皆人乏窈窕，族非百两，拟匹卑滥，舅氏轻微，违典滞俗，深用为叹。以皇子茂年，宜简令正，前者所纳，可为妾媵。将以此年为六弟聘室。长弟咸阳王禧可聘故颍川太守陇西李辅女，次弟河南王干可聘故中散代郡穆明乐女，次弟广陵王羽可聘骠骑咨议参军荥阳郑平城女，次弟颍川王雍可聘故中书博士范阳卢神宝女，次弟始平王勰可聘廷尉卿陇西李冲女，季弟北海王详可聘吏部郎中荥阳郑懿女。'"

　　孝文帝与群臣论选调。《魏书》卷六〇《韩麒麟列传附子显宗传》："高祖曾诏诸官曰：'自近代已来，高卑出身，恒有常分。朕意一以为可，复以为不可。宜相与量之。'李冲对曰：'未审上古已来，置官列位，为欲为膏梁儿地，为欲益治赞时？'高祖曰：'俱欲为治。'冲曰：'若欲为治，陛下今日何为专崇门品，不有拔才之诏？'高祖曰：'苟有殊人之伎，不患不知。然君子之门，假使无当世之用者，要自德行纯笃，朕是以用之。'冲曰：'傅岩、吕望，岂可以门见举？'高祖曰：'如此济世者希，旷代有一两人耳。'冲谓诸卿士曰：'适欲请诸贤救之。'秘书令李彪曰：'师旅寡少，未足为援，意有所怀，不敢尽言于圣日。陛下若专以门地，不审鲁之三卿，孰若四科？'高祖曰：'犹如向解。'显宗进曰：'陛下光宅洛邑，百礼唯新，国之兴否，指此一选。臣既学识浮浅，不能援引古今，以证此议，且以国事论之。不审中、秘书监令之子，必为秘书郎。顷来为监、令者，子皆可为不？'高祖曰：'卿何不论当世膏腴为监、令者？'显宗曰：'陛下以物不可类，不应以贵承贵，以贱袭贱。'高祖曰：'若有高明卓尔、才具俊出者，朕亦不拘此例。'"《魏书》卷五九《刘昶传》："十月，昶朝于京师。高祖临光极堂大选。高祖曰：'朝因月旦，欲评魏典。夫典者，为国大纲，治民之柄。君能好典则国治，不能则国乱。我国家昔在恒、代，随时制作，非通世之长典。故自夏及秋，亲议条制。或言唯能是寄，不必拘门，朕以为不尔。何者？当今之世，仰祖质朴，清浊同流，混齐一等，君子小人名品无别，此殊为不可。我今八族以上，士人品第有九，九品之外，小人之官，复有七等。若苟有其人，可起家为三公。正恐贤才难得，不可止为一人，浑我典制。'"

李谐（496—544）生。李谐字虔和，祖籍梁国蒙县。北朝作家。

邢劭（496—?）生。邢劭字子才，小字吉，河间鄚人。北齐作家。

公元497年（南齐明帝建武四年　魏孝文帝太和二十一年　丁丑）

正月

齐明帝崇儒，诏大赦天下。《南齐书·明帝本纪》说："四年春正月庚午，大赦。诏曰：'嘉肴停俎，定方旨于必甘，良玉在攻，表圭璋于既就，是以陶钧万品，务本为先，经纬九区，学敩为大。往因时康，崇建庠序，屯虞荐有，权从省废，讴诵寂寥，倏移年稔，永言古昔，无忘旰昃。今华夏乂安，要荒慕向，缔修东序，实允适时。便可式依旧章，广延国胄，弘敷景业，光被后昆。'"春泓按，此是明帝崇儒的举措。

本年

张融卒，年五十四。《南齐书·张融传》说："建武四年，病卒。年五十四。遗令建白旐无旒，不设祭，令人捉麈尾登屋复魂。曰：'吾生平所善，自当凌云一笑。三千买棺，无制新衾。左手执《孝经》《老子》，右手执小品《法华经》。妾二人，哀事毕，各遣还家。'又曰：'以吾平生之风调，何至使妇人行哭失声，不须暂停闺阁。'融玄义无师法，而神解过人，白黑谈论，鲜能抗拒。永明中，遇疾，为《门律自序》曰：'吾文章之体，多为世人所惊，汝可师耳以心，不可使耳为心师也。夫文岂有常体，但以有体为常，政当使常有其体。丈夫当删《诗》《书》，制礼乐，何至因循寄人篱下。且中代之文，道体阙变，尺寸相资，弥缝旧物。吾之文章，体亦何异，何尝颠温凉而错寒暑，综哀乐而横歌哭哉？政以属辞多出，比事不羁，不阡不陌，非途非路耳。然其传音振逸，鸣节竦韵，或当未极，亦已极其所矣。汝若复别得体者，吾不拘也。吾义亦如文，造次乘我，颠沛非物。吾无师无友，不文不句，颇有孤神独逸耳。义之为用，将使性入清波，尘洗犹沐。无得钓声同利，举价如高，俾是道场，险成军路。吾昔嗜僧言，多肆法辩，此尽游乎言笑，而汝等无幸。'又云：'人生之口，正可论道说义，惟饮与食。此外如树网焉。吾每以不尔为恨，尔曹当振纲也。'临卒，又戒其子曰：'手泽存焉，父书不读！况父音情，婉在其韵。吾意不然，别遗尔音。吾文体英绝，变而屡奇，既不能远至汉魏，故无取嗟晋宋。岂吾天挺，盖不颓家声。汝若不看，父祖之意欲汝见也。可号哭而看之。'融自名集为《玉海》。司徒褚渊问《玉海》名，融答：'玉以比德，海崇上善。'文集数十卷行于世。"钟嵘《诗品》卷下《齐司徒长史张融诗》说："思光纤缓诞放，纵有乖文体，然亦捷疾丰饶，差不局促。"〔春泓按，张融是南朝文体新变过程中的代表人物，永明二年，总明观讲，张融在朝臣集听之际，长叹曰："呜呼！仲尼独何人哉！"他是一不愿墨守成规的人，虽然佻达如滑稽人物，但是他有真性情，并且充满了创新意识，非突破陈规，不足以表现其内心世界。从他身上正可以考察自"文义"到"文体解散"（《文心雕龙·序志》）的变迁轨迹。就"文体"观念而言，写作主体必须重视个人和传统的关系，当某些文体写作作为国家或公众性行为之时，作者遵守文体规范，即对于传统的尊重，便尤为世人所关注，尊体也是理所当然之事；然而张融作为南土的一介寒士，"家贫愿禄"，饱尝艰辛之人生，刺激他积聚起强烈的孤傲感。其《海赋》一类的作品，虽类似大赋，但是绝非客观地铺叙大海之种种，而是主观地借海之波涛汹涌，以一吐胸中的凌云之气，这纯属个性化的写作。因此他表示不满"尺寸相资，弥缝旧物"的"中代之文"，因为这种尺尺寸寸的文章写法，已不足以表达其愤激的情绪，所以主观之"义"，在其写作中就被无顾忌地得到张扬，他说："吾义亦如文，造次乘我，颠沛非物。吾无师无友，不文不句，颇有孤神独逸耳。义之为用，将使性入清波，尘洗犹沐。无得钓声同利，举价如高，俾是道场，险成军路。"这可与《南史》本传中记述"融善草书，常自美其能。帝曰：'卿书殊有骨力，但恨无二王法。'答曰；'非恨臣无二王法，亦恨二王无臣法。'"相对照，其意思是说主观就是"文"之一切，"文"之可贵在于蕴涵着"孤神独逸"，既否定了"文"作为群体或国家行为的可能性，亦否定了"文"须尊体的客观标准，"文义"之"义"便由隐逸狷介的品格，向外放和挑战性转变，破体则亦势所必然，这自然是由其寒士的写作方式所决定的。他自信"吾文体英绝"，正意在颠覆旧有的文体观念，这是对"文义"一种十分独到的诠释，触及到文体新变之核心。

谢朓迁尚书吏部郎，上表三让。《南齐书·谢朓传》说建武四年，谢朓出为晋安王镇北咨议、南东海太守，行南徐州事。就在此年，身为王敬则的女婿，谢朓"启王敬则反谋，上甚嘉赏之，迁尚书吏部郎"，谢朓上表三让，"中书疑朓官未及让，以问祭酒沈约"。春泓按，由此可见，当时让官上表，亦有一定的官阶限定。沈约回复说："宋元嘉中，范晔让吏部，朱修之让黄门，蔡兴宗让中书，并三表诏答，具事宛然。近世小官不让，遂成恒俗，恐此有乖让意。王蓝田、刘安西并贵重，初自不让，今岂可慕此不让邪？孙兴公、孔颛并让记室，今岂可三署皆让邪？谢吏部今授超阶，让别有意，岂关官之大小？拯让之美，本出人情。若大官必让，便与诣阙章表不议。例既如此，谓都自非疑。朓又启让，上优答不许。"春泓按，《世说新语·方正》第 47 条说："王述转尚书令，事行便拜。文度曰：'故应让杜、许。'蓝田云：'汝谓我堪此不?'文度曰：'何为不堪，但克让自是美事，恐不可阙。'蓝田慨然曰：'既云堪，何为复让？人言汝胜我，定不如我。'"让表是官场的礼数，王述倚仗门第不凡，所以当仁不让，沈约认为这样的举止破坏了表让的礼仪规范，而小官任命原不须让，这已成为习俗，谢朓被授尚书吏部郎，本亦不在应上表谦让的官阶，但是他是越级提拔，而且他"让别有意"，指他是由于出卖岳父才得以升官，他心中有愧，所以多次表让，这本不关官的大小，他人应善解人意。沈约这番话，将让表这一文体的特点解释得十分清楚了。

崔慰祖以硕学见称于沈约、谢朓。《南齐书·文学传》之《崔慰祖传》说："建武中，诏举士，从兄慧景举慰祖及平原刘孝标，并硕学。帝欲试以百里，慰祖辞不就。国子祭酒沈约、吏部郎谢朓尝于吏部省中宾友俱集，各问慰祖地理中所不悉十余事，慰祖口吃，无华辞，而酬据精悉，一座称服之。朓叹曰：'假使班、马复生，无以过此。'"春泓按，此所谓"建武中"，因建武四年，谢朓才迁尚书吏部郎，所以应在建武四年。

袁嘏自重其文。《南齐书·文学传》之《卞彬传》附《袁嘏传》说："又有陈郡袁嘏，自重其文。谓人云：'我诗应须大材迮之，不尔飞去。'建武末，为诸暨令，被王敬则所杀。"钟嵘《诗品》将袁嘏列于下品。

王暕年二十一，除骠骑从事中郎。《梁书·王暕传》说："明帝诏求异士，始安王遥光表荐暕及东海王僧孺曰：'臣闻求贤暂劳，垂拱永逸，方之疏壤，取类导川。伏惟陛下道隐旒纩，信充符玺，白驹空谷，振鹭在庭；犹惧隐鳞卜祝，藏器屠保，物色关下，委裘河上。非取制于一狐，谅求味于兼采。而五声倦响，九工是询；寝议庙堂，借听舆皂。臣位任隆重，义兼邦家，实欲使名实不违，徼幸路绝。势门上品，犹当格以清谈；英俊下僚，不可限以位貌。窃见秘书丞琅邪王暕，年二十一，七叶重光，海内冠冕，神清气茂，允迪中和。叔宝理遣之谈，彦辅名教之乐，故以晖映先达，领袖后进。居无尘杂，家有赐书；辞赋清新，属言玄远；室迩人旷，物疏道亲。养素丘园，台阶虚位；庠序公朝，万夫倾首。岂徒荀令可想，李公不亡而已哉！乃东序之秘宝，瑚琏之茂器。'除骠骑从事中郎。"春泓按，王暕卒于普通四年，时年四十七，所以其二十一岁时，正在建武四年。

到洽睹世方乱，遂筑室岩阿，隐居者数岁。《梁书·到洽传》说："朓后为吏部，洽去职，朓欲荐之，洽睹世方乱，深相拒绝。除晋安王国左常侍，不就，遂筑室岩阿，幽居者积岁。乐安任昉有知人之鉴，与洽兄沼、溉并善。尝访洽于田舍，见之叹曰：'此子日下无双。'遂申拜亲之礼。"春泓按，谢朓为吏部，时在建武四年，所以谢朓欲推荐到洽亦在此年至永元元年之间。

王僧孺年三十五，除尚书仪曹郎。《梁书·王僧孺传》说："建武初，有诏举士，扬州刺史始安王遥光表荐秘书丞王暕及僧孺曰：'前侯官令东海王僧孺，年三十五，理尚栖约，思致悟敏，既笔耕为养，亦佣书成学。至乃照萤映雪，编蒲缉柳，先言往行，人物雅俗，甘泉遗仪，南宫故事，画地成图，抵掌可述……'除尚书仪曹郎，迁治书侍御史，出为钱唐令。初，僧孺与乐安任昉遇竟陵王西邸，以文学友会，及是将之县，昉赠诗，其略曰：'惟子见知，惟余知子。观行视言，要终犹始。敬之重之，如兰如芷。形应影随，曩行今止。百行之首，立人斯著。子之有之，谁毁谁誉。修名既立，老至何遽。谁其执鞭，吾为子御。刘《略》班《艺》，虞《志》荀《录》，伊昔有怀，交相欣勖。下帷无倦，升高有属。嘉尔晨灯，惜余夜烛。'其为士友推重如此。"春泓按，此虽言建武初，但是指王僧孺当年三十五岁，因为他卒于普通三年，享年五十八，其三十五岁时应在永元元年，若定为建武初之事，难与三十五岁相符，故且将此事列于建武四年。

萧子云年十二，封新浦县侯，自制拜章，有文采。《梁书·萧子恪传》附《萧子云传》说："子云字景乔，子恪第九弟也。年十二，齐建武四年，封新浦县侯，自制拜章，便有文采。"

孔休源为太尉徐孝嗣所称重。《梁书·孔休源传》说："孔休源，字庆绪，会稽山阴人也……后就吴兴沈驎士受经，略通大义。建武四年，州举秀才，太尉徐孝嗣省其策，深善之，谓同坐曰：'董仲舒、华令思何以尚此，可谓后生之准也。观其此对，足称王佐之才。'琅邪王融雅相友善，乃荐之于司徒竟陵王，为西邸学士。"春泓按，竟陵王萧子良死于隆昌元年，所以孔休源为西邸学士亦在永明年间。

谢朓造访江革。时大雪，江革弊絮单席，而耽学不倦，谢朓嗟叹久之，乃脱所著襦，并手割半毡与江革充卧具。《梁书·江革传》说："江革字休映，济阳考城人也……九岁丁父艰，与弟观同生孤贫，傍无师友，兄弟自相训勖，读书精力不倦。十六丧母，以孝闻。服阕，与观俱诣太学，补国子生，举高第。齐中书郎王融、吏部谢朓雅相钦重。朓尝宿卫，还过候革，时大雪，见革弊絮单席，而耽学不倦，嗟叹久之，乃脱所著襦，并手割半毡与革充卧具而去。司徒竟陵王闻其名，引为西邸学士。"春泓按，江革十九岁时补国子生，举高第，得到王融和谢朓的钦重，但这种赏识并非同时产生于这一年，"雅相钦重"已说明他为王、谢所知已积数年，而且早在永明年间，竟陵王萧子良已接纳他为西邸学士。至于谢朓迁尚书吏部郎则在建武四年，在本年大雪之夜，谢朓给予江革感人的关怀。

徐孝嗣恭己自保，朝野以此称之。《南齐书·徐孝嗣传》说："孝嗣爱好文学，赏托清胜。器量弘雅，不以权势自居，故见容建武之世。恭己自保，朝野以此称之。"

谢朓为东海太守，馈处士诸葛璩谷百斛。《梁书·处士传》之《诸葛璩传》说："陈郡谢朓为东海太守，教曰：'昔长孙东组，降龙丘之节；文举北辂，高通德之称。所以激贪立懦，式扬风范。处士诸葛璩，高风所渐，结辙前修。岂怀珠披褐，韬玉待价？将幽贞独往，不事王侯者邪？闻事亲有啜菽之娈，就养寡藜蒸之给，岂得独享万钟，而忘兹五秉？可饷谷百斛。'"

公元 498 年（南齐明帝永泰元年　魏孝文帝太和二十二年　戊寅）

本年

王敬则父子起兵反，被斩。《南齐书·王敬则传》说明帝此年病重，派张瑰布置兵力，以防备王敬则，王敬则及诸子不得不有所警惕，作为女婿的谢朓却向明帝告密，于是朝廷下诏，历数王敬则"永明之朝，履霜有渐，隆昌之世，坚冰将著"之斑斑劣迹，逼使王敬则起兵反，最后王敬则与其子均被斩。

萧子恪兄弟亲从七十余人幸免于难。《梁书·萧子恪传》说："初为宁朔将军、淮陵太守，建武中，迁辅国将军、吴郡太守。大司马王敬则于会稽举兵反，以奉子恪为名，明帝悉召子恪兄弟亲从七十余人入西省，至夜当害之。会子恪弃郡奔归，是日亦至，明帝乃止，以子恪为太子中庶子。"

萧琛引据《周颂》，议庙见之典。秋七月，明帝崩。齐明帝萧鸾第二子宝卷字智藏，在此年七月继承皇位。《梁书·萧琛传》说："东昏初嗣立，时议以无庙见之典，琛议据《周颂》《烈文》《闵予》皆为即位朝庙之典，于是从之。"春泓按，这涉及关于《诗经》解读的问题。

江祏为太子詹事，令江革参掌机务。《梁书·江革传》说："弱冠举南徐州秀才。时豫章胡谐之行州事，王融与谐之书，令荐革。谐之方贡琅邪王泛，便以革代之。解褐奉朝请。仆射江祏深相引接，祏为太子詹事，启革为府丞。祏时权倾朝右，以革才堪经国，令参掌机务，诏诰文檄，皆委以具。"

谢朓《酬德赋》作于永泰元年秋以后至永元元年初①。

北朝

本年

韩显宗失官，作五言诗赠御史中尉李彪。《魏书》卷七下《高祖纪》、卷六〇《韩麒麟传附显宗传》：正月，韩显宗与齐军战于赭阳，斩齐军军主高法援，胡松弃城。后显宗"上表矜伐，诉前征勋"。因失官，作五言诗赠御史中尉李彪。据《魏书》卷六二《李彪传》，李彪为御史中尉在洛阳，李冲表劾李彪时，孝文帝在悬瓠，时在二十二年三月。据此韩显宗之诗当作于正月至三月之间，时显宗已失官，李彪尚未被弹劾。《魏书》卷六二《李彪传》、卷五三《李冲传》：三月，孝文帝至悬瓠，李冲表劾李彪专恣，免彪所居官。李冲劾李彪，引治书侍御史郦道元于尚书都座，以李彪所犯罪状告彪，讯其虚实。

孝文帝病笃，车驾如邺。《魏书》卷七下《高祖纪》：九月，孝文帝病甚笃，车驾发悬瓠。十一月，如邺。

苏绰（498—546）生。苏绰字令绰，武功人，北周文人。

释僧范二十三岁，备通流略，徒侣方千。释道宣《续高僧传》卷八《齐邺东大觉寺释僧范传》："幼游学群书，年二十三，备通流略，至于七曜九章，天竺咒术，咨无再语，徒侣方千，指掌解颐，夸矜折角。时人语曰：相州李洪范，解彻深义；邺霞张宾生，领悟无遗。"

①　根据曹道衡、沈玉成《中古文学史料丛考》，北京：中华书局 2003 年版，第 403 页。

公元 499 年（齐东昏侯永元元年　魏孝文帝太和二十三年　己卯）

谢朓被杀。《南齐书·谢朓传》载谢朓于是年被杀始末。江祏、江祀兄弟欲立江夏王宝玄，后又想立始安王遥光，他们把计谋告诉了谢朓，谢朓深感惧怕，又将此计谋告诉了左兴盛。江祏得知后报告遥光，遥光大怒，与徐孝嗣、江祏、江祀、刘暄等连名启诛谢朓，其词有曰"谢朓资性险薄"，而诏亦称"朓资性轻险"，此是否体现了陈郡谢氏的某些生命特征，这样的性情虽不利于仕途，却可以玉成一个文学家的诞生。最后谢朓下狱死。"朓善草隶，长五言诗，沈约常云'二百年来无此诗也'。敬皇后迁祔山陵，朓撰哀策文，齐世莫有及者。"钟嵘《诗品》卷中《齐吏部谢朓诗》说："其源出于谢混。微伤细密，颇在不伦。一章之中，自有玉石。然奇章秀句，往往警遒。足使叔源失步，明远变色。善自发诗端，而末篇易踬，此意锐而才弱也。至为后进士子之所嗟慕。朓极与余论诗，感激顿挫过其文。"许学夷《诗源辩体》卷七之第 8 条说："汉魏诗兴寄深远，渊明诗真率自然。至于山林丘壑、烟云泉石之趣，实自灵运发之，而玄晖殆为继响。灵运如'水宿淹晨暮'等句，于烟云泉石，描写殆尽。黄勉之谓'如川月岭云，玩之有余，即之不得。'冯元成谓'语不能述，画不能图'是也。太白倾心二谢，正在于此。然太白语或相近，而体不相沿，至其自得之妙，则一气浑成，了无痕迹矣。"

陆厥卒，年二十八。《南齐书·文学传》之《陆厥传》说："永元元年，始安王遥光反，厥父闲被诛，厥坐系尚方。寻有赦令，厥恨父不及，感恸而卒，年二十八。文集行于世。"

崔慰祖病卒，年三十五。所著《海岱志》半未成。《南齐书·文学传》之《崔慰祖传》说崔慰祖病卒于遥光反时，"慰祖著《海岱志》，起太公迄西晋人物，为四十卷，半未成。临卒，与从弟纬书云'常欲更注迁、固二史，采《史》《汉》所漏二百余事，在厨簏，可检写之，以存大意。《海岱志》良未周悉，可写数本，付护军诸从事人一通，及友人任昉、徐寅、刘洋、裴揆。'又令'以棺亲土，不须砖，勿设灵座'。时年三十五。"

陶弘景潇洒处世，勤于著述。《梁书·处士传》之《陶弘景传》说："永元初，更筑三层楼，弘景处其上，弟子居其中，宾客至其下，与物遂绝，唯一家僮得侍其旁。特爱松风，每闻其响，欣然为乐。有时独游泉石，望见者以为仙人。性好著述，尚奇异，顾惜光景，老而弥笃。尤明阴阳五行，风角星算，山川地理，方图产物，医术本草。著《帝代年历》，又尝造浑天象，云'修道所须，非止史官是用'。"

北朝

孝文帝崩于行宫。子元恪立，是为宣武帝。《魏书》卷七下《高祖纪》：三月，孝文帝南伐。四月，还至谷塘厚，孝文帝（467—499）崩于行宫。子宣武帝元恪立。本纪云：孝文帝"雅好读书，手不释卷。《五经》之义，览之便讲，学不师受，探其精奥。史传百家，无不该涉。善谈《庄》《老》，尤精释义。才藻富赡，好为文章，诗赋铭颂，任兴而作。有大文笔，马上口授，及其成也，不改一字。自太和十年已后诏册，皆帝之文也。自余文章，百有余篇。爱奇好士，情如饥渴。待纳朝贤，随才轻重，常寄以布素之意。悠然玄迈，不以世务婴心。又少而善射，有膂力。年十余岁，能以指弹碎羊髀骨。及射禽兽，莫不随所志毙之。至年十五，便不复杀生，射猎之事悉止。性俭素，常服汗濯之衣，鞍勒铁木而已。帝之雅志，皆此类也"；"史臣曰：有魏始基代朔，廓平南夏，辟壤经世，咸以威武为业，文教之事，所未遑也。高祖幼承洪绪，早著睿圣之风。时以文明摄事，优游恭己，玄览独得，著自不言，神契所标，固以符于冥化。及躬总大政，一日万机，十许年间，曾不暇给，殊途同归，百虑一致，至夫生民所难行，人伦之高迹，虽尊居黄屋，尽蹈之矣。若乃钦明稽古，协御天人，帝王制作，朝野轨度，斟酌用舍，焕乎其有文章，海内生民咸受耳目之赐。加以雄才大略，爱奇好士，视下如伤，役己利物，亦无得而称之。其经纬天地，岂虚谥也。"唐吴兢《乐府古体要解》卷上："以上乐府清商曲也。按蔡邕云：'清商曲，其词不足采著。'其曲名有《出郭西门陆地行车》《夹钟》《朱堂寝》《奉法》等五曲，非止《王昭君》等。一说清商曲，南朝旧乐也。永嘉之乱，中朝旧曲散落江右，无复宋梁新声。元魏孝文帝篡汉，收其所复南音，谓之清商乐，即此等是也。隋平陈，因置酒清商署，若《巴渝》《白纻》等曲皆在焉。"明王世贞《艺苑卮言》卷三："北朝戎马纵横，未暇篇什。孝文帝始一倡之，屯而未畅。"《艺苑卮言》卷八："自三代而后，人主文章之美，无过于汉武帝魏文帝者，其次则汉文、宣、光武、明、肃、魏高贵乡公，晋简文，刘宋文帝、孝武、明帝，元魏孝文、孝静、梁武、简文、元帝，陈后主，隋炀帝，唐文皇、明皇、德宗、文宗，南唐元宗、后主，蜀主衍，孟主昶，宋徽、高宗，凡二十九主。"

韩显宗（？—499）卒。《魏书》卷六〇《韩麒麟列传附显宗传》："（太和）二十三年卒。显宗撰冯氏《燕志》《孝友传》各十卷，所作文章，颇传于世。"本传末史臣曰："显宗文学立己，屡陈时务，至于实录之功，所未闻也。"

任城王澄软禁王肃，被免官。王肃为魏制官品百司，皆如江南之制，凡九品，品各有二。《魏书》卷一九《任城王澄传》：五月，王肃被诬告潜通齐。任城王澄乃表肃将叛，辄下禁止。咸阳王禧奏澄擅禁宰辅，免官归第。《资治通鉴》卷一百四十二《齐纪八》云："魏任城王澄以王肃羁旅，位加己上，意颇不平。会齐人降者严叔懋告肃谋逃还江南。澄辄禁止肃，表称谋叛，案验无实。咸阳王禧等奏澄擅禁宰辅，免官归第。"《资治通鉴》卷一百四十二《齐纪八》：王肃为魏制官品百司，皆如江南之制，凡九品，品各有二。侍中郭祚兼吏部尚书。祚清谨，重惜官位，每有铨授，虽得其人，必徘徊久之，然后下笔，曰："此人便已贵矣。"人以是多怨之，然所用者无不称职。

游明根（419—499）卒。时年八十一岁。《魏书》卷五五《刘芳传附郑演子长猷传》载史臣曰："游明根雅道儒风，终受非常之遇，以太和之盛，当乞言之重，抑亦旷世一时。肇既聿修，克隆堂构，正情梗气，颠沛不渝，辞爵主幼之年，亢节臣权之日，顾视群公，其风固以远矣。"

公元 500 年（齐东昏侯永元二年　魏宣武帝景明元年　庚辰）

本年

卞彬卒。其文擅长讽刺。《南齐书》本传记载"（卞）彬颇饮酒，摈弃形骸。作《蚤虱赋序》曰：'余居贫，布衣十年不制。一袍之缊，有生所托，资其寒暑，无与易之。为人多病，起居甚疏，絮寝败絮，不能自释。兼摄性懒惰，懒事皮肤，澡刷不谨，澣沐失时，四体氈氈，加以臭秽，故苇席蓬缨之间，蚤虱猥流。淫痒渭濩，无时恕肉，探揣撢撮，日不替手。虱有谚言，朝生暮孙。若吾之虱者，无汤沐之虑，绝相吊之忧，宴聚乎久襟烂布之裳，服无改换，掐啮不能加，脱略缓懒，复不勤于捕讨，孙孙息息，三十五岁焉。'其略言皆实录也。除南海王国郎中令，尚书比部郎，安吉令，车骑记室。彬性好饮酒，以瓠壶瓢勺杬皮为肴，著帛冠十二年不改易，以大瓠为火笼，什物多诸诡异，自称'卞田居'，妇为'傅蚕室'。或谏曰：'卿都不持操，名器何由得升?'彬曰：'掷五木子，十掷辄鞴，岂复是掷子之拙。吾好掷，政极此耳。'永元中，为平越长史、绥建太守，卒官。彬又目禽兽云：'羊性淫而狠，猪性卑而率，鹅性顽而傲，狗性险而出。'皆指斥贵势。其《虾蟆赋》云：'纡青拖紫，名为蛤鱼。'世谓比令仆也。又云：'科斗唯唯，群浮暗水。维朝继夕，聿役如鬼。'比令史咨事也。文章传于闾巷。"春泓按，传称卞彬永元中卒官，姑且将其卒年定于永元二年。卞彬擅长讽刺，是南朝讽刺文学的重要一家，而受其影响，《南齐书》之《卞彬传》附《诸葛勖传》说："永明中，琅邪诸葛勖为国子生，作《云中赋》，指祭酒以下，皆有形似之目。坐系东冶，作《东冶徒赋》，世祖见之，赦之。"

范云起为国子博士。《梁书·范云传》说："永元二年，起为国子博士。初，云与高祖遇于齐竟陵王子良邸，又尝接里闬，高祖深器之。及义兵至京邑，云时在城内。东昏既诛，侍中张稷使云衔命出城，高祖因留之，便参帷幄，拜黄门侍郎，与沈约同心翊赞。"

后宫发生火灾，图书散乱殆尽。《梁书·王泰传》记载"齐永元末，后宫火，延烧秘书，图书散乱殆尽"，这也算图书一厄。

萧衍率部至京师，吴兴太守袁昂委婉相拒。《梁书·袁昂传》说："袁昂字千里，陈郡阳夏人。"祖洵，父颛，齐初入仕，深得王俭和齐武帝的器重。永元末，萧衍率部，已至京师，时为吴兴太守的袁昂不听萧衍的劝喻，但是答书却十分委婉，颇留余地，既要保留忠臣的面子，又不致严重地得罪势不可当的萧衍，这就是其精确的算计。所以待建康城平，袁昂"束身诣阙，高祖宥之不问也"，高祖正要借重高门著姓的合作，所以这样的人物在新朝仍能占据一席之地。

许懋号为"经史笥"。《梁书·许懋传》说："永元中，转散骑侍郎，兼国子博士。与司马褧同志友善，仆射江祏甚推重之，号为'经史笥'。"

北朝

本年

释法上六岁，初预佛事。释道宣《续高僧传》卷八《齐大统合水寺释法上传》：

"五岁入学，七日通章，六岁随叔寺中观戏，情无鼓舞，但礼佛读经，而声气爽拔。"

公元 501 年（齐和帝中兴元年　魏宣武帝景明二年　辛巳）

三月

　　萧衍迈出夺取政权的关键一步。《梁书·武帝本纪上》记载永元三年二月，梁萧衍率部移檄京邑曰：

　　"夫道不常夷，时无永化，险泰相沿，晦明非一，皆屯困而后亨，资多难以启圣。故昌邑悖德，孝宣聿兴，海西乱政，简文升历，并拓绪开基，绍隆宝命，理验前经，事昭往策。

　　独夫扰乱天常，毁弃君德，奸回淫纵，岁月滋甚。挺虐于髫剪之年，植险于髫卯之日。猜忌凶毒，触途而著，暴戾昏荒，与事而发。自大行告渐，喜容前见，梓宫在殡，觌无哀色，欢娱游宴，有过平常，奇服异衣，更极夸丽。至于选采妃嫔，姊妹无别，招侍巾栉，姑侄莫辨，掖庭有稗贩之名，姬姜被干殳之服。至乃形体宣露，亵衣颠倒，斩斫其间，以为欢笑。骋肆淫放，驱屏郊邑。老弱波流，士女涂炭。行产盈路，舆尸竞道，母不及抱，子不遑哭。劫掠剽虏，以日继夜。昼伏宵游，曾无休息。淫酗酋肆，酣歌庐邸。宠恣愚竖，乱惑妖孽。梅虫儿、茹法珍臧获厮小，专制威柄，诛剪忠良，屠灭卿宰……人神怨结，行路嗟愤……

　　既人神乏主，宗稷阽危，海内沸腾，氓庶板荡，百姓懔懔，如崩厥角，苍生喁喁，投足无地。幕府荷眷前朝，义均休戚，上怀委付之重，下惟在原之痛，岂可卧薪引火，坐观倾覆！至尊体自高宗，特钟慈宠，明并日月，粹昭灵神，祥启元龟，符验当璧，作镇陕藩，化流西夏，讴歌攸奉，万有乐推。右军萧颖胄、征虏将军夏侯详并同心翼戴，即宫旧楚，三灵再朗，九县更新，升平之运，此焉复始，康哉之盛，在乎兹日。然帝德虽彰，区宇未定，元恶未黜，天邑犹梗。仰禀宸规，率前启路。即日遣冠军、竟陵内史曹景宗等二十军主，长槊五万，骥骣为群，鹗视争先，龙骧并驱，步出横江，直指朱雀……幕府总率貔貅，骁勇百万，缮甲燕弧，屯兵冀马，撼金沸地，鸣鞞聒天，霜锋曜日，朱旗绛寓，方舟千里，骆驿系进。萧右军讦谟上才，兼资文武，英略峻远，执钧匡世。拥荆南之众，督四方之师，宣赞中权，奉卫舆辇。旌麾所指，威稜无外，龙骧虎步，并集建业。黜放愚狡，均礼海昏，廓清神甸，扫定京宇。譬犹崩泰山而压蚁壤，决悬河而注熛烬，岂有不殄灭者哉！

　　今资斧所加，止梅虫儿、茹法珍而已。诸君咸世胄羽仪，书勋王府，皆俯眉奸党，受制凶威。若能因变立功，转祸为福，并誓河、岳，永纡青紫。若执迷不悟，距逆王师，大众一临，刑兹罔赦，所谓火烈高原，芝兰同泯。勉求多福，无贻后悔。赏罚之科，有如白水。"春泓按，按照刘勰《文心雕龙·檄移》篇的标准，此檄文堪称范文也。

　　根据《梁书·武帝本纪上》，永元三年三月乙巳，南康王宝融即皇帝位于江陵，改永元三年为中兴元年。十二月宝卷帝位被废。春泓按：关于其间变故，应注意《南齐书》的叙述脉络，《南齐书·东昏侯本纪》说到（永元）"三年春正月丙申朔"以下，按照时间顺序，分别叙述二月、三月、六月、秋七月、八月、九月、冬十月、十二月所发生的事件，而为了说明东昏侯被废杀的正当性，再补叙（永元）三年夏，"又于苑中立市，太官每旦进酒肉杂肴，使宫人屠酤，潘氏为市令，帝为市魁，执罚，争者就潘氏决判。"盖萧子显为了迎合梁武帝，所以嵌入这节文字，以证明义师起兵的正当理由。《宋书》卷三十《志》第二十《五行一》，亦载晋司马道子"酤鬻"之事，并说："汉灵帝尝若此。干宝以为'君将失位，降在皂隶之象也。'道子卒见废徙，以庶人终。"① 宋少帝、齐废帝、东昏侯和汉灵帝、司马道子，都在易代夺位之际不得善终，汉灵帝为董卓废杀；司马道子在东晋桓玄篡位时，位居晋室太傅，终为桓玄废徙；宋少帝为徐羡之、傅亮废杀；齐废帝郁林王为萧鸾所杀；废帝东昏侯为梁武帝萧衍所杀。这五人皆好"屠酤"，颇令人疑惑不解，然读佛经，始遂了然。鸠摩罗什译诃梨跋摩造《成实论》卷第九曰："谓淫女沽酒屠儿舍等，如鹰鹞喻。"② 梁扶南国三藏僧伽婆罗译《文殊师利问经卷上·字母品第十四》曰："五种贩卖：酤酒、卖肉、卖毒药、卖刀剑、卖女色，除此恶业，此谓正命。"③ 以上所载五位昏主"屠酤"，其用意正是利用佛经所言，令昏主戴"屠酤"恶名，则臣下推翻他并剪除之，就不用承担弑君的恶名，乃正命也，此为篡夺作了最好的开脱。《梁书·武帝本纪上》记载东昏侯被杀之后，高祖下令，其语辞简洁有力，诚如《文心雕龙·书记》篇说："令者，命也。出命申禁，有若自天，管仲下令如流水，使民从也。"亦堪称"令"体之范文。

本年

贾渊卒，年六十二。《南齐书·文学传》之《贾渊传》说："中兴元年，卒。年六十二。撰《氏族要状》及《人名书》，并行于世。"

柳惲上笺萧衍，请城严之日，先收图籍，宽大爱民。《梁书·柳惲传》说："柳惲字文畅，河东解人也。少有志行，好学，善尺牍。与陈郡谢瀹邻居，瀹深所友爱……高祖至京邑，惲候谒石头，以为冠军将军、征东府司马。时东昏未平，士犹苦战，惲上笺陈便宜，请城平之日，先收图籍，及遵汉祖宽大爱民之义，高祖从之。会萧颖胄薨于江陵，使惲西上迎和帝，仍除给事黄门侍郎，领步兵校尉，迁相国右司马。"

萧衍以任昉为骠骑记室参军。《梁书·任昉传》说："高祖克京邑，霸府初开，以昉为骠骑记室参军。"

谢朏、何胤拒不与萧衍合作。《梁书·谢朏传》说："及高祖平京邑，进位相国，表请朏、胤曰：'……前新除侍中、太子少傅朏，前新除散骑常侍、太子詹事、都亭侯胤，羽仪世胄，徽猷冠冕，道业德声，康济雅俗……拂衣东山，眇绝尘轨。虽解组昌运，实避昏时。家膺鼎食，而甘兹橡艾；世袭青紫，而安此悬鹑……请并补臣府军咨祭酒，朏加后将军。'并不就。"作为宋代的忠臣谢朏、何胤拒绝与齐朝合作，名高当世，所以萧衍夺取政权之后，也想借助谢朏、何胤等名士的影响，请他们出山点缀新

① 梁元帝《金缕子》亦有相同记述。
② 《大正藏》NO. 1646。
③ 《大正藏》NO. 468。

朝，但是谢朏、何胤仍然不愿意出仕，即使不拒人于千里之外，也是敷衍而已。这使得梁代开国与齐代不同，齐朝之初，即使谢朏辈不给面子，但是与宋朝有杀父之仇、同样出身名门的王俭则完全投靠了萧道成，使得这一政权依然不失其高门主政的性质，而萧梁缺乏王俭这样的人物，所以才有褚缃"建武以后，草泽底下，悉化成贵人"的感慨，此对于梁代的政治文化以至文学都存在着深刻的影响。

萧衍以张率为相国主簿。《梁书·张率传》说："高祖霸府建，引为相国主簿。"

孔休源与刘之遴同为太学博士。《梁书·孔休源传》说："梁台建，与南阳刘之遴同为太学博士，当时以为美选。"孔休源与范云、沈约交好，并常与沈约"商略文义"。

萧衍令江革、徐勉同掌书记。《梁书·江革传》说："除尚书驾部郎。中兴元年，高祖入石头，时吴兴太守袁昂据郡距义师，乃使革制书与昂，于坐立成，辞义典雅，高祖深赏叹之，因令与徐勉同掌书记。"

吏部尚书王瞻辟刘之遴为太学博士。《梁书·刘之遴传》说："起家宁朔主簿。吏部尚书王瞻尝候任昉，值之遴在坐，昉谓瞻曰：'此南阳刘之遴，学优未仕，水镜所宜甄擢。'瞻即辟为太学博士。"春泓按，《南史》本传记载，王瞻于梁台建，为侍中、吏部尚书。所以刘之遴之任太学博士，当在梁开国前后。

袁峻随鄱阳王知管记事。《梁书·文学传》之《袁峻传》说："袁峻字孝高，陈郡阳夏人，魏郎中令涣之八世孙也……讷言语，工文辞。义师克京邑，鄱阳王恢东镇破冈，峻随王知管记事。"

伏挺年十八，萧衍引为征东行参军。《梁书·文学传》之《伏挺传》说："伏挺字士标。父曀，为豫章内史，在《良吏传》。挺幼敏寤，七岁通《孝经》《论语》。及长，有才思，好属文，为五言诗，善效谢康乐体。父友人乐安任昉深相叹异，常曰：'此子日下无双。'齐末，州举秀才，对策为当时第一。高祖义师至，挺迎谒于新林，高祖见之甚悦，谓曰'颜子'，引为征东行参军，时年十八。"

萧衍引何胤为军谋祭酒，何胤不至。《梁书·处士传》之《何胤传》说："高祖霸府建，引胤为军谋祭酒，与书曰：'想恒清豫，纵情林壑，致足欢也。既内绝心战，外劳物役，以道养和，履候无爽。若邪擅美东区，山川相属，前世嘉赏，是为乐土。仆推迁簿官，自东徂西，悟言素对，用成睽阔，倾首东顾，曷日无怀。畴昔欢遇，曳裾儒肆，实欲卧游千载，畋渔百氏，一行为吏，此事遂乖。属以世道威夷，仍离屯故，投袂数千，克黜衅祸。思得瞩卷咨款，寓情古昔，夫岂不怀，事与愿谢。君清襟素托，栖寄不近，中居人世，殆同隐沦。既俯拾青组，又脱屣朱黻。但理存用舍，义贵随时，往识祸萌，实为先觉，超然独善，有识钦嗟。今者为邦，贫贱咸耻，好仁由己，幸无凝滞。比别具白，此未尽言。今遣候承音息，矫首还翰，慰其引领。'胤不至。"春泓按，高祖引诱何胤为己所用，指出他先前隐于东山，实为先觉，现在时势又变，若改投新主，则不谓无识。

孔稚珪卒。《南齐书·孔稚珪传》说孔稚珪卒于本年。钟嵘《诗品》卷下《齐詹事孔稚珪诗》说："德璋生于封谿，而文为雕饰，青于蓝矣。"孔稚珪撰有《北山移文》，据说是讽刺周颙的假隐行为。士人或处或出，这在当时不足为奇，其实周颙为官，尚不失读书人的善心，孔稚珪倒颇有尖刻之嫌。

北朝

正月

北海王详为司徒，以郑道昭、王秉为咨议参军。《魏书》卷八《世宗纪》，卷五六《郑羲传附子懿传》，卷六三《王肃传附从子诵传》：正月，北海王详为司徒，详以郑道昭与琅邪王秉为咨议参军。秉，王肃弟。学涉有文才，神气清俊，风流甚美。

五月

咸阳王元禧谋反，赐死。宫人作歌哀叹元禧之死。此歌传至南朝。《魏书》卷二一《咸阳王禧传》："世宗既览政，禧意不安。而其国斋帅刘小苟，每称左右言欲诛禧。禧闻而叹曰：'我不负心，天家岂应如此。'由是常怀忧惧。加以赵修专宠，王公罕得进见。禧遂与其妃兄兼给事黄门侍郎李伯尚谋反。"禧死后，"其宫人歌曰：'可怜咸阳王，奈何作事误。金床玉几不能眠，夜踢霜与露。洛水湛湛弥岸长，行人那得渡。'其歌遂流至江表，北人在南者，虽富贵，弦管奏之，莫不洒泣。"

本年

王肃（464—501）卒，时年三十八岁。《魏书》卷六三《王肃列传》载史臣曰："古人有云，才未半古，功以过之，非徒语也。王肃流寓之人，见知一面，虽器业自致，抑亦逢时，荣任赫然，寄同旧列，美矣。诵翊继轨，不殒光风。"

李彪（444—501）卒，时年五十八岁。《魏书》卷六二《李彪传》："（彪）述《春秋》三传，合成十卷。其所著诗赋诔章奏杂笔百余篇，别有集。"卷六二《高道悦传附子敬猷传》载史臣曰："李彪生自微族，才志确然，业艺夙成，见擢太和之世，辎轩骤指，声骇江南，秉笔立言，足为良史。逮于直绳在手，厉气明目，持坚无术，末路蹉跎。行百里者半于九十，岂彪之谓也？"

柳虬（501—554）生。《周书》卷三八《柳虬传》谓其卒于恭帝元年（554），时年五十四，逆推生于本年。虬字仲蟠，北周文人。

刁柔（501—556）生。《北齐书》卷四四《刁柔传》谓其卒于北齐文宣帝天保七年（556），时年五十六。逆推当生于本年。柔字子温，渤海人。北齐儒生。

公元 502 年（齐和帝中兴二年　梁武帝天监元年　魏宣武帝景明三年　壬午）

正月

萧衍下令改革奢靡之风。《梁书·武帝本纪上》记载，二年正月，高祖下令，要改革奢靡的社会风气，"御府中署，量宜罢省。掖庭备御妾之数，大予绝郑卫之音。其中有可以率先卿士，准的甿庶，菲食薄衣，请自孤始"。

假借宣德皇后名义，下诏盛赞高祖的丰功伟绩，诏进高祖都督中外诸军事，萧衍

迈出代齐关键性一步。根据《梁书·任昉传》说："梁台建，禅让文诰，多昉所具。"

二月

萧衍上表论取士问题。他指出以言行取人，都存在虚假造伪的问题，"且夫谱牒讹误，诈伪多绪，人物雅俗，莫肯留心。是以冒袭良家，即成冠族；妄修边幅，便为雅士；负俗深累，遽遭宠擢；墓木已拱，方被徽荣。故前代选官，皆立选簿，应在贯鱼，自有铨次。胄籍升降，行能臧否，或素定怀抱，或得之余论，故得简通宾客，无事扫门。顷代陵夷，九流乖失。其有勇退忘进，怀质抱真者，选部或以未经朝谒，难于进用。或有晦善藏声，自埋衡荜，又以名不素著，绝其阶绪。必须画刺投状，然后弹冠，则是驱迫廉撝，奖成浇竞。愚谓自今选曹宜精隐括，依旧立簿，使冠屦无爽，名实不违，庶人识崖涘，造请自息。且闻中间立格，甲族以二十登仕，后门以过立试吏，求之愚怀，抑有未达。何者？设官分职，惟才是务。若八元立年，居皂隶而见抑；四凶弱冠，处鼎族而宜甄。是则世禄之家，无意为善；布衣之士，肆心为恶。岂所以弘奖风流，希向后进？此实巨蠹，尤宜刊革。不然，将使周人有路傍之泣，晋臣兴渔猎之叹。且俗长浮竞，人寡退情，若限岁登朝，必增年就宦，故貌实昏童，籍已逾立，滓秽名教，于斯为甚"。春泓按，萧衍此表重点表达"设官分职，惟才是务"的观点，这触及东晋以来腐朽的用人制度。萧衍企图有所改变。这对于梁代南人有更多机会跻身政坛产生了一定的影响。

四月

萧衍即皇帝位。三月癸巳，萧衍受梁王之命。三月丙辰，齐帝禅位于梁王。夏四月丙寅，萧衍即皇帝位。改元天监元年。夏四月，齐和帝薨，年十五。冬十一月甲子，立皇子统为皇太子。据《梁书·武帝本纪上》。萧衍于本年写作《孝思赋》。

本年

周舍、丘迟以才器见重。据《梁书·周舍传》记载周舍为周颙子，"梁台建，为奉常丞。高祖即位，博求异能之士，吏部尚书范云与颙素善，重舍才器，言之于高祖，诏拜尚书祠部郎。时天下草创，礼仪损益，多自舍出"。复按《梁书·文学传》之《丘迟传》说："高祖平京邑，霸府开，引为骠骑主簿，甚被礼遇，时劝进梁王及殊礼，皆迟文也。高祖践阼，拜散骑侍郎，俄迁中书侍郎、领吴兴邑中正、待诏文德殿。时高祖著《连珠》，诏群臣继作者数十人，迟文最美。"

陶弘景援引图谶，以助成禅代之举。《梁书·处士传》之《陶弘景传》说："义师平建康，闻议禅代，弘景援引图谶，数处皆成'梁'字，令弟子进之。高祖既早与之游，及即位后，恩礼逾笃，书问不绝，冠盖相望。"

刘绘卒，年四十五。《南齐书·刘绘传》说："中兴二年，卒。年四十五。绘撰《能书人名》，自云善飞白，言论之际，颇好矜知。"钟嵘《诗品序》说宋齐时期诗歌评论陷于混乱之中，"近彭城刘士章，俊赏之士，疾其淆乱，欲为当世诗品，口陈标榜，其文未遂，感而作焉。"这说明钟嵘写作《诗品》，是受了刘绘的启发。

刘勰约于本年撰成《文心雕龙》并取定于沈约。牟世金《刘勰年谱汇考》考定本年"刘勰三十六岁，撰成《文心雕龙》，并取定于沈约。《文心》之撰，需时四年而毕于本年三月"①。对此问题，清人仪征刘毓崧（1818—1867）较早有精辟的看法，其《通义堂文集·书〈文心雕龙〉后》说："《文心雕龙》一书，自来皆题梁刘勰著，而其著于何年，则多弗深考。予谓勰虽梁人，而此书之成，则不在梁时，而在南齐之末也。观于《时序》篇云'暨皇齐驭宝，运集休明。太祖以圣武膺篆，世祖以睿文纂业，文帝以贰离含章，高宗以上哲兴运，并文明自天，缉遐（遐疑当作熙）景祚，今圣历方兴，文思光被'云云，此篇所述，自唐虞以至刘宋，皆但举其代名，而特于齐上加一'皇'字，其证一也；魏晋之主，称谥号而不称庙号，至齐之四主，惟文帝以身后追尊，止称为帝，余并称祖称宗，其证二也；历朝君臣之文，有褒有贬，独于齐则竭力颂美，绝无规过之词，其证三也。东昏上高宗之庙号，系永泰元年八月事，据高宗'兴运'之语，则成书必在是月以后。梁武帝受和帝之禅位，系中兴二年四月事，据'皇齐驭宝'之语，则成书必在是月以前。其间首尾相距，将及四载，所谓'今圣历方兴'者，虽未尝明有所指，然以史传核之，当是指和帝而非指东昏也……"② 考定《文心雕龙》成书于齐和帝时，齐和帝在位只有两年，时值 501、502 年，刘毓崧立论严密。今人提出不同意见，认为《文心雕龙》撰成于梁代，然而首先得推翻刘毓崧此论，否则亦难使人信服。而本传指出："初，勰撰《文心雕龙》五十篇，论古今文体，引而次之"，所谓"论古今文体"实在是点出了刘勰的写作初衷和《文心雕龙》一书的性质。《梁书·武帝本纪中》说：二年春正月乙卯，"以尚书仆射沈约为尚书左仆射；吏部尚书范云为尚书右仆射"。

江淹奉"止足"观为处世理念。《梁书·江淹传》说："天监元年，为散骑常侍、左卫将军，封临沮县开国伯，食邑四百户。淹乃谓子弟曰：'吾本素宦，不求富贵，今之忝窃，遂至于此。平生言止足之事，亦以备矣。人生行乐耳，须富贵何时。吾功名既立，正欲归身草莱耳。'其年，以疾迁金紫光禄大夫，改封醴陵侯。"

褚緭私语所知曰："建武以后，草泽底下，悉化为贵人。"《梁书·陈伯之传》说："高祖即位，（褚）緭频造尚书范云，云不好緭，坚距之。緭益怒，私语所知曰：'建武以后，草泽底下，悉化成贵人，吾何罪而见弃。今天下草创，饥馑不已，丧乱未可知。陈伯之拥强兵在江州，非代来臣，有自疑意；且荧惑守南斗，讵非为我出。今者一行，事若无成，入魏，何遽减作河南郡。'于是遂投伯之书佐王思穆，事之，大见亲狎。及伯之乡人朱龙符为长流参军，并乘伯之愚暗，恣行奸险，刑政通塞，悉共专之。"春泓

---

① 牟世金：《刘勰年谱汇考》，成都：巴蜀书社 1988 年版。
② 清华大学藏本。

按，此材料从褚缅口中得知，"建武以后，草泽底下，悉化成贵人"①，再根据萧衍在禅代之前上表说："且夫谱牒讹误，诈伪多绪，人物雅俗，莫肯留心。是以冒袭良家，即成冠族；妄修边幅，便为雅士；负俗深累，遽遭宠擢；墓木已拱，方被徽荣。"这反映出门第高下对于社会身份的决定性更加减弱，这是从齐末梁初开始的一大变迁。

王峻与谢览约，官至侍中，不复谋进仕。《梁书·王峻传》说："王峻字茂远，琅邪临沂人。曾祖敬弘，有重名于宋世……天监初，还除中书侍郎。高祖甚悦其风采，与陈郡谢览同见赏擢……峻性详雅，无趋竞心。尝与谢览约，官至侍中，不复谋进仕。"这亦可见当时高门如王、谢辈人物，其入世之心已经疲惫，说明其境遇已非昔比。

王份妙对，深得萧衍之心。《梁书·王份传》说："天监初……高祖尝于宴席间问群臣曰：'朕为有为无？'份对曰：'陛下应万物为有，体至理为无。'高祖称善。"春泓按，据此已可以看出梁武帝即将佞佛之端倪。

柳恽为诗有佳作。《梁书·柳恽传》说："天监元年，除长兼侍中，与仆射沈约等共定新律。恽立行贞素，以贵公子早有令名，少工篇什。始为诗曰：'亭皋木叶下，陇首秋云飞。'琅邪王元长见而嗟赏，因书斋壁。至是预曲宴，必被诏赋诗。尝奉和高祖《登景阳楼》中篇云：'太液沧波起，长杨高树秋。翠华承汉远，雕辇逐风游。'深为高祖所美。当时咸共称传。"

陆氏一门亦文采晔晔。《梁书·陆杲传》说："弟煦，学涉有思理。天监初，历中书侍郎，尚书左丞，卒。撰《晋书》未就。又著《陆史》十五卷，《陆氏骊泉志》一卷，并行于世。子罩，少笃学，有文才，仕至太子中庶子、光禄卿。"

谢览为人美风神，善辞令，萧衍深器之。《梁书·谢朏传》附《谢览传》说谢览字景涤，朏弟瀹之子也……天监元年，为中书侍郎，掌吏部事，顷之即真。览为人美风神，善辞令，高祖深器之。尝侍座，受敕与侍中王暕为诗答赠，其文甚工。高祖善之，仍使重作，复合旨。乃赐诗云：'双文既后进，二少实名家；岂伊止栋梁，信乃俱国华。'"谢朏等名士虽自己处于半退隐的状态，却允许儿辈出任新朝官员，萧衍无法笼络谢朏等名士，亦只得与名士之后辈相来往，为了获取高门士族对自己政权合法性的认同，萧衍可谓费尽心机。

陆倕与任昉友善，为《感知己赋》以赠。《梁书·陆倕传》："天监初，为右军安成王外兵参军，转主簿。倕与乐安任昉友善，为《感知己赋》以赠昉，昉因此名以报之曰：'唯忘年之陆子，定一遇于班荆……'其为士友所重如此。"

到氏一门俱有文才。《梁书·到洽传》说："天监初，沼、溉俱蒙擢用，洽尤见知赏，从弟沆亦相与齐名。高祖问待诏丘迟曰：'到洽何如沆、溉？'迟对曰：'正清过于沆，文章不减溉；加以清言，殆将难及。'即召为太子舍人。御华光殿，诏洽及沆、萧琛、任昉侍宴，赋二十韵，以洽辞为工，赐绢二十匹。高祖谓昉曰：'诸到可谓才子。'

---

① 《梁书·王亮传》说："建武末，为吏部尚书，是时尚书右仆射江祏管朝政，多所进拔，为士子所归。亮自以为身居选部，每持异议。始亮未为吏部郎时，以祏帝之内弟，故深友祏，祏为之延誉，益为帝所器重，至是与祏情好携薄，祏昵之如初。及祏遇诛，群小放命，凡所除拜，悉由内宠，亮更弗能止。"这使得齐代王俭把持选政时坚守门第的原则泯失了。

昉对曰：'臣常窃议，宋得其武，梁得其文。'"

殷钧拜驸马都尉。《梁书·殷钧传》说："殷钧字季和，陈郡长平人也。晋太常融八世孙。父叡，有才辩，知名齐世……及长，恬静简交游，好学有思理。善隶书，为当时楷法，南乡范云、乐安任昉并称赏之。高祖与叡少旧故，以女妻钧，即永兴公主也。天监初，拜驸马都尉，起家秘书郎，太子舍人，司徒主簿，秘书丞。钧在职，启校定秘阁四部书，更为目录。又受诏料检西省法书古迹，别为品目。"

裴子野仍未出仕。《梁书·裴子野传》说："天监初，尚书仆射范云嘉其行，将表奏之，会云卒，不果。乐安任昉有盛名，为后进所慕，游其门者，昉必相荐达。子野于昉为从中表，独不至，昉亦恨焉。"春泓按，范云卒于天监二年，所以自梁开国至范云卒之前，裴子野尚未出仕。

王僧孺除临川王后军记室参军，待诏文德省。《梁书·王僧孺传》说："天监初，除临川王后军记室参军，待诏文德省。寻出为南海太守。"

张率文采深得高祖赞赏。《梁书·张率传》说："天监初，临川王已下并置友、学。以率为鄱阳王友，迁司徒谢朏掾，直文德待诏省，敕使抄乙部书，又使撰妇人事二十余条，勒成百卷，使工书人琅邪王深、吴郡范怀约、褚洵等缮写，以给后宫。率又为《待诏赋》奏之，甚见称赏。手敕答曰：'省赋殊佳。相如工而不敏，枚皋速而不工，卿可谓兼二子于金马矣。'又侍宴赋诗，高祖乃别赐率诗曰：'东南有才子，故能服官政。余虽惭古昔，得人今为盛。'率奉诏往返数首。其年，迁秘书丞，引见玉衡殿。高祖曰：'秘书丞天下清官，东南胄望未有为之者，今以相处，足为卿誉。'其恩遇如此。"春泓按，所谓"秘书丞天下清官，东南胄望未有为之者"，这说明至梁武帝用人，才使南士真正有出头的机会。

刘孝绰文名大振于梁朝。《梁书·刘孝绰传》说："天监初，起家著作佐郎，为《归沐诗》以赠任昉，昉报章曰：'彼美洛阳子，投我怀秋作。诇慰羞嗟人，徒深老夫托。直史兼褒贬，辖司专疾恶。九折多美疹，匪报庶良药。子其崇锋颖，春耕励秋获。'其为名流所重如此。迁太子舍人，俄以本官兼尚书水部郎，奉启陈谢，手敕答曰：'美锦未可便制，簿领亦宜稍习。'顷之即真。高祖雅好虫篆，时因宴幸，命沈约、任昉等言志赋诗，孝绰亦见引。尝侍宴，于坐为诗七首，高祖览其文，篇篇嗟赏，由是朝野改观焉。"

高祖对萧齐子弟晓之以理，动之以威。《梁书·萧子恪传》说："天监元年，降爵为子，除散骑常侍，领步兵校尉，以疾不拜，徙为光禄大夫，俄为司徒左长史。子恪与弟子范等，尝因事入谢，高祖在文德殿引见之，从容谓曰：'我欲与卿兄弟有言。夫天下之宝，本是公器，非可力得。苟无期运，虽有项籍之力，终亦败亡。所以班彪《王命论》云："所求不过一金，然终转死沟壑"。卿不应不读此书。宋孝武为性猜忌，兄弟粗有令名者，无不因事鸩毒，所遗唯有景和。至于朝臣之中，或疑有天命而致害者，枉滥相继，然而或疑有天命而不能害者，或不知有天命而不疑者，于时虽疑卿祖，而无如之何。此是疑而不得。又有不疑者，如宋明帝本为庸常被免，岂疑而得全？又复我于时已年二岁，彼当知我应有今日？当知有天命者，非人所害，害亦不能得。我初平建康城，朝廷内外皆劝我云："时代革异，物心须一，宜行处分。"我于时依此而行，谁谓不可！我政言江左以来，代谢必相诛戮，此是伤于和气，所以国祚例不灵长。所谓"殷鉴不远，在夏后之世"。此是一义。二者，齐梁虽曰革代，义异往时。我与卿兄弟虽复绝服二世，宗属未远。卿勿言兄弟是亲，人家兄弟自有周旋者，有不周旋者，况五服之属邪？齐业之初，亦是甘苦共尝，腹心在我。卿兄弟年少，理当不悉。我与卿兄弟，便是情同一家，岂当都不念此，作行路事。此是二义。我有今日，非是本意所求。且建武屠灭卿门，致卿兄弟涂炭。我起义兵，非惟自雪门耻，亦是为卿兄弟报仇。卿若能在建武、永元之世，拨乱反正，我虽起樊、邓，岂得不释戈推奉；其虽欲不已，亦是师出无名。我今为卿报仇，且时代革异，望卿兄弟尽节报我耳。且我自藉丧乱，代明帝家天下耳，不取卿家天下。昔刘子舆自称成帝子，光武言"假使成帝更生，天下亦不复可得，况子舆乎"。梁初，人劝我相诛灭者，我答之犹如向孝武时事：彼若苟有天命，非我所能杀；若其无期运，何忽行此，政足示无度量。曹志亲是魏武帝孙，陈思之子，事晋武能为晋室忠臣，此即卿事例。卿是宗室，情义异他，方坦然相期，卿无复怀自外之意。小待，自当知我寸心。'"春泓按，此番话说得逻辑严密，令萧子恪兄弟非但不敢与新朝胸怀二心，且要感激萧衍替己报仇，此亦反映天监初年，萧衍尚不失为一具有韬略的明君，远比宋齐君主滥杀同姓要高明得多。《梁书·萧子恪传》附《萧子范传》说："天监初，降爵为子，除后军记室参军，复为太子洗马，俄迁司徒主簿，丁所生母忧去职。"

萧子显撰《齐史》。《梁书·萧子恪传》附《萧子显传》："子显字景阳，子恪第八弟也。幼聪慧，文献王异之，爱过诸子。七岁，封宁都县侯。永元末，以王子例拜给事中。天监初，降爵为子。累迁安西外兵、仁威记室参军、司徒主簿、太尉录事。子显伟容貌，身长八尺。好学，工属文。尝著《鸿序赋》，尚书令沈约见而称曰：'可谓得明道之高致，盖《幽通》之流也。'又采众家《后汉》，考正同异，为一家之书。又启撰《齐史》，书成，表奏之，诏付秘阁。"

萧子云雅为高祖所重。《梁书·萧子恪传》附《萧子云传》说："梁初，郊庙未革牲牷，乐辞皆沈约撰，至是承用，子云始建言宜改。启曰：'伏惟圣敬率由，尊严郊庙，得西邻之心，知周、孔之迹，载革牢俎，德通神明，黍稷苹藻，竭诚严配，经国制度，方悬日月，垂训百王，于是乎在。臣比兼职斋官，见伶人所歌，犹用未革牲前曲。圜丘眠燎，尚言"式备牲牷"；北郊《诫雅》，亦奏"牲玉孔备"；清庙登歌，而称"我牲以洁"；三朝食举，犹咏"朱尾碧鳞"。声被鼓钟，未符盛制。臣职司儒训，意以为疑，未审应改定乐辞以不？'敕答曰：'此是主者守株，宜急改也。'仍使子云撰定。敕曰：'郊庙歌辞，应须典诰大语，不得杂用子史文章浅言；而沈约所撰，亦多舛谬。'子云答敕曰：'殷荐朝飨，乐以雅名，理应正采《五经》，圣人成教。而汉来此制，不全用经典；约之所撰，弥复浅杂。臣前所易约十曲，惟知牲牷既革，宜改歌辞，而犹承例，不嫌流俗乖体。既奉令旨，始得发矇。臣凤本庸滞，昭然忽朗，谨依成旨，悉改约制。惟用《五经》为本，其次《尔雅》《周易》《尚书》《大戴礼》，即是经诰之流，愚意亦取兼用。臣又寻唐、虞诸书，殷《颂》周《雅》，称美是一，而复各述时事。大梁革服，偃武修文，制礼作乐，义高三正；而约撰歌辞，惟浸称圣德之美，了不序皇朝制作事。《雅》《颂》前例，于体为违。伏以圣旨所定《乐论》，钟律纬绪，文思深微，命世一出，方悬日月，不刊之典，礼乐之教，致治所成。谨一二采缀，各随事显义，以明制作之美。覃思累日，今始克就，谨以上呈。'敕并施用。子云善草隶书，为世楷法。自云善效钟元常、王逸少而微变字体。答敕云：'臣昔不能拔赏，随世所贵，规摹子敬，多历年所。年二十六，著《晋史》，至《二王列传》，欲作论语草隶法，言不尽意，遂不能成，略指论飞白一势而已。十许年来，始见敕旨《论书》一卷，商略笔势，洞澈字体；又以逸少之不及元常，犹子敬之不及逸少。自此研思，方悟隶式，始变子敬，全范元常。逮尔以来，自觉功进。'其书迹雅为高祖所重，尝论子云书曰：'笔力劲骏，心手相应，巧逾杜度，美过崔实，当与元常并驱争先。'其见赏如此。"

朱异年二十一，特敕擢为扬州议曹从事史。《南史·朱异传》说："朱异字彦和，吴郡钱唐人也……异年数岁，外祖顾欢抚之，谓其祖昭之曰：'此儿非常器，当成卿门户。'……及长，乃折节从师。梁初开五馆，异服膺于博士明山宾。居贫，以佣书自业，写毕便诵。遍览《五经》，尤明《礼》《易》。涉猎文史，兼通杂艺，博弈书算，皆其所长。年二十，出都诣尚书令沈约，面试之，因戏异曰：'卿年少，何乃不廉?'异逡巡未达其旨，约乃曰：'天下唯有文义棋书，卿一时将去，可谓不廉也。'……旧制，年二十五方得释褐，时异适二十一，特敕擢为扬州议曹从事史。寻有诏求异能之士，五经博士明山宾表荐异……武帝召见，使说《孝经》《周易》义，甚悦之，谓左右曰：'朱异实异。'后见明山宾曰：'卿所举殊得人。'"春泓按，《梁书》《南史》本传记载朱异死于太清二年，所以其二十一岁时正值天监元年。

司马褧除尚书祠部郎中。是时创定礼乐，所议多见施行。《梁书·司马褧传》说："司马褧字元素，河内温人也……父燮，善《三礼》，仕齐官至国子博士。褧少传家业，强力专精，手不释卷，其礼文所涉书，略皆遍睹。沛国刘瓛为儒者宗，嘉其学，深相赏好。少与乐安任昉善，昉亦推重焉。初为国子生，起家奉朝请，稍迁王府行参军。天监初，诏通儒治五礼，有司举褧治嘉礼，除尚书祠部郎中。是时创定礼乐，褧所议多见施行。除步兵校尉，兼中书通事舍人。褧学尤精于事数，国家吉凶礼，当世名儒明山宾、贺瑒等疑不能断，皆取决焉。"

武帝宴华光殿，命群臣赋诗，独诏沆为二百字，三刻便成。《南史·到沆传》："沆字茂瀣……梁天监初，为征虏主簿。东宫建，以为太子洗马。时文德殿置学士省，召高才硕学待诏，沆通籍焉。武帝宴华光殿，命群臣赋诗，独诏沆为二百字，三刻便成。沆于坐立奏，其文甚美。俄以洗马管东宫书记及散骑省优策文。"

刘显博学多通，任昉大相赏异。《梁书·刘显传》说："刘显字嗣芳，沛国相人也。父飖，晋安内史。显幼而聪敏，当世号曰神童。天监初，举秀才，解褐中军临川王行参军，俄署法曹。显好学，博涉多参通，任昉尝得一篇缺简书，文字零落，历示诸人，莫能识者，显云是《古文尚书》所删逸篇，昉检《周书》，果如其说，昉因大相赏异。"

高祖雅好辞赋。《梁书·文学传》之《袁峻传》说："天监初，鄱阳国建，以峻为侍郎，从镇京口。王迁郢州，兼都曹参军。高祖雅好辞赋，时献文于南阙者相望焉，其藻丽可观，或见赏擢。"

　　梁武帝用人不"限以甲族"。《梁书·文学传》之《庾於陵传》说："天监初，为建康狱平，迁尚书工部郎，待诏文德殿。出为湘州别驾，迁骠骑录事参军，兼中书通事舍人。俄领南郡邑中正，拜太子洗马，舍人如故。旧事，东宫官属，通为清选，洗马掌文翰，尤其清者。近世用人，皆取甲族有才望，时於陵与周舍并擢充职，高祖曰：'官以人而清，岂限以甲族。'时论以为美。"〔春泓按，梁武帝所谓"官以人而清，岂限以甲族"，是对东晋以来用人制度的一大改革，这是由武帝所依靠的社会基础之性质所决定的。南齐清选之官职，大都被王俭这样具有强烈门第意识的贵族所把持，有才而无甲族身份者，譬如沈约等只得发愤于竟陵王萧子良。这些人物逐渐形成势力，在萧子良死后，于是均把出头的希望转寄在萧衍身上，帮助萧衍完成易代之举，因此萧衍也必须要回馈其助力，旧的用人规则终于被打破了。〕

　　钟嵘倡言惩治侥竞。《梁书·文学传》之《钟嵘传》说："天监初，制度虽革，而日不暇给，嵘乃言曰：'永元肇乱，坐弄天爵，勋非即戎，官以贿就。挥一金而取九列，寄片札以招六校；骑都塞市，郎将填街。服既缨组，尚为臧获之事；职唯黄散，犹躬胥徒之役。名实淆紊，兹焉莫甚。臣愚谓军官是素族士人，自有清贯，而因斯受爵，一宜削除，以惩侥竞。若吏姓寒人，听极其门品，不当因军，遂滥清级。若侨杂伧楚，应在绥抚，正宜严断禄力，绝其妨正，直乞虚号而已。谨竭愚忠，不恤众口。'"

　　周兴嗣奏《休平赋》，其文甚美。《梁书·文学传》之《周兴嗣传》说："高祖革命，兴嗣奏《休平赋》，其文甚美，高祖嘉之。"

　　吴均诗创"吴均体"。《梁书·文学传》之《吴均传》说："吴均字叔庠，吴兴故鄣人也。家世寒贱，至均好学有俊才。沈约尝见均文，颇相称赏。天监初，柳恽为吴兴，召补主簿，日引与赋诗。均文体清拔有古气，好事者或斆之，谓为'吴均体'。"

　　高爽、江洪、虞骞并能文。《梁书·文学传》之《吴均传》说："天监初，（高爽）历官中军临川王参军。出为晋陵令，坐事系治，作《镬鱼赋》以自况，其文甚工。后遇赦获免，顷之，卒。（江）洪为建阳令，坐事死。（虞）骞官至王国侍郎。并有文集。"

　　王籍早慧能文，甚得沈约赞赏。《梁书·文学传》之《王籍传》说："王籍字文海，琅邪临沂人。祖远，宋光禄勋。父僧祐，齐骁骑将军。籍七岁能属文。及长，好学博涉，有才气，乐安任昉见而称之。尝于沈约坐赋得《咏烛》，甚为约赏。齐末，为冠军行参军，累迁外兵、记室。天监初，除安成王主簿、尚书三公郎、廷尉正。历余姚、钱塘令，并以放免。"春泓按，关于王籍的文才，《南史》本传记述说："籍好学，有才气，为诗慕谢灵运。至其合也，殆无愧色。时人咸谓康乐之有王籍，如仲尼之有丘明，老聃之有庄周。"这揭示了王籍诗风的特点。

　　刘杳为太学博士、宣惠豫章珩参军，以博学见重。《梁书·文学传》之《刘杳传》说："刘杳字士深，平原平原人也……天监初，为太学博士、宣惠豫章王行参军。杳少好学，博综群书，沈约、任昉以下，每有遗忘，皆访问焉。"

　　高祖汲引何点出仕。《梁书·处士传》之《何点传》说："点雅有人伦识鉴，多所甄拔，知吴兴丘迟于幼童，称济阳江淹于寒素，悉如其言……高祖与点有旧，及践阼，手诏曰：'昔因多暇，得访逸轨，坐修竹，临清池，忘今语古，何其乐也。暂别丘园，十有四载，人事艰阻，亦何可言。自应运在天，每思相见，密迩物色，劳其山阿。严光排九重，践九等，谈天人，叙故旧，有所不臣，何伤于高？文先以皮弁谒子桓，伯况以缞绖见文叔，求之往策，不无前例。今赐卿鹿皮巾等。后数日，望能入也。'点以巾褐引入华林园，高祖甚悦，赋诗置酒，恩礼如旧。仍下诏曰：'前征士何点，高尚其道，志安容膝，脱落形骸，栖志窅冥。朕日昃思治，尚想前哲；况亲得同时，而不与为政。喉唇任切，必俟邦良，诚望惠然，屈居献替。可征为侍中。'辞疾不赴。乃复诏曰：'征士何点，居贞物表，纵心尘外，夷坦之风，率由自远。往因素志，颇申宴言，眷彼子陵，情兼惟旧。昔仲虞迈俗，受俸汉朝；安道逸志，不辞晋禄。此盖前代盛轨，往贤所同。可议加资给，并出在所，日费所须，太官别给。既人高曜卿，故事同垣下。'"春泓按，萧衍既已无法笼络谢朓等名士，就竭力想令高蹈于前朝的处士何点为自己点缀门面，何点虽然婉拒出仕，却也算给高祖面子，他们之间达成了一种默契，高祖因此很高兴，何点亦从中获得了不菲的物质补偿，他与萧衍之间实际上形成了一种交易的关系。

何胤巧对新朝之召。《梁书·处士传》之《何胤传》说："高祖践祚，诏为特进、右光禄大夫。手敕曰：'吾猥当期运，膺此乐推，而顾己蒙蔽，昧于治道。虽复劬劳日昃，思致隆平，而先王遗范，尚蕴方策，息举之用，存乎其人。兼以世道浇暮，争诈繁起，改俗迁风，良有未易。自非以儒雅弘朝，高尚轨物，则汩流所至，莫知其限。治人之与治身，独善之与兼济，得失去取，为用孰多。吾虽不学，颇好博古，尚想高尘，每怀击节。今世务纷乱，忧责是当，不得不屈道岩阿，共成世美。必望深达往怀，不吝濡足。今遣领军司马王果宣旨谕意，迟面在近。'果至，胤单衣鹿巾，执经卷，下床跪受诏书，就席伏读。胤因谓果曰：'吾昔于齐朝欲陈两三条事，一者欲正郊丘，二者欲更铸九鼎，三者欲树双阙。世传晋室欲立阙，王丞相指牛头山云："此天阙也"，是则未明立阙之意。阙者，谓之象魏。县象法于其上，浃日而收之。象者，法也；魏者，当塗而高大貌也。鼎者神器，有国所先，故王孙满斥言，楚子顿尽。圆丘国郊，旧典不同。南郊祠五帝灵威仰之类，圆丘祠天皇大帝、北极大星是也。往代合之郊丘，先儒之巨失。今梁德告始，不宜遂因前谬。卿宜诣阙陈之。'果曰：'仆之鄙劣，岂敢轻议国典？此当敬俟叔孙生耳。'胤曰：'卿讵不遣传诏还朝拜表，留与我同游邪？'果愕然曰：'古今不闻此例。'胤曰：'《檀弓》两卷，皆言物始。自卿而始，何必有例。'果曰：'今君遂当邈然绝世，犹有致身理不？'胤曰：'卿但以事见推，吾年已五十七，月食四斗米不尽，何容得有宦情？昔荷圣王眄识，今又蒙旌贲，甚愿诣阙谢恩，但比腰脚大恶，此心不遂耳。'果还，以胤意奏闻，有敕给白衣尚书禄，胤固辞。又敕山阴库钱月给五万，胤又不受。乃敕胤曰：'顷者学业沦废，儒术将尽，闾阎搢绅，鲜闻好事。吾每思弘奖，其风未移，当宸兴言为叹。本欲屈卿暂出，开导后生，既属废业，此怀未遂，延伫之劳，载盈梦想。理舟虚席，须俟来秋，所望惠然申其宿抱耳。卿门徒中经明行修，厥数有几？且欲瞻彼堂堂，置此周行。便可具以名闻，副其劳望。'又曰：'比岁学者殊为寡少，良由无复聚徒，故明经斯废。每一念此，为之慨然。卿居儒宗，加以德素，当敕后进有意向者，就卿受业。想深思诲诱，使斯文载兴。'于是遣何子朗、孔寿等六人于东山受学。"春泓按，萧衍请何胤出山，其意图与延请何点完全一致，而何胤半推半就，首先开出了弘儒的三条价码，在当时都算得上大工程，何胤以此作为允诺的条件。萧衍的联络员王果对此精明老头，实深怀不屑，所以出言不逊，暗含讥讽；何胤更是老辣，竟要留王果做自己的学生，逼得王果无奈摊牌，何胤表示不达目的，决不与新朝合作。萧衍明白何胤的意思，于是许以利禄，但是何胤既要名利，又要脸面，萧衍只能屈从何胤，以崇兴儒术的名义来帮他"洗钱"，而且答应捎带着给何胤的得意门生以做官的机会，买卖终于成交。自齐王俭把持政治以来，萧衍辈可谓受尽了假借儒学者的苦头，怀着一肚皮的怨气，当新朝政治走上轨道之后，萧衍势必会加以报复。而报复的方式之一，就是釜底抽薪，用佛教来压制儒术。

北朝

三月

齐萧宝夤奔魏。据《魏书》卷八《世宗纪》。

八月

梁江州刺史陈伯之降魏。据《魏书》卷八《世宗纪》。

十月

宣武帝亲射，远及一里五十步，群臣勒铭于射所。均据《魏书》卷八《世宗纪》。

十二月

魏陈留公主寡居，仆射高肇、秦州刺史张彝皆欲尚之，公主许彝而不许肇。肇怒，谮彝于宣武帝，坐沈废累年。据《资治通鉴》卷一百四十五《梁纪一》。

郭祚为镇东将军、青州刺史。《魏书》卷六四《郭祚传》："及太极殿成，祚朝于京师，转镇东将军、青州刺史。"考《魏书·世宗纪》："飨群臣于太极前殿，赐布帛有差，以初成也。"故系于是年。《水经注·淄水》云："余生长东齐，极游其下，于中阔绝，乃积绵载。后因王事复出海岱，郭金紫汇同石井赋诗言意。""郭金紫"即祚，知郭祚、郦道元并能为诗。

释法上八岁，略览经诰，薄尽其理。见释道宣《续高僧传》卷八《齐大统合水寺释法上传》。

公元503年（梁武帝天监二年　魏宣武帝景明四年　癸未）

本年

萧纲生于是年。范云卒于本年，沈约于本年撰写《尚书右仆射范云墓志铭》《佛记序》等。任昉作《出郡传舍哭范仆射诗》。钟嵘《诗品》卷中《梁卫将军范云诗》说："范诗清便宛转，如流风回雪。"

谢朓被征不屈，萧衍赋诗饯别。《梁书·谢朓传》说谢朓被征不屈，事在天监二年："（谢）朓轻舟出，诣阙自陈。既至，诏以为侍中、司徒、尚书令。朓辞脚疾不堪拜谒，乃角巾肩舆，诣云龙门谢。诏见于华林园，乘小车就席。明旦，舆驾出幸朓宅，宴语尽欢。朓固陈本志，不许，因请自还东迎母，乃许之。临发，舆驾复临幸，赋诗饯别。王人送迎，相望于道……"春泓按，作为高门士族，像谢朓等在梁朝开国时与梁武帝合作，在心理上尚存在着排斥意识，在谢朓等眼里，这是一个缺乏高门士族为立国基础的政权，他们深怀鄙视。而当时送迎者"相望于道"，其实是借用西汉疏广、疏受叔侄激流勇退的典故①，指谢氏的行为在梁初亦激起许多士人的共鸣。这或许对于萧衍产生了较大的刺激，天监之初，他很快转向佞佛，他要借助佛教与天下更始，或许在一定程度上这就是其信奉佛教的初衷。

任昉手自雠校秘阁四部。《梁书·任昉传》说："天监二年，出为义兴太守……友人彭城到溉，溉弟洽，从昉共为山泽游……自齐永元以来，秘阁四部，篇卷纷杂，昉手自雠校，由是篇目定焉。"

范缜赞扬裴子野著《宋略》二十卷。《梁书·裴子野传》说："二年，吴平侯萧景为南兖州刺史，引为冠军录事，府迁职解。时中书范缜与子野未遇，闻其行业而善焉。会迁国子博士，乃上表让之曰：'伏见前冠军府录事参军河东裴子野，年四十，字几原，幼禀至人之行，长厉国士之风。居丧有礼，毁瘠几灭，免忧之外，蔬水不进。栖迟下位，身贱名微，而性不慅慅，情无汲汲，是以有识嗟推，州闾叹服。且家传素业，世习儒史，苑囿经籍，游息文艺。著《宋略》二十卷，弥纶首尾，勒成一代，属辞比事，有足观者。且章句洽悉，训故可传。脱置之胶庠，以弘奖后进，庶一夔之辩可寻，三豕之疑无谬矣。伏惟皇家淳耀，多士盈庭，官人迈乎有妫，械朴越于姬氏，苟片善宜录，无论厚薄，一介可求，不由等级。臣历观古今人君，钦贤好善，未有圣朝孜孜若是之至也。敢缘斯义，轻陈愚瞽，乞以臣斯忝，回授子野。如此，则贤否之宜，各全其所，讯之物议，谁曰不允……'"春泓按，《梁书·儒林传》之《范缜传》说，在梁初，范缜"志在权轴，既而所怀未满，亦常怏怏"，对"国子博士"兴趣不大，所以他把"国子博士"位置"回授子野"，实在是做顺水人情，但是从他对于裴子野《宋略》的推崇，可以看出《宋略》确是一部精审之作。范缜此表所谓"年四十"只是虚数，本年裴子野年仅三十五岁。本传又说裴子野因为《宋略》的缘故，扬名士林，"至是，吏部尚书徐勉言之于高祖，以为著作郎，掌国史及起居注。顷之，兼中书通事舍人，寻除通直正员郎，著作、舍人如故。又敕掌中书诏诰……子野与沛国刘显、南阳刘之遴、陈郡殷芸、陈留阮孝绪、吴郡顾协、京兆韦棱，皆博极群书，深相赏好，显尤推重。时吴平侯萧劢、范阳张缵，每讨论坟籍，咸折中于子野焉"。春泓按，这一以裴子野等为中心的文士小团体，具有精于儒史的学术特征，此辈人物大都堪称学者，所以其文风会与写作艳情诗歌的文人大相径庭。

袁昂奉启谢衍不杀之恩。《梁书·袁昂传》说："天监二年，以为后军临川王参军

---

① 《梁书》卷十五载姚察曰："谢朓之于宋代，盖忠义者欤！当齐建武之世，拂衣止足，永元多难，确然独善，其疏、蒋之流乎？"

事。昂奉启谢曰……"春泓按，袁昂在新朝又获进身之机会，于是对于萧衍深表不杀之恩，高祖答曰："朕遗射钩，卿无自外。"此后逐渐升迁。

何佟之卒，年五十五。《梁书·儒林传》之《何佟之传》说："高祖践祚，尊重儒术，以佟之为尚书左丞。是时百度草创，佟之依《礼》定议，多所裨益。天监二年，卒官，年五十五。"

刘孝绰、陆倕、到溉诸人与任昉游，号曰兰台聚。《南史·到彦之传》附《到溉传》说："梁天监初，昉出守义兴，要溉、洽之郡，为山泽之游。昉还为御史中丞，后进皆宗之。时有彭城刘孝绰、刘苞、刘孺，吴郡陆倕、张率，陈郡殷芸，沛国刘显及溉、洽，车轨日至，号曰兰台聚。陆倕赠昉诗云：'和风杂美气，下有真人游，壮矣苟文若，贤哉陈太丘。今则兰台聚，方古信为俦。任君本达识，张子复清修，既有绝尘到，复见黄中刘。'时谓昉为任君，比汉之三君，到则溉兄弟也。除尚书殿中郎。后为建安太守，昉以诗赠之，求二衫段云：'铁钱两当一，百代易名实，为惠当及时，无待凉秋日。'溉答云：'余衣本百结，闽中徒八蚕，假令金如粟，讵使廉夫贪。'还为太子中舍人。"

北朝

正月

宣武帝藉田于千亩。据《魏书》卷八《世宗纪》。

三月

宣武帝侯先蚕于北郊。据《魏书》卷八《世宗纪》。

十一月

宣武帝诏尚书左仆射源怀抚劳代都、北镇，随方拯恤。据《魏书》卷八《世宗纪》。又《通鉴》卷一百四十五《梁纪一》："魏既迁洛阳，北边荒远，因以饥馑，百姓困弊。魏主加尚书左仆射源怀侍中、行台，使持节巡行北边六镇、恒燕朔三州，赈给贫乏，考论殿最，事之得失皆先决后闻。怀通济有无，饥民赖之。沃野镇将于祚，皇后之世父，与怀通婚。时于劲方用事，势倾朝野，祚颇有受纳。怀将入镇，祚郊迎道左，怀不与语，即劾奏免官。怀朔镇将元尼须与怀旧交，贪秽狼籍，置酒请怀，谓怀曰：'命之长短，喜庆之口，岂可不想宽贷？'怀曰：'今日源怀与故人饮酒之坐，非鞠狱之所也。明日，公庭始为使者检镇将罪状之处耳。'尼须挥泪以对，竟按劾抵罪。怀又奏：'边镇事少而置官猥多，沃野一镇自将以下八百余人，请一切五分损二。'魏主从之。"《魏书》卷四一《源贺传附子怀传》："景明以来，北蕃连年灾旱，高原陆野，不任营殖，唯有水田，少可菑亩。然主将参僚，专擅腴美。瘠土荒畴给百姓，因此困弊，日月滋甚。诸镇水田，请依地令分给细民，先贫后富，若分付不平，令一人怨讼者，镇将已下连署之官，各夺一时之禄，四人已上夺禄一周。"

甄琛被免官。据《魏书》卷九三《赵修传》，散骑常侍赵修恃宠骄恣，高肇发其恶，遂鞭一百，戍敦煌，行百十里卒。甄琛奔附赵修，"倾身事之"，惧相连及，助肇攻之。明日，甄琛以修党免官归本郡。

　　释昙衍（503—581）**生**。释道宣《续高僧传》卷八《齐洛州沙门释昙衍传》："释昙衍，姓夏侯氏。南兖州人。"

　　释法上九岁，初读《涅槃经》，遂生厌世之心。见释道宣《续高僧传》卷八《齐大统合水寺释法上传》。

公元 504 年（梁武帝天监三年　魏宣武帝正始元年　甲申）

四月

　　八日，萧衍于重云阁撰《舍道事佛疏文》，表示皈依佛教。据《梁书·武帝本纪》。

　　萧统年三岁，受《孝经》《论语》。《梁书·昭明太子传》说：昭明太子统生于齐中兴元年九月，"太子生而聪睿，三岁受《孝经》《论语》"。春泓按，萧统三岁时，若置于天监二年，似过于夸张萧统的早慧，所以将此"三岁"看作实足年龄，应在天监三年。

　　张充长于义理，登台讲说，皇太子以下皆至。《梁书·张充传》说天监初年，张充"长于义理，登台讲说，皇太子以下皆至。时王侯多在学，执经以拜，充朝服而立，不敢当也"。张充精于《老》、《易》，在这些学问上，他可以称作是萧统等人的老师。

　　顾协年三十五，兼太学博士。《南史·顾协传》说："顾协字正礼，吴郡吴人也。晋司空和七世孙……外氏诸张多贤达，有识鉴，从内弟率尤推重焉。初为扬州议曹从事，举秀才。尚书令沈约览其策而叹曰：'江左以来，未有斯作。'为兼廷尉正。太尉临川王闻其名，召掌书记，仍侍西丰侯正德读。正德为巴西、梓潼郡，协除所部新安令，未至县……张率尝荐之于帝，问协年，率言三十有五。帝曰：'北方高凉，四十强仕，南方卑湿，三十已衰。如协便为已老，但其事亲孝，与友信，亦不可遗于草泽。卿便称敕唤出。'于是以协为兼太学博士。累迁湘东王参军，兼记室。"春泓按，本传记载顾协卒于大同八年，时年七十三，若张率所言不虚，则本年顾协三十五岁，始兼太学博士。

　　王僧孺诗作得武帝欣赏。《南史·王僧孺传》说："视事二岁，声绩有闻。诏征将还，郡中道俗六百人诣阙请留，不许。至，拜中书侍郎，领著作，复直文德省。撰起居注、中表簿，迁尚书左丞，俄兼御史中丞。僧孺幼贫，其母鬻纱布以自业，尝携僧孺至市，道遇中丞卤簿，驱迫坠沟中。及是拜日，引驺清道，悲感不自胜。顷之即真。时武帝制《春景明志诗》五百字，敕沈约以下辞人同作，帝以僧孺为工。"春泓按，天监初，王僧孺出为南海太守，《梁书》本传说"视事期月"，与《南史》本传所说"视事二岁"不同，应以《南史》为确，假如视事仅期月，何以令道俗六百人请留。故其还朝时间应在天监三年。

　　王筠起家中军临川王行参军。《梁书·王筠传》说："起家中军临川王行参军，迁太子舍人，除尚书殿中郎。王氏过江以来，未有居郎署者，或劝逡巡不就，筠曰：'陆平原东南之秀，王文度独步江东，吾得比踪昔人，何所多恨。'乃欣然就职。"春泓按，据《梁书》本传，萧宏于天监17年进号、中军将军，所以王筠起家中军临川王行参军，应在本年或稍后。从中亦可体会到，此时名门著姓之琅邪王氏亦只能屈尊低就了。

刘孺诗赋得沈约、高祖之嗟赏。《梁书·刘孺传》说："刘孺字孝稚，彭城安上里人也。祖勔，宋司空忠昭公……七岁能属文……时镇军沈约闻其名，引为主簿，常与游宴赋诗，大为约所嗟赏。累迁太子舍人、中军临川王主簿、太子洗马、尚书殿中郎。出为太末令，在县有清绩。还除晋安王友，转太子中舍人。孺少好文章，性又敏速，尝于御坐为《李赋》，受诏便成，文不加点，高祖甚称赏之。后侍宴寿光殿，诏群臣赋诗，时孺与张率并醉，未及成，高祖取孺手板题戏之曰：'张率东南美，刘孺洛阳才。揽笔便应就，何事久迟回？'其见亲爱如此。"春泓按，《梁书》本传记载，萧宏于天监三年进号中军将军，所以刘孺任中军临川王主簿等职应在天监三年，而侍宴寿光殿，也应在本年前后。《梁书·文学传》之《刘苞传》说："刘苞字孝尝，彭城人也。祖勔，宋司空。父悛，齐太子中庶子……少好学，能属文……久之，为太子洗马，掌书记，侍讲寿光殿。自高祖即位，引后进文学之士，苞及从兄孝绰、从弟孺、同郡到溉、溉弟洽、从弟沆、吴郡陆倕、张率并以文藻见知，多预宴坐，虽仕进有前后，其赏赐不殊。"《梁书·文学传》之《到沆传》说："三年，诏尚书郎在职清能或人才高妙者为侍郎，以沆为殿中曹侍郎。沆从父兄溉、洽，并有才名，时皆相代为殿中，当世荣之。"

北朝

九月

宣武帝下诏考订雅乐。《魏书》卷一〇九《乐志》："先是，（高）闾引给事中公孙崇共考音律，景明中，崇乃上言乐事。正始元年秋，诏曰：'太乐令公孙崇更调金石，燮理音准，其书二卷并表悉付尚书。夫礼乐之事，有国所重，可依其请，八座已下、四门博士以上此月下旬集太乐署，考论同异，博采古今，以成一代之典也。'十月，尚书李崇奏：'前被旨敕，以兼太乐令公孙崇更调金石，并其书表付外考试，登依旨敕以去。八月初，诣署集议。但六乐该深，五声妙远。至如仲尼渊识，故将忘味。吴札善听，方可论辨。自斯已降，莫有详之。今既草创，悉不穷解，虽微有诘论，略无究悉。方欲商搉淫滥，作范将来，宁容聊尔一试，便垂竹帛。今请依前所召之官并博闻通学之士更申一集，考其中否，研究音律，辨括权衡。若可施用，别以闻请。'"《资治通鉴》卷一百四十五《梁纪一》："魏太和之十六年，高祖诏中书监高肇与给事中公孙崇考订雅乐，久之，未就。会高祖殂，高闾卒。景明中，崇为太乐令，上所调金石及书。至是，世宗始命八座以下议之。"

十一月

诏营缮国学。《魏书》卷八《世宗纪》、卷五六《郑羲传附子道昭传》：十一月，诏营缮国学。郑道昭为国子祭酒，论兴学，修复汉魏石经及置国子学生诸事。朝廷多不报。萧道昭本传载又表曰："窃惟鼎迁中县，年将一纪。"一纪为十二年，又云"将"，是距迁洛事十一年，故系于是年。

本年

    诏令群臣议律令。《魏书》卷八《世宗纪》：诏令群臣议律令。《资治通鉴》卷一百四十五《梁纪一》："魏诏殿中郎陈郡袁翻等议立律令，彭城王勰等监之。"

    魏有献四足鸡者，诏散骑侍郎赵邕问崔光，光上表论灾异。见《魏书》卷六七《崔光传》。本传载崔光上表云："今或有自贱而贵，关预政事，殆亦前代君房之匹比者。南境死亡千计，白骨横野，存有酷恨之痛，殁为怨伤之魂。义阳屯师，盛夏未返。荆蛮狡猾，征人淹次。东州转输，往多无还。百姓困穷，绞缢以殒。北方霜降，蚕妇辍事。群生憔悴，莫甚于今。此亦贾谊哭叹、谷永切谏之时。"

    释僧范二十九岁，投邺城僧始而出家。释道宣《续高僧传》卷八《齐邺洞达觉寺释僧范传》："年二十九，栖迟下邑，闻讲《涅槃》，辄试一听，开悟神府，理斯兼通，乃知佛经之秘极也。随投邺城僧始而出家焉。初学《涅槃经》，顿尽其致。又栖心林虑，静其浮情，复向洛下，从献公听《法华》《严宗》。"

公元 505 年（梁武帝天监四年　魏宣武帝正始二年　乙酉）

本年

    置《五经》博士各一人。立孔子庙。《梁书·武帝本纪中》说："四年春正月癸卯朔，诏曰：'今九流常选，年未三十，不通一经，不得解褐。若有才同甘、颜，勿限年次。'置《五经》博士各一人……六月庚戌，立孔子庙。"

    江郎才尽。《梁书·江淹传》说："四年卒，时年六十二……谥曰宪伯。淹少以文章显，晚节才思微退，时人皆谓之才尽。凡所著述百余篇，自撰为前后集，并《齐史》十志，并行于世。"钟嵘《诗品》卷中《齐光禄江淹诗》说："文通诗体总杂，善于摹拟，筋力于王微，成就于谢朓。初，淹罢宣城郡，遂宿冶亭，梦一美丈夫，自谓郭璞，谓淹曰：吾有笔在卿处多年矣，可以见还。淹探怀中，得五色笔以授之。尔后为诗，不复成语。故世传江淹才尽。"春泓按，关于"江郎才尽"，后世有许多阐述，此涉及江淹真的才尽或是故意收敛锋芒两种观点，一般说来，每个作家往往有其创作的高峰期，要保持创作的高峰状态，并不容易；有时因为作家头脑中兴奋点的转移，其创作出现了衰退的现象，也是十分可能的。

    丘迟与陈伯之书。《梁书·陈伯之传》说：陈伯之叛梁，与子虎牙及褚緭俱入魏，魏授以官职，"天监四年，诏太尉、临川王宏率众军北讨，宏命记室丘迟私与伯之书曰：

    陈将军足下无恙，幸甚。将军勇冠三军，才为世出。弃燕雀之小志，慕鸿鹄以高翔。昔因机变化，遭逢明主，立功立事，开国承家，朱轮华毂，拥旄万里，何其壮也！如何一旦为奔亡之虏，闻鸣镝而股战，对穹庐以屈膝，又何劣耶？寻君去就之际，非有他故，直以不能内审诸己，外受流言，沉迷猖蹶，以至于此。圣朝赦罪论功，弃瑕录用，收赤心于天下，安反侧于万物，将军之所知，非假仆一二谈也。朱鲔涉血于友于，张绣剚刃于爱子，汉主不以为疑，魏君待之若旧。况将军无昔人之罪，而勋重于当世。

夫迷途知反，往哲是与；不远而复，先典攸高。主上屈法申恩，吞舟是漏。将军松柏不翦，亲戚安居；高台未倾，爱妾尚在。悠悠尔心，亦何可述。今功臣名将，雁行有序。怀黄佩紫，赞帷幄之谋；乘轺建节，奉疆埸之任。并刑马作誓，传之子孙。将军独靦颜借命，驱驰异域，宁不哀哉！

夫以慕容超之强，身送东市；姚泓之盛，面缚西都。故知霜露所均，不育异类；姬汉旧邦，无取杂种。北虏僭盗中原，多历年所，恶积祸盈，理至燋烂。况伪孽昏狡，自相夷戮，部落携离，酋豪猜贰，方当系颈蛮邸，悬首藁街。而将军鱼游于沸鼎之中，燕巢于飞幕之上，不亦惑乎！

暮春三月，江南草长，杂花生树，群莺乱飞。见故国之旗鼓，感平生于畴日，抚弦登陴，岂不怆恨。所以廉公之思赵将，吴子之泣西河，人之情也。将军独无情哉！想早励良图，自求多福。

伯之乃于寿阳拥众八千归。"春泓按，此书晓之以理，动之以情，恩威并施，尤其最后"暮春三月，江南草长，杂花生树，群莺乱飞"云云，文字优美，具有极强的感染力，此书成为文学史上的名篇。

范缜贬谢朏而褒王亮，令萧衍不悦。《梁书·王亮传》记载天监四年，梁高祖宴群臣于华光殿，尚书左丞范缜贬谢朏而褒王亮，令高祖不悦；任昉深知高祖心理，上奏谴责范缜之妄论；更玺书诘缜，直指王亮"反复不忠"，而谢朏则颇见忠心，因此王亮绝非谢朏之比。春泓按，这体现了萧衍矛盾的内心，他本人就是不忠之尤，违背君臣道义，才夺取了江山。王、谢俱出身于名门，武帝虽然要借重名门，但是他必须有所选择，他推重忠贞之士，鄙夷"颠而不扶"之徒，他想通过树立谢朏这样的楷模，以鼓励士人忠于新朝，不要反复无常。

张率、周兴嗣应诏赋舞马。《梁书·张率传》说："四年三月，禊饮华光殿。其日，河南献舞马，诏率赋之，曰……时与到洽、周兴嗣同奉诏为赋，高祖以率及兴嗣为工。"复按《梁书·文学传》之《周兴嗣传》说："拜安成王国侍郎，直华林省。其年，河南献舞马，诏兴嗣与待诏到沆、张率为赋，高祖以兴嗣为工。擢员外散骑侍郎，进直文德、寿光省。是时，高祖以三桥旧宅为光宅寺，敕兴嗣与陆倕各制寺碑。及成俱奏，高祖用兴嗣所制者。自是《铜表铭》《栅塘碣》《北伐檄》《次韵王羲之书千字》，并使兴嗣为文；每奏，高祖辄称善，加赐金帛。"而刘孝绰《三日侍华光殿曲水宴诗》，估计亦作于此时期。

处士沈颙卒。《梁书·处士传》之《沈颙传》说："沈颙字处默，吴兴武康人也……天监四年，大举北伐，订民丁。吴兴太守柳恽以颙从役，扬州别驾陆任以书责之，恽大惭，厚礼而遣之。其年卒于家。所著文章数十篇。"

北朝

四月

宣武帝诏选才学与资望兼善之士。《魏书》卷八《世宗纪》载宣武帝诏曰："任贤明治，自昔通规，宣风赞务，实惟多士。而中正所铨，但存门第，吏部彝伦，仍不才举。遂使英德罕升，司务多滞。不精厥选，将何考陟？八座可审议往代贡士之方，擢贤之体，必令才学并申，资望兼致。"

十月

邢峦上表议取蜀，以为蜀地亦富文学风流，颇可用之。据《魏书》卷六五《邢峦传》《资治通鉴》卷一百四十六《梁纪》二。其表云："彼土民望，严、蒲、何、杨，非唯五三。族落虽在山居，而多有豪右。文学笺启，往往可观。冠带风流，亦为不少。"

公元 506 年（梁武帝天监五年　魏宣武帝正始三年　丙戌）

本年

萧统出居东宫。《梁书·昭明太子传》说："五岁遍读《五经》，悉能讽诵。五年六月庚戌，始出居东宫。"《梁书·陆襄传》说："陆襄字师卿，吴郡吴人也……天监三年，都官尚书范岫表荐襄，起家擢拜著作侍郎，除永宁令……昭明太子闻襄业行，启高祖引与游处，除太子洗马，迁中舍人，并掌管记。"春泓按，此应是昭明太子出居东宫后之事。《梁书·殷钧传》说："天监初……迁骠骑从事中郎，中书郎，太子家令，掌东宫书记。顷之，迁给事黄门侍郎，中庶子，尚书吏部郎，司徒左长史，侍中。东宫置学士，复以钧为之。"殷骏母亲逝世，殷钧居丧过礼，昭明太子亲自手书诫谕，这说明殷钧与萧统之间关系亲密。《梁书·孝行传》之《庾娄黔传》说："庾娄黔字子贞，新野人也……娄黔少好学，多讲《孝经》，未尝失色于人，南阳高士刘虬、宗测并叹异之……东宫建，以本官侍皇太子读，甚见知重，诏与太子中庶子殷钧、中舍人到洽、国子博士明山宾等，递日为太子讲《五经》义。"

谢朓卒。《梁书·谢朓传》记述谢朓的卒年，说谢朓于天监三年遭母忧，后五年去世，时年六十六，铃木虎雄《沈约年谱》因此定谢之卒年为天监八年，而刘跃进先生《南北朝文学编年史》则据《梁书·武帝本纪》记载，谢朓卒于天监五年十二月，说明铃木虎雄误读了"后五年"的意思，其实"后五年"指天监五年。谢朓死后，其所著书及文章，并行于世。

刘潜举秀才。《梁书·刘潜传》说："刘潜字孝仪，秘书监孝绰弟也。幼孤，与兄弟相励勤学，并工属文。孝绰常曰"三笔六诗"，三即孝仪，六孝威也。天监五年，举秀才。"

到沆卒。《梁书·文学传》之《到沆传》说，到沆卒于本年，所著诗赋百余篇。

萧纲立为晋安郡王，庾肩吾随侍。《梁书·文学传》之《庾肩吾传》说："肩吾字子慎。八岁能赋诗，特为兄於陵所友爱。初为晋安王国常侍，仍迁王宣惠府行参军。自是每王徙镇，肩吾常随府。历王府中郎、云麾参军，并兼记室参军。"春泓按，《梁书》本纪记载，萧纲于天监五年封晋安王，于天监八年为云麾将军，所以从天监五年一直到中大通三年萧纲入为皇太子，庾肩吾一直随侍身边，是萧纲十分亲近的人物，其文学趣味对于萧纲影响较大。

北朝

二月

宣武帝诏令群臣"直言忠谏"。治书侍御史阳固上表，并作《南北二都赋》以为讽谏。《魏书》卷七二《阳尼传附从孙固传》载固表云："臣闻为治不在多方，在于力行而已。当今之务，宜早正东储，立师傅以保护，立官司以防卫，以系苍生之心。揽权衡，亲宗室，强干弱枝，以立万世之计。举贤良，黜不肖，使野无遗才，朝无素餐。孜孜万几，躬勤庶务，使民无谤讟之响。省徭役，薄赋敛，修学官，遵旧章，贵农桑，贱工贾，绝谈虚穷微之论，简桑门无用之费。以存元元之民，以救饥寒之苦，上合昊天之心，下悦亿兆之望。"本传又云："初，世宗委任群下，不甚亲览，好桑门之法。尚书令高肇以外戚权宠，专决朝事。又咸阳王禧等并有衅故，宗室大臣，相见疏薄。而王畿民庶，劳弊益甚。固乃作《南、北二都赋》，称恒代田渔声乐侈靡之事，节以中京礼仪之式，因以讽谏。辞多不载。"

四月

开弛盐禁。《魏书》卷六八《甄琛列传》：四月，虽经彭城王勰及邢峦驳辩，宣武帝卒从甄琛议，开弛盐禁。

本年

褚绲堕马死。《梁书》卷二〇《陈伯之传附褚緭传》：初，褚緭劝陈伯之降魏，及陈伯之返梁，褚緭在魏，魏欲用之。魏元会，緭戏为诗曰："帽上著笼冠，裤上著朱衣，不知是今是，不知非昔非。"魏人怒，出为始平太守。日日行猎，堕马死。

京兆王愉出为冀州刺史。《魏书》卷八《世宗纪》、卷二二《京兆王愉传》：十一月，宣武帝为京兆王愉、清河王怿、广平王怀、汝南王悦讲《孝经》于式乾殿。愉好文章，颇著诗赋。时引才人宋世景、李神俊、祖莹、邢晏、王遵业、张始均等共申宴喜，招四方儒学宾客严怀真等数十人，馆而礼之。所得谷帛，率多散施。又崇信佛道，用度常至不接。与弟广平王怀颇相夸尚，竞慕奢丽，贪纵不法。于是世宗摄愉禁中推案，杖愉五十，出为冀州刺史。

魏收（506—572）生。魏收字伯起，小字佛助。钜鹿下曲阳人，北齐作家。

释法上十二岁，投禅师道药出家。据释道宣《续高僧传》卷八《齐大统合水寺释法上传》。

公元 507 年（梁武帝天监六年　魏宣武帝正始四年　丁亥）

本年

曹景宗作豪语。《梁书·曹景宗传》说：六年三月，平西将军曹景宗大败北魏杨大眼军，凯旋归来，诏拜侍中、领军将军，给鼓吹一部。一旦身居高位，多有拘束，景宗谓所亲曰："我昔在乡里，骑快马如龙，与年少辈数十骑，拓弓弦作霹雳声，箭如饿鸱叫。平泽中逐獐，数肋射之，渴饮其血，饥食其肉，甜如甘露浆。觉耳后风生，鼻头出火，此乐使人忘死，不知老之将至。今来扬州作贵人，动转不得，路行开车幔，小人辄言不可。闭置车中，如三日新妇。遭此邑邑，使人无气。"春泓按，此番话真实地道出了一位草莽人物的性情，既豪气十足，又真率可爱。

范缜于本年写作《神灭论》，招致崇信佛教者一片讨伐之声。《弘明集》中收录相关文字，可见当时争论情形。

《梁书》本传收录了沈约《郊居赋》，此赋作于天监六年。其辞曰："惟至人之非己，固物我而兼忘。自中智以下洎，咸得性以为场。兽因窟而获骋，鸟先巢而后翔。陈巷穷而业泰，婴居湫而德昌。侨栖仁于东里，风晦迹于西堂。伊吾人之褊志，无经世之大方。思依林而羽戢，愿托水而鳞藏。固无情于轮奂，非有欲于康庄。披东郊之寥廓，入蓬藋之荒茫。既从竖而横构，亦风除而雨攘。

昔西汉之标季，余播迁之云始。违利建于海昏，创惟桑于江汜。同河济之重世，逾班生之十纪。或辞禄而反耕，或弹冠而来仕。逮有晋之隆安，集艰虞于天步。世交争而波流，民失时而狼顾。延乱麻于井邑，曝如莽于衢路。大地旷而靡容，旻天远而谁诉。伊皇祖之弱辰，逢时艰之孔棘。违危邦而窜惊，访安土而移即。肇胥宇于朱方，掩闲庭而晏息。值龙颜之郁起，乃凭风而矫翼。指皇邑而南辕，驾修衢以骋力。迁华扉而来启，张高衡而徙植。傍逸陌之修平，面淮流之清直。芳尘浸而悠远，世道忽其宼隆。绵四代于兹日，盈百祀于微躬。嗟弊庐之难保，若賨筹之从风。或诛茅而剪棘，或既西而复东。乍容身于白社，亦寄孥于伯通。迹平生之耿介，实有心于独往。思幽人而轸念，望东皋而长想。本忘情于徇物，徒羁绁于天壤。应屡叹于牵丝，陆兴言于世网。事滔滔而未合，志悁悁而无爽。路将殚而弥峭，情薄暮而逾广。抱寸心其如兰，何斯愿之浩荡。咏归欤而踯躅，眷岩阿而抵掌。

逢时君之丧德，何凶昏之孔炽。乃战牧所未陈，实升陑所不记。彼黎元之喋喋，将垂兽而为饵。瞻穹昊而无归，虽非牢而被戠。始叹丝而未睹，终逭组而后值。寻贻爱乎上天，固非民其莫甚。授冥符于井翼，实灵命之所禀。当降监之初辰，值积恶之云稔。宁方割于下垫，廓重氛于上埐。躬靡暇于朝食，常求衣于夜枕。既牢笼于妸夏，又驱驰乎轩顼。德无远而不被，明无微而不烛。鼓玄泽于大荒，播仁风于遐俗。辟终古而遐念，信王猷其如玉。

值衔《图》之盛世，遇兴圣之嘉期。谢中涓于初日，叨光佐于此时。阙投石之猛志，无飞矢之丽辞。排阳鸟而命邑，方河山而启基。翼储光于三善，长王职于百司。兢鄙夫之易失，惧宠禄之难持。伊前世之贵仕，罕纤情于丘窟。譬丛华于楚、赵，每骄奢以相越。筑甲馆于铜驼，并高门于北阙。辟重扃于华闼，岂蓬蒿所能没。敖传嗣于硗壤，何安身于穷地。味先哲而为言，固余心之所嗜。不慕权于城市，岂邀名于屠肆。咏希微以考室，幸风霜之可庇。

尔乃傍穷野，抵荒郊；编霜荄，葺寒茅。构栖噪之所集，筑町疃之所交。因犯檐而刊树，由妨基而剪巢。决渟洿之汀濙，塞井甃之沦坳。艺芳枳于北渠，树修杨于南浦。迁瓮牖于兰室，同肩墙于华堵。织宿楚以成门，籍外扉而为户。既取阴于庭樾，又因篱于芳杜。开阁室以远临，辟高轩而旁睹。渐沼沚于霤垂，周塍陌于堂下。其水草则苹萍芡芰，菁藻蒹菰；石衣海发，黄荇绿蒲。动红荷于轻浪，覆碧叶于澄湖。飡嘉实而却老，振羽服于清都。其陆卉则紫鳖绿葹，天蓍山韭；雁齿麋舌，牛唇彘首。布濩南池之阳，烂漫北楼之后。或幕渚而芘地，或萦窗而窥牖。若乃园宅殊制，田圃异区。李衡则橘林千树，石崇则杂果万株。并豪情之所侈，非俭志之所娱。欲令纷披蓊郁，吐绿攒朱；罗窗映户，接霤承隅。开丹房以四照，舒翠叶而九衢。抽红英于紫蒂，衔素蕊于青跗。其林鸟则翻泊颉颃，遗音下上；楚雀多名，流嘤杂响。或班尾而绮翼，或绿衿而绛颡。好叶隐而枝藏，乍间关而来往。其水禽则大鸿小雁，天狗泽虞；秋鹭寒鹕，修鹢短凫。曳参差之弱藻，戏瀺灂之轻躯；翅抨流而起沫，翼鼓浪而成珠。其鱼则赤鲤青鲂，纤鲦钜鳠。碧鳞朱尾，修颀偃额。小则戏渚成文，大则喷流扬白。不兴羡于江海，聊相忘于余宅。其竹则东南独秀，九府擅奇。不迁植于淇水，岂分根于乐池。秋蜩吟叶，寒雀噪枝。来风南轩之下，负雪北堂之垂。访往途之轸迹，观先识之情伪。每诛空而索有，皆指难以为易。不自已而求足，并尤物以兴累。亦昔士之所迷，而今余之所避也。

原农皇之攸始，讨厥播之云初。肇变腥以粒食，乃人命之所储。寻井田之往记，考阡陌于前书。颜箪食而乐在，郑高廪而空虚。顷四百而不足，亩五十而有余。抚幽衷而踢念，幸取给于庭庐。纬东菑之故耜，浸北亩之新渠。无褰爨于晓蓐，不抱惄于朝蔬。排外物以齐遣，独为累之在余。安事千斯之积，不羡汶阳之墟。

临巽维而骋目，即堆冢而流眄。虽兹山之培塿，乃文靖之所宴。驱四牡之低昂，响繁笳之清啭。罗方员而绮错，穷海陆而兼荐。奚一权之足伟，委千金其如线。试抚臆而为言，岂斯风之可扇。将通人之远旨，非庸情之所见。聊迁情而徙睇，识方皐于归津。带修汀于桂渚，肇举锸于强秦。路萦吴而款越，途被海而通闽。怀三鸟以长念，伊故乡之可珍。实褰期于晚岁，非失步于方春。何东川之沵沵，独流涕于吾人。谬参贤于昔代，亟徒游于兹所。侍采旄而齐辔，陪龙舟而遵渚。或列席而赋诗，或班觞而宴语。繐帷一朝冥漠，西陵忽其葱楚。望商飙而永叹，每乐恺于斯观。始则钟石锵鋐，终以鱼龙澜漫。或升降有序，或浮白无算。贵则丙、魏、萧、曹，亲则梁武、周旦。莫不共霜雾而歇灭，与风云而消散。眺孙后之墓田，寻雄霸之遗武。实接汉之后王，信开吴之英主。指衡岳而作镇，苞江汉而为宇。徒征言于石椁，遂延灾于金缕。忽芜秽而不修，同原陵之膴膴。宁知蝼蚁之与狐兔，无论樵刍之与牧竖。睇东巘以流目，心凄怆而不怡。盖昔储之旧苑，实博望之余基。修林则表以桂树，列草则冠以芳芝。风台累翼，月榭重栭。千栌捷嵘，百栱相持。皂辕林驾，兰枻水嬉。逾三龄而事往，忽二纪以历兹。咸夷漫以荡涤，非古今之异时。回余眸于艮域，觌高馆于兹岭。虽混成以无迹，实遗训之可秉。始飡霞而吐雾，终陵虚而倒影。驾雌蜺之连卷，泛天江之悠永。指咸池而一息，望瑶台而高骋，匪爽言以自姱，冀神方之可请。惟钟岩之隐郁，表皇都而作峻，盖望秩之所宗，含风云而吐润。其为状也，则巍峨崇崒，乔枝拂日；峣嶷岧嶂，坠石堆星。岑崟崥屼，或坳或平；盘坚枕卧，诡状殊形。孤嶝横插，洞穴斜经；千丈万仞，三袭九成。亘绕州邑，款跨郊垧；素烟晚带，白雾晨萦。近循则一岩异色，远望则百岭俱青。

观二代之茔兆，睹摧残之余燧。成颠沛于虐竖，康敛衽于虚器；穆恭己于岩廊，简游情于玄肆；烈穷饮以致灾，安忘怀而受祟。何宗祖之奇杰，威横天而陵地。惟圣文之缵武，殆隆平之可至。余世德之所君，仰遗封而掩泪。神寝匪一，灵馆相距。席布骍驹，堂流桂醑。降紫皇于天阙，延二妃于湘渚。浮兰烟于桂栋，召巫阳于南楚。扬玉枹，握椒糈。怳临风以浩唱，折琼茅而延伫。敬惟空路邈远，神踪遐阔。念甚惊飙，生犹聚沫。归妙轸于一乘，启玄扉于三达。欲息心以遣累，必违人而后豁。或结橑于岩根，或开棂于木末。室暗萝茑，檐梢松栝。既得理于兼谢，固忘怀于饥渴。或攀枝独远，或陵云高蹈。因葺茨以结名，犹观空以表号。得忘己于兹日，岂期心于来报。天假余以大德，荷兹赐之无疆。受老夫之嘉称，班燕礼于上庠。无希骥之秀质，乏如珪之令望。邀昔恩于旧主，重匪服于今皇。仰休老之盛则，请微躯于夕阳。劳蒙司而获谢，犹奉职于春坊。时言归于陋宇，聊暇日以翱翔。栖余志于净国，归余心于道场。兽依墀而莫骇，鱼牣沼而不纲。旋迷途于去辙，笃后念于徂光。晚树开花，初英落蕊。或异林而分丹青，乍因风而杂红紫。紫莲夜发，红荷晓舒。轻风微动，其芳袭余。风骚屑于园树，月笼连于池竹。蔓长柯于檐桂，发黄华于庭菊。冰悬埳而带坻，雪萦松而被野。鸭屯飞而不散，雁高翔而欲下。并时物之可怀，虽外来而非假。实情性之所留滞，亦志之而不能舍也。

伤余情之颓暮，罹忧患其相溢。悲异轸而同归，欢殊方而并失。时复托情鱼鸟，归闲蓬荜。旁阙吴娃，前无赵瑟。以斯终老，于焉消日。惟以天地之恩不报，书事之官靡述；徒重于高门之地，不载于良史之笔。长太息其何言，羌愧心之非一。”春泓按，沈约运用其声律理论于此赋的写作，整篇赋的文辞韵律十分和谐，抒发了其隐微曲折的内心世界，是继谢灵运《山居赋》之后，又一篇写寻找居住环境亦即心灵家园的佳构。按《梁书·王筠传》说：“尚书令沈约，当世辞宗，每见筠文，咨嗟吟咏，以为不逮也。尝谓筠：‘昔蔡伯喈见王仲宣称曰：“王公之孙也，吾家书籍，悉当相与。”仆虽不敏，请附斯言。自谢朓诸贤零落已后，平生意好，殆将都绝，不谓疲暮，复逢于君。’约于郊居宅造阁斋，筠为草木十咏，书之于壁，皆直写文词，不加篇题。约谓人云：‘此诗指物呈形，无假题署。’约制《郊居赋》，构思积时，犹未都毕，乃要筠示其草，筠读至‘雌霓连蜷’，约抚掌欣抃曰：‘仆尝恐人呼为霓。’次至‘坠石磓星’，及‘冰悬坎而带坻’。筠皆击节称赞。约曰：‘知音者希，真赏殆绝，所以相要，政在此数句耳。’筠又尝为诗呈约，即报书云：‘览所示诗，实为丽则，声和被纸，光影盈字。夔、牙接响，顾有余惭；孔翠群翔，岂不多愧。古情拙目，每伫新奇，烂然总至，权舆已尽。会昌昭发，兰挥玉振，克谐之义，宁比笙簧。思力所该，一至乎此，叹服吟研，周流忘念。昔时幼壮，颇爱斯文，含咀之间，倏焉疲暮。不及后进，诚非一人，擅美推能，实归吾子。迟比闲日，清觏乃申。’筠为文能压强韵，每公宴并作，辞必妍美。约常从容启高祖曰：'晚来名家，唯见王筠独步。'"春泓按，沈约与王筠谈论诗文，亦大约在此一时期。

刘杳蒙沈约盛赞。《梁书·文学传》之《刘杳传》说："约郊居宅时新构阁斋，杳为赞二首，并以所撰文章呈约，约即命工书人题其赞于壁。仍报杳书曰：'生平爱嗜，不在人中，林壑之欢，多与事夺。日暮途殚，此心往矣；犹复少存闲远，征怀清旷。结宇东郊，匪云止息，政复颇寄风心，时得休偃。仲长游居之地，休琏所述之美，望慕空深，何可仿佛。君爱素情多，惠以二赞。辞采妍富，事义毕举，句韵之间，光影相照，便觉此地，自然十倍。故知丽辞之益，其事弘多，辄当置之阁上，坐卧嗟览。别卷诸篇，并为名制。又山寺既为警策，诸贤从时复高奇，解颐愈疾，义兼乎此。迟此叙会，更共申析。'其为约所赏如此。"

陶潜的名声已逐渐为世所知。《梁书·太祖五王传》之《安成康王秀传》说："（天监）六年，出为使持节、都督江州诸军事、平南将军、江州刺史……及至州，闻前刺史取征士陶潜曾孙为里司。秀叹曰：'陶潜之德，岂可不及后世！'即日辟为西曹。"

徐勉受敕知东宫事。《梁书·徐勉传》说："除散骑常侍，领游击将军，未拜，改领太子右卫率。迁左卫将军，领太子中庶子，侍东宫。昭明太子尚幼，敕知宫事。太子礼之甚重，每事询谋。尝于殿内讲《孝经》，临川靖惠王、尚书令沈约备二傅，勉与国子祭酒张充为执经，王莹、张稷、柳憕、王暕为侍讲。时选极亲贤，妙尽时誉，勉陈让数四。又与沈约书，求换侍讲，诏不许，然后就焉。"春泓按，据《梁书》本传，萧宏领太子太傅，时在天监六年，所以众贤一起为太子讲经，应在天监六年或稍后。这也说明萧统之所以能够具备深厚的学养，是因为他曾经拥有当时最好的学习条件。

《梁书》本传记载徐勉于本年上《修五礼表》，几乎回顾了整个近代制礼作乐的历史。其中提到"辟此五馆，草莱升以好爵"，这也可以佐证褚缃所谓"建武以后，草泽底下，悉化成贵人"云云，萧衍一定程度上让门第卑微却有才学者进入到政权之中，这是造成梁代文化格局以至文学面貌产生较大变化的重要原因。

刘孝绰出为平南安成王记室，随府之镇。《梁书·刘孝绰传》说："寻有敕知青、北徐、南徐三州事，出为平南安成王记室，随府之镇。寻补太子洗马，迁尚书金部郎，复为太子洗马，掌东宫管记。出为上虞令，迁除秘书丞。高祖谓舍人周舍曰：'第一官当用第一人。'故以孝绰居此职。公事免。寻复除秘书丞，出为镇南安成王咨议，入以事免。"春泓按，《梁书·太祖五王传》之《安成康王秀传》说："六年，出为使持节、都督江州诸军事、平南将军、江州刺史。"刘孝绰出为平南安成王记室，随府之镇，当在本年。

刘显博闻强记。《梁书·刘显传》说："丁母忧，服阕，尚书令沈约命驾造焉，于坐策显经史十事，显对其九。约曰：'老夫昏忘，不可受策；虽然，聊试数事，不可至十也。'显问其五，约对其二。陆倕闻之叹曰：'刘郎可谓差人，虽吾家平原诣张壮武，王粲谒伯喈，必无此对。'其为名流推赏如此。及约为太子少傅，乃引为五官掾，俄兼廷尉正。五兵尚书傅昭掌著作，撰国史，引显为佐。"

袁峻拟扬雄《官箴》奏之。《梁书·文学传》之《袁峻传》说："六年，峻乃拟扬雄《官箴》奏之。高祖嘉焉，赐束帛。除员外散骑侍郎，直文德学士省，抄《史记》《汉书》各为二十卷。又奉敕与陆倕各制《新阙铭》，辞多不载。"

钟嵘作《瑞室颂》。《梁书·文学传》之《钟嵘传》说："敕付尚书行之。迁中军临川王行参军。衡阳王元简出守会稽，引为宁朔记室，专掌文翰。时居士何胤筑室若邪山，山发洪水，漂拔树石，此室独存。元简命嵘作《瑞室颂》以旌表之，辞甚典丽，选西中郎晋安王记室。"张伯伟《钟嵘年谱简编初稿》定钟嵘撰《瑞室颂》于是年，《梁书·处士传》之《何胤传》对此事始末亦有记述。

梁武帝召见吴均，使撰《通史》。《梁书·文学传》之《吴均传》说："建安王伟为扬州，引兼记室，掌文翰。王迁江州，补国侍郎，兼府城局。还除奉朝请。先是，均表求撰《齐春秋》。书成奏之，高祖以其书不实，使中书舍人刘之遴诘问数条，竟支离无对，敕付省焚之，坐免职。寻有敕召见，使撰《通史》，起三皇，讫齐代，均草本纪、世家功已毕，唯列传未就。"春泓按，《梁书》本传，萧伟任扬州刺史在天监六年，与吴均一样，梁代如武帝亦有撰写通史之宏愿。

何思澄为《游庐山诗》，深得沈约赞赏。《梁书·文学传》之《何思澄传》说："何思澄字元静，东海郯人……思澄少勤学，工文辞。起家为南康王侍郎，累迁安成王左常侍，兼太学博士，平南安成王行参军，兼记室。随府江州，为《游庐山诗》，沈约见之，大相称赏，自以为弗逮。约郊居宅新构阁斋，因命工书人题此诗于壁。傅昭常请思澄制《释奠诗》，辞文典丽。"春泓按，《梁书》本传记载，安成康王秀于天监六年出为都督江州诸军事、平南将军，所以何思澄当于本年迁平南安成王行参军，随府江州，写作《游庐山诗》。

北朝

正月

公孙崇上表请委卫军将军、尚书高肇监议乐之事，宣武帝知肇不学，诏太常卿刘芳佐之。据《资治通鉴》卷一百四十六《梁纪二》。《魏书》卷一〇九《乐志》载表曰："乐府先正声有《王夏》《肆夏》《登歌》《鹿鸣》之属六十余韵，又有《文始》《五行》《勺舞》。太祖初兴，置《皇始》之舞，复有吴夷、东夷、西戎之舞。乐府之内，有此七舞。太和初，郊庙但用《文始》《五行》《皇始》三舞而已。窃惟周之文武，颂声不同。汉之祖宗，庙乐又别。伏惟皇魏四祖、三宗，道迈隆周，功超鸿汉，颂声庙乐，宜有表章，或文或武，以旌功德。自非懿望茂亲、雅量渊远、博识洽闻者，其孰能识其得失。卫军将军、尚书右仆射臣高肇器度淹雅，神赏入微，徽赞大猷，声光海内，宜委之监就，以成皇代典谟之美。"宣武帝知肇非才，诏曰："王者功成治定，制礼作乐，以宣风化，以通明神，理万品，赞阴阳，光功德，治之大本，所宜详之。可令太常卿刘芳亦与主之。"

公元 508 年（梁武帝天监七年　魏宣武帝永平元年　戊子）

本年

梁元帝生。《梁书·元帝本纪》说梁元帝萧绎生于天监七年。

刘孝标著论以讥讽世态之炎凉。《梁书》本传说任昉卒于是年，"昉好交结，奖进士友，得其延誉者，率多升擢，故衣冠贵游，莫不争与交好，坐上宾客，恒有数十"。但是一旦去世，诸子皆幼，昔日友人很少给予照顾，平原刘孝标因此著论，讥讽世态之炎凉，并赞美任昉"遒文丽藻，方驾曹、王；英特俊迈，联衡许、郭"。任昉擅长写作应用文，世有"沈诗任笔"之评；钟嵘《诗品序》说："颜延、谢庄，尤为繁密，于时化之。故大明泰始中，文章殆同书抄。近任昉、王元长等，词不贵奇，竞须新事。尔来作者，寝以成俗，遂乃句无虚语，语无虚字，拘挛补衲，蠹文已甚。"《诗品》卷中《梁太常任昉诗》说："彦升少年为诗不工，故世称沈诗任笔，昉深恨之。晚节爱好既笃，文亦遒变，善铨事理，拓体渊雅，得国士之风，故擢居中品。但昉既博物，动辄用事，所以诗不得奇，少年士子，效其如此，弊矣。"这说明任昉因善于写公文，他将公文写作与诗歌创作混淆了，所以繁琐用事，对于诗歌创作有害而无益。任昉撰《杂传》247 卷，《地记》252 卷，文章 33 卷。

萧秀迁荆州刺史，引刘峻为户曹参军，使编纂《类苑》。《梁书·文学传下》之《刘峻传》说："刘峻字孝标，平原平原人……安成王秀好峻学，及迁荆州，引为户曹参军，给其书籍，使抄录事类，名曰《类苑》，未及成，复以疾去，因游东阳紫岩山，筑室居焉。为《山栖志》，其文甚美。"春泓按，《梁书·太祖五王传》之《安成康王秀传》说萧秀在天监七年迁荆州刺史，故刘孝标之编纂《类苑》当在是年或稍后，《类苑》书未及毕，而已行于世。

刘孝标注《世说新语》于天监六、七年之间。见余嘉锡《世说新语笺疏》之《文学》第 47 条笺疏①。

陆倕迁骠骑临川王东曹掾。《梁书·陆倕传》说："迁骠骑临川王东曹掾。是时礼乐制度，多所创革，高祖雅爱倕才，乃敕撰《新漏刻铭》，其文甚美。迁太子中舍人，管东宫书记。又诏为《石阙铭记》，奏之。敕曰：'太子中舍人陆倕所制《石阙铭》，辞义典雅，足为佳作。昔虞丘辨物，邯郸献赋，赏以金帛，前史美谈。可赐绢三十匹。'"春泓按，《梁书》本传记载：临川王宏于天监六年，迁骠骑将军，而梁武帝于天监四年、七年下诏颁布崇儒举措，故陆倕迁骠骑临川王东曹掾，应在天监六年或稍后，而根据《文选》所载序称："岁次天纪，月旅太簇，皇帝御天下之七载也，构兹盛则，兴此崇丽"，故知撰于本年。

到洽、陆倕对掌东宫管记。《梁书·到洽传》说："七年，迁太子中舍人，与庶子陆倕对掌东宫管记。俄为侍读，侍读省仍置学士二人，洽复充其选。"

张率除中权建安王中记室参军。《梁书·张率传》说："七年，敕召出，除中权建安王中记室参军，预长名问讯，不限日。俄有敕直寿光殿，治丙丁部书抄。"

昭明太子好士爱文。《梁书·刘孝绰传》说："起为安西记室，累迁安西骠骑咨议

---

① 《南史·梁武帝诸子传》记述了萧统致死的隐情，而《梁书》则有所避讳。

参军，敕权知司徒右长史事，迁太府卿、太子仆，复掌东宫管记。时昭明太子好士爱文，孝绰与陈郡殷芸、吴郡陆倕、琅邪王筠、彭城到洽等，同见宾礼。太子起乐贤堂，乃使画工先图孝绰焉。"春泓按，《梁书》本传记载，萧秀于天监七年，迁号"安西将军"，据此可知刘孝绰在萧统身边备受尊重，逐渐成为东宫之核心人物。《梁书·王筠传》说："累迁太子洗马，中舍人，并掌东宫管记。昭明太子爱文学士，常与筠及刘孝绰、陆倕、到洽、殷芸等游宴玄圃，太子独执筠袖抚孝绰肩而言曰：'所谓左把浮丘袖，右拍洪崖肩。'其见重如此。筠又与殷芸以方雅见礼焉。"

吴兴太守张稷升任尚书左仆射，刘之遴代作让表，得任昉称赏。《梁书·刘之遴传》说："时张稷新除尚书仆射，托昉为让表，昉令之遴代作，操笔立成。昉曰：'荆南秀气，果有异才，后仕必当过仆。'御史中丞乐蔼，即之遴舅，宪台奏弹，皆之遴草焉。"春泓按，《梁书·武帝本纪》说："（天监七年）冬十月丙寅，以吴兴太守张稷为尚书左仆射。"故刘之遴代草让表应在本年。

丘迟卒，年四十五。《梁书·文学传》之《丘迟传》说："七年，卒官，时年四十五。所著诗赋行于世。"钟嵘《诗品》卷中《梁中书郎丘迟诗》说："丘诗点缀映媚，似落花依草。故当浅于江淹，而秀于任昉。"

处士诸葛璩卒。《梁书·处士传》之《诸葛璩传》说："璩处身清正，妻子不见喜愠之色。旦夕孜孜，讲诵不辍，时人益以此宗之。七年，高祖敕问太守王份，份即具以实对，未及征用，是年卒于家。璩所著文章二十卷，门人刘瞰集而录之。"

北朝

九月

高肇鸩杀彭城王勰。据《魏书》卷二一《彭城王勰传》，《资治通鉴》卷一百四十七《梁纪三》。

本年

菩提流支来到洛阳。释道宣《续高僧传》卷一《魏南台石窟寺恒安沙门菩提流支传》："菩提流支，魏言道希，北天竺人也……以魏永平之初，来游东夏，宣武帝下敕引劳，供拟殷华，处之永宁大寺。"下文又称："其寺本孝明皇帝熙平元年，灵太后胡氏所立"。熙平元年为516年，乃知流支至洛阳后8年方入寺。本传又引李廓《众经录》称："三藏流支，自洛及邺，爰至天平二十余年，所出经三十九部，一百二十七卷。"

中天竺僧勒那摩提（宝意）本年至洛阳。释道宣《续高僧传》卷一《魏南台石窟寺恒安沙门菩提流支传》："于是又有中天竺僧勒那摩提，魏云宝意，博赡之富理事监通，诵一亿偈，偈有三十二字。尤明禅法，意存游化，以正始五年初届洛邑，译《十地》《宝积论》等大部二十四卷。"又释道宣《续高僧传》卷七《魏邺下沙门释道宠传》："魏宣武帝崇尚佛法，天竺梵僧菩提留支初翻《十地》在紫阳殿，勒那摩提在太极殿，各有禁卫，不许通言。校其所译，恐有浮滥。始于永平元年，至四年方讫。及堪雠之，惟云：'有不二不尽'。那云：'定不二不尽'。一字为异，通共惊美，若奉圣心。"

公元 509 年（梁武帝天监八年　魏宣武帝永平二年　己丑）

五月

诏随才试吏，不遗寒门。《梁书·武帝本纪中》说：八年夏五月壬午，诏曰："学以从政，殷勤往哲，禄在其中，抑亦前事。朕思阐治纲，每敦儒术，轼间辟馆，造次以之。故负袟成风，甲科间出，方当置诸周行，饰以青紫。其有能通一经，始末无倦者，策实之后，选可量加叙录。虽复牛监羊肆，寒品后门，并随才试吏，勿有遗隔。"

九月

昭明太子于寿安殿讲《孝经》，尽通大义。《梁书·昭明太子传》说："八年九月，于寿安殿讲《孝经》，尽通大义。讲毕，亲临释奠于国学。"

刘峻著《辨命论》。《梁书·文学传下》之《刘峻传》说："高祖招文学之士，有高才者，多被引进，擢以不次。峻率性而动，不能随众沉浮，高祖颇嫌之，故不任用。峻乃著《辨命论》以寄其怀曰……"春泓按，此论是一篇纵论古今人物命运的佳作。根据上述《梁书·武帝本纪》记载，天监八年，武帝曾下诏征选通经文士，所以其所谓"文学之士"主要指具备儒家学养的士人，武帝意在为政权建设选拔人材，而刘峻属于擅长文辞者，却未必适合从政，故遭武帝弃而不用。

徐摛对于萧纲文风有直接影响。《梁书·徐摛传》说："徐摛字士秀，东海郯人也……摛幼而好学，及长，遍览经史，属文好为新变，不拘旧体。起家太学博士，迁左卫司马。会晋安王纲出戍石头，高祖谓周舍曰：'为我求一人，文学俱长兼有行者，欲令与晋安王游处。'舍曰：'臣外弟徐摛，形质陋小，若不胜衣，而堪此选。'高祖曰；'必有仲宣之才，亦不简其容貌。'以摛为侍读。后王出镇江州，仍补云麾府记室参军，又转平西府中记室。王移镇京口，复随府转为安北中录参军，带郯令，以母忧去职。"春泓按，年幼的萧纲长时期有徐摛相伴，这对于其文学趣味之形成，当有直接的影响。"宫体诗"是梁代文学的重要现象，而这一诗歌体式的出现，则与徐摛有着密切的关联。

晋安王以张率为云麾中记室。《梁书·张率传》说："八年，晋安王戍石头，以率为云麾中记室。"

高祖欲封禅泰山，许懋以为不可。《梁书·许懋传》说："除征西鄱阳王咨议，兼著作郎，待诏文德省。时有请封会稽禅国山者，高祖雅好礼，因集儒学之士，草封禅仪，将欲行焉。懋以为不可，因建议曰：臣案舜幸岱宗，是为巡狩，而郑引《孝经钩命决》云'封于泰山，考绩柴燎，禅乎梁甫，刻石纪号'。此纬书之曲说，非正经之通义也……夫封禅者，不出正经……郑玄有参、柴之风，不能推寻正经，专信纬候之书，斯为谬矣。"春泓按，本传叙述此事件之后，接着有"（天监）十年"云云，说明此事件发生在天监十年之前。而《梁书》本传记载鄱阳王萧恢于天监八年进号平西将军，天监十八年，任征西将军。于天监十三年迁镇西将军，故许懋除征西鄱阳王咨议，文中"征西鄱阳王咨议"似有误，应是"平西鄱阳王咨议"。许懋关于封禅的看法，近乎刘勰《文心雕龙·正纬》篇的观点。

北朝

正月

梁遣王神念攻魏兖州，宣武帝诏长孙稚等拒之。中山王元英破梁三关，闻韦叡率梁军来救而退。据《魏书》卷八《世宗纪》。

九月

高肇、清河王怿奏刘芳等所造八音之器，尺寸度数悉与《周礼》不同。据《魏书》卷一〇九《乐志》《资治通鉴》一百四十七《梁纪三》。

十一月

宣武帝于式乾殿为诸僧、朝臣讲《维摩诘经》。据《魏书》卷八《世宗纪》。《资治通鉴》卷一百四十七《梁纪三》云："十一月己丑，魏主于式乾殿为诸僧及朝臣讲《维摩诘经》。时魏主专尚释氏，不事经籍，中书侍郎河东裴延隽上疏以为：'汉光武、魏武帝虽在戎马之间，未尝废书，先帝迁都行师，手不释卷，良以学问多益，不可暂辍故也。陛下升法座，亲讲大觉，凡在瞻听，尘蔽俱开。然五经治世之模楷，应务之所先，伏愿经书互览，孔、释兼存，则内外俱周，真俗斯畅矣。'时佛教盛于洛阳，沙门之外，自西域来者三千余人，魏主别为之立永明寺千余间以处之。处士南阳冯亮有巧思，魏主使与河南尹甄琛、沙门统僧暹择嵩山形胜之地立闲居寺，极岩壑土木之美。由是远近承风，无不事佛，比及延昌，州郡共有一万三千余寺。"又按宋释志磐《佛祖统记》卷三十八《法运通塞志》载："帝御式乾殿，讲《维摩诘经》，时西域沙门至者三千人，南方歌荣国世不与东土通，有僧菩提跋陀来，诏建永明寺以居外国沙门。"

本年

高肇弟高显卒，肇托常景、邢峦、高聪、徐纥各作碑、铭，宣武帝令崔光简之，以常景文为最。据《魏书》卷八二《常景传》。本传云："景淹滞门下积岁，不至显官，以蜀司马相如、王褒、严君平、扬子云等四贤，皆有高才而无重位，乃托意以赞之。"据本传，《蜀四贤传》作于延昌初（512）以前，当作于此际。

公元 510 年（梁武帝天监九年　魏宣武帝永平三年　庚寅）

本年

刘显为《上朝诗》，沈约见而美之。《梁书·刘显传》说："九年，始革尚书五都选，显以本官兼吏部郎，又除司空临川王外兵参军，迁尚书仪曹郎。尝为《上朝诗》，沈约见而美之，时约郊居宅新成，因命工书人题之于壁。"

沈约久处端揆，有志台司，而武帝不用。与徐勉素善，遂以书陈情于徐勉。《梁书·武帝本纪中》说："九年春正月乙亥，以尚书令、行太子少傅沈约为左光禄大夫，行少傅如故。"《梁书·沈约传》又说："九年，转左光禄大夫，侍中、少傅如故，给鼓吹一部。初，约久处端揆，有志台司，论者咸谓为宜，而帝终不用，乃求外出，又不见许。与徐勉素善，遂以书陈情于勉曰：'吾弱年孤苦，傍无期属，往者将坠于地，契阔屯邅，困于朝夕，崎岖薄宦，事非为己，望得小禄，傍此东归。岁逾十稔，方忝襄阳县，公私情计，非所了具，以身资物，不得不任人事。永明末，出守东阳，意在止足；而建武肇运，人世胶加，一去不返，行之未易。及昏猜之始，王政多门，因此谋退，庶几可果，托卿布怀于徐令，想记未忘。圣道聿兴，谬逢嘉运，往志宿心，复成乖爽。今岁开元，礼年云至，悬车之请，事由恩夺。诚不能弘宣风政，光阐朝猷，尚欲讨寻文簿，时议同异。而开年以来，病增虑切，当由生灵有限，劳役过差，总此凋竭，归之暮年，牵策行止，努力祗事。外观傍览，尚似全人，而形骸力用，不相综摄。常须过自束持，方可俛偻。解衣一卧，支体不复相关。上热下冷，月增日笃，取暖则烦，加寒必利，后差不及前差，后剧必甚前剧。百日数旬，革带常应移孔；以手握臂，率计月小半分。以此推算，岂能支久？若此不休，日复一日，将贻圣主不追之恨。冒欲表闻，乞归老之秩。若天假其年，还得平健，才力所堪，惟思是策。'勉为言于高祖，请三司之仪，弗许，但加鼓吹而已。"春泓按，陈情书与陈情表，在沈约之前和之后，于文章学史上都可以见到，此种文体大抵表示自己困窘之处境，以博取哀怜和同情。沈约此书中写自己身体状况的一节文字，前人已有相似笔法，但是沈约如此具体地写出一个年迈体衰者的真切感受，可见其心理和生理均已进入了人生的最后阶段。

到洽奉敕撰《太学碑》。《梁书·到洽传》说："九年，迁国子博士，奉敕撰《太学碑》。"

张率转宣毅咨议参军。《梁书·张率传》说："王迁南兖州，转宣毅咨议参军，并兼记室。"春泓按，《梁书》本纪记载萧纲于本年为南兖州刺史。

周弘正年十五，起家梁太学博士。《陈书·周弘正传》说："周弘正字思行，汝南安城人，晋光禄大夫颛之九世孙也。祖颙，齐中书侍郎，领著作。父宝始，梁司徒祭酒。弘正幼孤，及弟弘让、弘直，俱为伯父侍中护军舍所养。年十岁，通《老子》《周易》，舍每与谈论，辄异之，曰：'观汝神情颖悟，清理警发，后世知名，当出吾右。'河东裴子野深相赏纳，请以女妻之。十五，召补国子生，仍于国学讲《周易》，诸生传习其义。以季春入学，孟冬应举，学司以其日浅，弗之许焉。博士到洽议曰：'周郎年未弱冠，便自讲一经，虽曰诸生，实堪师表，无俟策试。'起家梁太学博士。"春泓按，周弘正卒于太建六年，享年七十九，所以其十五岁时正值本年。

北朝

本年

诏用新舞，鼓吹杂曲仍旧。《魏书》卷一○九《乐志》：十月，刘芳奏："自献春被旨，赐令博采经传，更制金石，并教文武二舞及登歌、鼓吹诸曲。今始校就，谨依前敕，延集公卿并一时儒彦讨论终始，莫之能异。谨以申闻，请与旧者参呈。若臣等所营形合古制，击拊会节，元日大飨，则须陈列。既岁聿云暮，三朝无远，请共本曹尚书及郎中部率呈试。如蒙允许，赐垂敕判。"诏曰："舞可用新，余且仍旧。"鼓吹杂曲遂寝焉。

刘璠（510—568）生。璠字宝义，沛国沛人。由梁入魏，为西魏北周文人。

公元 511 年（梁武帝天监十年　魏宣武帝永平四年　辛卯）

本年

萧藻属文好古体。《梁书·长沙嗣王业传》附《萧藻传》说："藻字靖艺，元王弟也……（天监）十年，为左骁骑将军、领南琅邪太守。入为侍中。藻性谦退，不求闻达。善属文辞，尤好古体，自非公宴，未尝妄有所为，纵有小文，成辄弃之。"

王僧孺出为仁威南康王长史。《梁书·王僧孺传》说："出为仁威南康王长史，行府、州、国事。"春泓按，《梁书》本传记载：萧绩于天监八年，封南康郡王，十年，迁使持节、都督南徐州诸军事、南徐州刺史，进号仁威将军。所以王僧孺跟随萧绩应在本年。为王典签汤道愍所纠，坐免官。《南史》记述曰："及在南徐州，友人以妾寓之，行还，妾遂怀孕。为王典签汤道愍所纠，逮诣南司，坐免官，久之不调。"王僧孺奉笺辞府曰："下官不能避溺山隅，而正冠李下，既贻疵辱，方致徽绳，解篆收簪，且归初服。窃以董生伟器，止相骄王；贾子上才，爰傅卑土。下官生年有值，谬仰清尘，假翼西雍，窃步东阁，多惭祛服，取乱长裾，高楬相望，直居坐右，长阶如画，独在僚端。借其从容之词，假以宽和之色，恩礼远过申、白，荣望多厕应、徐。厚德难逢，小人易说。方谓离肠隐首，不足以报一言；露胆披诚，何能以酬屡顾。宁谓尉罗裁举，微禽先落；阊阖始吹，细草仍坠。一辞九畹，方去五云。纵天网是漏，圣恩可恃，亦复孰寄心骸，何施眉目。方当横潭乱海，就鱼鳖而为群；披榛扪树，从虺蛇而相伍。岂复仰听金声，式瞻玉色。顾步高轩，悲如霰委；踟蹰下席，泪若绠縻。"春泓按：王僧孺以申、白和应、徐自况，说明其身份乃介于学者和文士之间。

刘苞卒，年三十。《梁书·文学传》之《刘苞传》说："天监十年，卒，时年三十。"

北朝

正月

汾州山胡刘龙驹反，使薛和讨平之。据《魏书》卷八《世宗纪》。

五月

甄琛为河南尹。《魏书》卷六八《甄琛列传》，《资治通鉴》卷一百四十七《梁纪三》：五月，甄琛为河南尹。琛上表以为洛阳"寇盗公行"，因"里正职轻任碎"，求"少高里尉之品"，于是洛城清静。

袁聿修（511—582）生。聿修字叔德，北海剧人。北齐作家。

王晞（511—581）生。晞字叔朗，北海剧人。北齐作家。

公元512年（梁武帝天监十一年　魏宣武帝延昌元年　壬辰）

本年

萧子云撰《晋书》。《梁书·萧子恪传》附《萧子云传》说："天监初，降爵为子。既长勤学，以晋代竟无全书，弱冠便留心撰著，至年二十六，书成，表奏之，诏付秘阁。"

王、谢子弟文脉依然不绝。《梁书·谢举传》说："谢举字言扬，中书令览之弟也。幼好学，能清言，与览齐名。举年十四，尝赠沈约五言诗，为约称赏。世人为之语曰：'王有养、炬，谢有览、举。'养、炬，王筠、王泰小字也。起家秘书郎，迁太子舍人，轻车功曹史，秘书丞，司空从事中郎，太子庶子，家令，掌东宫管记，深为昭明太子赏接。秘书监任昉出为新安郡，别举诗云：'讵念耋嗟人，方深老夫托。'其属意如此。尝侍宴华林园，高祖访举于览，览对曰：'识艺过臣甚远，惟饮酒不及于臣。'高祖大悦。转太子中庶子，犹掌管记。天监十一年，迁侍中。"据《梁书·武帝本纪中》，今年正月，"加左光禄大夫、行太子少傅沈约特进。"

北朝

本年

议明堂辟雍之礼。据《魏书》卷八《世宗纪》，四月，宣武帝诏"国子学孟冬使成，太学、四门明年暮春令就。"又议明堂辟雍之礼。袁翻、封轨并参议。卷三二《封懿传附回族叔轨传》："司空、清河王怿表修明堂辟雍，诏百僚集议。"据《世宗纪》，清河王怿为司空，在此年。

公元513（梁武帝天监十二年　魏宣武帝延昌二年　癸巳）

三月

闰月乙丑，特进、中军将军沈约卒。《梁书》沈约本传说："时年七十三……谥曰隐。""约左目重瞳子，腰有紫志，聪明过人。好坟籍，聚书至二万卷，京师莫比……约历仕三代，该悉旧章，博物洽闻，当世取则。谢玄晖善为诗，任彦升工于文章，约兼而有之，然不能过也……有司谥曰文，帝曰：'怀情不尽曰隐。'故改为隐云。所著《晋书》百一十卷，《宋书》百卷，《齐纪》二十卷，《高祖纪》十四卷，《迩言》十卷，《谥例》十卷，《宋文章志》三十卷，文集一百卷：皆行于世。又撰《四声谱》，以为在昔词人，累千载而不寤，而独得胸衿，穷其妙旨，自谓入神之作，高祖雅不好焉。帝问周舍曰：'何谓四声？'舍曰：'天子圣哲'是也，然帝竟不遵用。"钟嵘《诗品》卷中《梁左光禄沈约诗》说："观休文众制，五言最优。详其文体，察其余论，固知宪章鲍明远也。所以不娴于经纶，而长于清怨。永明相王爱文，王元长等，皆宗附之。约于时，谢朓未遒，江淹才尽，范云名级故微，故约称独步。虽文不至，其工丽亦一时之选也。见重闾里，诵咏成音。嵘谓约所著既多，今剪除淫杂，收其精要，允为中品之第矣。故当词密于范，意浅于江也。"

张率除中书侍郎。《梁书·张率传》说："王还都，率除中书侍郎。"春泓按，《梁书》本纪说萧纲于本年入为宣惠将军、丹阳尹。

王规献《新殿赋》。《梁书·王规传》说："王规字威明，琅邪临沂人。祖俭，齐太尉南昌文宪公……天监十二年，改构太极殿，功毕，规献《新殿赋》，其辞甚工。"

王志卒，时年五十四。《梁书·王专传》说王志是王僧虔之子，由齐入梁，于天监十二年卒，时年五十四，志善草隶，当时以为楷法。齐游击将军徐希秀亦号能书常谓志为"书圣"。此是琅邪王氏继王羲之之后，又一人获得"书圣"之称号。

北朝

本年

刘芳（453—513）卒，年六十一。《魏书》卷五五《刘芳列传》："芳撰郑玄所注《周官》、《仪礼音》、干宝所注《周官音》、王肃所注《尚书音》、何休所注《公羊音》、范宁所注《榖梁音》、韦昭所注《国语音》、范晔《后汉书音》各一卷，《辨类》三卷，《徐州人地录》四十卷，《急就篇续注音义证》三卷，《毛诗笺音义证》十卷，《礼记义证》十卷，《周官》《仪礼义证》各五卷。崔光表求以中书监让芳，世宗不许。延昌二年卒，年六十一。"本传载史臣曰："刘芳矫然特立，沉深好古，博通洽识，为世儒宗，亦当年之师表也。"

崔光为太子少傅，宣武帝令太子诣拜之。《魏书》卷六七《崔光传》："二年，世宗幸东宫，召光与黄门甄琛、广阳王渊等，并赐坐。诏光曰：'卿是朕西台大臣，今当为太子师傅。'光起拜固辞，诏不许。即命肃宗出，从者十余人，敕以光为傅之意，令肃宗拜光。光又拜辞，不当受太子拜，复不蒙许，肃宗遂南面再拜。詹事王显启请从太子拜，于是宫臣毕拜，光北面立，不敢答拜，唯西面拜谢而出。于是赐光绣彩一百匹，琛、渊等各有差。寻授太子少傅。"

袁翻议选边戍事。《魏书》卷六九《袁翻传》载其议云："自比缘边州郡，官至便登。疆场统戍，阶当即用。或值秽德凡人，或遇贪家恶子，不识字民温恤之方，唯知重役残忍之法……此等禄既不多，资亦有限，皆收其实绢，给其虚粟，穷其力，薄其衣，用其工，节其食，绵冬历夏，加之疾苦，死于沟渎者常十七八焉。"此议在议"辟雍明堂"之后，"熙平初"之前，从曹道衡、刘跃进《南北朝文学编年史》之法，姑系于是。

释僧玮（513—573）生。释道宣《续高僧传》卷十六《周京师天宝寺释僧玮传》："释僧玮，姓潘，汝南平舆人也"。

公元 514 年（梁武帝天监十三年　魏宣武帝延昌三年　甲午）

本年

萧绎封湘东郡王。据《梁书·元帝本纪》，萧绎是梁武帝第七子，天监十三年，封湘东郡王。

范岫卒，年七十五。《梁书·范岫传》说："十三年，卒官，时年七十五……所著文集、《礼论》《杂仪》《字训》行于世。"

萧绎当生于本年或本年之前。《梁书·高祖三王传》之《邵陵携王绎传》说:"邵陵携王绎字世调,高祖第六子也。少聪颖,博学善文,尤工尺牍。天监十三年,封邵陵郡王,邑二千户。"[春泓按,《梁书》本传称于大宝二年被杀,时年三十三,若以此推算,天监十三年萧绎尚未出世,所以估计其享年三十三有误,如果天监十三年是其生年,则到其卒年亦已三十七岁了。而萧绎是高祖第七子,他不过比萧绎多活了三年,而本纪称其得年四十七,所以萧绎无疑应在天监七年(梁元帝生年)之前出生,故其卒岁绝对不会是三十三,似应与萧绎得年大致相近。]

以张率为宣惠咨议,领江陵令。《梁书·张率传》说:"十三年,王为荆州,复以率为宣惠咨议,领江陵令。"

羊侃雅爱文史,弱冠随父在梁州立功。《梁书·羊侃传》说:"羊侃字祖忻,泰山梁甫人,汉南阳太守续之裔也……侃少而瑰伟,身长七尺八寸,雅爱文史,博涉书记,尤好《左氏春秋》及《孙吴兵法》。弱冠随父在梁州立功。"春泓按,羊侃卒于太清二年,时年五十四岁,所以其弱冠之岁当在本年。

刘之遴淹雅过人。《梁书·刘之遴传》说:"太宗临荆州,仍迁宣惠记室。之遴笃学明审,博览群籍。时刘显、韦稜并强记,之遴每与讨论,咸不能过也。"春泓按,《梁书》本纪说萧纲于天监十三年出为荆州刺史。

崔灵恩、虞僧诞并精《左传》之学。《梁书·儒林传》之《崔灵恩传》说:"崔灵恩,清河武城人也。少笃学,从师遍通《五经》,尤精《三礼》《三传》。先在北仕为太常博士,天监十三年归国。高祖以其儒术,擢拜员外散骑侍郎,累迁步兵校尉,兼国子博士。灵恩聚徒讲授,听者常数百人。性拙朴无风采,及解经析理,甚有精致,京师旧儒咸称重之,助教孔金尤好其学。灵恩先习《左传》服解,不为江东所行;及改说杜义,每文句常申服以难杜,遂著《左氏条义》以明之。时有助教虞僧诞又精杜学,因作《申杜难服》,以报灵恩,世并行焉。"春泓按,据此可知梁代《左传》之学的学术背景。

钟嵘《诗品》当作于本年。张伯伟《钟嵘年谱简编初稿》根据《南史·钟嵘传》说:"及约卒,嵘品古今诗为评,言其优劣。"所以钟嵘《诗评》(《诗品》)当写作于本年。《诗品序》说:"……先是郭景纯用俊上之才,创变其体;刘越石仗清刚之气,赞成厥美。然彼众我寡,未能动俗。逮义熙中,谢益寿斐然继作;元嘉初,有谢灵运,才高辞盛,富艳难踪,固已含跨刘、郭,陵轹潘、左。故知陈思为建安之杰,公干、仲宣为辅;陆机为太康之英,安仁、景阳为辅;谢客为元嘉之雄,颜延年为辅:此皆五言之冠冕,文辞之命世。夫四言文约意广,取效《风》《骚》,便可多得,每苦文烦而意少,故世罕习焉。五言居文辞之要,是众作之有滋味者也,故云会于流俗。岂不以指事造形,穷情写物,最为详切者邪!故《诗》有六义焉,一曰兴,二曰赋,三曰比。文已尽而意有余,兴也;因物喻志,比也;直书其事,寓言写物,赋也。弘斯三义,酌而用之,干之以风力,润之以丹采,使味之者无极,闻之者动心,是诗之至也。若专用比、兴,则患在意深,意深则辞踬。若但用赋体,则患在意浮,意浮则文散。嬉成流移,文无止泊,有芜漫之累矣。若乃春风春鸟,秋月秋蝉,夏云暑雨,冬月祁寒，斯四候之感诸诗者也。嘉会寄诗以亲，离群托诗以怨。至于楚臣去境，汉妾辞宫；或骨横朔野，或魂逐飞蓬；或负戈外戍，或杀气雄边；塞客衣单，霜闺泪尽。又士有解佩出朝，一去忘反；女有扬蛾入宠，再盼倾国。凡斯种种，感荡心灵，非陈诗何以展其义，非长歌何以释其情？故曰：'《诗》可以群，可以怨。'使穷贱易安，幽居靡闷，莫尚于诗矣。故辞人作者，罔不爱好。今之士俗，斯风炽矣。裁能胜衣，甫就小学，必甘心而驰骛焉。于是庸音杂体，各为家法。至于膏腴子弟，耻文不逮，终朝点缀，分夜呻吟，独观谓为警策，众视终沦平钝。次有轻荡之徒，笑曹、刘为古拙，谓鲍照羲皇上人，谢朓今古独步；而师鲍照终不及'日中市朝满'，学谢朓劣得'黄鸟度青枝'。徒自弃于高听，无涉于文流矣。嵘观王公搢绅之士，每博论之余，何尝不以诗为口实，随其嗜欲，商榷不同。淄渑并泛，朱紫相夺，喧哗竞起，准的无依。近彭城刘士章，俊赏之士，疾其淆乱，欲为当世诗品，口陈标榜，其文未遂，嵘感而作焉。昔九品论人，《七略》裁士，校以宾实，诚多未值；至若诗之为技，较尔可知，以类推之，殆同博弈。方今皇帝资生知之上才，体沉郁之幽思，文丽日月，学究天人，昔在贵游，已为称首；况八柄既掩，风靡云蒸，抱玉者连肩，握珠者踵武。固以睨汉、魏而弗顾，吞晋、宋于胸中。谅非农歌辕议，敢致流别。嵘之今录，庶周游于闾里，均之于谈笑耳。"这篇序叙述了近代以来五言诗发展的概况，然后又从创作论方面，为陷于不良文风的五言诗指出了正确的方向，《诗品》遂成为我国诗学理论的杰作。

王籍诗学已开后世意境理论之先。《梁书·文学传》之《王籍传》说："久之，除轻车湘东王咨议参军，随府会稽。郡境有云门、天柱山，籍尝游之，或累月不反。至若邪溪赋诗，其略云：'蝉噪林逾静，鸟鸣山更幽。'当时以为文外独绝。"春泓按，《梁书》本纪记载，萧绎于天监十三年任会稽太守，所以王籍"随府会稽"亦在本年。

萧纪属辞甚有骨气，封武陵郡王。《梁书·武陵王传》说："武陵王纪字世询，高祖第八子也。少勤学，有文才，属辞不好轻华，甚有骨气。天监十三年，封为武陵郡王，邑二千户。"

北朝

本年

江式始作古今文字。据《魏书》卷九一《江式传》，三月，江式始作《古今文字》。凡四十卷，大体依《说文》，上篆下隶。

阳固积怨于中尉王显，因失官，作《演赜赋》。据《资治通鉴》卷一百四十七《梁纪三》。又《魏书》卷七二《阳尼传附从孙固传》："世宗末，中尉王显起宅既成，集僚属飨宴。酒酣问固曰：'此宅何如？'固对曰：'晏婴湫隘，流称于今。丰屋生灾，著于《周易》。此盖同传舍耳，唯有德能卒。愿公勉之。'显默然。他日又谓固曰：'吾作太府卿，库藏充实，卿以为何如？'固对曰：'公收百官之禄四分之一，州郡赃赎悉入京藏，以此充府，未足为多。且有聚敛之臣，宁有盗臣，岂不戒哉。'显大不悦，以此衔固。又有人间固于显，显因奏固剩请米麦，免固官。既无事役，遂阖门自守，著《演赜赋》，以明幽微通塞之事。"据本传，固又作《刺谗疾璧幸诗》二首，皆四言。

公元515年（梁武帝天监十四年　魏宣武帝延昌四年　乙未）

昭明太子才华横溢。《梁书·昭明太子传》说："十四年正月朔旦，高祖临轩，冠太子于太极殿……太子美姿貌，善举止。读书数行并下，过目皆忆。每游宴祖道，赋诗至十数韵。或命作剧韵赋之，皆属思便成，无所点易。高祖大弘佛教，亲自讲说；太子亦崇信三宝，遍览众经。乃于宫内别立慧义殿，专为法集之所。招引名僧，谈论不绝。太子自立二谛、法身义，并有新意。"

王锡年十四，与范阳张缵齐名，俱为太子舍人。《梁书·王锡传》说："十四，举清茂，除秘书郎，与范阳张伯绪齐名，俱为太子舍人。丁父忧，居丧尽礼。服阕，除太子洗马。时昭明尚幼，未与臣僚相接。高祖敕：'太子洗马王锡、秘书郎张缵，亲表英华，朝中髦俊，可以师友事之。'"春泓按，王锡卒于中大通六年，时年三十六，所以其十四岁时，应在天监十一年，待到他居丧尽礼，服阕，则应在天监十四年。可见王锡亦是萧统少年时期比较接近的人物。张缵字伯绪。

张率以咨议领记室。《梁书·张率传》说："府迁江州，以咨议领记室，出监豫章、临川郡。率在府十年，恩礼甚笃。"春泓按，张率与萧纲有长期密切的关系。

王筠迁中书郎，多所撰著。《梁书·王筠传》说："出为丹阳尹丞、北中郎咨议参军，迁中书郎。奉敕制《开善寺宝志大师碑文》，词甚丽逸。又敕撰《中书表奏》三十卷，及所上赋颂，都为一集。俄兼宁远湘东王长史，行府、国、郡事。除太子家令，复掌管记。"春泓按，《云谷禅林志》五宋张浚《志公菩萨行实碑》之《伏龟山埋白石函铭》记载：天监十四年，宝志安葬于此山。慧皎《高僧传》卷十《梁京师释保志传》记载：宝志卒于天监十三年冬，王筠奉敕撰《开善寺宝志大师碑文》，应在其下葬之时，即天监十四年。同时敕陆倕制铭辞于冢内。

张缵好学不倦。《梁书·张缵传》说："缵字伯绪，缅第三弟也，出后从伯弘籍。弘籍，高祖舅也，梁初赠廷尉卿。缵年十一，尚高祖第四女富阳公主，拜驸马都尉，封利亭侯，召补国子生。起家秘书郎，时年十七。身长七尺四寸，眉目疏朗，神采爽发。高祖异之，尝曰：'张壮武云"后八叶有逮吾者"，其此子乎？'缵好学，兄缅有书万余卷，昼夜披读，殆不辍手。秘书郎有四员，宋、齐以来，为甲族起家之选，待次入补，其居职，例数十百日便迁任。缵固求不徙，欲遍观阁内图籍。尝执四部书目曰：'若读此毕，乃可言优仕矣。'如此数载，方迁太子舍人，转洗马、中舍人，并掌管记。"春泓按，张缵卒于太清三年侯景乱中，所以其十七岁时，正值梁天监十四年。而秘书郎是宋、齐以来，甲族起家之选，张缵出身并非高门，也可厕身其选，这说明宋、齐政治格局，至此已有巨变。

北朝

正月

宣武帝崩。子孝明帝元诩继位。《魏书》卷八《世宗纪》曰："雅爱经史，尤长释氏之义，每至讲论，连夜忘疲。善风仪，美容貌，临朝渊默，端严若神，有人君之量矣。"

九月

灵太后始临朝听政。太后聪悟，颇好读书属文，射能中针孔，政事皆手笔自决。据《资治通鉴》卷一百四十八《梁纪四》。

本年

任城王元城表上《皇诰宗制》并《训诂》各一卷。据《魏书》卷一九中《任城王云传附子澄传》：任城王元澄表上《皇诰宗制》并《训诂》各一卷，意欲皇太后览之，思劝戒之益。

公元 516 年（梁武帝天监十五年　魏孝明帝熙平元年　丙申）

本年

萧子云年三十，方起家为秘书郎。《梁书·萧子恪传》附《萧子云传》说："子云性沉静，不乐仕进。年三十，方起家为秘书郎。迁太子舍人，撰《东宫新记》，奏之，敕赐束帛。"

钟嵘之兄钟岏、弟钟屿并有文集。《梁书·文学传》之《钟嵘传》附其兄岏、弟屿传说："岏字长岳，官至府参军、建康丞。著《良吏传》十卷。屿字季望，永嘉郡丞。天监十五年，敕学士撰《遍略》，屿亦预焉。兄弟并有文集。"

何思澄、刘吉等入华林撰《遍略》。《梁书·文学传》之《何思澄传》说："天监十五年，敕太子詹事徐勉举学士入华林撰《遍略》，勉举思澄等五人以应选。迁治书侍御史。"《梁书·文学传》之《刘杳传》说："詹事徐勉举杳及顾协等五人入华林撰《遍略》，书成，以本官兼廷尉正，又以足疾解。因著《林庭赋》。王僧孺见之叹曰：'《郊居》以后，无复此作。'"

北朝

本年

胡太后数临幸宗戚勋贵之家。据《资治通鉴》卷一百四十八《梁纪四》：九月，因胡太后数临宗戚勋贵之家，崔光表谏以男女之别，国之大节，愿简息游幸。

胡太后立永守寺、石窟寺。据释道宣《续高僧传》卷一《魏南台石窟寺恒安沙门菩提流支传》，胡太后立永宁寺，在宫前间阖门南御道之东，极为壮丽。《资治通鉴》卷一百四十八《梁纪四》：又作石窟寺于伊阙口，极土木之美。扬州刺史里冲上表谏，太后优令答之，而不用其言。《通鉴》卷一百四十八《梁纪四》：胡太后好佛事，米多绝户为沙门，李玚上言曰"弃堂堂之政而从鬼教"。都统僧暹等忿玚谓之"鬼教"，以为谤佛，泣诉于太后。遂罚玚金一两。

李昶（516—565）生。李昶，小名那。顿丘临黄人，北周作家。

温子升二十二岁，补东平王匡御史。《魏书》卷八五《温子升传》曰："温子升，字鹏举，自云太原人，晋大将军峤之后也。世居江左"；"初受学于崔灵恩、刘兰，精勤，以夜继昼，昼夜不倦。长乃博览百家，文章清婉。为广阳王渊贱客，在马坊教诸奴子书。作《侯山祠堂碑文》，常景见而善之，故诣渊谢之。景曰：'顷见温生。'渊怪问之，景曰：'温生是大才士。'渊由是稍知之"；"熙平初，中尉、东平王匡博召辞人，以充御史，同时射策者八百余人，子升与卢仲宣、孙搴等二十四人为高第。于时预选者争相引决，匡使子升当之，皆受屈而去。搴谓人曰：'朝来靡旗乱辙者，皆子升逐北。'遂补御史，时年二十二。台中文笔皆子升为之。"

郑道昭卒。《魏书》卷五六《郑羲列传附子道昭传》：郑道昭（？—516）卒。本传曰："道昭好为诗赋，又善书法。所做诗赋凡数十篇。存诗四首。"今存文五篇，诗四首。史臣曰："懿兄弟风尚，俱有可观，故能并当荣遇，其济美矣。"明冯惟讷《古诗纪》卷一五一："郑希（按，《北史》《魏书》本传皆作僖）伯少好学，综览群言，好为诗赋，凡数十篇"。

袁翻四十一岁，作《思归赋》。《魏书》卷六九《袁翻传》："熙平初，除冠军将军、廷尉少卿，寻加征虏将军，后出为平阳太守。翻为廷尉，颇有不平之论，及之郡，甚不自得，遂作《思归赋》。"

释昙延（516—588）生。释道宣《续高僧传》卷八《隋京师延兴寺释昙延生》："释昙延，俗缘王氏。蒲州桑泉人也。世家豪族，官历齐周。"

中书舍人常景制永宁寺碑文。释道宣《续高僧转》卷一《魏南台石窟寺恒安沙门菩提流支传》："景河内人，敏学博通，知名海内。太和十九年，高祖擢为修律博士。有诏令刊定条格，永成通式。景乃商榷今古，条贯科猷，即魏律二十篇是也。"

菩提流支译《正法》《念经》《善住》《回诤》《唯识》等经纶，凡一十四部，八十五卷。释道宣《续高僧传》卷一《魏南台石窟寺恒安沙门菩提流支传》："南天竺波罗奈城婆罗让，姓瞿昙氏，名般若流支，魏言智希，从元年至兴和末，于邺城译《正法》《念圣》《善住》《回诤》《唯识》等经纶，凡一十四部，八十五卷。沙门昙林、僧昉等笔受。"

公元517年（梁武帝天监十六年 魏孝明帝熙平二年 丁酉）

本年

何胤年七十二，作《别山诗》一首，言甚凄怆。《梁书·处士传》之《何胤传》说："何氏过江，自晋司空充并葬吴西山。胤家世年皆不永，唯祖尚之至七十二。胤年登祖寿，乃移还吴，作《别山诗》一首，言甚凄怆。至吴，居虎丘西寺讲经论，学徒复随之，东境守宰经途者，莫不毕至。"春泓按，本传记载，何胤卒年在中大通三年，时年八十六，所以其七十二岁，时在天监十六年。

北朝

八月

诏高阳王琛入居门下，参决尚书奏事。魏政日衰。据《资治通鉴》卷一百四十八《梁纪》四。又《魏书》卷二一《高阳王雍传》："岁禄万余，粟至四万，伎侍盈房，诸子珪冕，荣贵之盛，昆弟莫及焉"；"雍识怀短浅，又无学业，虽位居朝首，不为时情所推。既以亲尊，地当宰辅，自熙平以后，朝政褫落，不能守正匡弼，唯唯而已。"

十月

诏北京（代都）士民未迁者，悉听留居为永业。据《资治通鉴》卷一百四十八《梁纪》四。

公元518（梁武帝天监十七年　魏孝明帝神龟元年　戊戌）

本年

韦叡征散骑常侍、护军将军。不与俗俯仰。《梁书·韦叡传》说："十七年，征散骑常侍、护军将军，寻给鼓吹一部，入直殿省。居朝廷，恂恂未尝忤视，高祖甚礼敬之。性慈爱，抚孤兄子过于己子，历官所得禄赐，皆散之亲故，家无余财。后为护军，居家无事，慕万石、陆贾之为人，因画之于壁以自玩。时虽老，暇日犹课诸儿以学。第三子稜，尤明经史，世称其洽闻，叡每坐稜使说书，其所发摘，稜犹弗之逮也。高祖方锐意释氏，天下咸从风而化；叡自以信受素薄，位居大臣，不欲与俗俯仰，所行略如他日。"其子韦黯字务直，少习经史，有文词。

萧秀去世，王僧孺、陆倕、刘孝绰、裴子野等各制碑文。《梁书·太祖五王传》之《安成康王秀传》说萧秀于本年去世，"故吏夏侯亶等表立墓碑，诏许焉。当世高才游王门者，东海王僧孺、吴郡陆倕、彭城刘孝绰、河东裴子野，各制其文，古未之有也。"

司马褧或卒于今年。《梁书·司马褧传》说："十七年，迁明威将军、晋安王长史，未几卒。王命记室庾肩吾集其文为十卷，所撰《嘉礼仪注》一百一十二卷。"

刘昭任中军临川王记事。《梁书·文学传》之《刘昭传》说："刘昭字宣卿，平原高唐人，晋太尉实九世孙也……昭幼清警，七岁通《老》《庄》义。既长，勤学善属文，外兄江淹早相称赏。天监初，起家奉朝请，累迁征北行参军、尚书仓部郎，寻除无锡令。历为宣惠豫章王、中军临川王记室。初，昭伯父彤集众家《晋书》注干宝《晋纪》为四十卷，至昭又集《后汉》同异以注范晔书，世称博悉。迁通直郎，出为剡令，卒官。《集注后汉》一百八十卷，《幼童传》十卷，文集十卷。"春泓按，《梁书》本传记载，萧宏于天监十七年，迁中军将军，所以刘昭最后任中军临川王记事，当在天监十七年。

刘勰为僧祐撰碑文。《高僧传》卷第十一《明律·僧祐传》说："以天监十七年五月二十六日卒于建初寺，春秋七十有四。因窆于开善路西，定林之旧墓也。弟子正度立碑颂德，东莞刘勰制文。"

刘歊著《革终论》。《梁书·处士传》之《刘歊传》说：天监十七年，刘歊著《革终论》。

453

北朝

正月

孝明帝诏以杂役之户或冒入清流，所在职人皆五人相保，无人任保者夺官还役。据《魏书》卷九《肃宗纪》。

四月

张普惠上疏论天下民调事，以为复征棉麻，恐民不堪命；又谏孝明帝不亲视朝，过崇佛法，郊庙之事，多委有司。据《资治通鉴》卷一百四十八《梁纪四》。

六月

崔光请修补汉石经。据《资治通鉴》卷一百四十八《梁纪四》。又《魏书》卷六七《崔光列传》："神龟元年夏，光表曰：'《诗》称："蔽芾甘棠，勿翦勿伐，邵伯所芾"。又云："虽无老成人，尚有典刑。"《传》曰："思其人犹爱其树，况用其道不恤其人。"是以《书》始稽古，《易》本山火，观于天文，以察时变。观于人文，以化成天下。孟子口实，匡张训说。安世记箧于汾南，伯山抱卷于河右。元始孤论，充汉帝之坐。孟皇片字，悬魏王之帐。前哲之宝重坟籍，珍爱分篆，犹若此之至也。矧乃圣典鸿经，炳勒金石，理为国楷，义成家范，迹实世模，事则人轨，千载之格言，百王之盛烈，而令焚荒污毁，积榛棘而弗扫，为魑魅之所栖宿，童竖之所登踞者哉！诚可为痛心疾首，拊膺扼腕。伏惟皇帝陛下，孝敬日休，自天纵睿，垂心初学，儒业方熙。皇太后钦明慈淑，临制统化，崇道重教，留神翰林。将披云台而问礼，拂麟阁以招贤。诚宜远开阙里，清彼孔堂，而使近在城闉，面接宫庙，旧校为墟，子衿永替。岂所谓建国君民，教学为先，京邑翼翼，四方是则也？寻石经之作，起自炎刘，继以曹氏《典论》，初乃三百余载，计末向二十纪矣。昔来虽屡经戎乱，犹未大崩侵。如闻往者刺史临州，多构图寺，道俗诸用，稍有发掘，基蹠泥灰，或出于此。皇都始迁，尚可补复，军国务殷，遂不存检。官私显隐，渐加剥撤。播麦纳菽，秋春相因，□生蒿杞，时致火燎，由是经石弥减，文字增缺。职忝胄教，参掌经训，不能缮修颓坠，兴复生业，倍深惭耻。今求遣国子博士一人，堪任干事者，专主周视，驱禁田牧，制其践秽，料阅碑牒所失次第，量厥补缀。'诏曰：'此乃学者之根源，不朽之永格，垂范将来，宪章之本，便可一依公表。'光乃令国子博士李郁与助教韩神固、刘燮等勘校石经，其残缺者，计料石功，并字多少，欲补治之。于后，灵太后废，遂寝。"

十一月

胡太后遣使者宋云与比丘惠生如西域求佛经。据《资治通鉴》卷一百四十八《梁纪四》。然据《魏书》卷一一四《释老传》："熙平元年，诏遣沙门惠生使西域，采诸经律。正光三年冬，还京师。所得经论一百七十部，行于世"，则事在熙平元年。《洛阳伽蓝记》卷五云："神龟元年十一月冬，太后遣崇力寺比丘惠生向西域取经"，与

《资治通鉴》同。

任城王澄奏请佛寺悉徙于郭外。据《魏书》卷一一四《释老志》。

公元 519 年（梁武帝天监十八年　魏孝明帝神龟二年　己亥）

以太子詹事徐勉为尚书右仆射。据《梁书·武帝本纪中》，十八年春正月甲申，以太子詹事徐勉为尚书右仆射。

刘潜制《雍州平等金像碑》，文甚宏丽。《梁书·刘潜传》说：“起家镇右始兴王法曹行参军，随府益州，兼记室。王入为中抚军，转主簿，迁尚书殿中郎。敕令制《雍州平等金像碑》，文甚宏丽。”春泓按，《梁书》本传说，始兴王萧憺于天监十四年迁镇右将军，十八年，征为中抚将军，所以刘潜制《雍州平等金像碑》，当在本年。

何逊卒。其文章与刘孝绰并见重于世。工为五言诗。《梁书·文学传》之《何逊传》说：“未几卒。东海王僧孺集其文为八卷。初，逊文章与刘孝绰并见重于世，世谓之‘何刘’。世祖著论论之云：‘诗多而能者沈约，少而能者谢朓、何逊。’时有会稽虞骞，工为五言诗，名与逊相埒，官至王国侍郎。其后又有会稽孔翁归、济阳江避，并为南平王大司马府记室。翁归亦工为诗，避博学有思理，更注《论语》《孝经》。二人并有文集。”春泓按，李伯齐《何逊行年考》考定何逊卒年是天监十八年。参照《梁书·文学传》之《何思澄传》说：“初，思澄与宗人逊及子朗俱擅文名，时人语曰：‘东海三何，子朗最多。’思澄闻之，曰：‘此言误耳。如其不然，故当归逊。’思澄意谓宜在己也。”而何子朗“早有才思，工清言，周舍每与共谈，服其精理。尝为《败冢赋》，拟庄周马棰，其文甚工”。

陆云公年九岁，读《汉书》，略能记忆。《梁书·文学传》之《陆云公传》说：“陆云公字子龙，吴郡人也……云公五岁诵《论语》《毛诗》，九岁读《汉书》，略能记忆。从祖倕、沛国刘显质问十事，云公对无所失，显叹异之。既长，好学有才思。州举秀才。”春泓按，本传记载，陆云公卒于太清元年，时年三十七，所以其九岁时，正值梁天监十八年。

何胤著论，以老、庄为本，周、孔为迹。《梁书·处士传》之《何胤传》说：“乃著《高隐传》，上自炎、黄，终于天监之末，斟酌分为三品，凡若干卷。又著论云：‘夫至道之本，贵在无为；圣人之迹，存乎拯弊。弊拯由迹，迹用有乖于本，本既无为，为非道之至。然不垂其迹，则世无以平；不究其本，则道实交丧。丘、旦将存其迹，故宜权晦其本；老、庄但明其本，亦宜深抑其迹。迹既可抑，数子所以有余；本方见晦，尼丘是故不足。非得一之士，阙彼明智；体二之徒，独怀鉴识。然圣已极照，反创其迹；贤未居宗，更言其本。良由迹须拯世，非圣不能；本实明理，在贤可照。若能体兹本迹，悟彼抑扬，则孔、庄之意，其过半矣。'"春泓按，此谈周、孔与老、庄之关系，说明两者交相为用，虽有侧重，但抑扬适当，则合之双美。

北朝

二月

因张仲瑀上言"排抑武人，不使预在清品"，羽林虎贲近千人屠害其家，殴伤其父彝，烧杀其兄始均，彝仅存余命。《魏书》卷六四《张彝传》："第二子仲瑀上封事，求铨别选格，排抑武人，不使预在清品。由是众口喧喧，谤讟盈路，立榜大巷，克期会集，屠害其家。彝殊无畏避之意，父子安然。神龟二年二月，羽林虎贲几将千人，相率至尚书省诉骂，求其长子尚书郎始均，不获，以瓦石击打公门。上下畏惧，莫敢讨抑。遂便持火，虏掠道中薪蒿，以杖石为兵器，直造其第，曳彝堂下，捶辱极意，唱呼督督，焚其屋宇。始均、仲瑀当时逾北垣而走。始均回救其父，拜伏群小，以请父命。羽林等就加殴击，生投之于烟火之中。及得尸骸，不复可识，唯以髻中小钗为验。仲瑀伤重走免。彝仅有余命，沙门寺与其比邻，舆致于寺。远近闻见，莫不惋骇。"据《魏书张彝传附子始均传》："张始均字子衡，端洁好学，又文才"，"始均才干，有美于父，改陈寿《魏志》为编年之体，广益异闻，为三十卷。又著《冠带录》及诸赋数十篇，今并亡失。初，大乘贼起于冀瀛之间，遣都督元遥讨平之，多所杀戮，积尸数万。始均以郎中为行台，忿军士重以首级为功，乃令检集人首数千，一时焚爇，至于灰烬，用息侥幸，见者莫不伤心。及始均之死也，始末在于烟炭之间，有燋烂之痛，论者或亦推咎焉，赠乐陵太守，谥曰孝。"本传载史臣曰："才志未申，惜也。"据陈寅恪《魏晋南北朝史讲演录》："排斥武人，'不使预在清品'，在洛阳犹如此，在边镇就更加可想而知了。须知北魏的禁军和六镇将卒，'往往皆代北部落之苗裔'，其初藉之以横行中国者'。自孝文帝迁都洛阳，推行汉化，'以夷变夏'，遂至崇文鄙武，把武人排斥在清途之外。洛阳羽林虎贲起来发难，实际是六镇起兵的前奏。"黄山书社，1999 年 4 月版，第 279 页。

北魏宗室豪族竞为奢侈。金谷之风，复行洛下。《资治通鉴》卷一百四十九："魏宗室权倖之臣，竞为豪侈，高阳王雍，富贵冠一国，宫室园圃，侔于禁苑，童仆六千，妓女五百，出则仪卫塞道路，归则歌吹连日夜，一食值钱数万。李崇富埒于雍而性俭啬，尝谓人曰：'高阳一食，敌我千日。'"河间王琛，每欲与雍争富，骏马十余匹，皆以银为槽，窗户之上，玉凤衔铃，金龙吐旛。尝会诸王宴饮，酒器有水精锋、马脑碗、赤玉卮，制作精巧，皆中国所无。又陈女乐、名马及诸奇宝，复引诸王历观府库，金钱、缯布不可胜计，顾谓张武王融曰：'不恨我不见石崇，恨石崇不见我。'荣素以富自负，归而惋叹三日。京兆王继闻而省之，谓曰：'卿之货财计不减于彼，何为愧羡乃尔？'融曰：'始谓富于我者独高阳耳，不意复有河间！'继曰：'卿似袁术在淮南，不知世间复有刘备耳。'融乃笑而起。"

任城王澄表谏太后"宜节省浮费以周急务"。据《资治通鉴》卷一百四十九《梁纪五》：太后好佛，营建过盛，民力疲弊。又数设斋会，赏赐无极，府库渐虚。任城王澄表以"宜节省浮费以周急务"。太后虽不能用，常优礼之。

萧宝夤奏陈仲儒"轻俗制作"，"不合依许"。《魏书》卷一〇九《乐志》：陈重儒自梁来，颇闲乐事。请依京房，立准以调八音。本年夏，萧宝夤奏言："金石律吕，制度调均，中古已来鲜或通晓。仲儒虽粗述书文，颇有所说，而学不师授，云出己心。又言旧器不任，必须更造，然后克谐。上违成敕用旧之旨，辄持己心，轻欲制作。臣窃思量，不合依许。"

公元 520 年（梁武帝普通元年　魏孝明帝正光元年　庚子）

本年

王锡、张缵颇为北方才士所知。《梁书·王锡传》说："普通初，魏始连和，使刘善明来聘，敕使中书舍人朱异接之，预宴者皆归化北人。善明负其才气，酒酣谓异曰：'南国辩学如中书者几人？'异对曰：'异所以得接宾宴者，乃分职是司。二国通和，所敦亲好；若以才辩相尚，则不容见使。'善明乃曰：'王锡、张缵，北间所闻，云何可见？'异具启，敕即使于南苑设宴，锡与张缵、朱异四人而已。善明造席，遍论经史，兼以嘲谑，锡、缵随方酬对，无所稽疑，未尝访彼一事，善明甚相叹挹。他日谓异曰：'一日见二贤，实副所期，不有君子，安能为国！'"春泓按，此亦可见南北文化之交流，达到了较为密切的程度，南北才士完全可以对等地交谈，并无轩轾之分。又《梁书·张缵传》说："缵与琅邪王锡齐名。普通初，魏遣彭城人刘善明诣京师请和，求识缵。缵时年二十三，善明见而嗟服。累迁太尉咨议参军，尚书吏部郎，俄为长史兼侍中，时人以为早达。河东裴子野曰：'张吏部在喉舌之任，已恨其晚矣。'子野性旷达，自云'年出三十，不复诣人'。初未与缵遇，便虚相推重，因为忘年之交。"

萧孝俨献赋甚美。《梁书·长沙嗣王业传》说萧业之子萧孝俨字希庄，聪慧有文才，死于普通元年，时年二十三。天监年间，梁高祖会客的场所是华林园和华光殿，萧孝俨从幸华林园，于座献《相风乌》《华光殿》《景阳山》等颂，其文甚美。

萧洽拜员外散骑常侍。《梁书·萧介传》附《萧洽传》说："普通初，拜员外散骑常侍，兼御史中丞，以公事免。顷之，为通直散骑常侍。洽少有才思，高祖令制同泰、大爱敬二寺刹下铭，其文甚美。"

吴均卒，时年五十二。《梁书·文学传》之《吴均传》说："普通元年，卒，时年五十二。均注范晔《后汉书》九十卷，著《齐春秋》三十卷、《庙记》十卷、《十二州记》十六卷、《钱唐先贤传》五卷、《续文释》五卷，文集二十卷。"

北朝

八月

游肇（452—520）卒。《魏书》卷五五《游明根传附子肇传》："及领军元叉之废灵太后，将害太傅、清河王怿，乃集公卿会议其事。于时群官莫不失色顺旨，肇独抗言以为不可，终不下署。正光元年八月卒，年六十九。"本传曰："肇外宽柔，内刚直，

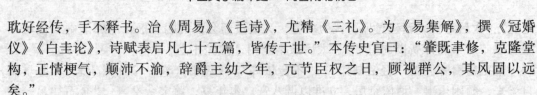

耽好经传，手不释书。治《周易》《毛诗》，尤精《三礼》。为《易集解》，撰《冠婚仪》《白圭论》，诗赋表启凡七十五篇，皆传于世。"本传史官曰："肇既聿修，克隆堂构，正情梗气，颠沛不渝，辞爵主幼之年，亢节臣权之日，顾视群公，其风固以远矣。"

中山王元熙并其子弟被斩于邺下。《资治通鉴》卷一百四十九《梁纪五》云，中山王元熙闻清河王元怿死，起兵于邺，十日，为长史柳元章等执。八月甲寅，斩于邺街，并其子弟。熙临行有五言诗，《魏书》卷一九《南安王桢传附英子熙传》载其诗云："义实动君子，主辱死忠臣。何以明是节，将解七尺身"；"平生方寸心，殷勤属知己。从今一销化，悲伤无极已"。本传曰："熙既藩王之贵，加有文学，好奇爱异，交结伟俊，风气甚高，名美当世，先达后进，多造其门。始熙之镇邺也，知友才学之士袁翻、李琰、李神俊、王诵兄弟、裴敬宪等咸饯于河梁，赋诗告别。及熙将死，复与知故书曰：'吾与弟并蒙皇太后知遇，兄据大州，弟则入侍，殷勤言色，恩同慈母。今皇太后见废北宫，太傅、清河王横受屠酷，主上幼年，独在前殿。君亲如此，无以自安，故率兵民建大义于天下。但智力浅短，旋见囚执，上惭朝廷，下愧相知。本以名义干心，不得不尔，流肠碎首，复何言哉。昔李斯忆上蔡黄犬，陆机想华亭鹤唳，岂不以恍惚无际，一去不还者乎？今欲对秋月，临春风，藉芳草，荫花树，广召名胜，赋诗洛滨，其可得乎？凡百君子，各敬尔宜，为国为身，善勖名节，立功立事，为身而已，吾何言哉。'时人怜之。"

孝明帝请释昙两派上殿互陈利弊。释道宣《续高僧传》卷二十三《魏洛杜融觉寺释昙无最传》："释昙无最，姓董氏，武安人也……元魏正光元年，明帝加朝服大赦，请释李两宗上殿，斋讫，侍中刘滕宣敕，请诸法师等，与道士论义。时清道馆道士姜斌与最讨论。第问佛与老子同时不？姜斌曰：'老子西入化胡，佛时以为侍者，文出《老子开天经》。据此明是同时。'最问曰：'老子周何王生？何年西入？'斌曰：'周定王三年，在楚国陈郡苦厉乡曲人里，九月十四日夜生。简王四年为守藏吏。敬王元年八十五。见周的凌迟，遂于散关令尹喜，西入化胡。约斯明矣。'最曰：'佛当周昭王二十四年四月八日生。穆王五十二年二月十五日灭度，计入《涅槃经》三百四十五年始到定王三年，老子方生。生已年八十五。至敬王元年凡四百三十年，乃与尹喜西遁。此乃年载悬殊，无乃谬乎？'斌曰：'若如来言出何文纪？'最曰：'《周书异记》《汉法本内传》，并有明文。'斌曰：'孔子制法圣人，当时与佛迥无文志何耶？'最曰：'孔氏三备卜经，佛指文言出在中备。仁者识同管窥。览不弘远，何能自达？'帝歘尚书令元义宣敕：'道士姜斌论无宗旨，宜令下席。'又议：'《开天经》是谁所说？'中书侍郎魏收、尚书郎祖莹，就观取经。太尉萧综、太傅李寔、卫尉许伯桃、吏部尚书邢栾、散骑常侍温子升等，一百七十人，读讫奏云：'老子止著五千文，余无言说。臣等所议，姜斌罪当惑众。'帝时加斌极刑。西国三藏法师菩提留支苦谏，乃止配徒马邑。"按宋释志磐《佛祖统记》卷三十八《法运通塞志》次在正光四年。

释昙衍十八岁，举秀才，贡上邺都。释道宣《续高僧传》卷八《起洛州沙门释昙衍传》："七岁从学，聪敏绝伦。十五擢为州都公事，有隙便听释讲。十八举秀才，贡上邺都，过听光公法席，即禀归戒，弃舍俗务，专攻佛理。学流三载，绩邻前达。"

北天竺僧佛陀扇多在洛阳译经十部。释道宣《续高僧传》卷一《魏南台石窟寺恒安沙门菩提留支传》："（北天竺僧佛陀扇多），魏言觉定，从正光元年至元象二年于洛阳白马寺及邺都金华寺译出《金刚》《上味》等经十部。当翻经日于洛阳内殿，流支传本，余僧参助，其后三德乃徇流言，各传师习，不相询访，帝以弘法之盛，略叙曲烦，敕三处各翻讫乃参校。其间隐没，互有不同，致有文旨时兼异缀。后人合之共成通部，见宝唱等《录》。"

公元 521 年（梁武帝普通二年　魏孝明帝正光二年　辛丑）

本年

王峻卒，年五十六。《梁书·王峻传》记载王峻卒于普通二年，时年五十六。其子琮"尚始兴王女繁昌县主，不慧，为学生所嗤，遂离婚。峻谢王，王曰：'此自上意，仆极不愿如此。'峻曰：'臣太祖是谢仁祖外孙，亦不藉殿下姻媾为门户。'"春泓按：这说明著姓尚保持矜持态度，从门第角度，仍然藐视萧梁政权。

王僧孺入直西省，知撰谱事。《梁书·王僧孺传》说："久之，起为安西安成王参军，累迁镇右始兴王中记室，北中郎南康王咨议参军，入直西省，知撰谱事。"春泓按，《梁书》本传记载，萧绩"十七年，出为使持节、都督南北兖徐青冀五州诸军事、南兖州刺史。寻有诏征还，民曹嘉乐等三百七十人诣阙上表，称绩尤异一十五条，乞留州任，优诏许之，进号北中郎将"。至普通四年，又改任。而王僧孺于天监十年仕途受挫，本传称他"久之不调"，他致书于友人何炯说："顾惟不肖，文质无所底，盖困于衣食，迫于饥寒，依隐易农，所志不过钟庾。久为尺板斗食之吏，以从皂衣黑绶之役，非有奇才绝学，雄略高谟，吐一言可以匡俗振民，动一议可以固邦兴国。全璧归赵，飞矢救燕，偃息藩魏，甘卧安郢，脑日逐，髓月支，拥十万而横行，提五千而深入，将能执圭裂壤，功勒景钟，锦绣为衣，朱丹被毂，斯大丈夫之志，非吾曹之所能及已。直以章句小才，虫篆末艺，含吐缃缥之上，翩跹樽俎之侧，委曲同之针缕，繁碎譬之米盐，孰致显荣，何能至到。加性疏涩，拙于进取，未尝去来许、史，遨游梁、窦，俯首胁肩，先意承旨。是以三叶靡迁，不与运并，十年未徙，孰非能薄。及除旧布新，清晷方旦，抱乐衔图，讼讴有主，而犹限一吏于岑石，隔千里于泉亭，不得奉板中涓，预衣裳之会，提戈后劲，厕龙豹之谋。及其投劾归来，恩均旧隶，升文石，登玉陛，一见而降颜色，再睹而接话言，非藉左右之容，无劳群公之助。又非同席共研之凤逢，笥饵卮酒之早识，一旦陪武帐，仰文陛，备聘、佚之柱下，充严、朱之席上，入班九棘，出专千里，据操撮之雄官，参人伦之显职，虽古之爵人不次，取士无名，未有蹑影追风，奔骤之若此者也。"其中谈到"十年未徙"，则写此书时去天监十年大约有十年之隔，其时应在普通二年，也正在此年王僧孺最后得以"入直西省，知撰谱事"。此书颇见寒士依靠为官以求免除饥寒之苦的迫切心情，此对于了解士人何以很难做不贰之臣，具有重要的史料价值。《南史》本传更详细记述了王僧孺改定《百家谱》的情况。

萧洽受敕撰《当涂堰碑》。《梁书·萧介传》附《萧洽传》说："二年，迁散骑常侍。出为招远将军、临海太守。为政清平，不尚威猛，民俗便之。还拜司徒左长史，又敕撰《当涂堰碑》，辞亦赡丽。"

周兴嗣卒。《梁书·文学传》之《周兴嗣传》说："普通二年，卒。所撰《皇帝实录》《皇德记》《起居注》《职仪》等百余卷，文集十卷。"

刘峻撰《自序》，充满悲凉之气。《梁书·文学传》之《刘峻传》说："峻又尝为《自序》，其略曰：'余自比冯敬通，而有同之者三，异之者四。何则？敬通雄才冠世，志刚金石；余虽不及之，而节亮慷慨，此一同也。敬通值中兴明君，而终不试用；余逢命世英主，亦摈斥当年，此二同也。敬通有忌妻，至于身操井臼；余有悍室，亦令家道坎坷，此三同也。敬通当更始之世，手握兵符，跃马食肉；余自少迄长，戚戚无欢，此一异也。敬通有一子仲文，官成名立；余祸同伯道，永无血胤，此二异也。敬通膂力方刚，老而益壮；余有犬马之疾，溘死无时，此三异也。敬通虽芝残蕙焚，终填沟壑，而为名贤所慕，其风流郁烈芬芳，久而弥盛；余声尘寂漠，世不吾知，魂魄一去，将同秋草，此四异也。所以自力为叙，遗之好事云。'峻居东阳，吴、会人士多从其学。普通二年，卒，时年六十。门人谥曰玄靖先生。"

北朝

九月

洛阳菩萨寺佛大写《道行经》。《出三藏记集》卷七《道行经后记》："光和二年十月八日，河南洛阳孟元士，口授天竺菩萨竺朔佛，时传言译者月支菩萨支谶，时侍者南阳张少安，南海子碧，劝助者孙和、周提立。正光二年九月十五日，洛阳城西菩萨寺中沙门佛大写之。"

本年

释法贞与僧建同渡江求法，法贞为追兵所杀。时年六十一岁。僧建达于江阴，住何园寺。据释道宣《续高僧传》卷六《魏洛下广德寺释法贞传》。

公元 522 年（梁武帝普通三年　魏孝明帝正光三年　壬寅）

本年

始兴王萧憺薨，太子命仆射刘孝绰议礼仪事。《梁书·昭明太子传》说："三年十一月，始兴王憺薨。旧事，以东宫礼绝傍亲，书翰并依常仪。太子意以为疑，命仆射刘孝绰议其事。"

刘孝绰为昭明太子编辑文集并作序。《梁书·刘孝绰传》说："太子文章繁富，群才咸欲撰录，太子独使孝绰集而序之。迁员外散骑常侍，兼廷尉卿，顷之即真。初孝绰与到洽友善，同游东宫。孝绰自以才优于洽，每于宴坐，嗤鄙其文，洽衔之……"春泓按，刘孝绰撰《昭明太子集序》说："粤我大梁之二十一载，盛德备乎东朝，若乃有纵自天，惟睿作圣，显仁立孝，行于四海……窃以属文之体，鲜能周备，长卿徒善，既累为迟；少孺虽疾，俳优而已；子渊淫靡，若女工之蠹；子云侈靡，异诗人之则；孔璋词赋，曹祖劝其修今；伯喈笑赠，挚虞知其颇古；孟坚之颂，尚有似赞之讥；士衡之碑，犹闻类赋之贬。深乎文者，兼而善之。能使典而不野，远而不放，丽而不淫，约而不俭，独擅众美，斯文在斯。假使王郎报笺，卞兰献颂，犹不足以揄扬著述，称赞才章，况在庸才，曾何仿佛。然承华肇建，滥齿时髦，居陪出从，逝将二纪。譬彼登山，徒仰峻极；同夫观海，莫隥波澜。但职官书记，预闻盛藻，歌咏不足，敢忘编次？谨为一帙十卷，第目如左，日升松茂，与天地而偕长，壮思英词，随岁月而增广。如其后录，以俟后臣。"刘孝绰赞美萧统文章"独擅众美，斯文在斯"，可见他具有鲜明的文体意识，这与他协助萧统编撰《文选》，实体现出一致的文章学观念。而到与刘之交恶，《南史·到洽传》说："寻迁御史中丞，号为劲直。少与刘孝绰善，下车便以名教隐秽，首弹之。"古之文人相轻，可见一斑。

萧业徽为散骑常侍、护军将军。《梁书·长沙嗣王业传》说："业性敦笃，所在留思。深信因果，笃诚佛法，高祖每嘉叹之。普通三年，徽为散骑常侍、护军将军。"

王僧孺卒，时年五十八。《梁书·王僧孺传》说："普通三年，卒，时年五十八。僧孺好坟籍，聚书至万余卷，率多异本，与沈约、任昉家书相埒。少笃志精力，于书无所不睹。其文丽逸，多用新事，人所未见者，世重其富。僧孺集《十八州谱》七百一十卷，《百家谱集》十五卷，《东南谱集抄》十卷，文集三十卷，《两台弹事》不入集内为五卷，及《东宫新记》，并行于世。"

杜之伟年十五，遍观文史及仪礼故事，有逸才。《陈书·文学传》之《杜之伟传》说："杜之伟字子大，吴郡钱塘人也……之伟幼精敏，有逸才。七岁，受《尚书》，稍习《诗》《礼》，略通其学。十五，遍观文史及仪礼故事，时辈称其早成。仆射徐勉尝见其文，重其有笔力。"春泓按，本传记载，杜之伟卒于永定三年，时年五十二，所以当他十五岁时，正值本年。

北朝

二月

宋云与惠生自西域返抵洛阳，得佛经 170 部。据《资治通鉴》卷一百四十九《梁纪五》。按宋释志磐《佛祖统记》卷三十八系在下年。

十一月

诏行崔光表上之《正光历》。据《资治通鉴》卷一百四十九《梁纪五》。

本年

元顺作《蝇赋》。《魏书》卷一九《任城王云传附彝兄顺传》："初，城阳王徽慕顺才名，偏相结纳。而广阳王渊奸徽妻于氏，大为嫌隙。及渊自定州被征，入为吏部尚书，兼中领军。顺为诏书，辞颇优美。徽疑顺为渊左右，由是与徐纥间顺于灵太后，出顺为护军将军、太常卿。……顺疾徽等间之，遂为《蝇赋》。"据《魏书》卷一八《广阳王建传附嘉子渊传》，渊淫徽妻在沃野镇人反叛之前。检《肃宗纪》，事在正光五年。正光初，灵太后不得主事，则元顺为元徽、徐讫所间，当在此际。

公元 523 年（梁武帝普通四年　魏孝明帝正光四年　癸卯）

本年

萧纲"徙为使持节、都督雍梁南北秦四州郢州之竟陵司州之随郡诸军事、平西将军、宁蛮校尉、雍州刺史"。萧续则改任南徐州刺史。据《梁书·简文帝本纪》。

明山宾迁散骑常侍，领青冀二州大中正。《梁书·明山宾传》说："（普通）四年，迁散骑常侍，领青冀二州大中正，东宫新置学士，又以山宾居之，俄以本官兼国子祭酒。"因为他开仓赈饥，有司将其住宅充公，他只能买地重建私宅，但是未能建成。昭明太子赠诗曰："平仲古称奇，夷吾昔擅美。令则挺伊贤，东秦固多士。筑室非道傍，置宅归仁里。庚桑方有系，原生今易拟。必来三径人，将招《五经》士。"

阮孝绪撰《七录》。

北朝

十一月

崔光卒，时年七十三。《资治通鉴》卷一百四十九《梁纪五》：十一月，崔光（451—523）卒，时年七十三。《魏书》卷六七《崔光传》："初，光太和中，依宫商角徵羽本音而为五韵诗，以赠李彪，彪为十二次诗以报光。光又为百三郡国诗以答之，国别为卷，为百三卷焉"；"崇信佛法，礼拜读诵，老而逾甚，终日怡怡，未曾恚忿。曾于门下省昼坐读经，有鸽飞集膝前，遂入于怀，缘臂上肩，久之乃去。道俗赞咏诗颂者数十人。每为沙门朝贵请讲《维摩》《十地经》，听者常数百人，即为二经义疏三十余卷。识者知其疏略，以贵重为后坐疑于讲次。凡所为诗赋铭赞咏颂表启数百篇，五十余卷，别有集。"本传之史臣曰："崔光风素虚远，学业渊长。高祖归其才博，许其大至，明主固知臣也。历事三朝，师训少主，不出宫省，坐致台傅，斯亦近世之所希有。但顾怀大雅，托迹中庸，其于容身之讥，斯乃胡广所不免也。"

本年

李崇长史魏兰根作《说李崇》，劝立边郡州县，庶无北顾之虑。《北齐书》卷二三《魏兰根传》："正光末，尚书令李崇为本郡都督，率众讨茹茹，以兰根为长史。因说崇曰：'缘边诸镇，控摄长远。昔时初置，地广人稀，或征发中原强宗子弟，或国之肺腑，寄以爪牙。中年以来，有司乖实，号曰府户，役同厮养，官婚班齿，致失清流。而本宗旧类，各各荣显，顾瞻彼此，理当愤怨。更张琴瑟，今也其时，静境宁边，事之大者。宜改镇立州，分置郡县，凡是府户，悉免为民，入仕次叙，一准其旧，文武兼用，威恩并施。此计若行，国家庶无北顾之虑矣。'崇以奏闻，事寝不报。"陈寅恪

《魏晋南北朝史讲演录》于《六镇起兵的原因》一节曾对此议论道："从魏兰根、元深所说，可以了解六镇镇人原来具有职业为军人，社会阶级为贵族，种族文化为鲜卑三种特性。小文帝迁都之后，职业军人、鲜卑文化这二者未变，但社会阶级则被降低"（黄山书社 1999 年 4 月版，第 278 页）；"六镇之叛也有其他的原因，但魏兰根等所说军卒中的强宗子弟、国之肺腑、高门子弟、良家酋胕在孝文帝迁都洛阳后，被当作弃儿，社会地位降低，变成低下阶级府户，却是最重要的原因。这种人在六镇军卒中最占势力。"（第 280 页）

贾思伯为侍讲，授孝明帝以《杜氏春秋》。《魏书》卷七二《贾思伯列传》："又迁太常卿，兼度支尚书，转正都官。时太保崔光疾甚，表荐思伯为侍讲，中书舍人冯元兴为侍读。思伯遂入授肃宗《杜氏春秋》。思伯少虽明经，从官废业，至是更延儒生夜讲昼授。"

常景拟刘琨《扶风歌》作诗十二首。《魏书》卷八二《常景列传》："阿那瑰之还国也，境上迁延，仍陈窘乏。遣尚书左丞元孚奉诏振恤，阿那瑰执孚过柔玄，奔于漠北。遣尚书令李崇、御史中尉兼右仆射元纂追讨，不及。乃令景出塞，经瓮山，临瀚海，宣敕勒众而返。景经涉山水，怅然怀古，乃拟刘琨《扶风歌》十二首。"

阳固（463—523）**卒，时年六十一岁。**《魏书》卷七二《阳尼列传附从孙固传》曰："固刚直雅正，不畏强御，居官清洁，家无余财，终殁之日，室徒四壁，无以供丧，亲故为其棺敛焉。初，固著《绪制》一篇，务从俭约。临终，又敕诸子一遵先制。"本传之史臣曰："固远气正情，文学兼致。"

释慧远（523—592）**生。**释道宣《续高僧传》卷八《隋京师净影寺释慧远传》曰："释慧远，姓李氏，敦煌人也。后居上党之高都焉。""开皇十二年春，下敕令知翻译，刊定辞义，其年卒于静影寺，春秋七十矣。"

释慧藏（523—605）**生。**释道宣《续高僧传》卷九《隋西京空观道场释慧藏传》："释慧藏，姓郝氏，赵国平棘人。"

公元 524 年（梁武帝普通五年　魏孝明帝正光五年　甲辰）

正月

萧纲进号安北将军。《梁书·武帝本纪下》说：五年春正月辛卯，"平西将军、雍州刺史晋安王纲进号安北将军"。

本年

徐勉第二子悱卒，徐勉痛悼甚至，作《答客喻》。《梁书》本传记载，徐勉第二子悱卒，徐勉痛悼甚至，乃作《答客喻》，其中叙及"今吾所悲，亦以悱始逾立岁，孝悌之至，自幼而长，文章之美，得之自然，好学不倦，居无杂尘，多所著述，盈帙满筒，淡然得失之际，不见喜愠之容。及翰飞东朝，参伍盛列，其所游往，皆一时才俊，赋诗颂咏，终日忘疲"。

徐悱妻文尤清拔。《梁书·刘孝绰传》说孝绰"其三妹适琅邪王叔英、吴郡张嵊、

东海徐悱，并有才学；悱妻文尤清拔。悱，仆射徐勉子，为晋安郡，卒，丧还京师，妻为祭文，辞甚凄怆。勉本欲为哀文，既睹此文，于是阁笔"。

傅昭博极古今，尤熟门户谱牒。《梁书·傅昭传》说："（普通）五年，迁散骑常侍、金紫光禄大夫，中正如故……终日端居，以书记为乐，虽老不衰。博极古今，尤善人物，魏晋以来，官宦簿伐，姻通内外，举而论之，无所遗失。"春泓按，作为熟悉门户谱牒的老人，在高门势力逐渐减弱之时，傅昭以备顾问的作用亦随之减小。

刘显任骠骑鄱阳王记室，当在本年或稍后。《梁书·刘显传》说："又除骠骑鄱阳王记室，兼中书舍人，累迁步兵校尉、中书侍郎，舍人如故。显与河东裴子野、南阳刘之遴、吴郡顾协，连职禁中，递相师友，时人莫不慕之。显博闻强记，过于裴、顾，时魏人献古器，有隐起字，无能识者，显案文读之，无有滞碍，考校年月，一字不差，高祖甚嘉焉。"春泓按，《梁书·太祖五王传》之《鄱阳忠烈王恢传》说萧恢于普通五年进号骠骑大将军。故刘显任骠骑鄱阳王记室，当在本年或稍后。

沈众"文体翩翩"。《陈书·沈众传》说："沈众字仲师，吴兴武康人也……众好学，颇有文词，起家梁镇卫南平王法曹参军、太子舍人。是时，梁武帝制《千字诗》，众为之注解。与陈郡谢景同时召见于文德殿，帝令众为《竹赋》，赋成，奏，帝善之，手敕答曰：'卿文体翩翩，可谓无忝尔祖。'"春泓按，《梁书》本传记载，梁南平郡王萧伟进号镇卫大将军，时在普通五年。

北朝

三月

沃野镇民破六韩拔陵聚众反，杀镇将，改元真王，诸镇华夷之民往往响应，拔陵引兵南侵，遣别帅卫可孤围武川镇，又攻怀朔镇。据《资治通鉴》卷一百四十九《梁纪五》。

七月

广阳王元渊上言以为六镇起兵，在边吏专事聚敛，政以贿立。书奏不省。据《资治通鉴》卷一百五十《梁纪六》。

甄琛（452—524）卒。《魏书》卷六八《甄琛列传》："琛性轻简，好嘲谑，故少风望。然明解有干具，在官清白。自高祖、世宗咸相知待，肃宗以师傅之义而加礼焉。所著文章，鄙碎无大体，时有理诣，《磔四声》、《姓族废兴》《会通缁素三论》及《家诲》二十篇，《笃学文》一卷，颇行于世。"《磔四声》为不满沈约"四声说"而作，事见《文镜秘府论》。本传之史臣曰："甄琛以学尚刀笔，早树声名，受遇三朝，终止崇重。"《魏书》本传未言享年之数。然琛生年可考。曹道衡、沈玉成《中古文学史料丛考》"甄琛行年考"条考之甚明，兹录于后："《魏书》本传：'大将军高肇伐蜀，以琛为使持节，领兵骑四万为前驱都督。琛次梁州獠亭，会世宗崩，班师。高肇既死，以琛，肇之党也，不宜复参朝政，出为营州刺史，加安北将军。岁余，以光禄大夫李思穆代之，时年六十五岁'。按，《魏书·肃宗孝明帝纪》宣武帝以延昌四年正月崩，孝明帝即位。二月高肇至京师，赐死。同书《外戚·高肇传》不载月日，但言'肇哭梓宫讫……壮士扼而拉杀之'。据此在二月似无可疑。甄琛出为营州，当在是年二三月间，又岁余见代，当在孝明帝熙平元年（516）。是岁琛年六十五，当生于文成帝兴安元年（452）；琛以正光五年卒，盖享年七十三岁"。

释灵裕七岁，博览群籍。释道宣《续高僧传》卷九《隋相州演空寺释灵裕传》："年登六岁，便知受戒，父母强之，誓心无毁。寻授章本及以千文，不盈晦朔，书诵具了。至于《孝经》《论语》，才读文词，兼明注解。由是二亲偏爱，望嗣门风。年七岁启父出家。父以慧解凤成，意宗继世，决誓不许。唯今俗学，专寻世务，碍之道法。裕叹曰：'不得七岁出家，一生坏矣。'遂通览群籍，资于父兄，并包括异同，深契幽赜，唯《老》《庄》及《易》，未预乘传。"

公元 525 年（梁武帝普通六年　魏孝明帝孝昌元年　乙巳）

本年

正德受诏北讨，引顾协为府录事参军，掌书记。军还，召拜通直散骑侍郎。《梁书·顾协传》说："普通六年，正德受诏北讨，引为府录事参军，掌书记。军还，会有诏举士，湘东王表荐协曰：'臣闻贡玉之士，归之润山；论珠之人，出于枯岸。是以刍荛之言，择于廊庙者也。臣府兼记室参军吴郡顾协，行称乡闾，学兼文武，服膺道素，雅量邃远，安贫守静，奉公抗直，傍阙知己，志不自营，年方六十，室无妻子。臣欲言于官人，申其屈滞，协必苦执贞退，立志难夺，可谓东南之遗宝矣。伏惟陛下未明求衣，思贤如渴，爰发明诏，各举所知。臣识非许、郭，虽无知人之鉴，若守固无言，惧贻蔽贤之咎。昔孔愉表韩绩之才，庾亮荐翟汤之德，臣虽未齿二臣，协实无惭两士。'即召拜通直散骑侍郎，兼中书通事舍人。累迁步兵校尉，守鸿胪卿，员外散骑常侍，卿、舍人并如故。"

张率、陆倕、刘孝绰对掌东宫书记。《梁书·张率传》："还除太子仆……俄迁太子家令，与中庶子陆倕、仆刘孝绰对掌东宫书记，迁黄门侍郎。"

高祖于文德殿饯广州刺史元景隆，诏群臣赋诗，同用五十韵，王规援笔立就，其文又美。《梁书·王规传》说："父忧去职。服阕，袭封南昌县侯，除中书黄门侍郎。敕与陈郡殷钧、琅邪王锡、范阳张缅同侍东宫，俱为昭明太子所礼……六年，高祖于文德殿饯广州刺史元景隆，诏群臣赋诗，同用五十韵，规援笔立奏，其文又美。高祖嘉焉，即日诏为侍中。"春泓按，《南史》本传记载王规父王骞卒于普通三年，故王规服阕，在普通六年或稍前。

萧洽卒，时年五十五。《梁书·萧介传》附《萧洽传》说："六年，卒官，时年五十五……集二十卷，行于世。"

观当时文士之间的交往，其诗酒雅集，令人神往。《梁书·文学传》之《谢几卿传》说："谢几卿，陈郡阳夏人。曾祖灵运，宋临川内史；父超宗，齐黄门郎；并有重名于前代。几卿幼清辩，当世号曰神童……既长，好学，博涉有文采……普通六年，诏遣领军将军西昌侯萧渊藻督众军北伐，几卿启求行，擢为军师长史，加威戎将军。

军至涡阳退败，几卿坐免官……湘东王在荆镇，与书慰勉之。几卿答曰：'下官自奉违南浦，卷迹东郊，望日临风，瞻言伫立……兰香兼御，羽觞竞集，侧听余论，沐浴玄流。涛波之辩，悬河不足譬；春藻之辞，丽文无以匹。莫不相顾动容，服心胜口，不觉春日为遥，更谓修夜为促……'"

北朝

正月

徐州刺史元法僧据城反，害行台高谅，自称宋王，年号天启，遣其子景仲归于萧衍。据《魏书》卷九《肃宗纪》。

四月

灵太后复临朝执政。诏除元叉为民。据《魏书》卷九《肃宗纪》。

本年

征西将军、都督崔延伯大败于泾川，战殁。延伯部下有田僧超善为胡笳曲，每壮声气。据《魏书》卷九《肃宗纪》。《洛阳伽蓝记》卷四记其事："有田僧超者，善吹笳，能为《壮士歌》《项羽吟》，征西将军崔延伯甚爱之。正光末，高平失据，虎吏充斥，贼帅万俟丑奴寇暴泾岐之间，朝廷为之旰食，延伯出师于洛阳城西张方桥，即汉之夕阳亭也。时公卿祖道，车骑成列，延伯危冠长剑耀武于前，僧超吹壮士笛曲于后，闻之者懦夫成勇，剑客思奋。延伯胆略不群，威名早著，为国展力，二十余年，功无全城，战无横阵，是以朝廷倾心送之。延伯每临阵，常令僧超为壮士声，甲胄之士莫不踊跃。延伯单马入阵，旁若无人，勇冠三军，威震戎竖。二年之间，献捷相继。丑奴募善射者射僧超亡，延伯悲惜哀恸，左右谓伯牙失钟子期不能过也。后延伯为流矢所中，卒于军中。于是五万之师，一时溃散。"

魏军逼彭城，梁武帝子萧综夜潜出降。《魏书》卷五九《萧宝夤传附从子缵传》："宝夤兄宝卷子赞，字德文，本名综，入国，宝夤改焉。初，萧衍灭宝卷，宝卷宫人吴氏始孕，匿而不言。衍仍纳之，生缵，以为己子，封豫章王。及长，学涉有才思。其母告之以实，缵昼则谈谑如常，夜则衔悲泣涕。结客待士，恒有来奔之志。为衍诸子深所猜疾。"《洛阳伽蓝记》卷二记其事曰："孝昌初，萧衍子豫章王综来降，闻此钟声，以为奇异，遂造《听钟歌》三首，行传于世。综字世谦，伪齐昏主宝卷遗腹子也。宝卷临政淫乱，吴人苦之。雍州刺史萧衍立南康王宝融为主，举兵向秣陵，事即克捷，遂杀宝融以自立。宝卷有美人吴景晖，时孕综经月，衍因幸景晖，及综生，认为己子，小名缘觉，封豫章王。综形貌举止甚似昏主，其母告之，领自方便。综遂归我圣阙，更改名曰缵字德文，使为宝卷追服三年丧。"

袁翻除安南将军、中书令，领给事黄门侍郎，与徐纥俱在门下，并掌文翰。是时蛮贼充斥，六军将亲讨之，翻乃上表谏止。据《魏书》卷六九《袁翻传》。检《肃宗纪》本年冬，时四方多事，诸蛮复反，孝明帝诏将躬驭六师，扫荡逋秽。故系于是年。

邢劭为元叉作《谢封尚书令表》。《北齐书》卷三六《邢邵传》曰："深为领军元叉所礼，叉新除尚书令，神俊与陈郡袁翻在席，叉令邵作谢表，须臾便成，以示诸宾。神俊曰：'邢邵此表，足使袁公变色。'孝昌初，与黄门侍郎李琰之对典朝仪。自孝明之后，文雅大盛，邵雕虫之美，独步当时，每一文初出，京师为之纸贵，读诵俄遍远近。于时袁翻与范阳祖莹位望通显，文笔之美，见称先达，以邵藻思华赡，深共嫉之。每洛中贵人拜职，多凭邵为谢表。尝有一贵胜初受官，大集宾食，翻与邵俱在坐。翻意主人托其为让表。遂命邵作之。翻甚不悦，每告人云：'邢家小儿尝客作章表，自买黄纸，写而送之。'邵恐为翻所害，乃辞以疾。"检《肃宗纪》及卷一六《京兆王黎传附继子叉传》，元叉除为骠骑大将军、仪同三司、尚书令、侍中、领左右，在本年二月。故系于是年。

常景作《汭颂》。《魏书》卷八二《常景传》："既而萧综降附，徐州清复，遣景兼尚书，持节驰与行台、都督观机部分。景经洛汭，乃作铭焉。"又《汭颂》之说见《洛阳伽蓝记》卷三，云："神鬼中，常景为《汭颂》。"

刘狄（525—573）**生。**狄，刘芳孙也，字子长，彭城人。北齐作家。

公元 526 年（梁武帝普通七年　魏孝明帝孝昌二年　丙午）

十一月

萧统生母丁贵嫔薨，哀痛欲绝。《梁书·昭明太子传》说：七年十一月，生母丁贵嫔薨，萧统至哀欲绝。

昭明太子性情清雅，多有美德。"性宽和容众，喜愠不形于色。引纳才学之士，赏爱无倦。恒自讨论篇籍，或与学士商榷古今；闲则继以文章著述，率以为常。于时东宫有书几三万卷，名才并集，文学之盛，晋、宋以来未之有也。性爱山水，于玄圃穿筑，更立亭馆，与朝士名素者游其中。尝泛舟后池，番禺侯轨盛称'此中宜奏女乐'。太子不答，咏左思《招隐诗》曰：'何必丝与竹，山水有清音。'侯惭而止。"

本年

王训年十六，召对刘德殿，应对爽彻。《梁书·王暕传》说王暕有子名训，"十六，召见文德殿，应对爽彻。上目送久之，顾谓朱异曰：'可谓相门有相矣。'"因本传称王训在王暕卒时（普通四年），年方十三，所以王训十六岁应在普通七年。

萧恭好宾友，常座客满筵，言谈不倦。《梁书·太祖五王传》之《南平元襄王伟传》说萧伟之子萧恭"尤好宾友，酣宴终辰，座客满筵，言谈不倦。时世祖居藩，颇事声誉，勤心著述，厄酒未尝妄进。恭每从容谓人曰：'下官历观世人，多有不好欢乐，乃仰眠床上，看屋梁而著书，千秋万岁，谁传此者。劳神苦思，竟不成名，岂如临清风，对朗月，登山泛水，肆意酣歌也。'"春泓按，《梁书·元帝本纪》记载，普通七年，亦即萧绎十八岁之际，开始居藩，故萧恭此番言论，应发于是年或稍后。这反映了萧绎居藩时的生活状态，亦表达了萧恭及时行乐的人生观。

萧业卒，时年四十八。《梁书·长沙嗣王业传》说："七年，薨，时年四十八。谥曰元。有文集行于世。"

诸符檄皆令裴子野草创。其为文典而速，不尚靡丽之词。《梁书·裴子野传》说："普通七年，王师北伐，敕子野为喻魏文，受诏立成，高祖以其事体大，召尚书仆射徐勉、太子詹事周舍、鸿胪卿刘之遴、中书侍郎朱异，集寿光殿以观之，时并叹服。高祖目子野而言曰：'其形虽弱，其文甚壮。'俄又敕为书谕魏相元叉，其夜受旨，子野谓可待旦方奏，未之为也。及五鼓，敕催令开斋速上，子野徐起操笔，昧爽便就。既奏，高祖深嘉焉。自是凡诸符檄，皆令草创。子野为文典而速，不尚丽靡之词。其制作多法古，与今文体异，当时或有诋诃者，及其末皆翕然重之。或问其为文速者，子野答云：'人皆成于手，我独成于心，虽有见否之异，其于刊改一也。'"春泓按，所谓"人皆成于手，我独成于心"，其实这个"心"，指的就是刘勰《文心雕龙·总术》篇所说之"术"，"才之能通，必资晓术，自非圆鉴区域，大判条例，岂能控引情源，制胜文苑哉"？而这个"术"，在裴氏那里就是"制作多法古"，他精于文体，所以能够"为文典而速"。

萧绎出为西中郎将、荆州刺史，起刘孝绰为西中郎湘东王咨议。《梁书·刘孝绰传》说："时世祖出为荆州，至镇，与孝绰书曰：'君屏居多暇，差得肆意典坟，吟咏情性，比复稀数古人，不以委约而能不伎痒；且虞卿、史迁由斯而作，想摛属之兴，益当不少。洛地纸贵，京师名动，彼此一时，何其盛也。近在道务闲，微得点翰，虽无纪行之作，颇有怀旧之篇。至此已来，众诸屑役。小生之诋，恐取辱于庐江；遮道之奸，虑兴谋于从事。方且褰帷自厉，求瘼不休，笔墨之功，曾何暇豫。至于心乎爱矣，未尝有歇，思乐惠音，清风靡闻。譬夫梦想温玉，饥渴明珠，虽愧卞、随，犹为好事。新有所制，想能示之。勿等清虑，徒虚其请。无由赏悉，遣此代怀。数路计行，迟还芳札。'孝绰答曰：'伏承自辞皇邑，爰至荆台，未劳刺举，且摛高丽。近虽预观尺锦，而不睹全玉。昔临淄词赋，悉与杨修，未殚宝笥，顾惭先哲。诸宫旧俗，朝衣多故，李固之荐二贤，徐璆之奏五郡，威怀之道，兼而有之。当欲使金石流功，耻用翰墨垂迹。虽乖知二，偶达圣心。爰自退居素里，却扫穷闾，比杨伦之不出，譬张挚之杜门。昔赵卿穷愁，肆言得失；汉臣郁志，广叙盛衰。彼此一时，拟非其匹。窃以文豹何辜，以文为罪。由此而谈，又何容易。故韬翰吮墨，多历寒暑，既阙子幼南山之歌，又微敬通渭水之赋，无以自同献笑，少酬褒诱。且才乖体物，不拟作于玄根；事殊宿诺，宁贻惧于朱亥。顾己反躬，载怀累息。但瞻言汉广，邈若天涯，区区一心，分宵九逝。殿下降情白屋，存问相寻，食椹怀音，劁伊人矣。'孝绰免职后，高祖数使仆射徐勉宣旨慰抚之，每朝宴常引与焉。及高祖为《籍田诗》，又使勉先示孝绰。时奉诏作者数十人，高祖以孝绰尤工，即日有敕，起为西中郎湘东王咨议。启谢曰：'臣不能衔珠避颠，倾柯卫足，以兹疏幸，与物多忤。兼逢匿怨之友，遂居司隶之官，交构是非，用成蓁斐。日月昭回，俯明枉直。狱书每御，辄鉴蒋济之冤；灸发见明，非关陈正之辩。遂漏斯密网，免彼严棘，得使还同士伍，比屋唐民，生死肉骨，岂伴其施。臣诚无识，孰不戴天。疏远畎陇，绝望高阙，而降其接引，优以旨喻，于臣微物，足为荣陨。况刚条落叶，忽沾云露；周行所置，复齿盛流。但雕朽杇粪，徒成延奖；捕影系风，终无效答。'又启谢东宫曰：'臣闻之，先圣以"众恶之，必察焉；众好之，必察焉"。岂非孤特则积毁所归，比周则积誉斯信？知好恶之间，必待明鉴。故晏婴再为阿宰，而前毁后誉。后誉出于阿意，前毁由于直道。是以一犬所噬，旨酒贸其甘酸；一手所摇，嘉树变其生死。又邹阳有言，士无贤愚，入朝见嫉。至若臧文之下展季，靳尚之放灵均，绛侯之排贾生，平津之陷主父，自兹厥后，其徒实繁。曲笔短辞，不暇殚述，寸管所窥，常由切齿。殿下海道观书，俯同好学，前载枉直，备该神览。臣昔因立侍，亲承绪言，飘风贝锦，譬彼谗慝，圣旨殷勤，深以为叹。臣资愚履直，不能杜渐防微，曾未几何，逢谗罹难。虽吹毛洗垢，在朝而同嗟；而严文峻法，肆奸其必奏。不顾卖友，志欲要君，自非上帝运超己之光，昭陵阳之虐，舞文虚谤，不取信于宸明，在缧婴缰，幸得蠲于庸暗。裁下免黜之书，仍颁朝会之旨。小人未识通方，絷马悬车，息绝朝觐。方愿灭影销声，遂移林谷。不悟天听罔已，造次必彰，不以距违见疵，复使引籍云陛。降宽和之色，垂布帛之言，形之千载，所蒙已厚；况乃恩等特召，荣同起家，望古自惟，弥觉多忝。但未渝丹石，永藏轮轨，相彼工言，构兹媒诐。且款冬而生，已凋柯叶，空延德泽，无谢阳春。'"春泓按，《梁书》本纪说萧绎于普通七年出为西中郎将、荆州刺史。所以萧绎与书，和刘孝绰起为西中郎湘东王咨议盖在大致同样的时间，即普通七年或稍后。刘孝绰启谢攻击对手到洽，引用了许多贤人遭受诬陷的典故，淋漓尽致地为自己洗清冤屈。

萧琛得"班固真本"《汉书》。《梁书·萧琛传》说："始琛在宣城，有北僧南渡，惟赍一葫芦，中有《汉书》《序传》。僧曰：'三辅旧老相传，以为班固真本。'琛固求得之，其书多有异今者，而纸墨亦古，文字多如龙举之例，非隶非篆，琛甚秘之。及是行也，以书镶鄱阳王范，范乃献于东宫。"春泓按，《梁书》本传记载，萧琛于天监元年出为宣城太守，但是很快就"征为卫尉卿，俄迁员外散骑常侍"，所以萧琛获得古本《汉书》《序传》似应在天监元年或稍后，而按本传记载，鄱阳王萧恢与萧琛在荆州有交往，萧恢于本年卒于荆州，世子萧范嗣于本年。按《南史》记述，萧范"虽无学术，而以筹略自命。爱奇玩古，招集文才，率意题章，亦时有奇致"，他"行至荆州而忠烈王薨，因停自解。武帝不许，诏权监荆州"，故萧琛当于此时，投其所好，将古籍赠予萧范，萧范随后再进献于东宫，东宫多罕见之书籍，昭明太子等受到深厚的文化熏陶。

萧范、萧绎相会于荆州。根据《南史》本传记述，萧范在本年有机会与萧绎相会于荆州，萧范"尝得旧琵琶，题云'齐竟陵世子'。范嗟人往物存，揽笔为咏，以示湘东王，王吟咏其辞，作《琵琶赋》和之"。

时膏腴贵游，咸以文学相尚。《梁书·王承传》说："王承字安期，仆射暕子。七岁通《周易》，选补国子生。年十五，射策高第，除秘书郎。历太子舍人、南康王文学、邵陵王友、太子中舍人。以父忧去职。服阕，复为中舍人，累迁中书黄门侍郎，兼国子博士。时膏腴贵游，咸以文学相尚，罕以经术为业，惟承独好之，发言吐论，造次儒者。在学训诸生，述《礼》《易》义。"春泓按，《梁书》本传记载，王暕卒于普通四年，所以王承服阕当在普通七年。"时膏腴贵游，咸以文学相尚，罕以经术为业"，《陈书·儒林传》之《沈洙传》说："大同中，学者多涉猎文史，不为章句。"这反映了当时士人的普遍风尚，"文学"与"经术"相对，说明文学进一步脱离了经学的束缚，日益走向独立，这正是梁代新兴文学的重要特征。

《文选》编成于本年或稍后。因陆倕卒于本年，根据何融《〈文选〉编撰时期及编者考略》指出，《文选》所选梁代作家最晚者是陆倕，故《文选》当于本年或稍后编成。

周弘直迁西中郎湖东王外兵记室参军。《陈书·周弘正传》附《周弘直传》说："弘直字思方，幼而聪敏。解褐梁太学博士，稍迁西中郎湘东王外兵记室参军，与东海鲍泉、南阳宗懔、平原刘缓、沛郡刘毅同掌书记。"

公元 527 年（梁武帝大通元年　魏孝明帝孝昌三年　丁未）

本年

到洽卒，时年五十一。《梁书·到洽传》说："大通元年，卒于郡，时年五十一。赠侍中。谥曰理子。昭明太子与晋安王纲令曰：'明北兖、到长史遂相系凋落，伤悼悲惋，不能已已。去岁陆太常殂殁，今兹二贤长谢。陆生资忠履贞，冰清玉洁，文该四始，学遍九流，高情胜气，贞然直上。明公儒稽古，淳厚笃诚，立身行道，始终如一，倘值夫子，必升孔堂。到子风神开爽，文义可观，当官莅事，介然无私。皆海内之俊乂，东序之秘宝。此之嗟惜，更复何论。但游处周旋，并淹岁序，造膝忠规，岂可胜说，幸免祗悔，实二三子之力也。对谈如昨，音言在耳，零落相仍，皆成异物，每一念至，何时可言。天下之宝，理当恻怆。近张新安又致故，其人文笔弘雅，亦足嗟惜，随弟府朝，东西日久，尤当伤怀也。比人物零落，特可伤惋，属有今信，乃复及之。'"《梁书·明山宾传》说："大通元年，卒，时年八十五。诏赠侍中、信威将军。谥曰质子。昭明太子为举哀，赙钱十万，布百匹，并使舍人王颛监护丧事。又与前司徒左长史殷芸令曰：'北兖信至，明常侍遂至殒逝，闻之伤悼。此贤儒术该通，志用稽古，温厚淳和，伦雅弘笃。授经以来，迄今二纪。若其上交不诏，造膝忠规，非显外迹，得之胸怀者，盖亦积矣。摄官连率，行当言归，不谓长往，眇成畴日。追忆谈绪，皆为悲端，往矣如何！昔经联事，理当酸怆也。'"春泓按，于此可见萧统受明山宾、到洽影响至深，明山宾则在儒学方面曾给萧统以教诲。

徐摛兼宁蛮府长史，参赞戎政。《梁书·徐摛传》说："大通初，王总戎北伐，以摛兼宁蛮府长史，参赞戎政，教命军书，多自摛出。"

张率卒，时年五十三。《梁书·张率传》说："大通元年，服未阕，卒，时年五十三。昭明太子遣使赠赙，与晋安王纲令曰：'近张新安又致故。其人才笔弘雅，亦足嗟惜。随弟府朝，东西日久，尤当伤怀也。比人物零落，特可潸慨，属有今信，乃复及之。'率嗜酒，事事宽恕，于家务尤忘怀。在新安，遣家僮载米三千石还吴宅，既至，遂耗太半。率问其故，答曰：'雀鼠耗也。'率笑而言曰：'壮哉雀鼠。'竟不研问。少好属文，而《七略》及《艺文志》所载诗赋，今亡其文者，并补作之。所著《文衡》十五卷，文集三十卷，行于世。子长公嗣。"

萧乾年九岁，召补国子《周易》生。《陈书·萧乾传》说："萧乾字思惕，兰陵人也。祖巘，齐丞相豫章文献王。父子范，梁秘书监。乾容止雅正，性恬简，善隶书，得叔父子云之法。年九岁，召补国子《周易》生，梁司空袁昂时为祭酒，深敬重之。"春泓按，《梁书》本传记载，袁昂于天监七年，除国子祭酒，并于大通元年，表解祭酒，迁司空，所以称之为"梁司空袁昂时为祭酒"，当正在本年。

顾野王年九岁，能属文。《陈书·顾野王传》说："顾野王字希冯，吴郡吴人也……野王幼好学。七岁，读《五经》，略知大旨。九岁能属文，尝制《日赋》，领军朱异见而奇之。"春泓按，本传记载，顾野王卒于太建十三年，时年六十三，所以其九岁时，当在梁大通元年。

北朝

本年

御史中尉郦道元为萧宝夤所杀。《魏书》卷八九《郦道元传》："道元素有严猛之称。司州牧、汝南王悦嬖近左右丘念，常与卧起。及选州官，多由于念。念匿于悦第，时还其家，道元收念付狱。悦启灵太后请全之，敕赦之。道元遂尽其命，因以劾悦。是时雍州刺史萧宝夤反状稍露，悦等讽朝廷遣为关右大使，遂为宝夤所害，死于阴盘驿亭。"据《魏书肃宗纪》，本年十月，萧宝夤据雍州反，自号为齐，故系于是年。本传云："道元好学，历览奇书。撰注《水经》四十卷、《本志》十三篇，又为《七聘》及诸文，皆行于世。然兄弟不能笃穆，又多嫌忌，时论薄之。"刘熙载《艺概》卷一《文概》："郦道元叙山水，俊杰层深，奄有楚辞《山鬼》《招隐士》胜境。柳柳州游记，此其先导邪？"

刘臻（527—598）生。刘臻字宣挚，祖籍沛国人。隋代作家。

公元 528 年（梁武帝大通二年　魏孝庄帝永安元年　戊申）

本年

萧机卒，时年三十。《梁书·太祖五王传》之《安成康王秀传》说萧秀之子萧机于大通二年去世，时年三十。"机美姿容，善吐纳。家既多书，博学强记……所著诗赋数千言，世祖集而序之。"

萧综被魏人执杀，时年四十九。《梁书·豫章王综传》说："豫章王综字世谦，高祖第二子也……大通二年，萧宝夤在魏据长安反，综自洛阳北遁，将赴之，为津吏所执，魏人杀之，时年四十九。初，综既不得志，尝作《听钟鸣》《悲落叶辞》，以申其志。大略曰：听钟鸣，当知在帝城。参差定难数，历乱百愁生。去声悬窈窕，来响急徘徊。谁怜传漏子，辛苦建章台。听钟鸣，听听非一所。怀瑾握瑜空掷去，攀松折桂谁相许？昔朋旧爱各东西，譬如落叶不更齐。漂漂孤雁何所栖，依依别鹤夜半啼。听钟鸣，听此何穷极？二十有余年，淹留在京域。窥明镜，罢容色，云悲海思徒掩抑。其《悲落叶》云：悲落叶，连翩下重叠。落且飞，纵横去不归。悲落叶，落叶悲。人生譬如此，零落不可持。悲落叶，落叶何时还？昔共根本，无复一相关。当时见者莫不悲之。"

北朝

本年

北魏变故迭起。《魏书》卷九《肃宗纪》：一月，生皇女，秘言皇子。二月，孝明帝崩，灵太后以皇女假称皇子即位。四月，太后、皇女亦崩。据《魏书》卷七四《尔朱荣传》，太后、少主皆为尔朱荣所害。《魏书》卷十《孝庄帝纪》：四月，彭城王元勰第三子元子攸即位，是为孝庄帝。改元建义。九月，改元永安。十月，梁武帝以魏北海王元浩为魏主，入据南兖铚城。

本年

元顺（494—528）卒，时年三十五岁。《魏书》卷一九《任城王云传附彝兄顺传》："后除征南将军、右光禄大夫，转兼左仆射。尔朱荣之奉庄帝，召百官悉至河阴。素闻顺数谏诤，惜其亮直，谓朱瑞曰：'可语元仆射，但在省，不须来。'顺不达其旨，闻害衣冠，遂便出走，为陵户鲜于康奴所害。"

袁翻（476—528）卒。《魏书》卷六九《袁翻传》："建义初，遇害于河阴，年五十三。所著文笔百余篇，行于世。"本传之史臣曰："袁翻文高价重，其当时之才秀钦？"

公元 529 年（梁武帝中大通元年　魏孝庄帝永安二年　己酉）

九月

梁武帝舍身同泰寺，公卿以下，以钱一亿万奉赎。《梁书·武帝本纪下》说：秋九月癸巳，"舆驾幸同泰寺，设四部无遮大会，因舍身，公卿以下，以钱一亿万奉赎"。

萧齐子弟均擅长文史之学。《梁书·萧子恪传》说："三年，卒于郡舍，时年五十二。诏赠侍中、中书令。谥曰恭。子恪兄弟十六人，并仕梁。有文学者，子恪、子质、子显、子云、子晖五人。子恪尝谓所亲曰：'文史之事，诸弟备之矣，不烦吾复牵率，但退食自公，无过足矣。'子恪少亦涉学，颇属文，随弃其本，故不传文集。"

殷芸卒，时年五十九。《梁书·殷芸传》说："殷芸字灌蔬，陈郡长平人……普通六年，直东宫学士省。大通三年卒，时年五十九。"春泓按，此大通三年，盖指中大通元年。

杜之伟补东宫学士。《陈书·文学传》之《杜之伟传》说："中大通元年，梁武帝幸同泰寺舍身，敕勉撰定仪注，勉以台阁先无此礼，召之伟草具其仪。乃启补东宫学士，与学士刘陟等钞撰群书，各为题目。所撰《富教》《政道》二篇，皆之伟为序。"

北朝

本年

李谐作《述身赋》。《魏书》卷六五《李平传附子谐传》："元颢入洛，以为给事黄门侍郎。颢败，除名，乃为《述身赋》。"按《孝庄帝纪》，元颢于本年五月入洛。七月，元颢败，出洛。故系于是年。《洛阳伽蓝记》卷一载祖莹为元颢致书孝庄帝。

杨元慎斥陈庆之，又戏庆之，其词诙谐类俗赋。见《洛阳伽蓝记》卷二。

公元 530 年（梁武帝中大通二年　魏孝庄帝永安三年　庚戌）

正月

以萧纲为骠骑大将军、扬州刺史。《梁书·武帝本纪下》说："二年春正月戊寅，以雍州刺史晋安王纲为骠骑大将军、扬州刺史。"

裴子野卒官，年六十二。《梁书·裴子野传》说："末年深信释氏，持其教戒，终身饭麦食蔬。中大通二年，卒官，年六十二……子野少时，《集注丧服》《续裴氏家传》各二卷，抄合后汉事四十余卷，又敕撰《众僧传》二十卷，《百官九品》二卷，《附益谥法》一卷，《方国使图》一卷，文集二十卷，并行于世。又欲撰《齐梁春秋》，始草创，未就而卒。"《梁书》中姚察评曰："若夫宪章游、夏，祖述回、骞，体兼文行，于裴几原见之矣。"

高祖雅爱子显才，又嘉其容止吐纳。《梁书·萧子恪传》附《萧子显传》说："中大通二年，迁长兼侍中。高祖雅爱子显才，又嘉其容止吐纳，每御筵侍坐，偏顾访焉。尝从容谓子显曰：'我造《通史》，此书若成，众史可废。'子显对曰：'仲尼赞《易》道，黜《八索》，述职方，除《九丘》，圣制符同，复在兹日。'时以为名对。"

顾野王年十二，撰《建安地记》。《陈书·顾野王传》说："年十二，随父之建安，撰《建安地记》二篇。"

徐伯阳年十五，以文笔称。《陈书·文学传》之《徐伯阳传》说："徐伯阳字隐忍，东海人也……伯阳敏而好学，善色养，进止有节。年十五，以文笔称。学《春秋左氏》。家有史书，所读者近三千余卷。"春泓按，本传记载，徐伯阳于太建十三年卒，时年六十六，故其十五岁时正值本年。

北朝

九月

孝庄帝畏逼，杀尔朱荣、元天穆。据《魏书》卷十《孝庄纪》。按《孝庄纪》有诏书，《洛阳伽蓝记》载孝庄诛尔朱荣，温子升在侧，言"陛下色变"。诏书或出温子升手。

十一月

尔朱兆入洛逼帝幸永宁寺。又迁帝于晋阳，遂为尔朱兆弑于城内三级佛寺。据《魏书》卷十《孝庄纪》、卷七五《尔朱兆传》。《洛阳伽蓝记》记尔朱兆弑君事甚详。孝庄帝被囚，作诗曰："权去生道促，忧来死路长。怀恨出国门，念悲入鬼乡。隧门一时闭，幽庭岂复光。思鸟吟青松，哀风吹白杨。昔来闻死苦，何言身自当。"至太昌元

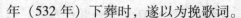

年（532 年）下葬时，遂以为挽歌词。

崔光孙崔子元献父崔鸿所著《十六国春秋》，102 卷。《魏书》卷六七《崔光列传附鸿子子元传》："子子元，秘书郎。后永安中，乃奏其父书，曰：'臣亡考故散骑常侍、给事黄门侍郎、前将军、齐州大中正鸿，不殒家风，式缵世业，古学克明，在新必镜，多识前载，博极群书，史才富洽，号称籍甚。年止壮立，便斐然怀著述意。正始之末，任属记言，撰缉余暇，乃刊著赵、燕、秦、夏、凉、蜀等遗载，为之赞序，褒贬评论。先朝之日，草构悉了，唯有李雄《蜀书》，搜索未获，阙兹一国，迟留未成。去正光三年，购访始得，讨论适讫，而先臣弃世。凡十六国，名为《春秋》，一百二卷，近代之事最为备悉。未曾奏上，弗敢宣流。今缮写一本，敢以仰呈。倘或浅陋，不回睿赏，乞藏秘阁，以广异家。'"上奏之年不详，从曹道衡、刘跃进《南北朝文学编年史》系于是年。

公元 531 年（梁武帝中大通三年　魏节闵帝普泰元年　辛亥）

四月

皇太子萧统卒，时年三十一。《梁书·昭明太子传》说：三年四月乙巳薨，时年三十一[①]。"诏司徒左长史王筠为哀册，文曰：……爰初敬业，离经断句；奠爵崇师，卑躬待傅。宁资导习，匪劳审谕；博约是司，时敏斯务。辨究空微，思探几赜；驰神图纬，研精爻画。沉吟典礼，优游方册；餍饫膏腴，含咀肴核。括囊流略，包举艺文；遍该缃素，殚极丘坟。腾帙充积，儒墨区分；瞻河阐训，望鲁扬芬。吟咏性灵，岂惟薄伎；属词婉约，缘情绮靡。字无点窜，笔不停纸；壮思泉流，清章云委。总览时才，网罗英茂；学穷优洽，辞归繁富。或擅谈丛，或称文囿；四友推德，七子惭秀。望苑招贤，华池爱客；托乘同舟，连舆接席。摛文掞藻，飞翰泛醳；恩隆置醴，赏逾赐璧。徽风遐被，盛业日新；仁器非重，德辙易遵。泽流兆庶，福降百神；四方慕义，天下归仁。……所著文集二十卷；又撰古今典诰文言，为《正序》十卷；五言诗之善者，为《文章英华》二十卷；《文选》三十卷。"春泓按，这是当时学风的全面写照，其中谈到了"流略"、"艺文"，可见当时目录学的发达，也说明萧统博通百家，在属文方面自然也非仅"吟咏性灵"一端可限之矣，他编撰《文选》，其文体分类究竟是多少，虽然尚有争议，但是至少说明"文"在其意识中是"文章"的概念。《梁书·王筠传》说："三年，昭明太子薨，敕为哀策文，复见嗟赏。"

五月

诏立萧纲为皇太子。《梁书·简文帝本纪》说：昭明太子薨后，"五月丙申，诏曰：'……晋安王纲，文义生知，孝敬自然，威惠外宣，德行内敏，群后归美，率土宅心。可立为皇太子。'"

---

① 上海：上海古籍出版社 1995 年版。

本年

高祖屡幸同泰寺。冬十月己酉，行幸同泰寺，高祖升法座，为四部众说《大般若涅盘经》义，迄于乙卯。十一月乙未，行幸同泰寺，高祖升法座，为四部众说《摩诃般若波罗蜜经》义，讫于十二月辛丑。据《梁书·武帝本纪》。

徐勉作《诫子书》，"止足"意识颇为浓厚。《梁书·徐勉传》说徐勉尝为其子徐崧作《诫子书》，其中言及"所以显贵以来，将三十载"云云，按徐勉历仕齐梁二朝，在王俭为祭酒时，已蒙其赏识，得以步入仕途，但是终齐世，徐勉官位不高，谈不上"显贵"。直至梁代，天监二年（503），徐勉除给事黄门侍郎、尚书吏部郎，参掌大选，方可称为逐渐"显贵"。《诫子书》中提到"兼吾年时朽暮，心力稍殚，牵课奉公，略不克举，其中余暇，裁可自休"，结合《梁书》本传记述徐勉"中大通三年，又以疾自陈"云云，这时离其开始显赫之时恰好"将三十载"，所以定《诫子书》为中大通三年时所作。徐勉《诫子书》凸现了"止足"的意识，他说："中年聊于东田间营小园者，非在播艺，以要利人，正欲穿池种树，少寄情赏……古往今来，豪富继踵，高门甲第，连闼洞房，宛其死矣，定是谁室？但不能不为培塿之山，聚石移果，杂以花卉，以娱休沐，用托性灵……或复冬日之阳，夏日之阴，良辰美景，文案间隙，负杖蹑屐，逍遥陋馆，临池观鱼，披林听鸟，浊酒一杯，弹琴一曲，求数刻之暂乐，庶居常以待终，不宜复劳家间细务"，佛教空无的思想十分浓重，徐勉在齐代不属于高门著姓，到梁代才突然显贵，而这种时来运转，却令其内心深感不安，此辈人物一般不具有高远的志向，惟恐失去眼前所获得的一切，其士人心迹可见一斑。

伏挺、徐勉书信往还。《梁书·文学传》之《伏挺传》说："挺少有盛名，又善处当世，朝中势素，多与交游，故不能久事隐静。时仆射徐勉以疾假还宅，挺致书以观其意曰：……挺诚好属文，不会今世，不能促节局步，以应流俗。事等昌歜，谬彼偏嗜，是用不羞固陋，无惮龙门。昔敬通之赏景卿，孟公之知仲蔚，止乎通人，犹称盛美，况在时宗，弥为未易。近以蒲椠勿用，笺素多阙，聊效东方，献书丞相，须得善写，更请润诃，倘逢子侯，比复削牍。勉报曰：……猥降书札，示之文翰，览复成诵，流连缛纸。昔仲宣才敏，藉中郎而表誉；正平颖悟，赖北海以腾声。望古料今，吾有惭德。倘成卷帙，力为称首。无令独耀随掌，空使辞人扼腕。式间愿见，宜事扫门。亦有来思，赴其悬榻。轻苔鱼网，别当以荐。城阙之叹，曷日无怀；所迟萱苏，书不尽意。"春泓按，《梁书》本传说，中大通三年，徐勉"又以疾自陈"，对照徐勉此报书曰"得因疲病，念从闲逸……但凤有风咳，遭兹虚眩，瘠类士安，羸同长孺"云云，两人书信往还，当在中大通三年或稍后。从其书信中可知，当时人若要表达某种意思，必须借助典故委婉地传达，这是高度文化修养的体现。

徐摛文体既别，春坊尽学之，"宫体"之号，自斯而起。《梁书·徐摛传》说："王入为皇太子，转家令，兼掌管记，寻带领直。摛文体既别，春坊尽学之，'宫体'之号，自斯而起。高祖闻之怒，召摛加让，及见，应对明敏，辞义可观，高祖意释。因问《五经》大义，次问历代史及百家杂说，末论释教。摛商较纵横，应答如响，高祖甚加叹异，更被亲狎，宠遇日隆。领军朱异不说，谓所亲曰：'徐叟出入两宫，渐来避我，须早为之所。'遂承间白高祖曰：'摛年老，又爱泉石，意在一郡，以自怡养。'高祖谓摛欲之，乃召摛曰：'新安大好山水，任昉等并经为之，卿为我卧治此郡。'中大通三年，遂出为新安太守。"

张缅卒，时年四十二。《梁书·张缅传》说："张缅字元长，车骑将军弘策子也……中大通三年，迁侍中，未拜，卒，时年四十二。诏赠侍中，加贞威将军，侯如故。赙钱五万，布五十四。高祖举哀。昭明太子亦往临哭，与缅弟缵书曰：'贤兄学业该通，莅事明敏，虽倚相之读坟典，郤縠之敦《诗》《书》，惟今望古，蔑以斯过。自列宫朝，二纪将及，义惟僚属，情实亲友。文筵讲席，朝游夕宴，何曾不同兹胜赏，共此言寄。如何长谢，奄然不追！且年甫强仕，方申才力，摧苗落颖，弥可伤惋。念天伦素睦，一旦相失，如何可言。言及增哽，擎笔无次。'缅性爱坟籍，聚书至万余卷。抄《后汉》《晋书》众家异同，为《后汉纪》四十卷，《晋抄》三十卷。又抄《江左集》，未及成。文集五卷。"春泓按，萧统亦在此年故去，所以此书可以视作其绝笔文字。

萧子显以本官领国子博士。《梁书·萧子恪传》附《萧子显传》说："三年，以本官领国子博士。高祖所制经义，未列学官，子显在职，表置助教一人，生十人。又启撰高祖集，并《普通北伐记》。其年迁国子祭酒，又加侍中，于学递述高祖《五经义》。"

刘杳注萧统《祖归赋》。《梁书·文学传》之《刘杳传》说："昭明太子薨，新宫建，旧人例无停者，敕特留杳焉。仍注太子《祖归赋》，称为博悉。"

何胤卒，年八十六。《梁书·处士传》之《何胤传》说："中大通三年，卒，年八十六……胤注《百法论》《十二门论》各一卷，注《周易》十卷、《毛诗总集》六卷、《毛诗隐义》十卷、《礼记隐义》二十卷、《礼答问》五十五卷。"

徐陵为东宫学士。《陈书·徐陵传》说："徐陵字孝穆，东海郯人也。祖超之，齐鬱林太守，梁员外散骑常侍。父摛，梁戎昭将军、太子左卫率，赠侍中、太子詹事，谥贞子。母臧氏，尝梦五色云化而为凤，集左肩上，已而诞陵焉。时宝志上人者，世称其有道，陵年数岁，家人携以候之，宝志手摩其顶，曰：'天上石麒麟也。'光宅惠云法师每嗟陵早成就，谓之颜回。八岁能属文，十二通《庄》《老》义。既长，博涉史籍，纵横有口辩。梁普通二年，晋安王为平西将军、宁蛮校尉，父摛为王咨议，王又引陵参宁蛮府军事。中大通三年，王立为皇太子，东宫置学士，陵充其选。"

北朝

本年

北魏废立无常。《魏书》卷十一《废出三帝纪》，《资治通鉴》卷一百五十五《梁纪十一》云，二月，尔朱世隆立陵王元羽子恭为帝，改元普泰。初，尔朱世隆起兵反，立元晔，改元建明，及兵至邙南，以晔疏远，废之，立节闵帝。十月，高欢拥立渤海太守元朗为帝，改元中兴。

邢劭作赦文叙庄帝枉杀太原王尔朱荣之状。《洛阳伽蓝记》卷二："黄门侍郎邢子才为赦文，叙述庄帝枉杀太原王之状，广陵王曰：'永安手翦强臣，非为失德；直以天未厌乱，故逢成济之祸。'谓左右：'将笔来，朕自作之。'直言门下：'朕以寡德，运属乐推，思与亿兆同兹大庆，肆眚之科，一依恒式。"

温子升因预杀尔朱荣事，当尔朱兆入洛时，惧祸逃匿。据《魏书》卷八五《温子昇传》。

魏收为北主客郎中，后迁散骑侍郎，并修国史兼中书侍郎。《北齐书》卷三七《魏收传》：魏收为北主客郎中，节闵帝立，妙简近侍，诏试收为《封禅书》。收下笔便就，不立稿草，闻将千言，所收无几。时黄门郎贾思同侍立，深奇之。白帝曰："虽七步之才，无以过此。"迁散骑侍郎，寻敕典起居注，并修国史兼中书侍郎。

常景为车骑将军、右光禄大夫、秘书监。据《魏书》卷八二《常景传》。

释昙延出家为僧。释道宣《续高僧传》卷八《隋京师延兴寺释昙延传》："年十六因游寺，听妙法师将《涅槃》，探悟其旨，遂舍俗服。"

颜之推（531—?）生。《颜氏家训》卷二十《终制》有"吾年十九，值梁家丧乱"语，当指549年侯景之乱。卷一《序致》云："年始九岁，便丁荼蓼"，即指其父颜协之死。据《梁书》卷五〇《颜协传》，协卒于大同五年（539），则其生当在本年，与《终制》所记相合。

李德林（531—591）生。德林字公辅，博陵安平人。隋代作家。

公元 532 年（梁武帝中大通四年　魏孝武帝永熙元年　壬子）

本年

陆杲卒，时年七十四。《梁书》本传记载陆杲卒于中大通四年，时年七十四。"杲素信佛法，持戒甚精，著《沙门传》三十卷。"

顾协迁轻车湘东王参军事，兼记室。《梁书·顾协传》说："会西丰侯正德为吴郡，除中军参军，领郡五官，迁轻车湘东王参军事，兼记室。"春泓按，《梁书·萧正德传》说萧正德于中大通四年，为吴郡太守，故顾协应在此年或稍后为湘东王参军事，兼记室。

萧子范除大司马南平王户曹属。《梁书·萧恪传》附《萧子范传》说："出为建安太守，还除大司马南平王户曹属，从事中郎。王爱文学士，子范偏被恩遇，尝曰：'此宗室奇才也。'使制《千字文》，其辞甚美，王命记室蔡薳注释之。自是府中文笔，皆使草之。"春泓按，《梁书·太祖五王传》之《南平元襄王伟传》记述，萧伟在天监十七年，改封南平郡王，于中大通四年，迁中书令、大司马，并于中大通五年薨。所以萧子范除大司马南平王户曹属，在中大通四年。

许懋卒，时年六十九。《梁书·许懋传》说："（中大通）四年，拜中庶子。是岁卒，时年六十九。撰《述行记》四卷，有集十五卷。"

萧大心以皇孙封当阳公。《梁书·太宗十一王传》之《寻阳王大心传》说："寻阳王大心字仁恕。幼而聪朗，善属文。中大通四年，以皇孙封当阳公，邑一千五百户。"

处士庾诜卒，时年七十八。《梁书·处士传》之《庾诜传》说："庾诜字彦宝，新

野人也。幼聪警笃学，经史百家无不该综，纬候书射，棋算机巧，并一时之绝……中大通四年，因昼寝，忽惊觉曰：'愿公复来，不可久住。'颜色不变，言终而卒，时年七十八……诜所撰《帝历》二十卷、《易林》二十卷、续伍端休《江陵记》一卷、《晋朝杂事》五卷、《总钞》八十卷，行于世。"

北朝

四月

高欢废节恭帝元恭于崇训佛寺，立平阳王元修为帝，是为出帝。《魏书》卷十一《废出三帝纪》："帝既失位，乃赋诗曰：'朱门久可患，紫极非情玩。颠覆立可待，一年三易换。时运正如此，唯有修真观。'"

温子升作《韩陵山寺碑》。又作《大觉寺碑文》。《韩陵山寺碑》未及孝武西迁事，曹道衡、刘跃进《南北朝文学编年史》据《北齐书》载高欢自洛北还之初即有西迁意推测勒石纪功之举当在其得势之初。今从，系于是年。又按《洛阳伽蓝记》卷四，孝武帝元修即位，造砖浮图一所，诏温子升为碑文。

国子祭酒邢劭三十九岁，为《景明寺碑》文。《洛阳伽蓝记》卷三："至永熙年间始诏国子祭酒邢劭为碑文。"

魏收作《平等寺碑》文。据《洛阳伽蓝记》卷二。

广平王萧赞盛选宾僚以裴伯茂为文学。《魏书》卷八五《裴伯茂列传》云，裴伯茂为中书侍郎。孝武帝兄子广平王赞盛选宾僚，以伯茂为文学，后加中军大将军。

邢昕免官，为《述躬赋》。《魏书》卷八五《邢昕传》：邢昕除中书侍郎，加平东将军、光禄大夫。时言冒窃官级，为中尉所劾，免官，乃为《述躬赋》。未几，受诏与秘书监常景典仪注事。

祖鸿勋《与阳休之书》可能作于此年前后。作书之时，祖鸿勋、阳休之年俱不详，今从曹道衡、刘跃进《南北朝文学编年史》系年，兹录其文于后："按《北齐书·文苑·祖鸿勋传》，鸿勋于永安初曾为城阳王元徽所举，后为廷尉正，方去官归田，盖在章帝被杀，尔朱兆入洛之后。是年，阳休之年二十四。祖鸿勋，据《北齐书》本传'弱冠（核原文为"辗冠"）与同郡卢文符并为州主簿。仆射临淮王或表荐鸿勋有文学，宜试以一官，敕除奉朝请。'魏临淮王为仆射，据《魏书》本传，宣武时为中尉，尝为于忠所潜。于忠卒于孝明帝神龟元年（518），而临淮累迁方至仆射。记鸿勋之年，当长于阳休之，至少与魏收相仿佛。"

公元533年（梁武帝中大通五年　魏孝武帝永熙二年　癸丑）

二月

梁武帝行幸同泰寺，设四部大会。《梁书·武帝本纪下》说：五年春二月癸未，行幸同泰寺，设四部大会，高祖升法座，发《金字摩诃波若经》题，讫于己丑。复按《梁书·臧盾传》记述："中大通五年二月，高祖幸同泰寺开讲，设四部大会，众数万人，南越所献驯象，忽于众中狂逸，乘辇羽卫及会皆骇散。"可见当时之盛况。

本年

萧伟卒，时年五十八。《梁书·太祖五王传》之《南平元襄王伟传》说萧伟于本年去世，时年五十八。"伟少好学……晚年崇信佛理，尤精玄学，著《二旨意》，别为新通。又著《性情》《几神》等论，其义，僧宠及周舍、殷钧、陆倕并名精解，而不能屈。"

萧子显性凝简，为太宗所重。《梁书·萧子恪传》附《萧子范传》说："五年，选吏部尚书，侍中如故。子显性凝简，颇负其才气。及掌选，见九流宾客，不与交言，但举扇一拂而已，衣冠窃恨之。然太宗素重其为人，在东宫时，每引与促宴。子显尝起更衣，太宗谓坐客曰：'尝闻异人间出，今日始知是萧尚书。'其见重如此。"

褚翔应诏作诗，立成，即日转宣城王文学。《梁书·褚翔传》说："褚翔字世举，河南阳翟人。曾祖渊……中大通五年，高祖宴群臣乐游苑，别诏翔与王训为二十韵诗，限三刻成。翔于坐立奏，高祖异焉，即日转宣城王文学，俄迁为友。"

北朝

本年

裴伯茂作《豁情赋》。据《魏书》卷八五《裴伯茂传》。

魏收作《庭竹赋》，又作《南狩赋》。《南齐书》卷三七《魏收传》谓收作此赋"时孝武猜忌神武"，故系于是年。本传又谓收作此赋时"与济阴温子升，河间邢子才齐誉，是好'三才'"。

公元 534 年（梁武帝中大通六年　魏孝武帝永熙三年　东魏孝静帝天平元年　甲寅）

本年

孔奂年二十一。与刘显交往约在本年。《陈书·孔奂传》说："孔奂字休文，会稽山阴人也。曾祖琇之，齐左民尚书、吴兴太守。祖臶，太子舍人、尚书三公郎。父稚孙，梁宁远枝江公主簿、无锡令。奂数岁而孤，为叔父虔孙所养。好学，善属文，经史百家，莫不通涉。沛国刘显时称学府，每共奂讨论，深相叹服，乃执奂手曰：'昔伯喈坟素悉与仲宣，吾当希彼蔡君，足下无愧王氏。'所保书籍，寻以相付。"春泓按，本传记载，孔奂卒于至德元年，时年七十岁，刘显卒于大同九年，所以姑且定孔奂交往刘显时间在其二十一岁时，即梁中大通六年。

太子萧纲等编撰《法宝联璧》二百二十卷。

北朝

二月

永宁寺浮图为火所焚，或三月不绝。据《洛阳伽蓝记》卷一。

四月

诏以长山王妹乐安公主许蠕蠕，改为兰陵公主。魏收赋《出塞》《公主远嫁诗》。祖珽皆和之。据《魏书》卷一〇三《蠕蠕列传》。

七月

孝武帝图高欢，率十余万众次河桥，遂西奔长安依宇文泰。帝使温子升草敕以示高欢。据《魏书》卷十一《废出三帝纪》，《北齐书》卷一《神武纪上》。

十月

高欢立元善见为帝，是为东魏孝静帝。迁都于邺。据《魏书》卷十二《孝静帝纪》《北齐书》卷一《神武纪上》。

闰十二月

孝武帝为宇文泰所鸩。宇文泰立元宝炬，是为西魏文帝，都长安。据《魏书》卷十一《废出三帝纪》。

本年

裴伯茂为《迁都赋》。据《魏书》卷八五《裴伯茂传》。

邢昕与从叔子才、魏季景、魏收同征赴都。《魏书》卷八五《邢昕传》：永熙末，（邢）昕入为侍读，与温子升、魏收参掌文诏。迁邺，乃归河间。天平初，与侍中从叔子才、魏季景、魏收同征赴都。寻还乡里。既而复征。时萧衍使兼散骑常侍刘孝仪等来朝贡，诏昕兼正员郎迎于境上。本传又曰："自孝昌之后，天下多务，世人竞以吏工取达，文学大衰。"孝昌为魏孝明帝年号（525—527）。

贺拔胜奔梁，阳休之随之南奔。据《北齐书》卷十二《阳休之传》。

释法上四十岁，游化怀卫，为魏大将军高澄奏入于邺。据释道宣《续高僧传》卷八《齐大统合水寺释法上传》。

魏译佛经十九人，出经律论四百十九部。凡一千九百余卷。僧至二百万。国家大寺四十七所。三公等寺八百四十所。百姓所造寺院三万一千所。据元释觉岸《释氏稽古略》卷二。

公元535年（梁武帝大同元年 东魏孝静帝天平二年 西魏文帝大统元年 乙卯）

本年

徐勉卒，时年七十。《梁书》本传记载，徐勉卒于是年，时年七十，"勉善属文，勤著述，虽当机务，下笔不休。尝以起居注烦杂，乃加删撰为《流别起居注》六百卷；《左丞弹事》五卷；在选曹，撰《选品》五卷；齐时，撰《太庙祝文》二卷；以孔释二教殊途同归，撰《会林》五十卷。凡所著前后二集四十五卷，又为《妇人集》十卷，皆行于世"。

刘孝绰除安西湘东王咨议参军。《梁书·刘孝绰传》说："后为太子仆，母忧去职。服阕，除安西湘东王咨议参军，迁黄门侍郎，尚书吏部郎，坐受人绢一束，为饷者所讼，左迁信威临贺王长史。顷之，迁秘书监。"春泓按，《梁书》本纪说萧绎于大同元年进号安西将军。

刘遵卒，皇太子深悼惜之。《梁书·刘孺传》附《刘遵传》说："遵字孝陵。少清雅，有学行，工属文……大同元年，卒官。皇太子深悼惜之，与遵从兄阳羡令孝仪令曰：贤从中庶，奄至殒逝，痛可言乎！……文史该富，琬琰为心；辞章博赡，玄黄成采……吾昔在汉南，连翩书记，及忝朱方，从容坐首。良辰美景，清风月夜，鹢舟乍动，朱鹭徐鸣，未尝一日而不追随，一时而不会遇。酒阑耳热，言志赋诗，校覆忠贤，榷扬文史，益者三友，此实其人……吾昨欲为志铭，并为撰集。吾之劣薄，其生也不能揄扬吹嘘，使得骋其才用，今者为铭为集，何益既往？故为痛惜之情，不能已已耳。"

萧纲与湘东王书，为宫体文学张目。《梁书·文学传》之《庾肩吾传》说："除安西湘东王录事参军，俄以本官领荆州大中正。累迁中录事咨议参军、太子率更令、中庶子。初，太宗在藩，雅好文章士，时肩吾与东海徐摛、吴郡陆杲、彭城刘遵、刘孝仪、仪弟孝威，同被赏接。及居东宫，又开文德省，置学士，肩吾子信、摛子陵、吴郡张长公、北地傅弘、东海鲍至等充其选。齐永明中，文士王融、谢朓、沈约文章始用四声，以为新变，至是转拘声韵，弥尚丽靡，复逾于往时。时太子与湘东王书论之曰：

吾辈亦无所游赏，止事披阅，性既好文，时复短咏。虽是庸音，不能阁笔，有惭伎痒，更同故态。比见京师文体，懦钝殊常，竞学浮疏，急为阐缓。玄冬修夜，思所不得，既殊比兴，正背《风》、《骚》。若夫六典三礼，所施则有地；吉凶嘉宾，用之则有所。未闻吟咏情性，反拟《内则》之篇；操笔写志，更摹《酒诰》之作；迟迟春日，翻学《归藏》；湛湛江水，遂同《大传》。

吾既拙于为文，不敢轻有掎摭。但以当世之作，历方古之才人，远则扬、马、曹、王，近则潘、陆、颜、谢，而观其遣辞用心，了不相似。若以今文为是，则古文为非；若昔贤可称，则今体宜弃。俱为盍各，则未之敢许。又时有效谢康乐、裴鸿胪文者，亦颇有惑焉。何者？谢客吐言天拔，出于自然，时有不拘，是其糟粕；裴氏乃是良史之才，了无篇什之美。是为学谢则不届其精华，但得其冗长；师裴则蔑绝其所长，惟得其所短。谢故巧不可阶，裴亦质不宜慕。故胸驰臆断之侣，好名忘实之类，方分肉于仁兽，逞郤克于邯郸，入鲍忘臭，效尤致祸。决羽谢生，岂三千之可及；伏膺裴氏，惧两唐之不传。故玉徽金铣，反为拙目所嗤；《巴人》《下里》，更合郢中之听。《阳春》高而不和，妙声绝而不寻。竟不精讨锱铢，核量文质，有异巧心，终愧妍手。是以握瑜怀玉之士，瞻郑邦而知退；章甫翠履之人，望闽乡而叹息。诗既若此，笔又如

之。徒以烟墨不言，受其驱染；纸札无情，任其摇襞。甚矣哉，文之横流，一至于此！

　　至如近世谢朓、沈约之诗，任昉、陆倕之笔，斯实文章之冠冕，述作之楷模。张士简之赋，周升逸之辩，亦成佳手，难可复遇。文章未坠，必有英绝；领袖之者，非弟而谁。每欲论之，无可与语，思言子建，一共商榷。辩兹清浊，使如泾、渭；论兹月旦，类彼汝南。朱丹既定，雌黄有别，使夫怀鼠知惭，滥竽自耻。譬斯袁绍，畏见子将；同彼盗牛，遥羞王烈。相思不见，我劳如何。"春泓按，《梁书》本纪记载，萧绎于大同元年，进号安西将军，并于太清元年徙为荆州刺史，此一时期，庾肩吾跟随萧绎，并与故主萧纲继续保持联系。而这一段时间内，恰好是宫体诗兴起的时期，萧纲与湘东王书，就将其文学主张阐述得十分清楚，他们认为文学应斩断和经学的关系，文学不必以古人为楷模，近世的谢朓、沈约之诗，任昉、陆倕之笔，才是文章之冠冕，稍前的谢灵运，同时代的裴子野，萧纲都不以为然，他乃主张一种更加具有主情色彩的文学，这正是为其宫体文学张目。而且在本节文字的记载中，宫体诗之写作群体的主要人物，也大都被点出了姓名。

　　湘东王萧绎周围亦文士济济。《梁书·文学传》之《庾肩吾传》记述庾肩吾有子缙，"缙弟缓，字含度，少知名。历官安西湘东王记室，时西府盛集文学，缓居其首"。可见当时萧绎周围亦文士济济，西府与东宫，共同构成了宫体文学的写作集团。

附录：佛教与宫体诗之产生

　　一、佛教"妇女观"与宫体诗之产生

　　佛教"妇女观"之影响与宫体诗的产生，或亦不无关系。

　　以妇女为描写对象的梁代宫体诗，必然折射出这一时代士人对妇女的态度。然佛教大盛于梁代，而佛教"妇女观"与中土固有观念不同，这就使人心存疑惑：与佛教深有缘分的梁代宫体诗人和佛教"妇女观"是否有某种内在的关系？

　　遍稽《大藏经》中在有梁一代能够见到的经典，佛经对妇女的看法几乎是异口同声，几为佛教常识，当为梁代奉佛之士所熟悉。

　　《大正藏》第二十五卷释经论部上（一）《阿含口解十二因缘经》曰："有阿罗汉，以天眼彻视，见女人堕地狱中者甚众多，便问佛，何以故？佛言：用四因缘故。一者贪珍宝物衣被欲，得多故；二者相嫉妒；三者多口舌；四者作姿态淫多，以是故堕地狱中多耳。"[1]《大正藏》第十四卷经集部一《佛说七女经》曰："女人所以堕泥犁中多者何？但坐嫉妒姿态多故。"[2]《佛说长者法志妻经》曰："……亿世时有所以堕女人身中者何？淫欲姿态，在于其中，不能修身，放心恣意，嫉妒多口，贪于形貌，而自恃怙。"[3]《大正藏》第三卷本缘部《六度集经卷》第六曰："弥勒为女人身经：……女情专淫，心怀嫉妒。"[4] ……在对妇女的基本认识上，佛教认为女子具有以下几条天赋弱

---

①　由后汉安玄共沙门严佛调译出。

②　由支谦译出。

③　失译人名附凉录。

④　吴康僧会译出。

点：夸大女子的情欲：淫欲，姿态；污其品性：嫉妒，多口舌；夸大女子的物欲：贪珍宝。在以上三方面，"嫉妒"与"淫欲"，"姿态"往往同时提及，不离须臾。

对于梁代士人接受这种佛教"妇女观"的情况，有必要作细致的考察。在梁代士人诗文中，"女妒"是一个较为常见的话题。查"妒"字在六朝以前典籍中出现的情况，发现在《诗经》《尚书》《礼记》《论语》《孟子》《庄子》等文献中皆不曾有此字；在《荀子》中，"妒"字共出现 14 次，但都用指男人的心理；唯《左传·襄公二十一年》有："叔向之母妒叔虎之母美而不使"语；《睡虎地秦墓竹简》之《日书甲种》有曰："星：角……取妻，妻妒。"①《史记·吕太后本纪》中有"诸吕女妒"等语，《后汉书·冯衍传》娶任氏女为妻，该妇天性"嫉妒"，虽都是指妇人心理，但是"妒"字尚未为妇人所独专，东汉王符《潜夫论·贤难》说："夫国不乏于妒男也，犹家不乏于妒女也。"在"妒"的表现上，男女可谓平分秋色；即使屈原《离骚》所谓"众女嫉余之蛾眉兮"，还是指朝中佞臣的嫉妒心理。可以看出，"妒"字与"女"字相结合，成为特指女子品性的形容词，那是在六朝受佛教"妇女观"的影响使然。《大正藏》第四十五卷诸宗部二（四）《慈悲道场忏法传》（此忏为梁武帝为皇后郗氏所集也）："蛇为人语，启帝曰：蟒则昔之郗氏也，妾以生存嫉妒六宫，其性惨毒，怒一发则火炽矢射，损物害人，死以是罪，谪为蟒耳。"梁简文帝《怨歌行》说："蛾眉本多嫉，掩鼻特成虚。"其下句所云虽为中土故事，然将嫉妒作为蛾眉固有天性，却是受了佛教"妇女观"的影响。张缵《妒妇赋》说："唯妇怨之无极，羌于何而弗有……忽有逆其妒鳞，犯其忌制，赴汤蹈火，嗔目攘袂，或弃产而焚家，或投儿而害婿。"这是将"嫉妒"这一佛教所认为的妇女天性，进行具体的演义。沈约撰《俗说》内载"车武子妇大妒"与"荀介子妇大妒"两则佚事②。鲁迅《古小说钩沉》中有南朝宋虞通之撰《妒记》一篇，共有六朝关于"妇妒"的七则小故事，鲁迅凭借《世说新语》《艺文类聚》与《太平御览》等加以校勘③。刘遵《繁华应令》："蛾眉讵须嫉，新状递入宫。"徐悱妻刘氏《和婕妤怨》说："只言争分理，非妒舞腰轻。"佛教把"嫉妒"归为妇女生理属性，处于梁代社会佛教大盛背景下，士人都熟谙佛典，对此趋于认同，故而谈"妇妒"也成时尚。

如上所说，佛典对于妇女天赋属性的诋毁往往是就其品性、情欲同时提及，"嫉妒"与"淫欲"、"姿态"是佛教对于妇女的基本评价。梁代士人对"妇妒"大感兴趣，佛教将"淫欲"，"姿态"作为天性强加于妇女，这样的观念也必然会作用于梁代士人。

释家认为女子天性"淫欲"的"妇女观"首先为译经僧人所接受。《大正藏》第三十八卷经疏部六僧肇选《注维摩诘经》卷第四曰："有法乐可以自娱，不应复乐五欲乐也。什曰：夫鱼之为性，唯水是依，女人之性，唯乐是欲……肇曰：女人之性，唯欲是乐。"认同佛经所云好欲是女人的天赋属性。齐竟陵王萧子良《净住子净行法门·

① 睡虎地秦墓竹简整理小组编：《睡虎地秦墓竹简》，北京：文物出版社 1990 年版。
② 马国翰《玉函山房辑佚书》第八函卷七十五。
③ 首收于 1938 年版的《鲁迅全集》第 8 卷，人民文学出版社 1999 年版的《鲁迅辑录古籍丛编》第 1 卷又加以重印。

在家从恶门十》曰："又观女人，所起患毒，倍于男子，经云：女人甚深恶，难与为因缘，恩爱一缚著，牵人入罪门。女人有何好，但是诸不净。何不审谛观，为此发狂乱。郁伽长者经云：在家修道，当观女人生厌离想、非常久想、不净洁想、臭秽恶想、罗刹恶鬼恒噉人想、贪色难饱无止足想、恶知识妨净行想。三恶道增，忧苦不断；目面唇口，惑人之具；人为所惑，破家灭国，杀亲害子，众祸之本，皆由女色。"① 梁庾肩吾《北城门沙门》有句："方除五欲累，长辞三雅厄。"梁代僧俗也深为佛教的女子"淫欲"观念所化。

这种观念把处于两性关系中的男女分别对待，一切的丑恶、污辱与不祥尽可归诸女子一边，而对于男子一边，却轻轻开脱了，甚至丝毫不加指责，只是规劝男子：女人不值得恋眷。而这样的观念一但成为社会的共同认识，士人"谈风月"——以语言戏弄轻薄把玩女子——就没有了道德的约束和滞碍。同时，佛典中关于妇女"淫欲"、"姿态"的描写直接给宫体诗以启迪。佛典揭开了中土笼罩于"性"这一人生理本能需求的厚纱，梁代士人以"谈风月"为时尚，"淫欲"、"姿态"构成了宫体诗的内在气质。"性"，在六朝以前的中土，为道德伦理的帷幕所遮掩。汉儒只是从人伦教化方面发议论，男女结合，只体现了道德伦理的属性，对人的生理属性却讳莫如深。相似于佛教，中土儒家对妇女也持蔑视的态度，《论语》有云："唯女子与小人为难养也。"但这种贬责也仅从道德角度立论，并以道德说教来规范女子的言行。对坏女人，中土自古有内宠乱政说，但与佛教明确将"嫉妒"、"淫欲"、"姿态"作为生理属性来揭示一切妇人丑的本质相比则有很大的不同；道家讲房中术，也仅从延年益寿角度来谈论阴阳和合，一般避谈人类男女相悦的生理本能。

然佛教的思维方式是"于五欲中生大不净想"②。为了警戒世人勿近女色，采用了欲擒故纵的方法。如马鸣《佛所行赞》叙述众美女诱惑太子，极其细致地烘托了一种色情气氛，夸饰众美女种种妖媚姿态，最后，太子观众美女睡态不雅，对女子即生厌弃远离之心③。《阿含口解十二因缘经·分别功德论经卷第三》说一比丘执一新死女人之发，生种种想念，后见一女人遭狐狼之噉，向者欲念释然自解④。前边部分，全为后边顿悟之一转作铺垫，这是佛经中阐述女色臭皮囊不可恋著真谛的惯用手法。僧肇《注维摩经卷第七》对这种手法作了概括："或现作淫女引诸好色者以欲钩牵，后令入佛智。肇曰：反欲以顺。"唐般若奉诏译《大方广佛华严经》卷第十七对这种佛教遣荡女色的手法，作了解释性说明："我为此等盲瞑众生，生怜愍心，方便济拔，先现端正可爱女身，称悦其心，令其耽著，复现命终，其身坏烂……向染欲者，令起惊厌，心生惶怖，因斯发起求见我心。"⑤ 这样的遣欲手法，已为齐梁士人所熟悉。萧子良《三界内苦门十四》说："……若谓妙色以为乐者，则应长悦心目，永慰形骸，何意须臾颜貌变改，发白面黑，伤痛少年华美之艳。故知此色本自是苦，不是外来。"徐陵《谏仁

① 《广弘明集》卷三十二。
② 《大正藏》第十三卷大集部（四）鸠摩罗什译《自在王菩萨经卷下》。
③ 《大正藏》第三卷。
④ 失译人名附后汉录。
⑤ 《大正藏》第十卷华严部下（三）。

山深法师罢道书》说:"仰度仁者,心居魔境,为魔所迷,意附邪途,受邪易性。假使眉如细柳,何足关怀;颊似红桃,讵能长久?……"劝谕法师戒爱欲,其方法与佛典同出一辙,窥破红颜易老,生住不住,异坏相寻。

然而这样的随机说法,在梁代士人那里却难免遇到了障碍。如前所云,由于维摩思想与"人生乐耳"人生观深入人心,现世的享乐充满了诱惑,梁代士人并不准备削发皈依沙门。梁启超指出六朝时期,北土多高僧,南土多名居士[1]。梁简文帝《六根忏文》说梁代士人:"闻胜善法音,昏然欲睡,听郑卫淫靡,耸身侧耳。知胜善之事,乐之者稀;淫靡之声,欣之者众。"这说出了人类的共性。宗教理念终难战胜根基于人天赋本能的生理欲求。因此,要让梁代士人修炼到见女色如见髑髅这等境界就勉为其难了,佛教"反欲以顺"的方法对梁代士人就显得十分迂曲,不可能奏效。如此说教,不仅未能达到其诲人勿近女色的目的,相反,佛经中"先现端正可爱女身,称悦其心,令其耽著",这样权作"方便"、"设施"的文字,对梁代士人却产生了"不晓空观,是作色观"[2]的反作用。它们不加掩饰地渲染一种女性的诱惑,这诱发丰富了梁代士人内心对女性体态、舞姿、服饰与心理的审美体验与感官刺激。

这具体表现在由于佛教"妇女观"的影响,佛典在对女子"淫欲"心理的揣摩上,在对女子"姿态"的描写上给宫体诗人以启迪。佛教认为"淫欲"是女子的生理属性,《五分律》卷第四说:"……是日诸比丘尼竟夜说法,疲极还房,仰卧熟眠,于是婆罗门从床下出,作不净行,此比丘尼即踊升虚空。时婆罗门,便于床上生入地狱,莲花色因从空中往诣佛所,头面礼足,以是白佛。佛问:汝当尔时,意为云何?答言:如烧铁烁身。佛言:如此无罪……"[3]《佛说义足经卷上·摩因提女经第九》说:"……女见佛形状端正无比,以三十二相,璎珞其身,如明月珠,便淫意系著佛,佛知其意如燃。"[4]《大智度论卷第四》说:"阿难端正清净如好明镜,老少好丑容貌颜状,皆于身中现,其身明净,女人见之,欲心即动。"[5]……佛典揭示了女子触境生发的本能情欲,女人作为"自然之子"的本能欲求,第一次挣脱了中土道德礼教的包裹,成为可以言说的客观事实。在中土历史上,对于男女之私从讳言到直说,这是一个巨大的转变,也为宫体诗人敢于言床笫于大堂准备了必要条件。

梁宝唱等奉旨集《经律异相》[6],内有许多男女纠葛的故事,由于意在劝诫莫近女色,故事中的女子无一不打上了"淫欲"的印记,妇女几乎成为只受情欲支配的动物,如卷十三《阿那律化一淫女得正信》对淫女如何以色相诱阿那律写得十分入微。卷十五《阿难为旃陀罗母以咒力所摄》说:"……佛曰:我于诸法中不见幻惑如此,女人以淫系意,"[7]《大正藏》第十五卷内存东晋天竺三藏佛陀跋陀罗译《观佛三昧海经》卷

---

① 《〈四十二章经〉辨伪》,《佛学研究十八篇》,北京:中华书局1988年版。
② 《大正藏》第五十三卷事汇部上,梁宝唱等集《经律异相》。
③ 《大正藏》第二十二卷,由刘宋佛陀什共竺道生等译。
④ 《大正藏》第四卷本缘部下吴支谦译出。
⑤ 《大正藏》第二十五卷释经论部上(一)。
⑥ 《大正藏》中存五十卷。
⑦ 《大正藏》第五十三卷。

第八有偈曰:"若有诸男子,年皆十五六,盛壮多力势,数满恒河沙,特以供给女,不满须臾意。"把女子的性欲夸大到顶点。《大正藏》第四卷本缘部《法句经》《法句譬喻经》和《法集要颂经》之《爱欲品》,及《山曜经》之《欲品》、《爱品》对于人为爱欲所驱使受种种煎熬有细致的描述;《大正藏》第二十二卷律部一《五分律》卷第十四,《大正藏》第二十四卷律部三《善见律毗婆沙》对女子(比丘尼)的种种淫行作了尽可能详细的陈述;《大正藏》第二十五卷释经论部上(一),《阿含口解十二因缘经·三法度论卷下》对男女相悦作细致的分析;《大正藏》第二十三卷律部二,几乎可以视为一部"性学大全"。这些在梁代能见到的佛典文字,为中土古来所鲜见,限于篇幅,兹不赘述。它们对中土文化产生了巨大的冲击力,如一阵狂风吹开了厚纱,士人们在佛典中发现了一个潜藏于内心的赤裸裸的自我,对经学崩溃以来的中土社会"性"禁锢的进一步解除起到推波助澜的作用。

这首先表现为"谈风月"成时尚,士人对妇女及两性关系的态度显得更为通脱放肆。《梁书·世祖二子传》记载:"……世祖(梁元帝)观之(元帝子方等)甚悦,入谓徐妃曰:'若更有一子如此,吾复何忧。'徐妃不答,垂泣而退,世祖忿之,因疏其秽行,榜于丈阁。方等入见,益以自危。"将自己妻子秽行露布于众,实为罕见。梁元帝《金楼子·后妃篇》述其母始为齐始安王遥光所纳,遥光败,又入东昏宫,建康城平,武帝纳为彩女,生元帝。以此可见,梁代人对于妻母贞节尚且无所忌讳,宫体诗中为数不少的士大夫对纳妾宿娼互相戏谑调侃的篇什,在当时自然更无道德的挂碍。赵翼《廿二史劄记》指出梁代君王并不荒淫,这说明纵欲的世风不一定必然产生淫荡的文学,新观念的建立,才是文学新变更重要的原因。梁代士人对于男女之私,已从掩之于道德伦理而一变为写诗"一出乎闺房儿女之思"。《梁书》中较为端重的政治家徐勉也说:"今夕止可谈风月,不宜及公事。""谈风月"成为时尚,此为宫体诗的兴起具备了生长的土壤。

这种作用其次表现为"上客们""人人眼角里是淫荡"[1]。由于佛经突出了女性"淫欲"的生理属性,梁代士人接受了这种"妇女观"以反观妇女,眼中女性自然就无一不是"空床难独守"的荡妇,于是刊落了其道德操持与伦理约束。

将宫体诗与其前代以女性为描写对象的诗赋作一纵向的比较,就会发现:将宫体诗中的女性形象置于其前代诗赋女性人物画廊中,会产生鲜明的突兀感。

洪迈《容斋五笔》卷第四曰:"《诗》三百篇中,其誉妇人者至多。如叙宗姻之贵者,若'平王之孙,齐侯之子','汾王之甥,蹶父之子','齐侯之子,卫侯之妻,东宫之妹,邢侯之姨,谭公维私'。夸服饰之盛者,若'副笄六珈','如山如河','玉之瑱也,象之揥也'。赞容色之美者,若'唐棣之花','华若桃李','鬒发如云','手如柔荑,肤如凝脂,领如蝤蛴,齿如瓠犀,螓首蛾眉。巧笑倩兮,美目盼兮','颜如舜华','洵美且都'。语嫁聘之侈者,若'百两彭彭,八鸾锵锵,不显其光。诸娣从之,祁祁如云,烂其盈门'。其词可谓尽善矣。魏、晋、六朝,流连光景,不可胜

---

① 闻一多:《宫体诗的自赎》,《唐诗杂论》,北京:古典文学出版社1956年版。

述。"① 意指魏晋六朝描写女子的诗歌乃《诗》之流绪，且一脉相承。虽然不能否认洪迈就《诗》中所撷举及宋玉《高唐赋》等赋、汉乐府《陌上桑》和曹子建《洛神赋》等，确实给宫体诗以滋养。然孔子评《诗》三百篇，一言以蔽之曰："思无邪。"《诗》对女子美貌的描写，乐而不淫，哀而不伤，过滤掉了直露的情欲成份，是一曲曲奉女子若神灵的颂歌，"巧笑倩兮，美目盼兮"。婉转清丽，娴静贞淑；《陌上桑》中严词以拒使君的秦罗敷，更是贞洁女子的化身，与宫体诗中的歌妓舞女相比自不可同日而语。

至于宋玉诸赋及曹子建《洛神赋》较之宫体诗，前者"陈交接之大纲，恨人神之道殊"。高唐、洛浦之"神女"是超凡之仙，雍容端庄，舒缓忧悒，显得凛然不可侵犯。流露了作者对于理想爱情可望而不可及的怅然情怀。然宫体诗如梁简文帝之《执笔戏书》曰："舞女及燕妓，倡楼复荡妇。"笔下的女性形象一变而为世俗的舞女燕姬，其轻佻轻俗，则可侮可狎，与前者相对照，不啻有天壤之别。考察宫体诗在中国文学史上的流变，假使无视宫体诗与其前代文学在内在气质上的巨大差别，认为宫体诗乃中土文学封闭发展自然而然的产物，笔者认为这是片面的见解。

相似于中土高唐、洛浦典故，《大正藏》第十四卷经集部一《佛说大方等修多罗王经》② 与《佛说转有经》等都有"于眠梦中见与人间端正美女共为稠密"的叙述，这样不胜枚举的佛教故事，往往在女子主动委身于男子这点上与中土高唐、洛浦诸说相重合，共同影响中土士人。《大正藏》第十二卷涅槃部全《佛说须赖经》讲到天帝释令夫人携妓女以试须赖，须赖怒拒女流："已舍色无欲，无疮不受毒。"③《梁高僧传·释慧嵬传》曰："后冬时天甚寒雪，有一女子来，求寄宿，形貌端正，衣服鲜明，姿媚柔雅，自称天女。'以上人有德，天遣我来，以相慰喻。'谈话欲言，劝动其意。嵬厥志贞确，一心无扰，乃谓女曰：'吾心若死灰，无以革囊见试。'女遂凌云而逝，顾叹曰：'海水可竭，须弥可倾，彼上人者，秉志坚贞。'"两者同是女子求欢于男子，中土故事源出于天竺译经，这是明白可见的。然高唐神女、洛川宓妃贞淑哀怨高远的神情却与佛经美女的淫荡挑逗世俗相迥异。故而，我们读宫体诗人以高唐洛浦为母题的诗赋时，如刘缓《敬酬刘长史咏名士悦倾城》涉及巫山、洛川、宋玉邻家女、秦罗敷、曹洪女与绿珠一连串绮艳典故，但由于宫体诗人熟谙佛典，其笔下的高唐、洛浦等只成了笔涉香艳的暗示性符号，自然也融入了外来的成分，虽以中土固有的高唐、洛浦母题出之，但认为这是中土文学封闭发展的一脉相承，显然忽视了梁代中、印文化交融的时代背景。王僧孺《为人述梦诗》叙梦中有美女"雅步极嫣妍，含辞姿委靡"，犹如高唐之荐枕，然梦醒之后，芳踪难觅，"及寤尽空无，方知悉虚诡"。同时又羼入了佛家空说，情节与高唐洛浦相似，但美女神情却俨然如佛经淫女，中土、天竺两种文化相融合，在诗中已经浑然不可判分。

正因为"淫欲"作为"妇女观"进入梁代宫体诗人思想意识，士人玩味女性"性"心理，这种士人情趣外化于诗歌创作时，其笔下的女性形象就无不具有为情欲所

---

① 洪迈：《容斋随笔》，上海：上海古籍出版社 1978 年版。
② 后魏流支译出。
③ 曹魏西域沙门白延译出。

困扰的特征，诗歌本身也就成了梁代士人接受佛教妇女"淫欲"观念最有说服力的证明。女子不再是梁代以前传统思妇诗中"首如飞蓬"、苦苦等待的形象，她们冲决了道德的羁绊，不愿为荡子空耗青春，坐失欢乐。王僧孺《鼓瑟曲·有所思》写独在空闺的女子的心理自白曰："知君自荡子，奈妾亦倡家。"刘孝绰《春宵》说："谁能对双燕，暝暝守空床。"吴孜《春闺怨》说："物色顿如此，孀居自不堪。"汉乐府《陌上桑》中的贞洁女子秦罗敷，至梁代刘邈《万山见采桑人》诗中一变而为"倡妾不胜愁"，故而去采桑，"蚕饥日已暮，讵为使君留"，貌似拒绝，实是挑逗；简文帝《采桑诗》，更是把秦罗敷写成一个移情于"使君"的思春荡妇。读者无不讶于从《诗经》至梁代宫体诗妇女形象的巨变，依据上述诗人与佛教有极深的渊源的事实，要解释宫体诗人写女人何以有如此笔法，笔者认为除了体察到他们受佛教"妇女观"的影响使然之外，别无更好的解释。

宫体诗对女性"性"心理的大胆揭示，这既是宫体诗在中国文学史上惊世骇俗的主要原因，同时这也构成了宫体诗的一个重要特征。

佛教以"姿态"为女子天性的观念，丰富诱发了士人内心对女性体态、服饰、舞姿的审美体验与感官刺激。《大正藏》第二十五卷释经论部上（一）《分别功德论》卷第五说："夫女人者多诸情态、姿媚、绮饰幻惑世人……"① 《大正藏》第二十八卷毗昙部三《尊婆须蜜菩萨所集论》卷第六说："又世尊言，以女人八事系缚男子，歌舞谈笑颜色细滑姿态……"② 佛经所指女子"姿态"具有"幻惑世人"、"系缚男子"的功能。然梁以前中土作者不敢狎亵女性，《诗》《高唐赋》诸篇，《陌上桑》及《洛神赋》等对女子美色的描写，美则美矣，然则近乎崇拜的礼赞，使笔下女性形象给人以"冷面"的感觉，较少产生情欲的挑逗。

宫体诗作者时常玩味女性对男性幻惑的生理感应，在这一点上，恰与佛典对女子姿态作意在"反欲以顺"的铺叙，具有异曲同工的对应关系。佛经将女性的"姿"、"态"、"服饰"冠以形容词为"情态"、"姿媚"、"绮饰"，无不突出了女性"姿"、"态"、"服饰"所具有的幻惑作用。宫体诗人由于接受了佛教以"淫欲"为妇女天性的观念，女性美不再具有道德的尊严，只作为情欲宣泄的对象而存在，故而其笔下女子形象的一笑一颦也同样具有挑逗男性之暗示。

《观佛三昧海经》卷第二写魔有三女，往乱佛心，"眄目作姿，现诸妖冶，璎珞晃耀，光翳六天。"马鸣《佛听行赞》之《巷摩罗女见佛品》描写侍女种种色相曰："……女人显姿态，若行住坐卧，乃至画像形，悉表妖容姿……"《离欲品》说："太子入园林，众女来奉迎……各尽伎姿态，供侍随所宜。"如前所述，由于佛教使用"反欲以顺"遣荡爱欲手段之缘故，佛典中对于女性"姿态"惑人的叙述是很多的。与印度大乘佛教兴起差不多是同时代的婆罗多牟尼著《舞论》，论述了"艳情"及表现艳情的方法，"艳情由常情（固定的情）欢乐而生，以光彩的服装为其灵魂。正如世间凡是清白的、纯洁的、光彩的或美丽的都以'艳'表示……这样，由于以可爱的光彩的服

① 失译人名附后汉录。

② 苻秦僧伽跋澄等译出。

装为灵魂，经行为确定［称为］艳情味，它以男女为因，以最好的青年［时期］为本，它有两个基础，欢爱和相思。这儿（两者之中间），欢乐产生于季节，花环，香膏，妆饰，所爱的人，［享乐］的对象，优美住宅的享受，到花园去行乐，听到和看见［情人］，［与情人一同］游戏，娱乐等等别情。［在戏剧中］它应当用眼的灵活，眉的挑动，媚眼，行动，戏弄，甜蜜的姿态，语言等等随情表演。"① 与龙树、马鸣几乎同时处于印度文化背景之下的婆罗多牟尼上述舞论最为准确地道出了佛教《佛所行赞》之类"反欲以顺"文字的典型环境与典型特征，艳情必须借助眉、眼、身体的动作来表演，这类写艳情惑人的文字必然给熟读佛典的宫体诗人以深刻的印象，令他们从中受到启发。

梁代宫体诗人描写女子也特别注重女子对男性具有幻惑作用的"姿态"。梁简文帝《咏晚闺》说："珠帘向暮下，妖姿不可追。"《美女篇》说："密态随羞脸，娇歌逐软声。"《听夜妓》说："留宾惜残弄，负态动余娇。"《咏舞》说："逐节工新舞，娇态似凌虚。"……武陵王萧纪《同萧长史看妓》说："回羞出慢脸，送态入嚬蛾。"王训《应令咏舞》说："笑态千金重，浓香十里传。"刘遵《应令咏舞》说："举腕嫌衫重，回腰觉态妍。"刘缓《敬酬刘长史咏名士悦倾城》说："夜夜言娇尽，日日态还新。"江洪《咏舞女》说："发袖已成态，动足复合姿。"庾信《乌夜啼》说："促柱繁弦非《子夜》，歌声舞态异《前溪》。"梁代士人玩味这种从女性身上焕发出来的具有"性"幻惑的"姿"、"态"。虽然这种"姿"、"态"比较朦胧，只可意会，难以直言，然而其明确的"性"暗示，却使诗歌语言从表达对美貌的审美体验滑向了感官刺激，这也是宫体诗另一重要特征。

宫体诗以刻画女性"姿态"娱己悦人为目的，然"姿态"的呈现，相似于玄学中的"言"、"意"关系，同样必须依赖具体意象以达成。"姿态"若要夺人魂魄，"意象"必须丰富多彩。宫体诗人对于女性愁喜嗔羞心理变化的把玩欣赏，都促成了宫体诗表现手法的新变多端与描写语汇的雕琢繁富。宫体诗描写对象是歌妓舞女、倡楼荡妇，由于其可轻可侮之人格、出卖色相之职业，使得宫体诗人怀着狎妓的心态，尽可玩赏其轻佻情态和曼妙舞姿，自然就一扫前代之呆板。简文帝《和湘东王名士悦倾城》说："履高疑上砌，裾开特畏风，轻衫见跳脱，珠概杂青虫。"徐陵《咏舞》写舞女曰："低鬟向依席，举袖拂花黄。"以白描写实的手法，在动态的刻画中以形写神，女子烂漫活泼楚楚动人的神情跃然纸上，这样的作品在宫体诗中颇具代表性。

"传神论"作为中土绘画理论，自东晋顾恺之奠定基础，降及谢赫（历宋、齐、梁）与姚最（历梁、周、隋），使之日趋成熟。谢赫标举绘画"六法"，"一曰气韵生动"，"气韵"即"神"的同义词。当时画论中"以形写神"说，自然也会给宫体诗在对女性美的刻画上产生影响。宫体诗完成了从叠叠堆垛以求完美到洗练简洁以传神韵

---

① 《古典文艺理论译丛》，金克木译，北京：人民文学出版社 1961 年版。黄宝生《印度古典诗学》对于《舞论》有更加详尽的介绍，其中提到马鸣的戏剧符合印度现存最早的梵语戏剧学著作《舞论》中的戏剧规则。《舞论》谈形体表演，关于头、眼、眉等各部位的表情动作，其分类之细致，功能之繁复，可谓登峰造极，即使此书在当时未曾流传，但是马鸣作品实践着此种戏剧理论，或者说此种理论是对于马鸣之类作品的理论概括，因此马鸣等对于宫体诗写作技巧产生了潜移默化的启迪。北京：北京大学出版社 1999 年版。

的艺术飞跃。在语词的使用上，宫体诗人上承永明诸家，同样精雕细琢，力求新变。这一方面表现在词语"用事"上，刘勰《文心雕龙》专门撰有《事类》一篇。《南史·王谌传》曰："谌从叔摛，以博学见知。尚书令王俭尝集才学之士，总校虚实，类物隶之，谓之隶事，自此始也。"此实开以学问为诗之先河，钟嵘《诗品》就对梁代"竞须新事"的诗风表示反感。而宫体诗人为了强化其诗歌的绮艳效果，似乎在无意之间诗歌语词就高度密集地连用了许多香艳典故，如"巫山"、"阳台"、"洛浦"、"明珰"、"秦罗髻"、"使君"、"昭君"以及"绿珠"，等等，时时出现在宫体诗人的笔下，让人生发联想，从而置身于浓郁的香艳氛围之中。

另一方面，宫体诗用词追求精致华美。认为是梁元帝所撰《纂要》一卷[①]，其词曰："春，曰：青阳，亦曰发生。芳春、青春、阳春、三春、九春；天，曰：苍天。风，曰：阳风、春风、喧风、柔风、惠风……"可见这是一部类书性质的书籍，其意在对于某物根据不同性状作细致的分类。这种分类法受到佛经的启发，譬如《大方广华严经》卷第二就对"海"作这样的分类："佛智海、世界海、众生海、法界方便海、佛海、波罗蜜海……"如此分类在佛经中比较常见，这启迪梁代士人对外在景物的体认更加细腻而且富有层次感。受其影响，宫体诗人在语词使用上更加着意推敲。如简文帝《南湖》曰："银纶翡翠钩，玉轴芙蓉舟。""银纶"、"翡翠"、"玉轴"、"芙蓉舟"，均精美绝伦；其《和徐录事见内人作卧具》曰："……龙刀横膝上，画尺堕衣前，熨斗金涂色，簪管白牙缠。"较之前代，其语汇显然更加繁富，尤其体现了唯美的追求与深厚的文化修养。

当然，宫体诗人在遣词用语上的苦心孤诣，还是为了表现天性"淫欲"的女子"姿态"的需要。

二、佛经与宫体诗雏形

佛典中某些佛经如马鸣《佛所行赞》等实为宫体诗之始作俑者。对于宫体诗之滥觞，迄今看法不一。明代方孝孺将齐梁绮靡委过于司马相如（见其《与郑叔度书》）；梁代萧子显《南齐书·文学传论》则认为罪在鲍照；《南史·颜延之传》，延之讥汤惠休诗为俚俗歌谣当误后生；吴兆宜则引："齐云：小谢已为宫体滥觞。"沈约则为宫体之先声[②]。假如推究南朝士人何者开始较为成熟的"宫体诗"创作，或推惠休，或推谢朓，或推沈约，俱可自圆其说。然而为一种文体的滥觞者，应具有开先河以沾溉后辈的特质，汤惠休、谢朓、沈约亦并非空无依傍，自我作古。谢朓、沈约同在齐竟陵王萧子良"竟陵八友"之游，西邸与其说是一个文学的社团，还不如视为一佛学的集结，两人都精信佛教，汤惠休更是一还俗僧人。如上所云，佛典与宫体诗之肇兴大有渊源。因此，印度佛经通过转译，其文字业已成为一种客观存在的中土语言文化，当与汤、谢、沈辈在谁为宫体诗之始作俑者问题上，一较先后。

梁启超《翻译文学与佛典》一文指出："吾为说于此，曰：我国近代之纯文学——

---

① 马国翰：《玉函山房辑佚书》第七函卷六十二。
② 均见其《玉台新咏笺注》。关于谢朓、沈约与齐梁诗风演变的关系，可参阅兴膳宏氏《谢朓诗的抒情》以及《艳诗的形成与沈约》两篇文章，载于兴膳宏《六朝文学论稿》（长沙：岳麓书社 1986 年版）。

若小说，若歌曲，皆与佛典之翻译文学有密切关系。"他特别提及马鸣的《佛所行赞》曰："读什译马鸣菩萨传，则知彼实一大文学家、大音乐家……其佛本行赞，实一首三万余言之长歌，今译本虽不用韵，然吾辈读之，犹觉其与《孔雀东南飞》等古乐府相仿佛。"① 马鸣造《佛所行赞》为北凉昙无谶译出，王僧孺《忏悔礼佛文》曰："慧高龙树，智出马鸣"；可知马鸣所造，当时已流布南土。梁僧祐撰《出三藏记集》内有《昙无谶传》；梁简文帝与庾肩吾等人联句成篇的《八关斋夜赋四城门诗》就源出于《佛所行赞》，可知昙无谶译马鸣造《佛所行赞》亦为梁代士人所熟悉。上述梁启超高论，堪称慧眼卓识，然循其发微，笔者认为，于《佛所行赞》中，自有雏形的"宫体诗"在。

《佛所行赞·离欲品》唱道："太子入园林，众女来奉迎，并生希遇想，竞媚进幽诚。各尽伎姿态，供侍随所宜。或有执手足，或遍摩其身，或复对言笑，或现忧戚容。规以悦太子，令生爱乐心。"此节文字叙述父王为了让太子摆脱忧郁，故进声色以相娱乐。有名曰优陀夷的婆罗门子劝众女，以她们的姿色及"隐秘随欲方"足以幻惑太子，于是众女："增其踊悦心，如鞭策良马，往到太子前，各进种种术，歌舞或言笑，扬眉露白齿，美目相眄睐，轻衣现素身，妖摇而徐步，诈亲渐习近，情欲实其心，兼奉大王旨，慢形媟隐陋，忘其惭愧情……太子在园林，围绕亦如是。或为整衣服，或为洗手足，或以香涂身，或以华严饰，或为贯璎珞，或有扶抱身，或为安枕席，或倾身密语，或世俗调戏，或说众欲事，或作诸欲形，规以动其心。"《佛所行赞·庵摩罗女见佛品》又唱："彼庵摩罗女，承佛诣其园，侍女众随从。庠序出奉迎，善执诸情根。身服轻素衣，舍离庄严服，自沐浴香花，犹世贞贤女，洁素以祠天，端正妙容姿，犹天玉女形……女人显姿态，若行住坐卧，乃至画像形，悉表妖姿容。现啼笑喜怒，纵体而垂肩，或散发髻倾，犹尚乱人心，况复饰容仪，以显妙姿颜……"这些不押韵的五言赞句，写了众女以幻惑太子为目的所袒陈的种种情态。在对众女作动态的描述中，刻画了一幅幅洋溢着性诱惑的美人图。如上所述，梁代宫体诗具有大胆揭示女子"性"心理和对女性"姿态"由审美体验滑向感官刺激的两大特色，而《佛所行赞》中"轻衣现素身"的女子形象则完全与宫体诗两大特征相重叠，故此《佛所行赞》对于宫体诗而言，可谓已"瞻彼在前"。

同时，庵摩罗女"善执诸情根"所内涵的佛教"根尘说"，概括了宫体诗创作手法。佛教认为人身具"眼耳鼻舌身"之"五根"（或加"意根"为"六根"）：眼根色尘，耳根声尘，鼻根香尘，舌根味尘，身根触尘。人以"五根"（或"六根"）感受世间外物，"若为彼见尊敬，有行意，离莫受，若声色，若好味，香细滑，是欲捐。"② 梁代士人对佛教根尘之说十分熟悉，梁简文帝《为人造丈八夹纻金薄像疏》曰："拔六根之痛恼，去五烧之焚灼。"《三清开讲启》曰："心花成树，共转六尘。"并作有《六根忏文》一篇。梁元帝《与萧咨议等书》曰："必须五根之信，以信为首。"刘峻《东阳金华山栖志》曰："调心七觉，诋诃五尘。"佛经对于佛土世界的描绘往往有意识地激

---

① 《佛学研究十八篇》。
② 《大正藏》第四卷本缘部下之《佛说义足经卷下·莲花色比丘尼经》第十五。

起读者"五根"的感觉，形成五根交互共感，从而使读者陶醉其间。龙树造《大智度论》卷第十三有这样的写照：

> 世间六时花，荣曜色相发。
> 以此一岁华，天上一日具。
> 天树自然生，花鬘及璎珞。
> 丹葩如灯照，众色相间错。
> 天衣无央数，其色若干种。
> 鲜白映天日，轻密无间垄。
> 金色映绣文，裴叠如云气。
> 如是上妙眼，悉从天树出。
> 金华琉璃茎，金刚为华须。
> 柔软香芬薰，悉从宝池出。
> 琴瑟筝箜篌，七宝为校饰。
> 器妙故音清，皆亦从树出。
> 天厨甘露味，饮食除饥渴。
> 天女无监碍，亦无妊身难。
> 嬉怡纵逸乐，食无便利患。
> 持戒常摄心，得生自恣地。
> 无事亦无难，常得肆乐志。
> 诸天得自在，忧苦不复生。
> 所欲应念至，身光照幽冥。
> 如是种种乐，皆由施与戒。
> 今欲得此报，当勤自勉励①。

此段文字兼顾"五根"以写得自在者的快乐，令读者心向往之。《大方广华严经》卷第二写佛世界有云："宝师子座，一切众宝，诸庄严具，皆出无量，微妙香薰，杂色华鬘，悬布虚空，佛处如是，宝师子座，无量众宝，流出妙光，晖焰清净，十方明耀，如来安住。庄严楼观，演出清净，微密梵音，宣畅最胜。无上正法，闻者欢喜，得净妙道。金刚承座，安峙坚固……"②虽显纷杂，然细细品味，亦是从"五根"感受上施读者以刺激。《佛所行赞·出城品》亦不例外：

> 太子处幽夜，光明甚辉耀，
> 如日照须弥，坐于七宝座。
> 薰以妙丹檀，彩女众围绕。

---

① 《大正藏》第二十五卷释经论部上（一），鸠摩罗什译。
② 《大正藏》第9卷，由东晋天竺三藏佛驮跋陀罗译出。

奏犍挞婆音，如毗沙门子，

　　众妙天乐声。

　　佛经中有意识按"五根"（特别是眼、耳、鼻）之感受来制造烘托气氛，这样的例子在佛典中颇为常见。梁代士人对于佛经这样的手法心领神会。如王僧孺《初夜文》曰："璧月珠星，含华相照；轻云薄雾，朗然自戢。（眼根色尘）鸣钟浮响，（耳根声尘）光灯吐辉。法幢卷舒，拂高轩而徐薄；名香郁馥，出重檐而轻转。（鼻根香尘）。"邵陵王纶《答皇太子示法颂启》有云："能使六地震动，四花普雨，折木盖鳞，开罗散翮。香鸟步花，驯游于云圃；瑞雀飞环，翔舞于风前。"彼于视听嗅三觉施展笔墨，显然也是佛经文字的翻版。陆时雍《诗境原论》谈到读庾肩吾、张正见诗的感受曰："庾肩吾、张正见，其诗声色臭味俱备，诗之佳者在声色臭味之俱备，庾张是也。"① 而宫体诗无一不是从舞姬绮饰色彩之绚烂，歌妓肉竹音声之撩人，舞榭闺室众芳之馥郁，轻衫飘拂素体之隐现来烹制一席"五欲乐"的盛宴。

　　梁简文帝《答新渝侯和诗书》赞美新渝侯诗"风云吐于行间，珠玉生于字里"。梁元帝《金楼子·立言篇》提倡："至如文者，惟须绮縠纷披，宫徵靡曼，唇吻遒会，情灵摇荡。"这与释慧皎《高僧传》卷十三认为："咏歌之作，欲使言味流靡，辞韵相属"一样，体现了一种赋予诗歌色彩美、音乐感的文学追求，而这种追求难逃乎佛教"根尘说"，为佛经依"五根"感受以造境的叙述手法所笼罩。

　　一言以蔽之，佛经中自有雏形的"宫体诗"在，佛教经典对于宫体诗之"声色大开"起着重要的作用——某些佛经如马鸣《佛所行赞》堪称是宫体诗之始作俑者。

北朝

本年

　　苏绰为行台郎中。《周书》卷二三《苏绰传》谓绰因苏让荐，召为行台郎中。本传云"官在岁余，太祖未深知之"。是先为行台郎中，后为宇文泰所赏。本传谓绰与周惠达议政，遂为泰所赏，在大统三年高欢攻关中之前，则泰之赏苏绰当在大统二年。而为行台郎中，又在大统二年前"岁余"。《资治通鉴》亦以绰为行台郎中在此年。故系于是年。

　　李骞作《释情赋》。《魏书》卷三六《李顺传附李骞传》，赋中首称单阏之年，当为卯年，是年为乙卯。赋中言及魏孝明帝、孝庄帝谥号。又言"始蒙尘以播荡，卒流嵲而居郑"，乃以喻孝武帝入关；"酌徙镐之古典，就迁亳之遗令"，则指孝静帝迁邺。据此当作于本年。

　　祖莹疑卒于今年。《魏书》卷八二《祖莹传》："将迁邺，齐献武王因召莹议之。以功迁仪同三司，进爵为伯。薨，增尚书左仆射、司徒公、冀州刺史。"迁邺事在去年秋，事后未言即卒，似以今年为是。温子升为《祖莹墓志》当亦在此际。

---

① 《历代诗话续编》，丁福保辑，北京：中华书局 1983 年版。

卢思道（535—586）生。思道字子行，范阳人。隋代作家。

裴伯茂因内宴失礼被劾。《魏书》卷八五《裴伯茂列传》

释慧远十三岁，往泽州东山古贤谷寺，时有华阴沙门僧思禅师见而称之，有出家相。据释道宣《续高僧传》卷八《隋京师净影待释慧传》。

公元 536 年（梁武帝大同二年　东魏孝静帝天平三年　西魏文帝大统二年丙辰）

本年

王训文章之美，为后进领袖。《梁书·王暕传》说："（王）训美容仪，善进止，文章之美，为后进领袖。在春宫特被恩礼。以疾终于位，时年二十六。"

张缵征为吏部尚书。《梁书·张缵传》说："大同二年，征为吏部尚书。缵居选，其后门寒素，有一介皆见引拔，不为贵要屈意，人士翕然称之。"

王规卒，时年四十五。《梁书·王规传》说："大同二年，卒，时年四十五。诏赠散骑常侍、光禄大夫，赙钱二十万，布百匹。谥曰章。皇太子出临哭，与湘东王绎令曰：'威明昨宵奄复殂化，甚可痛伤。其风韵遒正，神峰标映，千里绝迹，百尺无枝。文辩纵横，才学优赡，跌宕之情弥远，濠梁之气特多，斯实俊民也。一尔过隙，永归长夜，金刀掩芒，长淮绝涸。去岁冬中，已伤刘子；今兹寒孟，复悼王生。俱往之伤，信非虚说。'规集《后汉》众家异同，注《续汉书》二百卷，文集二十卷。"

萧大连封临城县公。《梁书·太宗十一王传》之《南郡王大连传》说："南郡王大连字仁靖。少俊爽，能属文，举止风流，雅有巧思，妙达音乐，兼善丹青。大同二年，封临城县公，邑一千五百户。"

刘杳卒官，时年五十。《梁书·文学传》之《刘杳传》说："大同二年，卒官，时年五十……杳自少至长，多所著述。撰《要雅》五卷、《楚辞草木疏》一卷、《高士传》二卷、《东宫新旧记》三十卷、《古今四部书目》五卷，并行于世。"

陆云公入朝，任尚书仪曹郎。《梁书·文学传》之《陆云公传》说："云公先制《太伯庙碑》，吴兴太守张缵罢郡经途，读其文叹曰：'今之蔡伯喈也。'缵至都掌选，言之于高祖，召兼尚书仪曹郎，顷之即真，入直寿光省，以本官知著作郎事。俄除著作郎，累迁中书黄门郎，并掌著作……高祖暇日，常泛此舟，在朝唯引太常刘之遴、国子祭酒到溉、右卫朱异，云公时年位尚轻，亦预焉。其恩遇如此。"春泓按，《梁书》本传记载，张缵于大同二年从吴兴太守任上被征为吏部尚书，于是推荐陆云公入朝。

何胤卒，时年五十八。《梁书·处士传》之《何胤传》说："大同二年，卒，时年五十八。门徒谥其德行，谥曰文贞处士。所著《七录》等书二百五十卷，行于世。"

刘慧斐卒，时年五十九。《梁书·处士传》之《刘慧斐传》说："刘慧斐字文宣，彭城人也。少博学，能属文……慧斐尤明释典，工篆隶，在山手写佛经二千余卷，常所诵者百余卷。昼夜行道，孜孜不息，远近钦慕之。太宗临江州，遗以几杖。论者云：自远法师没后，将二百年，始有张、刘之盛矣。世祖及武陵王等书问不绝。大同二年，卒，时年五十九。"

江总年十八，解褐宣府武陵王府法曹参军。《陈书·江总传》说："江总字总持，济阳考城人也，晋散骑常侍统之十世孙……总七岁而孤，依于外氏。幼聪敏，有至性。舅吴平光侯萧励，名重当时，特所钟爱，尝谓总曰：'尔操行殊异，神采英拔，后之知名，当出吾右。'及长，笃学有辞采，家传赐书数千卷，总昼夜寻读，未尝辍手。年十八，解褐宣惠武陵王府法曹参军。"春泓按，本传记载，江总卒于隋开皇十四年，时年七十六，所以其十八岁时正值本年。

北朝

本年

　　任孝恭作《为何敬容移报东魏文》等。又作《答魏初和移文》。据《文苑英华》卷六百五十、《艺文类聚》卷五十八。《梁书》卷三《武帝纪下》，大同二年冬大举北伐，十一月班师。十二月，与东魏相合。此两文内容大同小异，疑是一文，当作于班师前。

　　裴让之举秀才，对策高第。省中语曰："能赋诗，裴让之。"据《北齐书》卷三五《裴让之传》。本传不言年月，但称"天平中"。本传云："让之第二弟诹之奔关右"，当在天平四年独孤信入洛及战败之后，故知让之举秀才必在天平三年前，故系于是年。

　　阳休之北返，抵邺。据《北齐书》卷四二《阳休之传》。

公元 537 年（梁武帝大同三年　东魏孝静帝天平四年　西魏文帝大统三年丁巳）

本年

　　萧子显卒于本年。《梁书·萧子恪传》附《萧子显传》说："大同三年，出为仁威将军、吴兴太守，至郡未几，卒，时年四十九。诏曰：'仁威将军、吴兴太守子显，神韵峻举，宗中佳器。分竹未久，奄到丧殒，恻怆于怀。可赠侍中、中书令。今便举哀。'及葬请谥，手诏'恃才傲物，宜谥曰骄'。子显尝为《自序》，其略云：'余为邵陵王友，忝还京师，远思前比，即楚之唐、宋，梁之严、邹。追寻平生，颇好辞藻，虽在名无成，求心已足。若乃登高目极，临水送归，风动春朝，月明秋夜，早雁初莺，开花落叶，有来斯应，每不能已也。前世贾、傅、崔、马、邯郸、缪、路之徒，并以文章显，所以屡上歌颂，自比古人。天监十六年，始预九日朝宴，稠人广坐，独受旨云："今云物甚美，卿得不斐然赋诗。"诗既成，又降帝旨曰："可谓才子。"余退谓人曰："一顾之恩，非望而至。遂方贾谊，何如哉？未易当也。"每有制作，特寡思功，须其自来，不以力构。少来所为诗赋，则《鸿序》一作，体兼众制，文备多方，颇为好事所传，故虚声易远。'子显所著《后汉书》一百卷，《齐书》六十卷，《普通北伐记》五卷，《贵俭传》三十卷，文集二十卷。二子序、恺，并少知名……恺才学誉望，时论以方其父，太宗在东宫，早引接之。时中庶子谢嘏出守建安，于宣猷堂宴饯，并召时才赋诗，同用十五剧韵，恺诗先就，其辞又美。太宗与湘东王令曰：'王筠本自旧手，后进有萧恺可称，信为才子。'先是时太学博士顾野王奉令撰《玉篇》，太宗嫌其书详略未当，以恺博学，于文字尤善，使更与学士删改。"

高祖以"勇者有仁"誉羊侃。《梁书·羊侃传》说："大同三年，车驾幸乐游苑，侃预宴。时少府奏新造两刃稍成，长二丈四尺，围一尺三寸，高祖因赐侃马，令试之。侃执稍上马，左右击刺，特尽其妙，高祖善之。又制《武宴诗》三十韵以示侃，侃即席应诏，高祖览曰：'吾闻仁者有勇，今见勇者有仁，可谓邹、鲁遗风，英贤不绝。'"

徐陵撰《长春殿义记序》，述萧纲所制《庄子义》。《陈书·徐陵传》说："梁简文在东宫撰《长春殿义记》，使陵为序。又令于少傅府述所制《庄子义》。寻迁镇西湘东王中记室参军。"春泓按，《梁书》本纪记载，萧绎于大同三年进号镇西将军，所以徐陵撰《长春殿义记序》，述萧纲所制《庄子义》，当在本年或稍前。《陈书·儒林传》之《沈文阿传》说："沈文阿字国卫，吴兴武康人也……梁简文在东宫，引为学士，深相礼遇，及撰《长春义记》，多使文阿撮异闻以广之。"

褚玠文风不好艳靡。《陈书·文学传》之《褚玠传》说："褚玠字温理，河南阳翟人也。曾祖炫，宋昇明初与谢朏、江斅、刘俣入侍殿中，谓之四友。官至侍中、吏部尚书，谥贞子。祖沄，梁御史中丞。父蒙，太子舍人。玠九岁而孤，为叔父骠骑从事中郎随所养。早有令誉，先达多以才器许之。及长，美风仪，善占对，博学能属文，词义典实，不好艳靡。"春泓按，本传记载，褚玠卒于陈太建十二年，其九岁时正值本年。

北朝

七月

梁与东魏言和，东魏遣李谐、卢元明使于梁。据《魏书》卷十二《孝静帝纪》。

本年

杜弼为高欢大臣相府法曹行参军，署记室事，传大行台郎中，加镇南将军，典掌机密。据《北齐书》卷二四《杜弼传》。本传谓："弼以文武在位，罕有廉洁，言之于高祖。高祖曰：'弼来，我语尔。天下浊乱，习俗已久。今督将家属多在关西，黑獭常相招诱，人情去留未定。江东复有一吴儿老翁萧衍者，专事衣冠礼乐，中原士大夫望之以为正朔所在。我若急作法网，不相饶借，恐督将尽投黑獭，士子悉奔萧衍，则人物流散，何以为国？尔宜少待，吾不忘之。'"

王延入道，依贞懿先生。《云笈七签》卷八十五"王延"条："王延字子玄，扶风始平人也。九岁从师。西魏大统三年丁巳入道，依贞懿先生，陈君宝炽，时年十八，居于楼观，与真人李顺兴特相友善。又师华山真人焦旷，共止石室中，餐松饮泉绝粒幽处。"

公元 538 年（梁武帝大同四年　东魏孝静帝元象元年　西魏文帝大统四年 戊午）

十二月

皇侃表上所撰《礼记义疏》五十卷。《梁书·武帝本纪下》说："（大同四年）冬十二月丁亥，兼国子助教皇侃表上所撰《礼记义疏》五十卷。"

本年

顾野王于学无所不窥。《陈书·顾野王传》说："长而遍观经史，精记默识，天文地理、蓍龟占候、虫篆奇字，无所不通。梁大同四年，除太学博士。迁中领军临贺王府记室参军。宣城王为扬州刺史，野王及琅邪王褒并为宾客，王甚爱其才。野王又好丹青，善图写，王于东府起斋，乃令野王画古贤，命王褒书赞，时人称为二绝。"

北朝

本年

东魏以高欢子高澄摄吏部尚书，于才明之士，成见荐擢，假有未居显位者，则致之门下，以为宾客，每山园游燕，必见招携，执射赋诗，各尽其长，以为隅适。据《北齐书》卷三《文襄纪》。

阳休之封新泰县开国伯，除平东将军，太中大夫，尚书左民郎中。据《北齐书》卷十二《阳休之传》。

释慧远十六岁，至邺学经。释道宣《续高僧传》卷八《隋京师经营寺释慧远传》："年十六，师乃令随阇梨湛律师，大小经论，普皆博涉。"

公元 539 年（梁武帝大同五年　东魏孝静帝兴和元年　西魏文帝大统五年 己未）

本年

刘孝绰卒，年五十九。《梁书·刘孝绰传》说："大同五年，卒官，时年五十九。孝绰少有盛名，而仗气负才，多所陵忽，有不合意，极言诋訾。领军臧盾、太府卿沈僧杲等，并被时遇，孝绰尤轻之。每于朝集会同处，公卿间无所与语，反呼驺卒访道途间事，由此多忤于物。孝绰辞藻为后进所宗，世重其文，每作一篇，朝成暮遍，好事者咸讽诵传写，流闻绝域。文集数十万言，行于世。孝绰兄弟及群从诸子侄，当时有七十人，并能属文，近古未之有也……孝绰子谅，字求信。少好学，有文才，尤博悉晋代故事，时人号曰'皮里晋书'。历官著作佐郎，太子舍人，王府主簿，功曹史，宣城王记室参军。"

张缵任尚书仆射。《梁书·张缵传》说："五年，高祖手诏曰：'缵外氏英华，朝中领袖，司空以后，名冠范阳。可尚书仆射。'初，缵与参掌何敬容意趣不协，敬容居权轴，宾客辐辏，有过诣缵者，辄距不前，曰：'吾不能对何敬容残客。'及是迁，为表曰：'自出守股肱，入尸衡尺，可以仰首伸眉，论列是非者矣。而寸衿所滞，近蔽耳目，深浅清浊，岂有能预。加以矫心饰貌，酷非所闲，不喜俗人，与之共事。'此言以指敬容也。缵在职，议南郊御乘素辇，适古今之衷；又议印绶官备朝服，宜并著绶，时并施行。"

王褒除武昌王文学、太子洗马，兼东宫管记。《梁书·王规传》附《王褒传》说："子褒字子汉，七岁能属文……以父忧去职。服阕，袭封南昌侯，除武昌王文学、太子洗马，兼东宫管记，迁司徒属，秘书丞，出为安成内史。太清中，侯景陷京城，江州刺史当阳公大心举州附贼，贼转寇南中，褒犹据郡拒守。大宝二年，世祖命征褒赴江陵，既至，以为忠武将军、南平内史，俄迁吏部尚书、侍中。承圣二年，迁尚书右仆射，仍参掌选事，又加侍中。其年，迁左仆射，参掌如故。三年，江陵陷，入于周。褒著《幼训》，以诫诸子。其一章云：陶士衡曰：'昔大禹不吝尺璧而重寸阴。'文士何不诵书，武士何不马射？若乃玄冬修夜，朱明永日，肃其居处，崇其墙仞，门无粜杂，坐阙号呶。以之求学，则仲尼之门人也；以之为文，则贾生之升堂也。古者盘盂有铭，几杖有诫，进退循焉，俯仰观焉。文王之诗曰：'靡不有初，鲜克有终。'立身行道，终始若一。'造次必于是'，君子之言欤？儒家则尊卑等差，吉凶降杀。君南面而臣北面，天地之义也；鼎俎奇而笾豆偶，阴阳之义也。道家则堕支体，黜聪明，弃义绝仁，离形去智。释氏之义，见苦断习，证灭循道，明因辨果，偶凡成圣，斯虽为教等差，而义归汲引。吾始乎幼学，及于知命，既崇周、孔之教，兼循老、释之谈，江左以来，斯业不坠，汝能修之，吾之志也。"春泓按，王褒之父王规卒于大同二年，所以服阕当在大同五年。所撰《幼训》言及"及于知命"，可知是其五十之后所作，其中有所谓"江左以来，斯业不坠"云云，似乎是写于身在南朝之时。文中谈到了儒家、道家和佛家的特点，主张"既崇周、孔之教，兼循老、释之谈"，这既是王僧虔和王俭以来，王氏的立身法宝，又是当时士人普遍的知识结构和学术倾向，此对于了解南朝知识分子的心灵世界大有助益。根据《周书》记载，王褒活了六十四岁，其入北之后的行状，在《周书》里有所记叙。

颜协卒，时年四十二。《梁书·文学传》之《颜协传》说："颜协字子和，琅邪临沂人也。七代祖含，晋侍中、国子祭酒、西平靖侯。父见远，博学有志行……协幼孤，养于舅氏。少以器局见称。博涉群书，工于草隶。释褐湘东王国常侍，又兼府记室。世祖出镇荆州，转正记室。时吴郡顾协亦在蕃邸，与协同名，才学相亚，府中称为'二协'……大同五年，卒，时年四十二。世祖甚叹惜之，为《怀旧诗》以伤之。其一章曰：'弘都多雅度，信乃含宾实。鸿渐殊未升，上才淹下秩。'协所撰《晋仙传》五篇、《日月灾异图》两卷，遇火湮灭。有二子：之仪、之推，并早知名。之推，承圣中仕至正员郎、中书舍人。"

虞寄上《瑞雨颂》，为梁武帝所赏。《陈书·虞荔传》附《虞寄传》说："寄字次安，少聪敏……及长，好学，善属文。性冲静，有栖遁之志。弱冠举秀才，对策高第。起家梁宣城王国左常侍。大同中，尝骤雨，殿前往往有杂色宝珠，梁武观之甚有喜色，寄因上《瑞雨颂》。帝谓寄兄荔曰：'此颂典裁清拔，卿家之士龙也。将如何擢用？'寄闻之，叹曰：'美盛德之形容，以申击壤之情耳。吾岂买名求仕者乎？'乃闭门称疾，唯以书籍自娱。"春泓按，此"大同中"姑且置于大同五年之际。

北朝

本年

邢劭作《新宫赋》。《新宫赋》见《艺文类聚》卷六七二。据《魏书》卷十二《孝静帝纪》《北齐书》卷二《神武纪》下，邺城新宫成于本年十一月，故系于是年。

魏收聘梁，作《聘游赋》。《北齐书》卷三七《魏收传》："收兼通直散骑常侍，副王昕使梁，昕风流文辩，收辞藻富逸，梁主及其群臣咸加敬异。先是南北初和，李谐、卢元明首通使命，二人才器，并为邻国所重。至此，梁主称曰：'卢、李命世，王、魏中兴，未知后来复何如耳？'收在馆，遂买吴婢入馆，其部下有买婢者，收亦唤取，遍行奸秽，梁朝馆司皆为之获罪。人称其才而鄙其行。在途作《聘游赋》，辞甚美盛。"

公元 540 年（梁武帝大同六年　东魏孝静帝兴和二年　西魏文帝大统六年　庚申）

十二月

以萧绎为镇南将军、江州刺史。《梁书·武帝本纪下》说：六年冬十二月壬子，"江州刺史豫章王欢毙。以护军将军湘东王绎为镇南将军、江州刺史"。

本年

袁昂卒，时年八十。《梁书》本传记载袁昂卒于本年，时年八十，高祖深表悼念之意。

北朝

五月

东魏遣散骑常侍李象及通直常侍邢昕聘梁。据《魏书》卷十二《孝静帝纪》。又《魏书》卷八五《邢昕传》曰："兴和中，以本官副李象使于萧衍。昕好忤物，人谓之牛。是行也，谈者谓之牛象斗于江南。"

十二月

阳休之兼通直散骑常侍，副清河崔长谦使于梁。据《魏书》卷十二《孝静帝纪》《北齐书》卷十二《阳休之传》。又《陶渊明集》本梁昭明太子所编，后有阳休之本，未知此本为中大通末至大同初在江南所得，抑是年所得。

本年

薛道衡（540—609）生。道衡字玄卿，河东汾阳人。隋代作家。

高僧云启往西域求法，至龟兹与天竺三藏法师那连耶舍欲来东土传法。同随如高齐。住石窟寺。据元释念常《佛祖历代通载》卷十。

公元 541 年（梁武帝大同七年　东魏孝静帝兴和三年　西魏文帝大统七年　辛酉）

本年

刘孺为吏部尚书，以母忧去职。《梁书·刘孺传》说："七年，入为侍中，领右军。其年，复为吏部尚书，以母忧去职。居丧未期，以毁卒，时年五十九。谥曰孝子。孺少与从兄苞、孝绰齐名。苞早卒，孝绰数坐免黜，位不高，惟孺贵显。有文集二十卷。"春泓按，刘孺卒于本年或大同九年之前。

谢蔺献颂，高祖嘉之，诏使撰德政碑。《梁书·孝行传》之《谢蔺传》说："谢蔺字希如，陈郡阳夏人也。晋太傅安八世孙……时甘露降士林馆，蔺献颂，高祖嘉之，因有诏使制《北兖州刺史萧楷德政碑》，又奉令制《宣城王奉述中庸颂》。"春泓按，《梁书·武帝本纪》说大同七年，"于宫城西立士林馆，延集学者"，故谢蔺献颂制碑，应在此年或稍后。

周弘正居士林馆讲授，听者倾朝野。《陈书·周弘正传》说："时于城西立士林馆，弘正居以讲授，听者倾朝野焉。"周弘正启梁武帝讨论《周易》疑义。

梁武帝用虞荔为士林学士。《陈书·虞荔传》说："梁武帝于城西置士林馆，荔乃制碑，奏上，帝命勒之于馆，仍用荔为士林学士。"

梁皇太子释奠于国学。《陈书·文学传》之《杜之伟传》说："大同七年，梁皇太子释奠于国学，时乐府无孔子、颜子登歌词，尚书参议令之伟制其文，伶人传习，以为故事。"

北朝

八月

李骞使于梁。据《魏书》卷十二《孝静帝纪》。段成式《酉阳杂俎》载，李骞在南有"飒飒风帘举"之句，为明少遐所称赏。

十月

东魏孝静帝命高澄与群臣于麟趾阁议定新制，邢劭、温子升参与其事。据《魏书》卷十二《孝静帝纪》。《洛阳伽蓝记》："暨皇居徙邺，民讼殷繁，前革后沿，自相与夺，法吏疑狱，簿领成山，乃敕（邢）才子与散骑常侍温子升撰《麟趾新制》十五篇。"

本年

　　魏收代孙搴为中外府主簿。《北齐书》卷三七《魏收传》云："及孙搴死，司马子如荐收，召赴晋阳，以为中外府主簿。"事在兴和元年后。据《北齐书》卷二四《孙搴传》，与魏收同时被举者有陈元康。元康被任，在武定元年之前。则魏收被任用，当在此际。故系于是年。

公元 542 年（梁武帝大同八年　东魏孝静帝兴和四年　西魏文帝大统八年 壬戌）

本年

　　萧绩理封安乐县侯，博览多识，有文才。《梁书·高祖三王传》之《南康简王绩传》说萧绩是高祖第四子，有子名乂理，于"大同八年，封安乐县侯，邑五百户。绩理性慷慨，慕立功名，每读书见忠臣烈士，未尝不废卷叹曰：'一生之内，当无愧古人，'博览多识，有文才，尝祭孔文举墓，并为立碑，制文甚美"。

　　顾协卒，年七十三。《梁书·顾协传》说："大同八年，卒，时年七十三。"高祖下诏表示哀悼。顾协博极群书，于文字及禽兽草木尤称精详。撰《异姓苑》五卷，《琐语》十卷，并行于世。

　　朱异不屈于贵戚。《南史·朱异传》说："大同八年，改加侍中……而轻傲朝贤，不避贵戚。人或诲之，异曰：'我寒士也，遭逢以至今日。诸贵皆恃枯骨见轻，我下之，则为蔑尤甚。我是以先之。'"春泓按，梁代寒士崛起，但是像朱异这样的人物与先前名门贵族之间的对立和矛盾并没有消除。

　　江总年少有名，已参预名士之雅集。《陈书·江总传》说："梁武帝撰《正言》始毕，制《述怀诗》，总预同此作，帝览总诗，深相嗟赏。仍转侍郎。尚书仆射范阳张缵，度支尚书琅邪王筠，都官尚书南阳刘之遴，并高才硕学，总时年少有名，缵等雅相推重，为忘年友会。之遴尝酬总诗，其略曰：'上位居崇礼，寺署邻栖息。忌闻晓驺唱，每畏晨光艳。高谈意未穷，晤对赏无极。探急共邀游，休沐忘退食。曷用销鄙吝，枉趾觇颜色。下上数千载，扬搉吐胸臆。'其为通人所钦挹如此。"

　　陆琼六岁，为五言诗颇有词采。《陈书·陆琼传》说："陆琼字伯玉，吴郡吴人也。祖完，梁琅邪、彭城二郡丞。父云公，梁给事黄门侍郎，掌著作。琼幼聪惠有思理，六岁为五言诗，颇有词采。"春泓按，本传记述，陆琼卒于至德四年，时年五十，所以其六岁时正值本年。

　　萧纲撰《大同八年秋九月诗》。

北朝

四月

　　东魏遣散骑常侍李绘聘于梁。据《魏书》卷十二《孝静帝纪》。《北齐书》卷二九《李浑传附弟绘传》："时敕侍中西河王、秘书监常景选儒学十人缉撰五礼；绘与太原王乂同掌军礼。魏静帝于显阳殿讲《孝经》《礼记》，绘与从弟骞、裴伯茂、魏收、卢元明等俱为录议。素长笔札，尤能传授，缉缀词议，简举可观。天平初，世宗用为丞相司马。每罢朝，文武总集，对扬王庭，常令绘先发言端，为群僚之首。音辞辩正，风仪都雅，听者悚然。”

本年

裴伯茂卒。友人常景、李骞等为之设祭。《魏书》卷八五《裴伯茂传》：“少有风望，学涉群书，文藻富赡。释褐奉朝请。大将军、京兆王继西讨，引为铠曹参军。”检《魏书》卷九《肃宗纪》，其事在正光五年（524）。本传又谓“卒年三十九”，使伯茂释褐时年二十，是年已年三十九，则伯茂之卒至迟在此年也。今从曹道衡、刘跃进《南北朝文学编年史》系于是年。本传又谓“卒后，殡于家园，友人常景、李浑、王元景、卢元明、魏季景、李骞等十许人于墓旁置酒设祭，哀哭涕泣，一饮一酹曰：‘裴中书魂而有灵，知吾曹也。’乃各赋诗一篇。李骞以魏收亦与之友，寄以示收。收时在晋阳，乃同其作，论叙伯茂，其十字云：‘临风想玄度，对酒思公荣。’时人以伯茂性兀傲，魏收诗颇得事实。”裴伯茂曾撰《晋书》，未成。

柳辩（542—610）生。柳辩字顾言，祖籍河东，西晋末徙居襄阳。隋代作家。

北朝有寺三万所，僧尼二百万人。据宋释志磐《佛祖统纪》卷三十八《法运通塞志》。

释昙迁（542—607）生。释道宣《续高僧传》卷四八《隋西京禅定道场释昙迁传》：“释昙迁，俗姓王氏，博陵饶阳人。近祖太原，历宦而后居焉。”

释昙鸾（476—542）卒，时年六十七岁。据释道宣《续高僧传》卷六《魏西河石壁谷玄种寺释昙鸾传》。

公元543年（梁武帝大同九年　东魏孝静帝武定元年　西魏文帝大统九年　癸亥）

本年

张缵作《南征赋》。《梁书·张缵传》说：“九年，迁宣惠将军、丹阳尹，未拜，改为使持节、都督湘桂东宁三州诸军事、湘州刺史。述职经途，乃作《南征赋》。其词曰：

……乃弭节叹曰：人之寓于宇宙也，何异夫栖蜗之争战，附蚋之游禽。而盈虚倚伏，俯仰浮沉，矜荣华于尺影，总万虑于寸阴。彼忘机于粹日，乃圣达之明箴。妙品物于贞观，曾何足而系心。抚余躬之末迹，属兴王之盛世；蒙三桒之休宠，荷通家之渥惠。登石渠之三阁，典校文乎六艺……奉皇命以奏举，方驱传于衡疑。遵夕宿以言迈，戒晨装而永辞。行摇摇于南逝，心眷眷而西悲……

尔乃南奠衡、霍，北距沮、漳；包括沅、澧，汲引潇、湘。滮滮长迈，漫漫回翔；荡云沃日，吐霞含光。青碧潭屿，万顷澄澈；绮兰从风，素沙被雪。杂云霞以舒卷，间河洲而断绝；回晓仄于中川，起长飙而半灭。税遗构之旧浦，瞻汨罗以陨泗；岂怀宝而迷邦，犹殷勤而一致。蕴芳华以襞积，非党人之所媚；合《小雅》之怨辞，兼《国风》之美志。譬弹冠而振衣，犹自别于泥滓；且杀身以成义，宁露才而扬己？悲先生之不辰，逢椒、兰之妒美；有骅骝而不驭，焉遑遑于千里。既践境以思人，弥流连其无已。修行潦之薄荐，敢凭诚于沼沚。谒黄陵而展敬，奠瑶席乎川湄。具兰香以膏沐，怀椒糈而要之。延帝子于三后，降夔、龙于九疑。腾河灵之水驾，下太一之灵旗。抚安歌以会僻，疏缓节而依迟。日徘徊以将暮，情眇默而无辞。愠秦皇之巡幸，尤土壤以加戮；昧天道之无亲，勤望祀以祈福。将人怨而神怒，故飞川而荡谷；推冥理以归怨，遂刊山而赭木。

于是下车入部，班条理务，砥课庸薄，夕惕兢惧。存问长老，隐恤泯庶，奉宣皇恩，宽徭省赋。远哉盛乎，斯邦之旧也。有虞巡方以托终，夏后开图而疏决，太伯让嗣以来游，□臣祈仙而齐洁。固是明王之尘轨，圣贤之踪辙也。若夫屈平《怀沙》之赋，贾子游湘之篇，史迁摛文以投吊，扬雄《反骚》而沉川。其风谣雅什，又是词人之所流连也。亦有仲宁、咸德，仍世相继，父子三台，缁衣改敝。古初抱于烈火，刘先高而忤世，蒋公琰之弘通，桓柏绪之匡济，邓究时之绝述，谷思恭之藻丽，实川岳之精灵，常间出而无替也。至于殊庭之客，帝乡之贤，神奔鬼化，吐吸云烟。玉笥登之而却老，金人植杖以尊泉，苏生骑龙而出入，处静驾鹿以周旋。配北烛之神女，偶南荣之倛伶。时仿佛其遥见，亦往往而有焉。

尔乃历省府庭，周行街术，山川远览，邑居近悉。割黔中以置守，献青阳而背质，邹生所谓还舟，楚王于焉乘驷。巡高山之累仞，褒吴文之为宰；彼非刘而八王，皆国亡而身醢。在长沙而著令，经五叶其未改；知天道之福谦，胜一时之经始。寻太傅之故宅，今筑室以安禅；邑无改于旧井，尚开流而洌泉。怀伊管之政术，遇庸臣而见迁；终被知于时主，嗟汉宗之得贤。受齐君之远托，岂理谢而生全；哀怀王之不秀，遂抱恨而伤年。修定祀于北郭，对林野而幽蔼；庶无吐于馨香，祀琼茅而沃酹。景十三以启国，惟君王其能大；迨炎正之中微，实斯藩而是赖。顾四阜之纡余，乍升高以游目；审山川之面带，将取名于衡麓。下弥漫以爽垲，上钦亏而重复；风瑟瑟以鸣松，水琤琤而响谷。低四照于若华，竦千寻于建木。冀嚣尘之可屏，登岩阿而窜宿。舍域中之常恋，慕游仙之灵族。是时凉风暮节，万实西成，华池迥远，飞阁凄明。嘉南州之炎德，爱兰蕙之秋荣。下名柑于曲榭，采芳菊于高城。树罗轩而并列，竹被岭而丛生。玩栖禽之夕返，送旅雁之晨征。悲去乡而远客，寄览物而娱情。惟传车之所驾，实鹰扬其是掌，或解组以立威，乍露服而加赏。遵圣主之恩刑，荷天地之厚德。沾河润于九里，泽自家而刑国。阙小道之可观，宁畏途其易克；晞高衢而愿骋，忧取累于长缰。闻困石之非据，承炯戒乎明则；愧寿陵之余子，学邯郸而匍匐也。"春泓按，身处楚地，触景生情，其中有张缵对于屈《骚》的评价，指出《离骚》"合《小雅》之怨辞，兼《国风》之美志。譬弹冠而振衣，犹自别于泥滓；且杀身以成义，宁露才而扬己"？赞成刘安和司马迁对于屈原的歌颂，不认同扬雄、班固指责屈原"露才扬己"的观点。此赋骚气怫怫，气势盛大，且有深沉的感慨和思索，洵为赋体之佳作。

刘显卒，年六十三。《梁书·刘显传》说刘显卒于大同九年，时年六十三。"友人刘之遴启皇太子曰：'之遴尝闻，夷、叔、柳惠，不逢仲尼一言，则西山饿夫，东国黜士，名岂施于后世。信哉！生有七尺之形，终为一棺之土。不朽之事，寄之题目，怀珠抱玉，有殁世而名不称者，可为长太息，孰过于斯。窃痛友人沛国刘显，韫椟艺文，研精覃奥，聪明特达，出类拔群。阖棺郢都，归魂上国，卜宅有日，须镌墓板。之遴已略撰其事行，今辄上呈。伏愿鸿慈，降兹睿藻，荣其枯骴，以慰幽魂。冒昧尘闻，战栗无地。'乃蒙令为志铭曰：'繁弱挺质，空桑吐声，分器见重，播乐传名。谁其均之？美有髦士。礼著幼年，业明壮齿。厌饫典坟，研精名理。一见弗忘，过目则记。若访贾逵，如问伯始。颖脱斯出，学优而仕。议狱既佐，芸兰乃握。抟凤池水，推羊太学。内参禁中，外相藩岳。斜光已道，殒彼西浮；百川到海，还逐东流。营营返魄，泛泛虚舟。白马向郊，丹旐背巩。野埃兴伏，山云轻重。吕掩书坟，扬归玄冢。尔其戒行，途穷土垄。弱葛方施，丛柯日拱。隧柳荑春，禽寒敛翮。长空常暗，阴泉独涌。袝彼故茔，流芬相踵。'"《文心雕龙·铭箴》篇说："战代以来，弃德务功，铭辞代兴，箴文萎绝。"刘勰认为铭和箴分别侧重于功和德，从战国以来，因"弃德务功"，所以此两种文体出现了此长彼消的现象。而墓志铭是对于一个人美好一生的总结和赞美，在以后日益成为重要的文体。

白雀集东宫，刘孝威上颂，其辞甚美。《梁书·刘潜传》附《刘孝威传》说："第六弟孝威……大同九年，白雀集东宫，孝威上颂，其辞甚美。"萧纲撰《大同九年秋七月诗》。

北朝

本年

杜弼五十三岁，从高欢与宇文泰战于邙山，为做露布。后又加通直散骑常侍、中军将军。《北齐书》卷二四《杜弼传》："奉使诣阙，魏帝见之于九龙殿，曰：'朕始读《庄子》，便值奏名，定是体道得真，玄同齐物。闻卿精学，聊有所问。经中佛性、法性为一为异？'弼对曰：'佛性、法性，只是一理。'诏又问曰：'佛性既非法性，何得为一？'对曰：'性无不在，故不说二。'诏又问曰：'说着皆曰法性宽，佛性狭，宽狭既别，非二何如？'弼又对曰：'在宽成宽，在狭成狭，若论性体，非宽非狭。'诏问曰：'既言成宽成狭，何得非宽非狭？若论是狭，亦不能成宽。'对曰：'以非宽狭，故能成宽狭，宽狭所成虽异，解诚恒一。'"

温子升四十九岁，作《芒山寺碑文》。《北齐书》卷三九《祖珽传》："神武谓陈元康、温子升曰：'昔作《芒山寺碑》文，时称绝妙。'"《碑文》见《艺文类聚》卷七十七。

《华林遍略》传入北朝。《北齐书》卷三九《祖珽传》："州客至，请卖《华林遍略》。文襄多集书人，一日一夜写毕。退其本曰：'不须也。'珽以《遍略》数帙质钱蒲，文襄仗之四十。"事在作并州定国寺碑前，当在武定初。

邢昕卒。《魏书》卷八五《邢昕传》："齐文襄王摄选，拟昕为司徒右长史，未奏，遇疾卒。士友悲之。"事在"兴和中"之后，未能确考其年，姑系于此。

公元 544 年（梁武帝大同十年　东魏孝静帝武定二年　西魏文帝大统十年甲子）

三月

梁武帝作《还旧乡》诗。《梁书·武帝本纪下》说：十年三月甲午，舆驾幸兰陵。壬寅下诏表达桑梓之情，并作《还旧乡》诗。

本年

到荩从高祖登北顾楼，受诏赋诗，大见知赏。《梁书·到溉传》附《到荩传》说："尝从高祖幸京口，登北顾楼赋诗，荩受诏便就，上览以示溉曰：'荩定是才子，翻恐卿从来文章假手于荩。'因赐溉《连珠》曰：'研磨墨以腾文，笔飞毫以书信。如飞蛾之赴火，岂焚身之可吝。必耄年其已及，可假之于少荩。'其见知赏如此。"春泓按，《梁书·武帝本纪》说：大同五年九月，以都官尚书到溉为吏部尚书；大同十年三月己酉，高祖幸京口城北固楼，改名北顾。所以到溉、荩祖孙跟随高祖至京口，时在本年。萧纲撰《大同十年十月戊寅诗》。萧纲撰《奉和登北顾楼诗》，估计亦是本年之作。

王劢从高祖登北顾楼，赋诗，辞义清典，帝甚嘉之。《陈书·王通传》附《王劢传》说："劢字公济，通之弟也。美风仪，博涉书史，恬然清简，未尝以利欲干怀……大同末，梁武帝谒园陵，道出朱方，劢随例迎候，勑劢令从辇侧，所经山川，莫不顾问，劢随事应对，咸有故实。又从登北顾楼，赋诗，辞义清典，帝甚嘉之。"

北朝

五月

东魏遣魏季景使于梁。据《魏书》卷十二《孝静帝纪》。按《北史》本传，魏季景尝作《择居赋》，"所著文笔二百余篇"。

本年

苏绰为西魏大行台度支尚书，领著作，兼司农卿。作《六条诏书》及《大诰》。《周书》卷二三《苏绰》："（大统）十年，授大行台度支尚书，领著作，兼司农卿。"时宇文泰"欲革易时政"，命苏绰"为六条诏书，奏施行之"，又为《大诰》。本传云："自有晋之季，文章竞为浮华，遂成风俗。太祖欲革其弊，因魏帝祭庙，群臣毕至，乃命绰为大诰，奏行之。"其文皆规模《尚书》，本传云："自是之后，文笔皆依此体"。《周书》卷四一《虞信传》于此论曰："周氏创业，运属陵夷。纂遗文于既丧，聘奇士如弗及。是以苏亮、苏绰、卢柔、唐瑾、元伟、李昶之徒，咸奋鳞翼，自致青紫。然绰建言务存质朴，遂糠秕魏、晋，宪章虞、夏。虽属词有师古之美，矫枉非适时之用，故莫能常行焉。"

魏收除正常侍，领兼中书侍郎，仍修史。《魏书》卷一〇四《自序》："武定二年，

505

除正常侍，领兼中书侍郎，仍修史。帝宴百僚，问何故名人日，皆莫能知。收对曰：'晋议郎董勋《答问》，称俗云正月一日为鸡，二日为狗，三日为猪，四日为羊，五日为牛，六日为马，七日为人。'时邢邵亦在侧，甚恶焉。自南北和好，书下纸每云'想彼境内宁静，此率土安和'。萧衍后使，其书乃去'彼'字，自称犹著'此'，欲示无外之意。收定报书云：'想境内清晏，今万国安和。'南人复书，依以为体。"

阳休之为东魏中书侍郎。据《北齐书》卷四二《阳休之传》。

李谐（496—544）卒。《魏书》卷六五《李平列传附子谐传》："武定二年卒，年四十九，时人悼惜之。赠骠骑大将军、卫尉卿、齐州刺史。所著文集，别有集录行于世。"

刘焯（544—610）生。刘焯字士元，信都昌亭人。隋代学者、作家。

公元545年（梁武帝大同十一年　东魏孝静帝武定三年　西魏文帝大统十一年　乙丑）

本年

时高祖任职者，皆缘饰奸谄，深害时政，贺琛遂启陈事务封奏。高祖览奏大怒。《梁书·贺琛传》说："贺琛，字国宝，会稽山阴人也……是时，高祖任职者，皆缘饰奸谄，深害时政，琛遂启陈事条封奏曰：……其二事曰：……今天下宰守所以皆尚贪残，罕有廉白者，良由风俗侈靡，使之然也。淫奢之弊，其事多端，粗举二条，言其尤者。夫食方丈于前，所甘一味。今之燕喜，相竞夸豪，积果如山岳，列肴同绮绣，露台之产，不周一燕之资，而宾主之间，裁取满腹，未及下堂，已同臭腐。又歌姬舞女，本有品制，二八之锡，良待和戎。今畜妓之夫，无有等秩，虽复庶贱微人，皆盛姬姜，务在贪污，争饰罗绮。故为吏牧民者，竞为剥削，虽致资巨亿，罢归之日，不支数年，便已消散……书奏，高祖大怒……"春泓按，贺琛启陈事条封奏，自谓"自普通以来二十余年"，而高祖口授敕琛有曰"但朕有天下四十余年"，故此时大致在大同年间；高祖口授敕琛又曰"朕绝房室三十余年"、"不与女人同房而寝，亦三十余年"，《梁书》本纪说"五十外便断房室"，而高祖生于宋大明八年，其五十岁正在天监十三年，此后三十余年，姑定为大同十一年。贺琛所言击中了梁代的弊端，当时社会陷于奢侈风气之中，官吏疯狂盘剥百姓，阶级矛盾日益激化，国家实力已经空虚，可惜武帝已不容臣下尖锐的批评，梁代迅速走向灭亡。

萧大钧年七岁，能诵《诗》，音韵清雅。《梁书·太宗十一王传》之《西阳王大钧传》说："西阳王大钧字仁辅。性厚重，不妄戏弄。年七岁，高祖尝问读何书？对曰：'学《诗》。'因命讽诵，音韵清雅，高祖因赐王羲之书一卷。"春泓按，萧大钧卒于大宝二年，时年十三，其年七岁时，正是本年。

陆云公受诏校定《棋品》。《陈书·陆琼传》说："大同末，云公受梁武帝诏校定《棋品》，到溉、朱异以下并集。琼时年八岁，于客前覆局，由是京师号曰神童。异言之武帝，有敕召见，琼风神警亮，进退详审，帝甚异之。"春泓按，据此可以了解钟嵘写作《诗品》，与此陆云公校定《棋品》以及当时《画品》《书品》一类著作的产生，实有相同的文化背景。

北朝

本年

庾信为通直散骑常侍，为员外郎。聘于东魏。作《将命至邺》《将命至邺酬祖正员》《入彭城馆》《西门豹庙》诸诗。庾信使魏年月诸史书均未确载。今据清倪璠《庾子山年谱》，系于是年。曹道衡、刘跃进《南北朝文学编年史》亦从。

牛弘（545—610）生。牛弘字里仁。本姓寮氏，父允，魏侍中，赐姓牛氏。隋代学者、作家。

公元 546 年（梁武帝中大同元年　东魏孝静帝武定四年　西魏文帝大统十二年　丙寅）

三月

庚戌，"法驾出同泰寺大会，停寺省，讲《金字三慧经》。夏四月丙戌，于同泰寺讲解，设法会"。见《梁书·武帝本纪下》。

本年

萧纶为南徐州刺史，引马枢为学士。《陈书·马枢传》说："马枢字要理，扶风郿人也……六岁，能诵《孝经》《论语》《老子》。及长，博极经史，尤善佛经及《周易》《老子》义。梁邵陵王纶为南徐州刺史，素闻其名，引为学士。纶时自讲《大品经》，令枢讲《维摩》《老子》《周易》，同日发题，道俗听者二千人。王欲极观优劣，乃谓众曰：'与马学士论义，必使屈伏，不得空立主客。'于是数家学者各起问端，枢乃依次剖判，开其宗旨，然后枝分流别，转变无穷，论者拱默听受而已。纶甚嘉之，将引荐于朝廷。"春泓按，《梁书》本传记载梁邵陵王纶为南徐州刺史，时在中大同元年。

北朝

八月

东魏移洛阳汉石经于邺。据《魏书》卷十二《孝静帝纪》。

十一月

《敕勒歌》传唱于魏廷。《北齐书》卷二《神武纪》下："十一月庚子，舆疾班师……是时西魏言神武中弩，神武闻之，乃勉坐见诸贵，使斛律金敕勒歌，神武自和之，哀感流涕。"

苏绰（498—546）卒。《周书》卷二三《苏绰传》："绰性俭素，不治产业，家无余财。以海内未平，常以天下为己任。博求贤俊，共弘治道，凡所荐达，皆至大官。

太祖亦推心委任，而无间言。太祖或出游，常预署空纸以授绰，若须有处分，则随事施行，及还，启之而已。绰尝谓治国之道，当爱民如慈父，训民如严师。每与公卿议论，自昼达夜，事无巨细，若指诸掌。积思劳倦，遂成气疾。十二年，卒于位，时年四十九。"又云："绰又著《佛性论》《七经论》，并行于世。"《隋书·经籍志》未见著录。今仅存《奏行六条诏书》《大诰》两篇，俱见《周书》《北史》本传。

本年

杜弼注《道德经》两卷，表上东魏孝静帝，又上一本于高欢，一本于高澄。据《北齐书》卷二四《杜弼传》，杜弼注老子在武定元年之后，武定五年之前。今姑系于是年。

祖珽因陈元康荐，作并州《定国寺碑》文。《北齐书》卷三九《祖珽传》："又与令史李双、仓督成祖等作晋州启，请粟三千石，代功曹参军赵彦深宣神武教，给城局参军过典签事高景略，疑其定不实，密以问彦深，彦深答无此事，遂被推检，珽即引伏。神武大怒，决鞭二百，配甲坊，加钳，其谷倍徵。未及科，会并州定国寺新成，神武谓陈元康、温子升曰：'昔作《芒山寺碑》文，时称妙绝，今《定国寺碑》当使谁作词也？'元康因荐珽才学，并解鲜卑语。乃给笔札就禁所具。二日内成，其文甚丽。神武以其工而且速，特恕不问，然犹免官，散参相府。"所谓昔作《莽山寺碑》，系指为武定元年芒山之战所作碑文。又高欢死于明年（武定五年），则其事当在元年之后，五年之前。今姑系于是年。

魏收兼著作郎。《北齐书》卷三七《魏收传》："四年，神武（高欢）于西门豹祠宴集，谓司马子如曰：'魏收为史官，书吾等善恶，闻北伐时，诸贵常饷史官饮食，司马仆射颇曾饷不？'因共大笑。仍谓收曰：'卿勿见元康等在吾目下趋走，谓吾以为勤劳，我后世身名在卿手，勿谓我不知。'寻加兼著作郎。"据《北齐书》卷二《神武纪》下："四年八月癸巳，神武将西伐，自邺会兵于晋阳"，检《魏书》卷一〇六《地形志》上"西门豹祠"在邺，则高欢加官于收当在本年八月。故系于是。

公元547年（梁简文帝太清元年　东魏孝静帝武定五年　西魏文帝大统十三年　丁卯）

本年

高祖接纳侯景来附，以侯景为大将军。《梁书·武帝本纪下》说："太清元年正月壬寅，骠骑大将军、开府仪同三司、荆州刺史庐陵王续薨；以镇南将军、江州刺史湘东王绎为镇西将军、荆州刺史……二月己卯，白虹贯日。庚辰，魏司徒侯景求以豫、广、颍、洛阳、西扬、东荆、北荆、襄、东豫、南兖、西兖、齐等十三州内属。壬午以景为大将军，封河南王，大行台，制承如邓禹故事。"春泓按，高祖听从朱异的意见，接纳侯景来附，潜伏下"侯景之乱"的隐患。

萧介上表谏高祖纳侯景事。《梁书·萧介传》说："萧介字茂镜，兰陵人也……介少颖悟，有器识，博涉经史，兼善属文……太清中，侯景于涡阳败走，入寿阳。高祖敕防主韦黯纳之，介闻而上表谏曰……介性高简，少交游，惟与族兄琛、从兄际素及洽、从弟淑等文酒赏会，时人以比谢氏乌衣之游。初，高祖招延后进二十余人，置酒赋诗。臧盾以诗不成，罚酒一斗，盾饮尽，颜色不变，言笑自若；介染翰便成，文无加点。高祖两美之曰：'臧盾之饮，萧介之文，即席之美也。'年七十三，卒于家。"春泓按，侯景于涡阳败走，时在太清元年年末。

谢蔺卒，时年三十八。《梁书·孝行传》之《谢蔺传》说谢蔺于太清元年卒，时年三十八，所制诗赋碑颂数十篇。

陆云公卒，时年三十七。《梁书·文学传》之《陆云公传》说陆云公卒于本年，时年三十七。张缵远在湘州，给陆云公亲属写来了十分感人的信，以表示其悼念之情。

徐孝克起家为太学博士。《陈书·徐陵传》附《徐孝克传》说："孝克，陵之第三弟也。少为《周易》生，有口辩，能谈玄理。既长，遍通《五经》，博览史籍，亦善属文，而文不逮义。梁太清初，起家为太学博士。"

许亨为征西中记室，兼太常丞。《陈书·文学传》之《许亨传》说："许亨字亨道，高阳新城人，晋徵士询之六世孙也。曾祖珪，历给事中，委桂阳太守，高尚其志，居永兴之究山，即询之所隐也。祖勇慧，齐太子家令、冗从仆射。父懋，梁始平天门二郡守、太子中庶子、散骑常侍，以学艺闻，撰《毛诗风雅比兴义类》十五卷，《述行记》四卷。亨少传家业，孤介有节行。博通群书，多识前代旧事，名辈皆推许之，甚为南阳刘之遴所重，每相称述。解褐梁安东王行参军，兼太学博士，寻除平西府记室参军。太清初，为征西中记室，兼太常丞。"

北朝

正月

东魏高欢卒，子高澄嗣。据《北齐书》卷二《神武纪》下。

本年

侯景据河南叛东魏。高澄有《与侯景书》，景亦有答书。据《北齐书》卷三《文襄纪》。高澄、侯景皆无文采，当由文人代笔。据《文襄纪》，侯景书为王伟作，高澄书不详。

杨衒之因事重到洛阳，见其颓坏之状，因作《洛阳伽蓝记》。《洛阳伽蓝记序》云："至武定五年，岁在丁卯，余因行役，重览洛阳。城郭崩坏，宫室倾覆，寺观灰烬，庙塔丘墟。墙被蒿艾，巷罗荆棘，野兽穴于荒阶，山鸟巢于庭树。游儿牧竖，踯躅于九逵；农夫耕老，艺黍于双阙。始知《麦秀》之感，非独殷墟；《黍离》之悲，信哉周室。"然此为作书之缘起，并非成书年代。今姑系于此。

杜弼为《檄梁文》，凡二篇。据《魏书》卷九八《岛夷萧衍传》。两篇檄文作者尚无确论，今依曹道衡、刘跃进《南北朝文学编年史》，并全录其文于下："（前一篇）见《文苑英华》卷六百四十五，又一篇亦见《文苑英华》卷六百四十五，《资治通鉴》卷一百六十亦有，但略有删节。《艺文类聚》卷五十八以为魏收作，清李兆洛《骈体文钞》从之。严可均《全北齐文》卷五云：'岂此檄魏收润色之，曾编入魏集邪？疑误也。'钱钟书先生《管锥编》第四册第1509页以为：'窃意后篇乃杜弼原文，前篇载在魏收所著《魏书》，当经其"润色"，面目几乎全非；《类聚》题魏收，主名虽误，事出有因。两篇相较，以前为胜。'然据《魏书·岛夷传》，钱先生所谓'前篇'盖作于本年冬慕容绍宗大破萧渊明所率梁军以前。故檄文有'固扬声赴助，计在图袭，吞渊明之众'，足见作檄时渊明尚未败也。所谓后篇，据《资治通鉴》所载，萧渊明败在本年十一月，为东魏所俘，而杜弼檄文作于十二月朔，故檄文已言渊明之众'亡戟弃戈，土崩瓦解'；又谓其'挟子垂翅，聚在樊笼'，明是萧渊明被俘后事。当非一时之作，钱先生所疑非。"

魏收为檄梁文，文过七纸。《北齐书》卷三七《魏收传》："侯景叛入梁，寇南境，文襄时在晋阳，令收为檄五十余纸，不日而就。又檄梁朝，令送侯景，初夜执笔，三更便成，文过七纸。文襄善之。魏帝曾季秋大射，普令赋诗，收诗末云：'尺书征建邺，折简召长安。'文襄（高澄）壮之。顾诸人曰：'在朝今有魏收，便是国之光采。雅俗文墨，通达纵横。我亦使子才、子升时有所作，至于词气，并不及之。吾或意有所怀，忘而不语，语而不尽，意有未及，收呈草皆以周悉，此亦难有。'"据《魏书》卷十二《孝静帝纪》，高澄入朝在是年八月，则秋猎当在是年。

温子升卒。《魏书》卷八五《温子升传》："及元仅、刘思逸、荀济等作乱，文襄疑子升知其谋。方使之作献武王碑文，既成，乃饿诸晋阳狱，食弊襦而死，弃尸路隅，没其家口。太尉长史宋游道收葬之，又为集其文笔为三十五卷。子升外恬静，与物无竞，言有准的，不妄毁誉，而内深险。事故之际，好预其间，所以终致祸败。又撰《永安记》三卷。"本传又云："萧衍使张皋写子升文笔，传于江外。衍称之曰：'曹植、陆机复生于北土。恨我辞人，数穷百六。'阳夏太守傅标使吐谷浑，见其国主床头有书数卷，乃是子升文也。济阴王晖业尝云：'江左文人，宋有颜延之、谢灵运，梁有沈约、任昉，我子升足以陵颜轹谢，含任吐沈。'杨遵彦作《文德论》，以为古今辞人皆负才遗行，浇薄险忌，唯邢子才、王元景、温子升彬彬有德素。"明胡应麟《诗数》："温子升之谋诛尔朱，荀济之谋诛高澄，皆忠义激发，奋不顾身。而传以温为阴险，济为好乱，史乎？"又云："谓温子升凌颜轹谢，含沉吐任，虽自相夸诩语，然子升文笔艳发，自当为彼中第一人。生江左，故不在四君下，惟诗传者绝少，恐非所长。"《隋书》卷三五《经籍志》四："后魏散骑常侍《温子升集》三十九卷"。《旧唐书·经籍志》著录为二十五卷，《新唐书·艺文志》著录为三十五卷。《宋史·艺文志》未见著录。今存文二十七篇，诗十一首。

公元548年（梁简文帝太清二年 东魏孝静帝武定六年 西魏文帝大统十四年 戊辰）

八月

侯景举兵反。《梁书·武帝本纪下》说：秋八月戊戌，"侯景举兵反"。冬十月辛亥，侯景"师至京"，十一月辛酉，侯景攻陷东府城。

十二月

羊侃卒，时年五十四岁。《梁书·羊侃传》说："十二月，遘疾卒于台内，时年五十四……侃性豪侈，善音律，自造《采莲》《棹歌》两曲，甚有新致。"

本年

太宗频于玄圃自讲《老》《庄》二书，何敬客以为祖尚玄虚，"其将为戎"。俄而侯景难作。《梁书·何敬容传》说："是年，太宗频于玄圃自讲《老》《庄》二书，学士吴孜时寄詹事府，每日入听。敬容谓孜曰：'昔晋代丧乱，颇由祖尚玄虚，胡贼殄覆中夏。今东宫复袭此，殆非人事，其将为戎乎？'俄而侯景难作，其言有征也。"

侯景反，城内文武咸责朱异。朱惭愤卒，年六十七。《梁书·朱异传》说："初，景谋反……及寇至，城内文武咸尤之。皇太子又制《围城赋》，其末章云：'彼高冠及厚履，并鼎食而乘肥，升紫霄之丹地，排玉殿之金扉，陈谋谟之启沃，宣政刑之福威，四郊以之多垒，万邦以之未绥。问豺狼其何者？访虺蜴之为谁？'盖以指异。异因惭愤，发病卒，时年六十七。"《南史·朱异传》说："至是城内咸尤异，简文为四言愍乱诗曰：'愍彼阪田，嗟斯氛雾。谋之不臧，褰我王度。'"

到溉卒，年七十二。《梁书·到溉传》说："性又不好交游，惟与朱异、刘之遴、张缵同志友密。及卧疾家园，门可罗雀，三君每岁时常鸣驺枉道，以相存问，置酒叙生平，极欢而去。临终，托张、刘勒子孙以薄葬之礼，卒时年七十二。诏赠本官。有集二十卷行于世。时以溉、洽兄弟比之二陆，故世祖赠诗曰：'魏世重双丁，晋朝称二陆，何如今两到，复似凌寒竹。'"春泓按，《南史》本传称到溉卒于太清二年。

刘之遴卒于本年，刘之遴属文多学古体。《梁书·刘之遴传》说："之遴好古爱奇，在荆州聚古器数十百种。有一器似瓯，可容一斛，上有金错字，时人无能知者。又献古器四种于东宫。其第一种，镂铜鸥夷槛二枚，两耳有银镂，铭云'建平二年造'。其第二种，金银错镂古樽二枚，有篆铭云'秦容成侯适楚之岁造'。其第三种，外国澡灌一口，铭云'元封二年，龟兹国献'。其第四种，古制澡盘一枚，铭云'初平二年造'。时鄱阳嗣王范得班固所上《汉书》真本，献之东宫，皇太子令之遴与张缵、到溉、陆襄等参校异同。之遴具异状十事，其大略曰：'案古本《汉书》称"永平十六年五月二十一日己酉，郎班固上"，而今本无上书年月日字。又案古本《叙传》号为中篇，今本称为《叙传》。又今本《叙传》载班彪事行，而古本云"稚生彪，自有传"。又今本纪及表、志、列传不相合为次，而古本相合为次，总成三十八卷。又今本《外戚》在《西域》后，古本《外戚》次《帝纪》下。又今本《高五子》、《文三王》《景十三王》《武五子》《宣元六王》杂在诸传秩中，古本诸王悉次《外戚》下，在《陈项传》前。又今本《韩彭英卢吴》述云"信惟饿隶，布实黥徒，越亦狗盗，芮尹江湖，化为侯王，云起龙骧"。古本述云"淮阴毅毅，杖剑周章，邦之杰子，实惟彭、英，化为侯王，云起龙骧'。又古本第三十七卷，解音释义，以助雅诂，而今本无此卷。'之遴好属文，多学古体，与河东裴子野、沛国刘显常共讨论书籍，因为交好。是时《周易》《尚书》《礼记》《毛诗》并有高祖义疏，惟《左氏传》尚阙。之遴乃著《春秋大意》十科，

《左氏》十科，《三传同异》十科，合三十事以上之。高祖大悦，诏答之曰：'省所撰《春秋》义，比事论书，辞微旨远。编年之教，言阐义繁，丘明传洙泗之风，公羊禀西河之学，铎椒之解不追，瑕丘之说无取。继踵胡母，仲舒云盛，因修《穀梁》，千秋最笃。张苍之传《左氏》，贾谊之袭荀卿，源本分镳，指归殊致，详略纷然，其来旧矣。昔在弱年，乃经研味，一从遗置，迄将五纪。兼晚冬暑促，机事罕暇，夜分求衣，未遑搜括。须待夏景，试取推寻，若温故可求，别酬所问也。'太清二年，侯景乱，之遴避难还乡，未至，卒于夏口，时年七十二。前后文集五十卷，行于世。"春泓按，《南史》本传则记述萧绎嫉其才学，遂药杀之。《南史》还记载刘之遴有子名三达，字三善，数岁能清言及属文。

马枢隐于茅山，有终焉之志。《陈书·马枢传》说："寻遇侯景之乱，纶举兵援台，乃留书二万卷以付枢。枢肆志寻览，殆将周遍，乃喟然叹曰：'吾闻贵爵位者以巢、由为桎梏，爱山林者以伊、吕为管库，束名实则刍芥柱下之言，玩清虚则糠秕席上之说，稽之笃论，亦各从其好也。然支父有让王之介，严子有傲帝之规，千载美谈，所不废也。比求志之士，望途而息。岂天之不惠高尚，何山林之无闻甚乎？'乃隐于茅山，有终焉之志。"

徐陵兼通直散骑常侍，使魏。《陈书·徐陵传》说："太清二年，兼通直散骑常侍。使魏，魏人授馆宴宾。是日甚热，其主客魏收嘲陵曰：'今日之热，当由徐常侍来。'陵即答曰：'昔王肃至此，为魏始制礼仪；今我来聘，使卿复知寒暑。'收大惭。"春泓按，梁末南北文化交流，更趋频繁。

陆琼携母避乱于县之西乡，勤苦读书。《陈书·陆琼传》说："及侯景作逆，携母避地于县之西乡，勤苦读书，昼夜无怠，遂博学，善属文。"

北朝

四月

杜弼与邢劭、魏收等讲说佛理。《北齐书》卷二四《杜弼传》："六年四月八日，魏帝集名僧于显阳殿讲说佛理，弼与吏部尚书杨愔、中书令邢劭、秘书监魏收等并侍法筵。敕弼升师子座，当众敷演。昭玄都僧达及僧道顺并缁林之英。问难锋至，往复数十番，莫有能屈。帝曰：'此贤若生孔门。则何如也？'"

本年

裴让之作《公馆宴酬南使徐陵诗》。《艺文类聚》卷五十三：裴让之作《公馆宴酬南使徐陵诗》。检《陈书》卷二六《徐陵传》，徐陵曾两度使北，其一在太清二年（548），其一在绍泰二年（556），而据《北齐书》卷三五《裴让之传》，让之死于魏禅齐（550）之际，则其作酬诗当在徐陵第一次使北之时，故系于是年。

公元549 年（梁简文帝太清三年　东魏孝静帝武定七年　西魏文帝大统十五年　己巳）

五月

高祖崩，时年八十六。《梁书·武帝本纪下》说：三年夏五月丙辰，高祖崩于净居殿，时年八十六。本纪记述高祖"少而笃学，洞达儒玄。虽万机多务，犹卷不辍手，燃烛侧光，常至午夜。造《制旨孝经义》，《周易讲疏》，及六十四卦、二《系》《文言》《序卦》等义，《乐社义》，《毛诗答问》，《春秋答问》，《尚书大义》，《中庸讲疏》，《孔子正言》，《老子讲疏》，凡二百余卷，并正先儒之迷，开古圣之旨。王侯朝臣皆奉表质疑，高祖皆为解释。修饰国学，增广生员，立五馆，置《五经》博士。天监初，则何佟之、贺玚、严植之、明山宾等复述制旨，并撰吉凶军宾嘉五礼，凡一千余卷，高祖称制断疑。于是穆穆恂恂，家知礼节。大同中，于台西立士林馆，领军朱异、太府卿贺琛、舍人孔子祛等递相讲述。皇太子、宣城王亦于东宫宣猷堂及扬州廨开讲，于是四方郡国，趋学向风，云集于京师矣。兼笃信正法，尤长释典，制《涅盘》、《大品》《净名》《三慧》诸经义记，复数百卷。听览余闲，即于重云殿及同泰寺讲说，名僧硕学，四部听众，常万余人。又造《通史》，躬制赞序，凡六百卷。天情睿敏，下笔成章，千赋百诗，直疏便就，皆文质彬彬，超迈今古。诏铭赞诔，箴颂笺奏，爰初在田，洎登宝历，凡诸文集，又百二十卷。六艺备闲，棋登逸品，阴阳纬候，卜筮占决，并悉称善。又撰《金策》三十卷。草隶尺牍，骑射弓马，莫不奇妙……历观古昔帝王人君，恭俭庄敬，艺能博学，罕或有焉。"

梁简文帝即位。《梁书·简文帝本纪》说：太清三年五月丙辰，高祖崩后，"辛巳，即皇帝位……六月……丁亥，立宣城王大器为皇太子，壬辰，封当阳公大心为寻阳郡王……秋七月甲寅，广州刺史元景仲谋应侯景，西江督护陈霸先起兵攻之，景仲自杀，霸先迎定州刺史萧勃为刺史"。

本年

徐摛卒于本年。《梁书·徐摛传》说太清三年，在侯景乱中，徐摛以七十八之高龄，感气疾而卒，长子陵最有名。

鲍泉受命征河东王萧誉于湘州。《梁书·鲍泉传》说："鲍泉字润岳，东海人也……泉博涉史传，兼有文笔。少事元帝，早见擢任……太清三年，元帝命泉征河东王誉于湘州……"后陷于侯景兵手，被杀。"泉于《仪礼》尤明，撰《新仪》四十卷，行于世"。

王筠以琅邪王氏而自豪。《梁书·王筠传》说："明年，太宗即位，为太子詹事。筠旧宅先为贼所焚，乃寓居国子祭酒萧子云宅，夜忽有盗攻之，惊惧坠井卒，时年六十九。家人十余人同遇害。筠状貌寝小，长不满六尺。性弘厚，不以艺能高人，而少擅才名，与刘孝绰见重当世。其自序曰：'余少好书，老而弥笃。虽偶见瞥观，皆即疏记，后重省览，欢兴弥深，习与性成，不觉笔倦。自年十三四，齐建武二年乙亥至梁大同六年，四十载矣。幼年读《五经》，皆七八十遍。爱《左氏春秋》，吟讽常为口实，广略去取，凡三过五抄。余经及《周官》《仪礼》《国语》《尔雅》《山海经》《本草》并再抄。子史诸集皆一遍。未尝情人假手，并躬自抄录，大小百余卷。不足传之好事，盖以备遗忘而已。'又与诸儿书论家世集云：'史传称安平崔氏及汝南应氏，并累世有文才，所以范蔚宗云崔氏"世擅雕龙"。然不过父子两三世耳；非有七叶之中，名德重光，爵位相继，人人有集，如吾门世者也。沈少傅约语人云："吾少好百家之言，身为四代之史，自开辟已来，未有爵位蝉联，文才相继，如王氏之盛者也。"汝等仰观堂构，思各努力。'筠自撰其文章，以一官为一集，自洗马、中书、中庶子、吏部佐、临海、太府各十卷，《尚书》三十卷，凡一百卷，行于世。"

张缵被害，时年五十一。《梁书·张缵传》说张缵于本年被害，时年五十一。"元帝承制，赠缵侍中、中卫将军、开府仪同三司。谥简宪公。缵有识鉴，自见元帝，便推诚委结。及元帝即位，追思之，尝为诗，其《序》曰：'简宪之为人也，不事王侯，负才任气，见余则申旦达夕，不能已已。怀夫人之德，何日忘之。'缵著《鸿宝》一百卷，文集二十卷"。在梁末乱中，张缵对于梁武帝子孙产生内讧，负有一定的责任。姚察评曰："以缵之风格，卒为梁之乱阶，惜矣哉。"

萧子云卒，年六十三。《梁书·萧子恪传》附《萧子云传》说子云死于太清三年，年六十三。著有《晋书》110卷，《东宫新记》20卷。

庾仲容客游会稽，遇疾卒，年七十四。《梁书·文学传》之《庾仲容传》说："庾仲容字仲容，颍川鄢陵人也……仲容博学，少有盛名，颇任气使酒，好危言高论，士友以此少之。唯与王籍、谢几卿情好相得，二人时亦不调，遂相追随，诞纵酣饮，不复持检操。久之，复为咨议参军，出为黟县令。及太清乱，客游会稽，遇疾卒，时年七十四。仲容抄诸子书三十卷，众家地理书二十卷，《列女传》三卷，文集二十卷，并行于世。"

姚察见闻广博，为梁简文帝所重。《陈书·姚察传》说："姚察字伯审，吴兴武康人也……六岁，诵书万余言。弱不好弄，博弈杂戏，初不经心。勤苦厉精，以夜继日。年十二，便能属文。父上开府僧垣，知名梁武代，二宫礼遇优厚，每得供赐，皆回给察兄弟，为游学之资，察并用聚蓄图书，由是闻见日博。年十三，梁简文帝时在东宫，盛修文义，即引于宣猷堂听讲论难，为儒者所称。及简文嗣位，尤加礼接。"

北朝

五月

西魏诏诸代人太和中改姓者，并令复旧。据《北史》卷五《西魏文帝纪》。

本年

颜之推初仕于梁，为湘东王右常侍。从徐文盛率水师屯武昌以拒侯景，继而梁军败，之推被俘，理当见杀，景行泰郎中王则初无旧识，再三救护，获免，囚还建康。据《北齐书》卷四五《颜之推传》。

梁鄱阳王萧范据合州，求救于东魏，东魏取合州而不救萧范，范遂附西行至溢城。

时高澄尝命魏收作书至范，魏收据以为己功。据《梁书》卷二十二《萧范传》《魏书》卷一○四《自序》。

高澄为降人兰京所杀。据《北齐书》卷三《文襄纪》。本纪曰："数日前，崔季舒无故于北宫门外诸贵之前诵鲍明远诗曰：'将军既下世，部曲亦罕存。'声甚凄断，泪不能已，见者莫不怪之。"又《北史》卷五《孝武帝纪》："帝之在洛也，从妹不嫁者三：一曰平原公主明月，南阳王同产也。二曰安德公主，清河王怿女也。三曰蒺藜，亦封公主。帝内宴，令诸妇人咏诗，或咏鲍照乐府曰：'朱门九重门九闺，愿逐明月入君怀。'帝既以明月入关，蒺藜自缢。"可见鲍照诗歌盛行于北方。

李骞卒。按《魏书》卷三六《李顺列附李骞传》，仅谓骞死于晋阳，不著年月。然又谓"增本将军、太常、殷州刺史。齐受禅，重赠使持节、侍中……"则其卒当在齐代魏以前。故系于是年。《魏书》本传谓"所著诗赋碑诔，别有集录"。然《隋书·经籍志》已不见著录。今存本传所载《释情赋》及《赠卢元明魏收诗》。

杜弼为高洋兼长史、加卫将军、转中书令、仍长史。进爵定阳县侯。据《北齐书》卷二四《杜弼传》。

魏收在高澄死后，高洋令其与崔季舒等掌机密，又撰禅代诏策文。《北齐书》卷三七《魏收传》："文襄崩，文宣如晋阳，令与黄门郎崔季舒、高德正，吏部郎中尉瑾于北第掌机密。转秘书监、兼著作郎。又除定州大中正。时齐将受禅，杨愔奏收置之别馆，令撰禅代诏册诸文，遣徐之才守门不听出"。

阳休之除太子中庶子，迁给事黄门侍郎，进号中军将军，幽州大中正。据《北齐书》卷四二《阳休之传》。

祖珽盗陈元康家书数千卷。又盗官《遍略》一部。据《北齐书》卷三九《祖珽传》。

公元 550 年（梁简文帝大宝元年　北齐文宣帝天保元年　西魏文帝大统十六年　庚午）

本年

萧纲被侯景囚禁。《梁书·简文帝本纪》说：大宝元年春二月丙午，侯景进军逼太宗幸西州。冬十月乙未，侯景又逼太宗幸西州曲宴。"初，太宗见幽縶，题壁自序云：'有梁正士兰陵萧世缵，立身行道，终始如一，风雨如晦，鸡鸣不已。弗欺暗室，岂况三光，数至于此，命也如何！'又为《连珠》二首，文甚凄怆"。

萧恪等上笺劝进，被萧绎拒绝。《梁书·元帝本纪》说：大宝元年，十一月甲子，南平王恪、侍中临川王大款、桂阳王大成、散骑常侍江安侯圆正、侍中左卫将军张缵、司徒左长史昙等府州国一千人奉笺曰："……秬麦两穗，出于南平之邦；甘露泥枝，降乎当阳之境……恪等稽寻甲令，博询惇史，谨再拜上，进位相国，总百揆，竹使符一，别准恒仪。杖金斧以剪逆暴，乘玉辂而定社稷。"遭萧绎拒绝。《文心雕龙·书记》篇说："笺者，表也，表识其情也。"因为当时梁朝中央政权在名义上依然存在，萧纲虽然被侯景所囚禁，但是尚未被杀死，萧绎一系的手下人物要表达其劝进之意必须十分

515

含蓄，所以使用"笺"这一文体比较合适。

侯景乱起，梁武帝诸子利令智昏，不能一致对敌。《梁书·高祖三王传》之《邵陵携王纶传》说："大宝元年，纶至郢州，刺史南平王恪让州于纶，纶不受，乃上纶为假黄钺、都督中外诸军事。纶于是置百官，改厅事为正阳殿。数有灾怪，纶甚恶之。时元帝围河东王誉于长沙既久，内外断绝，纶闻其急，欲往救之，为军粮不继，遂止。乃与世祖书曰：

……方今社稷危耻，创巨痛深，人非禽虫，在知君父。即日大敌犹强，天仇未雪，余尔昆季，在外三人，如不匡难，安用臣子。唯应剖心尝胆，泣血枕戈，感誓苍穹，凭灵宗祀，昼谋夕计，共思匡复。至于其余小忿，或宜宽贷。诚复子憾须臾，将奈国冤未逞。正当轻重相推，小大易夺，遣无益之情，割下流之悼，弘豁以理，通识勉之。今已丧钟山，复诛犹子，将非扬汤止沸，吞冰疗寒。若以誉之无道，近远同疾，弟复效尤，攸非独罪。幸宽于众议，忍以事宁。如使外寇未除，家祸仍构，料今访古，未或弗亡。

夫征战之理，义在克胜；至于骨肉之战，愈胜愈酷，捷则非功，败则有丧，劳兵损义，亏失多矣。侯景之军所以未窥江外者，正为藩屏盘固，宗镇强密。若自相鱼肉，是代景行师。景便不劳兵力，坐致成效，丑徒闻此，何快如之！又庄铁小竖作乱，久挟观宁、怀安二侯，以为名号，当阳有事克掣，殊废备境。第闻征伐，复致分兵，便是自于瓜州至于湘、雍，莫非战地，悉以劳师。侯景卒承虚藉衅，浮江豕突，岂不表里成虞，首尾难救？可为寒心，其事已切。弟若苦陷洞庭，兵戈不载，雍州疑迫，何以自安？必引进魏军，以求形援。侯景事等内痈，西秦外同瘤肿。直置关中，已为咽气，况复贪狼难测，势必侵吞。弟若不安，家国去矣。吾非有深鉴，独能弘理，正是采藉风谣，博参物论，咸以为疑，皆欲解体故耳……

世祖复书，陈河东有罪，不可解围之状。纶省书流涕曰：'天下之事，一至于斯！'左右闻之，莫不掩泣。"春泓按：侯景乱起，梁武帝诸子并无骨肉之情，利令智昏，甚至自相残杀。萧纶对于时局的分析是正确的，但实际上他亦有意继承大位，萧绎同样觊觎宝座，所以不能一致对付侯景，同仇敌忾，导致梁朝彻底覆灭。

太宗即位，召萧子范为光禄大夫。《梁书·萧子恪传》附《萧子范传》说："太宗即位，召为光禄大夫，加金章紫绶，以逼贼不拜。其年葬简皇后，使与张缵俱制哀策文，太宗览读之，曰：'今葬礼虽阙，此文犹不减于旧。'寻遇疾卒，时年六十四。贼平后，世祖追赠金紫光禄大夫。谥曰文。前后文集三十卷。二子滂、确，并少有文章。太宗东宫时，尝与邵陵王数诸萧文士，滂、确亦预焉。"

刘潜病卒，时年六十七。《梁书·刘潜传》说："大宝元年，病卒，时年六十七……有文集二十卷，行于世。"

江总撰《修心赋》。《陈书·江总传》说："台城陷，总避难崎岖，累年，至会稽郡，憩于龙华寺，乃制《修心赋》，略序时事。其辞曰：

太清四年秋七月，避地于会稽龙华寺。此伽蓝者，余六世祖宋尚书右仆射州陵侯元嘉二十四年之所构也。侯之王父晋护军将军彪，昔莅此邦，卜居山阴都阳里，贻厥子孙，有终焉之志。寺域则宅之旧基，左江右湖，面山背壑，东西连跨，南北纡萦，聊与苦节名僧，同销日用，晓修经戒，夕览图书，寝处风云，凭栖水月。不意华戎莫辨，朝市倾沦，以此伤情，情可知矣。啜泣濡翰，岂摅郁结，庶后生君子，悯余此概焉。

嘉南斗之分次，肇东越之灵秘。表《桧风》于韩什，著镇山于周记。蕴大禹之金书，镂暴秦之石字。太史来而探穴，钟离去而开笥。信竹箭之为珍，何玟珷之罕值。奉盛德之鸿祀，寓安禅之古寺。实豫章之旧圃，成黄金之胜地。遂寂默之幽心，若镜中而远寻。面层阜之超忽，迩平湖之迥深。山条偃蹇，水叶侵淫。挂猿朝落，饥鼯夜吟。果丛药苑，桃蹊橘林。梢云拂日，结暗生阴。保自然之雅趣，鄙人间之荒杂。望岛屿之遭回，面江源之重沓。泛流月之夜迥，曳光烟之晓匝。风引蜩而嘶噪，雨鸣林而修飒，鸟稍狎而知来，云无情而自合。

尔乃野开灵塔，地筑禅居，喜园迢递，乐树扶疏。经行藉草，宴坐临渠，持戒振锡，度影甘蔬。坚固之林可喻，寂灭之场暂如。异曲终而悲起，非木落而悲始，岂降志而辱身，不露才而扬己。钟风雨之如晦，倦鸡鸣之聒耳。幸避地而高栖，凭调御之遗旨。折四辩之微言，悟三乘之妙理。遣十缠之系缚，祛五惑之尘滓。久遗荣于势利，庶忘累于妻子。感意气于畴日，寄知音于来祀。何远客之可悲，知自怜其何已。"春泓按，在巨大的变故当中，江总一则"保自然之雅趣，鄙人间之荒杂"，在自然中逃避世事；另则借助佛教，在宗教中麻痹自己，忘却乱世。

北朝

五月

北齐文宣帝高洋代东魏，改元天保，以东魏孝静帝元善见为中山王。次年，杀之。临禅之时，孝静及后皆诵韵语。据《魏书》卷十二《孝静帝纪》云："帝好文学……及将禅位于文宣……帝乃下御座，步就东廊，口咏范蔚宗《后汉书赞》云：'献生不辰，身播国屯。终我四百，永作虞宾。'所司奏请发，帝曰：'古人念遗簪弊履，欲与六宫别，可乎？'高隆之曰：'今天下犹陛下之天下，况在后宫。'乃与夫人妃嫔已下诀，莫不欷歔掩涕。嫔赵国李氏诵陈思王诗云：'王其爱玉体，俱享黄发期。'皇后已下皆哭。"

八月

北齐文宣帝诏郡国修立黉序，广延髦俊，敦述儒风。其国子学生亦仰依旧铨补，服膺师说，研习《礼经》。往者文襄皇帝所运蔡邕石经五十二枚，即宜移置学馆，依次修立。据《北齐书》卷四《文宣纪》。

九月

高洋幸晋阳，途中颇有甘露，邢劭为《甘露颂》作序。《北齐书》卷四三《邢峦传附虬子劭传》："文宣幸晋阳，路中频有甘露之瑞，朝臣皆作《甘露颂》，尚书符令劭为之序。"据《北齐书》卷四《文宣纪》。高洋幸晋阳在本年九月。

北齐诏群臣议定《麟趾格》。《北齐书》卷四《文宣纪》载诏云："魏世议定《麟趾格》，遂为通制，官司施用，犹未尽善。可令群官更加论究。"按《北史》卷三三《李灵传附曾孙浑传》曰："齐天保初，除太子少保。时太常邢劭为少师，吏部尚书杨愔为少傅，论者荣之。……文宣以魏《麟趾格》未精，诏浑与邢劭、崔㥄、魏收、王昕、李伯伦等修撰。尝谓魏收曰：'雕虫小技，我不如卿。国典朝章，卿不如我。'"

魏收除中书令，仍兼著作郎，封富平县子。据《北齐书》卷三七《魏收传》。

常景（？—550）卒。《魏书》卷八二《常景传》谓景武定八年薨，故系于是。本传云："景所著述数百篇，见行于世，删正晋司空张华《博物志》及撰《儒林》《列女传》各数十篇云"；"常景以文义见宗，著美当代。览其遗稿，可称尚哉。"其文大都散佚，今存文六篇，五言诗《蜀四贤赞》四首。

祖鸿勋（？—550）卒。《北齐书》卷四五《祖鸿勋传》谓鸿勋天保初卒于官，故系于此。鸿勋有《与阳休之书》，见于《北齐书》本传。又有《晋祠记》，今已佚。

李广为文宣帝掌书记。《北齐书》卷四五《李广传》："显祖（文宣帝）初嗣霸业，命掌书记。天保初，欲以为中书郎，遇其病笃而止。"

樊逊为本州复召举为秀才。据《北齐书》卷四五《樊逊传》。

刘逖行定陶县令，坐奸事免。《北齐书》卷四五《刘逖传》谓逖"天保初，行定陶县令，坐奸事免，十余年不得调。乾明年，兼员外散骑常侍，使于梁主萧庄，还，兼三公郎中"。乾明（560）前十年即本年。今姑系于是。

徐陵在齐，作书于仆射杨遵彦。据《陈书》卷二六《徐陵传》。原文云："吾今年四十有四"，按陵生于天监六年，上距本年正四十四载。又"日者鄱阳嗣王治兵汇派"，"汇派"即溢城，鄱阳王萧范是年正治兵溢城。又"近者少陵王通和此国，郢中上客，云聚魏都"，邵陵王萧纶是年正有郢州。其事皆在今年，故系于是。陵尚有《在北齐与宗室书》，亦当作于此际。

李昶为西魏宇文泰御史中尉。见《周书》卷三八《李昶传》。本传不载年月，今从曹道衡、刘跃进《南北朝文学编年史》系于是年，并录其文于下："按《周书·李昶传》，宇文泰奏昶为御史中尉，'岁余，加使持节、车骑大将军、仪同三司、赐姓宇文氏。'皆在'六官建'以前。'六官建'在恭帝三年（556）；而李昶卒于保定五年（563），年五十，以此推之，当生于北魏延昌三年（514），至此年已三十五岁，则为御史中尉不为早矣。"

柳虬迁中书侍郎，修起居注，作《文质论》。《周书》卷三八《柳虬传》："十六年，迁中书侍郎，修起居注，仍领丞事。时人论文体者，有古今之异。虬又以为时有今古，非文有今古，乃为《文质论》。文多不载。"

北周诏高僧法常入内讲《涅槃经》，拜内国师。据宋释志磐《佛祖统记》卷三十八《法运通塞志》。

公元 551 年（梁豫章王天正元年　北齐文宣帝天保二年　西魏文帝大统十七年　辛未）

十月

梁简文帝萧纲被害。《梁书·简文帝本纪》记载：二年秋七月丁亥，侯景还至京师，八月戊午，废太宗为晋安王，幽于永福省。害皇太子及诸子二十人。矫为太宗诏，禅于豫章嗣王栋，大赦改年。冬十月壬寅，萧纲被杀于永福省，时年四十九。《广弘明集》载其《被幽述志诗并序》。"太宗幼而敏睿，识悟过人，六岁便属文，高祖惊其早就，弗之信也。乃于御前面试，辞采甚美。高祖叹曰：'此子，吾家之东阿。'既长，器宇宽弘，未尝见愠喜。方颊丰下，须鬓如画，盱睐则目光烛人。读书十行俱下。九流百氏，经目必记；篇章辞赋，操笔立成。博综儒书，善言玄理。自年十一，便能亲庶务，历试藩政，所在有称。在穆贵嫔忧，哀毁骨立，昼夜号泣不绝声，所坐之席，沾湿尽烂……引纳文学之士，赏接无倦，恒讨论篇籍，继以文章。高祖所制《五经讲疏》，尝于玄圃奉述，听者倾朝野。雅好题诗，其序云：'余七岁有诗癖，长而不倦。'然伤于轻艳，当时号曰'宫体'。所著《昭明太子传》五卷，《诸王传》三十卷，《礼大义》二十卷，《老子义》二十卷，《庄子义》二十卷，《长春义记》一百卷，《法宝连璧》三百卷，并行于世焉。"

王僧辩令沈炯制劝进表，其文甚工。《陈书·沈炯传》说："沈炯，字礼明，吴兴武康人也……炯少有隽才，为当时所重……子仙爱其才，终逼之令掌书记。及子仙为王僧辩所败，僧辩素闻其名，于军中购得之，酬所获者铁钱十万，自是羽檄军书皆出于炯。及简文遇害，四方岳牧皆上表于江陵劝进，僧辩令炯制表，其文甚工，当时莫有逮者。高祖南下，与僧辩会于白茅湾，登坛设盟，炯为其文。"《梁书·元帝本纪》说：大宝二年，世祖犹称太清五年。冬十月，太宗崩。侍中、征东将军、开府仪同三司、江州刺史、尚书令、长宁县侯王僧辩等奉表曰："……臣闻丧君有君，《春秋》之茂典；以德以长，先王之通训……臣闻日月贞明，太阳不可以阙照；天地贞观，乾道不可以久惕。"由于萧纲已死，所以萧绎臣下表达其劝进之意就直接了当了，使用"表"这一文体，就有不再遮遮掩掩的意味。然而侯景立一萧栋为皇位继承人，萧绎只能固让。十一月乙亥，王僧辩又奉表曰："……陛下英略纬天，沉明内断，横剑泣血，枕戈尝胆，农山圮下之策，金匮玉鼎之谋，莫不定算帷幄，决胜千里……今也何时，而申帝启之避，凶危若此，方陈泰伯之辞。"引用许多典故以劝萧绎无须有太多的顾虑，在危险的时局面前，应承担起领导国家的重任。世祖则表示是时巨寇尚存，未欲即位，而四方表劝，前后相属。

曹道衡、沈玉成《南北朝文学史》考证庾肩吾卒于本年前后①。

---

① 曹道衡、沈玉成：《南北朝文学史》，北京：人民文学出版社 1998 年版，第 261 页。

北朝

三月

西魏文帝元宝炬卒，废帝元钦立。据《周书》卷二《文帝纪下》。

本年

杜弼与邢劭从齐文宣帝游东山，共论名理，邢劭主神灭之说，杜弼驳之。《北齐书》卷二四《杜弼传》："尝与邢劭扈从东山，共论名理，邢以为人死还生，恐为蛇画足。弼答曰：'盖谓人死归无，非有能生之力。然物之未生，本亦无也，无而能有，不以为疑。因前生后，何独致怪？'邢云：'圣人设教，本由劝奖，故俱以将来，理望各遂其性。'弼曰：'圣人合德天地，齐信四时，言则为经，行则为法，而云以虚示物，以诡劝民，将同鱼腹之书，有异凿楹之诰，安能使北辰降光，龙宫韫椟。就如所论，福果可以熔铸性灵，弘奖风教，为益之大，莫极于斯。此即真教，何谓非实？'邢云：'死之言澌，精神尽也。如射箭尽，手中尽也。《小雅》曰"无草不死"，《月令》又云"靡草死"，动植虽殊，亦此之类。无情之卉，尚得还生，含灵之物，何妨再造。若云草死犹有种在，则复人死亦有识。识种不见，谓以为无者。神之在形，亦非自瞩，离朱之明不能睹。虽蒋济观眸，贤愚可察。钟生听曲，山水呈状。乃神之工，岂神之质。犹玉帛之非礼，钟鼓之非乐，以此而推，义斯见矣。'邢云：'季札言无不之，亦言散尽，若复聚而为物，不得言无不之也。'弼曰：'骨肉下归于土，魂气则无不之，此乃形坠魂游，往而非尽。如鸟出巢，如蛇出穴。由其尚有，故无所不之。若令无也，之将焉适？延陵有察微之识，知其不随于形。仲尼发习礼之叹，美其斯与形别。若许以廓然，然则人皆季子。不谓高论，执此为无。'邢云：'神之在人，犹光之在烛，烛尽则光穷，人死则神灭。'弼曰：'旧学前儒，每有斯语，群疑众惑，咸由此起。盖辨之者未精，思之者不笃。窃有末见，可以核诸。烛则因质生光，质大光亦大。人则神不系于形，形小神不小。故仲尼之智，必不短于长狄。孟德之雄，乃远奇于崔琰。神之于形，亦犹君之有国。国实君之所统，君非国之所生。不与同生，孰云俱灭？'邢云：'舍此适彼，生生恒在。周、孔自应同庄周之鼓缶，和桑扈之循歌？'弼曰：'共阴而息，尚有将别之悲。穷辙以游，亦兴中途之叹。况曰联体同气，化为异物，称情之服，何害于圣。'邢云：'鹰化为鸠，鼠变为鴽，黄母为鳖，皆是生之类也。类化而相生，犹光去此烛，复然彼烛。'弼曰：'鹰未化为鸠，鸠则非有。鼠。既非二有，何可两立。光去此烛，得燃彼烛，神去此形，亦托彼形，又何惑哉？'邢云：'欲使土化为人，木生眼鼻，造化神明，不应如此。'弼曰：'腐草为萤，老木为蝎，造化不能，谁其然也？'其后别与邢书云：'夫建言明理，宜出典证，而违孔背释，独为君子。若不师圣，物各有心，马首欲东，谁其能御。奚取于适衷，何贵于得一。逸虽高，管见未喻。'前后往复再三，邢劭理屈而止，文多不载。"考《北齐书》本传，东山论辩在文宣帝"践祚之后"，而杜弼卒于天保十年。论辩之后，杜弼曾因家奴诬告谋反，下狱甚久。后又徙临海镇，行海州事，在州亦颇久，又徙胶州刺史。据此，则论辩当在天保初年，今姑系于此。

魏收奉北齐文宣帝诏，撰魏史。《北齐书》卷三七《魏收传》："二年，诏撰魏史……收于是部通直常侍房延佑、司空司马辛元植、国子博士刁柔、裴昂之、尚书郎高孝干专总斟酌，以成《魏书》。辨定名称，随条甄举，又搜采亡遗，缀续后事，备一代史籍，表而上闻之，勒成一代大典：凡十二纪，九十二列传，合一百一十卷。……《天象》四卷，《地形》三卷，《律历》二卷，《礼乐》四卷，《食货》一卷，《刑罚》一卷，《灵征》二卷，《官氏》二卷，《释老》一卷，凡二十卷，续于纪传，合一百三十卷，分为十二峡。其史三十五例，二十五序，九十四论。"

郑述祖迁太子少师、仪同三司、兖州刺史。述祖，魏郑道昭子。往寻郑道昭刻石及遗迹。《北齐书》卷二九《郑述祖传》："初述祖父为光州，于城南小山起斋亭，刻石为记。述祖时年九岁。及为刺史，往寻旧迹，得一破石，有铭云：'中岳先生郑道昭之白云堂。'述祖对之呜咽，悲动群僚。有人入市盗布，其父怒曰：'何忍欺人君！'执之以归首，述祖特原之。自是之后，境内无盗。人歌之曰：'大郑公，小郑公，相去五十载，风教犹尚同。'"

文宣帝令祖珽直中书省，掌诏诰。《北齐书》卷三九《祖珽传》：祖珽善文章、音律，通四夷语及阴阳占候、医药之术，文宣帝令直中书省，掌诏诰。

李广（？—551）卒。《北齐书》卷四五《李广传》："广曾欲早朝，未明假寐，忽惊觉，谓其妻云：'吾向似睡，忽见一人出吾身中，语云："君用心过苦，非精神所堪，今辞君去。"'因而惚怳不乐，数日便遇疾，积年不起，资产屡空，药石无继。广雅有鉴识，度量弘远，坦平无私，为士流所爱，岁时共赡遗之，赖以自给，竟以疾终。曾荐毕义云于崔暹，广卒后，义云集其文笔十卷，托魏收为之叙。其族人子道亦有文章。"其上文云："天保初，欲以为中书郎，遇其病笃而止"，又曰"积年不起"，"竟以疾终"，自去年（天保元年）染疾积年，至本年（天保二年）因病而亡正一年，故系于是年。

李昶赐姓宇文，加使持节、车骑大将军、仪同三司。据《周书》卷三八《李昶传》。

公元 552 年（梁元帝承圣元年　北齐文宣帝天保三年　西魏废帝元钦元年　壬申）

二月

王僧辩众军发自寻阳，往平侯景乱。世祖驰檄四方。《梁书·简文帝本纪》记载：二月癸丑，"王僧辩率前百官奉梓宫升朝堂，世祖追崇为简文皇帝，庙曰太宗"。《梁书·元帝本纪》说：大宝三年，世祖犹称太清六年。二月，王僧辩众军发自寻阳。世祖驰檄告四方曰：

夫剥极生灾，乃及龙战，师贞终吉，方制猃狁。岂不以侵阳荡薄，源之者乱阶；定氛艰难，成之者忠义。故羿、浇灭于前，莽、卓诛于后。是故使桓、文之勋，复兴于周代；温、陶之绩，弥盛于金行。粤若梁兴五十余载，平一宇内，德惠悠长，仁育苍生，义征不服。左伊右瀍，咸皆仰化；浊泾清渭，靡不向风。建翠凤之旗，则六龙骧首；击灵鼍之鼓，则百神警肃。风、牧、方、邵之贤，卫、霍、辛、赵之将，羽林黄头之士，虎贲缇骑之夫，叱咤则风云兴起，鼓动则嵩、华倒拔。自桐柏以北，孤竹以南，碣石之前，流沙之后，延颈举踵，交臂屈膝。胡人不敢牧马，秦士不敢弯弓。叶和万邦，平章百姓，十尧九舜，曷足云也。

贼臣侯景，匈奴叛臣，鸣镝余噍。悬瓠空城，本非国宝，寿春畿要，赏不逾月。开海陵之仓，赈常平之米，檄九府之费，锡三官之钱，冒于货贿，不知纪极。敢兴逆乱，梗我王畿。贼臣正德，阻兵安忍。日者结怨江芈，远适单于。简牍屡彰，彭生之魂未弭；聚敛无度，景卿之诮已及。为虎傅翼，远相招致。虔刘我生民，离散我兄弟。我是以董率皋貔，躬擐甲胄，霜戈照日，则晨离夺晖，龙骑蔽野，则平原掩色，信与江水同流，气与寒风俱愤。凶丑畏威，委命下吏，乞活淮、肥，苟存徐、兖。涣汗既行，丝纶爰被。我是以班师凯归，休牛息马。贼犹不悛，遂复矢流王屋，兵躏象魏。总章之观，非复听讼之堂；甘泉之宫，永乖避暑之地。坐召宪司，卧制朝宰，矫托天命，伪作符书。重增赋敛，肆意衰剥，生者逃窜，死者暴尸，道路以目，庶僚钳口。刑戮失衷，爵赏由心，老弱波流，士女涂炭。臧获之人，五宗及赏；搢绅之士，三族见诛。谷粟腾踊，自相吞噬。慄慄黔首，路有衔索之哀；蠢蠢黎民，家隈桓山之泣。偃师南望，无复储胥、露寒，河阳北临，或有穹庐毡帐。南山之竹，未足言其愆；西山之兔，不足书其罪。

外监陈莹之至，伏承先帝登遐，宫车晏驾。奉讳惊号，五内摧裂，州冤本毒，无地容身。景阳饥既甚，民且狼顾，遂侵轶我彭蠡，凭凌我郢邑，穷据我江夏，掩袭我巴丘。我是以义勇争先，忠贞尽力。斩馘凶渠，不可称算，沙同赤岸，水若绛河。任约泥首于安南，化仁面缚于汉口，子仙乞活于鄂郢，希荣败绩于柴桑。侯景奔窜，十鼠争穴，郭默清夷，晋熙附义，计穷力屈，反杀后主。毕、原、丰、郇，并离祸患，凡、蒋、邢、茅，皆伏铁锧。是可忍也，孰不可容！

幕府据有上流，实惟分陕，投袂荷戈，志在毕命。昔周依晋、郑，汉有虚、牟，彼惟末属，犹能如此；况联华日月，天下不贱，为臣为子，兼国兼家者哉！咸以义旗既建，宜须总一，共推幕府，实用主盟。粤以不佞，谬董连率，远惟国艰，不遑宁处。中权后劲，龚行天罚，提戈蒙险，陨越以之。天马千群，长戟百万，驱贲获之士，资智勇之力，大楚逾荆山，浅原度彭蠡，舳舻泛水，以掎其南，辀轳委输，以冲其北。华夷百濮，赢粮影从。雷震风骇，直指建业。按剑而叱，江水为之倒流；抽戈而挥，皎日为之退舍。方驾长驱，百道俱入，夷山殄谷，充原蔽野。挟轴曳牛之侣，拔距磔石之夫，骑则逐日追风，弓则吟猿落雁。捧昆仑而压卵，倾渤海而灌荧。如驷马之载鸿毛，若奔牛之触鲁缟。以此众战，谁能御之！脱复蜂虿有毒，兽穷则斗。谓山盖高，则四郊多垒；谓地盖远，则三千弗违。如彼怒蛙，譬如鼫鼠，岂费万钧，无劳百溢。加以日临黄道，兵起绛宫，三门既启，五将咸发，举整整之旗，扫亭亭之气，故以临机密运，非贼所解，奉义而诛，何罪不服？

今遣使持节、大都督、征东将军、开府仪同三司、江州刺史、尚书令、长宁县开国侯王僧辩率众十万，直扫金陵。鸣鼓聒天，拟金振地。朱旗夕建，如赤城之霞起；戈船夜动，若沧海之奔流。计其同恶，不盈一旅。君子在野，小人比周。何校灭耳，匪朝伊夕。春长狄之喉，系郐支之颈。今司寇明罚，质鈇所诛，止侯景而已。黎元何辜，一无所问。诸君或世树忠贞，身荷宠爵，羽仪鼎族，书勋王府，俯眉猾竖，无由自效，岂不下惭泉壤，上愧皇天！失忠与义，难以自立。想诚南风，乃眷西顾，因变立功，转祸为福。有能缚侯景及送首者，封万户开国公，绢布五万匹。有能率动义众，以应官军，保全城邑，不为贼用，上赏方伯，下赏剖符，并裂山河，以纡青紫。昔由余入秦，礼同卿佐；日䃅降汉，且珥金貂。必有其才，何恤无位。若执迷不反，拒逆王师，大军一临，刑兹罔赦。孟诸焚燎，芝艾俱尽；宣房河决，玉石同沉。信赏之科，有如皎日；黜陟之制，事均白水。檄布远近，咸使知闻。"春泓按，南朝政治纷争不断，所以在政治危机所导致的军事决战中，檄文竟是一种常用的文体，佳作不断出现，有时即使是虚张声势，却也写得气吞山河，萧绎此篇多用典故，且语词铿锵有力，语势一气呵成，洵为范文。

三月

王僧辩等平侯景，传其首于江陵。按《梁书·侯景传》说："王伟，陈留人，少有才学，景之表、启、书、檄，皆其所制。"

八月

徐陵等奉表劝进。己丑，王僧辩等又奉表曰劝进，辛卯，宣猛将军朱买臣密害豫章嗣王栋，及其二弟桥、樛，世祖志也。春泓按，此为萧绎身登皇位扫清了障碍。《梁书·元帝本纪》说："大宝三年，世祖犹称太清六年。"本年八月，兼通直散骑常侍、聘魏使徐陵于邺奉表劝进。

十一月

萧绎即皇帝位于江陵。仪注体式，笺表书翰，皆出于孔奂。冬十月王公卿士复劝世祖即尊号，犹谦让未许。表三上，乃从之。承圣元年冬十一月丙子，世祖即皇帝位于江陵。《陈书·孔奂传》说："时侯景新平，每事草创，宪章故事，无复存者，奂博闻疆识，甄明故实，问无不知，仪注体式，笺表书翰，皆出于奂。"

梁元帝征谢蔺为五兵尚书，辞以道阻，转授智武将军。《陈书·谢蔺传》说："谢蔺字含茂，陈郡阳夏人也。祖澹，齐金紫光禄大夫。父举，梁中卫将军、开府仪同三司。蔺风神清雅，颇善属文。起家梁秘书郎，稍迁太子中庶子，掌东宫管记，出为建安太守。侯景之乱，蔺之广州依萧勃，承圣中，元帝征为五兵尚书，辞以道阻，转授智武将军。"

梁元帝敕周弘正雠校秘书图籍。《陈书·周弘正传》说："元帝尝著《金楼子》，曰：'余于诸僧重招提琰法师，隐士重华阳陶贞白，士大夫重汝南周弘正，其于义理，清转无穷，亦一时之名士也。'及侯景平，僧辩启送秘书图籍，敕弘正雠校。"

徐陵被北朝拘留不遣，乃致书于仆射相遵彦，遵彦竟不报书。《陈书·徐陵传》

说："会齐受魏禅，梁元帝承制于江陵，复通使于齐。陵累求复命，终拘留不遣，陵乃致书于仆射杨遵彦曰：……且天伦之爱，何得忘怀？妻子之情，谁能无累？夫以清河公主之贵，余姚书佐之家，莫限高卑，皆被驱略。自东南丑虏，抄贩饥民，台署郎官，俱饿墙壁，况吾生离死别，多历暄寒，孀室婴儿，何可言念。如得身还乡土，躬自推求，犹冀提携，俱免凶虐……遵彦竟不报书。"

梁元帝召徐陵长子徐俭为尚书金部郎中。《陈书·徐陵传》附《徐俭传》说：徐俭是徐陵长子，"侯景乱，陵使魏未反，俭时年二十一，携老幼避于江陵，梁元帝闻其名，召为尚书金部郎中。尝侍宴赋诗，元帝叹曰：'徐氏之子，复有文矣。'"

张正见长五言诗，梁元帝拜为通直散骑侍郎。《陈书·文学传》之《张正见传》说："张正见字见赜，清河东武城人也……正见幼好学，有清才。梁简文在东宫，正见年十三，献颂，简文深赞赏之。简文雅尚学业，每自升座说经，正见尝预讲筵，请决疑义，吐纳和顺，进退详雅，四座咸属目焉。太清初，射策高第，除邵陵王国左常侍。梁元帝立，拜通直散骑侍郎，迁彭泽令。"春泓按，《陈书》本传记载，张正见"太建中卒，时年四十九。有集十四卷，其五言诗尤善，大行于世"，张正见五言诗在诗歌发展史上具有重要地位。

北朝

本年

西魏薛寘幼览篇籍，好属文，是年领著作佐郎，修国史。据《周书》卷三八《薛寘传》。

刘璠滞留西魏，尝作《雪赋》。《周书》卷二《文帝纪下》："夏四月，达西武围南郑，月余，梁州刺史、宜丰侯萧循以州降。武执循还长安。"卷四二《刘璠传》："太祖（宇文泰）既纳萧循之降，又许其反国……循请与璠俱还，太祖不许。以璠为中外府记室，寻迁黄门侍郎、仪同三司。尝卧疾居家，对雪兴感，乃作《雪赋》以遂志。"

公元553年（梁元帝承圣二年　北齐文宣帝天保四年　西魏元钦废帝二年 癸酉）

正月

乙丑，诏王僧辩率众军士讨陆纳。

本年

刘毅迁吏部尚书、国子祭酒。《梁书·刘毅传》说："刘毅字仲宝，晋丹阳尹真长七世孙也。少方正有器局。自国子礼生射策高第，为宁海令，稍迁湘东王记室参军，又转中记室。太清中，侯景乱，世祖承制上流，书檄多委毅焉，毅亦竭力尽忠，甚蒙赏遇。历尚书左丞、御史中丞。承圣二年，迁吏部尚书、国子祭酒，余如故。"

梁元帝任刘孝先为黄门侍郎。《梁书·刘潜传》附《刘孝先传》说："第七弟孝先……承圣中，与兄孝胜俱随纪军出峡口，兵败，至江陵，世祖以为黄门侍郎，迁侍中。兄弟并善五言诗，见重于世。文集值乱，今不具存。"

梁元帝于本年撰成《金楼子》十卷。

公元 554 年（梁元帝承圣三年　北齐文宣帝天保五年　西魏元钦废帝三年 西魏恭帝元年　甲戌）

四月

癸酉，以征北大将军、开府仪同三司陈霸先为司空。据《梁书·元帝本纪》。

十二月

梁元帝崩，时年四十七。《梁书·元帝本纪》。九月辛卯，世祖于龙光殿述《老子》义，尚书左仆射王褒为执经……丁卯，停讲，内外戒严，舆驾出行都栅。十一月辛亥，城陷于西魏，世祖见执。十二月辛未，西魏害世祖，遂崩焉，时年四十七。"世祖聪悟俊朗，天才英发。年五岁，高祖问：'汝读何书？'对曰：'能诵《曲礼》。'高祖曰：'汝试言之。'即诵上篇，左右莫不惊叹。初生患眼，高祖自下意治之，遂盲一目，弥加愍爱。既长好学，博综群书，下笔成章，出言为论，才辩敏速，冠绝一时。高祖尝问曰：'孙策昔在江东，于时年几？'答曰：'十七。'高祖曰：'正是汝年。'贺革为府咨议，敕革讲《三礼》。世祖性不好声色，颇有高名，与裴子野、刘显、萧子云、张缵及当时才秀为布衣之交，著述辞章，多行于世……所著《孝德传》三十卷，《忠臣传》三十卷，《丹阳尹传》十卷。《注汉书》一百一十五卷，《周易讲疏》十卷，《内典博要》一百卷，《连山》三十卷，《洞林》三卷，《玉韬》十卷，《补阙子》十卷，《老子讲疏》四卷，《全德志》《怀旧志》《荆南志》《江州记》《贡职图》《古今同姓名录》一卷，《筮经》十二卷，《式赞》三卷，文集五十卷。"

北朝

本年

颜之推在江陵为西魏所俘，入关。后又奔北齐。据《北齐书》卷四五《颜之推传》。

后梁萧詧将严德毅劝萧詧袭西魏以收民心，然后招降王僧辩，东下建康称帝。詧不从。遂失襄阳之地，全城老幼悉虏入关。乃悔之。作《愍时赋》。据《周书》卷四八《萧詧传》。《愍时赋》全本见本传。

西魏柳虬（501—554）卒。据《周书》卷三八《柳虬传》云："虬有文章数十篇行于世"。

释昙迁十三岁，从舅父权会学习。释道宣《续高僧传》卷十八《隋西京禅定道场释昙迁传》："年十三，父母嘉其远悟，令舅氏传授，即齐中散大夫国子祭酒博士权会也。会备练六经，偏究《易》道，剖卦析爻，妙穷象系，奇迁精彩，乃先授以《周易》，初受八卦相生，随言即晓。"

公元555年（梁贞阳侯天成元年　梁敬帝绍泰元年　北齐文宣帝天保六年　西魏恭帝二年　乙亥）

本年

齐送贞阳侯萧渊明为梁嗣，遣徐陵随还。承圣三年之明年四月，追尊萧绎为孝元皇帝，庙曰世祖。《陈书·徐陵传》说："及江陵陷，齐送贞阳侯萧渊明为梁嗣，乃遣陵随还。太尉王僧辩初拒境不纳，渊明往复致书，皆陵词也。"

梁元帝第九子萧方智即皇帝位。《梁书·敬帝本纪》说：承圣四年九月甲辰，司空陈霸先举义，袭杀王僧辩，黜北齐所立之贞阳侯萧渊明。丙午，梁元帝第九子方智即皇帝位。冬十月，下诏改承圣四年为绍泰元年。

北朝

六月

北齐文宣帝诏曰："梁国遘祸，主丧臣离，逖彼炎方，尽生荆棘。兴亡继绝，义在于我，纳以长君，拯其危弊，比送梁主，已入金陵。藩礼既修，分义方笃。越鸟之思，岂忘南枝，凡是梁民，宜听反国，以礼发遣。"据《北齐书》卷四《文宣纪》。

九月

下诏二教角试。沙门道士十人亲自对校。据宋释志磐《佛祖统纪》卷三十八《法运通塞志》。元释念常《佛祖历代通载》卷十亦见，然其文所称之陆修静实亡于刘宋之时，抑其别有同名者。《佛祖统纪》引文后云："修静生于晋末，与远公游。尸解于宋之泰始。则说简寂自泰始至梁天监已四十，不应今日复有修静，若曰因梁弃道，自梁奔魏，当云陆修静之门徒，斯为可信也。"释道宣《续高僧传》卷二十三《齐逸沙门释昙显传》亦详载此事。

本年

江陵之陷，西魏得庾季才，雅相钦重。季才与西魏文人亦多交通。据《资治通鉴》卷一百六十六《梁纪二十二》。《北史》卷八九《庾季才传》："周文帝一见，深加优礼，令参掌太史，曰：'卿宜尽诚事孤，当以富贵相答。'初，荆土覆亡，衣冠士人，多没为贱。季才散所赐物，购求亲故。周文问：'何能若此？'季才曰：'郢都覆败，君信有罪，搢绅何咎，皆为贱隶？诚窃哀之，故赎购耳。'周文乃悟曰：'微君，遂失天下之望。'因出令，免梁俘为奴婢者数千口。"《北史》本传又曰："季才局量宽弘，术业优博，笃于信义，志好宾游。常吉日良辰，与琅邪王褒、彭城刘毂、河东裴政及宗人信等为文酒之会。次有刘臻、明克让、柳辩之徒，虽后进，亦申游款。撰《灵台秘苑》一百二十卷，《垂象志》一百四十二卷，《地形志》八十七卷，并行于世。"其子质同撰《垂象》《地形》两志。

北齐裴让之为清河太守，卒。《北齐书》卷三五《裴让之传》："清河有二豪吏田转贵、孙舍兴久吏奸猾，多有侵削，因事遂胁人取财。计赃依律不至死。让之以其乱法，杀之。时清河王岳为司州牧，遣部从事案之。侍中高德政旧与让之不协，案奏言：'当陛下受禅之时，让之眷恋魏朝，呜咽流涕，比为内官，情非所愿。'既而杨愔请救之。云：'罪不合死。'文宣大怒。谓愔曰：'欲得与裴让之同冢耶！'于是无敢言者。事奏，竟赐死于家。让之次弟诹之。"本传云："让之能诗，早得声誉。累迁屯田主客郎中，省中语曰：'能赋诗，裴让之。'"按《北齐书》卷十三《清河王岳传》，清河王岳于天保初除司州牧，六年十一月薨。则让之之死，当早于此时。年月难确考，今姑系于是。

公元 556 年（梁敬帝太平元年　北齐文宣帝天保七年　西魏恭帝三年　丙子）

本年

沈炯与王克等回到南方。《陈书·沈炯传》说，荆州陷，沈炯被西魏所虏，炯以母老，恒思归国。尝独行至汉武通天台，为表奏之，陈述自己思乡之情。他与王克等于绍泰二年回到南方。按，绍泰二年九月壬寅改元。

徐陵使齐。《陈书·徐陵传》说："绍泰二年，又使于齐。"

北朝

正月

颜之推卜东奔北齐，得吉占，遂东奔。《北齐书》卷四五《颜之推传》所载《观我生赋》自注云："之推闻梁人返国，固有奔齐之心。以丙子岁旦筮东行吉不，遇《泰》之《坎》……"。遂东奔。途中作《从周入齐夜度砥柱》诗。

本年

北齐文宣帝诏令校定群书，供皇太子。与其事者凡十一人。逊遂上书论校书事，议取邢劭、魏收、辛术、穆子容、司马樊逊子瑞、李业兴家藏书参校。据《北齐书》卷十五《樊逊传》。

北齐刁柔（501—556）卒于是年夏，时年五十六。《北齐书》卷四四《刁柔传》："天保初，除国子博士、中书舍人，魏收撰魏史，启柔等与同其事。柔性颇专固，自是所闻，收常所嫌惮"；"又参议律令"；"柔在史馆未久，逢勒成之际，志存偏党。《魏书》与其内外通亲者并虚美过实，深为时论所讥焉"。

是年末，周孝文帝宇文觉代西魏。《周书》卷三《孝闵帝纪》："十月乙亥，太祖（宇文泰）崩。丙子，嗣位太师、大冢宰。十二月丁亥，魏帝诏以岐阳之地封帝为周公。庚子，禅位于帝。"

卢斐、李庶、王松年等斥魏收所撰《魏书》书事不直。文宣帝大怒，但先重收才，不欲加罪。斐、庶辈遂并获罪，鞭配甲坊。然群口沸腾，号为"秽史"。时因左仆射杨愔、右仆射高德正势倾朝野，家传入史，遂抑塞诉辞，终文宣世更不重论。检《北齐书》卷三七《魏收传》，其事在八年夏参议律令之前，又卷三十《高德正传》："七年，迁尚书右仆射。"故当在七八年之间，姑系于是。卢思道先诵尚未问世之《魏史》，大被笞辱。《隋书》卷五七《卢思道传》，《北齐书》卷三七《魏收传》。

那连提黎耶舍来至邺都，止天平寺。释道宣《续高僧传》卷二《隋西京大兴善寺北天竺沙门那连耶舍传》："那连提黎耶舍，隋言尊称。北天竺乌场国人。正音应云邬荼，其王与佛同氏，亦姓释迦，刹帝利种，隋云土田主也。由劫初之时先为分地主，因即号焉。……天保七年届于京邺。文宣皇帝极见殊礼，偏异恒论。耶舍时年四十。"宋释志磐《佛祖统记》卷三十八《法运通塞志》作"七年，帝以内藏梵经七夹命三藏那连邪舍于天平寺翻译。敕大统法上，沙门都法顺监译。帝躬礼梵文，谓群臣曰：'此三宝之鸿基，礼宜偏敬。'"但是下文又另起曰："沙门尊称居士、万天懿、优婆塞智希并于邺城译经。"据释道宣《续高僧传》："那林提黎耶舍，隋言尊称。"此处却作二人。待考。

公元 557 年（梁敬帝太平二年　陈武帝永定元年　北齐文宣帝天保八年　北周明帝元年　丁丑）

本年

徐份年九岁，为《梦赋》。《陈书·徐陵传》附《徐份传》说：徐份是徐陵次子，"份少有父风，年九岁，为《梦赋》，陵见之，谓所亲曰：'吾幼属文，亦不加此。'"春泓按，本传记载，徐份卒于太建二年，时年二十二，所以他九岁时，应在本年。今年十月，梁敬帝让皇位于陈王陈霸先。

北朝

九月

宇文护逼孝闵帝逊位，月余日，帝以弑崩，时年十六。立宇文泰庶长子宇文毓，是为周明帝，初号"天王"，不建年号。据《周书》卷三《孝闵帝纪》。

本年

魏收为北齐太子少傅，监国史，复参议律令。作《皇居新殿台赋》，其文甚壮丽。时所作者，自邢劭已下咸不逮焉。魏收上赋前数日乃告邢劭。邢劭告人曰："收甚恶人，不早言之。"据《北齐书》卷三七《魏收传》。

东西二省开官选，所司策问，樊逊为当时第一，左仆射杨愔辟逊为其府佐。《北齐书》卷四五《樊逊传》："八年，诏尚书开东西二省官选，所司策问，逊为当时第一。

左仆射杨愔辟逊为其府佐。逊辞曰：'门族寒陋，访第必不成，乞补员外司马督。'愔曰：'才高不依常例。'特奏用之。"

左仆射杨愔荐卢思道于朝，解褐司空行参军，长兼员外散骑侍郎，直中书省。《隋书》卷五七《卢思道传》："齐天保中，《魏史》未出，思道先已诵之，由是大被答辱。前后屡犯，因而不调。其后左仆射杨遵彦荐之于朝，解褐司空行参军，长兼员外散骑侍郎，直中书省。"检《北齐书》卷四《文宣纪》，天保四年八月，"尚书右仆射杨愔为尚书左仆射。"九年五月"以前尚书左仆射杨愔为尚书令"。则杨愔荐卢思道当在是年四月至明年五月间，今姑系于是。

薛道衡为杨愔所赏，授奉朝请。据《隋书》卷五七《薛道衡传》。传中亦称杨愔为"尚书左仆射"，亦姑系于是。

周明帝作《贻韦处士诗》，赠韦夐。夐亦作答帝诗，愿时朝谒。帝大悦，敕有司日给河东酒一斗，号之曰逍遥公。据《周书》卷三一《韦夐传》。本传仅载明帝诗，答诗未传。

释彦琮（557—610）生。释道宣《续高僧传》卷二《隋东都上林园翻经馆沙门释彦琮传》："释彦琮，俗缘李氏。赵郡柏人人也。世号衣冠，门称甲族。……因卒于馆。春秋五十有四。即大业六年七月二十四日也。"大业六年为610年，卒时年五十四，逆推当在本年。

公元 558 年（陈武帝永定二年　北齐文宣帝天保九年　北周明帝二年　戊寅）

三月

陈武帝赋诗示群臣。《陈书·高祖本纪》说：永定二年三月，"高祖幸后堂听讼，还于桥上观山水，赋诗示群臣"。

杜之伟求解著作，不许。荐沈炯、徐陵、虞荔、孔奂等堪为"著作之材"。《陈书·文学传》之《杜之伟传》说："高祖受禅，除鸿胪卿，余并如故。之伟启求解著作，曰：'臣以绍泰元年，忝中书侍郎，掌国史，于今四载。臣本庸贱，谬蒙盼识，思报恩奖，不敢废官。皇历惟新，驱驭轩、昊，记言记事，未易其人，著作之材，更宜选众。御史中丞沈炯、尚书左丞徐陵、梁前兼大著作虞荔、梁前黄门侍郎孔奂，或清文赡笔，或强识稽古，迁、董之任，允属群才，臣无容遽变市朝，再妨贤路。尧朝皆让，诚不可追，陈力就列，庶几知免。'优敕不许。"春泓按，陈朝重要的文士得到杜之伟的举荐，此对于形成陈朝政治文化格局，影响深远。

颜晃献《甘露颂》。《陈书·文学传》之《颜晃传》说："颜晃字元明，琅邪临沂人也。少孤贫，好学，有辞采……永定二年，高祖幸大庄严寺，其夜甘露降，晃献《甘露颂》，词义该典，高祖甚奇之。"

北朝

九月

周明帝幸同州，过故宅，赋诗曰"玉烛调秋气"。又作《和王褒摘花诗》。据《周书》卷四《明帝纪》《艺文类聚》卷八十八。

本年

许善心（558—618）生。许善心，字务本，祖籍高阳新城，隋代文学家。

庾信作《陪驾终南山和宇文内史》诗，又作《思旧铭》。此据倪璠《庾子山年谱》。

王褒作《九日从驾诗》《和殷廷尉岁暮诗》《送观宁侯葬诗》等。《九日从驾诗》见《文苑英华》卷一百七十三。诗云："律改三秋节，气应九钟霜"，与明帝幸同州、过故宅时间相符。故系于是。《和殷廷尉岁暮》诗见《艺文类聚》卷三。殷廷尉即殷不害，廷尉是仕梁时的官名，当作于入周不久之时。《送观宁侯葬诗》，见《文苑英华》卷三百五。今悉系于是年。

李昶作《陪驾幸终南山诗》。据《初学记》卷五。

魏收作《怀离赋》。《北齐书》卷三七《魏收传》："收娶其舅女，崔昂之妹，产一女，无子。魏太常刘芳孙女，中书郎崔肇师女，夫家坐事，帝并赐收为妻，时人比之贾充置左右夫人。然无子。后病甚，恐身后嫡媵不平，乃放二姬。及疾瘳追忆，作《怀离赋》以申意。"事在八年夏作《皇居新殿台赋》后，十年除仪同三司前，今姑系于是。

樊逊为员外将军。据《北齐书》卷四五《樊逊传》。

颜之推二十八岁，从文宣帝至天池，将为中书舍人，因事而寝。据《北齐书》卷四五《颜之推传》。本传曰"天保末"，明年文宣帝崩，则事当在本年或明年。

公元 559 年（陈武帝永定三年　北齐文宣帝天保十年　北周明帝武成元年己卯）

本年

杜之伟卒，时年五十二。《陈书·文学传》之《杜之伟传》说："永定三年卒，时年五十二……之伟为文，不尚浮华，而温雅博赡。所制多遗失，存者十七卷。"

北朝

夏

杜弼（491—559）被杀，时年六十九岁。《北齐书》卷二四《杜弼传》："文宣帝因饮酒，积杜弼之失，遂遣就州斩之。既而悔之，驿追不及。"本传曰："弼儒雅宽恕，尤晓吏职，所在清洁，为吏民所怀。耽好玄理，老而愈笃。又注《庄子惠施篇》《易上下系》，名《新注义苑》，并行于世。弼性质直，前在霸朝，多所匡正。及显祖作相，致位僚首，初闻揖让之议，犹有谏言。显祖尝问弼云：'治国当用何人？'对曰：'鲜卑车马客，会须用中国人。'显祖以为此言讯我。高德政居要，不能下之，乃于众前面折云：'黄门在帝左右，何得闻善不惊，唯好减削抑挫。'德政深以为恨，数言其短。又令主书杜永珍密启弼在长史日，受人请属，大营婚嫁。显祖内衔之。弼恃旧仍有公事陈请。十年夏，上因饮酒，积其愆失，遂遣就州斩之，时年六十九。既而悔之，驿追不及"；"杜弼识学甄明，发言谠正，禅代之际，先起异图。王怒未怠，卒蒙显戮。直言多矣，能无及是者乎"；"叩叩辅玄（杜弼字），思极谈天，道亡时晦，身没名全"。

本年

魏收除仪同三司。《北齐书》卷三七《魏收传》："十年，除仪同三司。帝在宴席，口敕以为中书监，命中书郎李愔于树下造诏。愔以收一代盛才，难于率尔，久而未讫。比成，帝已醉醒，遂不重言，愔仍不奏，事竟寝。"

王昕（？—559）卒。《北齐书》卷三一《王昕传》："显祖以昕疏诞，非济世所须，骂之曰：'好门户，恶人身。'又有谮之者曰：'王元景每嗟水运不应遂绝。'帝愈怒，乃下诏徙幽州。后征还，除银青光禄大夫，判祠部尚书事。帝怒临漳令嵇晔及舍人李文师，以晔赐薛农洛，文师赐崔士顺为奴。郑子默私谓昕曰：'自古无朝士作奴。'昕曰：'箕子为之奴，何言无也？'子默遂以昕言启显祖，仍曰：'王元景比陛下于殷纣。'杨愔微为解之。帝谓愔曰：'王元景尔博士，尔语皆元景所教。'帝后与朝臣醼饮，昕称病不至。帝遣骑执之，见方摇膝吟咏，遂斩于御前，投尸漳水，天保十年也。有文集二十卷。"

邢劭作《齐文宣帝哀策》。《北齐书》卷四《文宣帝纪》：十月，齐文宣帝暴死于晋阳，年三十一。子废帝高殷立。《北齐书》卷三六《邢劭传》："及文宣皇帝崩，凶礼多见讯访，敕撰哀策。"《哀策》原文见《艺文类聚》卷十四。

魏收议文宣帝谥号及庙号、陵名。《北齐书》卷三七《魏收传》："及帝崩于晋阳，驿召收及中山太守阳休之参议吉凶之礼，并掌诏诰。仍除侍中，迁太常卿。文宣谥及庙号、陵名，皆收议也。"然据《艺文类聚》卷十四有邢劭《文宣帝谥议》，则似出于邢劭。待考。

卢思道为《齐文宣帝挽歌》十首，见用其八，时号"八米卢郎"。《隋书》卷五七《卢思道传》："文宣帝崩，当朝文士各作挽歌十首，择其善者而用之。魏收、阳休之、祖孝征等不过得一二首，唯思道独得八首。故时人称为'八米卢郎'"。

卢询祖作《筑长城赋》。《北齐书》卷二二《卢文伟传附孙询祖传》："天保末，以职出为筑长城之使。自负其才，内怀郁怏，遂毁容服如贱役者以见杨愔。愔曰：'故旧皆有所縻，唯大夏未加处分。'询祖厉声曰：'是谁之咎！'既至役所，作《筑长城赋》"。

阇那崛多抵长安。释道宣《续高僧传》卷二《隋京师大兴善寺北贤豆沙门阇那崛多传》："阇那崛多，隋言德志北贤豆。……便至鄯州。于时即西魏大统元年也。……

以周明帝武成年初届长安，止草堂寺。""至开皇二十年便从物故，春秋七十有八。自从西服来至东华，循历翻译合三十七部，一百七十六卷。"

公元560年（陈文帝天嘉元年　北齐废高帝乾明元年　北齐孝昭帝皇建元年　北周明帝武成二年　庚辰）

本年

沈炯上表，请辞官养亲。《陈书·沈炯传》说，文帝嗣位，沈炯上表，以母老为理由，以求解官养亲，其表语词十分恳切。

傅縡为撰史学士在本年或稍后。《陈书·傅縡传》说："傅縡字宜事，北地灵州人也。父彝，梁临沂令。縡幼聪敏，七岁诵古诗赋至十余万言。长好学，能属文……后依湘州刺史萧循，循颇好士，广集坟籍，縡肆志寻阅，因博通群书。王琳闻其名，引为府记室。琳败，随琳将孙玚还都。时世祖使颜晃赐玚杂物，玚托縡启谢，词理优洽，文无加点，晃还言之世祖，寻召为撰史学士。除司空府记室参军，迁骠骑安成王中记室，撰史如故。縡笃信佛教，从兴皇惠朗法师受《三论》，尽通其学。时有大心暠法师著《无诤论》以诋之，縡乃为《明道论》，用释其难。"春泓按，高宗即位，以孙玚功名素著，深委任焉。所以赐物奖赏，傅縡代笔启谢，可能正在此时或稍后。后主当政，傅縡于狱中上书，痛斥后主荒淫无道，大义凛然，最终被赐死。

北朝

四月

周明帝因食遇毒。大渐。口授遗诏立弟鲁国公宇文邕为帝。遂崩于延寿殿，时年二十七。《周书》卷四《明帝纪》："帝宽明仁厚，敦睦九族，有君人之量。幼而好学，博览群书，善属文，词彩温丽。及即位，集公卿已下有文学者八十余人于麟趾殿，刊校经史。又捃采众书，自羲、农以来，讫于魏末，叙为《世谱》，凡五百卷云。所著文章十卷"；"世宗宽仁远度，睿哲博闻。处代邸之尊，实文昭之长。豹姿已变，龙德犹潜，而百辟倾心，万方注意。及乎迎宣黜贺，入纂大宗，而礼貌功臣，敦睦九族，率由恭俭，崇尚文儒，亹亹焉其有君人之德者矣。始则权臣专制，政出私门。终乃鸩毒潜加，享年不永。惜哉。"

本年

邢劭因杨愔被害，流涕曰："杨令君虽其人，死日恨不得一佳伴。"见《北齐书》卷三四《杨愔传附郑颐传》。邢劭于文宣帝死后，本传叙其事颇略。曹道衡、刘跃进《南北朝文学编年史》："同书（指《北齐书》）《魏收传》云：'劭既被疏出'，未知年代，或与杨愔之死有关。不然，何其悲杨之深也。邢劭又有《冬日伤志篇》，作于何时，史无记载。诗中有'时事方去矣，抚己独伤怀'之句，疑作于此后不久，'时事方去'，当指杨愔死。"

魏收除兼侍中、右光禄大夫，仍仪同、监史。《魏书》卷三七《魏收传》："皇建元年，除兼侍中、右光禄大夫。仍仪同、监史。收先副王昕使梁，不相协睦，时昕弟晞亲密。而孝昭别令阳休之兼中书，在晋阳典诏诰，收留在邺，盖晞所为。收大不平，谓太子舍人卢询祖曰：'若使卿作文诰，我亦不言。'又除祖珽为著作郎，欲以代收，司空主簿李蒨，文词士也。闻而告人曰：'诏诰悉归阳子烈，著作复遣祖孝征，文史顿失，恐魏公发背。'"

　　魏收改定《魏书》。《北齐书》卷三七《魏收传》："帝以魏史未行，诏收更加研审。收奉诏，颇有改正。及诏行魏史，收以为直置秘阁，外人无由得见。于是命送一本付并省，一本付邺下，任人写之。"

　　阳休之被征至晋阳，拜大鸿胪卿，领中书侍郎。《北齐书》卷四二《阳休之传》："显祖崩，征休之至晋阳，经纪丧礼。乾明元年，兼侍中，巡省京邑。仍拜大鸿胪卿，领中书侍郎。皇建初，以本官兼度支尚书，加骠骑大将军，领幽州大中正。肃宗留心政道，每访休之治术。休之答以明赏罚，慎官方，禁淫侈，恤民患为政治之先。帝深纳之。"休之于杨愔之死，亦颇惋惜。《北齐书》卷三四《杨愔传》："遵彦（杨愔）死，仍以中书令赵彦深代总机务。鸿胪少卿阳休之私谓人曰：'将涉千里，杀骐骥而策蹇驴，可悲之甚。'愔所著诗赋表奏书论甚多，诛后散失，门生鸠集所得者万余言。"

　　庾信作《预麟趾殿校书和刘仪同》《鹤赞》。和刘仪同诗见本集。麟趾殿校书事见《周书》卷四《明帝纪》。刘仪同，倪璠《庾子山年谱》以为是刘臻。曹道衡、刘跃进《南北朝文学编年史》以为是刘璠。并举《隋书》《周书》为证。倪说非，今从曹刘。《鹤赞》原文见本集。文中称"武成二年"，故系于是年。倪璠《庾子山年谱》并系于是年。

　　李昶作《入重阳阁诗》，庾信作《和宇文内史入重阳阁诗》。"宇文内史"即李昶。李昶赐姓宇文，并为内史下大夫，事已见前。据徐陵《与李那书》："常在公筵，敬析名作。获殷公所借《陪驾终南》《入重阳阁诗》及《荆州大乘寺》《宜阳石像》碑四首……"只是昶作。昶诗今佚。庾诗今见本集。本集又有《和宇文内史春日游山》，疑亦作于是年左右。

　　刘逖为员外散骑常侍，使于江州。及归，兼三公郎中，除太子洗马。据《北齐书》卷四五《刘逖传》。

　　李德林作《春思赋》，代称典丽。据《隋书》卷四二《李德林传》。

　　薛道衡为长广王高湛记室。据《隋书》卷五七《薛道衡传》。

　　祖珽除为章武太守，杨愔等诛，不之官，授著作郎。数上密启，为孝昭所忿，敕中书门下二省断珽奏事。据《北齐书》卷三九《祖珽传》。

公元 561 年（陈文帝天嘉二年　北齐武成帝大宁元年　北周武帝保定元年 辛巳）

本年

　　虞寄讽谏宝应。《陈书·虞荔传》之附《虞寄传》说："及宝应结婚留异，潜有逆谋，寄微知其意，言说之际，每陈逆顺之理，微以讽谏，宝应辄引说他事以拒之。又尝令左右诵《汉书》，卧而听之，至郦通说韩信曰'相君之背，贵不可言'，宝应蹶然起曰'可谓智士'。寄正色曰：'覆郦骄韩，未足称智；岂若班彪《王命》，识所归乎？'寄知宝应不可谏，虑祸及己，乃为居士服以拒绝之。常居东山寺，伪称脚疾，不复起……及留异称兵，宝应资其部曲，寄乃因书极谏曰：

……夫安危之兆，祸福之机，匪独天时，亦由人事。失之毫厘，差以千里。是以明智之士，据重位而不倾，执大节而不失，岂惑于浮辞哉？……

初，沙门慧标涉猎有才思，及宝应起兵，作五言诗以送之，曰：'送马犹临水，离旗稍引风。好看今夜月，当入紫微宫。'宝应得之甚悦。慧标赍以示寄，寄一览便止，正色无言。标退，寄谓所亲曰：'标既以此始，必以此终。'后竟坐是诛。"春泓按，《陈书·萧乾传》说，天嘉二年，留异反，陈宝应将兵助之，所以虞寄上书劝谏，当在此之前，姑定于天嘉二年。虞寄上书，模仿班彪之《王命论》，分析时势，晓以利害，实为自己留后路。

陈伯茂进号宣惠将军、扬州刺史。《陈书·世祖九王传》之《始兴王伯茂传》说："始兴王伯茂字郁之，世祖第二子也……天嘉二年，进号宣惠将军、扬州刺史。伯茂性聪敏，好学，谦恭下士，又以太子母弟，世祖深爱重之。是时征北军人于丹徒盗发晋郗昙墓，大获晋右将军王羲之书及诸名贤遗迹。事觉，其书并没县官，藏于秘府，世祖以伯茂好古，多以赐之，由是伯茂大工草隶，甚得右军之法。"

诏徐伯阳侍晋安王读。《陈书·文学传》之《徐伯阳传》说："天嘉二年，诏侍晋安王读。寻除司空侯安都府记室参军事，安都素闻其名，见之，降席为礼。甘露降乐游苑，诏赐安都，令伯阳为谢表，世祖览而奇之。"

侯安都招聚文武之士，宾客众盛。《陈书·侯安都传》说："自王琳平后，安都勋庸转大，又自以功安社稷，渐用骄矜，数招聚文武之士，或射驭驰骋，或命以诗赋，第其高下，以差次赏赐之。文士则褚玠、马枢、阴铿、张正见、徐伯阳，刘删、祖孙登，武士则萧摩诃、裴子烈等，并为之宾客，斋内动至千人。"

北朝

本年

邢劭为兖州刺史。《北齐书》卷四二《袁聿修传》："尚书邢劭与聿修旧款，每于省中语戏，常呼聿修为清郎。大宁初，聿修以太常少卿出使巡省，仍命考校官人得失。经历兖州，时邢劭为兖州刺史，别后，遣送白纟由为信。聿修退纟由不受，与邢书云：'今日仰遇，有异常行，瓜田李下，古人所慎，多言可畏，譬之防川，愿得此心，不贻厚责。'邢亦忻然领解，报书云：'一日之赠，率尔不思，老夫忽忽意不及此，敬承来旨，吾无间然。弟昔为清郎，今日复作清卿矣。'"

魏收加开府。据《北齐书》卷三七《魏收传》。

阳休之为北齐都官尚书，转七兵、祠部。据《北齐书》卷四二《阳休之传》。

王晞历东徐州刺史、秘书监。《北齐书》卷三一《王昕传附弟晞传》："孝昭崩，哀慕殆不自胜，因以赢败。武成本忿其儒缓，由是弥嫌之，因奏事大被诃叱，而雅步晏然。历东徐州刺史、秘书监。"

庾信作《为晋阳公进玉律秤尺升斗表》。原文见本集。《隋书》卷一六《律历志上》："后周武帝'保定元年辛巳五月，晋国造仓，获古玉斗。暨五年乙酉冬十月，诏改制铜律度，遂致中和。累黍积龠，同兹玉量，与衡度无差。准为铜升，用颁天下。内径七寸一分，深二寸八分，重七斤八两。天和二年丁亥，正月癸酉朔，十五日戊子校定，移地官府为式。'此铜升之铭也。"

刘逖从齐武成帝赴晋阳，以此除散骑侍郎，兼议曹郎中。据《北齐书》卷四五《刘逖传》。

祖珽擢拜中书侍郎，出为安德太宁，转齐郡太守。《北齐书》卷三九《祖珽传》："珽善为胡桃油以涂画，乃进之长广王，因言：'殿下有非常骨法，孝征梦殿下乘龙上天。'王谓曰：'若然，当使兄大富贵。'及即位，是为武成皇帝，擢拜中书侍郎，帝于后园使珽弹琵琶，和士开胡舞，各赏物百段。士开忌之。出为安德太宁，转齐郡太守，以母老乞还侍养，诏许之。会江南使人来聘，为中劳使。寻为太常少卿、散骑常侍、假仪同三司，掌诏诰。"

樊逊为主书，迁员外散骑侍郎。据《北齐书》卷四五《樊逊传》。

公元 562 年（陈文帝天嘉三年　北齐武成帝河清元年　北周武帝保定二年　壬午）

本年

毛喜至京师，任骠骑将军府咨议参军。《陈书·毛喜传》说："毛喜字伯武，荥阳阳武人也……喜少好学，善草隶。起家梁中卫西昌侯行参军，寻迁记室参军……天嘉三年至京师，高宗时为骠骑将军，仍以喜为府咨议参军，领中记室。府朝文翰，皆喜词也。"

颜晃卒，时年五十三。《陈书·文学传》之《颜晃传》说："三年卒，时年五十三……晃家世单门，傍无戚援，而介然修立，为当世所知。其表奏诏诰，下笔立成，便得事理，而雅有气质。有集二十卷。"

北朝

本年

庾信作《别周尚书弘正诗》，庾集尚有《送周尚书弘正二首》《重别周尚书二首》，倪璠以为俱作于此时。七月，作《终南山义谷铭》。十月，作《从驾观讲武诗》。十一月，作《上益州上柱国赵王二首》《奉报赵王出师在道赐诗》《和赵王送峡中军》《和赵王途中五韵》等。检《周书》《陈书》，弘正在关中约两年，此年为弘正入关两年之后，《别》《重别》为送行之诗，当作于是年。《终南山义谷铭》有"周保定二年，岁次壬午，七月"。《周书》卷五《武帝纪》上有云："（十月）戊午，讲武于少陵原"，故系《从驾》诗于是年。《上益州上柱国赵王二首》《奉报赴王出师在道赐诗》《和赵王送峡中军》《和赵王途中五韵》四诗,倪璠《庾子山年谱》皆系于是年。赵王,当指宇文招,其时宇文招为赵国公,"王"者恐为宇文逌编《庾信集》时所改。检《周书》卷十三《赵王招传》,"保定中,……出为益州总管。(建德)三年,进爵为王,除雍州牧"。则宇文招为赵王在出蜀之后。此四诗当作于宇文招入蜀后出蜀前,未必就在本年,姑系于是。

王褒作《与周弘让书》《与周处士诗》。《周书》卷四一《王褒传》:"初,褒与梁处士汝南周弘让相善。及弘让兄弘正自陈来聘,高祖许褒等通亲知音问。褒赠弘让诗……弘让复书"。检《陈书》卷二四《周弘正传》:"天嘉元年……(周弘正)往长安迎高宗(陈宣帝陈顼)。三年(562),自周还。"《周书》卷五《武帝纪》上:"(保定)二年正月……以陈主弟顼为柱国,送还江南。……九月,陈遣使来聘"。则周弘正迎陈顼返陈,陈使来聘,皆在本年。王褒《赠弘让诗》、《弘让复书》亦当在此际。故系于是。

刘昼作《六合赋》,见讥于魏收。据《北齐书》卷四四《刘昼传》。

释昙迁二十一岁,师事昙静而出家。释道宣《续高僧传》卷十八《隋西京禅定道场释昙迁传》:"初投饶阳曲李寺沙门慧荣,荣破解占相,知有济器。告迁曰:有心慕道,理应相度,观子骨法,当类弥天,自揣澄公,有惭德义,可访高世者以副雅怀。迁虽属伸勤请,而固遮弗许。又从定州贾和寺昙静律师而出家焉。时年二十有一。"

公元 563 年（陈文帝天嘉四年　北齐武成帝河清二年　北周武帝保定三年 癸未）

本年

陆琼亦擅大手笔。《陈书·陆琼传》说:"及讨周迪、陈宝应等,都官符及诸大手笔,并中敕付琼。"春泓按,讨伐周、陈,费时四年左右,姑且定陆琼展现大手笔才华于本年。

散骑常侍江德藻使齐,著《北征道里记》三卷。《陈书·文学传》之《江德藻传》说:"江德藻字德藻,济阳考城人也。祖柔之,齐尚书仓部郎中。父革,梁度支尚书、光禄大夫。德藻好学,善属文……天嘉四年,兼散骑常侍,与中书郎刘师知使齐,著《北征道里记》三卷。"

北朝

正月

魏收兼尚书右仆射,历四日,以阿纵除名。《北齐书》卷七《武成纪》:"二年春正月乙亥,帝诏临朝堂策试秀才。以太子少傅魏收为兼尚书右仆射。己卯,兼右仆射魏收以阿纵除名。"卷三七《魏收传》:"河清二年,兼右仆射。时武成酣饮终日,朝事专委侍中高元海。元海凡庸,不堪大任,以收才名振俗,都官尚书毕义云长于断割,乃虚心倚仗。收畏避不能匡救,为议者所讥。"

七月

释僧实（476—563）卒，年八十八岁。 大中兴寺释道安及义城公庾信作碑文。释道宣《续高僧传》卷十六《周京师大追远寺释僧实传》："释僧实，俗姓程氏，咸阳灵武人也。"

九月

庾信作《同州还》诗。《周书》卷五《武帝纪上》："（九月）丙戌，至同州"。倪璠《庾开府集注》据《周书》卷七《宣帝纪》，以为本诗作于周宣帝大象二年三月。今观诗中所绘，似途中亲见。然大象二年距庾信卒只一年，年近古稀之体，恐难卒行。同州之幸，当指本年。曹道衡、刘跃进《南北朝文学编年史》亦以为本年事。今姑系于是。

本年

薛道衡为北齐太尉府主簿。 岁余又兼散骑常侍，接对周、陈之使。据《隋书》卷五七《薛道衡传》。

北齐诏慧藏法师于太极殿讲《华严经》。 又孙敬德先造观音像，后有罪当死，梦沙门教诵经可免，即觉诵千遍，临刑刀三折。主者以闻，诏赦之。还家见像项上有三刀痕，此经遂行。目为《高王观世音经》。据宋释志磐《佛祖统纪》卷三十八《法运通塞志》。

公元 564 年（陈文帝天嘉五年　北齐武成帝河清三年　北周武帝保定四年甲申）

本年

江德藻"还拜太子中庶子，领步兵校尉"。 据《陈书·江德藻传》。

北朝

本年

魏收为北齐清都尹。《北齐书》卷三七《魏收传》："三年，起除清都尹。寻遣黄门郎元文遥敕收：'卿旧人，事我家最久，前者之罪，情在可恕。比今卿为尹，非谓美授，但初起卿，斟酌如此。朕岂可用卿之才而忘卿身，待至十月，当还卿开府。'"

阳休之为北齐西兖州刺史。 据《北齐书》卷四二《阳休之传》。又《北齐书》卷四四《孙灵晖传》："阳休之牧西，子廉、子尚、子结与诸朝士各有诗言赠，阳总为一篇酬答，即诗云'三马俱白眉'者也。"

阳休之奏熊安生为齐国子博士。《周书》卷四五《熊安生传》曰："初从陈达受《三传》，又从房虬受《周礼》，并通大义。后事徐遵明，服膺历年。东魏天平中，受

《礼》于李宝鼎。遂博通《五经》。然专以《三礼》教授。弟子自远方至者,千余人。乃讨论图纬,捃摭异闻,先儒所未悟者,皆发明之。齐河清中,阳休之特奏为国子博士。"按,《北齐书》卷四二《阳休之传》"天统初,征为光禄卿,监国史",可知休之本年以后至天统初,不在邺城,无法奏国子博士。则其奏熊安生至迟在本年。

祖珽拜秘书监,加仪同三司。据《北齐书》卷三九《祖珽传》。

庾信作《侍从徐国公殿下军行诗》。《周书》卷一七《若干惠列传》曰:"保定四年,追录佐命之功,封凤徐国公,增邑并前五千户。"《周书》卷五《武帝纪》上:"九月丁巳,以柱国、卫国公直为大司空,封开府李昞为唐国公,若干凤为徐国公。"然不及从军事,姑系于是。

刘逖为北齐中书侍郎,入典机密,又聘于陈、周。《北齐书》卷四五《刘逖传》曰:"肃宗崩,从世祖赴晋阳,除散骑侍郎,兼仪曹郎中。久之,兼中书侍郎。和士开宠要,逖附之,正授中书侍郎,入典机密。兼散骑常侍,聘陈使主,还,除通直散骑常侍。寻迁给事黄门侍郎,修国史,加散骑常侍。又除假仪同三司,聘周使副。二国始通,礼仪未定,逖与周朝议论往复,斟酌古今,事多合礼,仪兼文辞可观,甚得名誉。使还,拜仪同三司。"检《北齐书》卷七《武成纪》:"清河三年十一月,……诏兼散骑常侍刘逖使于陈"。岁末使陈,使周当稍后,约在四年初。今一并系于是。

王晞在并州,未尝以世务为累。据《北齐书》卷三一《王昕传附弟晞传》,王晞在并州,虽戎马填间,未尝以世务为累。良辰美景,啸咏遨游,登临山水,以谈宴为事,人士谓之物外司马。常诣晋祠,赋诗曰:"日落应归去,鱼鸟见留连。"忽有相王使至,召晞不时至。明日丞相西阁祭酒卢思道谓晞曰:"昨被召已朱颜,得不以鱼鸟致怪?"晞缓笑曰:"昨晚陶然,颇以酒浆被责,卿辈亦是留连之一物,岂直在鱼鸟而已。"检《北齐书》卷七《武成纪》,去年十二月,周军逼并州。本年正月,周军与突厥军攻齐晋阳城西,人畜死者相枕。所谓"戎马填间"当指此事。姑系于是年。

释灵裕四十七岁,应范阳卢氏之邀,至止讲寺。释道宣《续高僧传》卷九《隋相州演空寺释灵裕传》:"年四十有七,将邻知命,便即澄一心想禅虑岩阿,未盈炎溽。范阳卢氏闻风远请,裕承时弘济,不滞行里,便往赴焉,至止讲寺"。

公元 565 年(陈文帝天嘉六年　北齐武成帝河清四年　北齐后主天统元年　北周武帝保定五年　乙酉)

本年

江德藻卒,时年五十七。《陈书·文学传》之《江德藻传》说:"六年,卒于官,时年五十七。世祖甚悼惜之,诏赠散骑常侍。所著文笔十五卷。子椿,亦善属文,历太子庶子、尚书左丞。"

北朝

四月

北齐武成帝禅位于太子高纬,大赦,改元天统元年。自称"太上皇帝"。高纬即北齐后主。据《北齐书》卷七《武成纪》。

六月

周武帝下诏："江陵人年六十五以上为官奴婢者，已令放免。其公私奴婢有年至七十以外者，所在官司，宜赎为庶人"。据《周书》卷五《武帝纪》。

周武帝礼聘沈重至京师。据《周书》卷四五《沈重传》，周武帝以沈重经明行修，乃遣宣纳上士柳裘至梁征之。又敕襄州总管、卫公直蹲喻遣之，在途供给，务从优厚。本年底，沈重至于长安。本传曰："沈重字德厚，吴兴武康人也"，"博览群书，尤明《诗》《礼记》《左氏春秋》"。

魏收为北齐左光禄大夫。据《北齐书》卷三七《魏收传》。

阳休之为光禄卿，监国史。据《北齐书》卷四二《阳休之传》。本传下文云："休之在中山及治西兖，俱有惠政，为吏民所怀，去官之后，百姓树碑颂德。"

庾信作《周柱国楚国公岐州刺史慕容公神道碑》《周冠军公夫人乌石兰氏墓志铭》。《周柱国楚国公岐州刺史慕容公神道碑》，原文见《庾信集》。周柱国楚国公，指豆卢宁。检《周书》卷一九《豆卢宁传》："孝闵帝践祚，授柱国大将军"；"武成初……进封楚国公"；"（保定）五年，薨于同州"。卷五《武成纪》："三月戊子，柱国、楚国公豆卢宁卒薨"。倪璠《庾子山年谱》系于是年，是。《周冠军公夫人乌石兰氏墓志铭》，原文见《庾信集》。倪璠《庾子山年谱》系于是年。今从之。

张景仁为北齐通直散骑常侍。据《北齐书》卷四四《张景仁传》。

樊逊（？—565）卒。《北齐书》卷四五《樊逊传》："天统初，病卒。"今存笔秀才对策五篇，见《北齐书》本传。

王褒为北周内史中大夫。《周书》卷四一《王褒传》，未言年月，但言"保定中"，后又曰"建德以后，颇参朝议"。今姑系于此。

李昶（516—565）卒，时年五十岁。《周书》卷三八《李昶传》曰："（保定）五年，出为昌州刺史。在州遇疾，启求入朝，诏许之。还未至京，卒于路。时年五十。"存诗二首，见《初学记》及《文苑英华》。

宗懔（？—565）卒。《周书》卷四二《宗懔传》："及江陵平，与王褒等入关。太祖以懔名重南土，甚礼之。孝闵帝践祚，拜车骑大将军、仪同三司。世宗即位，又与王褒等在麟趾殿刊定群书。数蒙宴赐。保定中卒，年六十四。有集二十卷，行于世。"本传不记年月，姑系于是。《隋书》卷三五《经籍志》载"后周仪同《宗懔集》十二卷"。又有《荆楚岁时记》一书，《隋书·经籍志》未著录。今本当为后人所辑。又有诗四首，见《艺文类聚》《初学记》。

萧大圜为麟趾殿学士。《周书》卷四二《萧大圜传》：萧大圜封始宁县公，加车骑大将军、仪同三司。周开麟趾殿，招集学士，大圜预焉。大圜手写《梁武帝集》四十卷，《简文集》九十卷。又作《文言志》，即《全隋文》卷十三《闲放之言》。《闲放之言》原文见本传。

公元 566 年（陈废帝天康元年　北齐后主天统二年　北周武帝天和元年　丙戌）

本年

徐陵迁吏部尚书，领大著作。《陈书·徐陵传》说："天康元年，迁吏部尚书，领大著作。陵以梁末以来，选授多失其所，于是提举纲维，综核名实。时有冒进求官，喧竞不已者，陵乃为书宣示曰……"春泓按，对于梁末以来的用人授官制度，徐陵提出批评，此亦揭示了时势之混乱。

吏部尚书徐陵时领著作，引姚察为史佐。《陈书·姚察传》说："吏部尚书徐陵时领著作，复引为史佐，及陵让官致仕等表，并请察制焉，陵见叹曰：'吾弗逮也。'"

陆琼以徐陵之荐，除司徒左西掾。《陈书·陆琼传》说："吏部尚书徐陵荐琼于高宗曰：'新安王文学陆琼，见识优敏，文史足用，进居郎署，岁月过淹，左西掾缺，允膺兹选，阶次小逾，其屈滞已积。'乃除司徒左西掾。寻兼通直散骑常侍，聘齐。"

北朝

七月

卢思道作《卢记室诔》。文见《文苑英华》卷八百四十二。

魏收行齐州刺史，寻为真。收以子侄少年，申以戒厉，著《枕中篇》。据《北齐书》卷三七《魏收传》。《枕中篇》原文见本传。

阳休之为北齐吏部尚书，食武阳县干，除仪同三司，又加开府。休之多识故事，谙悉氏族，凡所选用，莫不才地具允。加金紫光禄大夫。据《北齐书》卷四二《阳休之传》。

刘璠为同和郡守。《周书》卷四二《刘璠传》："世宗初，授内史中大夫，掌纶诰。寻封平阳县子，邑九百户。在职清白简亮，不合于时，左迁同和郡守。璠善于抚御，莅职未期，生羌降附者五百余家。前后郡守多经营以致资产，唯璠秋毫无所取，妻子并随羌俗，食麦衣皮，始终不改。洮阳、洪和二郡羌民，常越境诣璠讼理焉。其德化为他界所归仰如此。蔡公广时镇陇右，嘉璠善政。及迁镇陕州，欲取璠自随，羌人乐从者七百人。闻者莫不叹异。陈公纯作镇陇右，引为总管府司录，甚礼敬之"。据《北齐书》卷十《邵惠公颢附宇文广传》，蔡公广即宇文广，"武成初，……进封蔡国公"。同传云："天和三年，除陕州总管"。则刘璠迁陕在天和三年。

庾信作《就蒲州使君乞酒》《蒲州刺史中山公许乞酒一车未送》《和王内史从驾狩》三诗。"蒲州刺史中山公"即宇文护子宇文训。检《周书》卷五《武帝纪》上：天和元年"二月戊申，以开府、中山公训为蒲州总管"。又卷一一《晋荡公护传》载建德元年诛宇文护，"其夜，遣柱国、越国公盛乘传往蒲州，征训赴京师，至同州赐死"。则宇文训为蒲州总管在天和间，庾诗作年不可确知，姑系于是。《和王内史从驾狩》诗见本集，原诗有"冬狩出离宫，还过猎武功"句。据《周书》卷五《武帝纪》上，是年十一月，"行幸武功等新城"，知作于本年。又据诗题，王褒亦有诗，惜今佚。

王褒作《上庸公陆腾勒公碑》。碑文见《艺文类聚》卷二十五。《周书》卷五《武

帝纪》上："（天和元年）九月乙亥，信州蛮冉令贤、向五子王反，诏开府陆腾讨平
之"。

　　释彦琮十岁，出家为僧，法名道江。释道宣《续高僧传》卷二《隋东都上林园翻
经馆沙门释彦琮传》："至于十岁，方许出家，改名道江，以慧声洋溢如江河之望也"。

公元567年（陈废帝光大元年　北齐后主天统三年　北周武帝天和二年　丁亥）

本年

　　徐陵作《为陈主与周冢宰宇文护论边境事书》。

北朝

五月

　　宇文护作《遗释亡名书》。据元释觉岸《释氏稽古略》卷二。释道宣《续高僧传》
卷七《周渭浜沙门释亡名传》。又著《金人箴息心铭》。

　　北齐刘昼卒，时年五十二。《北齐书》卷四四《刘昼传》："天统中，卒于家，年
五十二。"天统凡四年，言"中"，或在二年或在三年。故系于是。

　　北齐刘轨思为国子博士。《北齐书》卷四四《刘轨思传》谓刘轨思"说《诗》甚
精"；"天统中任国子博士"。

　　樊深为周县伯中大夫，加开府仪同三司。据《北齐书》卷四四《樊深传》。

　　萧㧑为周文学博士。据《周书》卷四二《萧㧑传》。本传云："及㧑入朝，属置露
门学。高祖（武帝）以㧑与唐瑾、元伟、王褒等四人具为文学博士。㧑以母老，表请
归养私门，……高祖未许"；"寻以母忧去职"。《周书》卷五《武帝》上载本年七月，
立露门学。故系于是。

　　魏收为齐开府、中书监。据《北齐书》卷三七《魏收传》。魏收去年作《枕中篇》
后，"寻除齐开府、中书监"。下云"武成崩"，按武成帝崩于明年，故除官事当在本
年。

　　庾信为北周作《郊庙歌辞》，又作《送卫王南征诗》。《周书》卷五《武帝纪上》：
"三月……初立郊丘坛壝制度"。姑系于此。又按卫王即周武帝弟宇文直。据《周书》
卷五《武帝纪上》：闰六月，"陈湘州刺史华皎率众来附，遣襄州总管卫国公直率柱国
绥德公陆通、大将军田弘、权景宣、元定等，将兵援之，因而南伐"。卫王南征当指此
事。

　　卢思道作《赠别司马幼之南聘诗》。《北齐书》卷八《后主纪》："夏四月癸丑，太
上皇帝（武成帝）诏兼散骑常侍司马幼之使于陈"。故系于是。诗见《艺文类聚》卷
五三。

公元 568 年（陈废帝光大二年　北齐后主天统四年　北周武帝天和三年　戊子）

本年

陆从典年八岁，读沈约集，拟回文研铭。《陈书·陆琼传》附《陆从典传》说："第三子从典，字由仪。幼而聪敏。八岁，读沈约集，见回文研铭，从典援笔拟之，便有佳致。"春泓按，本传记载，陆从典卒于隋末丧乱，大致在隋炀帝之末年，时年五十七，其八岁时，正值本年。

北朝

三月

庾信作《周太傅郑国公夫人郑氏墓志铭》。原文见《庾信集》，倪璠《庾紫杉年谱》系于是。庾信又作《对宴齐使》，倪璠系于天和四年夏，曹道衡、刘跃进《南北朝文学编年史》以为"是诗所写是秋景，据《周书·武帝纪》，本年八月齐遣使至周。疑本年秋作诗"（第 581 页）。今从。

王褒作《太傅燕文公于谨碑铭》。碑文见《艺文类聚》卷四十六。据《周书》卷五《武帝纪上》"（三月）戊午，太傅、柱国、燕国公于谨薨"，王褒作碑文当稍后。姑系于此。

十二月

齐武成帝卒。据《北齐书》卷七《武成纪》。

本年

魏收议齐武成帝之葬所颁赦令，遂掌诏诰。并作《征南将军和安碑》并序。《北齐书》卷三七《魏收传》："武成崩，未发丧。在内诸公以后主即位有年，疑于赦令。诸公引收访焉。收固执宜有恩泽，乃从之。掌诏诰，除尚书右仆射，总议监五礼事，位特进。收奏请赵彦深、和士开、徐之才共监。先以告士开。士开惊辞以不学。收曰：'天下事皆由王，五礼非王不决。'士开谢而许之。多引文士令执笔，儒者马敬德、熊安生、权会实主之。"《和安碑》见《文馆词林》卷四百五十二。

刘璠（510—568）卒，时年五十九。据《周书》卷四二《刘璠传》。刘璠著有《梁典》30 卷，有集 20 卷，行于世。本传之史臣曰："梁氏据有江东，五十余载。挟策纪事，勒成不朽者，非一家焉。刘璠学思通博，有著述之誉，虽传疑传信，颇有详略，而属辞比事，足为清典。盖近代之佳史欤？"

刘逖除假仪同三司，聘周使副。使还，拜仪同三司。世祖崩，出为江州刺史。《北齐书》卷四五《刘逖传》："二国始通，礼仪未定，逖与周朝议论往复，斟酌古今，事多合礼，兼文词可观，甚得名誉。"

卢思道作《赠刘仪同西聘》诗。诗见《文苑英华》卷二百四十八。刘仪同即刘逖，本年刘逖使周。

祖珽为海州刺史。寻遗书陆令萱弟悉达，短赵彦深。陆令萱为言之后主，遂入为银青光禄大夫、秘书监、加开府仪同三司。据《北齐书》卷三九《祖珽传》。

释彦琮十二岁，诵《法华经》，至邺下寻究。释道宣《续高僧传》卷二《隋东都上林园翻经馆沙门释彦琮传》："十二罐岙山诵《法华经》，不久寻究，便游邺下，因循讲席，乃返乡寺，将《无量寿经》。时太原王邵任赵郡佐，寓居寺宇，听而仰之。友敬弥至。"

公元 569 年（陈宣帝太建元年　北齐后主天统五年　北周武帝天和四年　己丑）

本年

姚察补宣明殿学士，除散骑侍郎、左通直。《陈书·姚察传》说："太建初，补宣明殿学士，除散骑侍郎、左通直。寻兼通直散骑常侍，报聘于周。江左耆旧先在关右者，咸相倾慕。沛国刘臻窃于公馆访《汉书》疑事十余条，并为剖析，皆有经据。臻谓所亲曰：'名下定无虚士。'著《西聘道里记》，所叙事甚详。"

庾持卒，时年六十二。《陈书·文学传》之《庾持传》说："庾持字允德，颍川鄢陵人也……持少孤，性至孝，居父忧过礼。笃志好学，尤善书记，以才艺闻……太建元年卒，时年六十二。诏赠光禄大夫。持善字书，每属辞，好为奇字，文士亦以此讥之。有集十卷。"

北朝

本年

庾信作《奉和阐弘二教应诏》诗。又作《象戏赋》《进象经赋表》等。《周书》卷五《武帝纪上》："（四年二月），戊辰，帝御大德殿，集百僚、道士、沙门等讨论释老义"；"五月己丑，帝制《象经》成，集百僚讲说"。本年庾信又作《周大都督杨林伯长孙瑕夫人罗氏墓志铭》《后魏骠骑将军荆州刺史贺拔夫人元氏墓志铭》《移齐河阳执事文》《周柱国大将军长孙俭神道碑》。诸文皆有年月，文见本集。又有《聘齐秋晚馆中饮酒诗》，不知确年。今从曹道衡、刘跃进《南北朝文学编年史》系于是年。曹书以为："今读'聘齐秋晚馆中饮酒'，有'欣兹河朔饮'句，'河朔饮'，倪注以为用《后汉书》袁绍、公孙瓒典。然《初学记》卷三引魏文帝《典论》，'河朔饮'乃三国刘松与袁绍子弟消暑之举。诗中又有'残秋欲屏扇'句，'欲屏扇'者，尚未捐弃也。去岁齐史聘周在八月，据《北齐书》云九月，周使报聘至迟在九月，节令不合。倪说谓今年秋庾信使齐，别出推测，似亦有理，姑用此说。待详考。"

萧圆肃迁陵州刺史，寻诏令随卫直镇襄阳，遂不之部。据《周书》卷四二《萧圆肃传》。

魏收为尚书仆射，总议监五礼事。据《北齐书》卷三七《魏收传》。

王褒作《太保吴武公尉迟纲碑铭》。又作《象经注》，并作《象戏经序》。《周书》卷五《武帝纪上》："（天和四年五月），柱国、吴国公尉迟纲薨"。碑文见《艺文类聚》卷四十六。卷四一《王褒传》："高祖作《象经》，令褒注之"。《象戏经序》，见《艺文类聚》卷七十四。

周武帝欲废佛。释道宣《续高僧传》卷二十三《周京师大中兴寺释道安传》："释道安，俗姓姚，冯翊胡城人也。……至天和四年岁在己丑，三月十五日，敕诏有德众僧、名儒、道士、文武百官二千余人于殿，帝升御座，亲量三教优劣废立，众议纷纭，各随情见，较其大抵，无与相抗者。至其月二十日，又依前集，中论乘咎，是非滋生，并莫简帝心，索然而退。至四月初，敕又广诏道俗，令极言陈理。又敕司隶大夫甄鸾详佛道二教，定其先后浅深同异。鸾乃上《笑道论》三卷，合三十六条，用笑三洞之名，及经称三十六部。文极详据，事多扬激。至五月十日，帝又大集群臣，详鸾上论，以为伤蠹道士，即于殿庭焚之。道安慨时俗之混并，悼史籍之沉网，乃作《二教论》，取拟武帝，详三教之极，文成一卷，篇分十二。……帝为张宾构谮，意遣释宗。初览安论，通问僚宰，文据卓然，莫敢排斥。当时废立遂寝，诚有所推。"释道宣《续高僧传》卷二十三《释智炫传》："周武帝废佛法，欲存道教，乃下诏集诸僧道士，试取优长者留，庸浅者废。于是诏华野高僧、方岳道士、千里外有妖术者，大集京师，于太极殿陈设高座，帝自躬临，敕道士先登。时有道士张宾，最为首长，登高唱言。"此文又宋释志磐《佛祖统纪》卷三十八《法运通塞志》以及元释念常《佛祖历代通载》卷十一。但宋释志磐《佛祖统纪》卷三十八《法运通塞志》在建德二年下又载"二年二月，集百僚僧道论三教先后，以儒为先，道次之，释居后。诏群臣沙门道士于内殿博议三教。法猛法师立论理胜。司隶大夫甄鸾上《笑道论》，凡三十六篇，用突道家三十六部，以释教有十二部，今三倍胜之"。今从《续高僧传》。

沙门藏称于长安译经，沙门至德译《法华经》《普门重颂偈》。据宋释志磐《佛祖统纪》卷三十八《法运通塞志》。

公元 570 年（陈宣帝太建二年　北齐后主武平元年　北周武帝天和五年　庚寅）

本年

许亨卒，时年五十四。《陈书·文学传》之《许亨传》说："太建二年卒，时年五十四。初撰《齐书》并《志》五十卷，遇乱失亡。后撰《梁史》，成者五十八卷。梁太清之后所制文笔六卷。"

太子释奠于太学，宫臣并赋诗，命陆瑜为序，文甚赡丽。《陈书·文学传》之《陆琰传》附《陆瑜传》说："瑜字干玉。少笃学，美词藻。州举秀才。解褐骠骑安成王行参军，转军师晋安王外兵参军、东宫学士。兄琰时为管记，并以才学娱侍左右，时人比之二应。太建二年，太子释奠于太学，宫臣并赋诗，命瑜为序，文甚赡丽。"

北朝

本年

张思伯为齐国子博士。《北齐书》卷四四《张思伯传》："善说《左氏传》。为马敬德之次。撰《刊例》十卷，行于时。亦治《毛诗》章句，以二经教齐安王廓。武平初，国子博士。"

魏收、薛道衡、熊安生、马敬德、权会实、魏澹、阳休之修订《五礼》。《隋书》卷五七《薛道衡传》："武平初，诏与诸儒修订《五礼》。"《北齐书》卷三七《魏收传》："（后主即位有年）……掌诏诰，除尚书右仆射，总议监五礼事，位特进。收奏请赵彦深、和士开、徐之才共监。先以告士开。士开惊辞以不学。收曰：'天下事皆由王，五礼非王不决。'士开谢而许之。多引文士令执笔，儒者马敬德、熊安生、权会实主之"。《隋书》卷五八《魏澹传》："寻与尚书左仆射魏收、吏部尚书阳休之、国子博士熊安生同修《五礼》。"

阳休之为齐中书监，寻以本官兼尚书右仆射。据《北齐书》卷四二《阳休之传》。

阳休之与魏收论《齐书》起元事，李德林与魏收颇有书函往来。《隋书》卷四二《李德林传》："魏收与阳休之论《齐书》起元事，敕集百司会议，收与德林书"，来往书函见《隋书》本传。《北齐书》卷四二《阳休之传》："又魏收监史之日，立《高祖本纪》，取平四胡之岁为齐元。收在齐州，恐史官改夺其意，上表论之。武平中，收还朝，敕集朝贤议其事。休之立议从天保为限断。"今观李德林之书，亦主天保。

庾信作《周骠骑大将军开府侯莫陈道生墓志铭》《周大将军义兴公萧公墓志铭》。二文具年月，见本集。

薛道衡与陈使傅縡赋诗唱和，南北称美。又待诏文林馆，以本官直中书省。《隋书》卷五七《薛道衡传》曰："陈使傅縡聘齐，以道衡兼主客郎接对之。縡赠诗五十韵，道衡和之，南北称美，魏收曰：'傅縡所谓以蚓投鱼耳。'待诏文林馆，与范阳卢思道、安平李德林齐名友善。复以本官直中书省，寻拜中书侍郎，仍参太子侍读。"

李德林上颂十六章并序。《隋书》卷四二《李德林传》：齐杜台卿上《世祖武成皇帝颂》，后主以为未尽善，令和士开颁示李德林，宣旨云："台卿此文，未当朕意。以卿有大才，须叙盛德，即宜速作，急进本也。"德林乃上颂十六章并序，文多不载。武成览颂善之，赐名马一匹。武成览颂善之之"武成"恐为"后主"之误，为事在本年论《齐书》起元之后，其时武成已崩。且旨为后主所下，当更呈后主，不得更令武成览之。检《北齐书》卷八《后主纪》"（武平二年）秋七月庚午，太保、琅邪王俨矫诏杀录尚书事和士开于南台"，知和士开死于明年。则事在今明二年之际，姑系于是。

沈重复于紫极殿讲三教义，为诸儒所推。据《周书》卷四五《沈重传》。本传不载其年月，曰"复"讲三教义，可知在去年"大德殿"论释老义之后。又，本传列此事在天和六年之前，则紫极殿讲道当在今明两年之间，姑系于是。

释彦琮西入晋阳，且讲且听。释道宣《续高僧传》卷二《隋东都上林园翻经馆沙门释彦琮传》："齐武平之初，年十有四，西入晋阳，且讲且听。当尔道张汾朔，名布道儒。尚书敬长瑜及朝秀卢思道、元兴恭、邢恕等，并高齐荣望，钦揖风猷，同为建寨讲《大智论》"。

公元 571 年（陈宣帝太建三年　北齐后主武平二年　北周武帝天和六年　辛卯）

本年

徐陵作《司空章昭达墓志》。

北朝

阳休之为齐左光禄大夫，兼中书监。据《北齐书》卷四二《阳休之传》。

庾信作《周大将军赵公墓志铭》《周大将军襄城公郑伟墓志铭》《周安昌公夫人郑氏墓志铭》《周大将军闻喜公柳遐墓志铭》《同卢记室从军诗》。前三文皆有年月，见于本集。柳遐，《周书》作"柳霞"。《周书》卷四二《柳霞传》："天和中卒，时年七十二"，又云"梁西昌侯深藻镇雍州，霞时年十二，以民礼修谒"。据《梁书》卷二三《长沙嗣王业传附弟藻传》，萧以天监元年封西昌侯，十一年（512）除雍州刺史，十二年即他调。以此推之，今年柳霞年七十二。与《周书》本传正合。卢记室，《隋书》卷五六《卢恺传》曰："周齐王宪引为记室，其后袭爵容城伯，邑千一百户。从宪伐齐，恺说柏杜镇下之。"诗曰"飞梯聊度绛，合弩暂凌汾"。当指本年齐王宪率师御斛律明月事。（见《周书》卷五《武帝纪上》）庾诗当因此而作，姑系于是。

刘逖徙为北齐仁州刺史。据《北齐书》卷四五《刘逖传》。本传云事在祖珽执政时，考《北齐书》卷三九《祖珽传》，珽于和士开死后，渐被任遇。和士开死于本年（见去年杜台卿条），则珽执政当由本年始。今姑系于是年。

卢思道为齐京畿主簿。据《隋书》卷五七《卢思道传》。本传谓事在待诏文林馆前。检《北齐书》卷八《后主纪》，武平四年始置文林馆。今从曹道衡、刘跃进《南北朝文学编年史》系于是年。

北齐祖珽说陆令萱出赵彦琛，以珽为侍中。珽在晋阳，通密启请诛琅邪王高俨。其计既行，渐被任遇。据《北齐书》卷三九《祖珽传》。

萧捴为周少保。据《周书》卷四二《萧捴传》。

公元 572 年（陈宣帝太建四年　北齐后主武平三年　北周武帝建德元年　壬辰）

本年

后主时在东宫，欲以江总为太子詹事，孔奂阻之，由是忤旨。《陈书·孔奂传》说："后主时在东宫，欲以江总为太子詹事，令管记陆瑜言之于奂。奂谓瑜曰：'江有潘、陆之华，而无园、绮之实，辅弼储宫，窃有所难。'瑜具以白后主，后主深以为恨，乃自言于高宗。高宗将许之，奂乃奏曰：'江总文华之人，今皇太子文华不少，岂藉于总！如臣愚见，愿选敦重之才，以居辅导。'帝曰：'即如卿言，谁当居此？'奂曰：'都官尚书王廓，世有懿德，识性敦敏，可以居之。'后主时亦在侧，乃曰：'廓王泰之子，不可居太子詹事。'总又奏曰：'宋朝范晔即范泰之子，亦为太子詹事，前代不疑。'后主固争之，帝卒以总为詹事，由是忤旨。其梗正如此。"

北朝

七月

北齐杀左丞相、咸阳王斛律光。并及其弟丰乐。祖珽实预其计。《北齐书》卷三九《祖珽传》："（祖珽）势倾朝野。斛律光甚恶之，遥见窃骂云：'多事乞索小人，欲行何计数。'常谓诸将云：'边境消息，处分兵马，赵令尝与吾等参论之。盲人掌机密来，全不共我辈语，止恐误他国家事。'又珽颇闻其言，因其女皇后无宠，以谣言闻上曰：'百升飞上天，明月照长安。'令其妻兄郑道盖奏之。帝问珽，珽证实。又说谣云：'高山崩，槲树举，盲老翁背上下大斧，多事老母不得语。'珽并云'盲老翁是臣'，云与国同忧戚，劝上行，语'其多事老母，以道女侍中陆氏'。帝以问韩长鸾、穆提婆，并令高元海、段士良密议之，众人未从。因光府军封士让启告光反，遂灭其族。"

八月

北齐编《圣寿堂御览》，书成，敕付史阁，即《修文殿御览》。颜之推专掌其事。据《北齐书》卷八《后主纪》。本纪载是年二月"敕撰《玄洲苑御览》，后改名《圣寿堂御览》"。颜之推《观我生赋》自注："齐武平中，署文林馆待诏者仆射阳休之、祖孝征以下三十余人，之推专掌，起撰《修文殿御览》、《续文章流别》等皆诣进贤门奏之。"

魏收（506—572）卒，赠司空、尚书左仆射，谥文贞。有集 70 卷。据《北齐书》卷三七《魏收传》。本传谓："齐亡之岁，收冢被发，弃其骨于外。"宋葛立方《韵语阳秋》卷四："南北朝人士多喜作双声叠韵，如谢庄、羊戎、魏收、崔岩辈，戏谑谈谐之语，往往载在史册，可得而考焉。"北齐颜之推《颜氏家训·文章》："沈隐侯曰：'文章当从三易。易见事一也；易识字二也；易读诵三也。'邢子才常曰：'沈侯文章用事不使人觉，若胸臆语也。'深以此服之。祖孝征亦尝谓吾曰：'沈诗云："崖倾护石髓"，此岂似用事耶？'邢子才、魏收俱有重名，时俗准的以为师匠。邢赏服沈约，而轻任昉。魏爱慕任昉，而毁沈约，每于谭宴，辞色以之。邺下纷纭，各为朋党。祖孝征尝谓吾曰：'任、沈之是非，乃邢、魏之优劣也。'"明胡应麟《诗薮》："魏收'临风想玄度，对酒思公荣'，'尺书征建业，折简召长安'，不事华藻，而风骨泠然。徐陵欲为藏拙，文士相倾语耳。"明杨慎《升庵诗话》卷十四"魏收《挟瑟歌》"条曰："此诗缘情绮靡，渐入唐调。李太白、王少伯、崔国辅诸家皆效法之"；又于"魏收《赠裴伯茂诗》"条"临风想玄度，对酒思公荣"曰："诚秀句也。惜不见全篇。"明谢榛《四溟诗话》卷一："晋傅咸集七经语为诗；北齐刘昼缉缀一赋，名为《六合》。魏收曰：'赋名《六合》，其愚已甚；及观其赋，又愚于名。'后之集句肇于此。"又卷二："《三国典略》曰：'邢劭谓魏收之文剽窃任昉，魏收谓邢劭之赋剽窃沈约。'盖六

547

朝气习如此。"《隋书》卷三五《经籍志四》："北齐尚书仆射《魏收集》六十八卷"。《旧唐书·经籍志》《新唐书·艺文志》皆为 70 卷。今存文 15 篇，诗 14 首。

阳休之为中书监，本年加特进。据《北齐书》卷四二《阳休之传》。

庾信作《奉和法筵应诏诗》《周赵国公夫人纥豆陵氏墓志铭》。《周书》卷五《武帝纪上》："建德元年春正月戊午，帝幸玄都观，帝御法座讲说，公卿道俗论难"，倪璠《庾子山年谱》系于本年。《周赵国公夫人纥豆陵氏墓志铭》有年月，作"天和七年"。据此，此文当作于本年三月改元之前（见《武帝纪上》）。本年，庾信还有《周大将军司马裔神道碑》《周大将军琅邪定公司马裔墓志铭》《周谯国夫人步陆孤氏墓志铭》。诸文皆有年月。

庾信作《哀江南赋》，至迟在本年。《赋》有"幕府大将军之爱客，丞相平津侯之待士"，系指宇文护。检《周书》卷五《武帝纪上》，本年三月，"诛大冢宰晋国公护"。则庾信作赋，至迟在本年三月。

王褒为周太子少保，迁小司空，仍掌论诰。作《为百僚请立皇太子表》《皇太子箴》。据《周书》卷三三《王褒传》。按，《周书》卷五《武帝纪上》，皇太子以本年四月立，则表当作于四月前。箴已称"皇太子"，则当作于四月立太子之后。文见《艺文类聚》卷十六。

李德林为中书侍郎，与修国史。作《秦州都督陆杳碑铭》并序。《隋书》卷四二《李德林传》："三年，祖孝征（祖珽）入为侍中，尚书左仆射赵彦深出为兖州刺史。朝士有先为孝征所待遇者，间德林，云是彦深党与，不可仍掌机密。孝征曰：'德林久滞绛衣，我常恨彦深待贤未足。内省文翰，方以委之。寻当有佳处分，不宜妄说。'寻除中书侍郎，仍诏修国史。"铭见《文馆词林》卷四百五十九。

薛道衡作《后周大将军杨绍碑》。《文馆词林》卷四百五十二称杨死于建德元年，时年七十五。

萧㧑为周少傅。据《周书》卷四二《萧㧑传》。

释彦琮十六岁，遭父忧，游历篇章。释道宣《续高僧传》卷二《隋东都上林园翻经馆沙门释彦琮传》："十六遭父忧，厌辞名闻，游历篇章，爰逮子史，颇存通阅。右仆射阳休之与文林馆诸贤交共款狎。"

公元 573 年（陈宣帝太建五年　北齐后主武平四年　北周武帝建德二年　癸巳）

本年

张种卒，时年七十。《陈书·张种传》说："张种字士苗，吴郡人也……种沉深虚静，而识量宏博，时人皆以为宰相之器。仆射徐陵尝抗表让位于种曰：'臣种器怀沉密，文史优裕，东南贵秀，朝廷亲贤，克壮其猷，宜居左执。'其为时所推重如此。太建五年卒，时年七十，赠特进，谥曰元子……有集十四卷。"

陆从典少时作《柳赋》。《陈书·陆琼传》附《陆从典传》说："年十三，作《柳赋》，其词甚美。琼时为东宫管记，宫僚并一时俊伟，琼示以此赋，咸奇其异才。从父瑜特所赏爱，及瑜将终，家中坟籍皆付从典，从典乃集瑜文为十卷，仍制集序，其文甚工。"

陆琰卒，时年三十四。《陈书·文学传》之《陆琰传》说："陆琰字温玉，吏部尚书琼之从父弟也……琰幼孤，好学，有志操。州举秀才。解褐宣惠始兴王行参军，累迁法曹外兵参军，直嘉德殿学士。世祖听览余暇，颇留心史籍，以琰博学，善占诵，引置左右。尝使制《刀铭》，琰援笔即成，无所点窜，世祖嗟赏久之，赐衣一袭。俄兼通直散骑常侍，副琅邪王厚聘齐，及至邺下而厚病卒，琰自为使主。时年二十余，风神韶亮，占对闲敏，齐士大夫甚倾心焉……五年卒，时年三十四。太子甚伤悼之，手令举哀，加其赙赠，又自制志铭。琰寡嗜欲，鲜矜竞，游心经籍，晏如也。其所制文笔多不存本，后主求其遗文，撰成二卷。"

李爽、张正见等为文会之友，游宴赋诗，勒成卷轴，徐伯阳为其集序，盛传于世。《陈书·文学传》之《徐伯阳传》说："太建初，中记室李爽、记室张正见、左民郎贺彻、学士阮卓、黄门郎萧诠、三公郎王由礼、处士马枢、记室祖孙登、比部贺循、长史刘删等为文会之友，后有蔡凝、刘助、陈暄、孔范亦预焉。皆一时之士也。游宴赋诗，勒成卷轴，伯阳为其集序，盛传于世。"春泓按，此"太建初"仅是一个模糊的时间概念，譬如张正见任宜都王限外记室，最早亦应在太建五年。

北朝

十月

刘逖（525—573）被杀，时年四十九岁。《北齐书》卷八《后主纪》："（武平四年）冬十月……杀侍中崔季叔、张雕虎，散骑常侍刘逖、封孝琰，黄门侍郎裴泽、郭遵"。卷四五《刘逖传》："征还，待诏文林馆，重除散骑常侍，奏门下事。未几，与崔季叔等同时被戮，时年四十九。"《隋书》卷三五《经籍志四》："北齐仪同《刘逖集》二十六卷。"《旧唐书·经籍志》《新唐书·艺文志》著录皆为40卷。《宋史·艺文志》未见著录。今存文《荐辛德源表》一篇，诗四首。

本年

北齐置文林馆。《北齐书》卷八《后主纪》："三年，祖珽奏立文林馆，于是更召引文学士，谓之待诏文林馆焉。珽又奏撰《御览》，诏珽及特进魏收、太子太师徐之才、中书令崔劼、散骑常侍张雕、中书监阳休之监撰。珽等奏追通直散骑侍郎韦道逊、陆乂、太子舍人王劭、卫尉丞李孝基、殿中侍御史魏澹、中散大夫刘仲威、袁奭、国子博士朱才、奉车都尉眭道闲、考功郎中崔子枢、左外兵郎薛道衡、并省主客郎中卢思道、司空东阁祭酒崔德、太学博士诸葛汉、奉朝请郑公超、殿中侍御史郑子信等入馆撰书，并敕放、恶、之推等同入撰例。复令散骑常侍封孝琰、前乐陵太守郑元礼、卫尉少卿杜台卿、通直散骑常侍王训、前南兖州长史羊肃、通直散骑常侍马元熙、并省三公郎中刘珉、开府行参军李师上、温君悠入馆，亦令撰书。复命特进崔季舒、前仁州刺史刘逖、散骑常侍李孝贞、中书侍郎李德林续入待诏。寻又诏诸人各举所知，又有前济州长史李骞、前广武太守魏骞、前西兖州司马萧溉、前幽州长史陆仁惠、郑州司马江旰、前通直散骑侍郎辛德源、陆开明、通直郎封孝骞、太尉掾张德冲、并省右民郎高行恭、司徒户曹参军古道子、前司空功曹参军刘颙、获嘉令崔德儒、给事中李元楷、晋州治中阳师孝、太尉中兵参军刘儒行、司空祭酒阳辟疆、司空士曹参军卢公顺、司徒中兵参军周子深、开府参军王友伯、崔君洽、魏师謇并入馆待诏，又敕右仆射段孝言亦入焉。《御览》成后，所撰录人亦有不时待诏，付所司处分者，凡此诸人，亦有文学肤浅，附会亲识，妄相推荐者十三四焉。虽然，当时操笔之徒，搜求略尽，其外如广平宋孝王、信都刘善经辈三数人。论其才性，入馆诸贤亦十三四不逮之也。待诏文林，亦是一时盛事，故存录其姓名。"

庾信作《周柱国大将军大都督同州刺史尔绵永神道碑》《周车骑大将军赠小司空宇文显墓志铭》《周太子少保步陆逞神道碑》等文及《和王少保遥伤周处士》《寄王琳》等诗。诸文皆有年月，见本集。按王少保即王褒，周处士即周弘让。据《周书》卷四一《王褒传》："东宫既建，授太子少保"；又据《周书》卷五《武帝纪上》，去年四月立皇太子，则可知诗作于去年四月之后。今从曹道衡、刘跃进《南北朝文学编年史》系于是年。又按《陈书》卷五《宣帝纪》，本年十月，吴明彻克寿阳城，斩王琳。则《寄王琳》诗当作于此前。《庾信集》又有《赵国公集序》《为阎大将军乞致仕表》《和宇文京兆游田诗》亦当作于本年。赵国公即宇文招，据《周书》卷五《武帝纪上》，赵王宇文招明年进爵为王，则《赵国公集序》至迟作于本年。又按《周书》卷二〇《阎庆传》："建德二年，抗表致仕"，故知《乞致仕表》当作于是年。又据《周书》卷四〇《宇文神举传》："建德元年，迁京兆尹，三年出为熊州刺史。"则知宇文神举自去年至明年为京兆尹，今观庾诗所述为春景，去春明春不可确知，然今春则必在京兆。今姑系于是。

阳休之议《魏书》断限。后又领中书监。《北齐书》卷八《后主纪》：五月，北齐后主"诏史官更撰《魏书》"。《北齐书》卷四二《阳休之传》："又魏收监史之日，立《高祖本纪》，取平四胡之岁为齐元。收在齐州，恐史官改夺其意，上表论之。武平中，收还朝，敕集朝贤议其事。休之立议从天保为限断。魏收存日，犹两议未决。收死后，便讽动内外，发诏从其议。后领中书监，便谓人云：'我已三为中书监，用此何为？'"

颜之推因取急返宅，未与崔季叔等人同谏，因得免祸，寻除黄门侍郎。据《北齐书》卷四五《颜之推传》。

卢思道历主客郎、给事黄门侍郎，待诏文林馆。据《隋书》卷五七《卢思道传》。

释僧玮（513—573）卒，时年六十一岁。释道宣《续高僧传》卷十六《周京师天宝寺释僧玮传》："释僧玮，姓潘，汝南平舆人也"。

周武帝以儒教为先，道教为次，佛教为后。《周书》卷五《武帝纪上》：十二月集群臣及沙门、道士等，帝升高座，辨释三教先后，以儒教为先，道教为次，佛教为后。

沈重于露门馆为周皇太子讲论。据《周书》卷四五《沈重传》。

公元 574 年（陈宣帝太建六年　北齐后主武平五年　北周武帝建德三年　甲午）

本年

周弘正卒于官，时年七十九。《陈书·周弘正传》说："弘正特善玄言，兼明释典，虽硕学名僧，莫不请质疑滞。六年，卒于官，时年七十九……所著《周易讲疏》十六卷，《论语疏》十一卷，《庄子疏》八卷，《老子疏》五卷，《孝经疏》两卷，《集》二十卷，行于世。"

姚察补东宫学士，为江总诸人所重。《陈书·姚察传》说："使还，补东宫学士。于时济阳江总、吴国顾野王、陆琼、从弟瑜、河南褚玠、北地傅𬘫等，皆以才学之美，晨夕娱侍。察每言论制述，咸为诸人宗重。储君深加礼异，情越群僚，宫内所须方幅手笔，皆付察立草。又数令共野王递相策问，恒蒙赏激。"

顾野王与江总、陆琼、傅𬘫、姚察等，并以才学显著。《陈书·顾野王传》说："六年，除太子率更令，寻领大著作，掌国史，知梁史事，兼东宫通事舍人。时宫僚有济阳江总，吴国陆琼，北地傅𬘫，吴兴姚察，并以才学显著，论者推重焉。"

北朝

二月

释僧玮葬于安陆之山，庾信作碑文。据释道宣《续高僧传》卷十六《周京师天宝寺释僧玮传》。

阳休之正中书监，余并如故。寻以年老致仕，抗表辞位，后主优答不许。据《北齐书》卷四二《阳休之传》。

卢思道作《仰赠特进阳休之》诗。据《文馆词林》卷一百五十八。

庾信作《献文宣皇太后歌辞》《北齐进苍乌表》《答王司空饷酒》《奉和赵王隐士》《奉和赵王游仙》等诗。按，文宣皇太后即太后叱奴氏。]据《周书》卷九《文宣叱奴皇后传》，文宣皇太后建德三年三月癸酉崩。文宣是其谥，故庾信作《歌辞》不得早于今年。《周书》卷五《武帝纪》上："（建德三年十月）戊戌，雍州献苍乌"。《表》及《歌辞》俱见本集。"王司空"及王褒，王褒于建德初授太子少保，迁小司空（见建德元年）。又王褒之卒，不当迟于明年，则《答王司空饷酒》至迟作于本年。赵王，指赵僭王招，武成初，进封赵国公。建德三年，进爵为王。然王褒亦有同题诗，又褒至迟卒于明年，则褒诗似以系于今年为宜。庾诗亦当作于本年，故系于是。

萧圆肃为周太子少傅，增邑九百户。元素作《少傅箴》。圆肃《周书》卷四二《萧圆肃传》。

北齐杀南阳王高绰。孙灵晖为高绰请僧设斋，传经行道。《北齐书》卷八《后主纪》，卷四四《孙灵晖传》：北齐杀南阳王高绰，儒者孙灵晖为高绰师领大将军司马。绰诛，停废。自绰死后，每至七日及百日终，灵晖恒为绰请僧设斋，传经行道。

李德林与黄门侍郎李孝贞、中书侍郎李若别掌宣传。寻除通直散骑常侍，兼中书侍郎。《隋书》卷四二《李德林传》。

北齐祖珽卒。《北齐书》卷三九《祖珽传》载珽为北徐州刺史，至州，会陈伐齐。珽亲率兵马临战，且战且守十余日，陈兵罢走，城卒保全。卒于州。按，《陈书》卷五《宣帝纪》本年诏"命师薄伐"，诏北讨行军之所。故徐州之战，当在本年。本传载珽擅琵琶，能为新曲，又曾于帝之后园弹之，和士开作胡舞。珽天性聪明，事无难学，凡诸伎艺，莫不惜怀，文章之外，又善音律，解四夷语及阴阳战候，医药之术犹是所长。今存诗数首，见《艺文类聚》《初学记》及《文苑英华》诸书。文存四篇。

五月，武帝灭佛道二宗。六月，下诏复道教。《周书》卷五《武帝纪上》："（建德三年五月）丙子，初断佛、道二教，经象悉毁，罢沙门、道士，并令还民。并禁诸淫祀，礼典所不载者，尽除之"；"（六月）戊午，诏曰：'至道弘深，混成无际，体包空有，理极幽玄。但歧路既分，派源逾远，淳离朴散，形气斯乖。遂使三墨八儒，朱紫交竞。九流七略，异说相腾。道隐小成，其来旧矣。不有会归，争驱靡息。今可立通道观，圣哲微言，先贤典训，金科玉篆，秘迹玄文，所以济养黎元，扶成教义者，并宜弘阐，一以贯之。俾夫玩培塿者，识嵩岱之崇崛。守碛砾者，悟渤澥之泓澄，不亦可乎？'"释道宣《续高僧传》卷二三《周京师大中兴寺释道安传》："至建德三年岁在甲午，乃普灭佛道、二宗，别置通道观，简释李有名者，并著衣冠为学士焉。"宋释志磐《佛祖统纪》卷三七《法运通塞志》："（太建）六年周武帝罢佛道二教。沙门靖嵩、灵侃三百人皆相率归南朝"。卷三八："三年五月，帝偏废释教，令道士张宾饰诡辞以措释子。……六月，诏释道有名德者，别立通道观，置学士百二十员，著衣冠……以彦琮等为学士，沙门道安有宿望，欲官之，安以死拒，号恸不食而终"。元释觉岸《释氏稽古略》卷二："甲午年五月十七日下诏废佛教"。

公元 575 年（陈宣帝太建七年　北齐后主武平六年　北周武帝建德四年　乙未）

本年

萧引方正有器局，善属文，隶书为当时所重。《陈书·萧允传》附《萧引传》说："引字叔休。方正有器局，望之俨然，虽造次之间，必由法度。性聪敏，博学，善属文……引善隶书，为当时所重。高宗尝披奏事，指引署名曰：'此字笔势翩翩，似鸟之欲飞。'引谢曰：'此乃陛下假其羽毛耳。'……太建七年，加戎昭将军。"

周弘正卒，时年七十六。《陈书·周弘正传》附《周弘直传》说："太建七年，遇疾且卒，乃遗疏敕其家曰：'吾今年已来，筋力减耗，可谓衰矣，而好生之情，曾不自觉，唯务行乐，不知老之将至。今时制云及，将同朝露，七十余年，颇经称足，启手告全，差无遗恨。气绝已后，便买市中见材，材必须小形者，使易提挈。敛以时服，古人通制，但下见先人，必须备礼，可著单衣裙衫故履。既应侍养，宜备纷帨，或逢善友，又须香烟，棺内唯安白布手巾、粗香炉而已，其外一无所用。'卒于家，时年七十六。有集二十卷。"春泓按，此时人的生死观于其遗言中可见一斑。

陆从典博涉群书，文华理畅。《陈书·陆琼传》附《陆从典传》说："从典笃好学业，博涉群书，于《班史》尤所属意。年十五，本州举秀才。解褐著作佐郎，转太子舍人。时后主赐仆射江总并其父琼诗，总命从典为谢启，俄顷便就，文华理畅，总甚异焉。"

徐伯阳造访江州刺史，酒酣赋诗。《陈书·文学传》之《徐伯阳传》说："鄱阳王为江州刺史，伯阳尝奉使造焉，王率府僚与伯阳登匡岭，置宴，酒酣，命笔赋剧韵二十，伯阳与祖孙登前成，王赐以奴婢杂物。"春泓按，《陈书·宣帝本纪》记载，鄱阳王于太建七年为江州刺史，此次聚会，当在本年或稍后。

北朝

本年

王褒作《太子太保中都公陆呈碑铭》。文见《艺文类聚》卷四十六。文虽无年月，然据庾信《周太子太保步陆呈神道碑》，陆呈葬于本年，又王褒至迟卒于本年（详见下条），则王文当作于本年。

王褒出为周宜州刺史，寻卒。时年六十四岁。《周书》卷四一《王褒传》："出为宜州刺史，卒于位，时年六十四"。未载卒年。曹道衡、刘跃进《南北朝文学编年史》以为当卒于本年。其理由凡三，其一：《庾信集》有《贺平邺都表》，褒无相关表文，则其卒当在北周平北齐（577）之前。其二：吴先宁《王褒卒年及庾信〈哀王司徒褒〉作年考》钩稽自保定元年（561）至建德二年（573）及宣政元年（578）至大象二年（580）周宜州刺史人名，以为唯建德四年至宣政元年间，王褒为宜州刺史可能性最大。其三，褒与周弘让为友。褒《与周弘让书》自称弟；弘让答书称："惜我壮日，乃弟富年"。故知其时弘让年三十左右，王褒年十七八。又引《礼记·曲礼》关于交友"年长以倍，则父事之；十年以长，则兄事之"的表述，于礼正合。而若按今人所谓褒卒于建德六年之后，则弘让三十，褒仅十五，若卒于宣政元年，则褒仅十四。于礼不得兄事弘让。由此推知褒卒年不当迟于建德四年也。详见曹道衡、刘跃进《南北朝文学编年史》第602～603页。张溥《汉魏六朝百三家集·王司空集》题词："周朝著作，王、庾齐称，其丽密相近，而子渊微弱"。《隋书·经籍志》载："后周小司空《王褒集》二十一卷，并录。"《旧唐书·经籍志》著录为三十卷。《新唐书·艺文志》著录为二十卷，与《隋书》同。《宋史·艺文志》未见著录。大概宋时已散失。

庾信作《周太子太保步陆逞神道碑》、《周大将军崔说神道碑》《周车骑大将军贺娄公神道碑》《答赵王启》《周骠骑大将军开府仪同三司冠军伯柴烈李夫人墓志铭》。又作《伤王司徒褒诗》《周柱国大将军纥干弘神道碑》。寻出为洛州刺史。各《碑铭》皆有年月。《答赵王启》有"张目全韩，联营上地"之语。检《周书》卷六《武帝纪下》曰："赵王招为后三军总管。"故系于是。倪璠《年谱》亦系于是年。又《庾信集》有《奉报洛州》诗，知北周平北齐之时（建德六年），庾信正为洛州刺史。倪璠《年谱》以之系于本年，今从之。

沙门宝暹十人往西天求经，还，得梵本三百六十部。据宋释志磐《佛祖统纪》卷三十八"法运通赛志"。

公元 576 年（陈宣帝太建八年　北齐后主隆化元年　北周武帝建德五年　丙申）

本年

　　陆玠卒，时年三十七。《陈书·文学传》之《陆琰传》附《陆玠传》说："玠字润玉，梁大匠卿晏子之子。弘雅有识度，好学，能属文……八年卒，时年三十七。有令举哀，并加赗赠。至德二年，追赠少府卿。有集十卷。"

北朝

本年

　　颜之推劝募吴士千余人共取青、徐路奔陈。《北齐书》卷四五《颜之推传》："及周兵陷晋阳，帝轻骑还邺，窘急计无所从，之推因宦者侍中邓长颙进奔陈之策，仍劝募吴士千余人以为左右，取青、徐路共投陈国。帝甚纳之，以告丞相高阿那肱等。阿那肱不愿入陈，乃云吴士难信，不须募之。劝帝送珍宝累重向青州，且守三齐之地，若不可保，徐浮海南渡。虽不从之推计策，然犹以为平原太守，令守河津。"

　　释法上八十二岁，作《和高丽国丞相王高德问法教始末叙略》。释道宣《续高僧传》卷八《齐大统合水寺释法上传》："佛以姬州昭王二十四年甲寅岁生，十九出家，三十成道，当穆王二十四年癸未之岁。穆王闻西方有化人出，便即西入而竟不还。以次为验，四十九年在事。灭度以来至今齐代武平七年丙申，凡经一千四百六十五年。后汉明帝永平十年，经法初来，魏晋相传，至今流布"。《北齐书》卷八《后主纪》在本年十二月丁巳该元"隆化"，言"武平七年"，则知事在本年十二月丁巳之前。

公元 577 年（陈宣帝太建九年　北齐幼主承光元年　北周武帝建德六年　丁酉）

本年

　　徐陵作《檄周文》。

北朝

本年

　　周武帝平邺齐亡。据《周书》卷六《武帝纪》下。

　　北齐文人荀士逊（？—577）卒。《北齐书》卷四五《荀士逊传》："与李若等撰《典言》行于世。齐灭年卒。"本传谓："好学有思理，为文清典，见赏知音。……状貌甚丑，以文辞见用。"

　　阳休之于齐亡后，与众大臣随驾赴长安，寻除开府仪同。《北齐书》卷四二《阳休之传》："周武平齐，与吏部尚书袁聿修、卫尉卿李祖钦、度支尚书元修伯、大理卿司马幼之、司农卿崔达拏、秘书监源文宗、散骑常侍兼中书侍郎李若、散骑常侍给事黄门侍郎李孝贞、给事黄门侍郎卢思道、给事黄门侍郎颜之推、通直散骑常侍兼中书侍郎李德林、通直散骑常侍兼中书舍人陆乂、中书侍郎薛道衡、中书舍人高行恭、辛德源、王劭、陆开明十八人同征，令随驾后赴长安。卢思道有所撰录，止云休之与孝贞、思道同被召者是其诬罔焉。寻除开府仪同，历纳言中大夫、太子少保。"

庾信作《奉和平邺应诏诗》《贺平邺都表》《奉报洛州诗》《移虏留使文》，又征为司宗中大夫。诸诗文年月及为司宗中大夫年份皆从倪璠《年谱》。本传曰："高祖唯放王克、殷不害等，信及褒并留而不遣。寻征为司宗中大夫。按，《陈书》卷一九《沈炯传》，王克南返在绍泰二年（556），卷三二《殷不害传》，殷不害返陈在太建七年（575），虽然，而《周书》以之系于二人俱已返陈后，则其必迟于 575 年。且《周书》曰"寻"，倪璠以征司宗中大夫事系于今年，虽似推断，但于史尚合，故从之。

阳休之、卢思道作《听蝉鸣篇》，颜之推和之。《隋书》卷五七《卢思道传》："周武帝平齐，授仪同三司，追赴长安，与同辈阳休之等数人作《听蝉鸣篇》。四道所为，词意清切，为时人所重。新野庾信遍览诸同作者，而深叹美之"。卢诗见《艺文类聚》卷九十七。颜诗《和阳纳言听鸣蝉篇》，见《初学记》卷三十。阳纳言，即阳休之。《北齐书》卷四二《阳休之传》，休之本年至长安，"寻除开府仪同，历纳言中大夫，太子少保"。

李德林至长安，除内使上士。《隋书》卷四二《李德林传》："及周武帝克齐，入邺之日，敕小司马唐道和就宅宣旨慰喻，云：'平齐之利，唯在于尔。朕本畏尔逐齐王东走，今闻犹在，大以慰怀，宜即入相见。'道和引之入内，遣内史宇文昂访问齐朝风俗政教、人物善恶，即留内省，三宿乃归。仍遣从驾至长安，授内史上士。自此以后，诏诰格式，及用山东人物，一以委之。武帝尝于云阳宫作鲜卑语谓群臣云：'我常日唯闻李德林名，及见其与齐朝作诏书移檄，我正谓其是天上人。岂言今日得其驱使，复为我作文书，极为大异。'神武公纥豆陵毅答曰：'臣闻明王圣主，得麒麟凤凰为瑞，是圣德所感，非力能致之。瑞物虽来，不堪使用。如李德林来受驱策，亦陛下圣德感致，有大才用，无所不堪，胜于麒麟凤凰远矣。'武帝大笑曰：'诚如公言'"。

薛道衡为周武帝引为御史二命士，后归乡里，自州主簿入为司禄上士。据《隋书》卷五七《薛道衡传》。

杜台卿归于乡里，以《礼记》《春秋》讲授子弟。据《隋书》卷五八《杜台卿传》。

辛德源仕周为宣纳上士。据《隋书》卷五八《辛德源传》。

瀛州刺史宇文亢引刘炫为户曹从事。据《隋书》卷五七《刘炫传》。

诸葛颖从本年始，杜门不出者十余年。据《隋书》卷七六《诸葛颖传》。

熊安生至长安，在大乘佛寺参议五礼。《周书》卷四五《熊安生传》："及高祖入邺，安生遽令扫门。……俄而高祖幸其第，诏不听拜，亲执其手，引与同坐。……又诏所司给安车驷马，随驾入朝，并敕所在供给。至京，敕令于大乘佛寺参议五礼。"

释彦琮二十一岁，预通道观学士，与宇文恺等以易、老庄陪侍讲论。释道宣《续高僧传》卷二《隋东都上林园翻经馆沙门释彦琮传》："周武平齐，寻蒙延入，共谈玄籍，深会帝心。敕预通道观学士，时年二十一岁。与宇文恺等周代朝贤以大易、老庄，陪侍讲论。江（时名道江）便外假俗衣，内持法服，更名彦琼。武帝自瓒道书，号《无上秘要》，于时预沾纶琮，特蒙收采。"

释昙迁三十六岁，逃周武废佛至金陵。释道宣《续高僧传》卷十八《隋西京禅定道场释昙迁传》："逮周武平齐，佛法颓毁，将欲保道存或。逃迹金陵。……进达寿阳曲水寺。……初入扬都，栖道场寺。"

北齐译经师六人，出经纶五十二卷。僧二百万余人，建寺院四万余所。据元释觉岸《释氏稽古略》卷二。

公元 578 年（陈宣帝太建十年　北周武帝宣政元年　戊戌）

本年

江总作《明庆寺诗》。

北朝

六月

周武帝崩。皇太子赟即位，是为周宣帝。《周书》卷六《武帝纪下》，卷七《宣帝纪》：三月，改元宣政。六月，周武帝崩。皇太子赟即位，是为周宣帝。

本年

王晞于齐亡后为仪同大将军，太子谏议大夫。据《北齐书》卷三一《王昕传附弟晞传》。本传未言年月。按北齐亡于去年，齐文士大臣从此仕周，曹道衡、刘跃进《南北朝文学编年史》皆系之去年，独系晞于今年。今姑从之。

庾信作《周上柱国齐王宪神道碑》。碑文谓宇文宪卒于宣政元年六月二十八日，未言葬时年月，今姑系于是。

卢昌期等举兵作乱，卢思道预焉。《隋书》卷五七《卢思道传》：卢思道以母疾还乡，遇同郡祖英伯及从兄昌期、宋护等举兵作乱，思道预焉。周遣柱国宇文神举讨平之，罪当法，已在死中。神举素闻其名，引出之，令作露布。思道援笔立成，文无加点，神举嘉而宥之。《周书》卷七《宣帝纪》曰："（宣政元年闰月）幽州人卢昌期据范阳反，诏柱国、东平公宇文神举率众讨平之。"故系于是。

李孝贞为周吏部下大夫。据《隋书》卷五七《李孝贞传》。

薛道衡自州主簿入为司禄上士。据《隋书》卷五七《薛道衡传》。

乐逊进位上仪同大将军。据《周书》卷四五《乐逊传》。

北齐人卢叔武于齐灭时，"归范阳，遭乱城陷，叔武与族弟士遂皆以寒馁致毙。周将宇文神举以其有名德，收而葬之"。本传谓叔武曾于北齐肃宗时撰《平西策》一卷。

牛弘三十四岁，为周内史下大夫，进位使持节大将军、仪同三司。据《隋书》卷四九《牛弘传》。

周武帝欲废佛。释道宣《续高僧传》卷八《隋京师净影寺释慧远传》："及承光二年春，周氏克齐，便行废教。敕前修大德并赴殿集。武帝自升高座，序废立义。""于时沙门大统法上等五百余人，咸以帝为王力，决谏难从，咸各默然。下敕频催答诏，而相看失色，都无答者。（慧）远顾以佛法之寄四众是依，岂以杜言情谓理伏，乃出众答。"《续高僧传》卷二十三《周新州愿果寺释僧勔传》："周武季世，将丧释门，崇上老氏，受其符箓，凡有大醮，帝必具其巾帔同其拜伏，而道经诞妄，言本无据，国虽奉事，未详雠校，遂不远乡关，躬闻帝阙，面陈至理，以邪正相参，浇情趋竞，未辨真伪，更递毁誉，乃著论十有八条，难道本宗。又以三科释其前执，贤圣既序，凡位皎然"。卷二五《释慧真传》："会周建德六年，国灭三宝。"《云笈七签》卷八五"王延"条："周武帝钦其高道，遣使访之。……周武以沙门邪滥，大革其讹。玄教之中，亦令澄汰。而素重于延，仰其道德，又召至京师，探其道要。乃诏掌云台观，精选道士八人与延共弘玄旨。又敕至通道观，令延小《三洞经图》，缄藏于观内。延作《珠囊》七卷凡经传疏论八千三十卷，奏贮于通道观藏。由是玄教光兴。朝廷以大象级号。"按，明年即大象元年。

公元 579 年（陈宣帝太建十一年　北周静帝大象元年　己亥）

本年

岑之敬卒，时年六十一。《陈书·文学传》之《岑之敬传》说："岑之敬字思礼，南阳棘阳人也……之敬始以经业进，而博涉文史，雅有词笔，不为醇儒。性廉谨，未尝以才学矜物，接引后进，恂恂如也……十一年卒，时年六十一。太子嗟惜，赙赠甚厚。有集十卷行于世。"

皇太子命徐伯阳为《辟雍颂》，甚见嘉赏。《陈书·文学传》之《徐伯阳传》说："十一年春，皇太子幸太学，诏新安王于辟雍发《论语》题，仍命伯阳为《辟雍颂》，甚见嘉赏。"

北朝

二月

太子衍即皇帝位，是为周静帝。《周书》卷七《宣帝纪》、卷八《静帝纪》：正月，诏改宣政二年为大成元年，立太子衍（后改名阐），二月，传位于衍，改元大象，是为周静帝。

本年

庾信六十七岁，作《贺传位皇太子表》、《谢滕王集序启》。本年以疾去职。《周书》卷四一《庾信传》曰："大象初，以疾去职。"大象共两年，曰"初"，当在元年。《表》及《启》俱见本集。本集有周滕王宇文逌所为序，序云："岁在屠维，龙居渊献，春秋六十有七。"《尔雅》卷八《释天》曰："太岁……在己曰屠维"，"太岁……在亥曰大渊献"。故知其时为己亥，与本年甲子相合，故系于是。倪璠《年谱》亦系于是年。

乐逊进爵崇业郡公，增邑通前二千户，又为鹿门博士。据《周书》卷四五《乐逊传》。

卢思道除掌教上士。据《隋书》卷五七《卢思道传》。本传又谓其于"高祖（隋文帝）为丞相，迁武阳太守，非其好也，为《孤鸿赋》以寄其情"。本传序以上事于思道反周之后，杨坚为丞相之时。按，《周书》卷八《静帝纪》载本年九月，隋国公杨坚为大丞相。故系于是年。

李德林被赐爵成安县男，寻为杨坚辟为丞相府从事内郎。《隋书》卷四二《李德林传》："宣帝大渐，属高祖初受顾命，邗国公杨惠谓德林曰：'朝廷赐令总文武事，经国任重，非群才辅佐，无以克成大业。今欲与公共事，必不得辞。'德林闻之甚喜，乃答云：'德林虽庸懦，微诚亦有所在。若曲相提奖，必望以死奉公。'高祖大悦，即召与语。"隋文帝做大丞相，假黄钺，都督内外诸军事，皆出德林之谋。"以德林为丞相府属，加仪同大将军。未几而三方构乱，指授兵略，皆与之参详。军书羽檄，朝夕填委，一日之中，动逾百数。或机速竞发，口授数人，文意百端，不加治点"；"凡厥谋谟，多此类也。进授丞相府从事内郎"。

沙门释道林崇佛，宣帝下诏复教。据宋释志磐《佛祖统纪》卷三十八《法运同塞志》。

释彦琮为朝贤讲释《般若》，时年二十四岁。释道宣《续高僧传》卷二《隋东都上林园翻经馆沙门释彦琮传》："隋文作相，佛法稍兴。"又卷八《隋京师净影寺释慧远传》："大象二年，天元微开，佛化东西，两京各立陟岵大寺，置菩萨僧，颁告前德，诏令安置，遂尔长讲少林"。

公元 580 年（陈宣帝太建十二年　北周静帝大象二年　庚子）

本年

褚玠卒于本年。《陈书·褚玠传》说："十二年，迁御史中丞，卒于官，时年五十二……所著章奏杂文二百余篇，皆切事理，由是见重于时。"

北朝

七月

十八日，释法上（495—580）卒，时年八十六岁。据释道宣《续高僧传》卷八《齐大统合水寺释法上传》。

十一月

宇文逌（？—580）卒。宇文逌即《庾信集》编者，本年十二月为杨坚所杀。《周书》卷八《静帝纪》："（大象二年十二月）辛未，代王达、滕王逌并以谋执政被诛。"同书卷一三《文闵明武宣诸子传》："其年冬，为隋文帝所害，并子怀德公祐、祐弟箕国公裕、弟礼禧等，国际。逌所著文章，颇行于世"。《隋书》卷三五《经籍志》第三十，有《后周滕简王集》八卷，已佚。曹道衡、刘跃进《南北朝文学编年史》谓是逌集。然《周书》唯有"滕闻王"，未见"滕简王"，或"简"恐为"闻"之误。逌文今唯存《至渭源诗》一首及《庾信集序》一篇。

庾信作《周大将军怀德公吴明彻墓志铭》《周大将军上开府广饶公宇文公神道碑》《周大将军广饶公郑常墓志铭》，又作《同颜大夫初晴诗》。吴明彻本陈将，为周所俘，留关中。郑常被赐姓宇文，故称宇文公。三文倪璠《年谱》并系于本年。《同颜大夫初晴诗》详见颜之仪条。

颜之推作《观我生赋》。赋见《北齐书》本传。赋中自注"在扬都值侯景杀简文而篡位，于江陵逢孝元覆灭，至此而三为亡国之人"。当作于齐亡之后，隋代周之前。明年即为隋代周之年，之推此《赋》至迟作于本年，今姑系于此。

颜之仪作《初晴》诗。《庾信集》有《同颜大夫初晴诗》，当为和颜《初晴》诗而作。颜大夫即颜之仪，《周书》卷四○《颜之仪传》："宣帝即位，迁上仪同大将军、御正中大夫，进爵为公，增邑一千户。"倪璠《年谱》，系庾事于本年，虽无确考，然亦为一说，今姑从之。颜诗当与庾诗同年作。

李孝贞从韦孝宽击尉迟迥于相州，以功授上仪同三司。据《隋书》卷五七《李孝贞传》。据《周书》卷八《静帝纪》，尉迟迥起兵在本年六月，其平在八月。

薛道衡从元帅梁睿击王谦，摄陵州刺史。据《隋书》卷五七《薛道衡传》。

辛德源为尉迟迥所辟，逃亡。《隋书》卷五八《辛德源传》："及齐灭，仕周为宣纳上士。因取急诣相州，会尉迥作乱，以为中郎。德源辞不获免，遂亡去。"

杨素为大将军，迁徐州总管，进位柱国，封清河郡公，邑二千户。据《隋书》卷四八《杨素传》。

释慧海来仪涛浦，创居安乐寺。据释道宣《续高僧传》卷十二《隋江都安乐寺释慧海传》，慧海姓张，清河武城人。

释僧猛受敕住大兴善寺，讲扬《十地》。据释道宣《续高僧传》卷二十三《隋京师云花寺释僧猛传》。

公元 581 年（陈宣帝太建十三年　隋文帝开皇元年　辛丑）

马枢卒，时年六十。《陈书·马枢传》说："太建十三年卒，时年六十。撰《道觉论》二十卷行于世。"

顾野王卒，时年六十三。《陈书·顾野王传》说："十三年卒，时年六十三……其所撰著《玉篇》三十卷，《舆地志》三十卷，《符瑞图》十卷，《顾氏谱传》十卷，《分野枢要》一卷，《续洞冥纪》一卷，《玄象表》一卷，并行于世。又撰《通史要略》一百卷，《国史纪传》二百卷，未就而卒。有文集二十卷。"

隋朝

二月

杨坚即皇帝位,改国号隋,改元开皇。《隋书》卷一《高祖纪上》:"开皇元年二月甲子,上自相府常服入宫,备礼,即皇帝位于临光殿。"

六月

诏朝礼数《礼经》。《资治通鉴》卷一百七十五:"六月,癸未,隋诏郊庙冕服必依《礼经》。其朝会之服、旗帜、牺牲皆尚存,戎服以黄,常服通用杂色。"

十月

始行新律。《资治通鉴》卷一百七十五:"初,周法比于齐律,烦而不要,隋主命高颎、郑译及上柱国杨素、率更令裴政等更加修定。政练习典故,达于从政,乃采魏、晋旧律,下至齐、梁,沿革轻重,取其折衷。时同修者十余人,凡有疑滞,皆取决于政。于是去前世枭、轘及鞭法,自非谋叛以上,无收族之罪。始制死刑二,绞、斩;流刑三,自二千里至二千里;徒刑石,自一年至二年;杖刑五,自六十至白;笞刑五,自十至五十。又制议、请、减、赎、官当之科以优士大夫。除前世讯囚酷法,考掠不得过二百;枷杖大小,咸有程式。民有枉屈,县不为理者,听以次经郡及州省;若仍不为理,听诣阙伸诉。冬,十月,戊子,始行新律。"

十二月

卢思道作《祭澡湖文》。《汉魏六朝百三家集》卷一百十五载卢思道《祭澡湖文》:"维开皇元年,十二月朔甲子,具位姓名,遣某官以清酌庶羞之馈,敬祭澡湖之灵曰……"

本年

薛道衡在晋王幕,作《祭江文》。《汉魏六朝百三家集》卷一百十八载薛道衡《祭江文》:"维开皇元年,行军元帅晋王谨以太牢之奠,敬祭南渎大江之神。"

庾信作《周上柱国宿国公河州都督辛威神道碑》。卒,赠本官加荆雍二州刺史。《汉魏六朝百三家集》卷一百十一中载庾信《周上柱国宿国公河州都督辛威神道碑》:"以今开皇元年七月某日,反葬于河州金城郡之苑川乡。"《庾子山集》道首上:"静帝大定元年,即隋开皇元年辛丑,六十有九,卒。自梁武帝天监十二年,至隋开皇元年,凡六十九年。"杜甫《春日忆李白》:"清新庾开府,俊逸鲍参军。"《诗人玉屑》卷十三:"山谷云:宁律不谐,而不使句弱;用字不工,而不使语俗。此庾开府之所长也,然有意于为诗也。"《汉魏六朝百三家集》卷一百十一上《庾信集题词》:"周滕王逌序庾开府集云:子山妙擅文词,尤工诗赋,诔潘安而碑蔡邕,箴扬雄而书阮籍也。称重至矣。庾氏家世南阳，声誉独步。子女父子出入禁闼，为梁文人。雀航之战，倒徙先奔。违才易务、任非其器。后羁长安，臣于宇文。陈帝通好请还，终留不遣。虽周宗好士，滕赵赏音，筑宫虚馆，交齐布素，而南冠西河，旅人发叹乡关之思，仅寄于《哀江南》一赋！其视徐孝穆得返旧都，奚啻李都尉之望苏属国哉！子山在梁，每一文出，京都传诵，初使北方，人颇轻之，读《枯树赋》，始知敬重，盛名易地，橘枳改观，难为浅见寡闻者道也。史评庾诗绮艳，杜工部又称其清新老成，此六字者，诗家难兼，子山备之。玉台琼楼，未易儿及。文与孝穆敌，体辞生于情气，余于彩，乃其独优。令狐撰史，诋为淫放轻险、词赋罪人。夫唐人文章，去徐庾最近，穷形写态模范，是出而敢于毁侮，殆将讳所自来，先纵寻斧欤？"

公元 582 年（陈宣帝太建十四年　隋文帝开皇二年　壬寅）

正月

高宗崩。太子名陈叔宝即位，此即后世所称"陈后主"者也。《陈书·毛喜传》说："初，高宗委政于喜，喜亦勤心纳忠，多所匡益，数有谏净，事并见从，由是十余年间，江东狭小，遂称全盛。"太建年间，陈朝政治出现了比较平稳的局面。而后主主政，却没有能够维持这种局面。

本年

孙玚博涉经史，尤便书翰，后主频幸其第。《陈书·孙玚传》说："孙玚字德琏，吴郡吴人也……玚少倜傥，好谋略，博涉经史，尤便书翰……后主嗣位……后主频幸其第，及著诗赋述勋德之美，展君臣之意焉。"

何之元草创《梁典》，凡三十卷。《陈书·文学传》之《何之元传》说："何之元，庐江灊人也……之元幼好学，有才思……及叔陵诛，之元乃屏绝人事，锐精著述。以为梁氏肇自武皇，终于敬帝，其兴亡之运，盛衰之迹，足以垂鉴戒，定褒贬。究其始终，起齐永元元年，迄于王琳遇获，七十五年行事，草创为三十卷，号曰《梁典》。其序曰……"春泓按，何氏关于史传体例的看法，对刘勰《文心雕龙·史传》篇有参照意义。

隋朝

正月

下诏于益州建至真观，辛德源作记。《全蜀艺文志》卷三十八载辛德源《至真观记》："开皇二年正月下诏令于益州建至真观一所。"

五月

掘地得古衡器，有铭文，诏颜之推写读。《颜氏家训》卷下："开皇二年五月，长安民掘得秦时铁称权，旁有铜涂镌铭二所。……其书兼为古隶，余被勑写读之。"

本年

求遗书，得《舜典》。《尚书全解》序："及开皇二年求遗书得舜典然后其书大备。"

颜之推上书，求参定礼乐。《山堂肆考》："隋开皇二年，齐黄门侍郎颜之推上言：礼坏乐崩，其来日久，太常雅乐，并用胡声，请凭梁国旧章，考寻古典。高祖不从，曰：梁乐，亡国之音，奈何遣我用耶？俄而沛公郑译奏上，请更修正，于是诏牛弘、章彦之、何妥等议正乐，然沦谬既久，音律多乖，积年所议不定。"《广博物志》卷三十三："开皇二年，诏求知音之士，条定音乐。沛国公郑译曰：考寻乐府，锺石律吕，皆有宫、商、角、征、羽、变宫、变征之名。七声之内，三声乖应，每常求访，终莫能通。"

薛道衡撰老子庙碑文。《御定佩文斋书画谱》卷七十一"隋梁恭之老子庙碑"；"右老子庙碑，隋开皇二年，薛道衡撰，道衡文体卑弱，然名重当时，今所取者，特其字画近古，故録之，其碑石所题唐人姓名字皆不俗，亦可也。"

公元 583 年（陈后主至德元年　隋文帝开皇三年　癸卯）

本年

一代大手笔徐陵，卒于本年。《陈书·徐陵传》说："至德元年卒，时年七十七。诏曰：'……业高名辈，文曰词宗……'……少而崇信释教，经论多所精解。后主在东宫，令陵讲大品经，义学名僧，自远云集，每讲筵商较，四座莫能与抗。目有青睛，时人以为聪惠之相也。自有陈创业，文檄军书及禅授诏策，皆陵所制，而《九锡》尤美。为一代文宗，亦不以此矜物，未尝诋诃作者。其于后进之徒，接引无倦。世祖、高宗之世，国家有大手笔，皆陵草之。其文颇变旧体，缉裁巧密，多有新意。每一文出手，好事者已传写成诵，遂被之华夷，家藏其本。后逢丧乱，多散失，存者三十卷。"

后主伤愈，引江总等展乐赋诗。《陈书·毛喜传》说："初，后主为始兴王所伤，及疮愈而自庆，置酒于后殿，引江总以下，展乐赋诗，醉而命喜……"

除琼除度支尚书，参掌诏诰。《陈书·陆琼传》说："至德元年，除度支尚书，参掌诏诰，并判廷尉、建康二狱事。初，琼父云公奉梁武帝敕撰《嘉瑞记》，琼述其旨而续焉，自永定迄于至德，勒成一家之言。"

阮卓聘隋，与薛道衡，颜之推等谈宴赋诗。《陈书·文学传》之《阮卓传》说："阮卓，陈留尉氏人……卓幼而聪敏，笃志经籍，善谈论，尤工五言诗……至德元年，入为德教殿学士。寻兼通直散骑常侍，副王话聘隋。隋主夙闻卓名，乃遣河东薛道衡、琅邪颜之推等，与卓谈宴赋诗，赐遗加礼。"

隋朝

本年

六部之名始定。《山堂肆考》卷四十六："六部之名，始於隋开皇三年。改度支尚书为民部，都官尚书为刑部，命左僕射判吏礼兵三部事，右僕射判民刑工三部事。"

公元 584 年（陈后主至德二年 隋文帝开皇四年 甲辰）

本年

追赠褚玠秘书监。《陈书·文学传》之《褚玠传》说："十二年，迁御史中丞，卒于官，时年五十二……及卒，太子亲制志铭，以表惟旧。至德二年，追赠秘书监。所制章奏杂文二百余篇，皆切事理，由是见重于时。"

陈叔宝钦重陆瑜。《陈书·文学传》之《陆琰传》附《陆瑜传》说："瑜幼长读书，昼夜不废，聪敏强记，一览无复遗失。尝受《庄》《老》于汝南周弘正，学《成实论》于僧滔法师，并通大旨。时皇太子好学，欲博览群书，以子集繁多，命瑜钞撰，未就而卒，时年四十四。太子为之流涕，手令举哀，官给丧事，并亲制祭文，遣使者吊祭。仍与詹事江总书曰：'管记陆瑜，奄然殂化，悲伤悼惜，此情何已。吾生平爱好，卿等所悉，自以学涉儒雅，不逮古人，钦贤慕士，是情尤笃。梁室乱离，天下糜沸，书史残缺，礼乐崩沦，晚生后学，匪无墙面，卓尔出群，斯人而已。吾识览虽局，未曾以言议假人，至于片善小才，特用嗟赏。况复洪识奇士，此故忘言之地。论其博综子史，谙究儒墨，经耳无遗，触目成诵，一褒一贬，一激一扬，语玄析理，披文摘句，未尝不闻者心伏，听者解颐，会意相得，自以为布衣之赏。吾监抚之暇，事隙之辰，颇用谭笑娱情，琴樽间作，雅篇艳什，迭互锋起。每清风朗月，美景良辰，对群山之参差，望巨波之滉漾，或玩新花，时观落叶，即听春鸟，又聆秋雁，未尝不促膝举觞，连情发藻，且代琢磨，间以嘲谑，俱怡耳目，并留情致。自谓百年为速，朝露可伤，岂谓玉折兰摧，遽从短运，为悲为恨，当复何言。遗迹余文，触目增泫，绝弦投笔，恒有酸恨。以卿同志，聊复叙怀，涕之无从，言不写意。'其见重如此。至德二年，追赠光禄卿。有集十卷。"春泓按，至德二年，陈后主追赠表彰了一些文士，这些文士大多是后主身为东宫太子时过从甚密者，观此陈后主与江总的书信，令后人对其人生观与文学趣味得到比较完整和深刻的印象。

江总作《至德二年十一月十二日升德施山斋三宿决定罪福忏悔诗》。

陈后主后宫多作艳曲，诗风淫靡之至。《陈书·后主张贵妃传》说："史臣侍中郑国公魏徵考览记书，参详故老，云后主初即位，以始兴王叔陵之乱，被伤卧于承香阁下，时诸姬并不得进，唯张贵妃侍焉。而柳太后犹居柏梁殿，即皇后之正殿也。后主沈皇后素无宠，不得侍疾，别居求贤殿。至德二年，乃于光照殿前起临春、结绮、望仙三阁。阁高数丈，并数十间，其窗牖、壁带、悬楣、栏槛之类，并以沉檀香木为之，又饰以金玉，间以珠翠，外施珠廉，内有宝床、宝帐，其服玩之属，瑰奇珍丽，近古所未有。每微风暂至，香闻数里，朝日初照，光映后庭。其下积石为山，引水为池，植以奇树，杂以花药。后主自居临春阁，张贵妃居结绮阁，龚、孔二贵嫔居望仙阁，并复道交相往来。又有王、李二美人，张、薛二淑媛，袁昭仪、何婕妤、江修容等七人，并有宠，递代以游其上。以宫人有文学者袁大舍等为女学士。后主每引宾客对贵妃等游宴，则使诸贵人及女学士与狎客共赋新诗，互相赠答，采其尤艳丽者以为曲词，被以新声，选宫女有容色者以千百数，令习而歌之，分部迭进，持以相乐。其曲有《玉树后庭花》《临春乐》等，大指所归，皆美张贵妃、孔贵嫔之容色也。其略曰：'璧月夜夜满，琼树朝朝新。'而张贵妃发长七尺，鬓黑如漆，其光可鉴。特聪惠，有神采，进止闲暇，容色端丽。每瞻视盼睐，光采溢目，照映左右。常于阁上靓妆，临于轩槛，宫中遥望，飘若神仙。才辩强记，善候人主颜色。是时后主怠于政事，百司启奏，并因宦者蔡脱儿、李善度进请，后主置张贵妃于膝上共决之。李、蔡所不能记者，贵妃并为条疏，无所遗脱。由是益加宠异，冠绝后庭。而后宫之家，不遵法度，有挂于理者，但求哀于贵妃，贵妃则令李、蔡先启其事，而后从容为言之。大臣有不从者，亦因而谮之，所言无不听。于是张、孔之势，薰灼四方，大臣执政，亦从风而靡。阉宦便佞之徒，内外交结，转相引进，贿赂公行，赏罚无常，纲纪瞀乱矣。"

隋朝

本年

文帝不喜词华，下诏天下公私文翰并宜实录。《资治通鉴》卷一百七十六："隋主不喜词华，诏天下公私文翰并宜实录。泗州刺史司马幼之，文表华艳，付所司治罪。治书侍御史赵郡李谔亦以当时属文，体尚轻薄。上书曰：魏之三祖，崇尚文词，忽君人之大道，好雕虫之艺。下之从上，遂成风俗。江左、齐、梁，其弊弥甚：竞一韵之奇，争一字之巧；连篇累牍，不出月露之形，积案盈箱，唯是风云之状。世俗以此相高，朝廷据兹擢士。禄利之路既开，爱尚之情愈笃。于是闾里童昏，贵游总草，未窥六甲，先制五言。至如羲皇、舜、禹之典，伊、傅、周、孔之说，不复关心，何尝入耳。以傲诞为清虚，以缘情为勋绩，指儒素为古拙，用词赋为君子。故文笔日繁，其政日乱，良由弃大圣之轨模，构无用以为用也。今朝廷虽有是诏，如闻外州远县，仍踵弊风：躬仁孝之行者，摈落私门，下加收齿；工轻薄之艺者，选充吏职，举送天朝。盖由刺史、县令未遵风教。请普加采察，送台推劾。又上言：士大夫矜伐干进，无复廉耻，乞明加罪黜，以惩风轨。诏以谔前后所奏颁示四方。"

公元585年（陈后主至德三年　隋文帝开皇五年　乙巳）

本年

江总作《入摄山栖霞寺诗》。见《广弘明集》卷三十。

隋朝

正月

诏行新礼。《资治通鉴》卷一百七十六："隋主命礼部尚书牛弘修五礼，勒成百卷；

戊辰，诏行新礼。"

四月，征出东马荣伯等六儒。《隋书》卷一《高祖纪上》："乙巳，诏征山东马荣伯等六儒。"

本年

敕内史令李德林撰录作相时文翰，勒成五卷，谓之《霸朝杂集》。《隋书》卷四十二《李德林传》："五年，勅令撰録作相时文翰，勒成五卷，谓之《霸朝杂集》。序其事曰……"

薛道衡书《尔朱敞碑》。《御定佩文斋书画谱》卷二十五："隋尔朱敞碑，开皇五年薛道衡书。"

王颋授著作左郎，与元善于国子监论《孝经》。《孝经衍义》卷八十三："王颋少好游侠，年二十为兄颁所责，怒，于是感激，始读《孝经》《论语》，昼夜不倦，遂徧通五经。开皇五年，于国子讲授。会帝亲临释奠，国子祭酒元善讲《孝经》，颋相与论难，词义锋起，善往往见屈。"

公元 586 年（陈后主至德四年　隋文帝开皇六年　丙午）

本年

是时后主爱文章，陈叔慎、陈伯信、陈叔齐等日夕陪侍，常应诏赋诗。《陈书·高宗二十九王传》之《岳阳王叔慎传》说："岳阳王叔慎字子敬，高宗第十六子也。少聪敏，十岁能属文。太建十四年，立为岳阳王，时年十一。至德四年，拜侍中、智武将军、丹阳尹。是时，后主尤爱文章，叔慎与衡阳王伯信、新蔡王叔齐等日夕陪侍，每应诏赋诗，恒被嗟赏。"

陆琼卒，时年五十。《陈书·陆琼传》说："以至德四年卒，时年五十……有集二十卷行于世。"

隋朝

十二月

张公礼撰《龙藏寺碑》。《释文纪》卷四十载张公礼《龙藏寺碑》："开皇六年十二月五日题写。"

本年

崔仲方作《论取陈策书》。《隋文纪》卷四载崔仲方《论取陈策书》："臣谨案；晋太康元年，岁在庚子，晋武平吴；至今开皇六年，岁次丙午，合三百七载。"

高昌献圣明乐曲。《隋书》卷十五《音乐下》："六年，高昌献《圣明乐曲》，帝令知音者于馆所听之，归而肄习。及客方献，先于前奏之，胡夷皆惊焉。其歌曲有《善善摩尼》，解曲有《婆伽儿》，舞曲有《小天》，又有《疎勒盐》。其乐器有竖箜篌、琵琶、五弦、笙、笛、箫、筚篥、毛员鼓、都昙鼓、荅腊鼓、腰鼓、羯鼓、鸡娄鼓、铜拔贝等十五种，为一部，工二十人。"

卢思道卒于长安。 张说《齐黄门侍郎卢思道碑》："隋开皇六年，春秋五十有二，终于长安。"《汉魏六朝百三家集》卷一百十五《卢思道集题词》："卢子行自齐入周，作《听蝉诗》；迁武阳太守，作《孤鸿赋》；沦滞官涂，作《劳生论》。忧愁所寄，并为时称。然谭世变，刺炎凉，论乃独出矣。刘孝标伤任昉诸子流离，着《广绝交论》，痛言五交三衅，世路险巇，过于太行、孟门，子行自慨塞产，诋斥 物情荣瘁冰炭，足使五侯丧魂、六贵饮泣，文人之笔，鬼魅牛马皆可画也。论北齐毁武成，论后周毁天元，暴扬淫昏，发露诡恶，君百桀纣，臣百庶虎，阳秋直笔，殆云无隐。然生官其朝，没扬其丑，搜床席以快见闻，贬朽骨以恣河汉，良史虽传，臣心未顺。异乎！贾生过秦，陆机辩吴矣。子行诗兼工七言，唐玄宗自蜀回登勤政楼，歌曰：庭前琪树已堪攀，塞北征人去未还。即卢蓟北歌词也。唐风近隋，卢薛诸体，世尤宗尚，含蓄意寡而音响无滞，自以为昆吾草邪尔。"

自洛阳移石经至长安，敕刘焯、刘炫考定。 隋书卷七十五《刘焯传》："六年，运洛阳石经至京师。文字磨灭，莫能知者，奉敕与刘炫等考定。"

公元 587 年（陈后主祯明元年　隋文帝开皇七年　丁未）

本年

后主为孙玚题铭。《陈书·孙玚传》说："祯明元年卒官，时年七十二……及卒，尚书令江总为其志铭，后主又题铭后四十字，遣左民尚书蔡徵宣敕就宅镌之。其词曰：'秋风动竹，烟水惊波。几人樵径，何处山阿？今时日月，宿昔绮罗。天长路远，地久云多。功臣未勒，此意如何。'时论以为荣。"

毛喜病卒，时年七十二。《陈书·毛喜传》说："祯明元年……其年道病卒，时年七十二。有集十卷。"

章华上书极谏。《陈书·傅𬘘传》附《章华传》说："时有吴兴章华，字仲宗，家世农夫，至华独好学，与士君子游处，颇览经史，善属文……祯明初，上书极谏，其大略曰：'……陛下即位，于今五年……溺于嬖宠，惑于酒色……今疆场日蹙，隋军压境，陛下如不改弦易张，臣见麋鹿复游于姑苏台矣。'书奏，后主大怒，即日命斩之。"

江总撰《游摄山栖霞寺诗》。

隋朝

正月

诏诸州岁贡三人。《资治通鉴》卷一百七十六："乙未，隋制诸州岁贡士三人。"

本年

　　杨素、崔仲方等献灭陈之计。《资治通鉴》卷一百七十六："杨素、贺若弼及光州刺史高劢、赣州刺史崔仲方等争献平江南之策。仲方上书曰：今唯须武昌以下，蕲、和、滁、方、吴、海等州，更帖精兵，密营度计；益、信、襄、荆、基、郢等州，速造舟楫，多张形势，为水战之具。蜀、汉二江是其上流，水路冲要，必争之所。贼虽于流头、荆门、延洲、公安、巴陵、隐矶、夏首、蕲口、溢城置船，然终聚汉口、峡口，以水战大决。若贼必以上流有军，令精兵赴援者，下流诸将即须择便横渡；如拥众自卫，上江水军鼓行以前。彼虽恃九江、五湖之险，非德无以为固；徒有三吴、百越之兵，无恩不能自立矣。隋主以仲方为基州刺史。"

公元 588 年（陈后主祯明二年　隋文帝开皇八年　戊申）

本年

　　萧允行经延陵季子庙，为诗以叙意。《陈书·萧允传》说："萧允字叔佐，兰陵人也……至德三年，除中卫豫章王长史，累迁通直散骑常侍、光胜将军、司徒左长史、安德宫少府。镇卫鄱阳王出镇会稽，允又为长史，带会稽郡丞。行经延陵季子庙，设萍藻之荐，托为异代之交，为诗以叙意，辞理清典。后主尝问蔡徵曰：'卿世与萧允相知，此公志操何如？'徵曰：'其清虚玄远，殆不可测，至于文章，可得而言。'因诵允诗以对，后主嗟赏久之。其年拜光禄大夫。"春泓按，《陈书》本传记载，鄱阳王伯山于祯明二年起为镇卫大将军，所以萧允为其长史，应在本年。

　　江总诗作"伤于浮艳"，乃后主身边"狎客"之首。《陈书·江总传》说："祯明二年，进号中权将军。京城陷，入隋，为上开府。开皇十四年，卒于江都，时年七十六。总尝自叙其略曰：历升清显，备位朝列，不邀世利，不涉权幸。尝抚躬仰天太息曰：庄青翟位至丞相，无迹可纪；赵元叔为上计吏，光乎列传。官陈以来，未尝逢迎一物，干预一事。悠悠风尘，流俗之士，颇致怨憎，荣枯宠辱，不以介意。太建之世，权移群小，谄嫉作威，屡被摧黜，奈何命也。后主昔在东朝，留意文艺，凤荷昭晋，恩纪契阔。嗣位之日，时寄谬隆，仪形天府，厘正庶绩，八法六典，无所不统。昔晋武帝策荀公，曾曰'周之冢宰，今之尚书令也'。况复才未半古，尸素若兹。晋太尉陆玩云，'以我为三公，知天下无人矣'。轩冕傥来之一物，岂是预要乎？弱岁归心释教，年二十余，入钟山就灵曜寺则法师受菩萨戒。暮齿官陈，与摄山布上人游款，深悟苦空，更复练戒，运善于心，行慈于物，颇知自励，而不能蔬菲，尚染尘劳，以此负愧平生耳。总之自叙，时人谓之实录。总笃行义，宽和温裕。好学，能属文，于五言七言尤善；然伤于浮艳，故为后主所爱幸。多有侧篇，好事者相传讽玩，于今不绝。后主之世，总当权宰，不持政务，但日与后主游宴后庭，共陈暄、孔范、王瑳等十余人，当时谓之狎客。由是国政日颓，纲纪不立，有言之者，辄以罪斥之，君臣昏乱，以至于灭。有文集三十卷，并行于世焉。长子溢，字深源，颇有文辞。性傲诞，恃势骄物，虽近属故友，不免诋欺……入隋，为秦王文学。"《南史·恩幸传》之《孔范传》说："孔范字法言，会稽山阴人也……范少好学，博涉书史。陈太建中，位宣惠江夏王长史。后主即位，为都官尚书，与江总等并为狎客。范容止都雅，文章赡丽，又善五言诗，尤见亲爱。"

江总作《营涅槃忏还途作诗》。

隋朝

本年

文帝有《伐吴诏》。见《隋文纪》卷一。

大军伐陈，薛道衡言败之理。《资治通鉴》卷一百七十六："隋军临江，高颎谓行台吏部郎中薛道衡曰：今兹大举，江东必可克乎？道衡曰：克之。尝闻郭璞有言，江东分王三百年，复与中国合。今此数将周，一也。主上恭俭勤劳，叔宝荒淫骄侈，二也。国之安危在所寄任，彼以江总为相，唯事诗酒，拔小人施文庆，委以政事，萧摩诃、任蛮奴为大将，皆一夫之用耳，三也。我有道而大，彼无德而小，量其甲士不过十万，西自巫峡，东至沧海，分之则势悬而力弱，聚之则守此而失彼，四也。席卷之势，事在不疑。颎欣然曰：得君言成败之理，令人豁然。本以才学相期，不意筹略乃尔。

公元 589 年（陈后主祯明三年　隋文帝开皇九年　己酉）

本年

姚察文笔名重当时。《陈书·姚察传》说："陈灭，入隋，开皇九年，诏授秘书丞，别敕成梁、陈二代史……察幼年尝就钟山明庆寺尚禅师受菩萨戒，及官陈，禄俸皆舍寺起造，并追为禅师树碑，文甚遒丽。及是，遇见梁国子祭酒萧子云书此寺禅斋诗，览之怆然，乃用萧韵述怀为咏，词又哀切，法俗益以此称之……炀帝初在东宫，数被召见，访以文籍……年七十四，大业二年，终于东都……终日恬静，唯以书记为乐，于坟籍无所不睹。每有制述，多用新奇，人所未见，咸重富博。且专志著书，白首不倦，手自抄撰，无时暂辍。尤好研核古今，谉正文字，精采流赡，虽老不衰。兼谙识内典，所撰寺塔及众僧文章，特为绮密，在位多所称引，一善可录，无不赏荐……后主所制文笔，卷轴甚多，乃别写一本付察，有疑悉令刊定，察亦推心奉上，事在无隐。后主尝从容谓朝士曰：'姚察达学洽闻，手笔典裁，求之于古，犹难辈匹，在于今世，足为师范。且访对甚详明，听之使人忘倦。'察每制文笔，敕便索本，上曰：'我于姚察文章，非唯玩味无已，故是一宗匠。'徐陵名高一代，每见察制述，尤所推重。尝谓子俭曰：'姚学士德学无前，汝可师之也。'尚书令江总与察尤笃厚善，每有制作，必先以简察，然后施用。总为詹事时，尝制登宫城五百字诗，当时副君及徐陵以下诸名贤并同此作。徐公后谓江曰：'我所和弟五十韵，寄弟集内。'及江编次文章，无复察所和本，述徐此意，谓察曰：'高才硕学，庶光拙文，今须公所和五百字，用偶徐侯章也。'察谦逊未付，江曰：'若不得公此制，仆诗亦须弃本，复乖徐公所寄，岂得见令两失。'察不获已，乃写本付之。为通人推挹，例皆如此。所著《汉书训纂》三十卷，《说林》十卷，《四聘》《玉玺》《建康三钟》等记各一卷，悉穷该博，并《文集》二十卷，并行于世。察所撰梁、陈史虽未毕功，隋文帝开皇之时，遣内史舍人虞世基索本，且进上，今在内殿。梁、陈二史本多是察之所撰，其中序论及纪、传有所阙者，临亡之时，仍以体例诫约子思廉，博访撰续，思廉泣涕奉行。思廉在陈为衡阳王府法曹参军，转会稽王主簿。入隋，补驻王府行参军，掌记室，寻除河间郡司法。大业初，内史侍郎虞世基奏思廉踵成梁、陈二代史，自尔以来，稍就补续。"

江总赠陈君范书五言诗，以叙他乡离别之意。《陈书·世祖九王传》之《鄱阳王伯山传》附《陈君范传》说："长子君范，太建中拜鄱阳国世子，寻为贞威将军、晋陵太守，未袭爵而隋师至……及六军败绩，相率出降，因从后主入关。至长安，隋文帝并配于陇右及河西诸州，各给田业以处之。初，君范与尚书仆射江总友善，至是总赠君范书五言诗，以叙他乡离别之意，辞甚酸切，当世文士咸讽诵之。"

隋朝

本年

正月，平陈。见《隋书》卷一《高祖纪上》。

获宋齐旧乐，置清商署。《隋书》卷十五《音乐下》："开皇九年，平陈，获宋齐旧乐，诏于太常置清商署以管之，求陈太乐令蔡子元、丁普明等复居其职。"

牛弘等参古律度制乐器。《隋书》卷十六《律历上》："开皇九年平陈后，牛弘，辛彦之、郑译、何妥等参考古律度，各依时代制其黄钟之管，俱经三分，长九寸，度有损益。"

文帝作《广平王雄拜司空册书》。《隋文纪》卷一载隋文帝《广平王雄拜司空册书》："维开皇九年八月朔壬戌，皇帝若曰……"

参考文献

《晋书》，房玄龄等撰，中华书局 1982 年排印本。

《宋书》，沈约撰，中华书局 1987 年排印本。

《南齐书》，萧子显撰，中华书局 1983 年排印本。

《梁书》，姚思廉撰，中华书局 1987 年排印本。

《陈书》，姚思廉撰，中华书局 1982 年排印本。

《魏书》，魏收撰，中华书局 1984 年排印本。

《北齐书》，李百药撰，中华书局 1987 年排印本。

《周书》，令狐德棻等撰，中华书局 1987 年排印本。

《隋书》，魏徵等撰，中华书局 1982 年排印本。

《南史》，李延寿撰，中华书局 1987 年排印本。

《北史》，李延寿撰，中华书局 1987 年排印本。

《旧唐书》，刘昫等撰，中华书局 1986 年排印本。

《新唐书》，欧阳修、宋祁撰，中华书局 1986 年排印本。

《资治通鉴》，司马光编、胡三省音注，中华书局 1986 年排印本。

《通典》，杜佑撰，王文锦等校点本，中华书局 1956 年排印本。

《建康实录》，许嵩撰，上海古籍出版社 1987 年点校本。

《东晋方镇年表》，万斯同，《二十五史补编》（三），中华书局 1955 年 2 月第 1 版。

《晋方镇年表》，吴廷燮，《二十五史补编》（三），中华书局 1955 年 2 月第 1 版。

《东晋将相大臣年表》万斯同，《二十五史补编》（三），中华书局 1955 年 2 月第 1 版。

《补晋书艺文志》，丁国钧撰，《二十五史补编》（三），中华书局 1955 年 2 月第 1 版。

《补晋书艺文志》，文廷式撰，《二十五史补编》（三），中华书局 1955 年 2 月第 1 版。

《晋书艺文志补遗》，丁国钧撰、子辰述注，《二十五史补编》（三），书局 1955 年 2 月第 1 版。

《众家编年体晋史》，乔治忠校注，天津古籍出版社 1989 年 8 月第 1 版。

《十六国春秋》，崔鸿撰，见《二十五别史》，齐鲁书社 2000，年版。

《十六国春秋辑补》，汤球辑，商务印书馆 1958 年 6 月第 1 版。

《晋中兴书》汤球辑，丛书集成本，中华书局 1983 年 8 月第 1 版。

《史通笺记》，程千帆撰，中华书局 1980 年版。

《出三藏记集》，释僧祐撰，苏晋仁、萧炼子点校，中华书局 1995 年版。

《高僧传》，释慧皎撰，汤用彤校注，中华书局 1992 年 10 月版。

《续高僧传》，释道宣，台北财团法人佛陀教育基金会 2003 年版。

《佛祖统记》，释志磐，影印本 江苏广陵古籍出版社 1992 年版。

《云笈七签》，张君房编、李永晟点校，中华书局 2003 年版。

《释氏稽古略》，释觉岸，（台湾）商务印书馆 1969 年版。

《佛祖历代通载》，释念常，（台湾）中华书局 1969 年版。

《法苑珠林》，释道世撰，四部丛刊本。

《弘明集》，僧祐撰；《广弘明集》，道宣撰，上海古籍出版社 1991 年影印本。

《抱朴子内外篇》，葛洪撰，《诸子集成》本。

《真诰》，陶弘景撰，丛书集成本，中华书局 1983 年 8 月第 1 版。

《金楼子》，萧绎撰，《丛书集成初编》本。

《莲社高贤传》 增订汉魏丛书，大通书局石印本。

《西京杂记》，葛洪撰，《四部丛刊》本。

《洛阳伽蓝记校注》，杨衒之著、范祥雍校注，上海古籍出版社 1978 年版。

《颜氏家训集解》，颜之推撰、王利器集解，上海古籍出版社 1982 年 3 月版。

《水经注》郦道元撰、陈桥驿点校，上海古籍出版社 1990 年 9 月版。

《庐山记》，陈舜俞撰，丛书集成初编本，中华书局 1985 年版。

《荆州记》，盛弘之撰，见《玉函山房辑佚书》上海古籍出版社 1990 年 12 月版。

《世说新语笺疏》，余嘉锡撰，中华书局 1983 年 8 月版。

《列子集释》，杨伯峻集释，中华书局 1979 年版。

《全上古三代秦汉三国六朝文》 严可均编，中华书局 1985 年 11 月版。

《汉魏六朝百三家集》，张溥辑，上海古籍出版社 1994 年影印《四库全书》本。

《先秦汉魏晋南北朝诗》，逯钦立辑校，中华书局 1983 年版。

《文选》，李善注，清嘉庆十年胡克家刻本 中华书局 1977 年影印本。

《乐府诗集》，郭茂倩编，中华书局 1982 年 11 月版。

《玉台新咏笺注》，吴兆宜注、程琰删补、穆宏点校，中华书局 1985 年 6 月版。

《陶渊明集校注》，逯钦立校注，中华书局 1999 年版。

《陶渊明集》，王瑶注，人民文学出版社 1956 年 8 月第 1 版。

《谢灵运集校注》，谢灵运撰、顾绍伯校注，中州古籍出版社 1987，版。

《鲍参军集注》，鲍照撰、钱仲联增补，上海古籍出版社 1980，年版。

《文心雕龙注》，刘勰撰、范文澜注，人民文学出版社 1958 年版。

《诗品集注》，钟嵘撰、曹旭注，上海古籍出版社 1994 年版。

《庾子山集注》，倪璠、许逸民校点，中华书局1980年版。

《初学记》，徐坚等撰，中华书局1985年9月版。

《艺文类聚》，欧阳询等撰，中华书局上海编辑所1965年11月版。

《北堂书钞》，虞世南编，中国书店1989年影印本。

《日藏弘仁本文馆词林校证》，许敬宗撰、罗国威整理，中华书局2001年版。

《太平御览》，李昉等编，中华书局1985年影印本。

《文苑英华》，李昉等编，中华书局1982年版。

《沧浪诗话》，严羽撰、郭绍虞校注，人民文学出版社年版。

《诗薮》，胡应麟撰，上海古籍出版社1979年版。

《诗源辩体》，许学夷撰，人民文学出版社1987年版。

《汉魏六朝百三家集题辞注》，张溥撰、殷孟伦注，人民文学出版社1960年版。

《历代诗话》，何文焕辑，中华书局1981年版。

《艺概》刘熙载撰，上海古籍出版社1978年12月第1版。

《历代诗话续编》，丁福保编，中华书局1983年版。

《东晋文艺系年》，张可礼著，山东教育出版社1992年1月第1版。

《东晋南北朝学术编年》刘汝霖著，商务印书馆19321月初版。

《金明馆丛稿初编》，陈寅恪撰，上海古籍出版社1980年8月版。

《金明馆丛稿二编》，陈寅恪撰　上海古籍出版社1980年10月版。

《汉魏两晋南北朝佛教史》，汤用彤撰，中华书局1983年版。

《魏晋南北朝史论丛》，唐长孺撰，三联书店1955年版。

《魏晋南北朝史论丛续编》，唐长孺撰，三联书店1959年版。

《魏晋南北朝史论拾遗》，唐长孺撰，中华书局1983年版。

《魏晋南北朝隋唐史三论》　唐长孺撰，武汉大学出版社1992年12月版。

《四库全书总目》，永瑢等撰，中华书局1983年6月版。

《直斋书录解题》，陈振孙撰，《四库全书》本。

《两晋诗论》，邓仕梁撰，香港中文大学出版社1972年1月版。

《魏晋南北朝文学批评史》，王运熙、杨明撰，上海古籍出版社1989年6月版。

《东晋门阀政治》，田余庆撰，北京大学出版社1989年1月版。

《中古文学史论集》，王瑶撰，上海古籍出版社1982年10月版。

《汉魏六朝乐府文学史》　萧涤非撰，人民文学出版社1984年3月版。

《中国学术史》（三国两晋南北朝卷）王志平著，江西教育出版社2001年第1版。

《八代诗史》葛晓音著，陕西人民出版社1989年第1版。

《莫高窟年表》，姜亮夫著，上海古籍出版社1985年10月第1版。

《中古文学史料丛考》，曹道衡、沈玉成著，中华书局2003年7月第1版。

《魏晋文学史》，徐公持编著，人民文学出版社1999年9月第1版。

《魏晋南北朝文学史料述略》，穆克宏著，中华书局1997年版。

《南北朝隋诗文纪事》，周建江辑校，中州古籍出版社2001年版。

《南北朝文学编年史》，曹道衡、刘跃进著，人民文学出版社2000年版。

《南北朝文学史》，曹道衡、沈玉成著，人民文学出版社 1998 年版。

《魏晋南北朝文学研究》，徐公持著，北京出版社 2001 年版。

《魏晋南北朝文学思想史》，罗宗强著，中华书局 1996 年版。

《北朝文化特质与文学进程》，吴先宁著，东方出版社 1997 年版。

《北朝文学研究》，吴先宁著，文津出版社 1993 年版。

《北朝文学史》，周建江著，中国社会科学出版社 1997 年版。

《陈寅恪魏晋南北朝史讲演录》，万绳楠编，黄山书社 1999 年版

人名索引

后 记

本书撰写分工如下：南朝部分由我执笔，西晋、东晋和北朝部分分别由北京大学中文系的研究生刘占召、施多乐和宋晓晖三位同学撰写。

本书力图通过对魏晋南北朝这段历史上重要的文化政策、作家生平、重要作品的产生、作家间的交游以及与文学创作关系密切的音乐、书法、绘画甚至宗教方面的资料进行编年，试图勾勒出这段文学发展史的"立体交叉"的生动景象。我们的编年还借鉴了《资治通鉴》的体例，尽量精确到月并按月编排，以期达到"年经月纬，一览了如"的效果。（《日知录·作史不立表志》引朱鹤龄的话）

在写作过程中，我们参考了学术界的研究成果。尤其是刘汝霖先生的《东晋南北朝学术编年》、陆侃如先生的《中古文学系年》、张可礼先生的《东晋文艺系年》、曹道衡和刘跃进先生的《南北朝文学编年史》、曹道衡和沈玉成先生的《中古文学史料丛考》等著作，更让我们获益良多。

编年文学史的写作难度很大，既需要对史料有精确的考辨，又需要清晰地呈现出文学发展的脉络。由于我身在澳门大学教课，图书资料深感匮乏；参加编撰者，都独当一面，更限于时间紧迫、水平不高，纰漏之处在所难免，恳请各位方家批评指正。

汪春泓
于澳门大学

图书在版编目（CIP）数据

中国文学编年史. 两晋南北朝卷 / 陈文新主编；汪春泓分册主编. —长沙：
湖南人民出版社，2006.9
ISBN 7-5438-4530-X

Ⅰ.中... Ⅱ.①陈...②汪... Ⅲ.①文学史—编年史—中国—两晋南北朝时期
Ⅳ.I209

中国版本图书馆 CIP 数据核字（2006）第 117582 号

中国文学编年史·两晋南北朝卷

责任编辑： 李建国　胡如虹　曹有鹏
　　　　　邓胜文　张志红　杨　纯　聂双武
主　　编： 陈文新
书名题字： 卢中南
装帧设计： 陈　新
出　　版： 湖南人民出版社
地　　址： 长沙市营盘东路 3 号
市场营销： 0731-2226732
网　　址： http://www.hnppp.com
邮　　编： 410005
制　　作： 湖南潇湘出版文化传播有限公司
电　　话： 0731-2229693　2229692
印　　刷： 中华商务联合印刷（广东）有限公司
经　　销： 湖南省新华书店
版　　次： 2006 年 9 月第 1 版第 1 次印刷
开　　本： 787 × 1094　1/16
印　　张： 38.75
字　　数： 841,000
书　　号： ISBN 7-5438-4530-X/I·447
定　　价： 288.00 元